労働法

LABOR AND
EMPLOYMENT LAW

水町勇一郎

第10版

YUHIKAKU

À une enfant brillante et un gentil arbre

第 10 版 はしがき

2007（平成 19）年 9 月に本書の初版を刊行して以来，定期的に（第 2 版以降は 2 年という周期を決めて）改訂を重ね，今回で第 10 版を迎えることができた。これを一つの区切りとし，近年の労働法の大きな変化を取り込みつつ幅広い読者のニーズに応えるという観点から，本書をリニューアルすることにした。

具体的には，事例 を重要判例・裁判例との連結を意識して大幅に見直し（既存の事例を全面的に見直すとともに 28 の新事例を加えて労働法の重要判例・裁判例のほとんどを 事例 に取り込んだ），本書の構成や項目にも時代に合った変更を加えた（例えば第 3 編第 1 章に労働者の人権の保障，同章 **25** に LGBTQ，第 3 編第 2 章 **21 1** に教育訓練，第 3 編第 3 章 **51** にテレワーク，同章 **52** に副業・兼業，第 3 編第 4 章 **5** にフリーランス，第 3 編第 5 章 **1** に高齢者，同章 **2** に障害者，同章 **3** に外国人，第 6 編第 1 章 **2** に紛争解決制度の特徴をそれぞれ独立した項目として設けた）。また，通常の改訂と同様に，この 2 年間の法令改正（2022 年の職業安定法改正，2023 年の労働基準法施行規則改正，フリーランス保護法制定，LGBT 理解増進法制定など）や判例・裁判例の動き（代表的な判例として山形県・県労委（国立大学法人山形大学）事件判決，国・人事院（経産省職員）事件判決，名古屋自動車学校（再雇用）事件判決など）も幅広くフォローした。この大きな改訂によって，理論的な道筋を明確にしながら労働法の全体像とエッセンスを描き出すという本書の当初の目的が，社会と法のダイナミックな変化を取り込みつつ読者の皆さんにより理解しやすい形で実現できているとすれば，うれしい。

本書のリニューアルにあたり，長谷川珠子さん（福島大学准教授）からたくさんのアイディアをいただいた（その多くは本書に盛り込まれている）。松本奈波さん（福島大学行政政策学類 4 年）には複雑で入り組んだ校正作業を手伝っていただいた。有斐閣の佐藤文子さんの緻密で行き届いた編集作業により，今回の大きな改訂も心穏やかに進めることができた。読者の皆さんも含め，ありがとう。

2024（令和 6）年 1 月　*Vers une prochaine étape*

水 町 勇 一 郎

初版 はしがき

　本書は，労働法の教科書である。

　労働法については，既に多数の教科書が公刊されている。そのなかで，本書は，次のような特徴をもつ書になることを志向して執筆されたものである。

　第1に，労働法の初学者から実務家・研究者まで，幅広く読まれうる書となることである。労働法が対象とする問題は，身近なものであると同時に，複雑な背景をもつことが多い。それゆえ，法律や裁判例の平板な羅列・解説だけでは問題の理解が難しく，問題の核心となる思考にたどりつけないことも多い。本書では，労働法全体を体系的に整理することや，　事例　によって具体的な例をあげることなどを通して，労働法全体の地図のなかでいま自分がどこにいるのかをできる限りわかりやすく示すことに努めた。また，それぞれの論点を執筆するにあたっては，法的思考の起点となる各条文・法理の趣旨と根拠を明らかにし，そこから結論に至るまでの道筋をできる限り理論的に明確に叙述することで，本書を読むことを通じて，労働法の核心にある法的思考に近づいていけるよう工夫を施した。

　同時に，それぞれの論点においては，判例の立場を重視しつつ，その理論的な分析・解説を試みるとともに，それに対する自らの見解を明らかにすることに努めた。そこでは，重要判例だけでなく，最新の裁判例をできる限り多く盛り込み，それらの理論的な位置づけを明らかにすることによって，本書が労働法実務にも理論的な影響をもちうるよう配慮した。さらに，自らの理論的な思考・立場とその根拠をできる限り明らかにすることによって，労働法研究の面でも議論を喚起できるよう心掛けた。

　第2に，労働法の背景にある歴史や社会などの基盤を踏まえた書となることである。労働法は，他の多くの法と同様に，単に現在の社会で生じている多数の問題を表面的に取りあげて処理するという技術的なものではなく，その基盤にある歴史や社会などに規定されながら動態的に変化している法である。それゆえ，労働法をめぐる問題を考察するにあたっては，その基盤にあるものに思いを致すことが重要である。このような視点は，労働法の未来を考えるうえで

決定的に重要な役割を果たす。本書では，労働法の基盤にある歴史や社会について，第1編でかなりの紙幅を割いて体系的に考察し，また，各箇所で　探究　を設けて労働法の基盤や未来に対する本質的な思考を促すことを試みている。ケース・スタディを中心とした法科大学院の授業では，これらの点に直接触れることは必ずしも必要ないかもしれないが，実務的な問題解決の前提として，これらの箇所も自分で読み，労働法の基礎にある思索を深めてほしい。

　本書は，筆者が東北大学法学部・法科大学院・公共政策大学院および東京大学法学部・経済学部で労働法を授業してきた経験をもとに，執筆されたものである。本書には，筆者の試行錯誤とともに，これらの授業に熱心に参加し，質問やアンケートなどを通じて貴重な意見をくれた数多くの学生たちの創意が込められている。また，法科大学院の第1期生で労働法を選択科目として新司法試験に合格した北島みどりさん，冨田成人さん（新第60期司法修習生），法学部や法科大学院で労働法を授業している原昌登さん（成蹊大学法学部准教授），法学部で労働法や社会保障法を授業している柴田洋二郎さん（中京大学法学部専任講師），人事労務管理の研究者である堀田聡子さん（東京大学社会科学研究所助教）には，本書の草稿を丁寧に読んでいただき，それぞれの専門の立場から的確なご指摘・ご教示をいただいた。

　本書の執筆・刊行にあたっては，有斐閣書籍編集第一部の一村大輔さんに貴重なアドバイスと根気強いご助力をいただいた。一村さんという優れた編集者に恵まれたことによって，本書をこのような形で世に出すことができた。

　本書を執筆・刊行するにあたってお世話になった皆さん，および，労働法学の基盤を築きあげてきた先学に，感謝したい。

　2007年7月　雨に打たれる隅田川のほとりで

水 町 勇 一 郎

目　次

はじめに──労働法の性格を知り，その根底にあるものを考える　1

第1編　労働法の歴史と機能──労働法の背景や基盤を知り，その意味を探る

第1章　労働法の歴史　9

第2章　労働法の機能　25

第2編　労働法総論──労働法の全体像と枠組みを知る

第1章　労働法の基本構造　45

第2章　労働法上の当事者　51

第3章　労働法の法源　67

第3編　雇用関係法──労働者と使用者の個別の関係を規律する法

第1章　労働者の人権の保障　113

第2章　雇用関係の変遷　155

第3章　雇用関係の内容　235

第4章　非正規労働者に関する法　337

第5章　高齢者・障害者・外国人に関する法　383

第4編　労使関係法──労働者，使用者と労働組合との集団的な関係を規律する法

第1章　労使関係の基本的枠組み　397

第2章　団体交渉促進のためのルール　433

iv

第5編	労働市場法——求職者と求人者との取引に関する法

第1章　雇用仲介事業の規制　473

第2章　雇用政策法　481

第6編	労働紛争解決法——労働紛争を解決するための法

第1章　日本の労働紛争の特徴　495

第2章　行政による紛争解決システム　499

第3章　裁判所による紛争解決システム　505

むすび——日本の労働法の特徴と課題　511

事 項 索 引　517
判 例 索 引　528

＊第4版まで巻末にあった労働協約例・就業規則例・36協定例は，有斐閣のホーム
　ページに移した（https://www.yuhikaku.co.jp/static_files/24377.shosiki.pdf）。

＊本書刊行（2024年3月）後の最新の法令，判例等について，詳しくまとめた補遺を
　2025年3月に有斐閣のホームページで公開する予定である（https://www.
　yuhikaku.co.jp/static_files/24377_hoi.pdf）。

細 目 次

はじめに——労働法の性格を知り，その根底にあるものを考える——1

  1 労働法の「日常性」……………………………………… 1

  2 労働法の「政策性」……………………………………… 2

  3 労働法の「根源性」……………………………………… 3

  4 労働法の根底にあるもの………………………………… 5

第1編 労働法の歴史と機能——労働法の背景や基盤を知り，その意味を探る

第1章 労働法の歴史——————————————9

  1 労働法の誕生——「集団」の発明……………………… 10

    1 時代背景 10

    2 「労働法」誕生の理由と特徴 12

  2 労働法の発展——「黄金の循環」……………………… 15

    1 20世紀の労働法の背景 15

    2 経済と社会の有機的連動 18

  3 労働法の危機——社会の複雑化とグローバル化 ……… 18

    1 危機の背景 19

    2 労働法の機能不全と修正 20

  4 労働法のいまとこれから——労働法はどこへいくのか？ …21

第2章 労働法の機能——————————————25

  1 労働法の背景にある社会システム……………………… 25

    1 日本的市場システムのなかの日本的雇用システム 25

    1 日本的産業システム（26）　**2** 日本的金融システム
（26）　**3** 日本的雇用システム（27）　**4** 共通の特徴
（31）

    2 社会環境の変化 32

1 人口構造の変化——高齢化・少子化，人口減少（32）
2 労働者の意識の変化——個人主義化（33）　**3** 世界経
済のボーダーレス化・グローバル化（33）　**4** サービス経
済化・情報化・デジタル化（34）

2 社会システムと労働法……………………………………35

1 「柔軟性」の概念　35

2 日本的雇用システムの柔軟性と法　37

1 これまでの枠組み（37）　**2** 変化の方向と課題（39）

第2編	労働法総論——労働法の全体像と枠組みを知る

第1章　労働法の基本構造───────────────45

1 労働法の全体像……………………………………………45

1 労働法の体系　45

2 憲法と労働法　46

2 労働関係の規律構造………………………………………48

1 民法の基本的枠組み　48

2 労働法の基本的枠組み　49

第2章　労働法上の当事者──────────────51

1 「労働者」……………………………………………………51

1 労基法上の「労働者」　53

2 労組法上の「労働者」　57

3 労働契約（労働契約法）上の「労働者」　59

2 「労働組合」…………………………………………………61

3 「使用者」……………………………………………………61

1 労働契約上の「使用者」　62

2 労基法上の「使用者」　65

3 労組法上の「使用者」　66

第3章　労働法の法源───────────────67

1 強行法規……………………………………………………67

細 目 次　vii

1 総説——労働法上の強行法規　67

2 労基法の規制枠組み　68

１ 労基法の特徴とその例外——労使協定・労使委員会決議（68）　**２** 実効性確保の手段（70）

2 労働協約……………………………………………………72

3 就業規則……………………………………………………73

1 就業規則の手続——作成・変更手続　74

１ 作成義務と必要記載事項（74）　**２** 意見聴取・届出・周知（76）

2 就業規則の実体——法的効力　77

１ 他の法源との関係（77）　**２** 就業規則の拘束力——法的性質論（78）　**３** 労働契約の内容の変更と就業規則変更の拘束力（84）

4 労働契約……………………………………………………95

1 労働契約の解釈枠組み　95

2 労働契約上の権利義務　98

１ 基本的権利義務（98）　**２** 付随義務（106）

第3編	雇用関係法——労働者と使用者の個別の関係を規律する法

第1章　労働者の人権の保障 ———————————————————113

1 労働憲章……………………………………………… 113

1 不当な人身拘束の禁止　114

１ 強制労働の禁止（114）　**２** 契約期間の制限（114）　**３** 違約金・賠償予定の禁止（114）　**４** 前借相殺の禁止（116）　**５** 強制貯金の禁止，任意的貯蓄金管理の規制（116）　**６** 寄宿舎における私生活の自由など（117）

2 中間搾取の排除　117

3 公民権の保障　117

2 雇用差別……………………………………………… 118

1 雇用差別をめぐる法状況　118

viii

1 アメリカとヨーロッパの雇用差別禁止法の概要（118）

2 日本の雇用差別禁止法の経緯と課題（119）

2 均等待遇原則（労基法3条）　122

1 要　件（122）　**2** 立証責任（123）　**3** 効　果
（124）

3 男女賃金差別の禁止（労基法4条）　124

1 要　件（124）　**2** 同一（価値）労働同一賃金原則との
関係（126）　**3** 立証責任（126）　**4** 効　果（127）

4 賃金以外の男女差別の禁止（男女雇用機会均等法など）
124

1 募集・採用に関する差別（128）　**2** 配置・昇進・退職
などに関する差別（129）　**3** 男女別コース制・コース別雇
用制（130）　**4** 間接差別（131）　**5** 婚姻・妊娠・出産
等を理由とする不利益取扱い（132）

5 性的指向（LGBTQ）を理由とする差別の禁止（LGBT
理解増進法など）　135

3 人格権・プライバシー……………………………………137

1 いじめ・嫌がらせ（ハラスメント）からの保護　137

1 いじめ・嫌がらせ（ハラスメント）の概念（138）　**2**
事業主のハラスメント防止措置義務（138）　**3** ハラスメン
トの私法上の救済（140）

2 プライバシー・個人情報の保護　144

1 背景と法的枠組み（145）　**2** 具体的類型と判断（145）

4 内部告発の保護…………………………………………150

1 公益通報者保護法による保護　150

2 一般法理としての内部告発者保護法理　152

第2章　雇用関係の変遷──────────────155

1 雇用関係の成立……………………………………………155

1 採用の自由　155

1 選択の自由（156）　**2** 調査の自由（159）　**3** 契約
締結の自由（160）

2 採用内定・内々定・試用　160

1 内　定（160）　**2** 採用内々定（164）　**3** 試用期間

細目次　ix

（165）

   3　労働条件の明示　168

2　雇用関係の展開 ………………………………………………… 169

   1　人　事　169

    1　教育訓練（170）　　**2**　昇進・昇格・降格（172）
    3　配　転（176）　　**4**　出向・転籍（181）　　**5**　企業組織
    の変動──合併・事業譲渡・会社分割・会社解散（185）
    6　休　職（191）

   2　職場規律と懲戒　194

    1　懲戒権（194）　　**2**　懲戒処分の種類（199）　　**3**　懲戒
    事由（202）

3　雇用関係の終了 ………………………………………………… 207

   1　解　雇　207

    1　解雇手続の規制（208）　　**2**　解雇理由の規制（211）

   2　解雇以外の終了事由　224

    1　辞職と合意解約（224）　　**2**　期間の定めのある労働契約
    の終了（230）

   3　終了後の法規制　230

    1　契約の定めに基づく権利義務（230）　　**2**　法律上の定め
    に基づく権利義務（231）

第3章　雇用関係の内容 ─────────────────── 235

1　基本的労働条件 ………………………………………………… 235

   1　賃　金　235

    1　賃金の形態と法（235）　　**2**　賃金請求権（236）
    3　賃金の法規制（248）

   2　労働時間　258

    1　労働時間法制の意義と現状（258）　　**2**　労働時間制度の
    基本的枠組み（260）　　**3**　労働時間制度の特則──労働時間
    の柔軟化（278）

   3　休　暇　286

    1　現行法上の休暇・休業（286）　　**2**　年次有給休暇（286）

2　労働者の安全・健康の確保 …………………………………… 295

_1_ 労働安全衛生　295

_2_ 労災補償　297

❶ 労災補償制度の背景と枠組み（297）　**❷** 労災保険制度
——労災保険による給付（299）　**❸** 労災民訴——使用者へ
の損害賠償請求（309）

3 年少者・女性の保護……………………………………… 316

_1_ 年少者の保護　317

❶ 年齢制限（317）　**❷** 代理契約締結・代理賃金受領の禁
止（317）　**❸** 労働時間・就業制限（317）

_2_ 女性の保護　318

❶ 女性保護政策の経緯（318）　**❷** 危険有害業務・坑内業
務の就業制限（318）　**❸** 産前産後休業（318）　**❹** 労働
時間規制・育児時間（319）　**❺** 生理日の休暇（319）

4 労働と私生活の調和……………………………………… 319

_1_ 育児介護休業法　320

❶ 育児休業（321）　**❷** 介護休業（324）　**❸** 子の看護
休暇（326）　**❹** 介護休暇（326）　**❺** 育児・介護支援措
置を理由とする不利益取扱いの禁止（326）

_2_ 次世代法　331

5 テレワーク，副業・兼業をめぐる法的問題…………… 333

_1_ テレワーク　333

_2_ 副業・兼業　334

第4章　非正規労働者に関する法————————————— 337

1 格差問題をめぐる学説・裁判例の展開………………… 337

_1_ 賃金格差　337

_2_ 優先的な解雇・雇止め　339

2 パートタイム・有期雇用労働者に関する法…………… 340
　　　　　　——パート有期法

_1_ 定　　義　340

_2_ 労働条件の明確化と納得性の向上　341

_3_ パートタイム・有期雇用労働者の待遇の改善　343

❶ 差別的取扱いの禁止（パート有期法9条）（343）

細 目 次　xi

2 不合理な待遇の禁止（パート有期法 8 条）（344）

3 均衡の考慮等（パート有期法 10 条，11 条，12 条）（352）

4 通常の労働者への転換（パート有期法 13 条）（352）

3 有期労働契約の締結・終了・転換に関する法…………… 352
　　──労働契約法など

　1　期間の定めのある労働契約の締結　352

　2　期間の定めのある労働契約の終了　354

　3　有期労働契約の無期労働契約への転換　360

4 派遣労働者に関する法……………………………………… 364
　　──労働者派遣法など

　1　労働者供給の概念と法規制　364

　2　労働者派遣事業の規制　367

　1 労働者派遣事業に対する規制（368）　　**2** 派遣労働者の
　保護（370）　　**3** 派遣労働者の契約の終了（377）

5 フリーランスに関する法…………………………………… 380
　　──フリーランス保護法など

　1　フリーランスの増加とこれまでの法的対応　380

　2　フリーランス保護法の制定　380

第 5 章　高齢者・障害者・外国人に関する法 ──────── 383

1 高齢者に関する法………………………………………… 383
　　──高年齢者雇用安定法など

　1　定年制　383

　2　高年齢者雇用安定法　384

　1 65 歳までの高年齢者雇用確保措置（384）　　**2** 70 歳ま
　での高年齢者就業確保措置（385）　　**3** 継続雇用制度下の待
　遇（386）

2 障害者に関する法………………………………………… 388
　　──障害者雇用促進法など

　1　障害者差別の禁止と合理的配慮義務　388

　2　法定雇用率制度　389

3 外国人に関する法………………………………………… 390
　　──入管法，外国人技能実習法など

　1　入管法上の在留資格と就労　390

$\underline{2}$　外国人技能実習制度　391

$\underline{3}$　「特定技能」制度　392

第4編　労使関係法──労働者，使用者と労働組合との集団的な関係を規律する法

第1章　労使関係の基本的枠組み ──────── 397

■ 労働組合 ……………………………………………………… 397

$\underline{1}$　日本の労働組合・労使関係の実態　397

1 労使関係の構造（397）　**2** 労使関係の変容（398）

$\underline{2}$　労働組合の要件　399

1 労働組合はなぜ法的に保護されているのか？（399）

2 労組法上の「労働組合」の要件（401）　**3** 労働組合の「自主性」（402）

$\underline{3}$　労働組合の組織と運営　403

1 チェック・オフ（403）　**2** ユニオン・ショップ（405）

3 労働組合の自治とその限界（407）

$\underline{4}$　労働組合の組織の変動　410

1 組合財産の帰属と組合の「分裂」（410）　**2** 解　散（411）

■ 団体交渉と労働協約 …………………………………… 411

$\underline{1}$　団体交渉　411

1 団体交渉の法的枠組み（411）　**2** 団体交渉義務の内容（416）　**3** 団交拒否の救済方法（419）

$\underline{2}$　労働協約　421

1 労働協約の意義（421）　**2** 労働協約の規範的効力（422）　**3** 労働協約の債務的効力（429）　**4** 労働協約の終了（430）

第2章　団体交渉促進のためのルール ──────── 433

■ 団体行動権の保障 ……………………………………… 433

$\underline{1}$　団体行動権保障の法的枠組み　433

$\underline{2}$　労働者の団体行動　434

1 争議行為の概念（434）　**2** 団体行動の正当性（435）

細目次　xiii

❸ 争議行為と賃金（442）

_3_ 使用者の争議対抗行為　444

② **不当労働行為の禁止**…………………………………… 445

_1_ 不当労働行為制度の趣旨　445

_2_ 不当労働行為の成立要件　447

❶ 総　説（447）　**❷** 不利益取扱い（451）　**❸** 団交拒否（456）　**❹** 支配介入（456）

_3_ 不当労働行為の救済　460

❶ 労働委員会による救済（460）　**❷** 労働委員会命令の取消訴訟（466）　**❸** 不当労働行為の司法救済（467）

第5編	労働市場法——求職者と求人者との取引に関する法

第1章　雇用仲介事業の規制————————————————— 473

① **規制の趣旨・経緯**………………………………………… 473

② **職業紹介事業の規制**……………………………………… 475

_1_ 職業紹介等の概念と主体　476

_2_ 職業紹介等における基本ルール　477

_3_ 民間職業紹介事業者への規制　478

③ **労働者供給事業の規制**…………………………………… 479

第2章　雇用政策法———————————————————— 481

① **労働市場政策の類型と動向**……………………………… 481

② **消極的労働市場政策**……………………………………… 482
　　　　　　——雇用保険による求職者給付・就職促進給付

_1_ 雇用保険制度と失業等給付　482

_2_ 求職者給付　483

_3_ 就職促進給付　483

③ **積極的労働市場政策**……………………………………… 485

_1_ 雇用保険二事業　485

❶ 雇用安定事業（485）　**❷** 能力開発事業（486）

_2_ 職業能力の開発　487

3 高齢者等の雇用促進　488

4 雇用保険による雇用継続・教育訓練給付　489

1 雇用継続給付（490）　**2** 育児休業給付（490）

3 教育訓練給付（491）

第6編　労働紛争解決法——労働紛争を解決するための法

第1章　日本の労働紛争の特徴 ———————————— 495

1 裁判所利用率の低さ……………………………………… 495

2 紛争解決制度の特徴……………………………………… 496

第2章　行政による紛争解決システム ———————— 499

1 行政による紛争解決システム………………………… 499

2 都道府県労働局長による個別労働紛争の解決促進…… 499

1 総合労働相談　500

2 都道府県労働局長による助言・指導　501

3 紛争調整委員会によるあっせん　502

3 労働委員会による紛争解決…………………………… 502

1 労働争議の調整　502

2 個別労働紛争の相談・あっせん　504

第3章　裁判所による紛争解決システム ———————— 505

1 労働審判手続……………………………………………… 505

2 民事通常訴訟……………………………………………… 508

3 保全訴訟…………………………………………………… 508

4 簡易裁判所による少額訴訟手続・民事調停…………… 508

むすび——日本の労働法の特徴と課題 ———————— 511

1 日本の労働法の特徴…………………………………… 511

1 法規範の内容からみた特徴　511

2 法形式からみた特徴　512

2 課　　題………………………………………………… 514

細目次　xv

事 項 索 引　　517
判 例 索 引　　528

凡　例

1　主な法令・通達等

育児介護休業法	育児休業，介護休業等育児又は家族介護を行う労働者の福祉に関する法律
LGBT 理解増進法	性的指向及びジェンダーアイデンティティの多様性に関する国民の理解の増進に関する法律
外国人技能実習法	外国人の技能実習の適正な実施及び技能実習生の保護に関する法律
科学技術イノベーション創出活性化法	科学技術・イノベーション創出の活性化に関する法律
求職者支援法	職業訓練の実施等による特定求職者の就職の支援に関する法律
均等法	雇用の分野における男女の均等な機会及び待遇の確保等に関する法律（男女雇用機会均等法）
研究開発力強化法	研究開発システムの改革の推進等による研究開発能力の強化及び研究開発等の効率的推進等に関する法律
憲　法	日本国憲法
高年齢者雇用安定法	高年齢者等の雇用の安定等に関する法律
個人情報保護法	個人情報の保護に関する法律
国家戦略特区法	国家戦略特別区域法
国公法	国家公務員法
個別労働紛争解決促進法	個別労働関係紛争の解決の促進に関する法律
最賃法	最低賃金法
裁判員法	裁判員の参加する刑事裁判に関する法律
次世代法	次世代育成支援対策推進法
下請法	下請代金支払遅延等防止法
障害者雇用促進法	障害者の雇用の促進等に関する法律
商法等改正法	商法等の一部を改正する法律（平成 12 年法 90 号）
職安法	職業安定法
職安則	職業安定法施行規則
女性活躍推進法	女性の職業生活における活躍の推進に関する法律

大学教員任期法	大学の教員等の任期に関する法律
地公法	地方公務員法
賃確法	賃金の支払の確保等に関する法律
入管法	出入国管理及び難民認定法
パート有期法	短時間労働者及び有期雇用労働者の雇用管理の改善等に関する法律
働き方改革関連法	働き方改革を推進するための関係法律の整備に関する法律
フリーランス保護法	特定受託事業者に係る取引の適正化等に関する法律
民訴法	民事訴訟法
労安衛法	労働安全衛生法
労基法	労働基準法
労基則	労働基準法施行規則
労契法	労働契約法
労災保険法	労働者災害補償保険法
労組法	労働組合法
労調法	労働関係調整法
労働契約承継法	会社分割に伴う労働契約の承継等に関する法律
労働時間等設定改善法	労働時間等の設定の改善に関する特別措置法
労働者派遣法	労働者派遣事業の適正な運営の確保及び派遣労働者の保護等に関する法律（派遣法）
労働施策総合推進法	労働施策の総合的な推進並びに労働者の雇用の安定及び職業生活の充実等に関する法律
労働保険料徴収法	労働保険の保険料の徴収等に関する法律（徴収法）
若者雇用促進法	青少年の雇用の促進等に関する法律

厚労省令	厚生労働省令
（厚）労告	（厚生）労働省告示
発 基	都道府県労働（基準）局長あて（厚生）労働事務次官通達
基 発	都道府県労働（基準）局長あて（厚生）労働省労働基準局長通達
基 収	（厚生）労働省労働基準局長（が疑義に答えて発する）通達
発 地	都道府県労働（基準）局長あて（厚生）労働省大臣官房長通達
基労補発	都道府県労働局労働基準部労災補償課長あて厚生労働省労働基準局労災補償部補償課長通知

雇児発　　　　都道府県労働（基準）局長あて厚生労働省雇用均等・児童家庭局長通
　　　　　　　知

2　判決等

大　判　　　　　　　大審院判決
最大判　　　　　　　最高裁判所大法廷判決
最（一〜三）小判（決）　最高裁判所（第一〜三）小法廷判決（決定）
高判（決）　　　　　高等裁判所判決（決定）
地判（決）　　　　　地方裁判所判決（決定）
中労委命令　　　　　中央労働委員会命令

3　判決登載誌等

民　録　　大審院民事判決録
民　集　　最高裁判所民事判例集
刑　集　　最高裁判所刑事判例集
集　民　　最高裁判所裁判集民事
労民集　　労働関係民事裁判例集
判　時　　判例時報
判　タ　　判例タイムズ
中労時　　中央労働時報
労　判　　労働判例
労　旬　　労働法律旬報
労経速　　労働経済判例速報
百　選　　村中孝史＝荒木尚志編『労働判例百選〔第 10 版〕』（有斐閣，2022）
　　　　　　＊同誌に掲載されている判決・決定については，＃（判決番号）として示した。

4　ウェブサイト等

裁判所ウェブサイト　　　　　https://www.courts.go.jp/index.html
有斐閣 HP（労働協約例等を　https://www.yuhikaku.co.jp/books/detail/978464124
　掲載）　　　　　　　　　　3774
労働委員会関係命令・裁判　　https://www.mhlw.go.jp/churoi/meirei_db/m_
　例データベース　　　　　　index.html

は じ め に
――労働法の性格を知り，その根底にあるものを考える

まず，次の問題をみてみよう。

事例1

　大学2年生の岩倉さんはカフェ・フロッグでアルバイトをしていたところ，次のような出来事が起こった。

　①火曜，金曜，日曜の週3日勤務と言われていたのに，勝手にシフトを変えられて，土曜日の伊藤さんとのデートに行けなくなった。

　②趣味のキャンプに出掛けるために2日間だけ休ませてくださいとお願いしたら，店長の中野さんから「そんなの無理。お店の状況をみたらそんなことぐらいわかるでしょ」と言われた。

　③お店に自転車で向かっている途中，道を歩いていたイケメンについつい目が行ってしまい，段差にハンドルをとられて転倒し，骨折した。

　④「もうこんなお店，辞めます」と中野店長に言ったら，「忙しくって人手が足りないのはわかってるでしょ。辞めたいなら次の人をみつけてきて」と言われた。

　こんなとき，岩倉さんはどうすることもできないのだろうか？

1　労働法の「日常性」

　このケースを法的にみた場合，どのような問題があるのだろうか。さしあたり，①勝手にシフトを変えられても出勤しなければいけないのか，②アルバイトは休みを取ることはできないのか，③出勤の途中で事故にあっても補償はないのか，④代わりの人をみつけないと勝手に辞めることはできないのかといった問題が考えられよう。また，⑤困ったときはどこにいけば相談に乗ってもらったり助けてもらうことができるのかも重要な問題になるだろう。法的な言葉を使うと，ここでは，①契約内容の変更の有効性，②年次有給休暇の権利（特に時季指定権と時季変更権の行使），③労働災害（特に通勤災害）の補償，④労働者

I

の辞職の自由, ⑤労働紛争の解決方法が問題となっている。

　これらの問題が, 具体的にどのように取り扱われ, どのように解決されるかは, 本書のなかの具体的な説明に譲るとして, ここではまず, 労働法が問題となる例としてこのようなケースがあること, そして, 労働法は, このケースからもわかるように, 人びとの日常生活（特に働いている場面）に深くかかわるものであることを理解してもらえれば足りる。労働法とは, 働く人（労働者）と会社（使用者）との間の労働をめぐる関係を取り扱う法であり, 人びとの日常にかかわる側面（「日常性」）を有しているのである。

2 労働法の「政策性」

　労働法は同時に, 国（あるいは世界）の経済や社会のあり方に密接にかかわる側面（「政策性」）を有している。経済学の祖とされるアダム・スミスは, 『国富論』（1776 年）において, 各個人が自由に労働しそれによって生み出された商品を自由に交換することによって国民全体の富の増大が得られるとした。その後 200 年以上を経た今日においても, 労働やその取引のあり方をどのようなものとするかは, その国の経済の発展と結びついた重要な政策課題の 1 つとされている。

　今日の日本では, 「働き方改革」が進められている。その背景には, 正社員を中心とした長時間労働, 過労死・過労自殺やメンタルヘルス問題, ワーク・ライフ・バランスの欠如といった問題の深刻化があった。その反面では, 正社員以外のパート・アルバイト, 契約社員, 派遣社員, ギグ・ワーカー, フリーランスといった人たちが, その働きぶりに見合った処遇を受けられず, 安定した生活を送れないという問題も生じている。これらの問題に起因して, 晩婚化・少子化が進行し, 労働生産性や働きがい（ワーク・エンゲージメント）が低下するという問題も深刻化している。これらの相互に密接にかかわりあっている問題は, それぞれの場面をひとコマずつ切り取って現行法の解釈の問題として単純に解決できる性質のものではなく, より広い視野に立って政策的な判

---

1 ）　①については p95 **_1_**, p85 **1**, ②は p286 **2**, ③は p307 **4**, ④は p224 **1**, ⑤は p499 第 2 章と p505 第 3 章を参照。

断・対応をすることが求められる問題でもある。このような問題への対処法を考える際には，実態を知るための経済学や社会学の知見と，比較という視点から分析を行うための比較法学の知見が重要な役割を果たす。

3 労働法の「根源性」

労働法はまた，人間や社会のあり方そのものにかかわる根源的な側面（「根源性」）もあわせもっている。次の問いについて考えてみよう。

探究 1
「労働」は「喜び」か「苦しみ」か？

そもそも労働は，人間社会にとってどのような意味をもつものと考えられてきたのか。

ヨーロッパ文明の原点である古代ギリシャでは，必要に迫られて行われる物質的な諸活動は，動物が生存するために行う活動と同様に，不自由で卑しい活動であると考えられていた。そこでは，労働とは対照的に，「哲学し，美しいものを眺め，政治的活動を実践する」という非物質的な活動こそが，真に自由で人間的な活動であると考えられていたのである。このように労働を「人間的な自由」の対極にあるものと捉えてこれを蔑視する古代ギリシャの労働観は，ローマ帝国の支配を経て中世の終わりに至るまで，西欧社会で長く生き続けることになる。ローマ帝国の下で発展をみたキリスト教（特に旧約聖書の「創世記」の厳格な解釈）においては，労働はそもそもアダムが犯した罪に対して神によって科された罰（punition）とされていた。[2]

16世紀にはじまった宗教改革によって，これとは異なる労働観も広がっていった。新教徒（プロテスタント）の間では，禁欲的に生きること，神から与えられた職業（天職）に勤しむことによって，神の救いの確証が得られるものと考えられ，まじめに働くこと自体に価値が見出されたのである。いち早く産業革命がおこり近代資本主義が急速な発展をみたのは，この新たな労働観が社会

2）ハンナ・アレント（志水速雄訳）『人間の条件』（筑摩書房，1994），ドミニク・メーダ（若森章孝＝若森文子訳）『労働社会の終焉——経済学に挑む政治哲学』（法政大学出版局，2000）など。

はじめに　3

的に浸透したイギリスとアメリカにおいてであった。勤労を奨励するプロテスタンティズムの倫理と近代資本主義の誕生との関係を明らかにしたのは，近代社会学の創始者とされるマックス・ウェーバーである[3]。

近世（江戸時代）の日本では，労働は日本独特のイエの理念と結びつけられ[4]，「家業」として観念・認識されていた。これは，家族の生活手段を得るための「生業（なりわい）」としての側面とともに，社会（世間）に対して自らの役割を果たすという「職分」の側面をもち，この2つの側面が相互に浸透・並存しあう形で，日本に固有の労働観が形成されていたのである[5]。「家族のため世間のために働く」ことを天職とするこの労働観は，明治維新以降日本が近代化を推進していく大きな力にもなった。明治維新によって世襲的な身分制の枠から解放された庶民層が，新たにイエを築き，立身出世して世に貢献することを目指して，懸命に働こうとするエネルギーが，日本の近代化を推し進める1つの大きな源泉となったのである[6]。この日本的なイエ——そこには家族だけでなく準イエとしての企業共同体も含まれる——と結びついた労働観は，仕事を生きがいとし会社での人間関係を重んじる意識として，今日の日本でも部分的には生き延びている（p33 **2**）。

このように，労働を「苦しみ（罰）」と捉えるか「喜び（天職）」と捉えるか

3） マックス・ヴェーバー（大塚久雄訳）『プロテスタンティズムの倫理と資本主義の精神』（岩波書店，1989）。

4） 日本の伝統的なイエは中国の伝統的な家族とも異なる特徴をもっていた。伝統中国の家族が社会に対して自立的で自己充足的であったのに対し，日本の伝統的なイエは社会機構のなかに機能的に組み入れられたものであり，社会に対して果たす役割・機能（家業）から声望（家名）を引き出すという特徴をもっていたのである。日本の伝統的なイエは，単なる生活共同体というだけでなく，広い意味で一個の企業体としての性格を有していた（滋賀秀三『中国家族法の原理』（創文社，1967），渡辺浩『近世日本社会と宋学』（東京大学出版会，1985））。

5） 「職分」を遂行するという点では，武士も農民，工人，商人も同一の観念の下に位置づけられていた。荻生徂徠の「全人民役人」論や石田梅岩の「四民の職分」論は，この日本の「職分」観を表すものである。しかし，この近世日本の「職分（天職）」観は，個人の職業選択の契機を内包していたプロテスタンティズムの「職業（天職）」観とは異なり，世襲的な階層秩序を前提としそこで所与のものとされていた身分を天職としていた（その意味で所与の世襲的身分を正当化・固定化する役割を果たしていた）という点には注意が必要である（平石直昭「近世日本の〈職業〉観」東京大学社会科学研究所編『現代日本社会(4) 歴史的前提』33頁以下（東京大学出版会，1991））。

6） 柳田國男『明治大正史(4) 世相篇』（朝日新聞社，1931），神島二郎『近代日本の精神構造』（岩波書店，1961），村上泰亮＝公文俊平＝佐藤誠三郎『文明としてのイエ社会』（中央公論社，1979）など。

は，人びとの宗教観や社会観にもかかわる大きな問いであると同時に，人間社会のあり方や帰趨を左右する重要な問題でもある。この点は当然，労働法のあり方にも大きくかかわってくる。

4 労働法の根底にあるもの

　以上のように，労働は，その本質的な性格として，次の2つの側面をもっている。

　第1に，人間が生活していくうえで必要な社会的な結びつき（社会的紐帯や連帯とも呼ばれる）を基礎づける1つの媒体となるとともに，アダム・スミスが述べていたように，経済的な価値を生み出す源泉となるという性格である。人間は，職場で上司や同僚と働くことによって，他者とのつながり（社会性）を得ることができる。また，働くことによって富を生み出し，生活していくためのお金や資源を得ることもできる。その意味で，労働は「社会性」や「経済性」をもつものといえる。

　第2に，その反面として，労働は，他者の指示・命令に従ってなされることが多いという性格と，生活に必要なお金を稼ぐためにまたは国の経済成長のために働くという，経済のための手段という性格をもっている。例えば，会社からの命令に反して自分の思うままに仕事をすることは許されないことが多い。また，働かずに趣味に生きたいと思う人でも，生きていく糧を得るため，あるいは，国の就労促進政策の一環として，働かざるを得ない場合がある。その意味で，労働は「他律性」や「手段性」をもち，それ自体を目的として自由に行う活動とはいいきれない側面をもっている。

　この労働の二面性から，次のことがいえる。

　第1に，労働の「社会性」や「経済性」を重視し，その「喜び」としての側面を強調しすぎると，人間としての自律性や生きる目的が見失われるおそれがある。働きすぎのなかで働く意味や自己の存在意義を見失っていく現象は，その一例である。

　第2に，労働の「他律性」や「手段性」を問題視し，その「苦しみ」としての側面を強調しすぎると，社会的な結びつきや経済的な基盤を失うおそれがあ

はじめに　5

る。働く機会がなく労働とともに社会とのつながりを失う現象や，国民がまじめに働かないためにその国の経済が停滞する現象は，その例といえる。

　労働をめぐる現実の問題の多くは，これらの側面が絡みあう形で生じている。労働に内包されたこれらの性格をどのように捉え，どのように社会を設計していくかを考えることが，労働法の根底にある最も基本的な問いである。

　デートやキャンプの魅力をとるか，働くことで得られるお金や職場での人間関係をとるか。岩倉さんにとっても，法に携わる者にとっても，悩ましい問題である。

第1編

労働法の歴史と機能

労働法の背景や基盤を知り，
その意味を探る

第 1 編

第 1 章 労働法の歴史

　人間は昔から労働していた。しかし，労働を規制する法は昔からあったわけではない。法規制の前提となる統一的な「労働」概念が存在していなかったからである。労働は長い間，建築工，鍛冶，鋳物師，荷役人夫，飛脚，御者，薬草師，髪結い，大道芸人など，それぞれ異なる多種多様な作業・活動（それを行う具体的な人間）と捉えられており，領主・地域・家族や同業組合などの人的なつながりによって規律される内部関係という性格を強くもっていた（それゆえ国家という外部からの規制の対象になりにくかった）。これらの多様な作業・活動が「労働」という 1 つの概念で包括的に捉えられるようになったのは，アダム・スミスが『国富論』によって経済学の道を拓いた 18 世紀後半であったといわれている。[1]

　もっとも，アダム・スミス以前に労働者を規制する法がなかったわけではない。例えば，イギリスでは生計手段を持たない者の就労強制や農業労働者の契約期間満了前の離脱禁止を定めた 1349 年の労働者勅令，アメリカでは職人や肉体労働者の仕事完了前の離脱禁止を定めた 1632 年のヴァージニア法，フランスでは労働者による結社・陰謀および離職証明書なき職場離脱を禁止した 1749 年国王勅許状などが発令・制定されていた。[2] しかし，これらの法は，今日の労働法とは異なる性格をもつものであった。これらは，労働者の土地への固定化や労働者による騒乱の防止など，旧来の封建的秩序を維持するための警

1）　カール・ポラニー（吉沢英成ほか訳）『大転換——市場社会の形成と崩壊』57 頁以下（東洋経済新報社，1975）。

2）　石田眞『近代雇用契約法の形成』25 頁以下（日本評論社，1994），水町勇一郎『集団の再生』11 頁以下（有斐閣，2005），同『労働社会の変容と再生』8 頁以下（有斐閣，2001）など。日本では人身売買を禁止した 1587（天正 15）年の朱印状，年季制限を廃止した 1698（元禄 11）年の奉公年季制限撤廃令などが発令されていた（水町勇一郎『詳解労働法〔第 3 版〕』3 頁以下（東京大学出版会，2023）およびそこに引用されている諸文献参照）。

9

察規制という性格を強くもつものであり，国家が労働者に社会的な保護を与えるという目的で定められたものではなかったのである。

では，今日の労働法と同様の性格をもつ法，すなわち，労働を統一した概念で捉えこれに国家が社会的な保護を与える法は，いつ生まれたのか。それは19世紀のことである。まず，その当時の社会の状況をみてみよう。

1 労働法の誕生──「集団」の発明

1 時代背景

文献 1

　徐々に追い詰められている労働者たちは，常に雇用されているという安定さえ得てない。彼女たちを呼び集めた工場は，必要なときにだけ彼女たちを呼び寄せ，必要がなくなった途端に何の気遣いもなく彼女らを見捨てるのである。……工場は……人間をまるで物質・材料であるかのようにその歯車のなかで押しつぶしながら，農村を過疎化させて，人々を息の詰まる空間へ密集させ，その精神を抜け殻にしてしまい，そして，必要がなくなると，工場を繁栄させるためにその力，その若さ，その生涯を犠牲にしてきた人々を路頭に迷わせてしまうのである。……実際に，当時の工場では，採光も通気も悪く，労働災害や職業病も頻発しており，1日の労働時間は12時間から15時間で，祝日や休暇はなく，場合によっては日曜休日もなく，継続して働かされるという劣悪な状況がみられていた。（水町勇一郎『労働社会の変容と再生』47頁以下（有斐閣，2001））

文献 2

　生活費は，賃金の騰貴とは全然くらべものにならぬほど騰貴しようとしていた。すなわち，1860年から1865年までに，賃金は43％騰貴したが，物価は実に116％も騰貴した。こうして労働者の購買力，つまり実質賃金が急激に切下げられる一方，生産を増大するために新しいスピード・アップの技術が採用されようとしていた。こうした労働者の負担にくわえて，労働時間はながかった。1日の平均労働時間は11時間だったが，1日12時間ないし14時間の労働も決して特別のことではなかった。……大財産が蓄積されるのと平行して，スラムも拡大しようとしていた。膨張してゆく都市のますますひろがってゆく棟割長屋では，家賃は2倍になり，10人ないし12人がひとつの部屋でねむっていた。（R・O・ボイヤー＝H・M・モレース（雪山慶正訳）『アメリカ労働運動の歴史Ⅰ』27頁（岩波書店，1958））

10　第1編　労働法の歴史と機能

> ### 文献 3
>
> 　紡績工場においては昼夜交代の執業方法により，その労働時間は 11 時間または 11 時間半（休憩時間を除く）なるを通例とす。而して職工の男女を問わず年齢の長幼にかかわらずことごとく同一に労働せしむるは言を俟たず。
>
> 　始業および終業の時刻については，昼業部は午前 6 時に始めて午後 6 時に終り，夜業部は午後 6 時に始めて翌日午前 6 時に終るを通例とす。ただし時季により多少の変更ありとす。また業務の都合により居残り執業をせしむること多し。通例 2，3 時間なれども夜業部の職工欠席多きときの如きは，昼業職工の一部をして翌朝まで継続執業せしむることなきにあらず。加之業務繁忙の場合には昼夜交代に際して，夜業者をして 6 時間位居残り掃除せしめ，昼業者をして 6 時間位早出掃除せしめ，結局 18 時間を通し労働せしむることあり。（犬丸義一校訂『職工事情（上）』35 頁（岩波書店，1998））

　これらは，それぞれ 19 世紀中盤のフランス，アメリカ，そして 20 世紀初頭（1901 年前後）の日本の労働者の実態についての記録である。なぜこのような事態が生じたのか。そこには大きく 2 つの背景があった。

　1 つは，市民革命（日本では明治維新以降の近代化政策）によって広がっていった市民法秩序である。当時の先進諸国は，アメリカ革命（1763〜1789 年）によって「自由で平等な市民」という精神が社会に広がり，また，フランス革命を経て制定されたナポレオン法典（1804 年）によって「自由で平等な個人」の間の「契約」に基づく社会という法秩序が築かれるなど，個人の自由に基づく契約社会が形成されていった時代であった。[3] この市民法秩序は，一方では，それ以前の封建的な規制・束縛から個人を解放するという側面をもっていた。しかし，これは同時に，人びとからかつての伝統的共同体における保護・安定を奪うことをも意味していた。人びとは地域や同業組合など中間集団（国家と個人の間に介在する集団）から得られていた社会的なつながりを失う危険にさらされたのである。

　もう 1 つは，産業革命とそれに伴う工業化・都市化の本格的な進展である。

3）　日本では 1890（明治 23）年に，契約に基づく社会の基盤を形成しようとする初めての民法（旧民法）が公布された。しかしこれには施行反対論が起こり，旧民法の施行は延期された。その後，1896（明治 29）年および 1898（明治 31）年に旧民法を修正して編纂された民法典が公布され，1898（明治 31）年に施行されるに至った。

第 1 章　労働法の歴史　11

それ以前の労働は，例えば物を製造する作業についても，小規模の作業場で親方と熟練職人や徒弟とが声をかけあって行う家族的・共同体的な色彩をもつことが多かった。このかつての人間的な労働関係は，産業革命が進展していくなかで，次第に大企業家とその工場で働く大量の非熟練労働者という関係に移り変わっていった。農村という生活拠点を離れて都市の工場街に移ってきた者や，それまで小規模の作業場で培ってきた熟練が市場価値を失い大工場で単純な作業に従事せざるを得なくなった者など，不安定な雇用状況や劣悪な労働条件・労働環境で働くことを余儀なくされる人が増加していったのである。このような現象は，当時の先進諸国にある程度共通してみられるものであった。

2 「労働法」誕生の理由と特徴

ではなぜ，市民法と工業化が結びついたときに，このような事態が生じることになったのか。その根本的な理由は，労働を契約（自由な取引）の対象に委ねようとする考え方が生まれた——その結果「雇用契約」または「労働契約」という概念が生成していった——ことにあった。

そもそも労働には，他の契約の対象とは異なり，契約の自由に委ねておけないいくつかの重要な特徴がある。

第1に，労働契約は働く人間そのものを取引の対象とするという側面をもつ。したがって，契約の内容によっては，労働に内在する人間性——労働者の肉体や精神——が侵されてしまうことがある。

第2に，労働力以外に財産をもっていないことが多いという「労働者の無資力性」や，今日の労働力は今日売らないと意味がないため買いたたかれやすいという「労働力の非貯蔵性」ゆえに，労働者は経済的に弱い地位に立たされることが多い。そのため，自分が心から望んでいない条件でも同意（契約）を事実上強いられることがある。

第3に，労働をする際には他者（使用者）から指示や命令（指揮命令）を受けることが多い。その点では，労働者個人の自由（自らの判断で行動する自由）が事実上奪われているともいえる。

これらの特徴をあわせもつ労働契約を個人の自由に委ねておくと，その特徴に由来するさまざまな弊害が生じかねない。それが社会的に一気に顕在化した

のが，19世紀から20世紀にかけての工業化の時代であった。かつての社会的なつながりや熟練の価値を失った財産をもたない大量の非熟練労働者（「人間」）が，自由で平等な個人による契約社会という法的フィクション（実際には自由で平等ではないのにそう捉えられる擬制）の下で，「物」と同様に自由な取引の対象とされ，非人間的に取り扱われるという事態が，工業化の進展に伴い各国でみられるようになったのである。このような事態が顕在化し深刻化するなかで，そこに現れた労働者の肉体的・経済的危険と人間的不自由を是正する技法として発明されたのが，「集団」法としての「労働法」であった。

　労働法は，市民革命がもたらした「個人の自由」を修正する技法として，次の2つの点で，法の世界に集団的次元をもたらした。1つは，労働時間規制（*Column 1*），社会保険制度など，労働者に一律に与えられた「集団的保護」である。これらは，労働者を危険・過酷な労働や生活の不安定さから守るという観点から，法律が定める最低基準に違反する契約は違法無効とする，契約にない義務を法律上課すなどの方法で契約自由の原則に制約を課し，労働者に人間的な保護を与えようとするものであった。もう1つは，労働者が団結して使用者と団体交渉をし，その際にストライキ等の団体行動をとることを認める「集団的自由」（*Column 2*）である。これは，労働契約という法的フィクションの下で実際上自由を奪われていた労働者に対し，集団として自由を行使することを認め，労使の事実上の力関係の差を是正しようとするものであった。

　Column 1　労働法の誕生〔その1〕──労働時間規制　　19世紀には，イギリスの1802年工場法，ドイツ（プロイセン）の児童労働保護に関する1839年規定，フランスの年少者労働時間規制に関する1841年法などを嚆矢として，年少者と女性を対象に労働時間や休日・深夜労働を制限する立法が各国で定められた。この19世紀の労働時間規制の主たる目的は，将来労働力や兵力となる子どもと子どもを産む女性を保護すること（労働力再生産機能の保護）にあったが，20世紀になると，年少者や女性にとどまらず，労働者一般を対象とした労働時間規制が展開されるようになる。工業化の進展が欧米列強より遅れた日本では，1911（明治44）年の工場法で初めて女性や年少者（「保護職工」）を対象とした労働時間規制が定められ，その後労働者一般を対象とした労働時間等の規制が定められたのは，第2次大戦後（1947（昭和22）年労働基準法）であった。

4）　社会保険制度を世界で初めて確立したのは，ドイツのビスマルクによる1880年代の一連の立法（1883年法〔疾病保険〕，1884年法〔労災保険〕，1889年法〔老齢保険〕）であった。
5）　渡辺章「工場法史が今に問うもの」日本労働研究雑誌562号101頁以下（2007）。

アメリカでは，1840 年代から州レベルで年少者や女性の労働時間を規制する法律が定められていた（代表例は 1842 年マサチューセッツ州法）。しかし，南北戦争後に設けられた合衆国憲法第 14 修正のデュープロセス条項に実体的デュープロセス（契約の自由）の保障も含まれると解釈されるようになり，これらの労働者保護立法は契約当事者の自由を侵害するゆえに違憲無効であるとの連邦最高裁判決が，19 世紀末以降相次いで出された。この連邦最高裁の保守的性格が覆され，労働者保護立法の合憲性が広く認められるようになったのは，最低賃金や時間外労働賃金等の一般的な規制を定めた公正労働基準法（連邦法）が制定され（1938 年），Darby 事件判決でその合憲性が承認された（1941 年），1930 年代後半以降のことである。

Column 2 労働法の誕生〔その 2〕——団結権，団体交渉権，団体行動権の保障　　例えば，フランス革命のなかで制定された 1791 年ル・シャプリエ法は，労働者や使用者の団結を刑事罰によって禁止し，同業組合などの中間団体によって個人の自由が制約されるという旧体制下の集団的な束縛を撤廃しようとした。その後 70 年以上を経て制定された 1864 年法は，ル・シャプリエ法以来の「団結罪」を廃止して，労働者や使用者が団結しても刑事法上罪を問われないものとし，1884 年法（ヴァルデク゠ルソー法）は，労働組合等の職業団体に対して結社の自由や法人格を承認した。さらに，1919 年法は，労働組合と使用者が締結する労働協約に契約としての効力を超える強行的効力を認め，1936 年法は，労働協約を協約締結組合の構成員以外にも適用可能なものとする協約の拡張適用制度を定めるに至った。

アメリカでは，19 世紀初め，職人たちが行っていたストライキはコモンロー上の共謀罪にあたるとされていたが，1842 年のマサチューセッツ州 Hunt 事件判決が労働者の団結活動に対する共謀罪の適用を厳格に解釈して以降，労働者の団結活動に刑事罰を科す動きは下火になった。しかし，1880 年代以降，労働者のストライキやピケッティングが頻発し，使用者が裁判所に損害賠償や差止命令（labor injunction）を求める民事訴訟を提起するようになると，裁判所はコモンロー上の民事共謀にあたるなどの理由で，組合活動に対する差止命令を多発した。これに対し，1932 年のノリス・ラガーディア法は，裁判所が労働紛争に関し差止命令を出すことを制限し，さらに 1935 年全国労働関係法（ワグナー法）が，労働者の団結・団体交渉権・団体行動権を保障することを明らかにしつつ，団体交渉制度と不当労働行為制度を定めるに至った。

日本でも，労働組合運動が台頭した当初は，治安警察法（1900（明治 33）年）などによって厳しい規制・抑圧の対象とされた。しかし，1920（大正 9）年以降は，労働組合の承認・育成を図ろうとする労働組合法案が政府や諸政党からさまざまな形で提出されるようになる。この戦前の努力は法律の成立という形では実を結ばなかったが，そこで積み重ねられた議論が土台となって，終戦直後の 1945（昭和 20）年 12 月，わが国で初めて労働組合を法的に承認した労働組合法が制定されるに至った。その後 1949（昭和 24）年には，連合国総司令部のイニシアチヴの下で，労働組合の自由設立主義化，不当労働行為制度の行政救済方式化等を定める労組

---

6 ）　United States v. Darby, 312 U. S. 100 (1941).

7 ）　Commonwealth v. Pullis, Philadelphia Mayor's Court (1806), 3 Commons & Gilmore, A Documentary History of American Industrial Society 59 (1910).

8 ）　Commonwealth v. Hunt, 45 Mass. (4 Met.) 111 (1842).

法の大改正が行われた。

　このようにして，19 世紀中盤から後半にかけて，集団的保護と集団的自由を 2 つの柱とする集団法としての労働法の原型が，ヨーロッパを中心に誕生した。

2　労働法の発展——「黄金の循環」

　19 世紀に誕生した労働法は，20 世紀になると（特に 1930 年代以降），経済成長と結びつきながら大きな発展を遂げていく。その構造を探るために，当時の状況について述べた次の文章をみてみよう。

1　20 世紀の労働法の背景

文献 4

　（ニューディール政策の目的の）ひとつは，大恐慌の要因となった過少消費の克服であった。1920 年代の自動車，電気製品をはじめとする大量生産・大量消費ブームのなかで工業製品の生産量は大きく伸びていったが，労働者の実質賃金はそれほど上昇せず，同時に貧富の差も拡大傾向にあったため，1920 年代の後半には消費が過剰な生産に追いつかなくなっていった。そして 1929 年に大恐慌に突入すると，多くの企業は賃金や雇用を維持できず，消費の冷え込みがさらなる不況をもたらすデフレ・スパイラルの状態に陥った。この自由放任資本主義に内在する構造的な問題を克服するために，Roosevelt 政権は労働者層の購買力を引き上げることを主眼とした改革を行ったのである。この原ケインズ主義的政策を展開するうえで鍵となった言葉は「保障（security）」であった。Roosevelt 自身，「われわれのさまざまな目標のなかで，わたしはこの国の男性，女性，子どもたちの保障を第 1 に位置づける」と宣言し，また，「未来に向けての崇高な目標は，ひとつの言葉で要約されうる。それは『保障』である。これは単に侵略者による攻撃に対して安全を確保する肉体的保障を意味するだけでなく，経済的保障，社会的保障，精神的保障をも意味するのである」とも述べている。1935 年の社会保障法や 1938 年の公正労働基準法は，このような政策の一環として制定されたものであった。（水町勇一郎『集団の再生』79 頁以下（有斐閣，2005））

文献 5

　（1936 年に成立した人民戦線政府による改革の）意義は，労働法が失業対策・経済

第 1 章　労働法の歴史　　15

政策の一環としての性格をもつようになったことにある。そもそも，週48時間から週40時間への労働時間短縮は，経済不況のなかで高まっていた失業率をワーク・シェアリングによって抑制するという失業対策の側面を併せもつものであった。また，大幅な賃上げ，有給休暇の保障，週40時間制，労働協約の拡張適用，労使紛争の義務的調停・仲裁等のレオン・ブルムの一連の社会政策・労働立法は，国民（労働者）の購買力を高めることによって経済の回復を図ろうとする積極的経済政策の一環として行われたものであり，アメリカのルーズヴェルトによるニューディール政策と共通性をもつものであった。このように，1930年代以降の労働法は，労働者の保護・解放を図るための法であると同時に，経済政策の一環として一国の経済・社会を誘導・牽引するための法という性格をも併せもつことになる。（水町勇一郎『労働社会の変容と再生』90頁以下（有斐閣，2001））

　これらは，それぞれ1930年代のアメリカとフランスの経済政策の状況について解説したものである。これらの文章に象徴されるように，20世紀の労働法は国の経済政策の一環としても位置づけられるようになる。その背景には，次のような当時の社会的・思想的状況があった。

　第1に，生産管理システムとしてテイラー主義が普及したことがあげられる。1895年，アメリカのフレデリック・W・テイラーは，生産過程を細分化し，各作業を徹底した時間管理・動作管理の下に置くことによって，生産・経営の効率化を図ることを推奨した。テイラー主義と呼ばれるこの科学的管理法は，生産過程を合理化することに大きく貢献し[9]，大量生産体制を世界的に普及させる大きな原動力となった。この科学的生産管理システムが普及していくなかで，「大工場のなかの1つの歯車」として流れ作業に従事させられる労働者が増加していった。

　第2に，そのような時代の社会思想として「連帯」や「産業民主主義」という考え方が台頭していった。例えば，フランスの社会学者エミール・デュルケームは，19世紀末から20世紀初めにかけて，細分化された諸個人の自由や欲望が増大することによって社会が規律のない状態に陥ることを避けるためには，

9）　例えば，アメリカの自動車会社であるフォード社では，1913年から14年にかけて，組立工程を従来の固定組立方式からベルトコンベアで車台を移動させて部品を装着する移動組立方式に変更し，自動車1台の組立作業時間を14時間から93分に短縮することに成功した。さらに同社は，いっそうの技術改良を加え，1925年にはその時間を10分に短縮した（有賀貞ほか編『アメリカ史2——1877年〜1992年』232頁（山川出版社，1993））。

16　　第1編　労働法の歴史と機能

個人と個人の間の有機的連帯こそが重要であるとする連帯理論を説いた。それ[10]
と同じ頃、アメリカでは、自由放任資本主義がもたらした貧富の格差等の惨状
を是正するため、あるいは、経営の効率性を高めるには、労働者と対話するこ
とが重要であるとの認識から、政治の場だけでなく職場にも民主主義を取り入
れるべきであるとする産業民主主義の考え方が台頭した。

　第3に、経済思想としても、18世紀後半にフランソワ・ケネーやアダム・
スミスによって提唱され19世紀に支配的となった自由主義思想とは異なる、
新たな経済思想が台頭した。イギリスの経済学者ジョン・メイナード・ケイン
ズは、1936年に『雇用、利子および貨幣の一般理論』を公刊し、自由放任資
本主義に内在する構造的問題を克服するためには、国家の積極的な市場介入に
よって完全雇用を実現し有効需要（購買力）を高めていくことが重要であると
の理論を展開した。ケインズ主義と呼ばれるこの新たな経済思想は、1930年
代のアメリカやフランスで展開された経済社会政策（ 文献4 、 文献5 ）と共
通する考え方に立つものであり、戦後の復興・経済成長期には、各国の経済政
策の展開に大きな影響を与えるものとなった。

　これらの社会的・思想的背景のなかで、1つの標準的な労働者像が描き出さ
れた。それは「工場で集団的・従属的に働く均質な労働者」であり、これに対
し国家（いわゆる「福祉国家」）が集団的・画一的な形で保護を与えるというの
が、20世紀の労働法の基本的なあり方であった。[11][12]

---

10)　デュルケーム（田原音和訳）『現代社会学体系2・社会分業論』（青木書店、1971）など。

11)　現在の労働法にあたるものは、19世紀には社会法（Sozialrecht）や産業立法（législation in-
　　dustrielle）と呼ばれていたが、20世紀に入ると「労働法」（ドイツではArbeitsrecht、フランス
　　ではdroit du travail）という言葉が用いられるようになった。さらに、アメリカの1935年法で
　　初めて「社会保障」（social security）という名称が用いられ、1942年には社会保障の基本的な考
　　え方を示したビヴァリッジ報告書がイギリスで公表された。このような経緯を経て、20世紀中盤
　　に「社会保障法」が「労働法」から分化・独立していった。

12)　もっとも、各国の労働法には、それぞれの国の歴史的・社会的背景に規定された一定の特徴が
　　みられた。例えば、国家と個人の間に存在するゲマインシャフトとしての社会的共同体を重視す
　　るドイツ法（社会モデル）、国家の介入を嫌悪し自己規制（個人的あるいは集団的な自由放任）を
　　重視するイギリス法やアメリカ法（経済モデル）、国家の介入によって弱者を保護し平等を実現す
　　ることを重視するフランス法（政治モデル）、企業内の共同体的労働関係を重視する日本法（共同
　　体モデル）といった特徴である（cf. Supiot (A.), *Le droit du travail*, Paris, PUF, 2004, pp. 21 et
　　s.）。

第1章　労働法の歴史　17

2 経済と社会の有機的連動

このような形で国の経済政策の一環として位置づけられた労働法は、第2次大戦後の経済成長期に経済の発展と連動しながら大きな発展を遂げることになる。労働法や社会保障法などによる社会的保護の充実（賃金の引上げ、社会保障の充実など）によって国民の購買力が引き上げられると、消費が拡大し投資が刺激されて総需要の拡大や生産性の上昇（経済成長）につながる。この経済成長の成果が社会的保護の充実という形で再び労働者に分配・還元され、さらなる消費拡大・経済成長がもたらされる。

このように戦後の経済成長期には、労働法や社会保障法などによる社会的保護と経済成長とが有機的に結びつく形で国の社会と経済が発展していくという「黄金の循環」が、先進諸国の間にある程度共通する現象としてみられた（*Column 3*）。

Column 3 **日本の戦後経済成長と労働法**　　日本でも第2次大戦後、社会保障制度の構築と発展とともに、労働法の本格的な発展がみられるようになった。1945（昭和20）年には労働組合の承認・保護を定めた労働組合法（1949（昭和24）年に大きく改正）、1947（昭和22）年には労働条件の最低基準を包括的に定めた労働基準法、国管掌の保険による労働災害の補償を定めた労働者災害補償保険法、有料職業紹介事業を禁止し職業紹介事業を国家独占とした職業安定法、国管掌の保険による失業給付を定めた失業保険法（1974（昭和49）年に雇用保険法に改正）が相次いで制定され、戦後労働法の枠組みが形成された。その後も1958（昭和33）年に職業訓練法、1959（昭和34）年に最低賃金法、1966（昭和41）年に雇用対策法が制定されるなど、国家が労働契約や労働市場に積極的に介入する方向で労働法の発展は続いた。また、長期雇用慣行などの日本企業の実態と結びつきながら形成された解雇権濫用法理等の判例法の発展や、1955年に開始された春闘による経済成長を反映させた賃金引上げの実現も、社会的保護の充実のために重要な役割を果たした。これらの社会政策の展開と有機的に結びつきながら、日本経済は戦後復興を遂げ、1950年代半ばから約20年にわたり高度経済成長を続けた。

3 労働法の危機——社会の複雑化とグローバル化

しかし、この20世紀的な経済社会システムとその一環としての労働法は、1973年の石油危機を契機とした世界的な経済危機・社会変化のなかで、大きな転機を迎えることになる。その背景には、大きく次のような事情がみられた。

18　第1編　労働法の歴史と機能

1 危機の背景

　第1に，高度経済成長の時代が終わり，低成長やマイナス成長の時代となるなかで，かつての「黄金の循環」が反転したことである。石油危機を契機に経済成長のスピードが鈍化し失業者が増加すると，その生活を支えるための社会的負担が高まる。この社会的負担の増加は，税金や社会保険料の引上げという形で国民や企業の経済活動に制約を課すことになる。それにより経済活動が収縮して経済状況が悪化すると，さらに社会的負担や財政赤字が増加・累積する。このように，かつての「黄金の循環」（経済成長→社会的保護の充実→経済成長→……）が途絶え，社会と経済が連動して悪化するという悪循環（経済状況悪化→社会的負担増→経済状況悪化→……）が生じるようになった。

　第2に，産業構造の変化に伴って，労働法の前提とされていた標準的な労働者が減少し，多様なタイプの労働者が増加したことである。社会が成熟し，安価で工業生産を行う発展途上国が台頭するなかで，多くの先進諸国では，産業構造の重心が工業からサービス業に移っていった。このポスト工業化・サービス経済化の動きのなか，企業の経営・生産体制はかつての画一的・集団的なものから多様化・複雑化したものとなり，そこで働く労働者の姿も多様化していった。工業化社会の原動力とされた集団的・均質的な工場労働者とは異なり，自律性・裁量性の高いホワイトカラー労働者，専門性の高い技術労働者，働く時間や期間等が限定されたパートタイム労働者・有期契約労働者・派遣労働者などが増加していったのである。労働法が前提としていた「工場で集団的・従属的に働く均質な労働者」は，社会実態として溶解していった。

　第3に，1970年代の石油危機，1980年代の規制緩和政策（レーガノミックス，サッチャーリズム）を契機とした国際競争の激化に加え，1990年代以降の情報化社会の本格的な到来によって，経済のグローバル化が世界的に一気に加速した。それに伴い，市場と技術の動きは高速化し，企業は速く多様な変化に対応できる経営・生産体制を整えることを迫られるようになった。この変化は，国家に対しても，当事者が迅速で柔軟な対応を行うことができるような競争環境を整備し，同時に社会的公正さを確保できるシステムを構築するという課題を提起した。かつての大量生産・大量消費の時代から多様性・不確実性の時代に

第1章　労働法の歴史　**19**

移行するなか，企業としても，国家としても，変化に迅速に対応できる柔軟で
動態的なシステムを作ることが求められるようになった。

2 労働法の機能不全と修正

　このような経済社会環境の大きな変化のなかで，旧来の労働法は機能不全に
陥った。労働法が前提としていたモデルが溶解し，市場と技術の動きが高速化
するなかで，従来の定型的なモデルを前提とした集団的・画一的な保護・規制
は，社会の多様で複雑な変化に十分に対応できないものとなった。さらに，従
来のケインズ主義的システム（その一環としての労働法や社会保障法）は，経済社
会状況や人口構造の変化のなかで，財政赤字の肥大化という問題をもたらした。

　各国はこのような危機に直面し，特に 1980 年代以降，旧来の労働法のあり
方に修正を加える改革を進めた。例えば，①国家（法律）による画一的な保
護・規制では多様化する社会の利益・実態に十分に適応できないため，労使の
分権的な話合いによって具体的な規制のあり方を定めることを許容・促進する
「労働法の柔軟化」（典型的には労働時間規制の柔軟化）[13]，②集団としての労働者で
はなく，多様化する労働者個人（市民）の視点からの保護・規制を図る「労働
法の個別化」（例えば差別禁止法やプライバシー保護法の発展）[14]，③国家による硬直
的な労働市場規制を緩和し，民間事業の参入による労働市場機能の活性化を図
ろうとする「労働市場の自由化」（例えば有料職業紹介事業や労働者派遣事業の適法
化）[15] などである。さらに，2000 年前後から，世界のグローバル化が進展し，社

---

13)　例えばフランスでは，1982 年のオール一改革以降，労働時間規制を中心に規制権限を国家から
　　労使へ，さらには産業レベルの労使から企業レベルの労使へと移行させる柔軟化・分権化の動き
　　が進められた。日本でも，例えば1987（昭和62）年労基法改正以降，労使協定や労使委員会の決
　　議によって法律規制の例外を設定することを認める法改正が相次いで行われた（p258 **2**）。

14)　例えばアメリカでは，1960 年代以降，労働組合や集団的労働法（Labor Law）の機能が相対的
　　に低下するなか，これに代わって，人種，皮膚の色，宗教，性，出身国による雇用差別を包括的
　　に禁止した1964年の公民権法第7編（Title Ⅶ），1967年の雇用における年齢差別禁止法（ADEA），
　　1990 年の障害をもつアメリカ人法（ADA），2008 年の遺伝子情報差別禁止法（GINA）などの雇
　　用差別禁止法を中心とする個別的雇用法（Employment Law）の発展がみられた。日本では，
　　1985（昭和60）年に制定されその後改正を重ねている男女雇用機会均等法（p128 **4**），障害者差
　　別を禁止した2013（平成25）年障害者雇用促進法改正（p388 **2**），労働者の人格権・プライバシ
　　ーを保護する判例や立法の展開・発展（p137 **3**）などがみられた。

15)　そもそも第 1 次大戦後の 1919 年にベルサイユ条約に基づいて創設された国際労働機関（ILO）

20　第 1 編　労働法の歴史と機能

会的格差や失業問題・財政問題が深刻化するなかで，社会的公正さと経済的効率性とを両立させ，財政問題にも対応するという複数の政策目的を実現するための積極的な政策立法として，就労促進，差別禁止，労働法・社会保障法・税制の一体化を柱とする労働法改革が世界的に進められている[16]。

　このように，労働法は現在，旧来のシステムの危機を克服し，近年の大きな社会変化や政策的課題に対応するための変革の途上にあるといえる。

4　労働法のいまとこれから ── 労働法はどこへいくのか？

　労働法はどこへ向かおうとしているのか。どこへ向かっていくべきなのか。

　日本の労働法をめぐる議論では，①今日の労働者像が「集団としての労働者」から「個人としての労働者」に転換しつつある状況を踏まえて，これを規制する労働法も「個人としての労働者」の取引行為（個別的交渉）をサポートするシステムにシフトしていくべきであるとの見解[17]，②労働者の自己決定を現実に保障するためには，国家による法規制が不可欠であり，とりわけ労働組合の機能が脆弱である日本では，ヨーロッパ諸国よりも国家法の役割が重要になるとの見解[18]，③労働者・就業構造が多様化するなか，労働法の任務は，多様な

は，「労働は商品ではない」との考え方に立ち，第 1 号勧告（1919 年失業勧告）で営利職業紹介所の廃止（職業紹介の国家独占）を打ち出した。日本でも 1921（大正 10）年に制定された職業紹介法で，有料職業紹介事業の禁止が定められた（1947（昭和 22）年職業安定法でもこの点は基本的に踏襲された）。しかし近年，有料職業紹介所廃止主義はもはや市場のニーズに応えられないとの認識が各国で広まり，1997 年に民間雇用仲介業（民間職業紹介事業，労働者派遣事業など）を承認する ILO181 号条約が採択された。この国際的な動きに沿って，日本でも，1996（平成 8）年・1999（平成 11）年職業安定法改正により，有料職業紹介事業が原則自由化された（p473 **1**）。

16) 例えば，労働法・社会保障法・税制を政策的な一貫性をもって制度的に再編しようとする動きとして，アメリカの給付つき税額控除（稼得所得税額控除＝EITC），イギリスのユニバーサル・クレジット，フランスの最低賃金（SMIC）・就業連帯所得（RSA）・就業手当（prime d'activité）などが展開されている（水町勇一郎「現代労働法の新たな理論動向と日本」島田陽一先生古稀記念論集『働く社会の変容と生活保障の法』37 頁以下（旬報社，2023）など参照）。社会的公正さの実現（長時間労働の是正，正規・非正規格差の是正など）と経済政策（成長と分配の好循環）とを連動させた日本の「働き方改革」（2018（平成 30）年働き方改革関連法）も，この動きと通底するところがある（水町勇一郎「『働き方改革』の到達点とこれからの労働法の可能性」野川忍編『労働法制の改革と展望』343 頁以下（日本評論社，2020）参照）。

17) 菅野和夫＝諏訪康雄「労働市場の変化と労働法の課題──新たなサポート・システムを求めて」日本労働研究雑誌 418 号 2 頁以下（1994）。

18) 西谷敏『規制が支える自己決定──労働法的規制システムの再構築』399 頁以下（法律文化社，

規制規範と規制手法を組み合わせて適切な利害調整メカニズムを模索するという困難な作業に真摯に取り組み，労働者がどのような雇用モデルを選択してもディーセント・ワーク（働きがいのある人間らしい仕事）を保障することにあるとする見解などがある。[19]

世界に目を向けると，次のような提言がある。

文献 6

（……既存の新自由主義モデルや社会民主主義モデルの）根本的な問題点を克服し，社会の多様性・複雑性への対応を可能とする新たなモデルとして提唱されているのが「手続的規制モデル」である。このモデルは，①経済的効率性や社会的正義といった一元的な理性ではなく，複数の理性・合理性があることを前提としつつ，これらを「内省（réflexivité）」を通じて調整・共存させようとする点で，より拡張された理性である「手続的理性（raison procédurale）」を基盤とするものであり，かつ，②この理性の実践の場として，従来のような固定化された当事者による閉鎖的な交渉（例えば労使交渉）ではなく，問題にかかわるすべての当事者に開かれた交渉・対話を行うことを重視しており，この2つの点で従来の規制モデルとは大きく異なる特徴をもつものである。(cf. DE MUNCK (J.), LENOBLE (J.) et MOLITOR (M.) (dir.), 《 Pour une procéduralisation de la politique sociale 》, in *L'avenir de la concertation sociale en Europe: Recherche menée pour la D. G. V de la Commission des Communautés Européennes*, t. I, Centre de philosophie du droit, Université Catholique de Louvain, 1995, pp. 33 et s.)

文献 7

（セクシュアル・ハラスメント，グラス・シーリングなどの第2世代問題への新たな取組みである）第2世代規制アプローチの動機は，構造主義（structuralism）にある。このアプローチは，それぞれに固有の文脈のなかで一般的な規範を作り出していく制度やプロセスの発展を促そうとするものである。そこでは，「適法性（legality）」は，情報収集，問題発見・認識，改善・矯正，そして評価という相互作用的なプロセスから生まれ出てくる。この規制は，観察・発見された問題に対して，既存の概念的，職業的，組織的な境界線を越えてダイナミックに相互に作用しあうことを促す。……職場や，職場慣行に影響を与える非政府組織は，この規制体制のなかでは，単に国家や市場の規制の対象としてでなく，法を作り出す主体として取り扱われるのである。(S. Sturm, *Second Generation Employment Discrimination: A Structural Approach*, 101 COL. L. REV. 462-463 (2001))

2004)。

19) 荒木尚志『労働法〔第5版〕』881頁（有斐閣，2022）。

> **文献 8**
>
> 　ある人がある一定の任務を達成するための潜在能力は，単にその人間としての性質（生物学的な代謝，性別等）や環境（気候，自然環境，技術的インフラ等）だけでなく，その人が住んでいる社会の制度的構造にも依存している。社会的規範，法的ルール，政治的制度は，個々人の潜在能力を高めたり低めたりする重大な役割を担っているのである。……もし潜在能力が，単に各個人の才能ややる気だけでなく，その才能を高めることを可能とする社会化，教育，訓練のプロセスにアクセスできることによってもたらされるとすれば，これらのプロセスにアクセスすることを可能とする条件を一般的に整えることによって，社会的再分配のメカニズムが労働市場の機能と両立可能となるだけでなく，その前提条件ともなるだろう。このように，社会的な諸権利は，各個人の潜在能力に対し制度的な基盤を提供するものとして中心的な役割を果たしうるものである。(S Deakin and F Wilkinson, *The Law of the Labour Market* (Oxford University Press, 2005) 290-291)

　これら3つは，労働法の（さらには法一般にも共通する）基盤となる新たな法理論を提唱するものである。これらのうちヨーロッパ大陸諸国を中心に提唱されている「手続的規制」理論（**文献6**）は，問題解決のための拠り所となる理性をいかなるものと捉えるかという政治哲学的思考を基盤としたものであり，アメリカで提案されている「構造的アプローチ」（**文献7**）は，いかにして紛争に伴うコストを抑え当事者の利益を高めていくかという経済学的思考を基盤としたものである。アマルティア・センの経済理論を基盤としつつ英米圏を中心に広がっている「潜在能力アプローチ」（**文献8**）は，いかにして各個人の潜在能力を高め，各個人がその潜在能力を発揮することで自由と平等を実現していくかという政治哲学と経済学とを融合させた思考に立つものである。これらの法理論は，その根底において，政治哲学または経済学的な思考に依拠する点で，緩やかなつながりをもつものといえる。また，これらの法理論には，①社会の多様化・複雑化，グローバル化という変化に対応するためのアプローチである，②さまざまな問題に内在する多元的な要請を調整し問題を解決していく方法として，集団的なプロセス，とりわけそれぞれの人がその創造性や潜在能力を発揮することを可能とするための情報の集約・調整システムを制度化することを求めている，③その集団的なプロセスにおいて，国家や当事者だけでなく，情報を集約し当事者をサポートする第三者（専門家）などを組み込んだ

第1章　労働法の歴史　**23**

重層的なシステムを構築することを重視している，という共通点もある。言い換えれば，これらの３つの法理論は，市民，共同体，企業，専門家，国家などの主体が，問題の発見・解決・審査の手続のなかで相互に有機的に作用しあうことで，社会的公正さ，経済的効率性，財政規律などの複数の政策的要請に応えつつ，多様な問題状況に応じた柔軟な解決を図ることを志向するアプローチであるということができる[20]。

　労働法が向かうべき方向を考えるうえでは，単に法律や判例の変化の内容を追うだけでなく，その動きの根底にある基礎的な理論や思想・哲学に思いを致し，思索を深めることも大切である。

---

20)　上述した今日の労働法・社会保障法・税制の一体化等を柱とする世界的な労働法改革の動き（前掲注16)）は，これらの法理論とその根底において結びついたものと位置づけることもできる。

第1編

第2章　　　　　　　　　　　　　労働法の機能

　法は，その背景にある社会の実態と密接にかかわるものである。一方で，法は社会の実態を認識しそれを表現する言葉——その意味で実態と親和的なもの——であり，他方で，法は社会の実態を批判し矯正する力——その意味で実態と対置されるもの——である。このいずれの意味でも，法は社会と密接にかかわりあう。

　労働法は，その背景にある社会システムとしての雇用システムと密接にかかわりあっている。特に日本には「日本的雇用システム」といわれるものが存在し，日本の労働法はそれと密接にかかわりあいながら展開されてきたといわれている。この日本的雇用システムとはどのようなものであったのか。それはどのように変化しているのか。日本の労働法はこの日本的雇用システムとどのようにかかわりあってきたのか。そして，どう変化していくべきなのか。

1 労働法の背景にある社会システム

1 日本的市場システムのなかの日本的雇用システム

　日本的雇用システムは1個の独立したシステムとして存在していたわけではない。企業社会のヒトの動きにかかわる「日本的雇用システム」は，モノの取引にかかわる「日本的産業システム」，カネの調達にかかわる「日本的金融システム」と，密接に結びつきながら存在してきた[1]。これらを包括した「日本的市場システム」の典型的な性格は，日本の高度経済成長期に形成され広がっていった。

---

1) 青木昌彦（永易浩一訳）『日本経済の制度分析——情報・インセンティブ・交渉ゲーム』209頁以下（筑摩書房，1992）。

◯1 日本的産業システム

　企業活動に必要なモノを調達する方法・慣行としての「日本的産業システム」は，「系列」と呼ばれる取引関係を特徴とするものであった。この「系列」には，「資本系列」と「金融系列」の2つがある。

　資本系列とは，親会社と子会社または注文会社と請負会社（これはさらに一次請負，二次請負，三次請負など多重下請に枝分かれする）の間の取引関係を指し，金融系列とは，三井，三菱，住友など旧財閥や銀行を中心とした企業グループを指す。日本の企業がこれらの系列を作って取引を行ってきた理由・メリットは，取引関係の安定，取引コストの節約・削減，景況悪化の際の相互保険機能にあったといわれている。[2]

◯2 日本的金融システム

　企業活動に必要なカネを調達する方法・慣行としての「日本的金融システム」は，「株式持ち合い」と「メインバンク制」を特徴とするものであった。

　企業（特に株式会社）が資金を調達する主な方法は，株式を発行しそれを引き受けた株主から資金を得ること（直接金融）であるが，日本では，この株式の発行・引受について，企業グループなど関係企業間で相互に株式を持ち合う「株式持ち合い」という慣行が存在してきた。この慣行は，信頼する会社間で株式を持ち合うことによって見知らぬ株主による経営介入や企業買収を回避することを可能としてきたが，[3] 他社の株式を引き受けなければならないため，株式発行による資金調達を困難としてきた。そこで日本企業では，資金調達の方法として，銀行から資金を借り入れる方法（間接金融）が多く用いられてきた。

　この銀行からの資金借入において特徴的なシステムが，メインバンク制であ

---

[2] 伊藤元重「企業間関係と継続的取引」今井賢一＝小宮隆太郎編『日本の企業』109頁以下（東京大学出版会，1989），青木・前掲1) 229頁以下，今井賢一「日本の企業ネットワーク──財閥・企業グループ・ネットワーク組織」伊丹敬之ほか編『リーディングス日本の企業システム第1巻──企業とは何か』319頁以下（有斐閣，1993），奥野正寛＝村松幹二「企業間の垂直的関係」青木昌彦＝奥野正寛編著『経済システムの比較制度分析』155頁以下（東京大学出版会，1996）など。

[3] 青木・前掲1) 109頁以下，伊藤邦雄「株式持ち合い──その螺旋型ロジック・シフト」伊丹ほか編・前掲2) 151頁以下，青木昌彦＝奥野正寛＝関口格「コーポレート・ガバナンス」青木＝奥野編著・前掲2) 183頁以下など。

26　第1編　労働法の歴史と機能

る。企業が複数の銀行から資金を借り入れる際に，最も多くの資金を貸し付ける銀行（メインバンク）が企業のモニタリングの役割を担い（他の銀行はそれを参考にする），銀行によるモニタリング費用の節約と，企業経営に対する銀行の関与・責任の所在の明確化が図られてきた。[4]

③　日本的雇用システム

　企業活動に必要なヒトを雇い育てていく方法として，日本では「長期雇用慣行（いわゆる終身雇用制）」，「年功的処遇（いわゆる年功序列）」，「企業別労働組合」を特徴とする「日本的雇用システム」が形作られてきた。[5]

1　長期雇用慣行

　日本的雇用システムにおいて最も大きな特徴とされるのが，長期雇用慣行である。これは，新規採用の多くを新規学卒者の一括採用によって行い，その後定年まで雇用を保障する（重大な非違行為や深刻な経営難がない限り解雇しない）慣行のことをいう（*Column 4，Column 5*）。

　Column 4　日本的雇用システムの起源　　長期雇用慣行を中心とする日本的雇用システムの歴史的な起源・経緯については，①徳川時代の大商家（三井，住友など）における家族的な雇用形態（10歳前後で小僧や徒弟として奉公を始めその家の商売に直接関係する技能を仕込まれながら年功に基づいて順に序列をのぼっていく）を原型としつつ，19世紀末から20世紀初めの近代的産業化の進展のなかで，国営企業や財閥系の大企業が労働者を自ら雇用・養成し熟練労働者を引き止める方策として，この経営家族主義的な雇用慣行を発展・定着させていったとする見解，[6]②第2次大戦時の国家総動員体制の下で長期雇用慣行や年功賃金，企業別労働組合（その原型となる産業報国会）が全国的に普及・定着していったとする見解，[7]③日本的な雇用慣行

4）　青木・前掲1）137頁以下，青木昌彦＝堀宣昭「メインバンク・システムと金融規制」青木＝奥野編著・前掲2）221頁以下など。

5）　「終身雇用（lifetime commitment）」という用語を作り出したのは，J・C・アベグレン（占部都美監訳）『日本の経営』（ダイヤモンド社，1958）である。その後，1969年から1972年にかけて実施された経済協力開発機構（OECD）の対日労働力国別検討の報告書（経済協力開発機構（労働省訳編）『OECD対日労働報告書』（日本労働協会，1972））が，「生涯雇用」「年功賃金制度」「企業別組合主義」を日本的雇用制度（Japanese employment system）の3つの主要な要素として掲げ（同報告書日本語訳の「序」を書いた労働事務次官・松永正男がこれを「三種の神器」と表現した），その長所と短所を分析したことを契機に，このような「日本的雇用システム」観が広がっていった（神代和欣「三種の神器」日本労働研究雑誌443号2頁以下（1997））。

6）　ロナルド・P・ドーア（山之内靖＝永易浩一訳）『イギリスの工場・日本の工場（下）』127頁以下（筑摩書房，1993）など。

7）　野口悠紀雄『1940年体制』26頁以下（東洋経済新報社，1995）など。

第2章　労働法の機能　　27

が日本の産業界にひろく普及し社会通念として一般化したのは第2次大戦後の高度経済成長期を経てからであるとする見解などがある。野村正實は，これらの見解（仮説）を検証しつつ，会社身分制を本質とする日本的雇用慣行は19世紀末・20世紀初頭に端緒的に始まり，第1次世界大戦中に確立したとしている[9]。また，菅山真次は，戦間期までにホワイトカラーの間で定着した日本的慣行・制度が第2次大戦後の高度成長期にブルーカラー労働者を含む従業員全般に普及していくプロセスを歴史的に解き明かしている[10]。

Column 5　日本的雇用システムと中小企業　　長期雇用慣行は，大企業を中心にみられたものである。中小企業については，一方で，中小企業の雇用関係は流動的で労働者の移動率も高く，その実態は終身雇用とはかけ離れているとする見方があるが[11]，他方で，昭和30年代後半の中小企業製造工場の実態調査の結果から，中小企業においても新規学卒者の定期採用，従業員の技能教育，人員整理の回避（それに代わる臨時工の雇用）など「雇用と生活の保障を行い，勤続を重視する」終身雇用制の労務管理が根を下ろしているとの分析もある[12]。中小企業白書は，「中小企業においても，従業員の長期雇用は重視されてきたが，実際には勤続年数は短く，『結果としての賃金の年功カーブ』も傾きが低いものとなってきた[13]」，「大企業の製造業は年功序列の性格が相対的に強い一方，中小企業は製造業・非製造業にかかわらず，年功序列よりも成果給の性格が相対的に強いと考えられる」と指摘している[14]。

　長期雇用慣行の労働者側のメリットは，雇用が保障され失業の危険を回避できることにある。実際に日本では，戦後長い間，特に1970年代の石油危機や80年代の円高危機のなかでも，ヨーロッパやアメリカに比べて失業率が低い水準に保たれてきた。

　他方で，長期雇用慣行は，会社側にとっては，従業員の長期的な育成を可能とするというメリットをもたらした。長期雇用の信頼関係の下，企業は投資費用を回収できないリスクをおそれることなく，従業員の育成のために十分な投資を行い，企業を担っていく人間を中長期的に育てることができた。この長期的な技能育成の場として日本企業で重要な役割を果たしてきたのが，幅広いOJT（on-the-job training＝職場での実務訓練）である。日本の労働者は，ブルーカラー労働者も含め，多様な職場での勤務を経験して幅広い技能・熟練を身につ

---

8)　島田晴雄『日本の雇用──21世紀への再設計』48頁以下（筑摩書房，1994）など。

9)　野村正實『日本的雇用慣行──全体像構築の試み』393頁以下（ミネルヴァ書房，2007）。

10)　菅山真次『「就社」社会の誕生』（名古屋大学出版会，2011）。

11)　島田・前掲8)65頁。

12)　松島静雄＝岡本秀昭「中小企業における労務管理の近代化──実態調査の結果を中心として」東京大学教養学部社会科学紀要13輯23頁以下（1963）。

13)　中小企業庁編『中小企業白書2005年版』184頁（ぎょうせい，2005）。

14)　中小企業庁編『中小企業白書2009年版』205頁（経済産業調査会，2009）。

28　第1編　労働法の歴史と機能

けていることが多いため，変化や異常に対して柔軟に対応できる能力をもつといわれてきた。[15]

2 年功的処遇

このようにして雇用されている労働者を処遇する方法として，日本企業では年功的な処遇制度がとられてきた。年功的処遇とは，一般に，年齢と勤続年数を重要な評価基準として賃金（昇給）や地位（昇進）などの処遇を決定することを意味する。実際に，日本の多くの企業でとられている職能資格（職能給）制度では，学歴と年齢によって最初の職能資格（初任給）が決まり，その後，勤続年数と人事考課に応じて昇格（昇給）していくことが多く，そこでは年齢と勤続年数が制度上または制度の運用上相対的に重要な役割を果たしてきた（*Column 6*）。

Column 6 「職務給」の失敗と「職能給」の形成　　1950 年代後半から 60 年代前半にかけて，日本経営者団体連盟（日経連）は「同一労働同一賃金」「年功賃金から職務給へ」をスローガンとし賃金の近代化を目指す戦略を展開した。しかし，そこで掲げられた職務給制度は日本では定着しなかった。①職務給は長期雇用慣行下で頻繁に行われている配転と相容れない（配転のたびに賃金が下がると円滑な配転やそれを通じた幅広い OJT は不可能になる）ものであり，また，②職務と格付けに応じて賃金を決定するという社会的基盤が当時の日本にはなかったからである。[16]　その後日経連は，1969 年に『能力主義管理』を刊行し，「職務遂行能力」に応じて従業員を格付けそれに基づいて処遇を決める職能資格制度の導入を提言した。これを契機に，日本企業では職能資格（職能給）制度の導入が進み，「職務遂行能力（職能資格）」の評価のなかで年功（勤続）と実績（人事考課）とをあわせて考慮する制度運用がなされてきた。[17]

この年功的な処遇制度の大きな特徴は，それぞれの時点で労働者の企業への貢献と企業からもらう賃金とが一致していない点にある。そこでは一般に，若年期には貢献よりも低い賃金，逆に中高年期になると貢献よりも高い賃金が支給される仕組みとなっている。

このことは，次の 2 つの効果をもたらしてきた。第 1 に，長期雇用の促進である。労働者は，若年期の賃金を超える貢献分（いわゆる「人質賃金」）を取り返すためには，定年まで働き続ける必要がある。その意味で，年功的処遇は長

---

15)　小池和男『仕事の経済学〔第 3 版〕』27 頁以下（東洋経済新報社，2005）。
16)　岩崎馨「職務給」日本労働研究雑誌 443 号 12 頁以下（1997）。
17)　石田光男「日経連『能力主義管理』」日本労働研究雑誌 443 号 20 頁以下（1997），佐藤博樹 = 佐藤厚編『仕事の社会学〔改訂版〕』10 頁以下〔佐藤厚〕（有斐閣，2012）など。

第 2 章　労働法の機能　　29

期雇用慣行と密接に結びついている。第2に，従業員の間に平等意識を醸成し，勤労意欲を底上げすることである。特に日本の年功的処遇の最大の特徴は，ブルーカラー労働者にも年功賃金カーブがあてはまることにあるといわれている[18]。日本企業の年功的処遇制度には，製造現場で働く労働者の勤労意欲の底上げに貢献しているという側面がある。

3 企業別労働組合

日本的雇用システムのもう1つの特徴は，労働組合が基本的に企業別に組織されていることにある。そもそも，労働者が1つの企業（または企業グループ）内で長期的に雇用されながら職業訓練を受け，賃金や地位などの待遇もそこでの勤続年数や実績に応じて決定・展開されていく社会においては，労働市場は企業ごとに「内部労働市場」として形成される傾向をもつ。この内部労働市場では，労働者の主要な利益や関心は自らが属する企業のなかに存在する。日本の労働組合は，このように長期雇用慣行や年功的処遇と密接に結びつきながら，内部労働市場のなかで共通の利害をもつ労働者たちを組織するものとして，企業別組合という形態で形作られていった[19]（*Column 7*）。

Column 7 日本の労働組合（企業別労働組合）の歴史　　日本でも，歴史的にみて，産業別労働組合を結成する動きがみられなかったわけではない。例えば，1912年に鈴木文治らによって設立された友愛会（1921年に日本労働総同盟（「総同盟」）と改称）は，1919年以降，企業横断的な産業別労働組合（「同職組合」）の組織化を進めた。しかし経営側は，労働組合に代わる労働者との意思疎通機関として従業員代表を介した工場委員会を設置し，これを通して労働者の不満・苦情の解消を図ることで，労働者を企業横断的労働組合から切り離すことに成功した。また第2次大戦後，労働組合の法的承認の動きを踏まえて，戦前の労働組合運動を担った松岡駒吉を中心とするグループ（「総同盟」系）と共産党系のグループ（1946年に全日本産業別

---

18) ホワイトカラー労働者の賃金が年功的であることは日本，西欧，アメリカに共通しているが，ブルーカラー労働者（特に大企業生産労働者）の賃金がホワイトカラー労働者と同様に年功カーブを描いている（西欧ならホワイトカラー労働者に支払われている賃金がブルーカラー労働者の一部にも支払われている）点に，日本の雇用システムの大きな特徴があるといわれている（小池・前掲15）86頁以下）。日本における職員と工員の身分格差の撤廃の歴史については，久本憲夫「労働者の『身分』について——工職身分格差撤廃と均等待遇」日本労働研究雑誌562号56頁以下（2007），南雲智映・梅崎修「職員・工員身分差の撤廃に至る交渉過程——『経営協議会』史料（1945〜1947年）の分析」日本労働研究雑誌562号119頁以下（2007）など参照。

19) 白井泰四郎『企業別組合〔増訂版〕』32頁以下（中央公論社，1968）。特定の企業ではなく特定の職業や職務で働く慣行が社会的に広がり，それゆえ企業横断的に労働市場（「外部労働市場」）や労働組合（職業別・産業別労働組合）が形作られてきた欧米型の労使関係のあり方とは，対照的である（同書9頁以下）。

労働組合会議（「産別会議」）を組織）は，それぞれ産業別労働組合を志向する運動を展開した。しかし，このような動きをバックにしながら全国各地で実際に誕生した労働組合のほとんどは，特定の企業・事業場の正規従業員を組合員とした分権的な工職混合組合であった[20]。「ほとんど唯一の現実的な組織形態として発展したのが企業別組合であったし，そのことは占領軍も，戦前派の組合指導者も，政党も，好むと好まざるとにかかわらず動かすことのできない事実であった」のである[21]。

　企業別労働組合を基盤とする労使関係には，2つの重要な特徴がある。1つは変化に対する柔軟性・機動性（p398 **2**），もう1つは企業との協調性である。企業別の内部労働市場のなかで労働組合が組織されているところでは，労働組合は企業と協調的な態度をとる傾向をもつ。企業において長期雇用を（黙示的に）約束され，そこでの勤続年数に応じて賃金や地位が上昇していくことが予定された労働者にとって，自らの雇用や処遇を将来にわたって確保するためには，当該企業が生存し成長していくことが決定的に重要であるからである。実際に，1960（昭和35）年の三井三池闘争で労働側が敗北し，1960年代の高度経済成長によって長期雇用慣行や年功的処遇が日本企業のなかに広く普及・定着していくなかで，第2次大戦後にみられた戦闘的な労働運動は次第に協調的なものに転換していった[22]。このようにして形成された日本の分権的で協調的な労使関係は，日本企業が1970年代の石油危機の時代に経済的に高いパフォーマンスを達成し，続く1980年代にも雇用を重視しながら高い国際的競争力を発揮できたことに貢献したといわれている[23]。

4　共通の特徴

　以上みてきた日本的産業システム，日本的金融システム，日本的雇用システムには，1つの共通の特徴がある。それは，長期的な信頼関係に基づくシステムであるという点である。日本企業は長期的な信頼関係に基づいて企業グルー

---

20)　兵藤釗『日本における労資関係の展開』（東京大学出版会，1971），西成田豊『近代日本労資関係史の研究』（東京大学出版会，1988），兵藤釗『労働の戦後史（上）』（東京大学出版会，1997），仁田道夫ほか編『労働組合の基礎——働く人の未来をつくる』1頁以下〔仁田道夫〕（日本評論社，2021）など。

21)　白井・前掲19）33頁。

22)　兵藤・前掲20）『労働の戦後史（上）』97頁以下など。

23)　下平好博「コーポラティズムと経済パフォーマンス」稲上毅ほか『ネオ・コーポラティズムの国際比較』376頁以下（日本労働研究機構，1994）参照。

第2章　労働法の機能　　31

プなどの企業ネットワークを形作り，そのなかで企業活動に必要なモノとカネを安定的に調達して中長期的な視点から企業経営を行うという性格をもっていた。このことは，企業活動の原動力となるヒトを雇い育てるシステムにもあてはまった。日本企業は中長期的な視点から従業員を雇用・育成し，従業員間の水平的な調整を重視するネットワーク型組織を形成することによって[24]，安定的で競争力に富むシステムを構築することに成功したのである。このように，長期的信頼関係を基盤とした日本的市場システムは，少なくともある時点（1980年代ころ）までは，日本社会の安定と日本企業の成長・発展を支えるものとして機能してきた。

2 社会環境の変化

　日本的雇用システムとそれを包含する日本的市場システムは，ある一定の社会環境を前提とし，そのなかで一定の合理性をもつものとして機能してきた。しかし，その前提となっていた社会環境は，大きく変化している。

■ 人口構造の変化——高齢化・少子化，人口減少

　日本企業は，1960年代の高度経済成長期以降，若年労働者が豊富に供給されることを前提にそれを長期的に育成・活用することで発展を遂げてきた。しかし日本では，人口の高齢化・少子化が急速に進んでおり，高齢者の増加とともに若年労働者の数が減り，長期的に人口が減少していくことが予想されている。これに伴い，大きく2つの課題が発生している。

　1つは，年功賃金制度の修正である。貢献よりも大きな賃金をもらう中高年労働者が増加し，貢献より小さな賃金を支払うことで足りる若年労働者が減少すると，企業財務上従来の年功的な賃金を維持していくことが難しくなる。また，人口減少は人手不足を深刻化させ，人材確保のために入職者や転職者の賃金を引き上げざるを得ない状況を生む。この年齢構成の変化と高度成長から低成長への移行を背景に，日本企業では，年功賃金から成果主義賃金へと賃金制度を改める動きが進められた[25]。

---

24)　青木昌彦『経済システムの進化と多元性』（東洋経済新報社，1995）。
25)　J. Hamaaki, M. Hori, S. Maeda, and K. Murata（2010）, *Is the Japanese employment system de-*

32　第1編　労働法の歴史と機能

もう1つの課題は，女性，高齢者，外国人などの活用の必要性である。団塊の世代が引退期を迎え，若年人口が急速に減少していくなかで，これまでは十分に活用されてこなかった女性，高齢者，外国人などを活用していくことが重要な課題となっている。

② 労働者の意識の変化——個人主義化

高度経済成長期に日本企業を支えてきた労働者の間には，余暇よりも仕事に生きがいを感じ，職場の人間関係を重んじる意識が強くみられた。しかし，この労働者の意識も時代とともに変化している。

かつて日本の企業コミュニティを担ってきたいわゆる「会社人間」（仕事志向の強い労働者）は，次第に会社や仕事から一定の距離を置き，会社との結びつきを弱める（限定的な関与にとどめる）方向へと変化してきた。[26]この労働者の意識の変化（個人主義化）は，労働者の企業への帰属意識を弱め，労働者の転職行動を促す[27]ことによって，日本的雇用システムの基盤にあった企業と従業員の間の長期的信頼関係自体を動揺させる要因となる。

③ 世界経済のボーダーレス化・グローバル化

日本企業がとってきた系列取引，株式持ち合い・メインバンク制，長期雇用慣行などの諸慣行は，日本という相対的に閉ざされた市場のなかで形作られ，そのなかで中長期的な視点から安定的な経営を行うことを可能とするものとして機能してきた。しかし，世界経済のボーダーレス化・グローバル化に伴い，日本も市場開放を求める国際的圧力やスピードの速い国際競争の波にさらされ

---

generating? Evidence from the Basic Survey on Wage Structure, ESRI Discussion Paper Series No. 232 は，過去 20 年間の厚生労働省賃金構造基本統計調査のデータを用い，1989（平成元）年から 2008（平成 20）年にかけて，日本のフルタイム労働者の賃金カーブがフラット化した（特に非製造業の大卒労働者にその変化が顕著である）ことを明らかにしている。

26)　佐藤博樹「日本型雇用システムと企業コミュニティ——国際比較とその行方」稲上毅＝川喜多喬編『講座社会学(6)　労働』65 頁以下（東京大学出版会，1999），NHK 放送文化研究所『日本人の意識』調査」（1973〜2023 年）など。

27)　労働者の転職は，年功賃金から成果主義賃金へ移行し，長期雇用されることで得られる利益（「人質賃金」の回収）が減少することによっても促される。Hamaaki et al., 前掲 25）は，1990 年代後半以降，特に大卒若年労働者の企業定着率が低下したことを明らかにした。

第 2 章　労働法の機能　33

ている。

そのなかで，法制面では，金融市場や株式市場の自由化を進め市場取引の公正さと透明性を高めるための法改正（外国為替法，証券取引法〔現・金融商品取引法〕，保険業法，銀行法，独占禁止法，商法等の改正および会社法制定）が相次いで行われ，実態としても，系列関係の見直しや持ち合い株比率の低下[28]が進んでいる[29]。日本企業も中長期的な視点からの経営だけでなく，短期の激しい生存競争に耐えうる経営を行う必要に迫られている。

④ サービス経済化・情報化・デジタル化

日本の従来の雇用システムは，日本の産業の中核として経済発展を支えてきた製造業（特にブルーカラー労働者）に最も適合的なシステムとして機能してきた。しかし，日本の産業構造の重心は製造業（第2次産業）からサービス業（第3次産業）に移行している。同時に近年では，情報化・IT 化やデジタル化（AI化・ロボット化）も急速に進行している。

サービス経済化や情報化に伴い，仕事のあり方やそこで求められる能力は大きく変化している。同じ時間帯に同じ場所に集まり集団的に行う協働的な作業が相対的に減少していく代わりに，時間や場所などの拘束が弱く個人の裁量を活かして行う仕事が増加し，個々人の専門的な能力が求められることも増えている。また，デジタル化（AI化・ロボット化）の進展により，データ処理作業や定型的作業を AI やロボットが代替し，人間の創造性，想像力，対人関係能力，感情，価値判断等を活かした仕事の重要性が相対的に高まっている。この

---

28) 資本系列（下請ネットワーク）については，製造業の海外移転等に伴って下請企業と大口取引先との関係が希薄化し，取引が分散化する傾向（取引構造のメッシュ化）がみられ，また，金融系列についても，大手銀行の合併・再編に伴ってグループ企業の再編成が進み，競争基盤の強化が図られている。

29) 1990 年代に金融機関の不良債権処理や収益率悪化が問題視されはじめて以降，金融機関が取引先の株式を保有する余裕がなくなり（同時に取引先企業も金融機関の株式を保有する意味が薄くなり），持ち合い株比率や安定保有株比率が全体として低下した。そこで手放された株式の主要な受け皿となったのは，投資信託や年金信託などの機関投資家と外国人投資家であった。これに対し，2006（平成 18）年以降，投資ファンドによる敵対的買収への防衛策として，上場会社の間で株式の持ち合い比率を高める動きがみられたが，厳格な資産評価を求める国際会計基準（IFRS）導入や資本効率の改善を求める株主の提案等を背景に，2009（平成 21）年以降，株式持ち合い比率は再び低下している。

ような変化に対応するために，企業は，将来に向けた経営の方向性（パーパス）を明確にすること，パーパスを実現するためによい人を集めて育てていくこと，働く人を集め育てていくために必要な働きやすい就業環境とそれぞれの能力を適正に評価・処遇する制度を整えることが求められている[30]。

日本の雇用システムは，大きな社会環境の変化のなかで，産業システムや金融システムとともに，変容を迫られている。しかし，その変化は必ずしも単線的なものではなく，その産業の特性や企業の個性に応じて，短期的な成長・変化（その原動力となる専門性の高い外部人材の活用）を重視するものから，長期的な成長・安定（それを支える内部人材の確保・養成）を重視するものまで，多様なものとなりうるだろう。

2 社会システムと労働法

労働法は，このような社会システムのあり方を前提としながら形成された規範であると同時に，社会システムを矯正する規範でもある。ここでは，雇用の「柔軟性」という観点から，日本の雇用システムと労働法の関係について考えてみよう。

1 「柔軟性」の概念

自由主義経済体制では，必然的に景気変動が生じる。そこで企業は，景気変動などの外部環境の変化に対応しながら経営を行っていかなければならない。この外部環境の変化に対する企業の適応可能性は，一般に「柔軟性（flexibility）」と呼ばれる。

この「柔軟性」概念の内容を整理するために，次の2つの基軸が用いられることが多い。第1に，企業の外部のものを利用した方法（外的柔軟性）か，企業の内部で調整を行う方法（内的柔軟性）か，第2に，経営コストの量を変動させる方法（量的柔軟性）か，企業組織を質的に変化させる方法（質的柔軟性）かである。この2つの基軸から柔軟性確保の具体的な方法を整理すると，**図表**

---

30) 今野浩一郎『正社員消滅時代の人事改革』（日本経済新聞出版社，2012），佐藤博樹＝藤村博之＝八代充史『新しい人事労務管理〔第7版〕』12頁以下（有斐閣，2023）など。

第2章　労働法の機能　35

図表 1　企業の柔軟性確保の方法（例）

	量的柔軟性	質的柔軟性
外的柔軟性	・頻繁な解雇・採用 ・有期・派遣労働者や業務委託の利用	
内的柔軟性	・賃金の調整 ・労働時間の調整	・柔軟な配転・出向 ・職場のルールの柔軟な作成・変更

1 のようになる。

　このうちどこに重点を置いて調整を行うのかで，大きく 2 つのタイプがある。

　1 つは，外的柔軟性を重視する「雇用流動型」である。この傾向が相対的に強くみられる国はアメリカである。アメリカの企業では，例えば，景気が悪くなって仕事が減り従業員が余ると，余った従業員を解雇し（特に労働組合のある企業では勤続年数の短い者から解雇する先任権ルール〔seniority rule〕があることが多い），逆に，景気が良くなって仕事が増え従業員が足りなくなると，再び従業員を採用する（一旦解雇した者のうち勤続年数の長い者から採用する）という方法で調整が行われることが少なくない。[31]この頻繁な解雇と採用による柔軟性の確保は，法的にも承認されたものとなっている。アメリカでは，期間の定めのない雇用契約はいつでも理由なく終了させることができるという法原則（随意雇用原則〔employment-at-will doctrine〕）が，今日でも基本的に妥当しているのである。[32]

　もう 1 つは，内的柔軟性をより重視する「雇用安定型」である。この傾向が強くみられる典型的な国は日本である。そこで次に，日本企業において一般的にみられる柔軟性確保の方法とこれに対する日本の法（労働法）の態度について，簡単にみてみよう。

---

31)　小池・前掲 15) 48 頁以下など。

32)　ただし，差別禁止法等の制定法上の規制，労働協約による制約，公序（public policy）などに反する解雇は違法とされる。アメリカの随意雇用原則については，小宮文人『英米解雇法制の研究』85 頁以下（信山社，1992），荒木尚志『雇用システムと労働条件変更法理』20 頁以下（有斐閣，2001），中窪裕也『アメリカ労働法〔第 2 版〕』305 頁以下（弘文堂，2010）など参照。

36　第 1 編　労働法の歴史と機能

2 日本的雇用システムの柔軟性と法

■ これまでの枠組み

1 外的柔軟性

日本的雇用システムの最大の特徴は，重大な非違行為や深刻な経営難がない限り従業員を解雇しないという点（長期雇用慣行）にあった（p27 **1**）。このシステムの下では，景気変動に合わせて柔軟に従業員を解雇・採用するというアメリカ型の手法は，一般的には用いられない。このことは，法的にも支持・承認されたものとなっている。日本の裁判所は，解雇権濫用法理という判例法理を作りあげ，解雇に客観的合理性と社会的相当性という2つの厳しい要件を課す（特に経営上の理由による整理解雇には4つの視点から厳しい審査が加えられる）に至っているのである[33]（p212 **3**）。

もっとも，日本において外的柔軟性を確保する方法が認められていないわけではない。日本企業の多くには正社員と非正社員が存在し，後者は日本的雇用システムの「三種の神器」（長期雇用慣行，年功的処遇，企業別労働組合。p27 **3**）の枠外に置かれ，景気変動に合わせて雇用量を調節する1つの手段として利用されることも多い。この非正社員（パート・アルバイト，契約社員など）による雇用調整は，①非正社員の自然離職による調整，②非正社員の解雇・雇止めによる調整という2つの段階で行われる。これに対し，日本の裁判所は，非正社員の解雇・雇止めにも解雇権濫用法理を適用・類推適用しつつ，正社員よりも非正社員を先に解雇・雇止めすること自体については合理性があると判断している（p339 *2*）。

以上のように，日本では非正社員の雇用によって外的柔軟性をある程度確保することが認められてきたが，正社員と非正社員を含めた外的柔軟性の総量は他の先進諸国に比べ相対的に小さいものであった[34]。そこで多くの日本企業は，内的柔軟性を駆使して企業経営の柔軟性を確保する努力を行ってきた。

---

33) 法社会学者であるダニエル・H・フットは，「日本の裁判所は，労働者の解雇の場面で『解雇権の濫用』の法理を生み出し，世界に例をみないほど手厚い保護を与えてきた」と評している（ダニエル・H・フット（溜箭将之訳）『裁判と社会』97頁（NTT出版，2006））。

34) 荒木・前掲32) 212頁以下。

第2章 労働法の機能　37

2 内的柔軟性

企業内部における柔軟性は，量的なものと質的なものに分けることができる。

(1) **量的柔軟性**　企業内部で量的柔軟性を確保する方法としては，大きく2つのものがある。

1つは，賃金額の調整である。日本の企業では，これは特に賞与（ボーナス）の調整によって行われている。日本では，賃金全体のなかで賞与が占める割合が相対的に大きい。この賞与の額を，その時々の経営状況に合わせて変動させる（例えば企業収益が増加しているときには月給の4か月分，企業収益が減少しているときには月給の2か月分とする）ことによって，賃金額の調整を行うことができる。これに対し，法は，賃金支払四原則（通貨払，直接払，全額払，毎月一回以上一定期日払〔労基法24条〕）等を定めているが，賞与の額の変動自体は，当事者間の取決めに従って決定されている場合には，支給額がたとえゼロとされても，これらの法原則に違反するものではないと解釈されている（p238(b)）。

もう1つは，労働時間の調整である。日本の企業では，これは特に残業時間の調整という形で行われている。日本の労働者（特に正社員）は通常から長時間の残業を行っていることが多いが，景気が悪くなって仕事が減ると，この残業時間を減らすことによって一種の雇用調整が行われる。これに対し，日本の法は，これまで長い間，時間外労働の絶対的上限を強制力をもって定めた法律規定がない状態が続き，残業時間による調整の可能性が大きく残されていた。[35]

(2) **質的柔軟性**　企業が質的柔軟性を確保する方法として，次の大きく2つのものがある。

1つは，労働編成上の柔軟性である。日本の企業の多くでは，正社員を長期雇用慣行の下に置き雇用の継続性を保障する代わりに，使用者に広範な人事権が認められ，使用者はこの人事権を行使して従業員を頻繁かつ柔軟に配転・出向させるなど，企業組織の柔軟な改編と従業員の幅広い訓練を行ってきた。これに対し，日本の裁判所は，権利の濫用（民法1条3項，労契法3条5項）などの一般法理を用いて一定の規制を加えているが，実際に配転や出向が権利の濫

---

35) EC労働時間指令（93/104/EC）第6条は，時間外労働を含む最長労働時間を週48時間と定めている。日本では，2018（平成30）年の働き方改革関連法による労基法改正によって初めて，時間外労働の上限時間（原則月45時間，年360時間）が罰則付きで定められた（p267 **3**）。

用とされるのは特別の事情がある場合に限られている（p176 **2**, p181 **2**）。

　もう1つは，職場におけるルールの作成・変更上の柔軟性である。これはさらに，①企業別労使関係の柔軟性と，②就業規則の柔軟性の2つからなる。日本では，①労働組合が基本的に企業別に組織されており，労使間の実質的な交渉も企業レベルで行われている（p30 **3**）。この企業別の労使交渉は，例えばヨーロッパでみられる産業レベルでの労使交渉と比べると，各企業の実情に即して迅速かつ柔軟に対応できるという利点をもっている。日本の法は，この労使交渉のレベルについて，その選択を労使の自主的な判断に委ねる中立的な立場をとっており，柔軟な労使交渉の可能性を広く認めている（p411 **1**）。さらに日本では，②企業内のルールを定めた就業規則に大きな柔軟性が認められている。就業規則は使用者が一方的に（労働者の同意なく）定めることができるものとされ，日本の裁判所は，その効力について，労働者に周知され内容が合理的であれば労働者を拘束するとの判例法理を確立している（労働契約法はこれを確認する規定〔7条，10条〕を定めている。p78 **2**, p87 **2**）。したがって，使用者は，企業内の制度改革に労働者が反対している場合でも，就業規則を合理的に変更し周知することによって改革を実現することができる。

　以上を要約すると，日本のこれまでの雇用システムは，正社員の雇用保障を重視する分，非正社員の雇用で外的柔軟性を一定程度確保し，また，それでも相対的に小さい外的柔軟性を補うために，企業の内部で内的柔軟性を高めようとするシステムであった。これに対し，日本の労働法は，このような雇用システムのあり方を基本的に承認しながら，そのなかでみられる不合理な行為を規制しようとするものであったといえる。

　しかし，この従来の枠組みに対して，近年では一定の変化もみられる。

2　変化の方向と課題

　日本の雇用システムと労働法をめぐる近年の変化は，大きく次の2つの方向で生じている。

　第1に，コストが高く硬直的な正社員の雇用を減らして，パート・アルバイト，契約社員，派遣労働者，業務委託（フリーランス）などコストが安く調整が容易な就業者を増やそうとする動きである。日本企業も，グローバル競争の

激化，従業員の高齢化といった環境変化のなかで，人件費コストを削減しながら外的柔軟性を高めようとする動きをみせているのである。この変化に伴って，正社員と非正社員間の待遇格差問題や，業務委託（フリーランス）など外部労働力の利用・保護のあり方が，重要な政策課題となっている。例えば，2018（平成30）年の働き方改革関連法による正規・非正規労働者間の待遇格差の是正，2023（令和5）年のフリーランス保護法による就業環境設備などの政策的対応が進められている。

　第2に，賃金や労働時間など雇用管理制度の個別化である。具体的には，年功的な賃金制度から成果主義的な賃金制度への移行[36]，労働時間の長さを基準とした集団的な労働時間制度から労働の質を重視した裁量的・自律的な労働時間制度への移行，経験や能力を重視した職能給から職務の価値に応じた職務給（ジョブ型人事）への移行などの動きである。このような動きと並行して，労働契約法の制定・改正や労働時間法制の改革の動きなど，集団的・画一的な性格をもっていた旧来の労働法制の見直しも進められている。もっとも同時に，長時間労働に伴うメンタルヘルス不調，過労死・過労自殺，労働生産性の低下などの問題への対応も重要な政策課題となっており，労働時間の上限時間を集団的・画一的に設定しようという政策（2018（平成30）年働き方改革関連法による労基法改正）も進められている。

　このような変化のなかで，日本の労働法は，その根幹において次の2つの大きな課題に直面している。

　第1に，雇用・就業形態の多様化のなかで，労働法の保護の射程と内容をいかに広げていくかである。正規・非正規労働者間の待遇格差問題（「労働者」の枠内で生じた問題）に続く政策課題として，業務委託として働くフリーランス（またはデジタル化のなかで世界的に増加しているプラットフォーム就業者）は「労働者」として労働法・社会保障法上の保護を受けるのか（「労働者」概念をめぐる問題），「労働者」に該当しない場合には社会的保護を及ぼさなくてよいのか（及ぼすべきだとすればいかなる保護か＝「フリーランス保護法制」の構造と内容をめぐる問題）が，各国の労働法（および社会保障法）の重要な課題となっている。

36）　中村圭介『成果主義の真実』（東洋経済新報社，2006）など。

この課題は，工場労働をモデルとして19世紀から20世紀にかけて生成してきた労働法の歴史的な基盤や構造にかかわる問題も提起している[37]。

　第2に，労働法の規制の手法として，旧来の「命令と制裁による強制システム」を維持すべきか，事業主による行動計画の作成，政府による認定マークの付与，情報の公表による市場機能を活用した誘導，社会保障・税制等によるインセンティブの付与といった「政策的インセンティブによる誘導システム」へと労働法の規制の重心をシフトさせていくべきかである。一方で，情報化・デジタル化の進展は労働法の規制のあり方にも重要な影響を与えうるものであるが，他方で，当事者の主体性・創造力や市民の情報判断能力を基盤としたインセンティブ・システムが政策目的の実現に向けていかに実効性を発揮しうるかが検討課題となる[38]。

　次編以下でみていく労働法の具体的な法律問題を考える前提として，これらの基本的な課題について考察しておくことも重要である。

---

37)　石田信平＝竹内（奥野）寿＝橋本陽子＝水町勇一郎『デジタルプラットフォームと労働法──労働者概念の生成と展開』（東京大学出版会，2022）参照。
38)　水町勇一郎「現代労働法の新たな理論動向と日本」島田陽一先生古稀記念論集『働く社会の変容と生活保障の法』46頁以下（旬報社，2023）など参照。

第 2 編

労働法総論

労働法の全体像と
枠組みを知る

労働法を学ぶうえでは，まず，その全体像と基本的な枠組みを知ることが重要である。ここでは，労働法の基本的な構造，労働法にかかわる基本的な当事者，および，労働関係を法的に基礎づける法源を労働法総論と位置づけ，労働法全体の地図を頭に入れておくことにしよう。

第2編

第1章　　　　　　　　　　　労働法の基本構造

　まずここでは，労働法の全体像（労働法の体系と憲法との関係），および，労働者と使用者の関係を規律する法的構造（特に民法の基本的枠組みとの関係）を知ることによって，労働法の基本的な構造を理解しよう。

1　労働法の全体像

1　労働法の体系

　労働法とは，一般に，労働者と使用者の間の働くことをめぐる関係を取り扱う法のことをいう。

　労働法をさらに体系的に整理すると，次の4つに分類することができる。第1に，労働者と使用者の個別の関係（雇用関係）を規律する雇用関係法（これに属する法律として労働基準法，最低賃金法，労働安全衛生法，男女雇用機会均等法，育児介護休業法，労働契約法などがある），第2に，労働者，使用者と労働組合との集団的な関係（労使関係）を規律する労使関係法（労働組合法，労働関係調整法など），第3に，求職者（労働者）と求人者（使用者）の労働力取引に関する労働市場法（職業安定法，労働者派遣法，労働施策総合推進法，雇用保険法など），第4に，これら労働関係をめぐる紛争の解決のための労働紛争解決法（個別労働関係紛争解決促進法，労働審判法など）である。

　労働法とはこれらの分野からなる法の総体であり，労働法という名称の法律があるわけではない。これらの関係を簡単な図で表すと**図表2**（次頁）のよう

1）「労働関係」という言葉は，個別的な「雇用関係」と同じ意味で使われることが多いが，より広く「労使関係」や「労働市場」をも含んだ労働者と使用者の関係として使われることもある，やや広い概念である。本書では，基本的に後者の意味で用いることにする。

45

図表 2　労働法の全体像

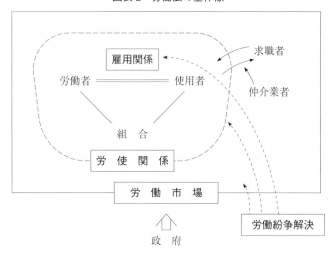

になる。

2 憲法と労働法

　労働法は，「国の最高法規」（憲法 98 条）とされる憲法とはどのような関係に立つのか。

　労働法の存在を基礎づける憲法上の規定として，憲法 25 条がある。そもそも，「国家が労働者に社会的な保護を与える法」という今日の意味での労働法は，市民革命後の「国家からの自由（個人の自由）」を基調とした法秩序がもたらした労働者の疲弊・不自由といった社会的弊害を克服するもの——その意味で「国家からの自由」とは対置される法原理に基づくもの——として形成されたという歴史的経緯をもっている (p10 **1**)。この「国家からの自由」(国家から自由を侵害されない権利としての「自由権」) と対置される法原理 (「社会権」) を日本国憲法上定めた基本規定が，憲法 25 条である。同条 1 項は，国民に「健康で文化的な最低限度の生活を営む権利」(生存権) を保障し，同条 2 項は，「国は，すべての生活部面について，社会福祉，社会保障及び公衆衛生の向上及び増進に努めなければならない」として，生存権保障を具体化する政策を実現することを国家に義務づけている。この生存権保障を基本とする「社会権」(国

46　第 2 編　労働法総論

家に社会的施策を講じることを要求する権利）は，労働法の基盤を支える 1 つの重要な法原理となっている（例えば労基法 1 条 1 項参照）。

この生存権保障の要請を労働に関する権利・自由として具体的に定めたのが，憲法 27 条，28 条である。憲法 27 条 1 項は，国民の勤労の権利と義務を定め，働く意欲をもつ者が働く機会を得られるような政策を講じることを国家に義務づけている。同条 2 項，3 項は，勤務条件に関する基準を法律で定めること（2 項），児童の酷使の禁止（3 項）を定めて，労働条件を人間たるに値するものとすることを保障する政策を講じることを国家に義務づけている。さらに憲法 28 条は，労働者にいわゆる「労働三権（団結権，団体交渉権，団体行動権）」を保障している。この労働三権は，国家にそれを具体化する政策を要求する社会権的性格のみならず，国家権力による権利侵害を禁止する自由権的性格，使用者等との民事上の関係を規律する私法的性格の 3 つをあわせもつものである。

他方，「国家からの自由」を定めた自由権的諸規定も，労働法のなかで重要な機能を果たしている。そもそも労働関係は，現行法制度では，当事者（労働者と使用者）が契約締結の自由（憲法 13 条，22 条参照）を行使して成立する契約（労働契約）関係として法的に把握されている。また，憲法上の人権規定は，基本的には国家と私人の関係（私人に対する国家権力の行使）を規律するものであるため私人間に直接適用されるものではないが，私法規範である公序（民法 90 条）法理などを通して社会的権力である使用者や労働組合と労働者との関係にもその規律が及ぶものと解釈されている。例えば，使用者や労働組合の行為が，

---

2 ） 憲法 25 条をめぐっては，個人が同条を根拠に国家に対して権利の実現を求める（訴訟を提起して法的救済を受ける）ことができるかが問題となる。この点について，最高裁は，憲法 25 条は国家の政策義務を宣言したにとどまり，直接個々の国民に具体的権利を付与したものではないとし，政策的に広い裁量が認められている立法府や行政府の判断に裁量権の逸脱・濫用がない限り司法審査の対象とはならないとの解釈を示している（朝日訴訟・最大判昭和 42・5・24 民集 21 巻 5 号 1043 頁，堀木訴訟・最大判昭和 57・7・7 民集 36 巻 7 号 1235 頁，塩見訴訟・最一小判平成元・3・2 判時 1363 号 68 頁など参照）。憲法 25 条の法的性格については，1 項を生活保護に関する条項，2 項を生活保護を超える社会保障政策に関する条項と分けて捉え，2 項についての立法府の裁量は 1 項についてよりも広く認められるとする見解も有力に主張されている（中村睦男『社会権の解釈』64 頁以下（有斐閣，1983），岩村正彦『社会保障法Ⅰ』34 頁以下（弘文堂，2001）など）。
3 ） 労働市場法（本書第 5 編）に位置づけられる諸施策が，主としてそれにあたる。
4 ） 雇用関係法（本書第 3 編）に位置づけられる諸施策が，主としてそれにあたる。
5 ） これを基盤として労使関係法（本書第 4 編）が形作られている。
6 ） 三菱樹脂事件・最大判昭和 48・12・12 民集 27 巻 11 号 1536 頁（#8）〔憲法の自由権規定を民

労働者の個人の尊厳（憲法13条），法の下の平等（14条），奴隷的拘束・苦役からの自由（18条），思想・良心の自由（19条），信教の自由（20条），表現の自由（21条），職業選択の自由（22条）などを著しく侵害する場合には，公序違反として違法・無効とされる。

労働法の機能を憲法的文脈で表現するとすれば，国家からの自由（自由権）や国家への権利（社会権）など相互に緊張関係に立つ複数の法的要請を具体的に調整する規範であるということができる。

2 労働関係の規律構造

1 民法の基本的枠組み

労働者と使用者の関係を規律する法の構造をみる前提として，ここではまず民法（特に契約法）の基本的枠組みについて簡単にみておこう。

人と人の間の関係を規律する法的根拠となるもののなかで最も基本的な役割を果たしているのは，契約である。契約は複数の当事者間の意思表示の合致により成立する。これは明示の意思表示によるものだけでなく，黙示の意思表示の合致による場合もある。

この当事者間の契約は，公の秩序に関する法律規定に反するものであってはならない（民法90条参照）。公の秩序に関する（契約よりも強い効力をもつ）法律規定は「強行法規」と呼ばれている。これに対し，公の秩序に関しない法律規定は「任意法規」と呼ばれる。契約は任意法規には反してもよい（民法91条参照）。任意法規は，当事者の意思が明確でない場合に関係を規律する拠り所となる役割を果たすものである。法律上の規定が任意法規にあたるのか強行法規にあたるのかは，法律上の明文の定めまたはそれがない場合には当該規定の趣旨に基づいて判断される。

契約の内容（当事者の意思）が不明確な場合，ある範囲で事実上行われている慣習（事実たる慣習）によって契約の内容が補充されることがある。任意規

法90条等を介して私人間に間接的に適用する枠組みを提示〕参照。

48 第2編 労働法総論

定と事実たる慣習の内容が異なる場合には，事実たる慣習が優先される（民法92条参照）。

さらに，契約の内容は信義則（民法1条2項）によって補充・修正されることもある。例えば，契約上何ら定めがなくても，使用者が指揮命令をして働かせる労働者に対して，その生命・身体等の安全に配慮すべき義務（いわゆる安全配慮義務）を信義則上負うものと解釈され（p309 **3**），また，入社前研修への参加につき当事者間に合意があったとしても，内定者（学生）が学業への支障を理由に研修参加の取りやめを申し出たときは，使用者は参加を免除すべき信義則上の義務を負うと解釈されている。[7]

以上の法源を優劣順にまとめると，次のようになる。

> ・強行法規
> ・意思表示の合致
> ・事実たる慣習
> ・任意法規
> ・信義則

2 労働法の基本的枠組み

労働者と使用者の間の関係も，法的には労働者と使用者の間の契約（労働契約。民法上は雇用契約と呼ばれる）に基づくものと捉えられている。労働契約（雇用契約）とは，労働者が使用者に対して労働に従事することを約束し，使用者がこれに対して報酬を支払うことを約束する契約である（労契法6条，民法623条）。この契約の解釈にあたっても，基本的には契約に関する一般的なルール（p48 *1* で述べた民法の基本的枠組み）が適用される。

もっとも，労働契約に対しては，民法の基本的枠組みとは異なる2つの重要な法源が付け加えられている。

1つは，労働協約である。労働協約とは，労働者が組織する労働組合と使用

7） 宣伝会議事件・東京地判平成17・1・28労判890号5頁（p163注23））。信義則は，一方で，契約内容の「補充」という面では契約上の根拠としての性格，他方で，契約内容の「修正」という面では契約を規律する強行法規としての性格という2つの性格を併せもっているといえる。

第1章 労働法の基本構造 49

者との間で締結された労働条件などに関する合意のことをいい，一定の様式を満たす場合には，それに反する労働契約を無効としそれを補う効力（労働協約の規範的効力と呼ばれる）が認められている（労組法 14 条，16 条）。もっとも，労働協約は強行法規には反してはならないと解釈されている（p421 **2**）。

　もう 1 つは，就業規則である。日本の企業では労働条件や職場規律などの職場のルールが就業規則という形で定められていることが多い。この就業規則に定められた労働条件には，当該事業場における最低基準として，これを下回る労働契約の部分を無効としそれを補う効力（就業規則の最低基準効）が認められている（労契法 12 条）。もっとも，就業規則は法令（強行法規）や労働協約に反してはならないものとされている（労基法 92 条，労契法 13 条）(p77 **1**)。

　以上の法源を優劣順に整理し直すと，次のようになる。

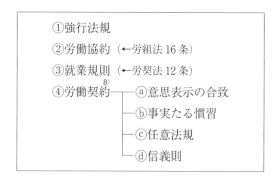

　このように，労働者と使用者の間の労働をめぐる関係は，法的には，強行法規，労働協約，就業規則，労働契約という大きく 4 つの法源によって規律されている（p67 第 3 章）。

---

8) ここでは，ⓐ意思表示の合致，ⓑ事実たる慣習，ⓒ任意法規，ⓓ信義則を広く契約（ここでは労働契約）の解釈に包含されるものとして，1 つにまとめている。

第2編

第2章 労働法上の当事者

　労働法にかかわる主体には，さまざまなものがある。働いている人，雇っている会社，ハローワーク，労働組合，労働基準監督署，都道府県労働局，労働委員会，裁判所などである。なかでもここでは，労働法上の基本的な当事者となる労働者，労働組合，使用者の3つの概念についてみていくことにする。この3つの概念の法的意味を理解することは，労働法をめぐる問題を考える出発点となる。

1　「労働者」

　まず，次の3つの問題をみてみよう。

事例2

　伊達さんは，製紙業を営む富沢製紙株式会社のために，自己の所有するトラックを持ち込んで同社製品の運送を行う傭車運転手である。伊達さんは，専ら富沢製紙の製品の運送業務に携わっており，同社からの仕事の依頼や指示を拒否する自由は事実上ない。業務の遂行にあたり，同社は，運送物品，運送先および納入時刻については指示を行っているが，運転経路，出発時刻，運転方法の指示は行っていない。伊達さんの毎日の業務時間は事実上同社の指示によって決定されているが，運送業務以外の時間は伊達さんの自由に委ねられており，出退勤時間の拘束はない。伊達さんへの報酬は，トラックの積載可能量と運送距離によって定まる運賃表によって出来高で支払われ，トラックの購入代金，ガソリン代，修理費，高速道路料金等はすべて伊達さんが負担している。伊達さんに支払われる報酬から所得税の源泉徴収や社会保険料等の控除はなされておらず，伊達さんはこの報酬を事業所得として確定申告している。伊達さんは，労働法上の保護を受けることができるか？

事例3

　Azmax メンテナンス社は，親会社である Azmax 社が製造したトイレ，台所等の住宅設備機器の修理補修等を事業とする株式会社である。Azmax メンテナンス

51

社の従業員は約200名であるが，修理補修業務の大部分は約590名いるCE（カスタマーエンジニア）によって行われている。同社は，親会社であるAzmax社のブランドイメージを損なわないようにするために，CEに対し各種マニュアルを配布し，これに基づく業務の遂行を求めている。Azmaxメンテナンス社は，顧客から修理補修等の発注を受け付け，それを全国に配置しているCEに割り振って委託業務として依頼する形態をとっている。CEは，Azmaxメンテナンス社からの依頼を受けて顧客を訪問し，同社の制服を着用しその名刺を携行して業務を行い，業務が終了したときは同社にサービス報告書を送付している。Azmaxメンテナンス社とCEとの間には業務委託契約（期間1年。更新あり）が締結されているが，その内容は同社が作成した「業務委託に関する覚書」に記載されている通りとされ，CEの側でそれを変更する余地はない。CEがAzmaxメンテナンス社から依頼された業務を拒否しても同社から債務不履行責任を追及されることはなかったが，1年の業務委託契約は同社に異議があれば更新されないものとされていることなどから，実際にCEが依頼業務を拒否する割合は1%弱であった。CEの報酬は，顧客から支払われた金額に一定率を乗じ，これに時間外手当等に相当する金額を加算する方法で支給されている。Azmaxメンテナンス社のCEとして業務を遂行している東さんは，その待遇等に不満をもち，同じくCEとして働いている安さんらと労働組合を組織した。この労働組合がAzmaxメンテナンス社にCEの待遇の改善等を求める団体交渉を申し入れた場合，同社はこれに応じなければならないか？

事例4

フードデリバリーサービスのプラットフォームを運営している出前イーツ社に配達パートナーとして登録し，自転車で配達業務を行っていた松本さんは，配達中に転倒してけがをした。松本さんは，このけがについて労災保険法に基づく補償を受けることができるか？　同様に配達業務を行っていた浜田さんは，注文の受け方や配達の仕方等についてのマニュアルに数回違反したため，出前イーツ社は浜田さんのアプリへのアクセス資格を停止し，浜田さんとのパートナー契約を解約した。浜田さんはこの解約について法的に争うことができるか？　松本さんと浜田さんは労働組合であるYMユニオンに加入し，同組合は，出前イーツ社に対し，松本さんのけがの補償および浜田さんの契約解約の撤回を求める団体交渉を申し入れた。同社はこの団体交渉の申入れに応じなければならないか？

ここで法的に問題となるのは，「労働者」概念である。これらの例からもわかるように，労働法では，その適用対象を画定するために労働者概念が用いられている。この労働者概念は，適用される法規（法理）の違いにより，労基法上の労働者，労組法上の労働者，労働契約（法）上の労働者の大きく3つから

52　第2編　労働法総論

なる。

1 労基法上の「労働者」

　まず，労基法が適用される者にあたるかどうかを決める概念として，労基法上の「労働者」概念がある。これは単に労基法の適用だけにとどまらず，労基法を基礎とした労働関係諸法規（男女雇用機会均等法，最低賃金法（2条1号），労働安全衛生法（2条2号），労災保険法，育児介護休業法，パート有期法，労働者派遣法，雇用保険法，労働施策総合推進法など）の適用範囲を画定する概念としても用いられている。

　労基法は，この労働者概念について，職業の種類を問わず事業（*Column 8*）に「使用される者で，賃金を支払われる者」と定義している（9条）。また，これにあたる場合でも，①同居の親族のみを使用する事業に使用される労働者，および，②家事使用人は，労基法の適用範囲から除外されている（116条2項）

1）　労災保険法にはその保護対象となる「労働者」の定義規定は置かれていないが，労基法を基礎とする労働者保護法規の1つとして制定された経緯等から，同法の適用を受ける労働者は労基法上の労働者と同一のものと解釈されている（横浜南労基署長（旭紙業）事件・最一小判平成8・11・28労判714号14頁（#1））。男女雇用機会均等法等についても同様である。

2）　同居する父親の営む事業で他の従業員とともに就労していた子について，使用していたのは同居親族のみではないから，労基法・労災保険法の適用は除外されないとした裁判例として，国・甲府労基署長（甲野左官工業）事件・甲府地判平成22・1・12労判1001号19頁がある。

3）　医療法人衣明会事件・東京地判平成25・9・11労判1085号60頁〔医療法人の代表者宅でベビーシッター業務等を行っていた者について，業務体制が組織的に編成され各種マニュアルにより指示・指導等が行われていたことから，家事使用人性を否定し，時間外割増賃金等の支払請求を認容〕，国・渋谷労基署長（山本サービス）事件・東京地判令和4・9・29労判1285号59頁〔要介護者の自宅に住込みで介護・家事業務に従事していた家政婦兼訪問介護ヘルパーにつき，要介護者の家族との雇用契約に基づき行われていた家事業務については家事使用人性を肯定し，労災保険法の業務起因性判断から除外〕参照。かつての女中や子守り等を想定し家庭内の私的領域に国家の監督・規制が及ぶことは適当でないと考えられた本適用除外の趣旨・経緯からすれば，事業として組織的に編成され定型的な指示を受けて家事業務に従事している者は「家事使用人」にあたらないと解すべきだろう。

4）　また，船員については労基法の総則に関する規定のみが適用され，その他は船員法の規制によるとされている（労基法116条1項）。さらに，一般職の国家公務員については労基法は全面的に適用除外（国公法附則16条），一般職の地方公務員については一部の規定が適用除外とされている（地公法58条3項）。これに対し，行政執行法人の職員には労基法の適用があり（行政執行法人の労働関係に関する法律37条1項），地方公営企業および特定地方独立行政法人の職員にも労基法の規定のほとんどが適用される（地方公営企業法39条1項，地方独立行政法人法53条1項1号）。

第2章　労働法上の当事者　53

（*Column 9*）。

Column 8　労基法上の「事業」　労基法上の「事業」とは，行政解釈上，「工場，鉱山，事務所，店舗等の如く一定の場所において相関連する組織のもとに業として継続的に行われる作業の一体をいうのであつて，必ずしもいわゆる経営上一体をなす支店，工場等を総合した全事業を指称するものではない」と解されている。労基法およびその規制下で定められる就業規則，労使協定等は，この「事業」をもととした単位（「事業場」）ごとに適用される（「事業場」ごとに所轄の労働基準監督署長の監督下に置かれる）。この「事業」「事業場」の単位については，原則として同一の場所にあるものは一個の事業にあたるものとされているが，①同一の場所でも労働の態様を著しく異にする部門（例えば工場内の診療所）については別の事業とされ，また，②場所的に分散している場合でも規模が著しく小さく独立性がないもの（例えば新聞社の通信部）については直近上位の機構と一括した1つの事業にあたると解釈されている[5]。

Column 9　労基法の国際的適用関係　労基法上の「事業」が日本国内にある場合には，労働者が外国人であっても，使用者が外国法人であっても，労基法の公法的側面（行政監督や刑事処罰に関する部分）は適用される（公法の属地主義的適用の原則）。

　これに対し，労基法の私法的側面（契約上の請求権の根拠となる部分）の国際的適用関係は，労働契約に関する準拠法決定のルールに従って決定される。すなわち，①当事者が明示または黙示に準拠法を選択した場合には，原則としてその選択した地の法が準拠法となる（当事者自治の原則〔法の適用に関する通則法7条〕）が，②当事者による法選択がない場合には，当該労働契約に最も密接な関係がある地の法（最密接関係地法。労働契約については労務を提供すべき地の法〔労務提供地法〕が最密接関係地法と推定され〔12条3項〕，労務提供地法を特定できない場合には当該労働者の雇用管理を行っている事業所の所在地の法〔雇入れ事業所所在地法〕が最密接関係地法と推定される〔同条2項参照〕）が準拠法となり（8条1項），③当事者による法選択がある場合でも，選択された準拠法が最密接関係地法以外の法である場合には，労働者が使用者に対し最密接関係地法における強行法規を適用すべき旨の意思を表示したときは，その強行法規も適用される（同項）[6]。

　労基法上の労働者性を判断するうえで重要なポイントとなるのは，「使用」性（使用者の指揮命令を受けて働いていること）と「賃金」性（労働の対償として報

5）　昭22・9・13発基17号，昭63・3・14基発150号，平11・3・31基発168号，ドワンゴ事件・京都地判平成18・5・29労判920号57頁など。

6）　BGC キャピタルマーケッツジャパン LLC ほか事件・東京地判平成 28・9・26 LEX/DB 25543877（#7）〔当初英国法を準拠法として選択していたが，その後労務提供地が日本に変わり，労務提供地法である日本法を最密接関連地法と推定して，原告労働者が指定した強行規定（労契法 19 条）を適用〕，ケイ・エル・エム・ローヤルダッチエアーラインズ（雇止め）事件・東京地判令和5・3・27労判 1287 号 17 頁〔オランダの航空会社と日本人の客室乗務員が日本法を準拠法と選択していた事案で，複数の国にまたがって飛行していたことから労務提供地を特定できないとし，雇入れ事業所所在地は人事管理の中核的業務等を行っていた部署があるオランダであると認定して，原告労働者が指定した強行規定であるオランダ法（通算契約期間 36 か月で無期転換を認めている点で日本法〔労契法 18 条 1 項〕より有利）を適用〕など。

54　第2編　労働法総論

酬を得ていること〔11条参照〕）の2点である。しかし，労働者の実態は多種多様であり，これら2つの一般的基準（要件）だけでは判断が難しい微妙なケースがある。そこで，1985（昭和60）年の労働基準法研究会報告[7]が，それまでの学説や裁判例の傾向などを踏まえて，労働者性について次のような判断基準を提示した。

第1に，「使用」性（「指揮監督下の労働」）については，①仕事の依頼等への諾否の自由の有無（諾否の自由があれば使用性は弱くなる），②業務遂行上の指揮監督の有無，③勤務時間・勤務場所の拘束性の有無，④他人による代替性の有無（他人によって代替可能であれば使用性は弱くなる）を基準として判断する。第2に，「賃金」性（⑤「報酬の労務対償性」）については，報酬が時間単位で計算されるなど労務提供の時間の長さに応じて報酬額が決まる場合には，賃金としての性格（労務対償性）が強くなる（逆に時間でなく仕事の成果に対して報酬が支払われているときには賃金性は弱くなる）。第3に，これらの点のみでは労働者性の判断が困難な場合には，⑥事業者性の有無（機械・器具の負担，報酬の高額性），⑦専属性の程度（他社の業務への従事が事実上制約されているか），⑧公租公課の負担（給与所得の源泉徴収や社会保険料等の控除の有無）を判断の補強要素とする。上記研究会報告は，これらの諸要素を勘案して，総合的に労働者性を判断する必要があるとしている。

近年の裁判例は，ここで提示された諸要素のうち当該事案で明らかになった事情を勘案して，労働者性を決する傾向にある。例えば，トラック持込みの備車運転手（p51 事例2 参照）の労働者性が争われた最高裁判決[8]では，指揮監督関係の希薄さ（業務遂行上の具体的な指揮監督なし），報酬の労務対償性の薄さ（出来高払），事業者性の強さ（トラックを自己所有し必要経費等も負担），公租公課の負担（所得税の源泉徴収や社会保険料等の控除なし）が考慮され，労働者性が否定された。また，月額6万円の奨学金等を得て大学病院で臨床研修をしていた研修医については，指揮監督関係の存在（指導医による指示や時間・場所の拘束の存在）と報酬の労務対償性（奨学金等を支払い給与所得として源泉徴収）を考慮して，労働者性が肯定されている[9]。労基法（労災保険法）上の労働者性が争われ

7）　労働省労働基準局編『労働基準法の問題点と対策の方向』52頁以下（日本労働協会，1986）。
8）　前掲1）横浜南労基署長（旭紙業）事件判決。

た例を類型別にみると，①業務遂行について裁量性が高い者[10]，②零細下請業者的な者[11]，③契約形態が特殊な者[12]，④役員・管理職などがあるが，いずれも労働者性の一般的な判断基準をあてはめて個別具体的に判断すればよい。

　ここで理論的に注意すべき点は，労働者性の判断は当事者の主観や形式的な事情ではなく，客観的な事実や実質的な事情に基づいて行うべきであるという点である。そもそも労基法をはじめとする労働関係法規の多くは，当事者の意思（合意）にかかわらず規制を課すという強行的な性格をもっている（労基法13条参照）。この強行的な法規の適用範囲を決定する際に，当事者の意思や当事者が容易に操作しうる形式的な事情を重視すると，当事者による法形式の操作によって法の潜脱・形骸化がもたらされることになりかねないからである。したがって，例えば 事例3 （p51）のカスタマーエンジニア（CE）についても，委託契約という契約の名称や独立事業主という形式的な位置づけではなく，具体的な就業の実態に照らして労働者性を判断すべきである（*Column 10*）。

　Column 10　公租公課の負担と「労働者」性　　上記（p55）の労働基準法研究会報告およびこれまでの判例の立場は，公租公課の負担（上記⑧。使用者が労働者を税金や社会保険料の納付手続において「労働者」ではなく「事業主」として取扱い，給与所得としての源泉徴収や健康保険・厚生年金保険等の保険料の控除・納付を行っておらず，労働者が自ら「事業主」として確定申告等を行っているか）という事情を労基法上の労働者性の判断要素の1つとしてきた。しかし，この税制や社会保険上の取扱いは，当事者（とりわけ使用者）が容易に操作できる形式的な事情であり（税務署や年金事務所もこの点を実質的にチェックせず当事者の申告通り手続を進めるこ

---

9 ）　関西医科大学研修医（未払賃金）事件・最二小判平成17・6・3民集59巻5号938頁。

10）　新宿労基署長（映画撮影技師）事件・東京高判平成14・7・11労判832号13頁〔フリーの映画撮影技師の労働者性を肯定〕，エアースタジオ事件・東京高判令和2・9・3労判1236号35頁〔出演・稽古・裏方業務等を行う劇団員：肯定〕，NOVA事件・名古屋高判令和2・10・23労判1237号18頁〔英会話学校の外国人講師：肯定〕など。

11）　藤沢労基署長（大工負傷）事件・最一小判平成19・6・28労判940号11頁〔マンション建築工事の手間請け大工：否定〕，ソクハイ事件・東京地判平成22・4・28労判1010号25頁〔自転車での荷物配送メッセンジャー：否定，バイクライダー窓口役の所長：肯定〕など。

12）　山崎証券事件・最一小判昭和36・5・25民集15巻5号1322頁〔証券業者の外務員：否定〕，ブレックス・ブレッディ事件・大阪地判平成18・8・31労判925号66頁〔フランチャイズ店の店長：否定〕，元アイドルほか（グループB）事件・東京地判平成28・7・7労判1148号69頁〔専属タレント契約によりアイドルとしてイベント出演等を行う者：肯定〕など。

13）　国・船橋労基署長（マルカキカイ）事件・東京地判平成23・5・19労判1034号62頁〔執行役員：肯定〕，ピュアネッサンス事件・東京地判平成24・5・16労判1057号96頁〔取締役：肯定〕，佐世保配車センター協同組合事件・福岡高判平成30・8・9労判1192号17頁〔常務理事：肯定〕など。

とが多い），強行的な性格をもつ労基法等の適用範囲を画定するうえで重視すべきものではない。労組法上の労働者に関する国・中労委（ビクターサービスエンジニアリング）事件判決[14]は，源泉徴収や社会保険料等の控除を受けていないという点について，「実態に即して客観的に決せられるべき労働組合法上の労働者としての性質がそのような事情によって直ちに左右されるものとはいえない」と，理論的に正しく指摘している。同様に強行法規という性質をもつ労基法上の労働者性についても，同様の判断がなされるべき（⑧は労働者性の判断から除外すべき）である。

2 労組法上の「労働者」

労組法は，同法の適用対象となる「労働者」を，職業の種類を問わず「賃金，給料その他これに準ずる収入によつて生活する者」と定義している（3条）[15]。

この労組法上の労働者概念は，大きく2つの点で労基法上の労働者概念と異なっている。第1に，使用者に現に使用されていること（「使用」性）が問われていないこと，第2に，報酬の面でも厳密な意味での労務対償性（「賃金」性）は問われず，賃金などに準ずる収入によって生活する者（「給料等生活者」）であれば足りるとされていることである。経済的に弱い地位にある労働者に団結活動や団体交渉を行うことを認めて対等な立場での労使自治を促そうとする労組法の趣旨からは，その前提として，広い意味での経済的従属性のみが要求され，労基法のように人的従属性（指揮監督下での労働）は要求されていない[16]。

最高裁は，この労組法の趣旨を踏まえて，①労働者が事業組織に組み入れられているか，②契約内容が使用者により一方的に決定されているか，③報酬が

---

14) 最三小判平成 24・2・21 民集 66 巻 3 号 955 頁（後掲 17)）。

15) なお，一般職の国家公務員・地方公務員については，労組法（および労働関係調整法）の適用はないものとされている（国公法附則 16 条，地公法 58 条 1 項）。これに対し，行政執行法人の職員，および，地方公営企業・特定地方独立行政法人の職員には労組法（および労働関係調整法）が適用される（行政執行法人の労働関係に関する法律 37 条 1 項，地方公営企業法 39 条 1 項，地方独立行政法人法 53 条 1 項 1 号）。また，海外に設立された子会社とその労働者および同労働者が加入する労働組合との間の問題（国外の労使関係）には労組法の適用はなく，労働委員会は不当労働行為として救済を行うことはできないと解されている（中労委（T 社ほか）事件・東京高判平成 19・12・26 労経速 2063 号 3 頁）。

16) このような趣旨から，労組法上の労働者には，その時点では働いていない失業者（これから労働関係に入ろうとする者や過去に労働関係にあり給料等で生活してきた者など）も含まれると解釈されている（昭和 20 年 12 月 13 日第 89 回帝国議会衆議院労働組合法案委員会会議録 3 号 20 頁〔芦田均国務大臣答弁〕，昭 23・6・5 労発 262 号参照）。

第 2 章　労働法上の当事者　57

労務の対価（賃金に準ずる収入）としての性格をもつか，という労働者の経済的従属性を基礎づける事情を考慮しつつ，これに，④業務の依頼に応じるべき関係（諾否の自由の欠如），⑤指揮監督関係の存在（時間・場所の拘束性など），⑥事業者性（独立した経営判断に基づいて業務内容を差配し収益管理を行っていること）の希薄さという事情もあわせて，労組法上の労働者性を判断するという枠組みを採用した[17]。これらの判断要素のうち，経済的従属性を基礎づける事情（①～③）が労組法上の労働者性の基本的な判断要素であり，人的従属性にかかわる事情（④，⑤）はそれがあれば労組法上の労働者性を肯定する方向にはたらく（それがなくても労組法上の労働者性を否定するものとはならない）補充的な判断要素として位置づけられる。また，かりにこれらの諸要素（①～⑤）によって労働者性が肯定されたとしても，自ら労働者を雇用してその業務に従事させ独立した経営判断で業務差配・収益管理を行っているなど顕著な事業者性（⑥）があると認められる特段の事情が存在する場合には労働者性は否定されうる[18]。これらの点を判断するうえでは，契約の形式ではなく就業等の実態（当事者の認識や契約の実際の運用）をもとに判断しなければならないとされ，出演契約によりオペラ公演に出演する合唱団員[19]，業務委託契約により製品の修理補修を行う技術者（カスタマーエンジニア。p51 **事例3** 参照）[20]の労働者性が肯定されている。

　その他，これまでの命令例・裁判例によると，自宅でヘップサンダルの賃加工を行う職人，自由出演契約によりコンサートに出演している放送会社管弦楽団の楽団員，トラック持込みの傭車運転手（p51 **事例2** 参照），運送委託契約により運送業務等に従事している者，NHK の地域スタッフ，プラットフォー

---

17) 国・中労委（新国立劇場運営財団）事件・最三小判平成 23・4・12 民集 65 巻 3 号 943 頁，国・中労委（INAX メンテナンス）事件・最三小判平成 23・4・12 労判 1026 号 27 頁（#3），国・中労委（ビクターサービスエンジニアリング）事件・最三小判平成 24・2・21 民集 66 巻 3 号 955 頁〔差戻審〕東京高判平成 25・1・23 労判 1070 号 87 頁）。

18) 厚生労働省労使関係法研究会報告書「労働組合法上の労働者性の判断基準について」（2011（平成 23）年 7 月。http://www.mhlw.go.jp/stf/houdou/2r9852000001juuf.html）参照。

19) 前掲 17）国・中労委（新国立劇場運営財団）事件判決。

20) 前掲 17）国・中労委（INAX メンテナンス）事件判決。また，前掲 17）国・中労委（ビクターサービスエンジニアリング）事件〔差戻審〕判決でも同様に，業務委託契約による修理業務従事者の労働者性が肯定された。

ムを利用して飲食物の配達業務を行う配達パートナー（p52 事例4 参照）など
についても，広く労組法上の労働者性が認められている[21]。プロ野球選手につい
ては，労基法上の労働者にあたるかどうかは微妙であるが[22]，労組法上は労働者
であると認められ，プロ野球選手によって組織された労働組合日本プロ野球選
手会はプロ野球機構に対し団体交渉権を有するものと解されている[23]。フランチ
ャイズ契約に基づくコンビニエンスストアの店主（加盟者）については，独立
した経営判断により事業を行う顕著な事業者性を備えたものである等として，
労組法上の労働者性を否定した中労委命令・裁判例がある[24]。

3 労働契約（労働契約法）上の「労働者」

　第3の労働者概念として，労働契約上の「労働者」概念がある。これは，解
雇権濫用法理，採用内定法理，試用法理，配転・出向法理，雇止め法理など，
判例によって形成された労働契約法理の適用対象となる労働者にあたるか否か
を判断するための概念である。2007（平成19）年に制定された労働契約法は，
この判例上の労働契約法理の一部等を法律上明文化したものであり，その適用
対象である労働契約法上の「労働者」概念は，労働契約上の労働者概念と基本
的に一致する[25][26]。

---

21)　東京ヘップサンダル工組合事件・中労委昭和35・8・17中労時357号36頁，CBC管弦楽団労
　　組事件・最一小判昭和51・5・6民集30巻4号437頁，加部建材事件・東京地労委平成15・9・2
　　別冊中労時1306号210頁，ソクハイ事件・東京地判平成24・11・15労判1079号128頁，NHK
　　堺営業センター（地域スタッフ）事件・大阪地判平成27・11・30労判1137号61頁，Uber
　　Japanほか1社事件・東京都労委令和4・11・25労判1280号19頁など。
22)　実務上はあたらないものとして取り扱われているが，それに疑問を呈するものとして，花見忠
　　＝石嵜信憲「〔対談〕プロ野球とストライキ」日本労働研究雑誌537号3頁以下〔花見発言〕
　　(2005)，川井圭司「プロスポーツと労働法をめぐる国際的動向」日本労働法学会誌108号115頁
　　以下（2006）がある。
23)　日本プロフェッショナル野球組織（団体交渉等仮処分抗告）事件・東京高決平成16・9・8労判
　　879号90頁。
24)　国・中労委（セブン-イレブン・ジャパン）事件・東京高判令和4・12・21労判1283号5頁，
　　国・中労委（ファミリーマート）事件・東京地判令和5・5・25労判1296号5頁〔いずれも労組
　　法上の労働者性を否定した中労委命令を適法と判断〕。
25)　もっとも，判例法理としての労働契約法理はその根拠や趣旨に応じて柔軟に解釈されうるもの
　　であり，その適用対象となる労働者（労働契約上の労働者）は，個々の法理の解釈によって，労
　　働契約法が定義する労働契約法上の労働者（2条1項）より広いものとなりうる（水町勇一郎『詳
　　解　労働法〔第3版〕』71頁以下（東京大学出版会，2023）など参照）。
26)　なお，労契法には，船員に関する特例（20条），および，国家公務員・地方公務員，同居親族

第2章　労働法上の当事者　　59

労契法は，使用者に使用されて労働し，賃金を支払われる者を「労働者」と定義している（2条1項）。これは，「使用」性と「賃金」性によって労働者性を判断する労基法上の労働者概念（**_1_**）と同一のものである。したがって，労働契約（労契法）上の労働者性の判断にあたっては，**_1_** で述べた判断基準がそのままあてはまることになる。労働契約上の労働者性が争われた例を類型別にみると，①業務遂行について裁量性が高い者[28]，②零細下請業者的な者[29]，③契約形態が特殊な者[30]，④役員・管理職など[31]がある。

なお，民法は，雇用契約について，一方が「労働に従事」し，相手方が「これに対してその報酬を与える」ことを約する契約であると定義している（623条）。この民法上の雇用契約と労働契約（労基法13条以下，労契法6条）の関係をめぐっては，両者を峻別すべきとの見解も有力に主張されている[32]。もし，民

のみを使用する使用者の労働契約についての適用除外が定められている（21条）。

[27] 取締役が，定款や株主総会の決議による退職慰労金（会社法361条（商法旧269条）参照）とは別に，一般の従業員に支払われる退職金の支払いを請求できるかが争われることがある。これは理論的には，退職金請求権の根拠となる就業規則（退職金規程）の適用対象たる「従業員」にあたるか（当該取締役がこの意味での従業員としての地位を兼務しているか）否かの問題である。判例は，当該取締役の肩書・地位，業務の内容，使用者による指揮監督の内容・程度，取締役就任時の退職金受領の有無などを考慮し，実質的な観点からその「従業員」性を判断している（肯定例として，興栄社事件・最一小判平成7・2・9労判681号19頁など，否定例として，ザ・クロックハウス事件・東京地判平成11・11・15労判786号86頁など）。

[28] 大平製紙事件・最二小判昭和37・5・18民集16巻5号1108頁〔塗料製法の技術指導研究者の労働者性を肯定〕，新国立劇場運営財団事件・東京高判平成19・5・16労判944号52頁〔劇場の合唱団員であるオペラ歌手：否定〕，B社（法律専門職）事件・東京地判平成21・12・24労判1007号67頁〔企業内弁護士：肯定〕，ウインダム事件・東京地判令和5・2・3労経速2527号21頁〔予備校の数学講師：肯定〕など。

[29] アサヒ急配（運送委託契約解除）事件・大阪地判平成18・10・12労判928号24頁〔集配，運送，引越業務従事者：肯定〕，ソクハイ（契約更新拒絶）事件・東京高判平成26・5・21労判1123号83頁〔自転車での荷物配送メッセンジャー：否定〕など。

[30] 妙應寺事件・東京地判平成22・3・29労判1008号22頁〔宗教団体で宗教活動（教務）を行っていた僧侶：肯定〕，NHK神戸放送局（地域スタッフ）事件・大阪高判平成27・9・11労判1130号22頁〔NHK受信料の集金等を行う地域スタッフ：否定〕，ケイ・エル・エム・ローヤルダッチエアーラインズ事件・東京地判令和4・1・17労判1261号19頁〔訓練期間中の客室乗務員：肯定〕など。

[31] おかざき事件・大阪高判平成19・1・18労判940号58頁〔取締役：肯定〕，サンランドリー事件・東京地判平成24・12・14労経速2168号20頁〔代表取締役：否定〕，美容院A事件・東京地判平成28・10・6労判1154号37頁〔美容院の共同設立者：肯定〕など。

[32] 村中孝史「労働契約概念について」『京都大学法学部創立百周年記念論文集 第3巻』492頁以下（有斐閣，1999），鎌田耕一「雇傭・請負・委任と労働契約」横井芳弘＝篠原敏雄＝辻村昌昭編

法上の雇用契約と請負契約・委任契約との区別を当事者の意思によって行うとすれば，主観的に範囲が画定される雇用契約と客観的に範囲が画定されるべき労働契約とを峻別することにも意味がある。しかし，民法上の雇用契約等に関する規定にも強行的な性格をもつ規定（例えば627条）がある以上，雇用契約にあたるか否かの性質決定も客観的な事実に基づいて行わなければならない。したがって，両者を峻別して論じることには理論的な意味はなく，両者は同一のものと考えてよいだろう[33]。

2 「労働組合」

労組法は，労働者（労組法上の「労働者」）が組織する労働組合を，一定の要件の下で法的に保護している。その詳細は後述する（p399 *2*）が，ここでは，①労働者が主体となって（主体），②自主的に（自主性），③労働条件の維持改善その他経済的地位の向上を図ることを主たる目的として（目的），④組織する団体またはその連合団体（団体性）で（労組法2条），⑤組合の民主的な運営を確保するために法定された事項（均等取扱いや民主的意思決定手続など）を記載した規約を作成している（民主性。5条2項）という5つの要件を満たす労働組合に，労組法上の労働組合性が認められていることを確認しておこう。

3 「使用者」

事例5

ハゲタカ社は，タクシー事業を営むワセダタクシー社を買収して子会社化し，その役員・現場管理職等にハゲタカ社の役員・従業員等を派遣した。ハゲタカ社はワセダタクシー社の買収後，ワセダタクシー社の従業員の賃金減額を内容とする新賃金制度を導入しようとしたが，ワセダタクシー社の従業員が組織するワセタク労働組合の抵抗にあい，新賃金制度を早急に導入することができなかった。そこでハゲ

『市民社会の変容と労働法』151頁以下〔信山社，2005〕など。

[33] 東京大学労働法研究会編『注釈労働基準法（上）』185頁〔和田肇〕（有斐閣，2003）参照。なお，同居親族事業や家事使用人の雇用契約については，労働契約にあたる（したがって労働契約法理は適用されうる）が，労基法の適用範囲からは除外されている（労基法116条2項）ものと解される。

第2章 労働法上の当事者 **61**

タカ社は，自社の別の子会社でタクシー事業を営んでいるババタクシー社の事業区
域を拡張させ，ワセダタクシー社の無線番号や乗り場等を引き継ぐ形でタクシー事
業を行わせた。同時に，ハゲタカ社はワセダタクシー社の解散を決定し，ワセダタ
クシー社はその従業員である島田さんらを解雇した。島田さんらは，親会社である
ハゲタカ社や事業を承継したババタクシー社に対し，賃金の支払いなど労働契約上
の義務を履行するよう求めることができるか？　また，島田さんの所属するワセタ
ク労働組合は，解雇決定についての団体交渉をハゲタカ社に求めることができる
か？

　労働関係の一方当事者である使用者は，相手方である労働者に対し，賃金支
払義務など労働契約上の義務を果たす責任を負うと同時に，労基法などの労働
関係法規を遵守する義務を負う。また，労組法は，使用者に労働組合と団体交
渉をすることを義務づけており（7条2号），使用者はこのような労組法上の責
任を負う主体にもなる。労働法上の「使用者」概念は，これら労働法上のさま
ざまな責任を負う主体（「使用者」）が誰なのかを明らかにするために用いられ
るものである。

1 労働契約上の「使用者」

　労働契約上の責任を負う主体としての使用者（労働契約上の「使用者」）は，
当該労働者が労働契約を締結している相手方である企業（一般に個人企業の場合
は企業主個人，法人企業の場合は法人）である。しかし，実質的に企業を支配して
いる者が法形式を悪用して契約責任を回避しようとする場合など，契約上の一
方当事者でない者に使用者としての責任を追及すべき場合もある（「使用者」概
念の拡張）。この使用者概念の拡張を認める技法として，判例上大きく2つの法
理が提示されている。
　1つは，法人格否認の法理である[34]。これは，例えば 事例5 のようなケース
で，子会社（ワセダタクシー社）の法人格を否認して親会社（ハゲタカ社）に直
接契約責任を追及する法理として用いられる。理論的には，実質的に支配して
いる者が，法人格が異なることを理由に責任の帰属を否定することが正義・衡

---

34)　最一小判昭和44・2・27民集23巻2号511頁。

62　第2編　労働法総論

平の原理に反すると考えられる場合に，信義則（民法1条2項）上そのような主張をすることを許さないものとする法理と位置づけられる。この法理の適用は，判例上，①法人格が形骸化している場合（法人格形骸型）と②法人格が濫用された場合（法人格濫用型）の大きく2つの場合に認められている。

　法人格の形骸化による法人格の否認（①）が認められるためには，単に株式の所有等で当該企業に対し支配を及ぼしているというだけでは足りず，人事，財務，業務執行等の面でも実質的に支配・管理し，同企業の法人格が全くの形骸にすぎなかったことが必要であると解されている。[35]

　法人格の濫用による法人格の否認（②）については，法人を背後から「支配」している者がその法人格を違法・不当な「目的」で濫用したという事情（「支配」の要件[36]と「目的」の要件[37]）が必要であるとされる。典型的には，子会社の従業員によって結成された労働組合を壊滅させる目的で親会社が子会社を解散させた場合や解雇規制を潜脱する目的で親会社が子会社を解散させた場合である。[38]裁判例のなかには，①真実解散（当該事業を真に廃止する解散）の場合には解散・解雇を有効とし（労働契約上の地位確認請求を否定），未払賃金請求権など個別の債権の請求のみを認めるもの，[39]②偽装解散（実質的に同一の事業を別会社で継続する解散。 事例5 参照）の場合には労働契約上の地位は同一の事業を営む別会社に承継されるとするものもみられる。[40]しかし，実質的支配者が自らへの責任の帰属を否定することが正義・衡平の原理に反する場合に信義則上その

---

35)　黒川建設事件・東京地判平成13・7・25労判813号15頁（#2）。その他，法人格の形骸化を認めた裁判例として，川岸工業事件・仙台地判昭和45・3・26判時588号38頁，グレースウィット事件・東京地判平成29・8・25労判1210号77頁〔法人格形骸型と併用〕などがある。

36)　ここでは，形骸型の場合のように法人格が全くの形骸にすぎないといえるほど支配していたことまでは要求されず，雇用主と同視できる程度に雇用・労働条件等について具体的に決定できる支配力を有していたことで足りると解されている。

37)　大阪空港事業（関西航業）事件・大阪高判平成15・1・30労判845号5頁〔法人格濫用を否定〕など。

38)　未払賃金の支払いを免れる目的で子会社を解散させた事案で法人格濫用を肯定した裁判例（前掲35）グレースウィット事件判決など）や子会社を解散させることなく実質的に同一性のある新会社を設立し子会社従業員への賃金支払いを免れようとした事案で法人格濫用を肯定した裁判例（エヌアイケイほか事件・大阪高判令和5・1・19労判1289号10頁）もある。

39)　布施自動車教習所・長尾商事事件・大阪高判昭和59・3・30労判438号53頁など。

40)　新関西通信システムズ事件・大阪地決平成6・8・5労判668号48頁，日進工機事件・奈良地決平成11・1・11労判753号15頁など。

第2章　労働法上の当事者　　63

主張を許さないとする法人格否認の法理の構造からすれば，真実解散か偽装解散かを問わず，法人格を濫用した主体（親会社等）への責任の帰属（労働契約上の地位の承継）を肯定すべきである。偽装解散の場合には事業を承継した別会社への労働契約の承継を認めるべきとの見解（上記②の裁判例と同旨）も学説上有力に主張されているが，法人格の濫用につき帰責性がない別会社に責任を帰属させる結果につながりかねないこと，および，例えば親会社が子会社を連鎖的に解散させていった場合に責任追及が困難になるおそれがあることから，妥当な解釈とはいえない。

さらに，会社解散によって賃金債権等の債務免脱を図ろうとする行為について，偽装解散に関係した法人（親会社，事業承継会社等）に加えて，それを主謀しまたは協力した自然人（取締役，司法書士等）に対して，法人格を濫用した共同不法行為として金銭的救済（損害賠償の連帯責任）を求める動きが広がっている。この共同不法行為としての損害賠償請求という手法を用いることにより，連鎖解散等によって法人に対する責任追及が困難な場合にも，違法な解散の主謀者・協力者等の自然人を相手に責任追及をすることが容易になっている。

2つめは，黙示の労働契約の成立である。これは，例えばある企業に雇用されている労働者が他の企業に派遣されて就労している場合に，その派遣先の企業に契約責任を追及する法理として用いられる。ここでは，労働契約の成立を認める要件として，①当該企業（例えば派遣先）の指揮命令を受けて労務を提供し，②その対価として当該企業から報酬（賃金）の支払いを受けていたこと，および，③これらの点について両当事者に共通の認識（黙示の意思表示の合致）

41）　真実解散の事案でこれを肯定したものとして，船井電機・徳島船井電機事件・徳島地判昭和50・7・23 労判 232 号 24 頁，中本商事事件・神戸地判昭 54・9・21 労判 328 号 47 頁，偽装解散の事案でこれを肯定したものとして，第一交通産業ほか（佐野第一交通）事件・大阪高判平成19・10・26 労判 975 号 50 頁（#66。 事例5 参照）がある。

42）　荒木尚志『労働法〔第 5 版〕』67 頁以下（有斐閣，2022）。

43）　日本言語研究所ほか事件・東京高判平成 23・10・26 労判 1049 号 71 頁〔偽装解散による賃金債務の免脱を共謀した 3 名と事業承継会社の共同不法行為の成立を肯定〕，生コン製販会社経営者ら（会社分割）事件・大阪高判平成 27・12・11 労判 1135 号 29 頁〔組合壊滅目的で会社分割と分割前会社の事業閉鎖を共謀して行った取締役等と司法書士との共同不法行為の成立を肯定〕，メルファインほか事件・京都地判平成 28・4・15 労判 1143 号 52 頁〔偽装連鎖解散による未払賃金等の債務免脱の主謀者 1 名，関与・協力者 3 名と実質的な事業承継会社との共同不法行為の成立を肯定〕など。

があったことを立証することが求められる（労契法6条，民法623条）[44]。また，黙示の労働契約の成立は認められないが，労働者の就労の期待利益が侵害されたとして，不法行為による損害賠償請求が認められることもある[45]。

2 労基法上の「使用者」

労基法上の責任主体としての「使用者」概念には，労基法上の責任のタイプに応じて大きく2つのものがある。

1つは，労基法に基づく契約責任（労基法13条参照）を負う「使用者」である。これは，労基法上の基準が労働契約の内容となり，労働契約上の義務としてその責任を負う者であるため，*1*で述べた労働契約上の使用者概念と一致する[46]。

---

44) 黙示の労働契約の存在を肯定した例として，安田病院事件・最三小判平成10・9・8労判745号7頁〔〔原審〕大阪高判平成10・2・18労判744号63頁〕，ナブテスコ（ナブコ西神工場）事件・神戸地明石支判平成17・7・22労判901号21頁，マツダ防府工場事件・山口地判平成25・3・13労判1070号6頁など，否定した例として，サガテレビ事件・福岡高判昭和58・6・7労判410号29頁，パナソニックプラズマディスプレイ（パスコ）事件・最二小判平成21・12・18民集63巻10号2754頁（#81），日産自動車ほか（派遣社員ら雇止め等）事件・東京高判平成27・9・10労判1135号68頁〔最二小決平成28・12・21判例集未登載（上告棄却・不受理）により確定〕などがある。労働者派遣法の下で労働者派遣が行われている場合にも，派遣先企業と派遣労働者の間に黙示の労働契約が成立することは理論的にはありうる（上記マツダ防府工場事件判決参照）。最高裁の上記パナソニックプラズマディスプレイ（パスコ）事件判決も，このような理論的前提に立ち，労働者派遣法違反の有無（派遣元企業との労働契約の効力）と区別して，派遣先企業との黙示の労働契約の成否について論じている〔結論は否定〕。

45) 積水ハウスほか（派遣労働）事件・大阪地判平成23・1・26労判1025号24頁〔派遣先との間で黙示の労働契約の成立は認められないが，派遣先が3か月後に再度就労できると話していたにもかかわらず就労させなかったことは派遣労働者の就労の期待を侵害するとして，派遣先に対する不法行為損害賠償請求を認容〕など。

46) 労働契約上の使用者は，前述したように法人企業の場合には法人であるが，その取締役や監査役が善管注意義務違反等を理由に労働者に対し損害を賠償する責任を問われることがある。裁判例として，時間外労働に対する割増賃金（労基法37条）の不払いにつきこれを知りながら放置していた会社の取締役および監査役に対し善管注意義務ないし忠実義務に違反する任務懈怠があったとして割増賃金相当額の損害賠償を命じたもの（昭和観光（代表取締役ら・割増賃金支払義務）事件・大阪地判平成21・1・15労判979号16頁），過重労働による労働者の死亡につき代表取締役が経営に関与せず報酬を得ていない名目的な存在であったとしても対外的な責任は免れないとし，当該代表取締役に対し悪意または重過失による善管注意義務違反として損害賠償を命じたもの（株式会社まつりほか事件・東京地判令和3・4・28労判1251号74頁），賃金不払いにつき取締役3名に悪意または重過失による任務懈怠があったとして損害賠償を命じたもの（前掲38）エヌアイケイほか事件判決）。残業代の不払いにつき代表取締役に重過失による任務懈怠があったとして損害賠償を命じたもの（そらふね元代表取締役事件・名古屋高金沢支判令和5・2・22労判1294号39頁）などがある。

第2章　労働法上の当事者　65

もう1つは，労基法違反の罰則（117条以下）の適用や行政監督（97条以下）の対象となる「使用者」である。この使用者については，「事業主」または「その事業の労働者に関する事項について，事業主のために行為をするすべての者」をいうとの定義が定められている（10条）。ここにいう「事業主のために行為をする……者」とは，労基法が規制する事項について実質的な権限をもっている者を指す。例えば，時間外労働を命じる権限をもっている課長が労基法違反となる残業を部下に命じた場合には，この課長が労基法違反の実行行為者としての責任を問われることになる（「行為者罰」制度）。これと同時に，事業主にも罰金刑が科されうる（121条。両罰規定）。

3 労組法上の「使用者」

　労組法上の責任を負う主体としての「使用者」は，第1次的には，労働契約を締結している相手方である企業（労働契約上の使用者）である。しかし，これにも一定の例外が認められている。その詳細は後述する（p447 **2**）ことにして，ここでは，法の趣旨に照らし，①労働条件等について現実的かつ具体的に支配・決定できる地位にある者，および，②近い過去において使用者だった者もしくは近い未来において使用者となる可能性がある者について，労組法上の使用者性が認められることがあることを述べておくにとどめよう。

---

47) これは労働契約上の「使用者」と同じ概念であり，個人企業の場合には企業主個人，法人企業の場合には法人がこれにあたる。

48) なお，建設事業が数次の請負で行われる（例えば注文主Aが元請負人Bに発注し，Bが下請負人Cに請け負わせて，Cの従業員Xが作業を行う）場合，労働契約は下請負人Cと労働者Xの間に存在するが，災害補償については元請負人Bを使用者とみなすものとされている（労基法87条1項，労基則48条の2）。

66　第2編　労働法総論

第2編

第3章　　　　　　　　　　　　　　労働法の法源

　前述したように，労働者と使用者の間の労働をめぐる関係は，法的には，強行法規，労働協約，就業規則，労働契約という大きく4つの法源によって規律されている（p49 **2**）。これらのうちのどれかによって根拠づけられ権利義務となることによってはじめて，労働者（または使用者）は相手方に法的な請求をすることができる。ここでは，これらの労働法上の法源の骨格を順にみていくことによって，労働法の法的枠組みを理解することにしよう。

1　強行法規

1　総説——労働法上の強行法規

　労働関係を規律する最上位の法源は強行法規である。強行法規とは，当事者の合意の有無・内容にかかわらず当事者を規律する性格をもつ法規範である。

　労働法上の法源のうち強行法規に位置づけられるものとしては，大きく2つのタイプのものがある。1つは，労働基準法，最低賃金法，男女雇用機会均等法，育児介護休業法など実定法上の規定である。[1]これらの法律が定める基準に達しない当事者の合意（契約）は無効となり，これらの法律で定められた基準によって当事者は規律されることになる（労基法13条参照）。[2]もう1つは，強行

1）　労働安全衛生法（p295 *1*）上の規定が強行法規として当事者の権利義務を設定する効果をもつかについては争いがある。小畑史子「労働安全衛生法規の法的性質(1)(2)(3)完」法学協会雑誌112巻2号212頁以下・3号355頁以下・5号613頁以下（1995）は，同法自体の強行法規性は否定しつつ，安全配慮義務違反として損害賠償請求を提起した場合に同義務違反の判断において労働安全衛生法違反の事実が斟酌されうるとの見解を示している。

2）　もっとも，これらの法律上の規定のなかにも，男女雇用機会均等法11条（事業主のセクシュアル・ハラスメント防止措置義務）など，当該規定自体は私法上の効力（当事者間の権利義務を設定する効力）をもたないと解釈されているものもある。

67

的な性格をもつ判例法理である。判例は，権利濫用（民法1条3項）や公序（民法90条）など強行性をもつ民法上の一般規定等を根拠に，解雇権濫用法理，採用内定法理，試用法理，配転・出向法理，懲戒権濫用法理，男女平等取扱法理などの法理を形成してきた。これらの判例法理は，当事者の合意の有無・内容にかかわらず当事者を規律するという側面をもっている。その一部は，労働契約法によって法律上明文化されている（出向法理（14条），懲戒権濫用法理（15条），解雇権濫用法理（16条），雇止め法理（19条））。

2 労基法の規制枠組み

ここでは，労働法上の強行法規のなかでも代表的なものである労働基準法について，次の事例を念頭に置きながら，その規制の枠組みをみていくことにしよう。

> **事例6**
>
> ギャロップ運輸社では，トラック運転手である従業員の時間外・休日・深夜労働に対し割増賃金を支払っていない。これに不満をもった同社の従業員（トラック運転手）である林さんは，同社の社長の毛利さんに「法律に従って割増賃金を払ってもらえませんか」と言ってみたところ，毛利社長は「法律なんて守ってたらうちは潰れちゃうよ。法律は法律，うちはうちだ」と言って，聞く耳をもたない。林さんはこれ以上どうすることもできないのか？

> **事例7**
>
> 「24時間働きますよ」がモットーのビジネスマン社では，法定の手続を踏むことなく従業員に長時間の残業をさせていたが，顧問の社会保険労務士の助言を受け，従業員の親睦団体タフネス会の代表である時任さんと時間外・休日労働に関する労使協定を締結し，所轄の労働基準監督署長に届け出た。これで適法に従業員に残業をさせることができるか？

■1 労基法の特徴とその例外──労使協定・労使委員会決議

労基法に定められた基準には，①少なくともこれは守らなければならないという最低基準性（1条2項）と，②（労基法の適用対象である）すべての使用者がすべての労働者に対して一律に守らなければならないという一律性という大きく2つの特徴（原則）がある。したがって， **事例6** のように使用者が「うち

68　第2編　労働法総論

はうちだ」といってこれを守らないことは許されない。

　もっとも，これらの労基法の性格には，重要な例外が認められている。それ
は，労使協定（事業場の労働者の過半数を組織する労働組合がある場合にはその労働
組合，それがない場合には労働者の過半数を代表する者との書面による協定），または，
労使委員会の決議（事業場の労働条件の調査審議を行う労使半数ずつで組織された委
員会（労使委員会）の委員の5分の4以上の多数による決議（38条の4））によって，
その協定や決議の定める範囲内で労基法の規制を免れることができることであ
る。その趣旨は，事業場における民主的決定に基づいて，当該事業場の多様な
実情にあった柔軟な対応をすることを許容すること（民主的手続による規制の分
権化・柔軟化）にある。これは，賃金全額払原則についての例外（24条1項），
法定労働時間を超える労働（時間外労働）についての例外（36条），年休の付与
方法に関する例外（39条6項）など，労基法上明文で定められている場合に限
り認められる。

　この労使協定（および労使委員会決議）について理論的に注意すべき点は，労
使協定は労働協約，就業規則，労働契約といった労働法上の法源とは異なり，
基本的に労働者と使用者間の権利義務を設定する効果をもたないという点であ
る。労使協定は，労基法の規制を解除する効果（次の**2**で述べる私法上の効力，
罰則の適用，行政監督といった労基法規制の諸効果を消滅させる効果）をもつにすぎ
ない。この労使協定の規制解除効は，当該事業場の労働者全体に及ぶ。例えば，
労働者の51%を組織している労働組合が締結した労使協定の効果は，残りの
49%の労働者にも及ぶ。

3）　過半数労働組合がない場合の過半数代表者については，手続の民主性を保障するために，①過
　半数代表者は管理監督者（41条2号）であってはならないこと，②法が規定する過半数代表者を
　選出することを明らかにして実施される投票，挙手等の方法（労働者の話合い，持ち回り決議等
　を含む（平11・3・31基発169号））によって選出された者であって，使用者の意向に基づき選出
　されたものでないことが求められている（労基則6条の2第1項）。これらの要件を満たしていな
　い労使協定は無効となる。従業員の親睦団体の代表者が自動的に労働者代表となって締結された
　労使協定の効力が否定された例として，トーコロ事件・最二小判平成13・6・22労判808号11頁
　（#39）（〔原審〕東京高判平成9・11・17労判729号44頁）がある。
4）　ただし，労使協定が労働協約に求められる様式（労組法14条）を備えて労働組合との間で締結
　された場合には，労使協定としての効力（労基法規制の解除効）と同時に，労働協約としての効
　力（労組法16条など）をあわせもつことになる。

第3章　労働法の法源　　69

❷　実効性確保の手段

　労基法上の規制を使用者に守らせるための手段として，労基法は，次のようないくつかの方法を用意している。

1　私法上の救済

　労基法の定める基準を下回る労働基準を定める当事者間の合意（労働契約）は，その部分については無効とされ（強行的効力），無効となった部分は労基法の定める基準によって補われる（直律的効力）(13条)。例えば，時間外・休日・深夜労働に対し割増賃金を支払わないと当事者間で合意していたとしても，その合意は無効とされ，労基法（37条）の定める基準で割増賃金を支払う旨の契約となる。

　また，労基法に基づいて支払うべき賃金や手当を使用者が支払わなかった場合，裁判所は，労働者の請求により，未払金のほか，これと同一額の付加金の支払いを命じることができる（114条）。これは，アメリカの付加賠償金制度（公正労働基準法16条(b)）を参考に設けられた裁判所の判断に基づく民事制裁制度であり，裁判所の裁量によってその支払いの要否や額が決定される。裁判官はその裁量によって倍返しを命じることができるのである。この付加金の支払義務は裁判所の命令によって発生するものであり，裁判所がこれを命じる前（事実審の口頭弁論終結時まで）に使用者が未払金の支払いを完了し労基法違反の状況が消滅したときには，裁判所は付加金の支払いを命じることができなくなる。

2　刑 事 罰

　労基法上の規制のほとんどには，違反に対する罰則が定められている（117

5）　例えば，労働契約上「1日10時間労働・賃金2万円」という定めがあり「1日10時間労働」の部分が労基法に違反している場合（32条），この違反部分のみが無効となり，契約内容は「1日8時間労働・賃金2万円」となる（橘屋事件・大阪地判昭和40・5・22労民集16巻3号371頁，しんわコンビ事件・横浜地判令和元・6・27労判1216号38頁参照）。ただし，賃金について時間給であることが明らかであるなど特別の合意があると認められる場合には，賃金部分の契約の解釈として，これと異なる契約内容（例えば「1日8時間・賃金16,000円」）とされることもある。

6）　例えば，日本マクドナルド事件・東京地判平成20・1・28労判953号10頁（p266注87））は，使用者の行為の悪質性等を考慮し，付加金として未払割増賃金の半額の支払いを命じた。）

7）　甲野堂薬局事件・最一小判平成26・3・6労判1119号5頁など。この判例の立場への批判については，水町勇一郎『詳解労働法〔第3版〕』121頁以下（東京大学出版会，2023）など参照。

70　　第2編　労働法総論

条以下）。これらの規制事項について実質的な権限をもって違反行為を行った者（実行行為者）がこの刑事罰の対象となることは，前述した通りである（p65 **2**）。

労基法は，この行為者への処罰のみならず，その事業主（個人企業の場合は企業主個人，法人企業の場合は法人）に対しても罰金刑を科すこととしている（両罰規定）。ただし，事業主（ここでは自然人。法人企業の場合は代表者）が違反防止に必要な措置をした場合には，これを免れうる（121条1項）。

また，事業主（自然人）が違反の計画や行為を知りながらその防止や是正に必要な措置を講じなかった場合，および，違反を教唆した場合には，事業主自身も行為者として処罰される（同条2項）。この場合，罰金刑のみならず懲役刑（2022（令和4）年刑法等改正により「拘禁刑」に統一的に改められた。2025（令和7）年施行予定）も科されうる。

このように，労基法上の規定の多くは，私法上の効力をもつと同時に，罰則によって担保された刑罰法規でもある。刑罰法規の適用・解釈にあたっては，罪刑法定主義の要請から，法律主義，類推解釈の禁止，遡及処罰の禁止などが求められる（***Column 11***）。

Column 11 **労基法の類推適用？**　労基法規制の実効性を高めるという観点からは，私法救済，刑事罰および行政監督を一体のものとして，使用者の行為を規制することが求められる。これに対し，学説上，労基法の私法的側面と公法（刑事法）的側面を分離し，前者については類推解釈を含め柔軟な解釈を行うことによって労働者保護を拡張すべきであるとの見解が有力に主張されている[8]。実際の判例・裁判例でも，労基法の規定の私法上の効力が争われた事案で，当該規定の趣旨に照らした柔軟な解釈や類推適用がなされることはしばしばある[9]。

3　行政監督

労基法など労働関係法規の実効性を確保するため，厚生労働大臣を頂点とした行政監督制度[10]が設けられている。労基法については，厚生労働大臣の下に

8）　西谷敏『規制が支える自己決定』281頁以下（法律文化社，2004）。

9）　例えば，十和田観光電鉄事件・最二小判昭和38・6・21民集17巻5号754頁（p118注6），アイフル（旧ライフ）事件・大阪高判平成24・12・13労判1072号55頁（p210注178））など。）

10）　国（大臣）が法律に基づく規制権限を行使しなかったことにより労働災害が発生・拡大した等の事案において，国の権限不行使が許容限度を逸脱して著しく合理性を欠くと認められるときには，違法（国家賠償法1条1項）として被害者に対する国の損害賠償責任が肯定されうる（大阪泉南アスベスト国家賠償請求訴訟事件・最一小判平成26・10・9民集68巻8号799頁，国・エーアンドエーマテリアル等事件・最一小判令和3・5・17民集75巻5号1359頁など）。

（厚生労働省）労働基準局，労働基準局長の下に各都道府県労働局，都道府県労働局長の下に労働基準監督署がそれぞれ設置され，これらの機関には労働基準監督官が配置されている（労基法 97 条，99 条）。

これらのうち，労働監督行政の第一線で働く労働基準監督官は，事業場などを臨検し，帳簿・書類の提出を求め，必要な尋問を行うことができ（101 条），労基法違反の罪については，逮捕，捜査，検証など刑事訴訟法に規定する司法警察官の職務を行う権限が認められている（102 条）。また，労働基準監督署長には，労基法の各規定に基づき，臨検，尋問，許可，認定，審査，仲裁を行う権限が与えられている（99 条 3 項）。労働基準監督署長や労働基準監督官は，必要がある場合には，使用者や労働者に報告・出頭を命じることができる（104 条の 2）。

労働者は，労基法に違反する事実があると考えるときには，その事実をこれらの行政官庁や労働基準監督官に申告することができる。使用者は，申告を理由として，労働者に解雇その他不利益な取扱いをしてはならない（104 条）。また，使用者は，事業場ごとに労働者名簿と賃金台帳を調製して所定の事項を記入しなければならず（107 条，108 条），これらの書類とその他労働関係に関する重要書類を 5 年間（当分の間は 3 年間〔労基法附則 143 条 1 項〕）保存しなければならない（109 条）。さらに，使用者は，年休の時季，日数，基準日を労働者ごとに明らかにした年次有給休暇管理簿を作成しなければならず，年休の期間中および同期間の満了後 5 年間保存しなければならない（労基則 24 条の 7）。

2 労 働 協 約

労働関係を規律する第 2 の法源は，労働協約である。労働協約とは，労働者が組織する労働組合と使用者との間で締結された労働条件等に関する合意のことをいう（有斐閣 HP の労働協約例参照）。労働協約が一定の様式（書面に作成し署名または記名押印する）を満たす場合（労組法 14 条），労組法によって大きく次の 2 つの特別の効力が認められている。

第 1 に，労働協約の規範的効力である。これは，労働協約に定める基準に反する労働契約の部分を無効としそれを補う効力（強行的直律的効力）である（労

組法16条）。この効力は，原則として協約を締結している組合の組合員にのみ及ぶ。

　第2に，労働協約の一般的拘束力（拡張適用）である。これは，ある事業場の同種の労働者の75% 以上が同一の労働協約の適用下に置かれるに至った場合（例えば労働協約を締結している労働組合がある事業場の労働者の75% 以上を組織している場合）に，その組合に組織されていない同種の労働者にも当該協約の効力を及ぼすものである（労組法17条）。その意味で，この拡張適用は，労働協約の効力は組合員にのみ及ぶとする上記原則の例外にあたるものである。ただし，他の組合に加入している者にはこの拡張適用は及ばないものと解釈されている（労働協約に関する議論の詳細についてはp421 *2* 参照）。

3 就 業 規 則

　労働関係を規律する第3の法源は，就業規則である。日本の企業では，労働条件や職場規律など職場のルールが就業規則という形で定められていることが多い（工場規則や従業員規則といった名称が用いられる場合もある）。就業規則とは，「労働者の集団に対して適用される労働条件や職場規律について使用者が定めた規則」の総称である[11]（有斐閣HPの就業規則例参照）。日本の労働法の重要な特徴の1つは，就業規則が労働関係上極めて大きな役割を果たしている点にある。

　なぜ，日本では就業規則が重要か。就業規則に対して，法はどのような態度をとっているのか。就業規則の手続と実体に分けて，その法的な位置づけと意味をみていこう。

---

11) 例えば，工場規則，退職金規程，短時間有期職員規則など就業規則以外の名称が用いられていたとしても，「労働者の集団に対して適用される労働条件や職場規律について使用者が定めた規則」という客観的な実態をもつものについては，就業規則として労基法や労契法の諸規定の適用を受けることになる。これに対し，労働者に提示することを想定していない内規（内部利用のための文書）や広報用の社内報など「規則」としての実態をもたないものは，就業規則にはあたらない（ANA大阪空港事件・大阪高判平成27・9・29労判1126号18頁〔内規の就業規則性を否定〕，永尾運送事件・大阪高判平成28・10・26労判1188号77頁〔社内報の就業規則性を否定〕，Chubb損害保険事件・東京地判平成29・5・31労判1166号42頁〔制度概要の説明資料等の就業規則性を否定〕）。

第3章　労働法の法源　73

1 就業規則の手続——作成・変更手続

❶ 作成義務と必要記載事項

労基法は，常時 10 人以上の労働者を使用する使用者に，所定の事項を記載した就業規則を作成することを義務づけている（89 条）[12]。その趣旨は，就業規則を作成させることによって労働条件等を明確化し使用者の恣意的な運用を防ぐことにある[13]。

> ### 事例 8
>
> テレワークを自宅で行うにあたって生じる費用（パソコン購入費用，Wi-Fi 接続費用，電気代等）を会社が負担してくれない場合，労働者は自腹でその費用を負担しなければいけないのか？ 業務にかかる費用を労働者に負担させる場合に，使用者がとらなければならない手続はあるか？（その手続をとらない場合，法的にはどうなるか？）

就業規則に記載すべき事項としては，必ず記載しなければならない絶対的必要記載事項（始終業時刻，休憩時間，休日，休暇，賃金の決定・計算・支払方法，賃金の締切り・支払いの時期，昇給，退職（解雇事由を含む）に関する事項。89 条 1 号〜3 号）と，そのような制度を設ける場合には記載する必要がある相対的必要記載事項（退職手当，臨時の賃金等，最低賃金額，食費・作業用品など労働者の負担〔*Column 12*〕，安全・衛生，職業訓練，災害補償・業務外傷病扶助，表彰・制裁，その他当該事業場の全労働者に適用される定めに関する事項。同条 3 号の 2〜10 号）がある。使用者は，これらの記載事項のうち一部を切り離して別規則（例えば給与規程，退職金規程）の形で作成することもできる。これらの別規則も一体として就業規則をなすものであり，就業規則に関する法規制に服する。また，パートタイム労働者など特定の労働者グループについて，通常の就業規則とは別個の就業規則（例えば短時間有期職員規則）を作成することもできる。

このように，法は，ほとんどすべての労働条件について就業規則に記載する[14]

---

12) この人数は，事業場を単位として算定される（p54 *Column 8*）。パートタイム労働者やアルバイトなどのいわゆる非正社員も，労基法上の労働者である以上，当然これに算入される。

13) 常時使用する労働者が 10 人未満の使用者は，労基法上就業規則を作成することを義務づけられてはいないが，人事労務管理上の必要性等から自発的に就業規則を作成していることがある。この就業規則についても，労契法の関連規定（7 条，9 条，10 条，12 条，13 条）の適用はある。

74　第 2 編　労働法総論

ことを要求している。このことと関連して，日本では，次の2つの事態が生じている。

第1に，就業規則をみれば職場のルールがわかることである。労働条件など職場のルールがどうなっているかを調べるときには，就業規則をみるとよい。そこには労働条件，職場規律など職場のルールのほとんどが記載されている。就業規則より上位の法源として労働協約があるが，就業規則はこれらに反しないように定めなければならないものとされているため，労働協約が締結されたり内容が変更されたりした場合には，就業規則もそれに従って書き換えられることになる（労基法92条，労契法13条参照）。

第2に，就業規則が一種の「約款」として機能していることである。日本の企業では，特に正社員については，個別に労働条件について交渉し労働契約書を作成して採用されることは少ない。これに代わって重要な機能を営んでいるのが，就業規則である。日本企業の採用の場面では，労働条件についての個別交渉はほとんど行われず，就業規則に定められた定型的な労働条件を一括受諾して労働契約が締結されることが多い。このように，日本の就業規則は，労働契約を締結し労働条件を決定するにあたって，一種の約款として，その内容を決める重要な役割を果たしているのである（その法的効力については p78 **2**）。

Column 12 業務遂行にかかる費用を労働者に負担させることはできるか？　　業務遂行にあたって生じる費用（ 事例8 の費用のほか出張旅費，設備備品費，社用交際費など）は，本来使用者が負担することが想定されているものである（民法の雇用契約に関する規定〔623条以下〕のなかに委任契約における事務処理費用の前払請求〔649条〕や償還請求〔650条〕に類する規定が置かれていないのは労働者が労働に従事するにあたり費用を負担することを想定していなかったものと解される）が，労基法89条5号が労働者に負担させる定めをする場合に就業規則に記載することを求めているように，業務にかかる費用を労働者に負担させることがおよそ（強行的に）禁止されているわけではない。ただし，定期健康診断などその実施が法律上使用者に義務づけられている措置に係る費用は，法律上の義務が課された使用者が負担すべきものと解され，また，その他の業務に係る費用についても，労働者に負担させる場合には，周知され合理的な内容の就業規則の定め（p82(3)，p82(4)）や労働者の自由意思に基づく同意など労働契約上の

14）　これらの記載事項に含まれない労働条件としては，労働契約の期間，就業場所および従事する業務などがある（労基則5条1項1号，1号の3参照）。

15）　社会福祉法人セヴァ福祉会事件・京都地判令和4・5・11労判1268号22頁〔定期健康診断の受診費用は事業者が負担すべきであり労働者が負担した費用相当額を事業者は不当利得として労働者に返還する義務を負うと判示〕。

第3章　労働法の法源　75

明確な根拠が存在することが必要であると解される。労基法89条5号は，食費，作業用品を例として掲げつつ労働者に業務に係る費用を負担させる場合には就業規則に記載することを罰則付きで義務づけているが，これは国が使用者に課した公法上の義務であり，この記載によってただちに労働者と使用者間の私法上の権利義務が発生するわけではない（就業規則の定めがある場合には周知・合理性の要件を満たすことによって私法上の権利義務が発生し〔労契法7条〕，就業規則の定めがない場合でも労働者の自由意思に基づく同意など有効な契約上の根拠があれば私法上の権利義務は発生する）。この費用を賃金から控除することの違法性（賃金全額払原則との関係）については p251(3)，使用者がいったん負担した研修費用等を労働者に返還させることの違法性（違約金・賠償予定の禁止との関係）については p114 **3**参照。

2 意見聴取・届出・周知

　使用者は，就業規則の作成および変更にあたり，労基法上，次の手続をとることが求められている。

　まず，使用者は，就業規則の作成・変更について，事業場の過半数組合，それがない場合には過半数代表者（労基則6条の2）の意見を聴かなければならない（労基法90条1項）。就業規則の作成・変更に労働者の意見を反映させる趣旨の規定であるが，ここではその意見を聴けば足り，協議することや同意を得ることまでは求められていない。[17]労基法上の手続という面では，使用者は労働者が反対していても一方的に就業規則を作成し変更することができるのである。

　次に，使用者は，作成・変更した就業規則を行政官庁（所轄の労働基準監督署長）に届け出なければならない（89条）。この際に，過半数代表から聴取した意見を記した書面を添付する必要がある（90条2項，労基則49条2項）。

　さらに，使用者は，就業規則を各作業場の見やすい場所に常時掲示し，または備え付け，あるいは書面の交付や電子機器の設置による公開などの方法により，労働者に周知させなければならない（労基法106条，労基則52条の2）。

16）　住友生命保険（費用負担）事件・京都地判令和5・1・26労判1282号19頁〔営業職員の賃金からの携帯電話使用料，販促物品代等の諸費用の控除につき，諸費用の一部（一律課金されていた募集資料コピー用紙トナー代および労働者が明示的に異議を述べた部分）について労働者の自由意思に基づく同意の存在を否定〕参照。

17）　ドイツでは，重要な労働条件の決定にあたっては，労働者から選出された事業所委員会との同意（共同決定）が必要とされている（皆川宏之＝橋本陽子「ドイツ」荒木尚志＝山川隆一ほか編『諸外国の労働契約法制』75頁以下（労働政策研究・研修機構，2006）など）。

76　　第2編　労働法総論

2 就業規則の実体──法的効力

■ 他の法源との関係

1 法令・労働協約との関係

就業規則は，法令や当該事業場に適用される労働協約に反してはならず（労基法92条1項，労契法13条），行政官庁は，これらに抵触する就業規則の変更を命じることができる（労基法92条2項）。就業規則は，法源の序列上，強行法規たる法令よりも劣位に置かれ，かつ，労使間の合意に基づく規範である労働協約にも反してはならないとされているのである。

例えば，労基法上は有給休暇の日数が20日とされているにもかかわらず，就業規則上は15日とされている場合，当該就業規則規定は法令（労基法）違反として無効となり，有給休暇日数は20日となる（労基法13条）。また，労働協約上は時給額が2000円とされているにもかかわらず，就業規則上は1500円とされている場合には，当該就業規則規定は労働協約に反し無効となり，時給額は2000円となる（労組法16条）。なお，労働協約に抵触する就業規則は，協約[18]が適用される労働者との関係では無効となるが，協約が適用されない労働者に対してはなお効力を有するもの（相対的無効）と解される。

2 労働契約との関係

(1) 就業規則の最低基準効──労契法12条　　これに対し，就業規則には，個別の労働契約との関係では，就業規則の基準に達しない労働条件を定める労働契約をその部分については無効とし（強行的効力），無効となった部分を就業規則で定める基準によって補う効力（直律的効力）が認められている（労契法12条）。これは，就業規則の最低基準効とも呼ばれる。逆に，就業規則の基準を上回る労働条件を定めた労働契約は，この効力の影響を受けず有効である（労契法7条ただし書参照）。

(2) 最低基準効の発生要件　　就業規則の最低基準効は，そもそも労基法の

18）　このように労働協約の基準を下回る基準を定める就業規則規定は無効となるが，労働協約の基準を上回る基準を定める就業規則規定（例えば時給額2,500円との定め）もこれに「反する」ものとして無効となるかについては議論がある。この点については，労働協約における有利原則の問題として後述する（p422(1)）。

第3章　労働法の法源　　77

規定（旧93条）に基づいて法律上認められたものであるという本来の性格からすると，労基法上の意見聴取，届出，周知の３つの手続（p76 **2**）が履践されることで効力が発生するとも考えられる。しかし，使用者がこれらの手続を怠っていることを理由に労働者が最低基準効による保護を受けられなくなるのは妥当でない。そこで，これらの手続が遵守されていなくても，労働者への実質的周知（労働者が知ろうと思えば知りうる状態に置かれたこと）がなされ労働者に対する客観的準則として成立したといえる場合には，最低基準効が発生すると解すべきである[19]（*Column 13*）。

Column 13 就業規則の不利益変更の場合の最低基準効の発生要件（私見） 就業規則が不利益に変更された場合に，新就業規則の実質的周知によって旧就業規則の最低基準効が消滅するかについては，別の考慮が必要になる。この点は，就業規則の不利益変更につき使用者と合意した労働者がいるなかで新就業規則の合理性（労契法10条）が否定された場合に，変更に合意した労働者が旧就業規則の最低基準効を根拠に合意の無効を主張できるか（最低基準効は既に新就業規則に置き換えられておりそのような主張はできないか）という局面で問題となりうる。学説上は，実質的周知により新就業規則に最低基準効が認められ，旧就業規則には最低基準効は認められなくなるとするものがある[20]。しかし，このような解釈は，労働者が享受していた（旧）就業規則の最低基準効を新就業規則の実質的周知という簡易な手続により容易に奪い取ることを可能とするものであり，労働者保護という最低基準効の趣旨から実質的周知で足りるとした上記の解釈と相容れない。旧就業規則の最低基準効については，そもそも労基法の規定により認められたものであるという本来の性格に立ち返り，使用者が新就業規則につき労基法上の３つの手続（意見聴取，届出，周知）を履践して初めて消滅すると解すべきである。

2 就業規則の拘束力——法的性質論

事例９

コンビニ・アンタッチャブルで働いているフリーターの山崎君は，彼女とのデートが急に入ったため深夜勤務を１回さぼってしまった。翌日何食わぬ顔でアンタッチャブルに出勤したところ，店長の柴田さんから「始末書を書けば今回のことはなかったことにするから，今日からまたしっかり働いてくれ」といわれた。山崎君は

---

[19] 東京大学労働法研究会編『注釈労働基準法（下）』1024頁以下〔荒木尚志〕（有斐閣，2003）参照。インフォーマテック事件・東京高判平成20・6・26労判978号93頁は，意見聴取と届出を欠く退職金規程につき，取締役によりその存在および内容が従業員全員に周知されたこと等からその効力を認めた。なお，就業規則の契約補充効（労契法７条）および契約変更効（10条）の発生要件となる手続については，別途検討する必要がある（p82(3)，p91(c)）。

[20] 荒木尚志＝菅野和夫＝山川隆一『詳説労働契約法〔第２版〕』130頁（弘文堂，2014），荒木尚志「就業規則の不利益変更と労働者の合意」法曹時報64巻9号2266頁以下（2012）。

「始末書を書かされるなんて話は入店以来聞いたことがないっす」といったところ，柴田店長は「会社の規則にちゃんと書いてある」といって同社の就業規則をみせた。するとそこには「無断欠勤をした場合には始末書の提出を命じる」と書いてあった。山崎君は始末書を書かなければならないか？

　この事例のように，ある事項について就業規則にのみ規定がある場合，その就業規則規定は当事者を拘束する効力をもつか。2007（平成19）年に制定された労働契約法は，「労働者及び使用者が労働契約を締結する場合において，使用者が合理的な労働条件が定められている就業規則を労働者に周知させていた場合には，労働契約の内容は，その就業規則で定める労働条件によるものとする」と規定し，労働者への周知と内容の合理性を要件として就業規則が労働契約の内容となることを定めている（7条。就業規則の契約補充効）。

　この法律が制定される前は，就業規則の拘束力について法は明確な規定を置いていなかった。そこで，この問題の根底にある理論的課題として，就業規則の法的性質論が学説・裁判例上長きにわたって論じられてきた。

1　従来の議論──労契法7条制定に至る経緯

　学説上は，戦前の議論を含め「4派13流」と呼ばれるような多様な議論が展開されてきた。[21]　その動きを大きくみると，法規説と契約説の対立を軸に議論は推移してきたといえる。法規説は，就業規則それ自体が法規範として拘束力をもつとする立場であり，契約説は，就業規則は労働契約の内容になることによって初めて法的拘束力をもつとする立場である。裁判例も，従来は，法規説に基づく判断をしたもの，契約説に立つと考えられるもの，法規説に立ちつつ就業規則の不利益変更については労働者の既得権等に基づき合理的制限を加えようとするものなど，多様に推移していた。[22]　このような法規説と契約説の理論的対立・錯綜のなか，最高裁大法廷は，1968（昭和43）年の秋北バス事件判決[23]において独自の見解を示した。「（就業規則は……）合理的な労働条件を定めて

---

21)　諏訪康雄「就業規則」労働法文献研究会編『文献研究 労働法学』82頁以下（総合労働研究所，1978），野田進「就業規則」季刊労働法166号149頁以下（1993），中村和夫「就業規則論」籾井常喜編『戦後労働法学説史』755頁以下（労働旬報社，1996）など参照。

22)　王能君『就業規則判例法理の研究』41頁以下（信山社，2003）参照。

23)　最大判昭和43・12・25民集22巻13号3459頁（#20）。

第3章　労働法の法源　79

いるものであるかぎり……事実たる慣習が成立しているものとして，その法的規範性が認められる」との立場を示したのである[24]。これに対し，学説は当初，法規性（法的規範性）の根拠を法律行為の解釈基準である事実たる慣習（民法92条）に求めるのは理論的に誤りであるとして，厳しい批判を加えた。

　しかしその後，この判決の法的性質論を普通契約約款に関する法理論を就業規則に応用したものとみる見解が，学説上示された[25]。同判決は，契約内容は約款によるとの事実たる慣習が存在する場合には「事前の開示（周知）」と「内容の合理性」を要件に契約としての拘束力をもつとの約款理論を，約款と同様の機能を有する就業規則にあてはめたものであると理解したのである。この見解の影響を受け，最高裁は，その後の電電公社帯広局事件判決[26]において，「就業規則の規定内容が合理的なものであるかぎり……労働契約の内容をなしている」と判示して，就業規則の法的性質について契約説に立ったものであることを明らかにした。このような理解の下，その後の裁判例は，就業規則の法的性質についてこの判決と同様の立場を繰り返し述べるようになり，就業規則の契約説（約款説）的な理解は実務上定着をみるに至った。

　このような状況を受け，労契法7条はこの判例法理を法律上明文化すべく，使用者が合理的な労働条件を定めた就業規則を労働者に周知させていた場合には就業規則が労働契約の内容となるとする規定を定めたのである。

2　労契法7条をめぐる解釈

(1)　**法的性質——法規か契約か？**　　労契法7条が定める就業規則の法的性質については，①同条は「慣習による意思」の有無にかかわらず（労働者が反対の意思表示をしていても）効力が発生するものと読める点で民法上の事実たる慣習（92条）の処理とは異なること，および，②同条の立法過程で「合意の推定」によって契約内容となるとする提案に対して強い反対が示されそのような

---

24)　この判決は，これとあわせて，後述するように（p87 (1)），就業規則の不利益変更について，変更条項が合理的なものであるかぎり個々の労働者はその適用を拒否できないとの立場を示している。この判決はそもそも，就業規則の法的性質については法規説に立ちつつ，不利益変更の可否については従来の学説・裁判例にみられた既得権や合理性概念から着想を得て新たな法理を創り出すという意図をもつものであった（可部恒雄［判批］ジュリスト421号93頁（1969）参照）。
25)　下井隆史「就業規則」恒藤武二編『論争労働法』286頁（世界思想社，1978），菅野和夫『労働法〔初版〕』93頁（弘文堂，1985）。
26)　最一小判昭和61・3・13労判470号6頁。

80　　第2編　労働法総論

構成はとられなかったことから，同条は，契約説をとったわけではなく，法的性質論については法規説と契約説に対する中立的な立場から判例法理の処理基準を立法化したものであるとの理解が一般的に示されている。[27]

　しかし，①労働者が就業規則に対し反対の意思表示をしている場合にまで就業規則の効力を認めることは，労働契約の成立における合意原則（労契法1条，6条参照）に照らし妥当でない。また，②本条では「合意の推定」という構成はとられなかったが，国会審議のなかで労働契約と就業規則の関係については判例法理を変更することなく立法化したものであることが確認されている。[28]これらの点からすると，労契法7条は，判例法理が示していた就業規則の契約（約款）としての性質を受容し条文化したものと解釈することができる。[29]

(2)　適用範囲──「労働契約を締結する場合において」　労契法7条は，「労働者及び使用者が労働契約を締結する場合において」という限定を付けて就業規則の契約補充効について定めている。この文言は，国会に提出された政府原案には付されていなかったが，国会審議の過程で，常用労働者が10人未満の事業場で新たに就業規則を作成した場合にも本条が適用されるとすると使用者が簡単に労働条件を切り下げられることになるのではないかという懸念が示され，国会修正の形で付加されたものである。[30]このような立法の経緯からすると，同条は文言通り，「労働契約を締結する場合に」（すなわち労働者の採用時に）合理的な労働条件を定めた就業規則が周知されていた場合に限り適用されると解すべきであろう。なお，労働契約締結後に新たに作成された就業規則の拘束力に

---

27)　荒木＝菅野＝山川・前掲20) 117頁以下，菅野和夫『労働法〔第12版〕』204頁（弘文堂，2019）。

28)　平成19年11月20日第168回国会参議院厚生労働委員会会議録6号2頁〔細川律夫，舛添要一厚生労働大臣発言〕。

29)　労働契約成立における合意原則（労契法1条，6条参照），および，契約（約款）説と理解されていた判例法理を変更することなく条文化した労契法7条の立法経緯からすると，労働契約締結時に労働者が就業規則に反対する意思表示をしていた場合には，約款と同様に，就業規則の契約としての効力は発生しない（労契法7条の適用はない）と解釈すべきである。学説上は，労働者が異議を表明していることを知りながら使用者がその労働者を採用した場合には，就業規則を適用しない黙示の合意（同条ただし書）があったと解釈してこの問題に対処しようとするものもある（荒木＝菅野＝山川・前掲20) 119頁）。

30)　平成19年11月20日第168回国会参議院厚生労働委員会会議録6号4頁〔小林正夫，細川律夫発言〕。

ついては，労働条件変更の問題（労契法 8 条～10 条）として捉えることができる（特に p90(b)参照）。

(3)　「周知」　労契法 7 条は，就業規則の契約補充効の発生要件として，内容の合理性と並んで，労働者への周知が必要であるとしている。これは，就業規則の拘束力発生の要件として労働者に周知する手続がとられていることが必要であると判示した判例[31]の立場を受けて定められたものである。

本条の「周知」は，法令上列挙された方法に限定された労基法上の周知（106 条，労基則 52 条の 2。p76 **2**）とは異なり，就業規則が契約（約款）として当事者を拘束する前提となる実質的な周知（労働者が知ろうと思えば知りうる状態に置かれたこと）で足りる[32]。労働者が実際にその内容を知っているか否かは問われない[33]。この周知は，労働者の集団に対してなされるものでなければならない[34]。

この実質的な周知のほかに，労基法上の意見聴取，届出，周知の手続をとっておくことも要するかについて，従来，学説の多くは，労働契約の内容となって労働者を拘束する以上，3 つの手続すべてを満たしておくことが必要であると解していた[35]。しかし，行政取締法規である労基法上の手続規定が労働契約としての効力に影響を与える理由（両者の理論的関係）は明らかでなく，また，就業規則には特別手当の支給など労働者にとって利益になる労働条件が定められていることもある。そこで，労契法は，就業規則の契約補充効の発生要件となる手続としては実質的な「周知」のみを要求し，労基法上の意見聴取，届出，周知の手続がとられている必要はないことを条文上明らかにしたものといえる。

(4)　「合理性」　労契法 7 条は，最高裁秋北バス事件判決以来の判例の立場

---

31)　フジ興産事件・最二小判平成 15・10・10 労判 861 号 5 頁（#21）。

32)　メッセ事件・東京地判平成 22・11・10 労判 1019 号 13 頁〔就業規則の内容を何時でも知りうる状態に置いていたとして周知性を肯定〕，エスケーサービス事件・東京地判平成 27・8・18 労経速 2261 号 26 頁〔就業規則が就業場所に備え置かれておらず知ろうと思えば知りうる状態にはなかったとして周知性を否定〕。

33)　この実質的知の具体的な態様については，就業規則の契約変更効に関する裁判例（p91(c)）が参考になる。

34)　PMK メディカルラボほか 1 社事件・東京地判平成 30・4・18 労判 1190 号 39 頁〔従業員 1 名に閲覧させ確認させたことをもって労働者集団に対し周知がなされたとはいえないと判示〕。

35)　東京大学労働法研究会編・前掲 19) 1027 頁以下〔荒木〕参照。

（p79 **1**）を受け，就業規則が定める労働条件が合理的であることを要件として定めている。

本条にいう合理性は，変更の前後の状況の比較が問題となる動態的な就業規則変更の合理性（10条。p92⒟）とは異なり，労働契約締結時に定められている静態的な就業規則規定の合理性である。ここでは，そのような規定を置くことに企業経営・人事管理上の必要性があり，それが労働者の権利・利益を不相当に制限するものでないかという点を中心に，その他，関連する法令への抵触がないか，社会一般の状況に照らし不相当なものでないか等の点も勘案して，各規定の合理性が判断されることになる[36]。例えば，労働者による兼業を全面的に禁止する就業規則規定は，労働者の職業選択の自由等を不相当に制限する可能性があるものとして合理性を欠くと解釈されうる（p206 **7**）。もっとも，これまでの判例は，一般的な配転命令の根拠規定（p176 **2**）や時間外労働命令の根拠規定（p271⒝）など就業規則の多くの規定について規定自体の合理性は広く認めつつ[37]，当該規定の趣旨に照らした合理的限定解釈を行ったり（例えば p202 **3**，p241⒝），労働者の具体的な利益等を考慮して権利濫用法理により適用に制限を加えること（例えば p176 **2**，p202 **3**）によって，就業規則規定の合理性（7条）とは別のレベルで個別事案に応じた対応をする傾向にある。

（5）**合意の優先——労契法7条ただし書**　労契法7条は，ただし書で，労働者と使用者が就業規則と異なる合意をしていた部分については，その合意が就業規則の基準に達せず無効とされる場合（12条）を除いて，就業規則の契約補充効は発生しないと定めている。これは，就業規則と異なる（かつ就業規則の基準を上回る）合意が就業規則に優先することを定めたものである（合意の優先）[38]。例えば，就業規則には包括的な配転規定があるが，労働者との間に勤務地限定の合意がある場合には，後者がより有利なものとして就業規則規定に優先して

36）　日本郵便（期間雇用社員ら・雇止め）事件・最二小判平成30・9・14労判1194号5頁，ハマキョウレックス（無期転換）事件・大阪高判令和3・7・9労判1274号82頁など参照。

37）　前掲36）日本郵便（期間雇用社員ら・雇止め）事件判決は，期間雇用社員について満65歳以降は契約を更新しない旨の就業規則規定（上限条項）の合理性を肯定した。

38）　就業規則の法的性質を約款と理解する（p80⑴）と，労契法7条は，法源のレベルとしては労働契約のなかの事実たる慣習（p50の④ⓑ）と同一レベルに立つものであり，労働者と使用者の意思表示の合致（明示・黙示の合意。p50の④ⓐ）に劣後するものと位置づけられる。合意の優先を定めた同条ただし書は，理論的にはこのことを確認的に規定したものといえる。

適用される（就業規則の契約補充効は発生しない。p176 **2** 参照）。この合意は労働契約締結時に成立したものに限定されず，労働契約締結後に成立したものもこれに含まれる。例えば，就業規則には採用の時点から包括的な時間外労働規定が定められていたが，採用から数年後，夜間の大学院に通学することになった労働者との間で時間外労働を免除する合意がなされた場合には，労契法 7 条ただし書によりこの合意が優先して適用されることになる。

3 労働契約の内容の変更と就業規則変更の拘束力

　上述のように，就業規則は，労働者に周知され内容が合理的であれば労働契約の内容となり，当事者を拘束する。次の問題は，その内容が変更された（特に労働者に不利益に変更された）場合に，変更された就業規則も労働者を拘束するかである。次の 3 つの事例をみてみよう。

事例 10

　従業員の高年齢化に伴い年功賃金が負担となってきた松竹社では，基本給をジョブ型賃金に改めることとし，その旨を定めた改定就業規則を従業員全員に回覧して，これに同意する者はその表紙の所定欄に署名・押印するよう求めたところ，従業員のほとんどはこれに署名・押印した。同社従業員の南川さん（55 歳）もこれに署名・押印したが，実際に新制度に移行すると基本給の額が 2 割下がった。南川さんは，この改定は不合理だとして，会社に改定前の賃金の支払いを求めることができるか？

事例 11

　にいがた銀行は，かつて定年を 55 歳とし，55 歳になっても健康で在職を希望する男子行員については 58 歳まで賃金水準を落とさずに再雇用するという雇用管理を行っていた。しかしその後，社会的に定年延長の要請が強まったため，同銀行は，定年年齢を 60 歳まで延長するとともに 55 歳以降の賃金を切り下げ，年間賃金を 54 歳時の 63 ないし 67％ に引き下げることを内容とする就業規則の改正を，同社の多数組合（従業員の 90％，50 歳以上の行員の約 6 割を組織）の同意を得て行った。1 年後に 55 歳になる田中さん（非組合員）は，この就業規則に従わなくてはならないか？　それとも旧就業規則に基づく処遇を求めることができるか？

事例 12

　山本銀行は，以前からの高コスト体質に加えて金融自由化の波のなかで経営状況が悪化し，経営指標が地方銀行のなかで最下位になった。そこで同銀行は，人件費

84　第 2 編　労働法総論

削減のための人事制度改革に着手し，従業員の約4分の3を組織する労働組合の同意を得て，55歳以上の行員を「管理職」から外して「専任職」とすることを内容とする就業規則改正を行った。この改革の結果，55歳以上の者は管理職ポストと管理職手当を失うだけでなく，基本給や賞与も段階的に削減され，年収が約300万～430万円減少（削減率は約33～46％）することになった。これに不満をもつ同銀行の行員北島さん（55歳）は，従前の制度による賃金支払いを求めることができるか？

このような問題に対し，労契法は，労働契約の内容の変更は合意によるという原則を掲げ（8条），労働者と合意することなく就業規則の変更によって労働者の不利益に労働条件を変更することはできない（9条）としつつ，その例外として，「使用者が就業規則の変更により労働条件を変更する場合において，変更後の就業規則を労働者に周知させ，かつ，就業規則の変更が……合理的なものであるときは，労働契約の内容である労働条件は，当該変更後の就業規則に定めるところによるものとする」と定めている（10条。就業規則の契約変更効）。

ここでは，労契法が定める労働契約の内容の変更に関する一般原則（8条，9条）をみたうえで，就業規則の不利益変更の拘束力（10条の背景と内容）について検討することにする。

1 労働契約の内容の変更に関する原則

労契法8条は，労働者と使用者は合意により労働契約の内容である労働条件を変更することができるとし，これに続き9条（本文）は，使用者は，労働者との合意なく，就業規則の変更により労働条件を不利益に変更することはできないと規定している。これは，労働契約の合意原則（1条参照）が，労働契約の成立の場面（6条）だけでなく，労働契約の内容の変更の場面にも及ぶことを確認したものであり，とりわけ使用者が労働者との合意なく一方的に労働契約の内容を変更することを原則として禁止した（その私法上の効力を否定した）ものである。ただし，この原則には，次の**2**で述べるように，就業規則による契約内容の変更という重大な例外が定められている（9条ただし書，10条）。[39]

---

39) 労契法9条本文が合意原則を掲げたことは，その例外となる就業規則変更の効力発生要件である「周知」と「合理性」（10条）の主張立証責任を使用者側が負うことを明確にしたという意義も有している。

労契法 8 条の合意原則をめぐって解釈上問題となるのは，事例 10 のように就業規則変更に労働者が同意している場合には，就業規則変更の周知や合理性の有無（10 条）を問うことなく労働契約の内容が変更されるかである。合意による変更（8 条）が原則であり就業規則による変更（10 条）を例外とする労契法の条文の構造からすると，たとえ就業規則による変更が周知や合理性を欠き無効である（例外の適用がない）としても，使用者と労働者間で合意が成立している（原則があてはまる）場合には，その合意に沿って労働契約の内容が変更されると解されることになろう[40]。ただし，この合意も法令（強行法規），労働協約，就業規則に反するものであってはならない（労基法 13 条，労組法 16 条，労契法 12 条参照）。特に就業規則変更につき労基法上の手続（意見聴取，届出，周知）が履践されておらず旧就業規則がなお最低基準効（労契法 12 条）を有していると解される場合（p78 *Column 13*）には，旧就業規則の基準を下回る合意は無効とされる（旧就業規則の基準が契約内容となる）ことには注意が必要である。

労働条件の変更を基礎づける労働者と使用者の「合意」（8 条）の認定は，労働者の真意に基づくものかという観点から慎重に行わなければならない。この点につき，判例は，吸収合併される法人の職員の退職金を合併前に切り下げた（算定基礎を半額，支給倍数に上限設定，企業年金給付額を退職金額から控除〔内枠方式〕した）事案において，就業規則に定められた賃金や退職金に関する労働条件変更に対する労働者の同意の有無は，労働者の不利益の内容・程度，労働者が変更を受け入れた経緯・態様，それに先立つ労働者への情報提供・説明の内容に照らし，労働者の自由な意思に基づいたものと認めるに足りる合理的理由が客観的に存在するか否かという観点からも判断すべきであるとし，労働者が当面の退職金額と計算方法を知り同意書に署名押印しただけでは足りず，使用者から変更の必要性，具体的な不利益の内容・程度についても情報提供や説明がなされるべきであったと判示した[41]。

---

40) 最高裁山梨県民信用組合事件判決（最二小判平成 28・2・19 民集 70 巻 2 号 123 頁（#23））は，このことを原則として肯定した。

41) 前掲 40) 山梨県民信用組合事件判決〔支給される退職金額が 0 円となる可能性が高くなることなど具体的な不利益の内容・程度についても情報提供・説明が必要であったと判示〕。この判例法理は，その後の裁判例において，賃金や退職金の変更の事案（O・S・I 事件・東京地判令和 2・2・4 労判 1233 号 92 頁〔基本給を 25% 減額する合意（雇用契約書への署名押印）につき，使用

2　就業規則の不利益変更の拘束力

使用者は就業規則を変更することによって労働条件を変更することができるか。労働者に不利益な変更であり，労働者がそれに反対している場合にも，変更された就業規則は労働者を拘束するか。拘束するとすればその根拠はどこにあるのか。日本の労働法における最大の難問とされたこの問題について，労契法10条は，最高裁秋北バス事件判決以来の判例の立場を定式化する形で，問題解決の一般的枠組みを定めるに至った。

(1)　判例の立場と考察──労契法10条制定の背景

(a)　最高裁秋北バス事件判決　　就業規則の法的性質について重要な判断を示した最高裁秋北バス事件判決（p79 **1**）は，就業規則変更の拘束力についても極めて重要な判示をした。同判決は，「（変更された）条項が合理的なものであるかぎり，個々の労働者において，これに同意しないことを理由として，その適用を拒否することは許されない」とし，不利益な変更であっても合理的であれば労働者を拘束するとの見解に立つことを明らかにしたのである。この立場は，その後の判例においても繰り返しとられるようになり，そのなかで合理性の判断が蓄積されていった（p92 (d)）。

しかし，就業規則が契約（約款）としての性格をもつ（p79 **1**）とすれば，相手方の同意なくその内容を一方的に変更することはできないのではないか。なぜ，合理的な変更なら拘束力をもつのか。労契法10条の背景を知るために，労働関係の特殊性や日本の労働法制の特質を踏まえながら，この点について簡単に考察しておこう。

(b)　考　察　　労働契約関係は，その大きな特徴として，「継続性」と「集

者は変更の根拠を調査事実や客観的証拠を示して労働者に説明していないとして，自由意思に基づく同意の存在を否定〕，木の花ホームほか1社事件・宇都宮地判令和2・2・19労判1225号57頁〔定額残業代として支給されていた職務手当の切下げを意図した給与減額につき，使用者がその根拠や理由等について合理的な説明を行った形跡はないこと等から，自由意思に基づく同意の存在を否定〕など）のみならず，それ以外の労働条件変更の事案（福祉事業者A苑事件・京都地判平成29・3・30労判1164号44頁〔求人票の記載に基づき期間の定めなし，定年制なしとして成立した労働契約の内容が，期間1年，定年65歳と記載した労働条件通知書への署名押印行為により変更されるかが争点とされた事案で，自由意思に基づく同意の存在を否定〕，学校法人国際医療福祉大学（仮処分）事件・宇都宮地決令和2・12・10労判1240号23頁〔職種を変更する配転への同意（配転合意書への署名押印）につき自由意思に基づく同意の存在を否定〕）でも広く援用されている。

団性」という性格をもっている。このような性格をもつ関係においては，継続している関係の途中で環境の変化があったときに，個々別々に交渉し対応するのではなく，集団的に変化に対応する必要が生じる。

比較法的にみると，このような状況に対応する方法としていくつかの方法がある。①労働条件変更に同意しない労働者を解雇することによって集団的な労働条件変更を実現する方法（例えば，アメリカの随意雇用原則），②労働協約を組合員だけでなくすべての労働者に適用することによって集団的な労働条件変更を実現する方法（例えば，アメリカの排他的交渉代表制，フランスの代表的労働組合制），③労使の間で合意が得られない場合に第三者の強制的な裁定（強制仲裁）によって集団的な労働条件を決定・変更する方法（例えば，ドイツの仲裁委員会による強制仲裁制度）である。

しかし，日本の現行法ではこれらの方法で集団的な労働条件変更を行うことは難しい。日本では，①解雇が判例（解雇権濫用法理）などによって厳しく制限されている（p212 **3**），②労働協約は原則として協約締結組合の組合員にのみ及び，例外として認められている一般的拘束力（拡張適用）も少数組合員には及ばないと解されている，③ドイツのような仲裁委員会による強制仲裁制度もないからである。

以上のような日本の現行の労働法制では，反対する労働者が少しでもいる限り，労働契約の内容を集団的に変更することが困難な状況が生じる。このようなこう着状態が長く続くと，継続的な性格をもつ労働契約関係が硬直化し，外部環境の変化に対応できない事態に陥る。このような状況を踏まえて，日本の労働法制の不均衡を修正し，一定の要件の下で労働契約関係の展開に柔軟性を認めようとしたのが，就業規則の合理的変更法理であると考えることができる。

労働関係の特殊性や労働法制全体の制度設計の観点から，判例の就業規則変更法理をこのように捉えることができるとしても，理論的にはこれをどう構成すべきか。判例自体はその理論構成を明らかにしてこなかった。

学説上，その理論構成につき大きく2つの見解が提示された。1つは，労働者は労働条件を合理的に変更することにつき労働契約上あらかじめ黙示的に合意しているとする「黙示の合意」説である。[42] しかし，このような黙示の合意はフィクションであり，実際の裁判においてもこのような合意を認定したうえで

88　第2編　労働法総論

変更の合理性（契約依拠性）が論じられてきたわけではない。もう1つの見解は，「信義則」説である。解雇権濫用法理（民法1条3項，労契法16条）により関係の「継続性」が要請されている日本の労働契約関係においては，当該関係の「柔軟性」を確保するために，信義則（民法1条2項，労契法3条4項）上，合理的な範囲内で契約内容を変更する権利が使用者に付与されているとする解釈である。[43]判例法理のもつ上述のような背景，および，継続性・集団性という労働契約関係の特性と信義則のもつ関係調整的機能との親和性に照らすと，本法理の理論構成としては信義則説が妥当といえよう。

労契法10条は，このような状況のなかで，この就業規則変更に関する判例法理を法律上明文化した。

(2) 労契法 10 条をめぐる解釈

(a) 法的性質　労契法10条が定める就業規則の契約変更効の法的性質については，一般に，従来の議論がその理論的根拠の説明に窮していたという状況のなかで本条が判例法理を明文化したことにより法的根拠に関する議論に立法によって決着が付けられた（本条自体がその根拠となる）とされ，本条の基盤にある理論的根拠・性質をそれ以上明らかにしようとしない態度が示されている。[44]たしかに，今後は就業規則変更法理について労契法10条自体を法的根拠とすることができ，それ以上根拠・性質を探究しなくても実務上の解決には支障がないともいえそうである。しかし，その理論的基盤を明らかにしないと，この条文のみでは明らかにならない他の法源や条文との関係（例えば就業規則の新設による労働条件変更の効力（p90(b)），労使慣行と就業規則変更との関係（p95 *1*），労基法上の手続と就業規則変更との関係（p91(c)）など）をめぐる解釈が，理論的一貫性を欠くまま結論の妥当性のみを求めて場当たり的に行われることになりかねない。このような懸念からすると，労契法10条の基盤にある理論的根拠・性質を明らかにすることはなお重要である。

---

42) 下井隆史『労働基準法〔第5版〕』420頁（有斐閣，2019），山川隆一『雇用関係法〔第4版〕』36頁（新世社，2008）参照。

43) 毛塚勝利「就業規則理論再構成へのひとつの試み(1)(2)完」労働判例428号4頁以下・430号4頁以下（1984），内田貴『契約の時代』69頁以下・120頁以下（岩波書店，2000）。

44) 村中孝史「労働契約法制定の意義と課題」ジュリスト1351号44頁（2008），荒木＝菅野＝山川・前掲20）131頁以下。

第 3 章　労働法の法源　89

この点につき，上述したような判例法理の背景と理論的考察（p87(b)），および，労契法は判例法理を変更することなく立法化したものであるという経緯からすると，労契法 10 条は，継続性と集団性という特性をもつ労働契約関係上の信義則（民法 1 条 2 項，労契法 3 条 4 項）に基づく要請を法律上具体化した規定と解釈することができよう。その意味で，本条は信義則を理論的根拠・基盤とした規定と性格づけることができる[45]。

(b)　適用範囲——「不利益」な「就業規則の変更」　労契法 10 条の就業規則の契約変更効は，就業規則変更による労働条件の「不利益」変更はできないという原則（9 条）の例外として定められたものである。このような条文の構造からすると，本条の定める就業規則による労働条件変更ルールは，労働条件の「不利益」な変更であることを前提としたものと解される。しかし，労働条件の不利益性の判断は客観的一義的に行うことが難しいものであり，その立証の困難さゆえに労働者が合理性審査に入る前に入口で排除される（「不利益」な変更ではないとして拘束力が肯定される）ことは適当でない。したがって，ここでの「不利益」性は労働者が不利益であると主張していることをもって足りると解すべきである[46]。

　また，労契法 10 条は，「就業規則の変更」により労働条件を変更する場合という表現を用いており，これは，（旧）就業規則を（新）就業規則に変更する場合のみを指すのか，新たに就業規則を作成して労働条件を変更する場合も含むのかが解釈上問題となる。判例法理を生み出した最高裁秋北バス事件判決（p87(a)）が「新たな就業規則の作成又は変更によつて」という文言を用いてい

---

45)　このように理解すると，労契法 10 条は，法源のレベルとしては労働契約のなかの条理・信義則（p50 の④ⓓ）のレベルに位置づけられるものといえる。もっとも，この条理・信義則は契約内容を補充・修正する機能をもつものであり，より上位の契約の内容を修正する効力（p50 の①）をももちうる（p48 *1*）。例えば，労働者と使用者の間に，合理性がなくても就業規則によって契約内容を自由に変更できるという合意（p50 の④ⓐ）があったとしても，この合意は信義則によって労契法 10 条と同内容のものに変更されると解釈されうる（その意味で労契法 10 条は強行的な規定と解される）。

46)　具体的には，原告である労働者が変更された就業規則とは異なる法的根拠（旧就業規則等）に基づく請求をしていること（その抗弁として使用者が自らに有利（労働者にとっては不利益）と思われる就業規則の変更を主張している）ことをもって足りると解される（山川・前掲 42）38 頁，荒木 = 菅野 = 山川・前掲 20）134 頁以下参照）。実質的な不利益の有無や程度は変更の「合理性」の判断（p92(d)）のなかで具体的に考慮されることになる。

たにもかかわらず，本条では「作成」という表現が外された経緯[47]からすると，就業規則の新設の場合はここに含まれていないと解釈することが文言上素直である。もっとも，判例法理（それを立法化した労契法 10 条）の基盤にある継続的・集団的労働契約関係における柔軟性の要請（それを理論的に基礎づける信義則の関係調整的機能。p87(b)）は就業規則の新設による労働条件変更の際にも同様にあてはまるものであることからすると，労契法 10 条の類推適用または信義則（民法 1 条 2 項，労契法 3 条 4 項）によって，就業規則の新設の場合にも労契法 10 条のルールが同様にあてはまると解してよいだろう[48]。

(c)「周知」　労契法 10 条は，就業規則の契約変更効の発生要件として，内容の合理性と並んで，労働者への周知が必要であるとしている。

事例 13

ナダル社は，退職金制度を変更するにあたって，従業員の全体朝礼で相浦社長が変更の概要を口頭で説明し，質問があれば申し出るように述べたが，誰も質問をしなかった。同社は，変更した就業規則を休憩室の壁に掛けておき，従業員がいつでも読めるようにしておいた。この変更により退職金の額が減ってしまった同社従業員の西野さんは，変更前の就業規則による退職金の支払いを求めることができるか？

本条の周知については，就業規則の契約補充効（7 条）の要件としての周知（p82(3)）で述べたことが基本的にあてはまる[49]。近時の裁判例には，使用者が就業規則の変更につき全体朝礼で概略的に説明をしただけで，説明文書の配布や説明会の開催など全従業員に具体的に説明する努力を払っていなかったことから，周知（実質的周知）を欠くとしたものがある[50]。就業規則が労働契約の内容

---

47)　就業規則自体を新設して労働条件を変更した事案に関する最高裁判決がなく，判例法理で解明されていない問題であるとして，就業規則の「作成」という文言は立法化の対象から外された（平成 19 年 11 月 20 日第 168 回国会参議院厚生労働委員会会議録 6 号 4 頁〔小林正夫，細川律夫発言〕，荒木 = 菅野 = 山川・前掲 20）146 頁参照）。

48)　土田道夫『労働契約法〔第 2 版〕』569 頁（有斐閣，2016），荒木 = 菅野 = 山川・前掲 20）135 頁以下，菅野・前掲 27）211 頁以下など参照。

49)　就業規則変更の効力は，労働者に周知する手続をとった日に発生するとした裁判例として，クリスタル観光バス（賃金減額）事件・大阪高判平成 19・1・19 労判 937 号 135 頁，社会福祉法人八雲会事件・札幌高判平成 19・3・23 労判 939 号 12 頁がある。

50)　中部カラー事件・東京高判平成 19・10・30 労判 964 号 72 頁（ 事例 13 参照）。

第 3 章　労働法の法源　　91

となる要件としての周知（7条，10条）については，単に情報へのアクセスを可能とする（アクセス可能性）だけでなく，内容の認識・理解を可能とするような具体的な説明の努力（認識・理解可能性。4条1項参照）も求められているのである[51]。

なお，労契法11条は，就業規則変更の手続として，労基法上の手続（意見聴取，届出）によることを定めているが，これは就業規則の契約変更効（10条）とは別に，労基法の手続規制を遵守すべきことを確認的に規定したものといえる。

(d)　「合理性」　労契法10条は，最高裁秋北バス事件判決（p87(a)）以来の判例の立場を受け，就業規則変更が「合理的」なものであるときは，労働契約の内容は変更後の就業規則の定めるところによるとしている。就業規則変更法理を具体的に適用する際に，実務的にも理論的にも重要になるのが，この「合理性」の中身である。

判例は，この合理性の判断要素として，①就業規則変更によって労働者が被る不利益の程度，②使用者側の変更の必要性，③変更の社会的相当性（変更後の内容の相当性，世間相場との比較），④労働者の不利益を緩和する措置（代償措置，経過措置等），⑤手続の妥当性（労働組合との交渉経緯，他の従業員の対応）などを総合考慮すべきとする枠組みを構築してきた[52]。労契法10条は，この判例の枠組みをそのまま受け入れつつ，就業規則変更の合理性を，ⓐ労働者の受ける不利益の程度，ⓑ労働条件の変更の必要性，ⓒ変更後の就業規則の内容の相当性，ⓓ労働組合等との交渉の状況，ⓔその他の事情に照らし判断するものと定めている[53]。

---

51)　荒木＝菅野＝山川・前掲20）113頁以下参照。

52)　タケダシステム事件・最二小判昭和58・11・25労判418号21頁〔有給の生理休暇の日数を年24日から月2日とし有給率を100％から68％とする就業規則変更につき合理性を肯定〕，大曲市農業協同組合事件・最三小判昭和63・2・16民集42巻2号60頁〔7つの農協の合併にあたり退職金支給率を他の6農協の基準にあわせて引き下げる就業規則変更につき，合併に伴う統一の必要性，給与増額等他の労働条件の改善状況などから合理性を肯定〕，第四銀行事件・最二小判平成9・2・28民集51巻2号705頁（#22）など参照。特に，賃金・退職金など労働者にとって重要な労働条件に実質的な不利益を及ぼす場合には，これを労働者に受忍させることを許容できるだけの高度の必要性が求められる（大曲市農業協同組合事件判決，第四銀行事件判決など）。

53)　判例法理のいう労働者の不利益を緩和する措置（代償措置，経過措置等）（④）は，本条においては，労働者の受ける不利益の程度（ⓐ）に包含されているものとの理解も可能である（山川・前掲42）39頁参照）が，本条の立法過程では，変更後の就業規則の内容の相当性（ⓒ）に含まれ

具体的には，事例11（p84）と類似のケースにおいて，最高裁（前掲注52）第四銀行事件判決）は，ⓐ従来58歳まで勤務して得られていた賃金額が60歳近くまで勤務しないと得られなくなることはかなり大きな不利益であるが，ⓑ定年延長とそれに伴う賃金水準の見直しの必要性は高度なものであり，ⓒ変更後の賃金水準も他行や社会一般と比較してかなり高く，また，定年延長は不利益を緩和する措置ということができ，ⓓこれらを含む就業規則変更につき多数組合の同意を得ていることは労使間の利益調整がされた結果として合理的なものと推測することができるとして，変更の合理性を肯定している。これに対し，事例12（p84）類似のケース（最高裁みちのく銀行事件判決）では，ⓐ賃金面での不利益は極めて重大であり，かつ，この変更は特定の行員（高年層）にのみ大幅な不利益を課すものであり（他の行員の労働条件はこれに伴って改善されている），ⓒこれを緩和する十分な経過措置等もとられていないことから，ⓓ多数組合がこれに同意していてもこれを大きな考慮要素と評価することは相当でないとして，変更の合理性を否定している。[54]

（e）不変更の合意の優先——労契法10条ただし書　労契法10条ただし書は，労働者と使用者が就業規則の変更によっては変更されない労働条件として労働

るものと位置づけられている（前掲47）会議録5頁〔青木豊発言〕参照）。労契法10条のその他の事情（ⓔ）としては，労基法上の手続（p76❷）を遵守していないこと等があげられうる。

[54]　最一小判平成12・9・7民集54巻7号2075頁。なお，近時の裁判例として，役職定年制を導入し55歳以降は年10％の割合で給与等を削減する（60歳定年時には50％の削減となる）就業規則変更につき，ⓐ労働者の受ける不利益の程度がその生活設計を根本的に揺るがしうるほど大きなものである一方で，ⓑ変更の必要性は現実に被告金庫の破綻等の危険が差し迫っているほど高度なものではなく，ⓒ代替措置は一応講じられているものの労働者の不利益の程度と比較して不十分なものであるということができ，ⓓ多くの職員は就業規則変更に同意していること等の事情を考慮しても，合理的な変更とは認められないとしたもの（熊本信用金庫事件・熊本地判平成26・1・24労判1092号62頁），営業成績給の廃止を含む人事制度改定を行う就業規則の変更につき，ⓐ原告労働者への不利益は小さくないが，賃金の総原資を減少させるものではなく，ⓑ統一的な人事制度の導入にあたり営業成績給を廃止したことも経営判断として一定の合理性があり，ⓒ導入された人事制度は安定的で，恣意的な評定を避ける制度的な担保もあり，ⓓ複数回にわたる説明会の実施，個別の照会窓口の設置，新旧対照表の閲覧など手続も相当であったこと等を考慮して，変更の合理性を肯定したもの（野村不動産アーバンネット事件・東京地判令和2・2・27労判1238号74頁），歩合給と家族手当を廃止し運行時間外手当（一種の固定残業代）を創設する就業規則変更につき，ⓐ労働者の不利益の程度は著しく，ⓑ給与水準を大幅に引き下げる本件変更をすべき高度の必要性は認められないこと等からすれば，ⓓ本件変更に従業員の約73％が承諾していたことを踏まえても，変更の合理性は認められないとしたもの（栗田運輸事件・東京高判令和3・7・7労判1270号54頁）などがある。

契約上合意していた部分については，それが就業規則の基準に達せず無効とされる場合（12条）を除いて，就業規則変更の拘束力は及ばないことを規定している。

　これは一方で，労働者と使用者間に就業規則の変更によっては変更されないとの合意（不変更の合意）がある場合には，就業規則変更が周知され合理的であっても変更の効力は及ばないことを明らかにしたという意味をもつものである。この不変更の合意の内容は多様なものでありうるが，職種や勤務地を限定する特約，契約形態に関する特約（例えば無期契約を有期契約に変更しないこと，特殊な契約形態を他の形態に変更しないこと），賃金に関する特約（例えば年俸額を年途中で変更しないこと），労働時間に関する特約（例えば勤務時間限定の特約），定年制不適用の特約などがその例としてあげられよう。この合意には，明示のものだけでなく黙示のものも含まれ，また，個別の合意のみならず集団的に設定された合意も含まれる[55]。その認定は，合意内容の性格（特殊性）や合意に至った経緯などを考慮し，両当事者が合意なく変更することはない旨の意思をもっていたかという意思解釈によって行われる[56]。

　これと同時に，労契法10条（ただし書）は，このような不変更の合意がない（ただし書が適用されない）場合には，就業規則より有利に設定されていた労働契約の内容も，（本文の原則に戻り）就業規則の変更によって変更されうることを明らかにしたという意味をもつものでもある[57]。例えば，就業規則上は月給30万円とされる労働者につき，個別の合意に基づいて月給32万円が支給されていたが，この個別の合意は「不変更の合意」とは認められず，この労働者にも適用される形で就業規則上の賃金規定が月給28万円に変更された（かつ，この変更に周知と合理性があると判断される）場合，労契法10条本文により契約内容は月給28万円に変更されることになる。

---

55)　荒木＝菅野＝山川・前掲20）143頁以下参照。
56)　山川・前掲42）38頁参照。
57)　労契法10条（ただし書）は，これらの点で，それまでの判例法理が必ずしも明確にしてこなかった就業規則変更ルールの及ぶ範囲を明らかにしたという意義をもつ。

4　労働契約

　労働関係を規律する第4の法源は，労働契約である。労働契約（民法上は雇用契約）とは，労働者が使用者に対して労働に従事すること（すなわち指揮命令に従って労務を提供すること）を約束し，使用者がこれに対して報酬を支払うこと（すなわち賃金を支払うこと）を約束する契約である（労契法6条，民法623条。p59 *3*）。

　2007（平成19）年に成立した労働契約法（2008（平成20）年3月施行）は，労働契約は労働者と使用者の対等な立場における合意に基づいて締結・変更すべきものであるとの原則を掲げつつ（3条1項），労働契約の成立・変更・終了等に関する基本的ルールを定めている。そのなかには，権利の濫用など強行法規（第1の法源）レベルのルール（3条5項，14条，15条，16条），就業規則の最低基準効（第3の法源）を定めるルール（12条），就業規則の契約補充効・契約変更効（7条，10条），信義則（3条4項）など労働契約（第4の法源）レベルのルールなど，さまざまなレベルのルールが含まれている。労契法は，労働契約の解釈の準則のうち一定のものを法律上明文化したものということができる。

1　労働契約の解釈枠組み

　労働契約も契約の一種であり，その解釈にあたっては契約に関する一般的なルールが適用される。その具体的な解釈枠組みが，ⓐ意思表示の合致（明示・黙示の意思表示の合致），ⓑ事実たる慣習（民法92条），ⓒ任意法規（民法91条），[58]　ⓓ条理・信義則（民法1条2項）の4つからなることは，前述した通りである（p48 **2**）。労働契約上の権利義務は，強行法規，労働協約，就業規則とともに，これら個別の労働契約上の法源によって基礎づけられる。

> **事例14**
> 　味処ララランドでは，アルバイトとして西田さんを雇用する際，契約書では勤務する曜日や日数を具体的に定めず，店長がその都度作成する勤務シフト表で勤務日を

58）　労働関係をめぐる任意法規と解釈される法律規定として，報酬の支払時期に関する民法624条などがある。

指定する方法をとっていた。西田さんはこの方法で，実際には平均週 4 日程度働いていたが，店長の門倉さんは，西田さんの遅刻癖等の勤務態度を問題視するようになり，西田さんの勤務日が週 1〜2 日になるように勤務シフトを組むようになった。勤務日数が減り生活に困るようになった西田さんは店長に抗議したが，相手にしてもらえなかった。西田さんはお店に対し，何らかの法的請求をすることができるか？

　個別の労働契約上の根拠として最も基本的なものは，両当事者の合意（ⓐ意思表示の合致）である。これは，一般的な契約と同様，契約書の定めや口頭での合意など明示的に表示された合意（明示の意思表示の合致）のみならず，行為によって実現された内心の意思の合致（黙示の意思表示の合致）によっても成立しうる。例えば，**事例 14**（使用者が勤務シフト表を指定することにより具体的な労働日や労働時間が決まるシフト制勤務の事案の 1 つ）では，労働契約書など明示の形では所定労働日数が合意されていないが，就労の実態等を考慮して所定労働日数が黙示の形で合意されていると認定されることがある。[59]

　労働契約の解釈枠組みにかかわる問題として，次の事例についても考えてみよう。

事例 15

　学校法人サバンナ学園では，定年後再雇用者や長期の病気休職者等を除き，20 年間にわたり，常勤講師を含む全教員について毎年度少なくとも 1 号俸ずつ昇給する取扱いをしてきた。同学園が作成した定期昇給の運用基準（内規）には，昇給日現在 30 日を超える欠勤中の状態でなく，昇給日前 1 年間に減給以上の制裁を受けていない者については「良好な成績で勤務した職員」として定期昇給の対象とする

---

59)　萬作事件・東京地判平成 29・6・9 労判ジャーナル 73 号 40 頁〔**事例 14** 類似の事案で，勤務の実態等から所定労働日数を週 4 日とする黙示の合意があったと認定し，使用者がシフト日数を削減したことにより就労できなくなった部分については，使用者の帰責事由による就労不能（民法 536 条 2 項。p237（2））として労働者の賃金請求権を肯定〕。ホームケア事件・横浜地判令和 2・3・26 労判 1236 号 91 頁〔出勤日週 5 日程度との雇用契約書の下，過去の就労実態から所定労働日数は週 4 日であったと合理的意思解釈〕，医療法人社団新拓会事件・東京地判令和 3・12・21 労判 1266 号 44 頁〔シフトの勤務医につき雇用契約上固定した勤務日・勤務日数の合意があったと認定〕も参照。なお，労働日数・時間数がその都度変動して決定され，労働契約上所定労働日数・時間数を事前には設定しないシフト制も日本の現行法上はありうるが，そのような事案においても，使用者が合理的理由なくシフトを大幅に削減し労働者に著しい不利益をもたらしたことは，使用者のシフト決定権限の濫用にあたるとして，使用者に労働者への損害賠償を命じた裁判例（シルバーハート事件・東京地判令和 2・11・25 労判 1245 号 27 頁）がある。

96　　第 2 編　労働法総論

旨が記載されていた。同学園の常勤講師である高橋さんは，病気欠勤や制裁を受けたことがないにもかかわらず，定期昇給を受けられなかった。同学園の常勤職員就業規則には，定期昇給に関する規定はない。高橋さんは，同学園に対し，定期昇給がなされたものとして賃金の支払いを求めることができるか？

　この事例のように，職場において長期間にわたって繰り返し行われている取扱いを労使慣行という。この労使慣行に法的効力が認められるのか，認められるとすればそれはどのような場合にどのような根拠で認められるのかが，ここでは問題となる。

　この点について，裁判例は，①長期間にわたって反復継続して行われ，②労使双方がこれを明示的に排除しておらず，③当該慣行が労使双方（特に使用者側は当該労働条件について決定権または裁量権を有する者）の規範意識（例えば当該職場における確立したルールとして運用するという認識）によって支えられている場合には，事実たる慣習（民法 92 条）として法的効力が認められるとの立場をとっている。これら 3 つの要件を満たしていることを立証できれば，労働契約上の権利としてその継続（ 事例15 では毎年度 1 号俸昇給したものとしての賃金支払い）を求めることができることになる。[60]

　労使慣行に法的効力が認められる場合，これを就業規則の変更によって破棄することができるかも問題となる。この点について，就業規則より有利な労働条件を定める労働契約部分を就業規則変更によって破棄・変更することはできないとの解釈に立つと，就業規則より有利な労使慣行を集団的に変更・破棄するためには労働協約を締結または改定するしかないことになる。しかし，労働[61]組合がないところではこの方法を用いることはできず（労組法 7 条 3 号），いった[62]ん労使慣行の効力が認められると長期にわたって労働関係が硬直化する危険にさらされることになる。[63]このような状況に対して，労契法 10 条は，就業規

60）　商大八戸ノ里ドライビングスクール事件・最一小判平成 7・3・9 労判 679 号 30 頁〔原審〕大阪高判平成 5・6・25 労判 679 号 32 頁（＃29）〕〔特定休日手当の支給に関する労使慣行の効力を否定〕，立命館（未払一時金）事件・京都地判平成 24・3・29 労判 1053 号 38 頁〔年 6 か月分以上の一時金を支給する労使慣行の効力を肯定〕，学校法人明泉学園事件・東京地判令和元・12・12 労経速 2417 号 3 頁〔 事例15 類似のケースで，毎年度少なくとも 1 号俸ずつ定期昇給させる労使慣行の効力を肯定〕など。

61）　労働協約の両面的拘束力の有無については，p422 (1)参照。

62）　労働組合を結成するか否かは，使用者が介入できない労働者の自主的選択である（p456 **4**）。

第 3 章　労働法の法源　　97

則によって変更されないとの合意（不変更の合意）がない限り，就業規則より有利な労働条件部分も就業規則変更によって変更されうるとの立場を示している（p93(e)）。したがって，同法の下では，不変更の合意がなく，かつ，就業規則変更が周知され合理的であれば，有効に成立していた労使慣行も破棄されうることになる。特にここでは，労使慣行の成立や破棄に至る経緯・手続等の諸事情が，不変更の合意の在否の判断（p93(e)）や就業規則変更の合理性判断（p92(d)）において重視されることになろう。[64]

2 労働契約上の権利義務

労働契約は，労働者が使用者の指揮命令を受けながら労働し，その対価として使用者が賃金を支払うことを内容とする契約である。この定義からもわかるように，労働契約における基本的な権利義務は，労働者の労働義務と使用者の賃金支払義務である。[65] このほか，労働契約においては，使用者の配慮義務や労働者の誠実義務など付随的な義務が設定されている場合もある（労契法3条4項，5条参照）。

■ 基本的権利義務

1 労働義務と指揮命令権・業務命令権

> **事例16**
>
> 鉄道会社の従業員である喜勢さんが組合員バッジを着用したまま勤務していたところ，同社は職場規律の維持を図るために喜勢さんにバッジの取外しを命じた。しかし，喜勢さんがこれに従わなかったために，同社は喜勢さんを通常業務から外し，営業所構内に積もっていた火山灰の除去作業を行うよう業務命令を発した。喜勢さんはこの業務命令に従わなければならないか？（Ⅰ）　就業規則（全142条）を一字一句違わず書き写すことを命じた場合はどうか？（Ⅱ）

労働者は，労働契約上，使用者の指揮命令を受けながら労務を提供する義務

---

63) これは，就業規則変更法理（労契法10条）の背景にあった事情（p87(1)）と同様のものである。
64) 前掲60）立命館（未払一時金）事件判決は，労使慣行の変更の可否について就業規則変更の合理性と同様の判断枠組みに立って判断している〔結論否定〕。
65) これらのうち賃金支払義務については雇用関係法のなか（p235 *1*）で詳論することとし，ここでは労働義務をめぐる法的問題についてみていくことにする。

98　第2編　労働法総論

を負っている。使用者が労働者に対してもつ指揮命令権は，より広く業務命令権と呼ばれることもあり，本来的な職務のほかに，出張，研修や健康診断，自宅待機などにも及びうるものである。この指揮命令権（業務命令権）の根拠は，労働協約の定めや就業規則の合理的な規定を含む労働契約に求められる[66]。逆にいうと，このような契約上の根拠がない場合，労働者は使用者の指揮命令や業務命令に従うべき義務を当然に負っているわけではない[67]。

　指揮命令権（業務命令権）を基礎づける契約上の根拠が存在し，命令が契約の範囲内でなされたときであっても，指揮命令権の行使が権利の濫用（民法1条3項，労契法3条5項）にあたるなど強行法規に違反するような場合には，命令は違法・無効なものとされる。例えば，命令の目的が嫌がらせ・みせしめなど違法・不当なものである場合や[68]，命令権の行使に業務上の必要性がなく，労働者に著しい不利益をもたらすような場合[69]には，当該命令は権利濫用にあたるものと解される。また，命令の態様が労働者の肉体や精神に不当な苦痛を与えるなど人格権を侵害する場合には，権利の濫用または公序違反（民法90条）として違法・無効となりうる[70]。公衆に危険を及ぼす感染症が拡大するなか，使用

---

66)　電電公社帯広局事件・最一小判昭和61・3・13労判470号6頁〔就業規則の合理的規定を根拠に使用者の精密検診受診命令権を肯定〕参照。

67)　理論的には，労働契約だから指揮命令権が認められるのではなく，指揮命令権についての合意があるから労働契約（雇用契約）と性質決定される（労契法6条，民法623条参照）。指揮命令権の法的根拠は，それを基礎づける合意（契約上の根拠）自体に求められる。

68)　国鉄鹿児島自動車営業所事件・最二小判平成5・6・11労判632号10頁（#24）（ 事例16 の（Ⅰ）参照）では，火山灰除去作業命令も職場管理上やむを得ない措置であり，違法・不当な目的でされたものとは認められないとされたが，JR東日本（本荘保線区）事件・最二小判平成8・2・23労判690号12頁（ 事例16 の（Ⅱ）参照）では，就業規則書き写し命令はみせしめを兼ねた懲罰的目的からなされたものであり，権利の濫用にあたると判断された。また，予め達成目標が明示されず結果として73日間に及んだ日勤教育や，教育の必要性がないにもかかわらず教育のためとして天井清掃や除草業務を命じた日勤教育につき，使用者の裁量を逸脱した違法な業務命令であるとした裁判例として，JR西日本（森ノ宮電車区・日勤教育等）事件・大阪高判平成21・5・28労判987号5頁参照。

69)　使用者の勤務シフト決定権限の行使を権利濫用として違法とした裁判例として，前掲59）シルバーハート事件判決がある。また，テレワークを行っていた従業員への事務所出社命令につき，業務上の必要性があったとは認められず無効であるとした裁判例として，アイ・ディ・エイチ事件・東京地判令和4・11・16労判1287号52頁参照。

70)　例えば，危険海域への就航命令など労働者の生命や身体に予測困難な危険をもたらす命令は無効であり，労働者を拘束しない（千代田丸事件・最三小判昭和43・12・24民集22巻13号3050頁参照）。

者が労働者に対し，感染の危険のある業務に従事する命令やワクチン接種を義務づける命令を発することについては，業務上の必要性の大きさ，感染予防措置の徹底，労働者への情報提供・説明等の手続の履践などを考慮して，その適法性・有効性（権利濫用や公序違反等にあたらないこと）が判断されることになるだろう[71]。

2 労働義務の履行

(1) 「債務の本旨」に従った労務提供　　労働者は，労働義務を「債務の本旨に従って」履行しなければならない（民法493条）。労働をする際に労働者が負っているこの義務は，職務専念義務ないし誠実労働義務とも呼ばれる。この義務の内容は，「債務の本旨」，すなわち当該労働契約においていかなる態様の労働が求められているかという個別の労働契約の解釈によって，具体的に定まることになる。債務の本旨に従った履行がなされない場合，使用者はその受領を拒否し，労務提供に基づく賃金部分の支払いを免れることができる[72]。

最高裁は，公社職員（当時）の事件で，職務専念義務について，「注意力のすべてをその職務遂行のために用い職務にのみ従事しなければならないこと」を意味するとし，胸に反戦プレートを着用して勤務することはこの義務に違反するとした[73]。これに対し，ホテル従業員（労働組合員）が胸にリボンを着けて就業した事件（いわゆる「リボン闘争」）で，最高裁の伊藤正己補足意見は，職務専念義務とは労働契約に基づき職務を誠実に履行する義務をいうのであって，業務を具体的に阻害することのない行動は必ずしもこの義務に違反するものではないとしている[74][75]。理論的には，上述のように，個別の労働契約の解釈の問題

---

71)　新型コロナウイルス感染症拡大下で自宅待機日とされていた日に出勤指示をしたことにつき，業務上の必要性，労働者の不利益の程度等から使用者の裁量権の濫用にあたるとはいえないとした裁判例として，関西新幹線サービックほか事件・大阪地判令和4・6・23労判1282号48頁参照。

72)　債務の本旨に従った履行の提供がないためにその受領を拒否した場合，これに伴う就労不能の帰責性（民法536条2項）は使用者にないと解釈されるからである（p237 (2)参照）。これに対し，労働者が債務の本旨に従った履行の提供をしていない状況でも，使用者が労務を受領している場合には，使用者の指揮命令に服している時間として賃金請求権は発生するものと解される（JR西日本（岡山支社）事件・岡山地判令和4・4・19労判1275号61頁〔使用者による分刻みの業務指示に対し労働者が短時間（2分間）これに沿わない労務提供を行ったとしても，使用者がその労務の受領を拒絶していたものとは解されず，その時間も含めて労務を受領したものとして賃金請求権が発生すると判示〕参照）。

73)　目黒電報電話局事件・最三小判昭和52・12・13民集31巻7号974頁（#56）。

100　第2編　労働法総論

である。

> ### 事例 17
>
> 　建設会社内村組で工事現場監督として勤務していた出川さんは，病気にかかってしまい現場での作業が難しくなった。そこで，出川さんは会社に「このような状況なので事務所での内勤にしてもらえないでしょうか」と申し出たところ，会社側は「内勤では困る」として事務所での勤務を拒否し，「現場に出られるようになるまで自宅で療養しておくように」と命じた。このような経緯で自宅療養を余儀なくされている出川さんは，会社に対し賃金の支払いを求めることができるか？

　この事例のように，傷害や疾病によって労働者がそれまでの仕事を完全には遂行できなくなってしまった場合[76]においても，なお「債務の本旨」に従った履行の提供があると認められるか（出川さんの内勤の申出は債務の本旨に従った履行の提供といえるか）。これも個別の労働契約の解釈の問題であるが，ここでは特に，労働契約上職種や業務内容の限定があったのか（現場勤務だけでなく内勤も含みうるものとされていたのか）が重要なポイントとなる。判例は，職種や業務内容の特定がない労働契約においては，労働者が現実に配置可能な業務について労務を履行することができ，かつ，その履行を申し出ているならば，なお債務の本旨に従った履行の提供があるものと認められるとしている[77]。

(2)　職務遂行上の義務違反・不法行為に対する損害賠償責任

> ### 事例 18
>
> 　コンピュータシステムの設計・開発等を営むエーエーケイ社で同社の設立当時から働いていた宮迫さんは，同社から強く引き留められたにもかかわらず，同社を辞めることとした。これに対し，同社は，宮迫さんに在職中の業務の不適切実施，社

---

74)　大成観光事件・最三小判昭和57・4・13民集36巻4号659頁（#87）〔職務専念義務違反の有無は，使用者の業務や労働者の職務の性質・内容，当該行動の態様など諸般の事情を勘案して判断されるとし，本件の結論としては，ホテルの業務に具体的に支障を来たすものであるため同義務に違反するとした〕。

75)　また，使用者が出張・外勤の業務命令を出しているにもかかわらず労働者が内勤業務に従事した事件で，最高裁は，債務の本旨に従った労務の提供とはいえないとしている（水道機工事件・最一小判昭和60・3・7労判449号49頁）。

76)　これは，私傷病のケースを想定している。業務上の障害や疾病については労災補償の対象となる（p297 **2**）。

77)　片山組事件・最一小判平成10・4・9労判736号15頁（#26）。逆に，職種をタクシー乗務員に限定して採用した労働者からの事務職としての就労の申入れを拒否し疾病休職を命じたとしても，

第3章　労働法の法源　101

内ルールの不遵守，ノルマの未達などの点で労働契約上の債務不履行があったとして，約 2000 万円の損害賠償を請求した。宮迫さんは，この損害賠償請求に応じなければならないか？

　労働者が職務遂行にあたり，必要な注意を怠って労働義務に違反した場合，債務不履行に基づく損害賠償責任を負うことがある[78]（民法 415 条）。しかし，労働者は使用者の指揮命令の下で働いておりその分使用者も危険発生について責任を負っているとする危険責任の原理，および，そこで生じるリスクは事業活動から利益を得ている使用者が負うべきであるとする報償責任の原理からすると，労働者の損害賠償責任を制限する必要がある。裁判例においては，使用者は労働者に重過失がある場合にのみ損害賠償を請求しうるとしたうえで，損害額の 2 割 5 分の範囲でのみ請求を認容したものがある[79]。ここでは，労働者に故意・重過失があり損害賠償責任が認められる場合であっても，損害の公平な分担という観点から，信義則上相当な範囲内でのみ労働者は責任を負うと解釈されている（**Column 14**）。

　労働者の職務遂行上の不法行為により，使用者が第三者に損害賠償を支払ったときに，使用者から労働者に求償（民法 715 条 3 項）を求める場合についても，同様の制限がかかる[80]。労働者が第三者に損害を賠償し，使用者に損害の分担（いわゆる逆求償）を求める場合も，使用者が信義則上相当といえる範囲の損害を負担する義務を負うという構造は変わらない（その範囲で労働者から使用者への逆求償が認められる[81]）。

　Column 14　労働者の損害賠償責任をめぐる裁判例　　労働者の損害賠償責任をめぐる裁判例としては，労働者に重過失がある場合にのみ部分的に責任を負うとした大隈鐵工所事件判決（前掲注 79））のほか，労働者の重過失により発生した損害につき損害額の 2 分の 1 の限度で使用者による損害賠償請求を認めたもの[82]，退職した労働者に対する使用者からの損害賠償請

　　使用者の責めに帰すべき事由による休業とはいえないとしたものとして，神奈川都市交通事件・最一小判平成 20・1・24 労判 953 号 5 頁がある。

78)　ただし，賠償額を予め定めておくことは労基法 16 条によって禁止されている（p114 **3**）。

79)　大隈鐵工所事件・名古屋地判昭和 62・7・27 労判 505 号 66 頁。

80)　茨城石炭商事事件・最一小判昭和 51・7・8 民集 30 巻 7 号 689 頁（#28）は，タンクローリーの追突事故による損害につき使用者から労働者への求償を損害額の 4 分の 1 の範囲でのみ認容した。

81)　福山通運事件・最二小判令和 2・2・28 民集 74 巻 2 号 106 頁。

82)　株式会社 G 事件・東京地判平成 15・12・12 労判 870 号 42 頁。

求につきかりに労働者にルール違反があったとしても故意・重過失は認められないとして使用者からの請求を棄却した（逆に退職労働者からの未払い時間外手当等の反訴請求を認容した）もの[83]，アイドルと芸能プロダクションとの専属マネージメント契約書に「ファンと性的な関係をもった場合」等には直ちにアイドルに損害賠償を請求できるとの定めがあったとしても，異性との合意に基づく交際を妨げられない自由は幸福を追求する自由の一内容をなすものであるから，異性との性的な関係を理由に損害賠償を請求できるのは，プロダクションに積極的に損害を生じさせようという害意が認められる場合等に限定されるとして，元アイドルの損害賠償責任を否定したもの[84]，虚偽の事実をねつ造して退職し就業規則に反して業務の引継ぎを行わなかったこと等を理由とした使用者からの損害賠償請求を棄却し，逆にこのような訴えの提起そのものが裁判制度の趣旨目的に照らして相当性を欠き不法行為に該当するとして使用者に 110 万円の損害賠償の支払いを命じたもの[85]などがある。

(3) **職務遂行上の発明と「相当の対価」**　労働者が労働義務を遂行する過程で発明をした場合，その特許を受ける権利は誰に帰属するか。2015（平成27）年改正前の特許法は，労働者が会社の仕事として研究・開発をするなかで発明をした場合でも，その特許を受ける権利は，原則として発明者である従業者（労働者）等に帰属する（29 条 1 項参照）としていた。2015（平成 27）年に改正された特許法は，二重譲渡問題の発生など特許を受ける権利に関する権利帰属の不安定性を解消するために，契約，勤務規則等においてあらかじめ使用者に特許を受ける権利を取得させることを定めていたときは，その特許を受ける権利は，その発生した時から使用者に帰属することとし（35 条 3 項），そのような定めをしていないときには，改正前と同様に特許を受ける権利は発明者である従業者等に帰属することとした[86]。発明者（従業者等）は，特許を受ける権利を使用者に取得させたこと，または，自らに帰属した特許権を使用者に承継させたことに対して，使用者から「相当の利益」（相当の金銭その他の経済上の利益）を受ける権利を有する（同条 4 項）。

---

83)　エーディーディー事件・大阪高判平成 24・7・27 労判 1062 号 63 頁〔 事例18 類似のケース〕。

84)　元アイドルほか事件・東京地判平成 28・1・18 判時 2316 号 63 頁。

85)　プロシード元従業員事件・横浜地判平成 29・3・30 労判 1159 号 5 頁。

86)　職務著作については，これとは異なり，法人等の発意に基づいてその業務に従事する者が職務上作成し，その法人等が自己の名義で公表する著作物であれば，作成時に契約や就業規則に特段の定めがない限り，その法人等が著作者となるとされている（著作権法 15 条 1 項）。「法人等の業務に従事する者」にあたるか否かは，法人等の指揮監督下において労務を提供しその対価として報酬を受けているかどうかを，具体的事情に照らして総合的に判断すべきものと解釈されている（エーシーシープロダクション製作スタジオ事件・最二小判平成 15・4・11 労判 849 号 23 頁）。

第 3 章　労働法の法源　103

この「相当の利益」の内容については，①契約や勤務規則等において定められた利益の付与が，基準策定における従業者との協議，基準の開示，内容の決定についての従業者等からの意見聴取の状況等を考慮して「不合理」と認められるものでない場合には，その定めに従った利益の付与を尊重することとされ（同条5項），②それが不合理と認められる場合には，使用者が受ける利益の額，使用者が行う負担，貢献および従業者等の処遇その他の事情を考慮して，裁判所がこれを決定するものとされている（同条7項）。経済産業大臣は，発明を奨励するため，相当の利益の内容を決定するための手続等に関する指針を定め公表している（同条6項，平28・4・22経産告131号）。

3　労働の「権利」？──就労請求権

> #### 事例 19
>
> 　会社一筋に35年間働きいつの間にか58歳になっていた半沢さんは，ある日人事部長に呼び出され，「半沢さんがやっていた仕事は，業務改革の一環としてアウトソーシングすることになって，わが社にはもう半沢さんにやってもらう仕事がなくなってしまった。でも，半沢さんは定年まであと1年半だし，あと少しのところで退職してもらうのも忍びないので，しばらく自宅で休むことにしてもらえないだろうか？　肩書は人事部の部長代理ということにしておくし，給料はこれまでどおり支払うから」と言われた。仕事が趣味で家にいても邪魔者扱いされてしまう半沢さんは，できればこれまでどおり会社で働いていたいのだが，果たして会社に働かせてくれるよう求めることができるか？

　労働することは労働者が労働契約上負っている義務である。これと同時に，労働者は使用者に労働することを請求する権利（就労請求権）をもつか。通説的な見解は，労働者の就労請求権（使用者からみると労務受領義務）を一般的に肯定することは困難であるとしており（否定説。理由は *Column 15* 参照）[87]，代表的な裁判例は[88]，①労働契約等に就労請求権についての特別の定めがある場合[89]，

---

87)　楢崎二郎「労働契約と就労請求権」日本労働法学会編『現代労働法講座⑽』30頁以下（総合労働研究所，1982），菅野・前掲27）156頁，荒木尚志『労働法〔第5版〕』321頁以下（有斐閣，2022）。この見解によると，使用者による不当な就労拒否が労働者の就労の利益を侵害する不法行為として損害賠償責任を発生させるにすぎないとされる。

88)　読売新聞社事件・東京高決昭和33・8・2労民集9巻5号831頁（#25）〔新聞社の見習社員への解雇を無効とし賃金の仮払いは認めたが就労請求権は否定〕。

89)　裁判例として，学校法人梅檀学園（東北福祉大学）事件・仙台地判平成9・7・15労判724号

または，②労務の提供について労働者が特別の合理的な利益を有する場合を除き，一般的には労働者は就労請求権を有するものではないとしている（原則否定説）。これに対し，学説上，労働は単に賃金獲得のための手段であるだけでなくそれ自体が自己実現・人格発展という目的であるとして，就労請求権を原則的に肯定すべきであるとする有力な見解がある[91]。この問題は，理論的には，およそ就労請求権があるかないかという性質の問題ではなく，個々の労働契約においてどのように権利義務が設定されているかを探求することによって決定される個別の契約の解釈の問題であるといえる。

Column 15　就労請求権の成否をめぐる理論的なポイント　就労請求権をめぐる通説的見解（否定説）は，その理由として，①労務提供の具体的内容は使用者の指揮命令によって特定される（使用者の指揮命令がないと労務受領義務の内容を特定できない）こと，および，②使用者に労務の受領を強制すること（就労妨害禁止の仮処分を認めること）は困難であることをあげている。しかし，①労働契約の内容次第では使用者の具体的な指揮命令なく労務提供の内容が特定されることはありうるし（例えば大学教員の授業や研究），また，②債務の成立如何と強制

---

34 頁〔大学の教員（専任講師）の学問研究については労働契約上の権利とする黙示の合意の存在を認定し，講義の担当については教授会の審議を経た学長の決定がないことを理由に地位確認請求を棄却〕，地方独立行政法人市立東大阪医療センター（仮処分）事件・大阪地決令和 4・11・10 労判 1283 号 27 頁〔外科医師の救急救命センターでの外傷・救急外科医としての勤務につき就労妨害禁止の仮処分を命令〕，学校法人茶屋四郎次郎記念学園事件・東京地判令和 4・4・7 労判 1275 号 72 頁〔大学教員の教授行為は当該教員の権利としての側面を有するとし，訴訟上の和解後に締結された労働契約に基づき，使用者（学校法人）は少なくとも週 4 コマの授業を担当させる具体的義務を負うと判示〕など参照。

90)　理論的には，特別の合理的な利益が存在するだけでは労働契約上の権利としての就労請求権は認められず，利益侵害に対する不法行為（民法 709 条）として損害賠償が認められるにとどまるものと解される（学校法人兵庫医科大学事件・大阪高判平成 22・12・17 労判 1024 号 37 頁〔大学病院の勤務医を臨床担当や外部派遣担当から外し臨床の機会を与えなかったことに対し損害賠償を命令〕，学校法人梅光学院ほか（特任准教授）事件・広島高判平成 31・4・18 労判 1204 号 5 頁〔使用者（学校法人）が大学教員に対し学問研究を行うための図書館の利用を認めなかったことについて慰謝料の支払いを命令〕など）。②の場合には，労働者の就労の利益が単なる不法行為法上の保護利益であるにとどまらず，特別の合理的利益の存在等の事実から就労請求権を認める黙示の合意（または信義則上の権利）の存在が認定されて初めて就労請求権が肯定されることになる（レストラン・スイス事件・名古屋地判昭和 45・9・7 労判 110 号 42 頁〔調理人について就労継続（技能の維持向上）の利益から就労請求権の存在を肯定〕参照）。

91)　下井隆史『労働契約法の理論』106 頁以下（有斐閣，1985），和田肇『労働契約の法理』226 頁以下（有斐閣，1990）など。ドイツでは判例上（例えば連邦労働裁判所 1985 年 2 月 27 日決定（BAGE 48, S.122）），「労務給付は単に経済的な財ではなく労働者の人格の発露である」として，労働者の就労請求権が原則的に肯定されている（和田・前掲書 225 頁以下参照）。このほか，キャリア権の観点から就労請求権を肯定しようとする見解（諏訪康雄「キャリア権の構想をめぐる一試論」日本労働研究雑誌 468 号 54 頁以下（1999）など）もある。

履行の可否は理論的には別の問題である（強制履行が困難だからといって債務の成立自体が否定されるわけではない。民法414条参照）。個々の労働契約の趣旨や内容に照らし，具体的に特定可能な形で就労請求権（労務受領義務）が成立しているといえるかどうかが，ここでの理論的なポイントとなる（強制執行の方法については個々具体的な債務の性質に応じて適切な方法を選ぶことになる）。立証責任という観点からは，権利を主張する労働者側にそれを基礎づける事実を主張立証する責任があるため，解釈の枠組みとしては代表的な裁判例の立場（原則否定説＝例外肯定説）が妥当といえよう。

❷ 付随義務

労働契約においては，労働者の労働義務と使用者の賃金支払義務のほかに，いくつかの付随的な義務が設定されていることが多い。この付随義務は，大きく分けると，①労働契約が企業組織のなかで展開されること（労働契約の組織的性格）からくる組織運営上の権利義務と，②労働契約が労働という人間的な活動を対象とした継続的な関係であること（労働契約の人間的・継続的性格）からくる信義則上の誠実・配慮義務からなる。

1 組織運営上の権利義務

企業の組織運営上要請される権利義務としては，①使用者が労働者の配置や処遇等を決定するための人事権（詳細はp169 **1**），②使用者が職場秩序を維持するために行使する企業秩序定立権（労働者にとっては企業秩序遵守義務。詳細はp194 **2**）などがある。これらの権利義務は，労働協約，就業規則または個別の労働契約上それを根拠づける定めがあって初めて認められるものと解釈すべきである（p176 **2**，p196 **2** など）。

2 信義則上の誠実・配慮義務

人間的・継続的な関係である労働契約においては，両当事者は相手方の利益を不当に侵害しないようにする義務（労働者にとっては誠実義務，使用者にとっては配慮義務）を信義則上負うものと解釈されている。労契法は，労働者および使用者は労働契約を遵守するとともに，信義に従い誠実に権利を行使し義務を履行しなければならないという一般原則を明文化している（3条4項）。

(1) 使用者側の配慮義務 使用者が負う配慮義務としては，①労働者の生命・身体の安全を確保するよう配慮する安全配慮義務や健康配慮義務（労契法5条。詳細はp309 **❸**），②労働者の人格が損なわれないよう働きやすい職場環境を整える職場環境配慮義務（詳細はp142 **3**），③転居を伴う配転・出向の際に労

106　第2編　労働法総論

働者の負担が少なくなるように配慮したり，整理解雇に際して解雇以外の手段
で雇用調整の目的を達成するよう努力する人事上の配慮義務（詳細は p176 **2**，
p216 (2)）などがある。これらの使用者の配慮義務は，特別の定めがなくとも，
信義則（民法 1 条 2 項，労契法 3 条 4 項）によってその存在が基礎づけられるも
のである。

(2) 労働者側の誠実義務

> **事例 20**
>
> 　全国でも有数の公務員試験予備校である KIC 塾では，人気講師が他校に流出し
> たり独立したりすることを防ぐために，各専任講師に「貴社を退職後も 2 年間は，
> 貴社と競合関係に立つ企業に，就職，出向，役員就任，その他形態の如何を問わず，
> 関与しません。また，退職後 2 年間は，貴社と競合関係に立つ事業を開業すること
> もしません。これらに違反して貴社に損害が生じた場合は，その生じた損害につき
> 賠償責任を負います」との誓約書を署名捺印のうえ提出させている。同校で 14 年
> 間専任講師を務め，1 番の人気講師となった濱家さんは，自ら独立して公務員試験
> 予備校を開校することを決意し，退職金 1000 万円を受領して KIC 塾を退職した。
> そしてその 1 か月後に受験指導を業とする会社を設立し，公務員試験予備校を開校
> した。これを知った KIC 塾は，濱家さんに対して何らかの請求ができるか？

　労働者が負う誠実義務としては，①企業秘密を保持すべき義務（秘密保持義
務），②使用者と競合する企業に就職したり自ら開業したりしない義務（競業避
止義務）[92]などがある。企業秘密の保持については，労働契約（信義則）上の秘密
保持義務[93]と並んで，不正競争防止法が「営業秘密」[94]（2 条 6 項）を保護する規定
を定めている。同法は，不正の競業その他不正の利益を得る目的またはその保
有者に損害を与える目的で，企業秘密を使用しまたは開示する行為を「不正競

---

92)　使用者が就業規則を合理的に変更して契約内容を変更する権利（それに従うべき労働者の義務。
　　p87 (b)）も，理論的にはこの信義則上の権利義務（労働者からみると誠実義務）の 1 つとして位
　　置づけられうるものである。

93)　古河鉱業足尾製作所事件・東京高判昭和 55・2・18 労民集 31 巻 1 号 49 頁〔生産機種・月産台
　　数・月産金額・機械原価・起業費・販売収入・収支等の具体的数字が記載された工場再建計画案
　　を外部に漏えいしたことは信義則上の秘密保持義務に違反するとし，これを理由とした懲戒解雇
　　を有効と判示〕参照。

94)　Z 営業秘密侵害罪被告事件・札幌高判令和 5・7・6 労経速 2529 号 7 頁〔「営業秘密」の該当要
　　件である有用性，非公知性，秘密管理性のうち秘密管理性を欠くとして営業秘密該当性を否定〕
　　参照。

第 3 章　労働法の法源　107

争」とし（2条1項7号），これに対する差止請求（3条），損害賠償請求（4条），信用回復措置請求（14条）などの救済措置を定めている。不正競争防止法上の秘密保持義務は，労働契約の存続中だけでなく退職後にも及ぶ。[95]

　競業避止義務については，労働者の在職中は特別の定めがなくとも信義則に基づいてその存在が基礎づけられるが，退職後については特別の定めがある場合に限り認められると解釈されている。問題は，事例20 のように競業を制限する特別の定めがある場合，その定めは常に有効なものといえるかである。競業行為の制限は，労働者の職業選択の自由（憲法22条参照）を制限する度合いが強いため，その有効性（公序違反性）が問題となるのである。裁判例は，使用者の正当な利益の保護の必要性に照らし，労働者の職業選択の自由を制限する程度が，競業制限の期間，場所的範囲，制限対象となっている職種の範囲，代償措置の有無等からみて，必要かつ相当な限度のものであれば，競業避止規定も合理的であり有効といえるが，その限度を超え労働者の職業選択の自由を過度に侵害するような規定は公序に反し無効となるとしている（就業規則規定の場合は合理性を欠き無効と解されることになる）（*Column 16*）[96]。この特約が有効な場合には，債務不履行としての損害賠償請求とともに，競業行為の差止めを請求することも考えられる[97]。競業行為に対しては退職金の減額・不支給という措置がとられることもあるが，この措置の適法性は，理論的には賃金（退職金）請求権の成否という，競業避止特約の有効性とは別次元の問題である（p241

---

95)　労働契約上の秘密保持義務（不正競争防止法上の「営業秘密」に該当しない秘密について特に問題となる）は，労働者の在職中は信義則に基づいて発生するものと解されているが，労働者の退職後もそれが存続するのかについては解釈上争いがある。労働者が契約終了後予測できない拘束を受け続けることを回避するためには，退職後はそれを根拠づける特別の定めがない限り，労働契約関係の終了とともに労働契約上の秘密保持義務も消滅すると解すべきであろう。退職後の秘密保持義務を定めた特約（誓約書）の効力を承認した裁判例として，ダイオーズサービシーズ事件・東京地判平成14・8・30労判838号32頁参照。

96)　フォセコ・ジャパン・リミティド事件・奈良地判昭和45・10・23判時624号78頁（#27）〔退職後の秘密保持・競業避止を定めた特約の効力を承認し差止請求を認容〕など。

97)　差止請求が認められるためには，有効な特約（被保全権利）の存在とともに，放置しておくと回復し難い損害が生じるという事情（保全の必要性）を立証することが求められる（前掲96）フォセコ・ジャパン・リミティド事件判決，アフラック事件・東京地決平成22・9・30労判1024号86頁〔競業会社の取締役への就任につき退職後1年間のみ差止請求を認容〕，X事件・横浜地決令和4・3・15労経速2480号18頁〔退職した美容師による顧客の個人情報の利用および第三者への開示・提供につき決定後2年間を限度に差止請求を認容〕など）。

(b))。

　なお，秘密保持義務や競業避止義務などを根拠づける契約上の定めがない場合でも，秘密漏洩行為や競業行為の態様が悪質な場合には，使用者の営業の利益を侵害する不法行為として損害賠償責任が発生する場合がある[98]。最高裁は，会社を退職後，同種の事業を営む別会社を設立し，退職会社の取引先から継続的に仕事を受注した行為について，これにより退職会社の受注額が減少したとしても，退職会社の信用をおとしめるなど不当な方法で営業活動を行ったものではなく，退職直後に会社の営業が弱体化した状況を殊更利用したとはいえない場合には，社会通念上自由競争の範囲を逸脱するものではなく退職会社に対する不法行為にはあたらないと判示して，退職後の競業行為について特別の定めがない場合の不法行為責任の成立の範囲を限定的に解釈している[99]。

***Column 16*　競業避止特約をめぐる裁判例**　　事例20 に類似した事件では，場所の制限[100]がなく，在職中の貢献が大きかったにもかかわらず退職金が1000万円にとどまっていることなどから，競業禁止特約は公序に反し無効と判断された。このほか，近年の裁判例としては，労働者に身につけさせた技術（車両内外装修復技術等）は高度で営業秘密性の高いものであり，一定の代償措置も用意されていたことから，地域や期間の限定がなくとも競業避止特約は有効であるとし，2年を限度に競業行為の差止請求を認容したもの[101]，保険商品の販売に係るノウハウは本人の能力と努力によって獲得したものであり，2年間という期間の長さは相当と言い難く，地域の限定もなく，同業他社への転職禁止は広範にすぎ，賃金は相当高額（月額131万7000円等）であったが代償措置として十分ではないとして，競業避止合意を公序に反し無効としたもの[102]，もともと個人事業（保険代理店業）として獲得し会社の事業に移管していた既存顧客に対する営業活動も含めて禁止することによる退職労働者の不利益は極めて大きく，代償措置が講じられていたとは認められない（在職中の報酬も実質的な代償措置とは認められない）として，競業避止特約を公序に反し無効としたもの[103]などがある。

---

98)　チェスコム秘書センター事件・東京地判平成5・1・28労判651号161頁〔在職中に得た取引先に関する情報を利用して顧客を奪おうとした事案〕，ラクソン事件・東京地判平成3・2・25労判588号74頁（#78）〔在職中に内密に計画・準備して同僚従業員を大量に引き抜き企業運営に重大な支障を生じさせた事案〕など。

99)　三佳テック事件・最一小判平成22・3・25民集64巻2号562頁。

100)　東京リーガルマインド事件・東京地決平成7・10・16労判690号75頁。

101)　トータルサービス事件・東京地判平成20・11・18労判980号56頁。

102)　アメリカン・ライフ・インシュアランス・カンパニー事件・東京地判平成24・1・13労判1041号82頁〔同控訴審・東京高判平成24・6・13裁判所ウェブサイト（控訴棄却）により支持〕。

103)　レジェンド元従業員事件・福岡高判令和2・11・11労判1241号70頁。

探究 2

　労働契約（雇用契約）は労働と賃金との交換契約だとされている（労契法6条，民法623条参照）が，実際の労働関係においては，労務提供と賃金支払い以外に，同僚との仕事上の協力・仕事以外での交流，会社への帰属意識・仲間意識の醸成，自己の存在基盤の確立，家族手当や企業年金などのさまざまな生活保障給付の提供など，単なる1対1の交換契約をこえた共同体的な相互依存関係が存在していることも多い。このような労働関係の実態を踏まえると，労働関係は，法的にも，共同体への人的帰属関係と把握し直すべきか？　それともやはり個人対個人のドライな交換契約だと把握するべきか？[104]

---

104) 末川博「雇傭契約発展の史的考察」法学論叢5巻5号622頁以下（1921），石田眞「労働契約論」籾井編・前掲21）615頁以下など参照。この点をめぐる具体的な問題について，後述する **探究 3**（p197）とあわせて考察してほしい。

第 3 編

雇用関係法

労働者と使用者の個別の関係を
規律する法

労働者と使用者の間の個別の関係（雇用関係）を規律する法を雇用関係法と呼ぶ。働いていて出てくる法律問題の多くはこの分野にかかわるものであり，雇用関係法は労働法の体系のなかでも中心的な位置を占めている（p45 _1_）。ここでは，労働者の人権の保障，雇用関係の成立・展開・終了という雇用関係の変遷に関する法，賃金・労働時間など雇用関係の内容に関する法，パートタイム労働者・有期雇用労働者・派遣労働者・フリーランスなど非正規労働者に関する法，高齢者・障害者・外国人に関する法に分けて，雇用関係法の内容を具体的にみていくことにしよう。

第3編

第1章　労働者の人権の保障

　日本企業の多くは，その歴史的経緯からも，また社会実態としても，正社員の長期雇用を中心とする企業共同体としての性格を相対的に強くもってきた（p27 **3**）。この企業共同体による社会性（人と人とのつながり）の付与には，社会保障給付など国家による社会性の付与に比べて，①人と人との直接の接触によってより近接した社会性が付与される，②現場での分権的な調整によって外部環境の変化に柔軟に対応できるという長所がみられた。しかし，そこには同時に，①人間関係の重視という共同体の論理によって個人が抑圧されてしまう危険性（例えば過度の長時間労働や過労死・過労自殺などに象徴される個人の抑圧・疲弊）や，②普遍性を欠く社会性であるため外部者や少数者は排除されやすいという弊害（例えば契約社員や派遣社員などの部外者化や企業内少数者への差別）も内包されていた。

　このような実態のなか，日本企業では従来，労働者の人権の保障という視点はそれほど強く意識されてこなかった。しかし，そのような実態であるからこそ，労働者の人権保障という視点が規範的にはより重要である。ここでは，労働者の人権をめぐる法規制について，近年の動きも含めてみていこう。

1　労 働 憲 章

　雇用関係における労働者と使用者間の力の不均衡は，使用者による不当な人身拘束や仲介者による中間搾取など，労働者の人権が侵害される事態を生んできた。労基法は，これらの事態を除去するために，「労働憲章」とも総称される以下のような規定を定めている。

1 不当な人身拘束の禁止

❶ 強制労働の禁止

　使用者は，暴行・脅迫・監禁その他精神または身体の自由を不当に拘束する手段によって，労働者の意思に反して労働を強制してはならない（労基法5条）。かつてみられた宿舎の出入口に鍵をかけ強制的に重労働を課すという「タコ部屋労働」などの封建的な悪習を排除しようとした規定であり，労基法のなかで最も重い罰則（1年以上10年以下の懲役〔2022（令和4）年刑法等改正により拘禁刑に〕または20万円以上300万円以下の罰金）が定められている（117条）。

❷ 契約期間の制限

　期間の定めのある労働契約が締結された場合，その期間中はやむを得ない事由がなければ使用者も労働者も契約を解約することができない（民法628条，労契法17条1項）。そこで労基法は，期間の定めのある労働契約による労働者の長期間の拘束を防ぐ目的で，原則として3年を超える契約期間を定めることを禁止している。ただし，例外として，①一定の事業の完了に必要な期間を定める場合にはその期間，②高度な専門知識，技術，経験を有する労働者と満60歳以上の労働者については3年を超え5年以内の期間を定めることが認められている（労基法14条1項。p352 *1*）。

❸ 違約金・賠償予定の禁止

　使用者は，労働契約の不履行について違約金を定め，または，損害賠償額を予定する契約をしてはならない（16条）。労働契約に付随して違約金や損害賠償額の予定を定めることで使用者が労働者の身分的拘束・足止めを図るという弊害（例えば看護師のお礼奉公）を禁止する趣旨の規定である。典型例は，労働者が約束された期間の途中で退職する場合に金銭を支払う旨の定めであるが，労働者が機械を壊したり，営業や取引上損害を発生させたり，私的交際禁止等の約定に違反した場合に賠償金を支払う定めなども禁止行為に含まれる。この規定をめぐって，近年次のような問題が生じている。

事例21

野々村証券に入社した坂上さんは，入社後３年目から２年間会社の海外留学制度を使ってフランスに留学した。留学先は会社が指定したフランスのいくつかの学校のなかから坂上さんが選択し，留学先での科目選択や留学中の生活については坂上さんが自由に決定できた。この留学にかかる費用（約4000万円）は会社負担であったが，留学に際し坂上さんが署名捺印した誓約書には「留学期間中あるいは留学後５年以内に自己都合によって退職したときは，留学費用の全部を即時に弁済しなければならない」との規定が定められていた。留学を終え野々村證券に戻った坂上さんは，その約２年後に同社を退職し他社に転職した。これに対し野々村証券は坂上さんに留学費用の一部（受験料・授業料等の費用の５分の３にあたる約1000万円）の返還を請求した。坂上さんはこれを支払わなければならないか？

　この事例のように，使用者が労働者の留学や研修にかかる費用を支出する場合，労働者がすぐに転職してその出費が無駄になるのを防ぐために，一定期間勤務を続けなければその費用を返還することを義務づける旨の約定が置かれることが多い。この約定は，労基法16条が禁止する「違約金・賠償予定の定め」にあたるか。この点につき，裁判例は，留学や研修の「業務性」の有無を重視して判断する傾向にある。すなわち，留学や研修の経緯・内容に照らし，①当該企業の業務との関連性が強く労働者個人としての利益性が弱い場合には，本来使用者が負担すべき費用を一定期間以内に退職しようとする労働者に支払わせるものであって，就労継続を強制する違約金・賠償予定の定め（16条違反）にあたるとされ，逆に，②業務性が薄く個人の利益性が強い場合には，本来労働者が負担すべき費用を労働契約とは別個の消費貸借契約（返還債務免除特約付）で使用者が貸し付けたものであって，労働契約の不履行についての違約金・賠償予定の定めにはあたらないと判断されている[2]（*Column 17*）。

　なお，使用者が実際に負担した費用の返還ではなく，使用者が労働者にいったん支給した賃金や契約金の返還を求める約定については，いずれも労基法

1）　サロン・ド・リリー事件・浦和地判昭和61・5・30労判489号85頁〔美容室の美容見習いへの講習手数料〕，新日本証券事件・東京地判平成10・9・25労判746号7頁〔留学費用〕，ダイレックス事件・長崎地判令和3・2・26労判1241号16頁〔セミナー受講料〕など。

2）　長谷工コーポレーション事件・東京地判平成9・5・26労判717号14頁（#12）〔留学費用〕，野村證券事件・東京地判平成14・4・16労判827号40頁〔事例21 類似のケース〕，みずほ証券元従業員事件・東京地判令和3・2・10労判1246号82頁〔留学費用〕など。

第1章　労働者の人権の保障　　115

16 条違反にあたると解されている[3]。

Column 17　留学・研修費用等の返還条項と違約金の禁止（労基法16条）　理論的には次のように考えられる。労基法は使用者による貸金と賃金の相殺は禁止している（17条。下記**4**）が，使用者による貸金（前借金）自体は禁止しておらず，労働契約とは別個に消費貸借契約が存在することはありうる（その返還を一定条件で免除することも違法とはいえない）。労基法16条違反として問題となるのは，労働契約とは別個の消費貸借ではなく，労働契約と結びついて違約金（賠償予定）の定めをすることである。この点は，労基法16条という強行法規の適用如何を決するものである以上，契約の名称・形式ではなく，その実態に即して客観的に判断されるべきものである。そして，留学や研修が業務の一環として行われておりその費用は使用者が負担すべきであるにもかかわらず，その費用相当額の返還を定めることは，一定期間勤務するという契約についての違約金（賠償予定）の定めといえる。その意味で，裁判例の判断は妥当なものと解されうる。

4　前借金相殺の禁止

使用者は，前借金その他労働することを条件とする前貸の債権と賃金を相殺してはならない（17条）。戦前の芸娼妓契約などにおいては，親が多額の金銭を借り受け，子どもが無報酬で働いてその借金を返すという形で，前借金契約が締結されることが多かった。このような不当な人身売買，労働者の足止め策を防止する趣旨で前借金と賃金との相殺を禁止したのが，この規定である。

5　強制貯金の禁止，任意的貯蓄金管理の規制

使用者は，労働契約に付随して貯蓄の契約をさせ，または，貯蓄金を管理する契約をしてはならない（18条1項）。労働者の委託を受けて貯蓄金を管理する場合にも，過半数組合または過半数代表者との労使協定の締結・届出，貯蓄金管理規程の作成・周知，命令で定める利率以上の利子の付与などの規制が課されている（同条2項以下）。使用者による貯金の強制や管理は，労働者への不当な足止めや使用者による不当な利用につながるおそれがあるため，強制貯金を禁止し，任意貯蓄金についても一定の規制を課したものである。

3）　東箱根開発事件・東京高判昭和52・3・31労判274号43頁〔1年勤続を前提として支給された勤続奨励手当〕，日本ポラロイド（サイニングボーナス）事件・東京地判平成15・3・31労判849号75頁〔ヘッドハンティングで雇われた労働者への契約締結金〕，東亜交通事件・大阪高判平成22・4・22労判1008号15頁〔タクシー乗務員の雇用時に支給された教習費・就職支度金〕など。

116　第3編　雇用関係法

⑥ 寄宿舎における私生活の自由など

使用者は，事業に附属する寄宿舎に寄宿する労働者の私生活の自由を侵してはならない（94条1項）。また，使用者は，寄宿舎生活の自治に必要な役員の選出に干渉してはならない（同条2項）。事業に附属する寄宿舎では労働者の私生活に対する使用者の不当な干渉が行われやすいという経験から，労働者の私生活の自由，および，寄宿舎生活の自治を保障するために設けられた規定である[4]。

2 中間搾取の排除

何人も，法律に基づいて許されている場合のほかは，業として他人の就業に介入して利益を得てはならない（6条）。口入屋や募集人などの仲介者が中間搾取（ピンハネ）などを行う悪習を排除する目的で定められた規定である。

職業安定法は，雇用関係の開始について，有料職業紹介事業（30条以下），労働者委託募集（36条以下），労働者供給事業（44条以下）の規制を行っている（p473第1章）。同法により許されている行為については労基法6条の関係でも適法となるが，職安法に違反してこれらの行為を行い利益を得ることは労基法6条違反にもあたる[5]。また，職安法違反にあたらない行為（例えば現場指導員が支配下にある労働者の賃金を一括受領して一部を着服横領するなど雇用関係存続中の介入行為）が労基法6条違反とされることもある。

3 公民権の保障

使用者は，労働者が労働時間中に選挙権など公民としての権利を行使し，または，公の職務を執行するために必要な時間を請求した場合には，これを拒んではならない。ただし，公民権の行使や公職の執行に妨げがない限り，その時刻を変更することはできる（労基法7条）。労働者が市民として公的な活動を行うことを保障する目的で定められた規定である。ただし，この時間に対して使

4） このほか，労基法は，事業附属寄宿舎について，使用者に寄宿舎規則の作成・届出（95条），労働者の健康・風紀・生命の保持に必要な措置の実施（96条以下）を義務づけている。

5） 職安法違反（同法63条以下の罰則）と労基法6条違反（同法118条1項の罰則）は，観念的競合（刑法54条）の関係に立つ。

第1章 労働者の人権の保障　117

用者が賃金を支払うことは義務づけられていない。

　公民としての権利とは，公職選挙法上の選挙権，被選挙権，地方自治法上の住民の直接請求権などを指す。公の職務とは，国会議員・地方議会議員等の議員としての活動，訴訟や労働委員会での証人としての出廷などをいい，裁判員や労働審判員としての職務もこれに含まれる。なお，会社の承認を得ないで公職（市会議員）に就任したことを理由とする懲戒解雇は本条の趣旨に反し無効であるとした判例がある[6]。

2 雇用差別

1 雇用差別をめぐる法状況

❶ アメリカとヨーロッパの雇用差別禁止法の概要

　雇用差別の禁止は，各国の労働法制のなかで極めて重要な地位を占め，労働法の中心的な課題の1つとなっている。アメリカでは，1964年公民権法第7編（Title Ⅶ）によって人種，皮膚の色，宗教，性別，出身国を理由とした差別，1967年雇用における年齢差別禁止法（ADEA）によって年齢を理由とする差別，1990年障害をもつアメリカ人法（ADA）によって障害を理由とする差別，2008年遺伝子情報差別禁止法（GINA）によって遺伝子情報を理由とした差別が，採用から解雇まで雇用の全局面で禁止されている[7]。ヨーロッパ（EU）では，1976年男女均等待遇原則指令（76/207/EEC）によって性別を理由とする差別，2000年人種・出身民族差別禁止指令（2000/43/EC）によって人種・出身民族による差別，2000年均等待遇基本枠組指令（2000/78/EC）によって宗教・信

---

6) 十和田観光電鉄事件・最二小判昭和38・6・21民集17巻5号754頁。もっとも，公職就任により労働契約上の義務遂行が困難となる場合にこれを理由として解雇や休職とすることは，本条に抵触するものではない（パソナ事件・東京地判平成25・10・11労経速2195号17頁など）。

7) 中窪裕也『アメリカ労働法〔第2版〕』195頁以下（弘文堂，2010），相澤美智子『雇用差別への法的挑戦』（創文社，2012）など。また，アメリカでは，2020年6月15日連邦最高裁判決によって，「性的指向」と「性自認」を理由とする差別は公民権法第7編が禁止する「性」差別に含まれるものとされた（Bostock v. Clayton County, 140 S. Ct. 1731 (2020)，中窪裕也「タイトル・セブンにおける『性』差別の禁止とLGBT——アメリカ連邦最高裁の新判例」ジュリスト1551号90頁以下（2020）参照）。

118　第3編　雇用関係法

条，障害，年齢，性的指向を理由とする差別を，採用から解雇まで雇用の全局面で禁止するよう加盟国への義務づけがなされ，それに従って各国の国内法が整備されている。ヨーロッパでは，パートタイム労働者，期間の定めのある労働者，派遣労働者に対する不利益取扱いを禁止した指令（1997/81/EC，1999/70/EC，2008/104/EC）も採択されている[8]。

❷　日本の雇用差別禁止法の経緯と課題

これに対し，日本では，雇用差別を包括的に禁止する立法は存在していない。雇用差別を明示的に禁止する規定としては，次のような個別の法律規定，立法が存在するのみである。

まず，1947（昭和 22）年に制定された労基法は，国籍，信条，社会的身分を理由とする労働条件差別を禁止し（3 条），性別を理由とする差別については賃金差別のみを禁止した（4 条）。性差別について全面的な禁止ではなく賃金差別のみが禁止された理由は，労基法自身が時間外労働や深夜労働などについて女性を特別に保護する規定を多数定めていた（旧 64 条の 2 以下）ため，全面的に差別を禁止することは首尾一貫しないと考えられたからである。

その後，賃金以外の女性差別について法律上の禁止規定が存在しない状況下で，これを一定範囲で規制しようとする判例法理（男女平等取扱法理）の展開がみられた[9]。そして，1985（昭和 60）年には，国連女子差別撤廃条約批准のための国内法整備の一環として，賃金以外の局面での男女間の機会均等を定めた男女雇用機会均等法が制定された。

制定当初の均等法は，①定年・解雇，教育訓練の一部，福利厚生については差別が禁止されたが，当時の男女間の実態や意識の違いを考慮して募集・採用，配置・昇進については法的拘束力のない努力義務規定が置かれるにとどまるも

8）　櫻庭涼子「EU の雇用平等法制の展開」法律時報 79 巻 3 号 64 頁以下（2007），同「雇用差別禁止法制——ヨーロッパの動向」水町勇一郎 = 連合総合生活開発研究所編『労働法改革』119 頁以下（日本経済新聞出版社，2010）など。
9）　例えば，女性の結婚退職制を公序違反として無効とした住友セメント事件・東京地判昭和 41・12・20 判時 467 号 26 頁，整理解雇において女性のみを対象とする人選基準を無効としたコパル事件・東京地決昭和 50・9・12 判時 789 号 17 頁，男女差別定年制（男 60 歳・女 55 歳）を公序違反として無効とした日産自動車事件・最三小判昭和 56・3・24 民集 35 巻 2 号 300 頁などがある。

第 1 章　労働者の人権の保障　119

のであった。また，②男性よりも劣位に置かれていた「女性の福祉の増進と地位の向上」を基本目的としたものであったため，女性に対する差別（女性への不利益取扱い）のみを禁止し，女性の優遇には関知しない「片面的差別禁止」との性格をもつものであった。また，1991（平成3）年には，育児休業の保障を定めた育児休業法が制定され，1995（平成7）年には，同法を育児介護休業法に改正し介護休業の保障を定める法整備もなされた（p320 *1*）。

1997（平成9）年になされた均等法改正では，①募集・採用，配置・昇進・教育訓練についても差別が禁止され（違反は私法上違法とされた），差別に対する紛争解決手続が整備・拡充される（p499 **2**）など，差別解消のための実効性確保の手段が強化された。また，②募集・採用，配置・昇進などで女性のみを対象とすること（一種の女性優遇）が，指針により均等法違反となるものとされ，差別禁止の片面性に対し一定の修正が施された。[10]しかし，その時点でも，均等法上の差別禁止規定に片面性が残るなど，欧米諸国の男女雇用平等法制と比べるとなお不十分なものであった。

2006（平成18）年には均等法に再び大きな修正が加えられた。同改正のポイントは，①男性に対する差別も禁止し（性別を理由とする差別の禁止），「両面的」な差別禁止規定とした，②性別を理由とする差別（直接差別）の禁止に加え，性別以外の事由を理由とする実質的な性差別（間接差別）を禁止する規定（7条）を新設した，③婚姻，妊娠，出産等を理由とする不利益取扱いの禁止を法律上明文化した（9条）点にあった。

2007（平成19）年にはパートタイム労働法（1993（平成5）年制定）がほぼ全面的に改正され，通常の労働者（正社員）と同視すべき短時間労働者に対する差別的取扱いの禁止（旧8条）などが定められた。

2007（平成19）年には雇用対策法が改正され，労働者の募集・採用において年齢制限をつけることを原則として禁止する規定（旧10条）が定められた（p156 ■。同法は2018（平成30）年に労働施策総合推進法に改称された）。

2012（平成24）年の労契法改正では，有期雇用労働者の保護を定める章（第

---

10) 同時に，1997（平成9）年改正では，セクシュアル・ハラスメント防止のための事業主の配慮義務を定める規定（21条。現行11条）や男女格差を解消するための自主的取組み（ポジティブ・アクション）を推進する規定（20条。現行14条）が設けられた。

120　第3編　雇用関係法

4章 期間の定めのある労働契約）に新たな規定を設け，①通算契約期間が5年を超えた場合の無期労働契約への転換（18条），②判例上確立されていた雇止め法理の法定化（19条）とあわせて，③有期雇用労働者と無期雇用労働者との間の不合理な労働条件の相違の禁止（旧20条）が定められた（p340 **2**）。

2013（平成25）年の障害者雇用促進法改正では，障害者であることを理由とする雇用差別の禁止（34条，35条），障害の特性に配慮した必要な措置（合理的配慮）を講じる事業主の義務（36条の2，36条の3）を定める規定が設けられた（p388 **2**）。

2014（平成26）年には，再びパートタイム労働法が改正され，有期雇用労働者に対する不合理な労働条件の禁止（上記労契法旧20条）と同じ内容の，パートタイム労働者に対する不合理な待遇の禁止（パートタイム労働法8条）が定められた（p343 _**3**_）。

2015（平成27）年には，女性活躍推進法が制定された。この法律は，女性の職業生活における活躍を推進するために，事業主に，女性の活躍の状況の把握・分析を踏まえた「事業主行動計画」の策定・公表，女性の活躍に関する情報の公表を義務づけ，優れた取組みを行う事業主に対し国が「えるぼし」認定を行うことなどを定めたものである（p134 _Column 18_）。

さらに，2018（平成30）年の働き方改革関連法では，正規・非正規労働者間の待遇格差の是正を図る法改正が行われた。パートタイム労働法の規制対象に有期雇用労働者も含める形で同法がパートタイム・有期雇用労働法に改正され，不合理な待遇の禁止（8条），差別的取扱いの禁止（9条），待遇の相違の内容と理由についての事業主の説明義務（14条2項）などが定められた（p341 _**2**_）。派遣労働者については労働者派遣法が改正され，パート有期法と同様の規定（30条の3，31条の2第4項）などが定められた（p372(3)）。

2023（令和5）年には，性的指向・ジェンダーアイデンティティを理由とする不当な差別はあってはならないとの基本理念や，性的指向・ジェンダーアイデンティティの多様性に関する理解の増進に努める国・地方公共団体・事業主等の役割などを定めたLGBT理解増進法（「性的指向及びジェンダーアイデンティティの多様性に関する国民の理解の増進に関する法律」）が制定された（p135 _**5**_）。

これらのほかに，法的拘束力をもって雇用差別を明示的に禁止している法律

規定として，労働組合員に対する不利益取扱いを禁止した労組法7条1号がある（p451 **2**）。

これらの法律規定によってカバーされていない雇用差別（年齢を理由とする募集・採用以外の差別，遺伝子情報，容姿を理由とする差別など）については，憲法上の人権規定（13条，14条など）の精神に照らし公序違反や不法行為（民法90条，709条）の枠組みのなかで，その違法性が判断されることになる。

日本の雇用差別禁止法をめぐる立法論上の課題は，①差別禁止事由として年齢や性的指向などを含み，差別禁止のステージとしても採用段階での差別を含めた包括的な差別禁止法制の整備を図ること，②雇用差別の立証責任のあり方を法律上明確化するなど雇用差別問題を実効的に解決していくための制度的基盤を整えることにある。

以下では，日本の現行の雇用差別禁止法の状況について，国籍・信条・社会的身分を理由とする差別の禁止（**2**），男女賃金差別の禁止（**3**），賃金以外の男女差別の禁止（**4**），性的指向（LGBTQ）を理由とする差別の禁止（**5**）の順にみていく。非正規労働者（パートタイム労働者，有期雇用労働者，派遣労働者など）および障害者をめぐる問題については，別に独立して検討する（p337 第4章，p388 **2**）。

2 均等待遇原則（労基法3条）

労基法3条は，使用者が労働者の国籍，信条，社会的身分を理由として労働条件について差別的取扱いをすることを禁止している。

1 要　件

本条の「国籍」とは国民たる資格をいい，生物学的・人類学的な種別を指す「人種」とは異なるものである。[11] 憲法14条（法の下の平等）は「人種」による差別を禁止するにとどまっているが，労働法上は国籍により異なる取扱いをする理由は乏しいため，労基法をはじめとする労働関係法規は日本国籍であるか

11）「人種」は「国籍」とは異なるが，人種を理由とする差別も労基法3条では「社会的身分」を理由とする差別として禁止されているものと解される（厚生労働省労働基準局編『令和3年版労働基準法（上）』79頁（労務行政，2022）参照）。

122　第3編　雇用関係法

否かを問わず適用されるものとされ，同時に，労基法3条は使用者による「国籍」を理由とした差別を明文で禁止している。

本条の「信条」とは人の内心におけるものの考え方をいい，宗教的，政治的な信念のほか，思想的な信念も含まれる。「社会的身分」については，本条の沿革からすれば，出身地，門地，人種，非嫡出子などの生来的な地位を指し，孤児，受刑者，パートタイム労働者など後発的な理由による地位は含まれないと解すべきであろう[12]。

また，本条のいう「労働条件」とは，職場における労働者の待遇すべてを含むものであるが[13]，これは労働契約締結後の処遇を指し，採用における差別は本条が禁止するところではないと解釈されている[14]。

❷　立証責任

本条違反の差別であるというためには，上記の事由を理由として差別的取扱いがなされたことを立証しなければならない。その立証責任について，裁判所は，証拠の偏在を考慮して，労働者側が，①使用者の差別意思を推認させる事実（例えば使用者が労働者の信条等を嫌悪して差別的労務政策をとっていたこと），②他の労働者との間の差別的取扱いの存在（例えば他の労働者の平均的賃金との間に著しい賃金格差が存在していること）を立証すれば，本条違反の差別であることが推定され，使用者側が，③この推定を覆す合理的な理由（勤務成績不良など）を立証できなければ，本条違反が成立するとしている[15]。

---

12)　厚生労働省労働基準局編・前掲11）79頁参照。
13)　職場で配布された文書上の表現や勧奨されたアンケートの内容等は「労働条件」にはあたらないとしても，特定の国籍や民族的出自を侮辱する内容である場合には，労基法3条が保障する職場において国籍等により差別的取扱いを受けない人格的利益を侵害する不法行為（民法709条）として損害賠償の対象となる（フジ住宅ほか事件・大阪高判令和3・11・18労判1281号58頁）。
14)　三菱樹脂事件・最大判昭和48・12・12民集27巻11号1536頁（#8）。このような判例の立場に内在する問題点については，p156❶参照。
15)　東京電力（千葉）事件・千葉地判平成6・5・23労判661号22頁，東京電力（神奈川）事件・横浜地判平成6・11・15労判667号25頁，中部電力事件・名古屋地判平成8・3・13労判706号95頁など。

❸ 効　果

　本条に違反する行為は不法行為（民法 709 条）にあたり，それが解雇，配転，懲戒処分などの法律行為である場合には無効となる（労基法 13 条）。賃金差別を不法行為として救済する場合，賃金格差がすべて違法な差別の結果として生じたのか，適法な評価・査定を反映した部分があるのかが判然としないことも多く，その損害の範囲および額をいかなるものとするかが問題となることが多い。この点について，裁判例は，①賃金格差（平均的賃金または年齢・勤続年数が近い従業員の賃金との差）全額の支払いを命じたもの[16]，②賃金格差の一定割合と慰謝料の支払いを命じたもの[17]，③すべて慰謝料として損害額を認定しその支払いを命じたもの[18]に分かれている。

3 男女賃金差別の禁止（労基法 4 条）

　労基法 4 条は，使用者に対し，労働者が女性であることを理由とした賃金差別をすることを禁止している。

❶ 要　件

1 「賃金差別」

　本条は，賃金（p248 **1**）についてのみ男女差別を禁止している。したがって，採用，配置，昇進，教育訓練など，賃金以外の差別については，本条が禁止するところではない（後述する均等法違反の問題となる。p128 *4*）。また，これらの差別に由来するはねかえりの賃金格差（例えば昇進上の差別に基づいて生じた賃金格差）も本条の禁止する賃金差別とはいえない。ただし，資格と賃金が直接連動している職能資格制度の下では，昇格差別が本条違反の賃金差別と同視されることがある[19]。

---

16)　東京電力（山梨）事件・甲府地判平成 5・12・22 労判 651 号 33 頁，前掲 15）中部電力事件判決など。

17)　前掲 15）東京電力（千葉）事件判決〔賃金格差の 3 割と慰謝料 100 万または 150 万円〕，前掲 15）東京電力（神奈川）事件判決〔賃金格差の 3 割または 5 割と慰謝料 150 万円〕。

18)　東京電力（群馬）事件・前橋地判平成 5・8・24 労判 635 号 22 頁〔慰謝料 240 万円〕。

19)　芝信用金庫事件・東京高判平成 12・12・22 労判 796 号 5 頁，昭和シェル石油（男女差別）事件・東京地判平成 21・6・29 労判 992 号 39 頁など。

124　第 3 編　雇用関係法

本条が禁止する「差別」には，女性に有利な取扱いも含まれると解釈されている。例えば，女性のみに結婚手当を支給することは本条違反となる。

2　「女性であることを理由とする」差別

本条は，女性であることを理由とする差別を禁止している。したがって，年齢，勤続年数，扶養家族の有無・数，職務内容，職務上の地位・責任，勤務成績など，性別以外の要因に基づく賃金格差は，本条違反にはあたらない。

これに対し，女性が一般的に勤続年数が短いことや主たる生計維持者でないことなどのステレオタイプ（偏見や統計）に基づいて男女を差別することは，「女性であることを理由とする」差別にあたる。例えば，世帯主に支給される家族手当を夫婦共稼ぎの場合「男性のみ」に支給することは本条違反となる。[20]

問題は，性別に中立的な基準（「世帯主」など）によって賃金の支給の有無や額を決める取扱いが本条に違反するかである。

> **事例 22**
>
> 相席物産では，就業規則に，「基本給は労働者の年齢および勤続年数に応じて決定する。ただし，住民票上世帯主でない者および独身の世帯主については，26 歳以降基本給の上昇を行わないものとする」との規定を定めている。同社に勤務する山﨑さん（既婚女性）は住民票上夫が世帯主となっているため基本給が 26 歳で頭打ちとなっている。その結果，山﨑さんは同じ仕事で同じ勤続年数の男性社員山添さんに比べてかなり低い額の賃金しか支給されていない。山﨑さんは，同社に対し何か請求をすることができるか？

この点については，基本的には，「世帯主」など性別にかかわらない基準が定められそれが中立的に運用されている限り，女性であることを理由とした差別にはあたらず，本条違反は成立しないと考えられている。[21]ただし，形の上では中立的な基準を用いていても，差別的な意図の下でその基準が設定され，その運用上男女で異なる取扱いがなされているなど，実態として女性であることを理由とした賃金差別にあたる場合には，本条違反が成立する。[22]

---

20)　岩手銀行事件・仙台高判平成 4・1・10 労判 605 号 98 頁。
21)　日産自動車事件・東京地判平成元・1・26 労判 533 号 45 頁〔「夫と妻のいずれか収入額の多い方」という中立的な基準を用いて家族手当の受給者を決める取扱いは本条に違反しない〕。
22)　三陽物産事件・東京地判平成 6・6・16 労判 651 号 15 頁〔 事例 22 に類似した基準を使いながら実際には男性には一貫して実年齢に応じた基本給を支給していた事案〕。

第 1 章　労働者の人権の保障　　125

② 同一（価値）労働同一賃金原則との関係

ILO100 号条約（1951 年採択。日本は 1967 年に批准）や国連女子差別撤廃条約（1979 年採択。日本は 1985 年に批准）は，同一労働または同一価値労働に従事する男女には同一の賃金を支払わなければならないという「同一（価値）労働同一賃金原則」を規定している。労基法 4 条がこの原則を定めたものか否かについては，同原則が国際的な法原則であることを理由にこれを肯定する見解もある[23]。しかし，本条の文言，および，同原則を明記した法案が日本の賃金制度にはあわないとして修正されたという本条の立法経緯からすると，本条は同一（価値）労働同一賃金原則自体を定めたものではないと解釈すべきであろう[24]。もっとも，否定説に立ったとしても，同一（価値）労働に従事しているにもかかわらず賃金に格差があることは，本条違反を推定させる重要な事実となりうる[25]。

③ 立証責任

本条違反の立証責任は原告たる労働者が負うのが原則である。しかし，裁判所は，人事考課（査定）等に関する証拠の偏在を考慮し，立証責任の一部を使用者側に転換している。すなわち，労働者側が，①男女間に賃金格差が存在することを立証すれば，女性であることを理由とする差別と推定され，使用者側が，②その格差を正当化する合理的理由を立証できなければ，本条違反が成立するとされている[26]。これらの裁判例では，差別意思（「女性であることを理由とする」差別）の存在が問われていないが，それは，男女別賃金表や男女別コース制など男女間で異なる制度がとられている事案であったため，その制度自体から差別意思の存在が推認されるケースであったからと考えられる。

---

23) 奥山明良「男女の賃金格差と差別の救済法理」季刊労働法 116 号 22 頁（1980），外尾健一『労働権保障の法理 I』85 頁以下（信山社，1999）など。

24) 東京大学労働法研究会編『注釈労働基準法（上）』101 頁以下〔両角道代〕（有斐閣，2003）参照。

25) 使用者側が賃金格差を正当化する合理的な理由を立証できなければ，本条違反が成立することになろう（日ソ図書事件・東京地判平成 4・8・27 労判 611 号 10 頁，塩野義製薬事件・大阪地判平成 11・7・28 労判 770 号 81 頁など参照）。

26) 秋田相互銀行事件・秋田地判昭和 50・4・10 判時 778 号 27 頁，野村證券（男女差別）事件・東京地判平成 14・2・20 労判 822 号 13 頁，住友金属工業事件・大阪地判平成 17・3・28 労判 898 号 40 頁，兼松（男女差別）事件・東京高判平成 20・1・31 労判 959 号 85 頁（＃16），前掲 19）昭和シェル石油（男女差別）事件判決など。

126　第 3 編　雇用関係法

なお，賃金差別等の認定にあたり，裁判所が使用者の保持する賃金台帳や人事考課表などの文書の提出を命じることがある。民事訴訟法では，「職務上の秘密に関する文書」「専ら文書の所持者の利用に供するための文書」など法律上列挙された例外事由にあたらない限り，所持者は文書の提出義務を負う（220条）とされており，近年の裁判例では，使用者に賃金台帳，労働者名簿，資格歴，人事考課表などの提出が命じられている。[27] 使用者が人事考課の評定者に配付した人事考課マニュアル（制度の概要と手引き）については，「専ら文書の所持者の利用に供するための文書」であるとして提出義務を否定した裁判例がある。[28]

❹ 効　　果

　本条違反に対しては罰則が科される（労基法119条1号）。

　私法上の効果としては，①本条違反の賃金差別は不法行為（民法709条）にあたり，それによって生じた損害の賠償を請求することができる。また，②本条違反の賃金差別を定めた就業規則等の規定は違法無効となる（労基法13条）。問題は，③男女差別がなければ得られた賃金額と実際に得た賃金額との差額を，労働契約上の権利（差額賃金請求権）として請求できるかである。裁判例では，就業規則等により適用すべき基準が明らかになっている場合には，労基法13条（適用または類推適用）を根拠に差額賃金請求権が肯定されている。[29] 逆に，賃金額の決定に査定が介在するなど適用されるべき具体的基準が明らかでない場合には，差額賃金請求権は否定され，不法行為として損害賠償請求を行うことになる。損害額の認定については，①賃金格差（男性の平均的賃金または年齢・勤続年数が近い男性の賃金との差）全額を損害と認めその賠償を命じたもの，[30] ②

---

27)　商工組合中央金庫事件・大阪高決平成11・3・31労判784号86頁〔職員考課表〕，藤沢薬品工業事件・大阪高決平成17・4・12労判894号14頁〔賃金台帳，労働者名簿，資格歴〕，国立大学法人茨城大学（文書提出命令）事件・最一小決平成25・12・19民集67巻9号1938頁〔ハラスメント対策委員会・調査委員会の議事録・報告書等〕，学校法人河合塾（文書提出命令・抗告）事件・東京高決令和元・8・21労判1214号68頁〔各講師の授業アンケート結果等のデータ，全講師集計値データ〕など。

28)　住友金属工業事件・大阪地決平成11・9・6労判776号36頁。

29)　前掲26）秋田相互銀行事件判決，日本鉄鋼連盟事件・東京地判昭和61・12・4労判486号28頁など。

第1章　労働者の人権の保障　**127**

賃金格差の一定割合と慰謝料の賠償を命じたもの[31]，③すべて慰謝料として損害
額を認定しその支払いを命じたもの[32]，④賃金格差を的確に認定できないため裁
判所が相当な損害額を認定し（民訴法 248 条参照）これに慰謝料等を加えて賠償
を命じたもの[33]がある。

4 賃金以外の男女差別の禁止（男女雇用機会均等法など）

賃金以外の男女差別については，男女雇用機会均等法がこれを禁止する規定
を定めている。

■ 募集・採用に関する差別

事業主は，労働者の募集・採用について，性別にかかわりなく均等な機会を
与えなければならない（5 条。p156 ■）。

本条で禁止される行為の具体的な内容については，厚生労働大臣が定めた指
針（平 18・10・11 厚労告 614 号。平 25・12・24 厚労告 382 号改正）があり，募集・
採用にあたって男女のいずれかを排除すること，募集・採用の条件や方法・基
準を男女で異なるものとすること，男女別の人数枠を設けるなど男女のいずれ
かを優先することなどが，禁止行為としてあげられている[34]。指針は，本条の解
釈にあたって裁判所を拘束する性質のものではないが，本条の解釈にあたり参
考となる基準を示したものといえる。

本条に違反する行為は不法行為（民法 709 条）にあたり，損害賠償請求の対
象となる。しかし，労働契約は両当事者の合意によって成立するものであるか

---

30) 前掲 25) 日ソ図書事件判決，内山工業事件・広島高岡山支判平成 16・10・28 労判 884 号 13 頁，
名糖健康保険組合事件・東京地判平成 16・12・27 労判 887 号 22 頁。

31) 前掲 25) 塩野義製薬事件判決〔男性賃金の 9 割との差額と慰謝料 200 万円〕，京ガス事件・京
都地判平成 13・9・20 労旬 1517＝1518 号 129 頁〔男性賃金の 8 割 5 分との差額と慰謝料 50 万円〕。

32) 前掲 19) 昭和シェル石油（男女差別）事件判決〔慰謝料 300 万円ないし 600 万円〕。

33) 前掲 26) 兼松（男女差別）事件判決〔1 か月あたり 10 万円と慰謝料 120 万円ないし 180 万円〕。

34) なお指針は，差別禁止の例外として，①芸術・芸能の分野における表現の真実性等の要請から
男女のいずれかを従事させることが必要である職務，②守衛，警備員等のうち防犯上の要請から
男性に従事させることが必要である職務，③神父・巫女，女性更衣室の係員など宗教上・風紀
上・スポーツ競技の性質上，その他の業務の性質上，男女のいずれかを従事させることについて
①・②と同程度の必要性がある職務等については，採用や配置等において男女で異なる取扱いを
しても均等法 5 条，6 条違反とはならないとしている。

128 第 3 編 雇用関係法

ら（契約締結の自由），本条違反を理由に採用の強制（労働契約上の地位確認）を求めることはできないと解されている（p160 **3**）。

2 配置・昇進・退職などに関する差別

事業主は，①労働者の配置（業務の配分・権限の付与を含む）・昇進・降格・教育訓練，②住宅資金貸付けなどの福利厚生措置[35]，③労働者の職種・雇用形態の変更，④退職勧奨・定年・解雇・契約更新について，性別を理由として差別的取扱いをしてはならない（6条）。

従来の均等法（1997（平成9）年改正後のもの）は，募集・採用のほか，配置・昇進・教育訓練（旧6条），福利厚生（旧7条），定年・退職・解雇（旧8条）について女性差別を禁止していたが，これら以外の局面でも男女差別の事案がみられるようになった。そこで，2006（平成18）年改正において，降格（①），職種・雇用形態の変更（③），退職勧奨・契約更新（雇止め）（④）を新たに追加するとともに，配置（①）に業務の配分・権限の付与を含むことを明確化し，1つの条文にまとめたのが本条である。

厚生労働大臣が定める指針（p128 **1**）は，これらの事項について，男女のいずれかを排除すること，男女で異なる条件をつけること，男女で異なる取扱いをすることなどを，本条の禁止行為としてあげている[36]。

本条違反の行為は不法行為（民法709条）にあたり，損害賠償請求の対象となる。また，本条に反する法律行為（配転，解雇など）は無効となる[37]。なお，違法な昇進・昇格差別に対して，昇進・昇格した地位にあることの確認請求ができるか否かについては，昇進・昇格の箇所で述べた通りである（p174 **2**）。

---

35) ここにいう福利厚生措置とは，住宅資金貸付けのほか，生活資金・教育資金など労働者の福祉増進のための資金の貸付け，労働者の福祉増進のための定期的金銭貸付け，労働者の資産形成のための金銭の給付，住宅の貸与を指す（均等法施行規則1条）。

36) 2013（平成25）年の指針改正（平25・12・24厚労告382号）により，結婚していることを理由に職種の変更や定年の定めについて男女で異なる取扱いをすることも本条が禁止する差別に該当することが明記された（2014（平成26）年7月施行）。

37) 均等法の行政取締法規としての性格を重視すると，これは均等法6条そのものから生じる効果ではなく，均等法6条に反する法律行為は公序違反として無効となる（民法90条）との解釈も考えられる。均等法9条違反の効果（p132 **5**）についても（条文上無効という効果が明記されている解雇を除き）同様である。

第1章　労働者の人権の保障　129

❸ 男女別コース制・コース別雇用制

これらの規定との関係で問題となりうるのが、男女別コース制およびコース別雇用制である。

1 男女別コース制

かつてみられた男女をコース別（例えば男性は基幹業務、女性は補助業務）に振り分ける男女別コース制は、現行法上は、均等法5条、6条に違反し違法・無効なものとされる。

これが均等法上法的拘束力をもって違法とされるようになったのは、1997（平成9）年改正によってである。これをめぐって2つの問題が生じた。第1に、同改正の施行（1999（平成11）年4月）前は、男女別コース制は適法であったのかである。この点について、裁判例は、当時の状況では男女別コース制は公序（民法90条）に反するとまではいえず、違法とはいえないとした。[38] 第2に、使用者は過去において違法ではないとされていた男女別コース制に起因する男女間の処遇格差（例えば1999年3月末時点で生じていた男女間格差）を、1999年4月以降是正する必要はなかったのかである。裁判例は、改正均等法施行後も男女のコース別処遇を維持することは均等法6条および公序に違反するとし、男女別コース制に基づく処遇格差を是正するための合理的な措置をとらなかった使用者に損害賠償責任を課している。[39]

2 コース別雇用制

事例 23

納言商事では、正社員を「総合職」と「一般職」に区分し、総合職の従業員は全国の支社・支店等に転勤あり、一般職の従業員は基本的に転勤なし（地域限定）との取扱いをしている。実際に現場で仕事を行ううえでは、総合職と一般職の間に仕事の範囲や責任の点で大きな違いはないが、昇進においては総合職の従業員がより

---

38) 前掲29）日本鉄鋼連盟事件判決、前掲26）野村證券（男女差別）事件判決など。ただし、女性に対する採用後の差別的取扱いが、採用時のコースの差異に基づくものと認められない、または、コースの差異に基づくとしても合理性を有しない場合には、性別による不合理な差別として公序違反となるとした裁判例（前掲26）住友金属工業事件判決、前掲26）兼松（男女差別）事件判決）がある。

39) 前掲26）野村證券（男女差別）事件判決など。前掲26）兼松（男女差別）事件判決（#16）では、簿記3級、TOEIC600点以上等が職種転換の要件となっているなどその合理性に疑問があり、転換を目指す労働者の努力を支援する配慮をした制度とはいえないとして、使用者の責任を肯定した。

130　第3編　雇用関係法

速くより高い地位まで昇進しており，両者の間に顕著な差がある。総合職と一般職の男女比率をみると，総合職は男性が約 8 割，一般職は女性が約 9 割となっている。また，課長以上の管理職の多く（約 90%）は男性である。同期で総合職として入社した男性の安部さんが課長になっていっているにもかかわらず，いまだ平社員にとどまっている女性で一般職の幸さんは，同社に対して何らかの請求をすることができるか？

1997（平成 9）年均等法改正に伴い，旧来の男女別コース制に代わってみられるようになったのが，この事例にあるようなコース別雇用制である[40]。コース別雇用制は，性別を直接の理由とするものではなく，総合職・一般職といった性別によらない区分に基づいて処遇に差異をつけるものであるため，直ちに均等法 5 条，6 条に違反するとはいい難い[41]。しかし，このような性中立的な基準・措置であっても，一方の属性の者（ここでは女性）に著しい不利益（差別的な効果）をもたらすことがありうる。このような差別的な効果をもたらす中立的な基準・措置を違法とすることを可能とする法原則として導入されたのが，次にみる「間接差別」の禁止である。

④ 間 接 差 別

事業主は，性別以外の事由を要件とする措置のうち，男女比率等を勘案して実質的に性別を理由とする差別となるおそれがある措置として厚生労働省令で定めるものについては，業務遂行上の特段の必要性，雇用管理上の特段の必要性など合理的な理由がない限り，これを講じてはならない（7 条）。差別をめぐる状況が複雑化するなかで，性別を直接の理由とする差別（直接差別）以外の実質的な差別についても規制の対象としていくために，2006（平成 18）年均等法改正によって新たに導入された規定である。

---

40) コース別雇用制における雇用管理上の留意点について，平 25・12・24 厚労告 384 号参照。

41) ただし，コースの区別・振分け自体が実態として性別に基づいてなされている場合には，実質的な男女別賃金表として労基法 4 条違反や均等法 6 条違反の男女差別に該当しうる（東和工業事件・名古屋高金沢支判平成 28・4・27 労経速 2319 号 19 頁〔総合職と一般職の区別が性別の観点からなされているとして総合職との賃金差額に相当する損害賠償請求を認容〕，巴機械サービス事件・東京高判令和 4・3・9 労判 1275 号 92 頁〔総合職全員が男性，一般職採用者全員が女性であり，職種転換制度の実績がなく，男女差別であることを覆す合理的理由もないとして，不法行為に基づく損害賠償請求を認容〕参照）。

第 1 章 労働者の人権の保障 131

本条において禁止の対象とされる間接差別は，性別以外の事由による措置ではあるが実質的には男女差別となるおそれがある措置として，厚生労働省令が定めるものである。均等法施行規則2条は，これに該当する措置として，①募集・採用における身長・体重・体力要件，②労働者の募集・採用，昇進，職種の変更における転居を伴う転勤要件，③昇進における転勤経験要件の3つを定めている。

これら3つの措置のいずれかに該当する場合でも，使用者がこのような措置を講じる合理的な理由を立証できれば，本条には違反しないことになる。この「合理的な理由」の有無は，個別の事案ごとに具体的な事情を総合考慮しながら判断される。厚生労働大臣が定める指針（p128 **1**）は，「合理的な理由」にあたらない例として，①単に出入者のチェックのみを行い，防犯を本来の目的としていない警備員の募集・採用において，身長や体重が一定以上であることを要件とすること，②転勤を経験することが労働者の能力の育成・確保に特に必要であるとは認められず，かつ，転勤を含む人事ローテーションを行うことが組織運営上特に必要であるとは認められないにもかかわらず，労働者の募集・採用，昇進，職種の変更に転居を伴う転勤要件を課すこと，③管理職に昇進するにあたり，他の支店・支社での勤務経験が特に必要であると認められず，かつ，転居を伴う人事ローテーションを行うことが特に必要であると認められないにもかかわらず，昇進に転勤経験要件を課すことなどをあげている。

本条に違反する措置に基づいてなされた行為は不法行為（民法709条）として損害賠償請求の対象となる。しかし，本条違反自体を根拠に，採用や昇進を請求することはできない（p160 **3**，p174 **2**）。

5 婚姻・妊娠・出産等を理由とする不利益取扱い

事業主は，女性労働者について，①婚姻，妊娠，出産を退職理由とする定め，②婚姻を理由とする解雇，③妊娠，出産，産前産後休業の請求・取得などを理[42)]

---

42) 均等法施行規則2条の2は，このほか，不利益取扱いの禁止事由として，労基法上の母性保護措置（64条の2以下。妊娠中の女性の軽易業務への転換（65条3項）を含む）や均等法上の母性健康管理措置（12条，13条）を受けたまたは受けようとしたこと，妊娠・出産によって労働不能や労働能率低下が起こったことを掲げている。

132　第3編　雇用関係法

由とした解雇等の不利益取扱い，④妊娠中および出産後1年以内の解雇をして[43]
はならない（9条）。

　厚生労働大臣が定める指針（p128 **1**）は，本条で禁止された不利益取扱い
（③）にあたる例として，不就労期間を超えて賃金を減額すること，疾病等に
よる休業の場合と比較して不利に取り扱うこと，通常の人事異動のルールから
は十分に説明できない配置の変更を行うことなどをあげている。

事例 24

　森三中央病院で訪問リハビリ業務の副主任（管理職）として勤務していた理学療
法士の大島さんは，妊娠したことに伴い，労基法65条3項に基づいて，より身体
的負担の軽い病院リハビリ業務への転換を希望した。同病院は大島さんを訪問リハ
ビリ業務から病院リハビリ業務に異動させたが，病院リハビリ業務では大島さんよ
り職歴の長い村上さんが主任（管理職）として勤務していたため，同病院は大島さ
んを副主任（管理職）から免ずる措置をとり，大島さんには管理職（副主任）手当
（月額9500円）が支給されなくなった（大島さんは渋々ながらこれを了承した）。大島
さんはその後，産休・育休の取得を経て，職場に復帰したが，復帰先の訪問リハビ
リ業務では大島さんより職歴の短い黒沢さんが副主任（管理職）となっていたため，
大島さんは副主任（管理職）に任じられなかった。これに不満をもった大島さんは，
病院に対し何らかの請求をすることができるか？

　事例24 に類似するケースでは，妊娠中の軽易業務への転換を契機としてな
された降格措置が均等法9条3項の禁止する不利益取扱い（③）にあたるかが
争点となった。最高裁は，均等法の文言・趣旨等に鑑みると同項は強行規定と
解されるとしたうえで，同項の趣旨・目的に照らせば，妊娠中の軽易業務への
転換を契機としてなされた降格措置は，原則として同項の禁止する不利益取扱
いにあたるが，(a)労働者が受ける有利・不利な影響の内容や程度，事業主によ

---

43)　この解雇については，「無効」となるという私法上の効果が条文上明記されている（9条4項本
　　文）。ただし，事業主が，妊娠，出産など本条3項に掲げられた事由を理由とする解雇でないこと
　　を証明したときには，その限りでないとされ（9条4項ただし書），解雇理由の立証責任が事業主
　　に転換されている。妊娠中および出産後1年以内の女性労働者の解雇については，事業主が，客
　　観的に合理的で社会通念上相当といえる理由によるものであること（労契法16条）を証明できな
　　ければ，無効となる（アニマルホールド事件・名古屋地判令和2・2・28労判1231号157頁〔妊
　　娠中になされた解雇を無効と判断〕，社会福祉法人緑友会事件・東京高判令和3・3・4時判2516
　　号111頁〔出産後1年以内の女性労働者の解雇を無効と判断〕，学校法人横浜山手中華学園事件・
　　横浜地判令和5・1・17労判1288号62頁〔妊娠中になされた解雇を無効と判断〕）。

第1章　労働者の人権の保障　　133

る説明などの経緯，労働者の意向等に照らして，労働者が自由な意思に基づいて降格を承諾したものと認めるに足りる合理的な理由が客観的に存在するとき，または，(b)事業主の業務上の必要性の内容や程度，労働者が受ける有利・不利な影響の内容や程度に照らして，同項の趣旨・目的に実質的に反しないと認められる特段の事情が存在するときは，同項違反とならないとの判断枠組みを示した[44]。厚生労働省は，この最高裁判決を受けて，本項の「理由として」とは差別意思の存在ではなく因果関係の存在を指すことを指摘するなど，本判決の内容を具体的に解説し行政解釈（上記指針）のなかに取り込む通達を発出している[45]。

その後の裁判例として，妊娠中の女性労働者が使用者と現場業務の継続は難しいとの話をし，使用者からの提案を受けて関係する派遣会社に登録し派遣業務に従事したという経緯のなかで女性労働者と使用者との間に退職合意があったといえるかが争点となった事案で，妊娠中の退職合意の有無については，均等法1条，2条，9条3項の趣旨に照らすと，当該労働者が自由な意思に基づいて合意したものと認めるに足りる合理的な理由が客観的に存在するか慎重に判断する必要があるとして，退職合意の存在を否定したものがある[46]。

本条に違反する行為は無効となるとともに，不法行為（民法709条）として損害賠償請求の対象となる（*Column 18*）。

Column 18 **均等法上のポジティブ・アクションと女性活躍推進法**　　均等法は，これらの規定に加えて，雇用の場における事実上の男女格差を解消するために事業主が積極的な取組み（ポジティブ・アクション。8条参照）を行うことを促し，国がその援助を行うこととしている（14条）。例えば，女性従業員数や女性管理職数が少ない企業において，その根本的な問題点を分析・把握し，問題を解決するための取組みを事業主が進めていくこと（女性が働きにくい職場環境を改善し女性の採用や昇進を積極的に進める措置など）がそれにあたる。国は，企業の具体的な取組みを促すために，「女性労働者の能力発揮促進のための企業の自主的取組に関するガイドライン」を定めている。そこでは，①現状分析と問題点の発見，②労働者の意見を踏

---

44)　広島中央保健生協（C生協病院）事件・最一小判平成26・10・23民集68巻8号1270頁（#18）〔結論として本件降格措置を適法とした原審の判断を破棄差戻し〕。同差戻審・広島高判平成27・11・17労判1127号5頁は，本件降格措置を，女性労働者の母性を尊重し職業生活の充実を確保すべき義務に違反する不法行為，および，労働法上の配慮義務違反の債務不履行にあたるとして，同女性労働者からの損害賠償請求を認容した。

45)　平27・1・23雇児発0123第1号。

46)　TRUST事件・東京地立川支判平成29・1・31労判1156号11頁。

まえた具体的取組計画の作成，③具体的取組みの実施，④取組みの成果の点検と見直しという
プロセスを踏んで継続的に取組みを行っていくことの重要性とともに，経営トップの理解・関
与と実行機関への権限の委譲など企業内で計画を推進していくための体制整備とコンセンサス
作りが重要であることが指摘されている。

　また，2015（平成27）年には，10年の時限立法として，女性活躍推進法が制定された（2019
（令和元）年にはさらなる女性活躍の推進を図るための法改正がなされた）。この法律は，女性の職
業生活における活躍を推進することを目的として，101人以上の労働者を雇用する事業主に，
①女性の活躍に関する状況の把握，改善すべき事情の分析を踏まえた「事業主行動計画」の策
定・公表，②女性の活躍に関する情報の公表を義務づけること等を内容とするものである。国
は，女性の活躍推進について優れた取組みを行う一般事業主の認定（「えるぼし」・「プラチナえ
るぼし」認定）を行い，優良事業主に対しインセンティブを付与している。

5 性的指向（LGBTQ）を理由とする差別の禁止
（LGBT理解増進法など）

事例 25

　LGBTQ（例えば戸籍上は男性，性自認は女性の人）が，職場において，その性自
認に基づくトイレの使用を希望した場合，会社はその使用を認めなければならない
か？　認めなければならないとすれば，それはどういう事情があるときか？　性自
認に基づく化粧や服装による勤務を希望した場合，それを禁止したり制限すること
はできるか？

　LGBTQ（レズビアン，ゲイ，バイセクシュアル，トランスジェンダー，クエスチョ
ニングまたはクイア）などの性的少数者であること（「性的指向」や「性自認」）も，
EUやアメリカでは差別禁止事由になるとされている（p118**1**）。

　日本でも，2023（令和5）年6月，LGBT理解増進法（「性的指向及びジェンダ
ーアイデンティティの多様性に関する国民の理解の増進に関する法律」）が議員立法と
して制定された。この法律は，性的指向（LGBTQ）を理由とする差別を禁止す
る立法ではなく，性的指向を理由とする不当な差別はあってはならないとの基
本理念（3条）や性的指向の多様性に関する理解の増進に努める国・地方公共

47）　2022（令和4）年の省令（女性活躍推進法に基づく一般事業主行動計画等に関する省令）改正
　　により，事業主の情報公表義務の項目に「男女の賃金の差異」が追加された。この「男女の賃金
　　の差異」は，男性労働者の賃金の平均に対する女性労働者の賃金の平均の割合（パーセント）を，
　　全労働者，正規雇用労働者，非正規雇用労働者の3つの区分で公表することとされている（令4・
　　7・8雇均発0708第2号）。

第1章　労働者の人権の保障　135

団体・事業主等の役割（4条～6条）などを定め，性的指向の多様性に関する国民の理解の増進と多様性に寛容な社会の実現に資することを目的とする立法である（1条参照）。この法律上の規定からは，性的指向や性自認を理由とする差別を直ちに違法とする効果は発生しないが，その趣旨に反する取扱いは公序違反（民法90条）や人格的利益を侵害する不法行為（民法709条）等として違法なものとなりうる。

　最高裁は，トランスジェンダーの国家公務員（戸籍上は男性，性自認は女性）の性自認に基づくトイレ使用の制限（執務室の上下階の女性トイレ使用の制限）につき，同職員からの措置要求（国公法86条参照）を認めなかった人事院の判定は，同職員の女性トイレの使用でトラブルが発生することは想定し難く，特段の配慮をすべき他の職員も確認されていないという当該事案の具体的事情を踏まえずに，同職員が日常的に受けている不利益を不当に軽視したものであって，裁量権の逸脱・濫用にあたり違法であると判断した。この判決は，LGBTQ を[48]めぐる状況の多様性のなかで，抽象的な思考・感覚ではなく具体的な実情や情況の変化に応じた判断を行うこと，および，偏見を払拭するための継続的な取組みを行うことの重要性を示したものであり，不法行為法上の人格的利益侵害の有無の判断（民法709条）にも影響を与えうるものといえる。その他，裁判例として，性同一性障害の労働者（生物学的には男性）に対し，使用者が女性の容姿をして就労することを禁止する服務命令を発し，これに従わなかった労働者を懲戒解雇したことにつき，女性の容姿をした労働者を就労させることが会社における企業秩序または業務遂行に著しい支障を来すとは認められないことから懲戒解雇を無効としたもの，[49]性同一性障害のタクシー乗務員（生物学的には男性）に対し，化粧の程度が女性乗務員と同程度か否かを問題とすることなく化粧を施したうえでの乗務を禁止し就労を拒否したことにつき，必要性も合理性も認められないとし，使用者の責めに帰すべき就労不能として賃金の仮払いを命じたものがある。[50]

48）　国・人事院（経産省職員）事件・最三小判令和5・7・11民集77巻5号1171頁。
49）　S社（性同一性障害者解雇）事件・東京地決平成14・6・20労判830号13頁。
50）　淀川交通（仮処分）事件・大阪地決令和2・7・20労判1236号79頁。

3 人格権・プライバシー

1 いじめ・嫌がらせ（ハラスメント）からの保護

事例 26

　マミー病院に看護師として勤務していた酒井さん（男性）は，同病院の先輩看護師である林田さん（男性）から，使い走りをさせられるなど日常的にこき使われていた（例えば，夜自宅にいる酒井さんに柏餅を買いに行かせた。林田さんが風俗店に行く際の送迎をさせ駐車場で待たせた。ウーロン茶1缶を3000円で買わせた）。病院の職員旅行の際，林田さんは，酒井さんと事務職の女性とを2人きりにして性的行為をさせそれを撮影しようと企てたが，これを嫌がった酒井さんは焼酎のストレートを一気飲みして倒れ，近くの病院に運び込まれた。その後，林田さんは酒井さんに仕事中に「死ねよ」と発言したり，「殺す」との電子メールを送ったりした。病院の外来会議で酒井さんの様子がおかしいことが話題になったが，その席で林田さんは「酒井にやる気がない」と酒井さんを非難した。その6日後，酒井さんは自宅で自殺した。酒井さんの遺族である親は，誰に対しどのような請求をすることができるか？

事例 27

　スリム道路のマエダ部長は営業所長のウチマさんに対し，「お前の営業所には1800万から2000万近い借金があるんだぞ」，「達成もできない返済計画を作っても業績検討会などにはならない」，「現時点で既に1800万円の過剰計上の操作をしているのに過剰計上が解消できるのか。できる訳がなかろうが」，「会社を辞めれば済むと思っているかもしれないが，辞めても楽にはならないぞ」などと厳しく叱責した。ウチマさんの営業所に対しては，以前から架空出来高の是正を図るよう指示がなされていたにもかかわらず，1年以上経過しても是正されず，同営業所では原価管理等を正確・迅速に行うために必要な工事日報も作成されていなかった状況下で，マエダ部長がウチマ所長に対し不正経理の解消や工事日報の作成について改善指導するなかでの発言であった。ウチマさんはこの叱責が原因でうつ病になり自殺した。マエダ部長および会社はウチマさん（の遺族）に対し責任を負うか？

第1章　労働者の人権の保障　137

1 いじめ・嫌がらせ（ハラスメント）の概念

近年，職場におけるいじめや嫌がらせが問題となることが増えている。この職場におけるいじめ・嫌がらせ（ハラスメント）には，性的な言動によるセクシュアル・ハラスメント，妊娠・出産にかかわるマタニティ・ハラスメント，職務上の地位・権限を背景とするパワー・ハラスメント，顧客・取引先等によるカスタマー・ハラスメントなど，その原因となる事由別にいくつかの形態・名称のものがある。また，ハラスメントの態様による区別として，①性的要求など人格にかかわる要求を拒否したこと等を理由として雇用上不利益な取扱いを受ける対価型ハラスメントと，②人格にかかわる言動により職場環境を悪化させる環境型ハラスメントの2つの類型のものがあると説明されることも多い。

もっとも，法的には，いじめ・嫌がらせ（ハラスメント）が私法上違法であるか否かは，不法行為（民法709条）や債務不履行（415条）等の要件に照らして判断される。また，いじめ・嫌がらせが暴力行為等にわたり刑法上の犯罪の構成要件（強要罪〔223条〕，強制わいせつ罪〔176条〕等）を満たす場合には，加害者は刑事責任を負う。ハラスメントによる被害が労働災害にあたるとして，国による労災保険給付の対象になることもある（p301 **2**）。

2 事業主のハラスメント防止措置義務

現行法では，3つの種類のハラスメントについて，事業主にその発生を防止するために必要な措置を講じることが義務づけられている。

まず，男女雇用機会均等法は，1997（平成9）年改正により，性的な言動に対する対応により労働者が労働条件上不利益を受けたり，就業環境が害されたりすること（いわゆる「セクハラ」）がないよう，事業主に雇用管理上必要な措置を講じることを義務づけた（現行11条）。同条4項（現行）に基づいて厚生労働大臣が定めた指針[51]によると，その具体的内容として，①セクハラに関する方針を明確にし従業員に対し周知・啓発を図ること（その原因や背景にある性別役割意識に基づく言動をなくしていくことが重要であることに留意すること），②相談に応じ適切に対応するために必要な体制の整備を図ること（相談の対象に，放置す

---

51) 平18・10・11厚労告615号（令2・1・15厚労告6号等改正）。

れば就業環境を害するおそれがある場合や性別役割意識に基づく言動が原因・背景となってセクハラが生じるおそれがある場合等が含まれること），③セクハラが発生した場合に迅速で適切な対応をとること（被害者への事後対応として，管理監督者や産業保健スタッフによるメンタルヘルス不調への相談対応が含まれること）などが求められている。[52]

次に，2016（平成28）年の育児介護休業法，男女雇用機会均等法等の改正により，妊娠，出産，育児休業・介護休業等の取得を理由とする上司・同僚等による就業環境阻害行為（いわゆる「マタハラ，パタハラ，ケアハラ」）を防止するために事業主に雇用管理上必要な措置を講じること（派遣労働者に対する派遣先事業主の措置を含む）が義務づけられ（育児介護休業法25条，男女雇用機会均等法11条の3，労働者派遣法47条の2・47条の3），その適切かつ有効な実施を図るための指針が定められた。[53]

さらに，2019（令和元）年の労働施策総合推進法改正は，職場のパワー・ハラスメントについて，「職場において行われる優越的な関係を背景とした言動であつて，業務上必要かつ相当な範囲を超えたものによりその雇用する労働者の就業環境が害されること」と定義したうえで，事業主にパワー・ハラスメントを防止するために雇用管理上必要な措置を講じることを義務づけ（30条の2第1項），[54] その適切かつ有効な実施を図るための指針が定められた。[55]

事業主のハラスメント防止措置義務を定めたこれらの法律規定および指針自体は私法上の効力をもつものではないと解釈されているが，これらに沿って十分な防止措置をとっていることは使用者責任（p141 **2**）や配慮義務違反（p142 **3**）の判断において考慮されるべき事実となる。

52）　また，2019（令和元）年均等法改正により，労働者が事業主に相談したこと等を理由とする不利益取扱いの禁止（均等法11条2項，11条の3第2項），他社から雇用管理上の措置の実施（事実確認等）に必要な協力を求められた場合にこれに応じる努力義務（11条3項）が法律上定められた。

53）　平28・8・2厚労告312号（令2・1・15厚労告6号等改正），平21・12・28厚労告509号（令3・9・30厚労告366号等改正）。

54）　あわせて，労働者がハラスメントに関して事業主に相談したこと等を理由とする不利益取扱いの禁止（同条2項）も定められた。

55）　令2・1・15厚労告5号。

❸ ハラスメントの私法上の救済

1 加害者自身の責任

セクシュアル・ハラスメントは，被害者の人格的利益または「働きやすい職場環境のなかで働く利益」等を侵害する行為として不法行為（民法709条）にあたり損害賠償請求の対象となりうる。[56] 例えば，上司たる地位を利用して性的関係を迫る，[57] 相手の自由な意思に基づく同意なく性行為に及ぶ，[58] 相手の意に反して身体を触る，卑猥な言葉をかけるなどの行為がそれにあたる。

また，パワー・ハラスメントなど，性的言動以外の職場におけるハラスメントについても，労働者の人格的利益または「働きやすい職場環境のなかで働く利益」等を侵害する場合には，不法行為として損害賠償請求の対象となる。[59] 例えば，上司や同僚がいじめ・嫌がらせにあたる言動を繰り返す，[60] 同僚等が被害者の名誉を毀損する掲示等を行う，[61] 上司が部下に名誉感情を傷つけるような侮辱的なメールを送る，[62] 上司が感情的になって大きな声で部下を叱責する，[63] 正当

---

56) 福岡セクシャル・ハラスメント事件・福岡地判平成4・4・16労判607号6頁（#17）〔異性関係や性生活を窺わせる発言をし職場に居づらくさせたことを不法行為と判断〕など。「働きやすい職場環境のなかで働く利益」とは，不法行為の被侵害利益としての人格的利益を職場におけるハラスメントの文脈でより具体的に表現したものである。セクハラのうち，身体的接触や性交渉等が問題となった事案では，「性的自由」や「人格権」が被害利益としてあげられることが多く，このように一般性の高い被害利益が掲げられることにより，労働契約関係に限定されない不法行為の認定も容易になる（学校法人東京富士大学事件・東京高判令和3・4・22労判ジャーナル116号48頁〔大学の部活動監督による部員（学生）へのセクハラ行為を不法行為と認定〕，アムールほか事件・東京地判令和4・5・25労判1269号15頁〔会社代表者によるフリーランス（業務受託者）へのセクハラ行為につき，契約締結前の行為も含め，不法行為と認定〕など参照）。

57) Ｐ社ほか（セクハラ）事件・大阪地判令和2・2・21労判1233号66頁。

58) Ｍ社セクハラ事件・東京高判平成24・8・29労判1060号22頁。

59) 暴力を含む悪質なハラスメントが問題となった事案では，「暴行」，「身体的・精神的苦痛」等により直截に不法行為が成立するとされ，職務上の優越性や社会的相当性等は問われないことも多い（ファーストリテイリングほか（ユニクロ店舗）事件・名古屋高判平成20・1・29労判967号62頁，大島産業事件・福岡高判平成31・3・26労経速2393号24頁など）。

60) ザ・ウィンザー・ホテルズインターナショナル（自然退職）事件・東京高判平成25・2・27労判1072号5頁など。 事例26 に類似する誠昇会北本共済病院事件・さいたま地判平成16・9・24労判883号38頁では，加害者に1000万円の慰謝料の支払いが命じられた。

61) ソニー生命保険ほか事件・東京地判令和3・3・23労判1244号15頁。

62) Ａ保険会社上司（損害賠償）事件・東京高判平成17・4・20労判914号82頁〔上司が「やる気がないなら，会社を辞めるべきだと思います。……会社にとっても損失そのものです。あなたの給料で業務職が何人雇えると思いますか」との表現を含むメールを送信したことにつき5万円の慰謝料の支払いを命令〕。

63) 三洋電機コンシューマエレクトロニクス事件・広島高松江支判平成21・5・22労判987号29頁

140　第3編　雇用関係法

な理由なく報酬の支払いを拒むなどの行為がそれにあたる。その言動が業務上の指導にかかわるものである場合には，業務上の必要性に基づくものであったか（必要性），業務上の必要性に基づくものであったとしても相手方の人格に配慮しそれを必要以上に抑圧するものでなかったか（相当性）という観点から，社会通念上許容される範囲内の指導か（それを超える違法な言動か）が判断される。

なお，加害行為が密室や被害者として拒絶をしにくい状況で行われることも多いため，裁判所は，被害者の心理や行動に関する専門知識を踏まえた事実認定を行うことが求められる。

2　加害者の行為に対する使用者責任

使用者は，その被用者が行ったハラスメントが不法行為にあたる場合，使用者として被害者に損害賠償責任を負うことがある（民法 715 条 1 項など）。

使用者責任は，当該行為が「事業の執行について」なされたときに成立する（業務関連性）。この業務関連性の有無については，行為の場所・時間，加害者の言動等の職務関連性，加害者と被害者の関係などを考慮して判断される。加害者が上司としての地位を利用してハラスメントを行ったことは業務関連性を基礎づける重要な事実となるが，同僚によるハラスメントについても行為の場所・時間・契機等によって業務関連性が肯定されうる。

〔上司が部下と面談し，「全体の秩序を乱すような者は要らん」，「何が監督署だ，何が裁判所だ」，「とぼけんなよ，本当に。俺は，絶対許さんぞ」などと大声で叱責したことにつき 10 万円の慰謝料の支払いを命じ〕。

64)　前掲 56) アムールほか事件判決。

65)　前田道路事件・高松高判平成 21・4・23 労判 990 号 134 頁〔 事例27 に類似したケースで不正経理解消のための厳しい改善指導を社会的に許容範囲内と判断〕，サントリーホールディングス事件・東京高判平成 27・1・28 労経速 2284 号 7 頁〔「新入社員以下だ。もう任せられない」，「おまえは馬鹿」等の言動を許容限度を超えるものと判断〕，公益財団法人後藤報恩会ほか事件・名古屋高判平成 30・9・13 労判 1202 号 138 頁〔館長らが学芸員の性格等を非難し職場から排除しようとした言動を社会的相当性を逸脱する違法な退職勧奨と判断〕など。

66)　横浜セクシュアル・ハラスメント事件・東京高判平成 9・11・20 労判 728 号 12 頁。海遊館事件・最一小判平成 27・2・26 労判 1109 号 5 頁〔男性管理職が女性従業員にセクハラ発言を繰り返していたことにつき，被害者である女性から明白な拒否の姿勢を示されておらず会社から事前に警告等を受けていなかったとしても，これらの事情は加害者に有利にしんしゃくしうる事情とはいえないとして加害者への出勤停止処分を有効と判断〕も参照。

67)　前掲 58) M 社セクハラ事件判決〔代表取締役が部下の自宅を訪問して性行為：業務関連性肯

使用者は，加害者たる被用者の選任監督につき注意を尽くしたと認められる場合には，使用者責任を免れうる（715条1項ただし書）。もっとも，判例はこの免責事由を厳格に解釈しており，使用者が免責される可能性はほとんどない状況にある。しかし，使用者がセクハラを防止する十分な措置をとることを促し，事後的な責任追及よりも問題の予防を図っていくという観点からは，使用者が具体的な問題状況を調査・認識し，問題の根本的な解決・予防を図るための措置を尽くしている場合には，使用者の免責を認めるべきである。

3 使用者自身の配慮義務違反に基づく責任

使用者は，上記の使用者責任とは別に，労働者に対して「働きやすい良好な職場環境を維持する義務」（職場環境配慮義務）[68]を労働契約上の付随義務（信義則上の義務）または不法行為法上の注意義務として負っており，これに違反した場合には債務不履行（民法415条）または不法行為（709条）として，被害者に対し損害賠償責任を負うと解釈されている。このように使用者の被害者に対する直接の責任を肯定することは，加害者の行為の業務関連性が否定されたり，加害者を特定できない場合に，大きな意味をもつ。

裁判例上は，セクハラ行為の発生を予見できたにもかかわらず十分な予防措置をとらなかった場合[69]，加害者である上司らからの報告のみで判断して十分な調査をせず被害者を加害者の下で引き続き勤務させていた場合[70]などで，使用者の職場環境配慮義務違反が肯定されている。なお，グループ会社の子会社の従業員（被害者）が他の子会社の従業員からストーカー等の行為（行為1と行為2）を受けていた事案における親会社の責任について，行為1については被害者が親会社の相談窓口に相談申出をしておらず，行為2については被害者の退職後

定]，前掲60）ザ・ウィンザー・ホテルズインターナショナル（自然退職）事件判決〔上司による飲酒強要・運転強要・暴言等：勤務時間外の行為も含め業務関連性を肯定〕，アークレイファクトリー事件・大阪高判平成25・10・9労判1083号24頁〔派遣先の従業員による派遣労働者に対する嫌がらせ・侮辱：派遣先の使用者責任を肯定〕など。

68）日本土建事件・津地判平成21・2・19労判982号66頁は，使用者はその従業員たる上司が優越的立場を利用して職場内で人権侵害を生じさせないように配慮する義務（パワーハラスメント防止義務）を負うとしている。

69）京都セクシュアル・ハラスメント（呉服販売会社）事件・京都地判平成9・4・17労判716号49頁，仙台セクハラ（自動車販売会社）事件・仙台地判平成13・3・26労判808号13頁，前掲57）P社ほか（セクハラ）事件判決など。

70）沼津セクハラ（F鉄道工業）事件・静岡地沼津支判平成11・2・26労判760号38頁。

142　第3編　雇用関係法

グループ会社の事業場外で職務と関係せずに行われたものであったこと等から，親会社の責任（信義則上の配慮義務違反）を否定した判例がある。[71] 他方で，業務委託契約によるフリーランスに対する会社代表者のセクハラ等について，会社の安全配慮義務違反を肯定し債務不履行として損害賠償責任を肯定した裁判例がある。[72]

また，セクハラ以外の一般的ないじめ・嫌がらせ（パワハラ等）についても，上司がいじめ・嫌がらせにあたる言動を繰り返した場合，[73] 上司や同僚による執拗・悪質ないじめ・嫌がらせにより被害者が自殺するに至った場合，[74] 同僚によるパワハラ行為に対し上司がこれを止めさせる対応を何らとらなかった場合，[75] ハラスメント認定ができないと安易に判断して被害者のストレス原因を取り除かなかった場合，[76] ハラスメント申告に対する事実調査の結果を8か月以上にわたり申告者に告知しなかった場合[77]など，被害の発生に対し十分な予防措置をとり，適切な事後的対応を行うなどの配慮をしていなかった場合に，使用者の職場環境配慮義務違反または安全配慮義務違反（p309**3**）[78]が肯定されている。

4 不利益取扱い（解雇，配転等）の効果

性的関係を拒否したことなどを理由としてなされた解雇，配転，降格などの不利益取扱いは，不当な動機・目的による権利の濫用（民法1条3項，労契法3条5項など），または，被害者の人格権を不当に侵害した不法行為（民法709条）もしくは公序違反（90条）として，違法・無効となる。[79]

---

71) イビデン事件・最一小判平成30・2・15労判1181号5頁〔加害者の不法行為責任と被害者の勤務先会社の債務不履行責任は肯定〕。
72) 前掲56) アムールほか事件判決。
73) 前掲68) 日本土建事件判決。
74) 川崎市水道局（いじめ自殺）事件・東京高判平成15・3・25労判849号87頁，前掲60) 誠昇会北本共済病院事件判決〔**事例26** 類似のケースで使用者（病院）に500万円の慰謝料の支払いを命じ〕，国・海上自衛隊事件・福岡高判平成20・8・25判時2032号52頁など。
75) 東海交通機械事件・名古屋地判令和4・12・23労経速2511号15頁。
76) 人材派遣業A社ほか事件・札幌地判令和3・6・23労判1256号22頁。
77) 学校法人茶屋四郎次郎記念学園事件・東京地判令和4・4・7労判1275号72頁。
78) 学校法人Y事件・東京地判令和3・5・17労経速2459号3頁〔ハラスメントが発生した際に，使用者がハラスメント行為者に対し一定期間構内への立入りを禁止する業務命令を出し，ハラスメントの原因を取り除こうとしたことを適法と判断〕参照。
79) 金沢セクハラ（解雇）事件・最二小判平成11・7・16労判767号16頁，前掲70) 沼津セクハラ（F鉄道工業）事件判決など。

また，退職に追い込むための嫌がらせ的な配転や執拗な退職勧奨（p224 **1**），[80]
労働者の正当な権利主張・行使（法令違反の申告，正当な組合活動，退職勧奨の拒
否など）に対する報復的な業務命令（他の従業員からの隔離，無意味または必要性[81]
の乏しい作業の命令など）といったみせしめ・嫌がらせ的な人事措置についても，
同様に違法・無効となる。例えば，中高年管理職を退職に追い込むために，それ
まで20代前半の女性契約社員が担当していた受付業務に勤続33年の男性職[82]
員を配転したこと，労働組合に所属する教員をクラス担任や部活動顧問から排
除し，必要性や合理性が十分には認められない立ち番を命じたこと，病院に勤[83]
務する医師に対して差別的・報復的な担当外しをし臨床の機会を与えなかった[84]
ことなどである。

2 プライバシー・個人情報の保護

事例 28

会社側の次のような行為に対し，労働者は何らかの請求をすることができるか？
①永瀬さんが特定政党の党員である疑いがあるため，永瀬さんらを職場内外で監
視・尾行したり，個人ロッカーを無断で開けて私物である手帳を写真に撮影した。
②会社から業務用携帯電話を貸与された藤井さんは，その電話に接続されたナビ
システムを使って，勤務時間外に居場所を確認された。
③ハイヤー会社の服務規律上「ひげ」や「長髪」が禁止されているなか，乗務員
の升田さんは自分なりにきれいに整えた口ひげで乗務しようとしたところ，会社か
ら下車勤務を命じられた。
④従業員の行動を監視するため，職場内に監視カメラが設置されたが，従業員の広
瀬さんは会社に行動の細部まで監視され記録されることに強い抵抗感をもっている。
⑤会社のネットワークシステムを用いた各従業員用の電子メールを豊島さんが私
的に多用している疑いがあるため，社内ネットワークシステムの管理者である木村
さん（事業部長）が豊島さんの電子メールの内容を閲覧・監視した。

---

80) バンク・オブ・アメリカ・イリノイ事件・東京地判平成7・12・4労判685号17頁，新和産業
　　事件・大阪高判平成25・4・25労判1076号19頁など。
81) JR東日本（本荘保線区）事件・最二小判平成8・2・23労判690号12頁（p98 **事例16** の（II）
　　参照），パナソニックプラズマディスプレイ（パスコ）事件・最二小判平成21・12・18民集63巻
　　10号2754頁（#81）など。
82) 前掲80）バンク・オブ・アメリカ・イリノイ事件判決。
83) 学校法人明泉学園（S高校）事件・東京高判平成25・6・27労判1077号81頁。
84) 学校法人兵庫医科大学事件判決（p105注90））など。

144　第3編　雇用関係法

⑥渡辺さんを海外に派遣するために健康診断を受けさせたところ HIV に感染していることが判明し，これを知った上司の森内さんが渡辺さんに HIV に感染していることを告知した。

⑦千駄ヶ谷病院で看護師として働いている里見さんは，同病院での健康診断でHIV に感染していることが判明したため，同病院は院内感染防止のためにその情報を院内の責任者間で伝達・共有し，里見さんに仕事を休むよう伝えた。健康診断においては，同病院の個人情報保護規定に基づき，診療目的で検査結果に関する情報を取得することとされていた。

1 背景と法的枠組み

企業が業務を遂行するうえでは，企業側の業務上の必要性と労働者のプライバシー（広い意味では人格権（憲法 13 条参照）・人格的利益（民法 709 条参照））がぶつかりあうことがある。特に近年，情報化・デジタル化が進展するなかで，プライバシーや個人情報保護の要請が社会的に高まっており，職場における労働者のプライバシーや個人情報をめぐる紛争や裁判例が増加している。この問題に関して，これまでの裁判例がとってきた一般的な判断枠組みは，次のようなものである。

第 1 に，使用者は業務を遂行するうえで，労働者の人格的利益を損なわないよう配慮する義務（不法行為法上の注意義務）を負う。使用者に労働者の人格的利益を侵害する行為があった場合には，使用者は労働者に対して不法行為（民法 709 条）として損害賠償責任を負い，それが解雇や配転など法律行為の場合には権利濫用（民法 1 条 3 項，労契法 3 条 5 項など）または公序違反（民法 90 条）として当該行為は無効となる。

もっとも，第 2 に，使用者側の業務上の必要性と労働者側の不利益の大きさとを比較衡量して前者の方が大きい場合には，使用者の行為が社会的に相当な行為（違法性のない行為）とみられ使用者が免責されることがある。

2 具体的類型と判断

使用者による労働者のプライバシー侵害は，さまざまな態様で生じうる。問題を大別すれば，労働者のプライバシーへの干渉，および，個人情報の取扱い（取得・告知・利用など）の 2 つに分類されうる。

第 1 章　労働者の人権の保障　145

1 労働者のプライバシーへの干渉

労働者の思想・信条・国籍等への干渉・介入は，人格的利益の侵害となりうる。例えば，使用者が労働者の思想を調査するために監視・尾行などを行うこと（ 事例28 の①）は人格的利益の侵害にあたる[85]。また，特定の国籍や民族的出自を侮辱する内容の文書を職場で配布等することも人格的利益の侵害にあたる[86]。なお，卒業式での国歌斉唱の際の起立斉唱行為を命じることについて，最高裁は，思想・良心の自由への間接的な制約となるが，その制約を許容しうる程度の必要性・合理性が認められるとして，憲法19条には違反しないとした[87]。

労働者の私生活に干渉・介入することも，人格的利益の侵害となりうる。例えば，女性従業員の異性関係が乱れているかのような発言をしその噂を内外に流すことや[88]，会社とは無関係に個人的に賃借している住宅を家主に明け渡すよう上司が部下に強要すること[89]は，労働者の人格的利益（私的生活の自由やプライバシー）を侵害する不法行為となる。外回りの従業員に貸与する業務用携帯電話と接続したナビシステムを利用して，労働義務がない時間帯・期間に従業員の居場所を確認すること（ 事例28 の②）も，労働者の人格的利益（プライバシー）を侵害する不法行為となりうる[90]。

労働者の服装・容姿等を制限することも人格的利益の侵害となりうる。性的少数者（LGBTQ）に対して性自認に基づく服装・容姿・トイレ使用等を制限することは，制限を正当とする必要性や合理性が認められない場合には人格的利益を侵害する不法行為となりうることは，前述した（p135 **5**）。また，顧客との関係や従業員の身だしなみとして「ひげ」や「長髪」等を服務規律上禁止すること（ 事例28 の③）については，当該服務規律規定は「不快感を与えるひげ」や「異様・奇異なひげ」のみを禁止したものであると限定解釈をしたもの[91]

---

85) 関西電力事件・最三小判平成 7・9・5 労判 680 号 28 頁（#13）〔使用者に損害賠償を命令〕。

86) フジ住宅ほか事件・大阪高判令和 3・11・18 労判 1281 号 58 頁〔会社および会社代表者に損害賠償を命じるとともに文書配布の差止請求も認容〕。

87) 東京都・都教委事件・最二小判平成 23・5・30 民集 65 巻 4 号 1780 頁。

88) 前掲 56) 福岡セクシャル・ハラスメント事件判決。

89) ダイエー事件・横浜地判平成 2・5・29 労判 579 号 35 頁。

90) 東起業事件・東京地判平成 24・5・31 労判 1056 号 19 頁〔慰謝料 10 万円の支払いを命令〕。

91) イースタン・エアポートモータース事件・東京地判昭和 55・12・15 労判 354 号 46 頁〔 事例28 の③類似のケース〕。郵便事業（身だしなみ基準）事件・大阪高判平成 22・10・27 労判 1020 号

146 第 3 編 雇用関係法

や，ひげを剃るよう再三指導し剃らなかったことを理由に人事考課上減点したことを違法としたものがある。[92]

労働者の行動に対する検査・監視も，その理由と方法によっては人格的利益の侵害となる。例えば，従業員が仕事中に金品を隠匿することを防止するために行う所持品検査について，最高裁は，合理的な理由に基づいて，一般的に妥当な方法と程度で，画一的に実施されるものでなければならないとしている。[93]また，工場や事務所など職場内に監視カメラを設置すること（ 事例28 の④）は，労働者の行動の細部まで記録し労働者に緊張感や不快感を与えうるものであるため，セキュリティの確保などそれを正当化する業務上の必要性や合理性がない場合には，労働者の人格的利益（プライバシー）を侵害するものとして不法行為となりうる。[94]

2　個人情報の取扱い（取得・告知・利用など）

使用者が労働者の個人情報を取得しそれを告知・利用することによっても，労働者の人格的利益（プライバシー）の侵害が生じうる。この労働者の個人情報の保護については，不法行為法など一般法理による保護（p145 **1** 参照）と2003（平成15）年に制定された個人情報保護法による保護が並立して存在している。

一般法理（不法行為法等）による保護として，これまでいくつかの裁判例が展開・蓄積されている。まず，使用者が労働者の電子メールを閲覧・監視すること（ 事例28 の⑤）については，私的利用の程度，監視の目的・手段・態様などを総合考慮し，電子メールの監視が社会通念上相当な範囲を逸脱していない場合には，プライバシー侵害（不法行為）にはならないと解されている。[95]また，労働者の健康情報のうち，社会的偏見を伴いやすい HIV や B 型肝炎ウイルス

---

87 頁も参照。

92)　大阪市交通局事件・大阪地判平成 31・1・16 労判 1214 号 44 頁〔20 万円の慰謝料等の支払いを命令〕。髪を黄色に染めて元に戻さなかった労働者に対してなされた解雇を権利濫用にあたるとした裁判例（東谷山家事件・福岡地小倉支決平成 9・12・25 労判 732 号 53 頁）もある。

93)　西日本鉄道事件・最二小判昭和 43・8・2 民集 22 巻 8 号 1603 頁（#58）。

94)　前掲 90）東起業事件判決〔設置の必要性と合理性を肯定〕。監視カメラの設置が組合活動対策としてなされた場合には，支配介入の不当労働行為（労組法 7 条 3 号）にもなりうる（p457 注71)）。

95)　F 社 Z 事業部（電子メール）事件・東京地判平成 13・12・3 労判 826 号 76 頁。

感染に関する情報については，使用者が特段の必要性もないのに抗体検査や感染検査を行うこと，および，特段の業務上の必要性がある場合にも労働者の同意を得ないでこれを行うことは，労働者のプライバシー侵害（不法行為）にあたる。使用者が知りえた HIV 感染の事実を本人に告知する場合でも，それは医療者が行うべきであり，使用者がこれを告知することは社会的相当性を逸脱した不法行為（人格的利益侵害）にあたる（事例28 の⑥）。さらに，HIV や B 型肝炎ウイルス感染以外の一般的な健康情報についても，本人の同意なく公表することはプライバシー侵害（不法行為）にあたる。労働者の携帯電話番号等の個人情報を使用者が無断で第三者に伝えることも，プライバシー侵害（不法行為）にあたる。

　2003（平成 15）年に制定された（その後数度の改正を経ている）個人情報保護法は，生存する個人に関する情報で特定の個人を識別できるものを「個人情報」と定義し（2 条 1 項），個人情報データベース等を事業の用に供している者（個人情報取扱事業者）に対し，個人情報を適切に取り扱うための諸義務を課している。この法律は，使用者（個人情報取扱事業者）による労働者の個人情報の取扱いにも適用される。同法が個人情報取扱事業者に課している諸義務は，①個人

96）　T 工業（HIV 解雇）事件・千葉地判平成 12・6・12 労判 785 号 10 頁，B 金融公庫（B 型肝炎ウィルス感染検査）事件・東京地判平成 15・6・20 労判 854 号 5 頁。

97）　HIV 感染者解雇事件・東京地判平成 7・3・30 労判 667 号 14 頁。

98）　佐賀県事件・福岡高判令和元・11・27 LEX/DB 25564506〔うつ病で病気休暇を取得した高校教員につき，学校便り・ウェブサイトの転出者欄に「病気休暇」と記載したことを違法とし慰謝料の支払いを命令〕。

99）　新日本交通ほか事件・大阪地判平成 21・10・16 労判 1001 号 66 頁〔繰り返しクレーム電話による嫌がらせを受けた精神的苦痛に対する慰謝料 30 万円の支払いを命令〕。

100）　厚生労働省は，個人情報保護法制定前の 2000（平成 12）年に「労働者の個人情報保護に関する行動指針」を作成し，使用者は原則として，①人種，民族，社会的身分，門地，本籍，出生地その他社会的差別の原因となるおそれのある事項，②思想，信条，信仰，③労働組合への加入，労働組合活動に関する個人情報，④医療上の個人情報を収集してはならないとした（p159 **2**）。また，個人情報保護法の制定を受けて，厚生労働省は，「雇用管理分野における個人情報保護に関するガイドライン」（平 24・5・14 厚労告 357 号）および「雇用管理に関する個人情報のうち健康情報を取り扱うに当たっての留意事項」（平 16・10・29 基発 1029009 号。平 24・6・11 基発 0611 第 1 号により改正）を発出したが，2015（平成 27）年の個人情報保護法等の改正に伴い，前者は個人情報保護委員会「個人情報の保護に関する法律についてのガイドライン（通則編）」他 3 編のガイドラインに一元化（2021（令和 3）年改正により 1 編〔認定個人情報保護団体編〕が追加され他 4 編に），後者は厚生労働省「雇用管理分野における個人情報のうち健康情報を取り扱うに当たっての留意事項」（平 29・5・29 基発 0529 第 6 号）に改正された。

148　　第 3 編　雇用関係法

情報の利用目的の特定（17条1項），②本人の同意なしでの目的外利用の禁止（18条1項），③不正利用の禁止（19条），④不正取得の禁止（20条1項），とりわけ要配慮個人情報（人種，信条，社会的身分，病歴，犯罪歴，犯罪被害事実，障害，健康診断結果，保健指導，診療・調剤情報，逮捕等の刑事事件手続等の記述が含まれる個人情報）の取得については法令に基づく場合等を除き本人の同意を要すること（同条2項），⑤利用目的の本人への通知または公表（21条1項），⑥個人データ（個人情報データベース等を構成する個人情報）の正確・最新保持と安全管理等（22条〜25条），⑦本人の同意なしでの個人データの第三者提供の原則禁止（27条），⑧保有個人データ（個人データのうち開示，訂正，削除等の権限を有するもの）の本人への周知と利用目的の通知（32条），本人への開示（33条），本人による内容の訂正・追加・削除請求（34条1項），違反・不適正な場合の本人による利用停止・消去請求（35条1項）である[101]。個人情報保護法の適用に関する裁判例として，HIV 陽性と診断された看護師の診断結果を院内感染の防止を目的として病院職員らに伝達したこと（ 事例28 の⑦）は，個人情報の利用目的（①）とされた診療目的を超えた目的外利用（②）であり，本人の同意を得ないまま同情報を共有したことはプライバシー侵害（不法行為）にあたるとしたもの[102]の，病院での診療目的（①）で取得した HIV 感染等の情報を人事上の判断（採用内定拒否等）のために用いたことは，医療情報の目的外利用（②）として不法行為にあたるとしたもの[103]，パワハラの証拠（①）として提出した日記のコピーを他に閲覧させ交付したことは個人情報の目的外利用（②）として違法である

101）　個人情報保護法に違反する行為については，行政上の実効性確保措置（指導・助言〔147条〕，勧告・命令〔148条〕）および刑事罰（176条以下）が定められているとともに，本人による情報開示（33条1項），情報訂正等（34条1項），情報の利用停止等（35条1項・3項・5項）の求めは裁判所に訴えを提起できる私法上の請求権であることが法律上明示されている（39条参照）。私法上の請求権であることが明示されていない同法の規定や，同法を受けて策定されたガイドライン・通達等については，そこから直ちに私法上の効力が発生するものではないが，同法の諸規定やガイドライン・通達等に違反するという事実は，その行為の不法行為性（民法709条）等を判断するうえで重要な考慮事情となりうる。

102）　社会医療法人天神会事件・福岡高判平成27・1・29労判1112号5頁（#15）〔この情報に基づき HIV 感染者（看護師）に勤務を休むように強いたことは就労を妨げる不法行為にあたるとも判示〕。

103）　社会福祉法人北海道社会事業協会事件・札幌地判令和元・9・17労判1214号18頁〔HIV 感染を理由とする内定取消は不法行為にあたるとして使用者（法人）に損害賠償の支払いを命令〕。

第1章　労働者の人権の保障　149

としたものなどがある。[104]

4 内部告発の保護

事例 29

コットン協同組合の職員である富士田さんは，同組合の実質的な最高実力者である副理事長の西村さんが同組合を私物化し多額の利益を得ていることを知り，同組合を再生させるためにはその実態を明らかにするしかないと考え，同組合の総代の大半と組合関係者らに対して，西村副理事長による不正行為の内容を記載しこれを糾弾した「コットンは何のため誰のための組織？　その組合員への背信行為の実態」と題する文書を匿名で送付した。同組合は，この内部告発への富士田さんの関与について事情聴取をし，富士田さんが「(同組合の) 名誉・信用を著しく傷つける行為を行ったこと」等を理由に，富士田さんを懲戒解雇した。富士田さんはこの懲戒解雇処分に従わなければならないか？　この内部告発を行うために，富士田さんが業務中に同組合の内部資料を他の職員の私物から取り出したものも含めて持ち出していた場合はどうか？

1 公益通報者保護法による保護

近年，企業の不祥事が従業員の内部告発によって明らかになるという事態がしばしば生じている。従業員の内部告発行為は，企業のコンプライアンス（法令遵守）を高め，ひいては公共の利益につながるという側面をもつ。しかし，これは同時に，企業の名誉・信用を損なう行為として懲戒処分や解雇等の対象とされるという側面もあるため，内部告発をした労働者をいかに保護するかが法的に重要な課題となる。このような観点から，2004（平成 16）年に公益通報者保護法が制定された（2006（平成 18）年 4 月施行）。さらに，2020（令和 2）年には同法が改正され，通報対象事実の拡大，保護対象者の労働者以外（退職者，役員等）への拡大，公益通報の保護要件の緩和，大企業（常用労働者 301 人以上事業者）への内部通報対応体制整備の義務化，行政による履行確保措置の導入，公益通報対応業務従事者への刑事罰付きの守秘義務の導入などにより，公益通

---

104)　京丹後市事件・京都地判令和 3・5・27 労経速 2462 号 15 頁。

150　第 3 編　雇用関係法

報者保護の拡充が図られた（2022（令和4）年6月施行）[105]。

　この法律の趣旨は，公益に資する通報を行った労働者を保護することによって，企業のコンプライアンスを高め，国民生活の安定，社会経済の健全な発展を促すことにある（1条）。同法は，この趣旨の下，「公益通報」を行った労働者に対し，「公益通報」を行ったことを理由とする解雇その他の不利益取扱いをすることを，使用者（事業者）に禁止している（3条，5条）。2020（令和2）年改正は，労働者に加え，退職者（退職後1年以内），派遣労働者であった者と役員も同法の保護対象者に加え，事業者がこれらの者に対し，公益通報をしたことを理由として不利益な取扱いをすることを禁止した（5条1項〜3項）[106]。

　保護の対象となる「公益通報」行為について，同法は，①同法所定の犯罪行為の事実等の通報対象事実が発生し，または，まさに発生しようとしていることを[107]，②労働者等が不正の目的でなく通報することと定義している（2条）。このうち，通報行為（②）については，通報先に応じて具体的な要件が設定されている。すなわち，ⓐ通報先が会社等の内部であれば，㋐通報対象事実が生じ，または，㋑まさに生じようとしていると思料することをもって足りる（いわゆる「1号通報」〔3条1号〕）。ⓑ通報先が所管行政機関である場合には，㋐通報対象事実が生じている，㋑まさに生じようとしていると信じるに足りる相当の理由がある，または，㋒まさに生じようとしていると思料し，かつ，一定の事項を記載した書面（電子メール等を含む）を提出することが要求される（いわゆる「2号通報」〔同条2号〕）[108]。ⓒそれ以外の者（マスコミなど）への通報の場合には，

105）　公益通報者保護法の制定および改正の経緯と内容については，山本隆司ほか『解説改正公益通報者保護法』（弘文堂，2021）参照。

106）　また，2020（令和2）年改正は，事業者（派遣先事業者，取引先事業者を含む）は，公益通報者保護法の保護を受ける公益通報（役員による公益通報を含む）によって損害を受けたことを理由として，当該公益通報者に対して，賠償を請求することはできないとの民事免責規定を定めた（7条）。

107）　「通報対象事実」とは，この法律および別表に掲げる法律に規定する罪の犯罪行為の事実または過料の理由とされている事実をいう（公益通報者保護法2条3項）。2020（令和2）年改正は，制定当初から対象とされていた刑事罰（犯罪行為）の事実に加えて，行政罰（過料）の理由とされている事実を追加した。

108）　通報対象事実の真実相当性（㋑）の要件が通報を困難とする障壁となっていたことから，2020（令和2）年改正では，㋒の選択的要件を追加し，通報対象事実を裏付ける具体的な根拠を欠く場合でも，通報対象事実が発生しようとしていると通報者が主観的に信じ，通報内容，通報理由等を特定できる書面を提出すれば，2号通報として保護されうることとした。

第1章　労働者の人権の保障　　151

ⓑの⑦または⑦に加えて，1号通報（ⓐ）・2号通報（ⓑ）では解雇その他の不
利益取扱いを受けると信じるに足りる相当の理由があること，1号通報（ⓐ）
では証拠隠滅等のおそれがあるまたは通報者を特定されると知りながら情報を
漏らされると信じるに足りる相当な理由があること，会社等から公益通報をし
ないことを正当な理由なく要求されたこと，内部通報後20日以内に調査を行
う旨の通知がないまたは会社等が正当な理由なく調査を行わないこと，個人の
生命・身体もしくは財産に対する損害（回復できない損害等）が発生しまたは発
生する急迫した危険があると信じるに足りる相当な理由があることのいずれか
の事由（いわゆる「特定事由」）に該当することが求められる（いわゆる「3号通
報」〔同条3号〕）。[109]

　2020（令和2）年改正は，上記の解雇その他の不利益取扱いの禁止（3条，5
条）等の民事法上の救済に加えて，事業者に通報対応体制の整備を義務づけ，
公益通報者保護の実効性を高めることとした。すなわち，常用労働者数301人
以上の事業者（民間事業者および行政機関）に対し，①公益通報を受け，事実調
査をし，是正に必要な措置をとる業務（「公益通報対応業務」）に従事する者（「公
益通報対応業務従事者」）を定めること（11条1項），および，②公益通報に適切
に対応するために必要な体制の整備など必要な措置をとること（同条2項）を
義務づけ（内部通報対応体制整備義務。常用労働者数300人以下の事業者については
努力義務〔同条3項〕），③これらの義務に違反する事業者に対し，助言，指導，
勧告，公表の行政措置を講じることができることとした（15条，16条）。また，
④公益通報対応業務従事者（①）および同従事者であった者に，公益通報者を
特定させる情報を漏らしてはならない義務を課し（12条），この守秘義務の違
反に対し罰金刑を定めた（21条）。

2　一般法理としての内部告発者保護法理

　公益通報者保護法による保護は，その他の法令の適用を妨げるものではなく
（8条），同法の保護対象にあたらない場合でも，内部告発行為に対する解雇や
懲戒処分について裁判例上発展してきた一般法理（内部告発者保護法理）による

---

109)　2020（令和2）年改正は，3号通報の特定事由について，1号通報による通報者特定の情報漏
　　洩のおそれ，個人の財産に対する損害を追加し（3条3号ハ・ヘ），保護要件を一部緩和した。

保護は及びうる。

　これまでの裁判例によると，①告発内容が真実でありまたは真実と信ずべき相当な理由があるか（事実の真実性・真実相当性），②告発の目的が公益性を有するか（目的の公益性），③告発の手段・態様が相当なものであったか（手段・態様の相当性）などを総合的に考慮して，当該内部告発が正当と認められる場合には，かりに企業秘密が漏えいされたまたは企業の名誉・信用が毀損されたとしても，当該告発者の解雇や懲戒処分は無効であると解釈されている。また，企業の違法・不正行為に関する情報を入手し持ち出す行為について，公益目的（②）で，事実の真実性・真実相当性を担保するために必要な証拠保全行為（①）として行われた場合には，手段・態様の面で相当といえない面があった（③）としても，情報持ち出し行為を含む内部告発行為全体の総合的な考慮・判断として正当性が肯定され，また，情報持ち出し行為は公益目的の内部告発に付随する行為であり強く非難すべきものではないとして，それに対する懲戒処分を無効とした裁判例がある。

110）　医療法人思誠会（富里病院）事件・東京地判平成 7・11・27 労判 683 号 17 頁〔解雇無効〕，大阪いずみ市民生協（内部告発）事件・大阪地堺支判平成 15・6・18 労判 855 号 22 頁〔 事例29 に類似するケースで内部告発者に対する懲戒解雇等を無効と判断〕，帝産湖南交通事件・大阪高判平成 30・7・2 労判 1194 号 59 頁〔出勤停止処分等無効〕など。また，トナミ運輸事件・富山地判平成 17・2・23 労判 891 号 12 頁（#57）は，正当な内部告発を行ったことを理由に差別的処遇をすることは，差別的処遇を受けない期待的利益を侵害する不法行為（民法 709 条）および信義則上の義務に反する債務不履行（415 条）にあたり，使用者に損害賠償責任を発生させるとした。

111）　前掲 110）大阪いずみ市民生協（内部告発）事件判決〔 事例29 に類似するケース〕など。

112）　京都市（児童相談所職員）事件・大阪高判令和 2・6・19 労判 1230 号 56 頁〔停職処分無効〕。

第3編

第2章　　　　　　　　　　　　　　　雇用関係の変遷

1　雇用関係の成立

　労働者と使用者の関係は，通常，労働契約を締結することからはじまる。この労働契約締結の典型的なプロセスは，使用者による募集に対して労働者が応募し，使用者が面接や筆記試験などで選考を行ったうえで採用を決定するという形をとる。この採用までの過程で「内々定」や「内定」という状態が生じ，また本採用に至るまでに「試用」という期間が設けられることもある。

　多くの日本企業では，例えば新卒者を採用する場合には卒業の1年以上前から面接や試験を繰り返し慎重に候補者を選定するなど，採用活動（特に正社員の採用）に多大な時間と費用をかけてきた。その背景にあったのは長期雇用慣行である。いったん採用すると解雇することが難しいという消極的な理由とともに，企業を長期的に担っていく戦力を確保するという積極的な理由から，採用は日本企業にとって極めて重要なものと位置づけられてきたのである。

　ここで特に法的に問題となるのは，使用者の採用の自由（その制限）と，採用過程における労働者（採用予定者）の法的地位である。また，採用時に労働条件を明示することも重要になる。

1 採用の自由

> 事例30
>
> 　スタートアップ企業であるイグチ・サイバー社では，次のような方針で社員を採用したいと思っている。

1）　労働者の募集に対する法規制については，職業紹介に対する法規制とあわせて労働市場法のなかで概説する（p476 *1*）。

155

①社員の半数を女性とするために，評価が同じレベルなら女性を優先して採用する。

②LGBTQの人については，社員や取引先の間に不安や抵抗感がある可能性があるので採用を控える。

③社長（40歳）より年長の社員は避けたいので，採用するのは40歳未満とする。

④地頭のいい人が欲しいので，偏差値60以上の大学を卒業した（または卒業見込みの）人を採用する。

⑤数学的思考力をもつ人が欲しいので，遺伝子検査をしてその能力・適性を判定し，採用決定の判断材料とする。

⑥健康で，特別の配慮をすることもなく，ハードな仕事にも耐えて働いてほしいので，障害や大きな病気のない人を採用する。

⑦取引先からよい印象をもたれるように，容姿がよい人を優先して採用する。

⑧社内の秩序やチームワークを大切にするため，学生運動や労働組合運動を行ったり，特定の思想や所属政党をもつ人は採用しない。多額の借金歴，犯罪歴，ギャンブル依存，薬物使用，反社会的勢力とのかかわり等の社会的問題を抱えている人については，採用を控える。

同社は，このような方針の下，応募者に提出してもらう履歴書に，性別，性的指向，年齢，学歴，障害，病歴，顔写真（近影），社会運動歴，思想，所属政党を記載させ，最終選考に残った応募者については，健康診断を行ってその健康状態や遺伝子情報を把握するとともに，探偵事務所に頼んで身辺調査を行ったうえで，採用を決定しようと思っている。このような採用方法に違法な点はないか？　この採用方法によって不採用とされた河本さんは，同社に対し何らかの請求をすることができるか？

　わが国の法制上，雇用関係は契約関係の1つとして捉えられており（労契法6条，民法623条参照），その関係に入るときには両当事者に契約締結の自由が認められている。この労働契約関係における契約締結の自由を使用者側からみたものが採用の自由である。採用の自由は，企業の経済活動の自由（憲法22条，29条参照）としても位置づけられており，具体的には，①いかなる者を採用するか選択する自由，②採用にあたり調査をする自由，③契約締結を強制されない自由（狭義の契約締結の自由）などからなるものと考えられている。

■１　選択の自由

使用者は，採用の自由の一環として，どのような者をどのような条件で雇う

156　第3編　雇用関係法

か，原則として自由に決定することができる（選択の自由）。

　しかし，何の制約もなくこの自由が認められているわけではない。男女雇用機会均等法は，性別を理由とした募集・採用差別を禁止し（5条）[2]，また，募集・採用にあたって身長・体重・体力要件をつけること，募集・採用等にあたって転居を伴う転勤要件をつけることを，間接差別として原則禁止している（7条。p131 **4**）。労働施策総合推進法は，労働者の能力発揮のために必要と認められるときとして厚生労働省令が定めるときは，労働者の募集・採用について，厚生労働省令で定めるところにより，年齢にかかわらず均等な機会を与えなければならないとし，募集・採用にあたって年齢制限をつけることを原則禁止している（9条）[3][4]。障害者に関しては，障害者雇用促進法が，障害を理由とした募集・採用差別を禁止し（34条），事業主に障害の特性に応じた必要な措置（合理的配慮）を講じることを義務づけている（36条の2。p388 *1*）[5]。また同法は，事業主に一定比率（一般事業主の場合は2.3%）以上の障害者を雇用することも義務づけている（37条，43条以下。p389 *2*）。さらに労組法は，労働組合から脱退することを雇用条件とすること（いわゆる「黄犬契約」）を禁止しており（7条1号），労働組合の組合員を雇入れの際に不利に扱うこと（ 事例30 の⑧の労働組合運動に関する部分）が不当労働行為（同条1号，3号）にあたらないのかも問題となる[6]。このように，使用者の採用の自由（選択の自由）には法律上一定の制約

2）　したがって，性別（男性または女性であること）を理由として優先的に採用すること（他方の性別の者を劣後させること。 事例30 の①）は，原則として違法となる。ただし，事実上の男女格差を解消するための事業主の積極的な取組み（ポジティブ・アクション。p134 *Column 18*）に該当するときは，均等法5条違反にはならないとされている（均等法8条）。

3）　この原則に対し，例外的に年齢制限を行うことができる場合として，厚生労働省令は，①長期勤続によるキャリア形成を図る観点から，若年者等を募集・採用する場合，②技能・ノウハウ等の継承の観点から，特定の職種において労働者数が相当程度少ない特定の年齢層に限定して募集・採用する場合，③芸術・芸能の分野における表現の真実性等の要請がある場合などをあげている（労働施策総合推進法施行規則1条の3第1項）。なお，高年齢者雇用安定法は，労働者の募集・採用につきやむを得ない理由により一定の年齢（65歳以下のもの）を下回ることを条件とするときは，求職者に対しその理由を示さなければならないとしている（20条1項）。

4）　年齢を理由とする不採用（ 事例30 の③）が本条に違反する場合には，不法行為（民法709条）として損害賠償を請求することも可能であると解される。

5）　障害を理由とする不採用（ 事例30 の⑥の障害に関する部分）がこれらの規定に違反する場合には，公序違反または不法行為（民法90条，709条）として損害賠償を請求することができると解される。

6）　最高裁は，組合活動を理由とした不利益取扱いを禁止する労組法7条1号は原則として採用に

が課されている。

　問題は，このような法律上の明文の定めに違反しない限り，使用者は全く自由に採用条件を決め採用者を決定できるかという点にある。これまで最も深刻な問題として議論されてきたのが，思想・信条を理由とする採用差別の問題（ 事例30 の⑧の学生運動，思想，所属政党に関する部分など）である。この点につき，三菱樹脂事件判決[7]は，使用者に広く認められている経済活動の自由（憲法22条，29条等参照）を根拠に，思想・信条を理由とした採用拒否も当然に違法（公序違反や不法行為）となるとはいえないとした[8]。学説の多くは，この判例の立場に反対している（*Column 19*）。思想・信条のほか，年齢，性的指向（ 事例30 の②。p135 **5**），学歴（同④），遺伝子情報（同⑤），病気・健康状態（同⑥），容姿（同⑦），借金歴・犯罪歴など（同⑨），法律上明文で強行的に禁止されているわけではない事由による採用差別の適法性（違法性）については，使用者の採用の自由と労働者の人格権（憲法13条参照）など双方の法的要請を踏まえ，そのような取扱いの必要性・合理性，倫理的妥当性などを考慮しながら公序違反または不法行為になるか否かを具体的に判断していくことになる。

Column 19　思想・信条を理由とする採用拒否について　　日本の判例が上記のような立場に立つ根拠は，①法形式的には使用者の経済活動の自由，②実質的には長期雇用慣行をとっていることが多い日本企業における人的信頼関係維持の要請にあるといえる。しかし，①なぜ労働者の思想・信条の自由という精神的自由が使用者の経済活動の自由に劣後するのかは明らかでなく[9]，また，②特定の思想信条をもつことが従業員間の人的信頼関係に影響を及ぼすという考え方自体ステレオタイプにすぎない（このような固定観念に基づき「別様である他者」を認めてこなかった日本企業の文化にこそ問題がある）[10]。職務内容や職業能力との関連性なく思想・信条を理由として採用拒否をすることは公序（民法90条，憲法14条・19条参照）に反し違法であると解釈すべきである[11]。

　　は適用されないと解釈している（JR北海道・JR貨物事件・最一小判平成15・12・22民集57巻11号2335頁（#103））。この点については，p447 **2** 参照。

7）　最大判昭和48・12・12民集27巻11号1536頁（#8）。

8）　同時に，同判決は，国籍・信条・社会的身分を理由とする労働条件差別を禁止した労基法3条は，採用後の労働条件差別に対して適用されるものであり，採用段階での差別には適用されないとした。

9）　樋口陽一『憲法〔第3版〕』196頁（創文社，2007）。

10）　村上淳一『〈法〉の歴史』181頁以下（東京大学出版会，1997）参照。

11）　水町勇一郎「採用の自由」角田邦重ほか編『労働法の争点〔第3版〕』130頁以下（有斐閣，2004）。

158　　第3編　雇用関係法

❷ 調査の自由

上記の三菱樹脂事件判決は，思想・信条を理由とした採用差別が違法といえない以上，使用者が採用過程において労働者の思想・信条を調査し，これに関連する事項の申告を求めることも違法とはいえないとした[12]。しかし，この点に対しても学説上は批判が多い[13]。

現行法上は，（2003（平成 15）年に制定された）個人情報保護法が募集・採用における情報の取得・利用等にも適用されるため，応募者に申告を求める場合も，使用者として身辺調査等を行う場合も，求める個人情報の利用目的を特定しつつ（17 条 1 項），本人の同意を得て情報を取得し（20 条），その目的外利用をしない（18 条 1 項）など，使用者（個人情報取扱事業者）として同法上の義務を遵守する必要がある（p147 ❷）。さらに，厚生労働省が定めた「労働者の個人情報保護に関する行動指針」（2000（平成 12）年 12 月 20 日）は，使用者は原則として，①人種，民族，社会的身分，門地，本籍，出生地その他社会的差別の原因となるおそれのある事項，②思想，信条，信仰，③労働組合への加入，労働組合活動に関する個人情報，④医療上の個人情報を収集してはならないとして，収集できる情報の範囲に限定をかけている[14]。

---

12) 同判決は，本採用後の試用期間中に補充的な身元調査を行うことも可能であるとしている。この点につき，試用期間は従業員としての適格性を判断するための実験観察期間なのであって，身元調査補充期間と解すべきではないとしてこれに反対する見解がある（菅野和夫『労働法［第 12 版］』240 頁（弘文堂，2019）など）。これは，理論的には，試用期間の法的性質にかかわる問題であり，当該試用期間の趣旨・目的に照らし個別具体的に判断されるべきものである。

13) 学説上は，思想・信条に関する申告を求めることは個人の沈黙の自由を踏みにじるものであり公序に反するとする見解（今村成和「思想調査は企業の自由か」ジュリスト 553 号 54 頁（1974））や，思想・信条に関する質問・調査は職業的適格性や職業的態度に関係がある限度においてのみ認められるとする見解（山口浩一郎「思想・信条の自由と本採用の拒否」判例タイムズ 306 号 16 頁（1974），樋口・前掲 9）221 頁）などがある（水町・前掲 11）131 頁参照）。

14) この指針自体は直接私法上の効果を発生させるものではないが，プライバシー保護の規範的重要性，および，一度情報が収集されると使用者が人事上その情報をいかに利用したか（例えば思想・信条を理由として不利益な取扱いをしたこと）を労働者が立証することは極めて困難であることを考慮すると，職務内容や職業能力との関連性がないにもかかわらず思想・信条など労働者のプライバシーにかかわる重大な事項（指針で列挙されているような事項等）について使用者が質問・調査をすることは，公序違反または不法行為にあたると解すべきであろう。したがって，事例30 では，職務内容や職業能力と関連性のないプライバシー情報（性的指向，障害，病歴，遺伝子情報，社会運動歴，思想，所属政党，借金歴・犯罪歴等）は質問・調査の対象とすべきではなく，それ以外の事項についても個人情報保護法に基づいて収集・利用等することが必要である。

第 2 章　雇用関係の変遷　159

③ 契約締結の自由

　使用者による採用拒否が法律上の明文の定めや公序に反し違法とされる場合，不法行為として損害賠償を請求することはできるが，労働契約の締結自体を強制することはできないと解されている。契約を締結しない自由（狭義の契約締結の自由）は，契約自由の原則（さらにはその基本にある私的自治の原則）の根幹をなすと考えられているからである。ただし，その例外として，採用拒否が不当労働行為（労組法7条）に該当する場合に，労働委員会が使用者に採用を命じる救済命令を出すことはありうる（p462 **3**）。

2 採用内定・内々定・試用

> **事例31**
>
> 　大学4年生の加藤さんは，6月にカチカチ不動産の人事担当者から内々定通知を受け，入社承諾書を提出していた。しかし，同社は，経営環境の急速な悪化により新規採用計画を取り止めざるを得なくなったとの理由で，正式な内定式が予定されていた10月1日の前日の9月30日に突然，内々定取消通知を加藤さんに送付し，加藤さんが電話で確認と説明を求めても，それ以上の具体的な説明を行わなかった。加藤さんは，同社に対して何らかの請求をすることができるか？（Ⅰ）
>
> 　加藤さんと同級生の勝山さんは，7月にムーディ印刷から内々定を受け，10月1日には同社の内定式に出席，同社から「採用内定通知」を受け取って誓約書等の書面を提出した。しかし，同社は，翌年2月，勝山さんに対し，理由を示さずに採用内定を取り消す旨を通知した。同社が内定を取り消した理由は，「当初からグルーミーな印象で不適格と思われたが，それを打ち消す材料が出なかった」というものであった。勝山さんは，同社に対して何らかの請求をすることができるか？（Ⅱ）

① 内　　定

1　内定取消の適法性

　事例31 の勝山さんのように採用内定が取り消された場合，内定者はどのような法的救済を求めることができるのか。この問題をめぐって議論されてきたのが採用内定の法的性質である。

　学説上は，①内定手続は労働契約の締結過程にすぎないとして，内定者は期待権侵害など不法行為による損害賠償請求しかできないとする締結過程説，②内定は将来の労働契約締結の予約であるとして，予約違反の債務不履行責任

160　第3編　雇用関係法

（損害賠償責任）を求めることができるとする予約説，③内定によって労働契約が成立し，その取消は労働契約の解約（解雇）にあたるため，内定者は解雇の無効を主張して契約関係の存在確認を求めることができるとする労働契約成立説といった見解がみられた[15]。

このなかで，最高裁は，内定の実態は多様であるため具体的な事実関係に即してその法的性質を判断しなければならないと述べたうえで，当該事案においては，採用内定通知によって始期付・解約権留保付の労働契約が成立したと判断し，留保解約権の行使（内定取消）は客観的に合理的で社会通念上相当として是認することができる場合に限り認められるとした[16]。採用内定により労働契約が成立している以上，その後の使用者による一方的な解約は解雇にあたり，内定取消にも解雇権濫用法理（労契法 16 条。p212 **3**）が適用されるとの構成がとられたのである。ここでいかなる場合に解約権の行使が適法と認められるかについては，解約権留保の趣旨・目的に照らし解約権の行使（解雇）が権利濫用にあたらないか（客観的合理性・社会的相当性を備えているか）を個別に判断することになる。一般的には，成績不良による卒業延期，健康状態の著しい悪化，虚偽申告の判明，逮捕・起訴猶予処分を受けたことなどが，内定取消事由の具体例としてあげられる[17]。経営悪化を理由とする内定取消については整理解雇法理（p216(2)）に準じた取扱いがなされることになる[18]。内定取消が解雇権の濫用とされた場合には，内定取消（＝解雇）は無効とされ，労働契約上の権利を有する地位確認請求が認められることになる。また，違法な内定取消に対しては，

---

15) 採用内定や試用をめぐる学説の展開については，山口浩一郎「試用期間と採用内定」労働法文献研究会編『文献研究　労働法学』2 頁以下（総合労働研究所，1978），毛塚勝利「採用内定・試用期間」日本労働法学会編『現代労働法講座⑽　労働契約・就業規則』84 頁以下（総合労働研究所，1982），水町勇一郎「労働契約の成立過程と法」日本労働法学会編『講座 21 世紀の労働法(4)労働契約』41 頁以下（有斐閣，2000）など参照。

16) 大日本印刷事件・最二小判昭和 54・7・20 民集 33 巻 5 号 582 頁（#9）〔 事例31 の勝山さんに類似するケースで，グルーミーな印象であることは解約権の行使を適法とする社会通念上相当な事由にはあたらないとして，内定取消は無効と判示〕。

17) 電電公社近畿電通局事件・最二小判昭和 55・5・30 民集 34 巻 3 号 464 頁〔公安条例違反で逮捕され起訴猶予処分を受けた労働者への内定取消は有効と判示〕。

18) エスツー事件・東京地判令和 3・9・29 労判 1261 号 70 頁〔外国人技能実習生ら 15 名の内定取消につき，人員削減の必要性は認められず内定取消回避の真摯な努力がなされたとも認められない等として，内定取消を無効とし 6 か月分の給与相当の損害金と慰謝料の支払いを命令〕など。

不法行為としての損害賠償請求も認められうる。[19]

　この採用内定法理は，そもそも新規学卒者の採用内定の事案において形成されてきたものであるが，転職を重ねてきた中途採用者などにも同様にあてはまるのか。この点は，理論的には，個々の事案において採用内定がどのような法的性質をもつかという個別の契約の解釈の問題である。裁判例のなかには，中途採用者の採用内定について解約権留保付の労働契約の成立を認め，この法理を適用したものがある。[20][21]

　なお，学生など採用内定を受けた求職者がこれを辞退した場合，会社側が不法行為または債務不履行を理由とした損害賠償や労働契約上の地位確認を求めることも考えられる。労働者側には2週間の期間を置けばいつでも労働契約を解約する自由が認められている（民法627条1項。p224**1**）ため，会社側が労働契約上の地位確認を請求する実益は乏しいが，不法行為や債務不履行にあたる内定辞退によって具体的な損害が発生したことが立証されれば損害賠償請求が認められることになる（民法709条，415条）。

2　内定期間中の法律関係

> #### 事例 32
>
> 　10月にナインティ・ナイン音楽社の内定式に出席し，採用内定通知を受け取っていた大学4年生の青木さんは，翌年1月に，何ら事前に知らされていなかったにもかかわらず，「1週間の研修を行いますので，2月18日（月）から22日（金）まで本社研修所にお集まりください」との通知を受けた。青木さんはこの研修に参加

---

19)　前掲16）大日本印刷事件判決〔原審〕大阪高判昭51・10・4労民集27巻5号531頁〕〔労働契約上の地位確認，賃金支払請求とともに100万円の慰謝料請求を認容〕，インターネット総合研究所事件・東京地判平成20・6・27労判971号46頁〔他社の従業員に対し自社への転職を勧誘し年俸額（1500万円プラスアルファ）と勤務開始日についての合意（内定＝始期付解約権留保付労働契約）が成立していたにもかかわらず役員会の承認が得られず解約するに至ったことにつき，使用者に300万円の慰謝料の支払いを命令〕など。

20)　インフォミックス事件・東京地決平成9・10・31労判726号37頁，オプトエレクトロニクス事件・東京地判平成16・6・23労判877号13頁。

21)　なお，公務員の採用については，判例上，任命権者による明確な任用の意思表示を求める立場がとられており，法令上の根拠に基づかない採用内定通知は正式な採用発令の手続（辞令交付等）を行うための事実上の準備行為にすぎない（したがって採用内定によって勤務関係が成立するわけではない）と解されている（名古屋市水道局事件・最一小判昭和56・6・4労判367号57頁など）。なお，任用による勤務関係が成立していない場合でも，任用されるとの期待が法的保護に値するときには損害賠償請求が認められうる（北秋田市（米内沢病院職員）事件・仙台高秋田支判平成27・10・28労判1139号49頁など）。

162　第3編　雇用関係法

する義務を負うか？　入社前研修について事前に説明を受けていた場合はどうか？
　これに参加した内定者の矢部さんは，対価として報酬の支払いを請求することができるか？

　採用内定によって労働契約が成立する場合があるといっても，そのときから直ちに労務提供や賃金支払いが始まるわけではない。では，内定期間中の両当事者間の法律関係はどうなっているのか。

　この点について，学説上は，内定中の法律関係を「効力」始期付の労働契約とみて契約の効力（権利義務関係）は入社日まで発生しないとする見解や，「就労」始期付の労働契約とみて契約の効力は採用内定により発生している（ただし就労に関する権利義務は入社日を始期とする）とする見解などがみられる[22]。しかし，このように契約の性質決定から個別の権利義務の存否を決定するという思考は，論理が逆転している。採用内定期間中にいかなる権利義務が発生するかは，当該事項につき当事者間にいかなる合意・認識があったかという個別の契約の解釈によって決定されるべき問題である。「契約の性質」によって「契約の内容」が決まるのではなく，「契約の内容」によって「契約の性質」が決まるのである。例えば，　事例32　のようなケースでは，当該研修について事前に何の説明もなく何の合意の存在も認められないとすれば，内定者はこの会社側の通知に応じる義務はなく[23]，また，研修に参加した場合の報酬については，当事者間の取決めや言動・認識等に照らして報酬支払いについて明示または黙示の合意等が存在していたか否かを探求して決することになる。

　労働関係法規の適用についても，内定の法的性質（労働契約の成立如何）から一律に適用の有無が決定されるわけではなく，条文の趣旨や性質に照らして判断されるべきである。労働関係法規のなかには，例えば労働時間について規制する労基法32条以下など，その性質上就労を前提としており，労働者が就労

---

22)　学説については，毛塚・前掲15）89頁以下参照。判例は，事案により，採用内定を「効力発生の始期」付の労働契約とするもの（前掲17）電電公社近畿電通局事件判決）と「就労の始期」付の労働契約とするもの（前掲16）大日本印刷事件判決）とに分かれている。

23)　宣伝会議事件・東京地判平成17・1・28労判890号5頁では，入社前研修について事前に説明を受け，内定者がこれに異を唱えていなかったため，研修参加について合意があったと認められる場合であっても，学業への支障など合理的な理由により研修参加を取りやめる旨内定者が申し出た場合には，使用者は信義則上これを免除すべき義務を負うと判示されている。ここでは，信義則による契約の補充的・修正的解釈（p48 **2**参照）が行われている。

第2章　雇用関係の変遷　　163

していない時点では適用されない規定が多いが，均等待遇原則（3条）や賠償予定の禁止（16条）など就労を前提としておらず，就労開始前の採用内定期間中から適用されうる規定もある。労働条件を明示すべき「労働契約の締結」[24]（15条）の時期については，採用内定時に労働契約が成立する場合には内定の時点と解すべきである。[25][26]

❷　採用内々定

　採用内定（10月1日〔同日が土曜・日曜の場合は次の月曜日〕に内定式が行われ正式に「内定」が通知されることが多い）に至る過程のなかで採用「内々定」の通知がなされ，　事例31　の加藤さんのように，この「内々定」が「内定」前に取り消されることもある。内々定については，他社への就職活動を妨げるような事実上の拘束があったか（実際に他社からも内々定をもらえるような状況にあったか），採用を確信させるような言動があったかなど，その実態はより多様であり，その分より慎重に合意の有無等を判断することが求められる。

　ここでは，内々定や内定といった文言・形式にこだわらず，具体的な事実関係に即して，内々定の通知等により，解約権留保付の労働契約が成立したといえるか否かを判断することになる。例えば，採用を確信させるような言動があり，他社への就職活動を妨げるような事実上の拘束があるような場合には，内々定の段階でも解約権留保付の労働契約が成立していると解釈されることがありうる。[27]これに対し，入社の誓約書提出や労働契約締結権限者の承認などがなく，内々定者もなお他社との間で就職活動を継続しているような場合には，労働契約が成立したとまでは認められないだろう。[28]もっとも，労働契約が成立

---

24) 例えば，日立製作所事件・横浜地判昭和49・6・19判時744号29頁は，国籍差別にあたる採用内定取消を労基法3条違反として無効と判断した。また，強制労働や年少者の使用を禁止する規定（労基法5条，56条）など，労働契約の成立自体を前提としていない法律規定もあり，これらは採用内定の成立や性質如何を問わず適用される。

25) なお，採用内定時に明示されるべき賃金の額については見込額でもよいとした裁判例（八州事件・東京高判昭和58・12・19労判421号33頁）がある。

26) 解雇予告義務（労基法20条）については，賃金支払いを伴わない採用内定期間中は，同条が補償しようとしている経済的打撃（30日分の平均賃金）がそもそも存在しないため，その性質上適用がないものと解される。

27) 内々定期間中の法律関係については，内定期間中の法律関係で述べた論理（p162 ❷）がそのままあてはまる。

164　　第3編　雇用関係法

したとはいえない事案でも，相手方に対し事情を説明せずにその信頼を損なう態様で内々定を取り消した場合などにおいては，契約締結過程における信義則違反（契約締結上の過失）等を理由に不法行為としての損害賠償請求が認められうる（***Column 20***）。

Column 20 **労働契約締結過程における信義則違反**　　コーセーアールイー（第2）事件判決（前掲注28））では，内定式の日の直前に極めて簡単な内容で採用内々定の取消を通知し，その後も誠実な態度で説明をしなかった使用者の対応は，内々定者の就労の期待利益を侵害する不法行為にあたるとして，使用者に55万円の損害賠償を命じた。その他，内々定の事案ではないが，労働契約の成立に至らなかったケースで，契約締結過程における信義則違反として使用者に対する損害賠償請求が認められた裁判例として，雇用が不可能となったのにその事情を説明せず求職者を失職させるに至ったことにつき116万円余の損害賠償を命じたもの[29]，採用権限のない社長による一次面接での結果良好との発言等により当時雇用されていた会社を退職した原告の期待利益は法的保護に値するとして59万円余の損害賠償を命じたもの[30]などがある。

❸　試 用 期 間

> **事例 33**
>
> 　モグラ軽金属社では，新入社員の見習期間として6か月の試用期間を設けているが，同社の新入社員の友茂さんは，その期間内に遅刻，レポートの誤字脱字，上司への暴言，命令不服従等が観察されたため，同社は，試用期間満了時に，友茂さんを社員として不適格として本採用を拒否した。また，ハナココーポレーション社では，正社員の採用時に3か月の試用期間を設けているが，同社の経営企画室係長として中途採用された山田さんは，当初からパワハラ的な言動や勤務態度不良等により社内の複数の部署との間で軋轢を生じさせ，取引先からも関係修復が困難となる程の抗議を受けるなどしたため，同社は，試用期間満了の2週間前に，山田さんを管理職としての資質がなく従業員として不適格として労働契約を解約した。友茂さんおよび山田さんは，それぞれの会社に対して何らかの請求をすることができるか？

　使用者は，労働者を採用した後に，通常3か月から6か月程度の試用期間をおき，従業員としての適格性を観察・評価することが多い[31]。この試用期間の終

---

28)　コーセーアールイー（第2）事件・福岡高判平成23・3・10労判1020号82頁〔　**事例31**　の加藤さんに類似するケースで，人事担当者の労働契約締結権限の不存在，内々定後も就職活動を継続している者の存在等から，内々定による労働契約の成立は否定〕。

29)　わいわいランド（解雇）事件・大阪高判平成13・3・6労判818号73頁。

30)　フォビジャパン事件・東京地判令和3・6・29労経速2466号21頁。

第2章　雇用関係の変遷　　165

了時に，使用者は労働者を本採用するか否かを決定するが，従業員として不適格であるとして本採用を拒否された場合，労働者は法的救済を求めることができるか。

この点を判断するために，試用期間はいかなる法的性質をもつかが論じられてきた。最高裁は，個々の事案に応じて判断すべきであるとしつつ，当該事案においては，試用期間中も解約権留保付の労働契約が成立しているとし，本採用拒否は留保された解約権の行使（解雇）にあたるため，客観的に合理的な理由があり社会通念上相当として是認できる場合にのみ許されると判断した[32]。

適格性を観察・判定するために設定された試用期間の途中でなされた解約権行使（解雇）については，判定が早すぎる等として無効とされることがあるが[33]，期間途中までの観察でも適格性の欠如が明らかで改善の可能性がないような場合には解雇権濫用にあたらず有効とされている[34]。

試用期間満了時になされた本採用拒否（解雇）については，その能力欠如や不適格性の判定につき使用者に通常の解雇の場合より広い判断の自由（解雇の自由）が認められるが[35]，指導教育によって矯正・改善が見込まれるのに十分な指導教育をしなかったような場合や些細な理由による場合には，本採用拒否

---

31) 見習社員としての試用期間（6か月から1年3か月）を経たうえで試用社員として6か月ないし1年の試用期間が設けられていた事案で，合理的範囲を超えた試用期間の定め（本件では試用社員としての試用期間）を公序良俗に反し無効とした裁判例（ブラザー工業事件・名古屋地判昭和59・3・23労判439号64頁）がある。

32) 三菱樹脂事件・最大判昭48・12・12民集27巻11号1536頁（#10）。

33) ニュース証券事件・東京高判平成21・9・15労判991号153頁〔営業職社員の6か月の試用期間の途中での解雇につき約3か月半の営業実績（手数料収入の低さ）をもって従業員としての適格性なしと判定することはできず解雇は無効〕，医療法人財団健和会事件・東京地判平成21・10・15労判999号54頁〔試用期間満了まで約20日を残す時点で適性に欠けると判定してなされた解雇はその時期の選択を誤ったものであり無効〕など。

34) 日本基礎技術事件・大阪高判平成24・2・10労判1045号5頁〔6か月の試用期間の途中で技術社員としての適格性不足と改善可能性の少なさを理由になされた解雇は権利濫用にあたらず有効〕，ヤマダコーポレーション事件・東京地判令和元・9・18労経速2405号3頁〔 事例33 の山田さん類似のケースで試用期間満了前の解雇も権利濫用にあたらず有効〕など。

35) 欧州共同体委員会事件・東京高判昭和58・12・14労民集34巻5＝6号922頁〔Aランクという高い格付け・高い給与で雇用された中途採用職員について，仕事を積極的に遂行しようとせず，英語能力は不十分で，上司の命令に従わず協調性にも欠ける等としてなされた本採用拒否は有効〕，シティグループ証券事件・東京地判令4・5・17労経速2500号29頁〔管理職として採用されたが，同僚や上司等に不適切な言動を繰り返し上司からの指導によってもその態度を改めなかった労働者の本採用拒否は有効〕など。

166　第3編　雇用関係法

（解雇）は無効と判断されうる。[36)37)]

事例 34

島根教育大学を卒業した山内さんは，私立高校である吉本高校に社会科担当の教員（常勤講師）として，1年の期限付契約書を締結して採用された。山内さんは，その採用面接の際に，契約期間は一応1年とする，1年間の勤務の状態をみて再雇用するか否かの判定をすることなどについて，理事長から口頭で説明を受けていた。この1年の期間はどのような法的性質をもつものと解されるか。学校側は，山内さんの勤務状態がどのようなものであったかにかかわらず，1年の期間の満了後，当該契約関係を当然に終了させることができるか。

この事例と類似したケースで，最高裁は，期間の定めのある契約の形式をとっている場合でも，その期間が労働者の適格性を評価・判断する目的で設けられた場合には，特段の事情がない限りこの期間は試用期間の性質をもつとし，当該事案の試用期間は解約権留保付の労働契約にあたると解釈されるため，解約権の行使（期間満了による終了）は客観的に合理的な理由があり社会通念上相当として是認できる場合にのみ許されると判断した。[38)] 契約上の期間がどのよう

---

36) 日本軽金属事件・東京地判昭和 44・1・28 労民集 20 巻 1 号 28 頁〔 事例 33 の友茂さん類似のケースで教育によってたやすく矯正しうる欠陥を何ら矯正することなくなされた解雇は無効〕，テーダブルジェー事件・東京地判平成 13・2・27 労判 809 号 74 頁〔会長に声を出してあいさつしなかったという理由でなされた解雇は無効〕など参照。

37) 近時，有期労働契約で雇用される労働者に試用期間を設定する例が増えている。しかし，有期労働契約の期間の長さに対し不相当に長い試用期間の設定は，本採用の可否を決定するための適格性観察期間という趣旨を超え，労働者の地位を著しく不安定にするおそれがある。裁判例には，1年の雇用期間のうち 6 か月の試用期間を設定していた事案で，能力判定に要する期間は 3 か月で十分であり，3 か月を超える部分は適格性判定のために必要かつ合理的な期間を超えるものとして無効と解されるとしたものがある（リーディング証券事件・東京地判平成 25・1・31 労経速 2180 号 3 頁〔結論として試用期間途中の本件解雇は「やむを得ない事由」（労契法 17 条 1 項）に基づくものとして有効〕）。

38) 神戸弘陵学園事件・最三小判平成 2・6・5 民集 44 巻 4 号 668 頁（#11）。なお，福原学園（九州女子短期大学）事件・最一小判平成 28・12・1 労判 1156 号 5 頁は，期間 1 年の有期労働契約で「更新は 3 年を限度とする」，「無期契約の職種への異動もありうる」との規程の下で雇用されていた短期大学講師につき，無期契約の職種への異動は勤務成績を考慮して大学が必要に応じて決定することを同講師も十分に認識して有期契約を締結しており，また，大学教員の雇用は一般に流動性があること，3 年終了後に無期契約とならなかった者も複数いたことに照らせば，本件労働契約が 3 年の更新限度期間満了後に当然に無期契約となる内容のものであったと解することはできないと判示した。これらの期間の定めが，適格性観察・評価のための試用期間か，期間満了終了を想定した有期契約の期間の定めかは，個々の事案に応じた契約の解釈の問題である。

第 2 章　雇用関係の変遷　167

な法的性質をもつかは個別の契約の解釈の問題であり，その判断（特に強行法規の適用にかかわる契約の性質決定）は，契約の文言や形式にとらわれず，具体的な事実関係に即して両当事者の真意を探求することによって行われるべきことを確認した（その結果当該事案には試用法理が適用されるとした）判決といえる。

3 労働条件の明示

使用者は，労働契約の締結に際し，賃金・労働時間その他の労働条件を労働者に明示しなければならない（労基法15条1項）[39][40]。これらのうち，労働契約の期間，有期契約の更新基準（通算契約期間または更新回数の上限の定めがある場合は当該上限を含む），就業場所・従事すべき業務（就業場所・業務の変更の範囲を含む），労働時間，賃金，退職（解雇事由を含む），無期転換ルールに基づく無期転換申込機会・無期転換後の労働条件に関する事項については，書面の交付（または①ファクシミリによる送信，②電子メール等の電気通信のいずれかによることを労働者が希望した場合にはこれらの方法）によって明示することが求められている（労基則5条）。また，労契法は，その他の事項についても，労働者の理解を深めるように努力し（4条1項）[41]，できる限り書面により確認するものとしている（同条2項）[42]。

使用者によって明示された労働条件が事実と相違する場合には，労働者は即時に労働契約を解除することができる（労基法15条2項）。就業するために住居

---

39) 求人の際に給与条件について誤解を与えるような不適切な説明をしていたことは労基法15条1項違反にあたり契約締結過程における信義則に反するとして，これによって労働者が受けた精神的損害について不法行為としての損害賠償を命じた裁判例として，日新火災海上保険事件・東京高判平成12・4・19労判787号35頁（#7）がある。

40) 2023（令和5）年の労基法施行規則改正により，①多様な正社員等の労働条件の明確化を図るために，就業場所と業務の変更の範囲（労基則5条1項1号の3），②有期労働契約の無期転換ルール（p360 *3*）等の認識を広めるために，更新上限の有無と内容（労基則5条1項1号の2）および無期転換申込機会と無期転換後の労働条件（労基則5条5項・6項）が，それぞれ明示事項として追加された（2024（令和6）年4月施行）。

41) なお，求人者・募集者が職業紹介・募集にあたって明示された労働条件と異なる内容等の労働条件を提示する場合，その内容を労働契約締結前に求職者に明示することが職安法により義務づけられている（職安法5条の3第3項）。

42) なお，労働施策総合推進法は，労働者の適職選択に資するように，常用労働者数301人以上の事業主に対し中途採用者の割合を定期的に公表することを義務づけている（同法27条の2，同法施行規則9条の2第1項）。

168　第3編　雇用関係法

を変更した労働者がこの解除の日から14日以内に帰郷する場合には，使用者は必要な旅費を負担しなければならない（同条3項）。

> **事例35**
>
> 　放課後デイサービス事業を行っているトーテン社では，療育・介護の管理責任者の募集にあたり，ハローワークに申し込んだ求人票には「正社員」，「雇用期間の定めなし」，「定年制なし」と記載していた。これをみた大村さん（当時64歳）は，その条件に魅力を感じ，同社社長の藤田さんとの面接を経て，同社に採用されることとなった。面接の際，大村さんは藤田社長に定年の有無について質問したところ，藤田社長はまだ決めていないと回答し，期間の定めの有無については特にやり取りはされなかった。同社は，顧問社労士の指導を受けて「契約期間1年」，「65歳定年制」と記載した労働条件通知書を作成し，大村さんが出社した際にそれを提示して大村さんに署名押印させた。同社は，大村さんが勤務を開始した1年後，大村さんとの労働契約は終了したものとして取り扱った。大村さんは同社に対し何らかの請求ができるか？

　この事例のように，労働者の募集・求人等の段階で労働者（求職者）に提示された労働条件と就労時に明示ないし黙示的に示された労働条件が異なる場合，どちらの内容で労働契約が成立しているかは，基本的には当事者間でどのような内容の合意が形成されたかという労働契約の解釈の問題となる。裁判例として，事例35 類似のケースで，採用の決定（採用内定）の時点で求人票記載の内容で労働契約が成立し，その後の労働条件明示の書面（労働条件通知書）に労働者が署名押印したとしても，本件事案では労働条件を変更する労働者の自由意思による同意があったとはいえないとして，求人票記載の内容の労働契約となるとしたものがある。[43]

2　雇用関係の展開

1　人　事

　日本企業は人事に関して広範な決定権限（人事権）をもち，これを柔軟に運

43）　福祉事業者A苑事件・京都地判平成29・3・30労判1164号44頁〔労働契約上の権利を有する地位確認請求と賃金支払請求を認容〕。

用することによって企業組織の柔軟性や効率性を確保してきたという特徴をもっている（p38(2)）。具体的には，労働者の能力向上のための教育訓練，タテの人事異動（昇進・昇格・降格）とヨコの人事異動（配転・出向等），企業を超えた人事異動・組織変更，一時的な休職などを組み合わせながら，人事が展開されている。

■ 教育訓練

1 教育訓練の意義

　企業は，労働者を中長期的に育成してその活用を図り，また，技術革新や就業環境の変化に適応し生産性向上を図るために，労働者に対しさまざまな形で教育訓練を行っている。正社員の長期雇用を中心とした日本的雇用慣行をとってきた日本企業では，正社員に対し定期的に人事異動を行い，業務遂行のなかで経験を積み技能を習得させる OJT（on-the-job training）を中心とした教育訓練が実践されてきた。しかし，近年の技術革新と市場の動きの高速化のなかで，企業や労働者に求められる技術や業務の内容は高度化・専門化し，OJT と Off-JT（off-the-job training＝業務遂行の外で各種学校や講座等を利用した訓練）を併用して総合的に教育訓練を行う動きも広がっている。同時に，長期雇用を想定した企業による教育訓練だけでなく，労働者による主体的な能力開発（キャリア形成）や政府による教育訓練の支援・推進（リスキリング支援等）も重要な政策課題となっている（職業能力開発促進法3条等参照）。

　法的には，主として，使用者は労働者に教育訓練を受けることを命じることができるのか，労働者は使用者に教育訓練を受けることを求めることができるのかが，問題となりうる。

2 教育訓練を命じる権利

> **事例 36**
>
> 　大庵社に勤める津田さんは，会社から性格改善・人格陶冶を目的とする自己啓発セミナーに参加するよう命じられた。津田さんはこのセミナーに参加しなければならないのか？　同社の西澤さんは，勤務日である水曜日から金曜日にかけて開催される「労働紛争解決研修（応用編）」（政府委託事業）に参加し，専門的な知識と技能を磨きたいと思っている。西澤さんは会社に同研修への参加を法的権利として求めることができるか？

170　第3編　雇用関係法

使用者は，契約上当然に（原始的に）指揮命令権や労働力の使用権を有しているわけではなく（p98 **1**），使用者が労働者に教育訓練を命じる権利についても，それを基礎づける契約上の根拠（就業規則の定め，労働契約上の明示・黙示の合意等）に基づいて発生するものと解される[44]。また，契約上の根拠がある場合でも，①その目的や態様・方法などの面で相当性を欠く場合には，当該命令は権利濫用や公序違反等として違法・無効となり[45]，②その他の強行法規（労基法3条・69条，労組法7条，均等法6条など）にも反するものであってはならない[46]。

3　教育訓練を受ける権利

　職業能力開発促進法は，事業主に，労働者の自発的な職業能力開発・向上の促進に努めることを義務づけている（4条1項。10条の3，10条の4も参照）が，これらの法律規定から直ちに労働者から使用者（事業主）への請求権が発生するわけではない[47]。労働協約や就業規則等に教育訓練に関する規定が定められ，労働者に認められる教育訓練の内容等が具体的に規定されている場合には，それに基づいて労働者に労働契約上の権利として教育訓練を受ける権利が認められるが，そのような具体的な規定がない場合には，労働者に労働契約上の権利として教育訓練を受ける権利を認めることは困難であろう[48]。他方で，労働者のキャリア形成の利益を損なう配置転換などの使用者の行為・措置は，不法行為

---

[44]　労基法は，使用者が職業訓練に関する定めをする場合は，これに関する事項を就業規則に記載することを義務づけている（89条7号）。

[45]　荒木尚志『労働法〔第5版〕』464頁（有斐閣，2022），水町勇一郎『詳解 労働法〔第3版〕』506頁以下（東京大学出版会，2023）など。国鉄動労静岡鉄道管理局事件・東京高判昭52・1・26労判269号44頁〔専ら人格陶冶を目的とする教養教育の受講命令は認められないが，安全意識の涵養，規律ある共同生活の体験等を目的とした研修は認められるとして，青年職員研修会への参加を命じる業務命令を労働契約の範囲内と認定〕なども参照。 事例36 の津田さんへの命令は，業務内容との関連性がない教育訓練として，それを具体的に根拠づける就業規則規定や個別の合意がなければ認められない（労働契約上の根拠を欠く）ものと解される。

[46]　JR東日本（本荘保線区）事件・最二小判平成8・2・23労判690号12頁（p99注68），JR西日本（森ノ宮電車区・日勤教育等）事件・大阪高判平成21・5・28労判987号5頁（p99注68）など参照。

[47]　短時間・有期雇用労働者，派遣労働者の教育訓練について定めたパート有期法11条1項，労働者派遣法30条の2第1項・40条2項も同様である。

[48]　両角道代「職業能力開発と労働法」日本労働法学会編『講座21世紀の労働法 第2巻 労働市場の機構とルール』163頁（有斐閣，2000），菅野・前掲12）721頁など。 事例36 の西澤さんも，就業規則等の具体的な定めや個別の合意がなければ，法的な権利として同研修への参加を会社に請求することは難しい。

や権利濫用等として違法・無効なものとなりうる（p104 **3**, p144 注 81））。

❷　昇進・昇格・降格

1　人事管理制度と人事考課（査定）

　日本企業の人事管理においては，役職と職能資格という 2 つの指標が用いられることが多い。役職とは，企業組織上の地位を指し，通常は部長，課長，係長，係員などの職位によって示される。これは対外的な肩書き（名刺などに記載される）としても用いられている。職能資格とは，職務遂行能力に基づく格付けを指し，参与，参事，主事，社員（例えば主事 3 級 6 号）などと呼称され，これに従って基本給（職能給）が決定される。役職制度と職能資格制度は，制度的には別のものであるが，実際にはゆるやかに結びついていることが多い（例えば参事はおおむね課長相当，主事はおおむね係長相当とされる）。

　これらの役職や職能資格上の位置づけは，上司等が従業員を観察して行う人事考課（査定）に基づいて決定される。人事考課においてはさまざまな事情が観察・評価の対象とされるが，一般には，①能力（経験・訓練などを通して蓄積された職務遂行能力），②情意（仕事に対する姿勢，勤務態度），③業績（当該期間における成績，貢献）の 3 つの評価項目から構成され，それらがさらに細かく項目化されていることが多い。この人事考課（査定）をめぐっては，次のような法的問題が生じうる。

> #### 事例 37
>
> 　キング建設で総務課長をしている西村さんは，課内全体の仕事の打ち合わせの際に，部下（主任）の小峠さんが，当時の専務が社長と対立して退職した話題を持ち出し，「社長は血も涙もないことをする。ひどいワンマン体制だ」と批判していたのを聞いた。この話が社長の耳に入り，小峠さんは社長室に呼び出されて注意されたが，小峠さんはそこでも同様の発言を繰り返した。そこで西村さんは，その直後の小峠さんに対する昇給の査定で従来よりもかなり低い査定をした。また，その半年後の査定においても小峠さんに対して同様の評価を行った。小峠さんはこの査定を不満として，会社に対し何らかの請求をすることができるか？

　人事考課（査定）制度が就業規則等によって制度化され（または黙示の合意の

49）　佐藤博樹 = 藤村博之 = 八代充史『新しい人事労務管理〔第 7 版〕』77 頁以下（有斐閣, 2023）など。

172　第 3 編　雇用関係法

存在によって）労働契約の内容となっている場合，使用者は労働契約上，人事考課権（査定権）をもつことになる。人事考課は使用者の経営判断と結びついたものであり，特に日本では評価項目が広範にわたり抽象的なものも多いため，使用者は人事考課を行うにあたり，原則として広い裁量権をもつと解釈されている[50]（*Column 21*）。

しかし，人事考課が，①国籍・信条・社会的身分（労基法3条），組合加入・組合活動（労組法7条），性別（均等法6条）など法律上禁止された事由を考慮に入れた場合，②目的が不当であったり，評価が著しくバランスを欠くなど裁量権の濫用（民法1条3項，労契法3条5項）にあたると認められる場合[51]，③所定の考課要素以外の要素に基づいて評価をしたり[52]，評価対象期間外の事実を考慮するなど人事考課に関する契約上の定めに反する場合[53]には，人事考課を違法として損害賠償を請求することができる。

Column 21　人事考課（査定）をめぐる学説　　学説上は，多くの裁判例と同様に使用者に広く人事考課上の裁量権を認める見解[54]と，使用者は査定にあたり公正査定や適正査定を行う義務を負っており，同義務に反する場合には債務不履行として損害賠償請求（さらには適正査定に基づく賃金請求）ができるとする見解[55]に分かれている。このいずれの見解が妥当するかは，理論的には個別の契約の解釈の問題である。例えば，人事考課（査定）の重要性ゆえに労働者の関与（目標設定・自己評価など）を伴いながら使用者が公正・適正に査定を行うことを前提として制度が設計・運用されている場合には，使用者は労働契約上公正・適正評価義務を負っているものと解されるが，人事考課の内容に使用者の専権的判断事項が多くその判断が実際に

50）　安田信託銀行事件・東京地判昭和60・3・14労判451号27頁，エーシーニールセン・コーポレーション事件・東京高判平成16・11・16労判909号77頁など。

51）　コナミデジタルエンタテインメント事件・東京高判平成23・12・27労判1042号15頁〔約9か月は出産・育児のため休業していたが約3か月は一定の業務実績をあげていた年度の成果報酬ゼロ査定は人事権の濫用にあたり違法〕，フジクラ事件・東京地判平成31・3・28労経速2388号3頁〔退職勧奨に応じなかった従業員を最低評価とし賃金を減額したことは権利の濫用にあたり無効〕，大阪市交通局事件・大阪高判令和元・9・6労判1214号29頁〔ひげを生やしていることを減点評価した人事考課は裁量権の濫用として違法〕など。

52）　住友生命保険（既婚女性差別）事件・大阪地判平成13・6・27労判809号5頁。

53）　マナック事件・広島高判平成13・5・23労判811号21頁（#60）〔[事例37]類似のケースで，このような言動により能力の点で負の評価を受けるのはやむを得ないが，その後の期間の査定でもその事実を考慮するのは違法であるとし，後者の査定について損害賠償請求を認容〕。

54）　山川隆一『雇用関係法〔第4版〕』95頁（新世社，2008），菅野・前掲12）431頁以下など。

55）　毛塚勝利「賃金処遇制度の変化と労働法学の課題」日本労働法学会誌89号19頁以下（1997），唐津博「使用者の成果評価権をめぐる法的問題」季刊労働法185号45頁（1998），石井保雄「人事考課・評価制度と賃金処遇」日本労働法学会編『講座21世紀の労働法(5)　賃金と労働時間』132頁以下（有斐閣，2000）など。

使用者に委ねられているような場合には，使用者の裁量権を前提にその濫用性を審査することになる。

2 昇進・昇格

> ### 事例38
>
> 　大学卒業後，住宅の建設・販売を業とする小泉ホームに就職した滝川さんは一心不乱に住宅販売の営業活動を行い一定の営業実績をあげてきた。しかし，入社6年目の人事異動において，同期入社で自分よりも営業成績の悪い和久田さんの方が先に係長に昇進することとなった。この人事に不満をもつ滝川さんは会社に対し何らかの請求をすることができるか？

　通常，昇進とは役職の上昇を指し，昇格は職能資格の上昇を意味する。この昇進・昇格の判断は，一般に，使用者に広い裁量権が認められていることが多い人事考課（p172**1**）に基づいて行われる。また，特に昇進の対象となるポストの数や配置については，使用者の経営判断に基づいて決定されることが多い。したがって，労働者は原則として，使用者の決定がなければ昇進・昇格した地位にあることの確認請求をすることはできないと解釈されている[56]。

　しかし，例外として，①就業規則の定めや労使慣行などを通じて昇進・昇格することが契約の内容となっていると認められる場合（例えば勤続10年で原則として係員を係長に昇格させる旨が就業規則に定められている場合）には，昇進・昇格した地位にあることの確認請求が可能である[57]。また，②昇進・昇格決定の基礎となった人事考課が，法律上禁止された差別（労基法3条，労組法7条，均等法6条・7条など）や権利濫用（民法1条3項，労契法3条5項）などにあたり違法と評価される場合には，損害賠償を請求することができる（p172**1**）。

3 降　格

> ### 事例39
>
> 　営業部次長に昇進させた井上さんを，営業成績が平均以下であることを理由に課

56）　前掲52）住友生命保険（既婚女性差別）事件判決など。

57）　芝信用金庫事件・東京高判平成12・12・22労判796号5頁〔就業規則上の差別禁止規定を根拠に労基法13条を類推適用しながら女性従業員による男性従業員と同様の地位（副参事）に昇格したことの確認請求を認容〕。社会福祉法人希望の丘事件・広島地判令和3・11・30労判1257号5頁〔原告労働者の職務内容や担ってきた役割，昇給要件の内容等からすると，同人には昇給を求める権利が認められるとして差額賃金請求を認容〕も参照。

長に降格させることはできるか？　職能資格の引下げ（基本給の引下げ）を伴う降格の場合はどうか？

　降格とは，役職または職能資格を低下させることをいう。降格には，人事権の行使としてのものと，懲戒処分としてのものがある。

　人事権の行使としての降格のうち，役職を低下させるにすぎないものは，労働者の適性や成績を評価して行われる労働力配置の問題（役職の上昇である「昇進」の裏返しの措置）であるから，使用者は，成績不良や職務適正の欠如など業務上の必要性があり権利濫用にあたらない限り，その裁量によってこれを行うことができると解釈されている[58]。

　これに対し，職能資格を低下させる降格は，基本給の変更をもたらす労働契約上の地位の変更であるから，労働者の同意や就業規則上の合理的規定など契約上の根拠が必要であると解釈されている[59]。契約上の根拠がある場合にも，その契約内容に沿った措置か[60]（例えば降格に値する職務遂行能力の低下があったか），権利濫用など強行法規違反にあたる事情がないかがさらに検討される[61]。

　懲戒処分としての降格（企業秩序違反行為に対する制裁罰としての降格。降職とも

---

58)　バンク・オブ・アメリカ・イリノイ事件・東京地判平成 7・12・4 労判 685 号 17 頁，東京都自動車整備振興会事件・東京高判平成 21・11・4 労判 996 号 13 頁など。理論的には，そのようなものとして労働契約の内容になっているからである（逆にいうとこれとは異なる定めがあるときにはその限りでない）と解される。

59)　アーク証券（本訴）事件・東京地判平成 12・1・31 労判 785 号 45 頁，Chubb 損害保険事件・東京地判平成 29・5・31 労判 1166 号 42 頁など。職能資格（基本給に直結する一般的な職務遂行能力）自体の低下は，通常の職能資格制度では想定されていないことが多いため，これを行うには特別の契約上の根拠が必要であると解されているのである。これとは異なる役職・資格制度がとられている場合には，その契約内容に即して降格命令権の有無等が判断されることになる。

60)　フジシール（配転・降格）事件・大阪地判平成 12・8・28 労判 793 号 13 頁〔就業規則上の降格規定の要件・手続を遵守しておらず降格は無効〕，国際観光振興機構事件・東京地判平成 19・5・17 労判 949 号 66 頁〔評定者の個人的感情・見方を反映し，本件人事制度に則ったものとはいえない評定に基づく降格は無効〕など。

61)　明治ドレスナー・アセットマネジメント事件・東京地判平成 18・9・29 労判 930 号 56 頁〔退職勧奨を拒否した部長の降格を権利濫用として無効〕，ビジネクスト事件・東京地判令和 2・2・26 労経速 2421 号 31 頁〔8 万円の賃金減額を伴う降格処分から 3 か月のうちに行われた 5 万円余の賃金減額を伴う降格処分を権利濫用として無効〕，ビジネスパートナーほか事件・東京地判令和 4・3・22 労判 1269 号 47 頁〔意見を述べたことに代表取締役が立腹して行った降格・降給につき違法・不当な目的によるものとして権利濫用にあたり違法・無効〕など参照。

第 2 章　雇用関係の変遷　175

呼ばれる）は，懲戒処分に関する法規制（p194 **2**）に服することになる（*Column 22*）。

Column 22 **人事権の行使としての降格と懲戒処分としての降格の区別**　人事権の行使としての降格と懲戒処分としての降格をどのように区別するかについては，主観説（当事者がどちらの措置として行ったかによる）と客観説（両者の客観的な性質に即して両者を区別する）の2つの考え方がありうる。裁判例のなかには，主観説に近い立場をとったものがある。[62]　しかしこれは，強行法規の適用にかかわる性質決定の問題である（特に懲戒処分については罪刑法定主義類似の諸原則の適用がある）[63]ため，客観説に立って判断すべきであり，使用者が人事権行使の一環として行った降格であるとしても，客観的にみて企業秩序違反行為に対する制裁罰という性格をもつものについては，懲戒処分としての降格と解釈すべきである。業務命令としての自宅待機（p98 **1**）と懲戒処分としての出勤停止（p200 **3**）の区別についても同様である。

③ 配　転

1　配転の意義

　配転とは，職務内容や勤務場所の変更（短期間の出張を除く）のことをいう。日本企業では定期的に従業員（特に正社員）の配転を行っているところが多く（例えば9月末と3月末は定期人事異動の時期とされることが多い），配転の多さは日本企業の人事の1つの大きな特徴ともいえる。この頻繁な配転の意義は，長期雇用慣行をとる日本企業において，①多数の職場・仕事を経験させることによって幅広い技能・熟練を形成していくこと（p170 **1**）とともに，②技術や市場が多様に変化していくなかでも雇用を維持できるよう柔軟性を確保することにあるといわれている（p27 **1**，p38（2））。しかし同時に，配転は（特に転居を伴う場合には）労働者の私生活に大きな影響を及ぼすという側面ももっている。これらの側面をいかに調整していくかが，ここでの重要なポイントとなる。

2　配転の法規制

事例 40

　大学卒業後，関西ペイント社に営業担当者として入社した小藪さんは，大阪勤務を経て神戸営業所で勤務していた。同社は，定期人事異動として，小藪さんに広島営業所への転勤を内示したが，小藪さんは家庭の事情（転勤になれば高齢の母と妻

62）　アメリカン・スクール事件・東京地判平成13・8・31労判820号62頁，スルガ銀行事件・東京地判令和4・6・23労経速2503号3頁など。

63）　星電社事件・神戸地判平成3・3・14労判584号61頁，上州屋事件・東京地判平成11・10・29労判774号12頁参照。

176　第3編　雇用関係法

子〔子どもは 2 歳〕と別居せざるを得ないこと）を理由にこれを拒否した。そこで同社は，小藪さんに対し神戸営業所から名古屋営業所への転勤を命じたが，小藪さんはこれを拒否したため，同社は小藪さんを懲戒解雇した。小藪さんは名古屋への転勤命令に従わなければならなかったのか？　母が病気で小藪さん自身がその介護をしていた場合はどうか？　なお，同社の就業規則には，「会社は，業務上の都合により，社員に転勤を命じることがある」との規定がある。

　この事例に類似する東亜ペイント事件で，最高裁は，使用者の配転命令に対し，契約による制約と権利濫用による制約の 2 つの制約を課す枠組みを提示した。[64]

　第 1 に，使用者が有効に配転を命じるためには，配転命令権が労働協約や就業規則の定めなどによって労働契約上根拠づけられていることが必要とされる。[65]例えば，就業規則に「業務上の都合により配転を命じることができる」旨の規定がある場合，同規定は一般的には幅広い能力開発の必要性や雇用の柔軟性の確保の要請から合理的なものと解釈され，配転命令権が基礎づけられうる。もっとも，職種や勤務地を限定する明示ないし黙示の合意があるときには，配転命令権はその合意の範囲内のものに限定される（労働法 7 条ただし書）。[66]職種を限定する合意が認められる例としては，医師，[67]看護師，[68]検査技師，[69]大学教員[70]など特殊な資格や技能を有する場合が多い。判例では，自動車製造工場で機械工

---

64)　最二小判昭和 61・7・14 労判 477 号 6 頁（#62）。
65)　就業規則等に配転命令権の根拠規定がないなかで命じられた配転を違法・無効とした裁判例として，学校法人追手門学院（追手門学院大学）事件・大阪地判平成 27・11・18 労判 1134 号 33 頁がある。
66)　2023（令和 5）年労基則改正により，労働契約締結時に就業場所・業務の変更の範囲を明示することが義務づけられた（p168　**3**）。そこで明示された事項が労働契約の内容となっている場合には，使用者はこの範囲を超える配転（就業場所や業務の変更）を一方的に命じることはできず，就業規則変更（不変更の合意〔労契法 10 条ただし書。p93 (e)〕にあたる場合を除く）や個別合意など労働契約の内容を変更する根拠の存在が必要になる。
67)　地方独立行政法人岡山市立総合医療センター（抗告）事件・広島高岡山支決平成 31・1・10 労判 1201 号 5 頁，地方独立行政法人市立東大阪医療センター（仮処分）事件・大阪地決令和 4・11・10 労判 1283 号 27 頁。
68)　国家公務員共済組合連合会事件・仙台地判昭和 48・5・21 判時 716 号 97 頁。
69)　大成会福岡記念病院事件・福岡地決昭和 58・2・24 労判 404 号 25 頁。
70)　金井学園福井工大事件・福井地判昭和 62・3・27 労判 494 号 54 頁，学校法人国際医療福祉大学（仮処分）事件・宇都宮地決令和 2・12・10 労判 1240 号 23 頁。

第 2 章　雇用関係の変遷　177

として 10 数年から 20 数年継続して勤務してきた労働者について職種限定の合意が成立したとまでは認められないとしたものがある。[71] 勤務地が限定されている例としては，現地採用の補助職員，[72] 転勤には応じられない旨を述べて採用された従業員などがあげられる。[73]

　第 2 に，使用者に配転命令権が認められる場合にも，その行使には権利濫用法理（民法 1 条 3 項，労契法 3 条 5 項）による制約が課される。上記の東亜ペイント事件判決によれば，①配転命令に業務上の必要性が存在しない場合，②配転命令が不当な動機・目的をもってなされた場合，③労働者に通常甘受すべき程度を著しく超える不利益を負わせるものである場合など，特段の事情が存在する場合でない限り，配転命令は権利の濫用になるものではないとされている。業務上の必要性（①）については，「余人をもって代え難い」という高度の必要性は要求されず，労働者の適正配置や業務運営の円滑化といった事情で足りるとされる。[74] 不当な動機・目的（②）としては，嫌がらせや退職へ追い込むための配転などがあげられる。近年では，労働者への報復としてなされた配転や退職に追い込もうとする配転を不当な動機・目的によるものとして権利濫用とする例が増えている。[75] 労働者に著しい不利益（③）を負わせる例として，配転

71）　日産自動車事件・最一小判平成元・12・7 労判 554 号 6 頁。その他，放送局のアナウンサーについて職種限定の合意を認めたもの（日本テレビ放送網事件・東京地決昭和 51・7・23 時判 820号 54 頁）と認めなかったもの（九州朝日放送事件・最一小判平成 10・9・10 労判 757 号 20 頁〔〔原審〕福岡高判平成 8・7・30 労判 757 号 21 頁〕），航空会社のフライト・アテンダントについて職種限定の合意を否定したもの（ノース・ウエスト航空（FA 配転）事件・東京高判平成 20・3・27 労判 959 号 18 頁）などがある。職種限定の合意が存在する場合に，職種変更について労働者の同意を得てこれを行うことは可能であるが，その同意の任意性（自由意思）について，使用者の働きかけによるものか，職種変更に合理性はあるか，職種変更後の状況はいかなるものか等を総合考慮して，任意性を肯定した裁判例がある（西日本鉄道（B 自動車営業所）事件・福岡高判平成 27・1・15 労判 1115 号 23 頁）。

72）　ブック・ローン事件・神戸地決昭和 54・7・12 労判 325 号 20 頁。ジャパンレンタカーほか（配転）事件・津地判平成 31・4・12 労判 1202 号 58 頁〔アルバイト従業員の勤務地につき近接店舗に限定する合意があったと認定〕も参照。

73）　新日本通信事件・大阪地判平成 9・3・24 労判 715 号 42 頁。

74）　業務上の必要性が否定された裁判例として，NTT 西日本（大阪・名古屋配転）事件・大阪高判平成 21・1・15 労判 977 号 5 頁〔長時間の新幹線通勤または単身赴任という負担を負わせてまで配転しなければならない業務上の必要性は認められない〕などがある。

75）　動機・目的が不当とされた裁判例として，オリンパス事件・東京高判平成 23・8・31 労判 1035号 42 頁〔内部通報者に対する業務上の必要性のない配転命令〕，アールエフ事件・長野地判平成 24・12・21 労判 1071 号 26 頁〔社長の意に沿わない発言を行った労働者とそれを擁護する言動を

すると病気の家族を介護・看護できなくなるといった事情から配転命令を権利濫用としたケースが多くみられる[76]。これら（③）の裁判例では，近年，労働者の不利益の大きさという実体的要素と並んで，配転に至る手続の妥当性（労働者に事情聴取をし家庭の事情を考慮に入れたか，配転の理由等について労働者に具体的に説明したか，労働組合等と真摯な態度で誠実に協議・交渉したかなど）を考慮に入れ，権利濫用性を判断する（適切な手続・配慮がなされていない場合には労働者の不利益は著しいものとする）傾向がみられる[77]。また，育児介護休業法上求められている配転の際の子の養育および家族の介護状況に対する使用者の配慮（26条）は，それを行わなかったからといって直ちに違法となるものではないが，配転命令の権利濫用性の判断に影響を与えるものと解されている[78]。仕事と生活の調和にも配慮しつつ労働契約を締結・変更すべきことを定める労契法3条3項も，その文言の抽象性からするとそれ自体は法的拘束力（私法上の効力）をもつものとは解されないが，配転命令等の権利濫用性判断において考慮されるべき規定といえる。もっとも，これまでの判例では，配転に応じると家族の事情により単身赴任せざるを得ないといった事情は，通常甘受すべき程度を著しく超える不利益であるとは認められていない[79]（**Column 23**）。

行った労働者への配転命令］，新和産業事件・大阪高判平成25・4・25労判1076号19頁〔退職勧奨拒否への報復または大幅な賃金減額を正当化するための配転命令］，大阪市・市交通局長（転任）事件・大阪高判平成27・6・18労判1122号18頁〔別件訴訟を取り下げる態度を示さなかったことを受けた転任命令］，医療法人社団弘恵会（配転）事件・札幌地判令和3・7・16労判1250号40頁〔退職に追い込むための配転命令〕などがある（その他，p143 **4** も参照）。

76）　日本電気事件・東京地判昭和43・8・31判時539号15頁〔病気の家族3人の面倒を自らみていた事案］，日本レストランシステム事件・大阪高判平成17・1・25労判890号27頁〔重病の子どもを自ら看護していた事案］，ネスレ日本（配転本訴）事件・大阪高判平成18・4・14労判915号60頁〔転勤すると病気の妻の病状が悪化する可能性があった事案（原告1），重病の母を専業主婦の妻とともに介護していた事案（原告2）］，NTT東日本（北海道・配転）事件・札幌高判平成21・3・26労判982号44頁〔障害をもつ両親を妻や妹らとともに介護していた事案〕など。

77）　前掲76）日本レストランシステム事件判決，前掲76）ネスレ日本（配転本訴）事件判決，NECソリューションイノベータ（配転）事件・大阪地判令和3・11・29労判1277号55頁など。

78）　前掲76）ネスレ日本（配転本訴）事件判決，前掲76）NTT東日本（北海道・配転）事件判決など。

79）　前掲64）東亜ペイント事件判決，帝国臓器製薬事件・東京高判平成8・5・29労判694号29頁，新日本製鐵（総合技術センター）事件・福岡高判平成13・8・21労判819号57頁など。また，配転により通勤時間が片道約1時間長くなり保育園に預けている子どもの送迎等で支障が生じるといった事情は，通常甘受すべき程度を著しく超える不利益とまではいえないとしたもの（ケンウッド事件・最三小判平成12・1・28労判774号7頁）がある。これに対し，近時の裁判例として，

第2章　雇用関係の変遷　179

なお，労働者本人の健康状態から遠隔地への配転はその健康上大きな不利益
（③）を与えることになるとする裁判例や，専門職労働者のキャリア形成の期[80]
待への配慮（の欠如）を重視してキャリアを活かせない職務への配転命令を権[81]
利濫用として無効とする裁判例も増えている。労働者本人の健康やキャリア形
成の利益が，配転の場面でも相対的に重視される傾向にあり，裁判所における
権利濫用の判断にも影響を与えているものといえよう。

　配転命令は権利濫用（民法1条3項，労契法3条5項）以外の強行法規（労基法
3条，労組法7条，均等法6条，民法90条など）にも反してはならない。

***Column 23*　配転命令と私生活・家庭生活とのバランス**　　　単身赴任は労働者にとって通
常甘受すべきものであるとするこれまでの日本の法状況は，欧米先進諸国と比べると決してノー
マルなものではない。例えばフランスでは，労働の場所は労働者個人の同意なく変更できな
い労働契約の要素であるとされ，かりに労働契約上配転条項が定められていたとしても，労働
者や家族の転居を伴う配転については，私生活・家族生活の尊重を掲げたヨーロッパ人権条約
（8条）や労働者の人権の尊重を掲げた法律規定（労働法典 L. 1121-1条）に照らし，当該配転が
企業の正当な利益を保護するために不可欠で，追求される目的達成のために比例的なものでな[82]
ければならないとされている。労働と私生活の調和を図ることの重要性（p320 **4**）を考慮しな
がら，日本の判例のあり方について再考する必要があろう。

　　高校数学教諭の解雇無効判決確定後の遠隔地への配転命令（北九州から福島）につき，本人は独
　　身であり家族の介護・看護や単身赴任等の事情がないなかで，通常甘受すべき程度を著しく超え
　　る不利益を負わせるものといわざるを得ないとして権利濫用と判断したもの（学校法人明治学園
　　ほか事件・福岡地小倉支判令和5・9・19労判ジャーナル141号2頁）があり，注目される。

80）　損害保険リサーチ事件・旭川地決平成6・5・10労判675号72頁〔神経症治療中の労働者の遠
　　隔地への配転につき信頼関係を構築してきた医師による治療機会を喪失させる健康上の不都合は
　　大きいと判断〕，ミロク情報サービス事件・京都地判平成12・4・18労判790号39頁〔メニエー
　　ル病の労働者の京都から大阪への配転命令につき自宅からの長時間（1時間40分以上）の通勤に
　　耐えられるか疑問であるとして権利濫用と判断〕，ビジョン事件・東京地判平成27・7・15労判
　　1145号136頁〔精神疾患に罹患していた労働者の配転命令につき環境変化や通勤時間の大幅な長
　　時間化等が心身や疾患に悪影響を与えるおそれも否定できないとして権利濫用と判断〕。

81）　X社事件・東京地判平成22・2・8労経速2067号21頁〔IT技術者として情報システム業務に
　　従事していた労働者の倉庫係への配転命令を権利濫用と判断〕，学校法人原田学園事件・広島高岡
　　山支判平成30・3・29労判1185号27頁〔視覚障害のある大学教員（准教授）を授業担当から外
　　す職務変更命令につき学生を教授・指導する機会を完全に奪うものとして権利濫用とするととも
　　に100万円の慰謝料の支払いを命令〕，前掲67）地方独立行政法人岡山市立総合医療センター（抗
　　告）事件決定〔外科医師を診療や手術担当から外す配転命令を権利濫用と判断〕，安藤運輸事件・
　　名古屋高判令和3・1・20労判1240号5頁〔運行管理者として運行管理業務等に従事していた労
　　働者の倉庫業務への配転命令を権利濫用と判断〕。

82）　奥田香子「フランス」荒木尚志＝山川隆一ほか編『諸外国の労働契約法制』243頁以下（労働
　　政策研究・研修機構，2006）。

180　　第3編　雇用関係法

4 出向・転籍

1 出向・転籍の意義

一企業内での異動である配転とは異なり，一企業の枠を超えた労働者の異動として，出向や転籍がある。出向とは，元の企業との間で従業員としての地位を維持しながら，他の企業においてその指揮命令に従って就労することを指す（「在籍出向」とも呼ばれる）。転籍とは，元の企業との労働契約関係を終了させ，新たに他の企業との労働契約関係に入ることをいう（「移籍出向」とも呼ばれる）。

日本企業では企業内の配転だけでなく，他企業への出向や転籍も頻繁に行われている。その背景には，①企業経営の細分化・ネットワーク化のなかで複数の企業が緊密に連携しながら経営を行う現象が広くみられるとともに，②余剰人員が発生した場合に企業の枠を超えて広く雇用調整（特に中高年労働者の出向・転籍による人員整理）が行われているという事情がある。このような動きのなかで，大企業を中心に，労働者の雇用・育成・調整の範囲が企業単位から出向・転籍を介した企業グループ単位へと広がり，企業グループ単位の準内部労働市場が形成されている。[83]

労働者にとって出向や転籍は，労務を提供する相手方である企業が変わることを意味する。使用者は労働者の同意なしに出向や転籍を命じることができるか，出向先・転籍先企業と労働者との関係はどのようなものとなるかが，ここでの重要な問題である。

2 出向・転籍の要件

事例 41

新日本スティール社は，業務合理化の一環として，構内輸送業務の鉄道部門を協力会社である新日運輸社に業務委託し，同部門に所属する従業員を新日運輸社に出向させることとした。新日本スティール社に雇用され構内輸送業務の鉄道部門で勤務していた猪木さんは，これに伴い，新日本スティール社から新日運輸社への出向を命じられた。新日本スティール社の就業規則には，「会社は従業員に対し業務上の必要によって社外勤務をさせることがある」との規定があり，同社と（猪木さんも加入している）労働組合との間で締結された労働協約には，出向期間，出向中の社員の地位，賃金，退職金，出向手当，昇格・昇給（査定）等の処遇に関して出向

---

83) 稲上毅『企業グループ経営と出向転籍慣行』（東京大学出版会，2003），佐藤＝藤村＝八代・前掲49）54頁以下など。近年では，中高年労働者の出向・転籍先が企業グループ内だけでなく，取引関係や資本関係のない企業に拡大していく動きもみられる。

第2章　雇用関係の変遷　181

労働者の利益に配慮した詳細な規定（出向先での給与額が出向元の給与額に満たない場合には出向元がその差額を支給する旨の規定を含む）が定められていた。猪木さんは，この出向命令を拒否することができるか？ またこの異動が転籍だった場合はどうか？

　出向は配転とは異なり，労働者が労務を提供する相手方である企業が変更されることになる。これは法的には出向元企業が労働者への労務提供請求権を出向先企業に譲渡することを意味するため，これには労働者の承諾が必要になる（民法625条1項）。問題は，この「労働者の承諾」とはどのようなものかである。

　学説上は，①労働者本人の同意を要するとする個別的同意説，②労働協約や就業規則に根拠規定があれば足りるとする包括的同意説，③出向規定が整備され不利益への配慮もなされている場合には労働協約や就業規則上の包括的同意で足りるとする条件付包括的同意説などがある。[84]かつての裁判例のなかには，当該労働者の承諾を必要とするとして個別的同意説（①）に立つものもみられ[85]たが，[86]最高裁は，労働協約と就業規則に出向命令権を根拠づける規定があり，出向期間，出向中の地位，出向先での労働条件など出向労働者の利益に配慮した出向規定が設けられている事案（ 事例41 に類似するケース）において，使用者は労働者の個別的同意なしに出向を命じることができると判示し，条件付包括的同意説（③）に近い立場に立っている。この立場がとられた背景には，出向が量的に増加し，かつ質的にも出向規定が整備され賃金等処遇面でも労働者の不利益が防止されるといった出向をめぐる実態の変化がある。判例は，このような社会変化のなかで，出向が実質的に配転と同視できるような事情が存在する場合には，配転と同様に包括的な同意で足りると解釈したものといえよう。[87]

---

84)　出向命令権をめぐる学説については，東京大学労働法研究会編『注釈労働基準法（上）』236頁以下〔土田道夫〕（有斐閣，2003），新谷眞人「配置転換・出向・転籍」角田ほか編・前掲11）141頁以下など参照。

85)　日立電子事件・東京地判昭和41・3・31判時442号16頁。

86)　新日本製鐵（日鐵運輸第2）事件・最二小判平成15・4・18労判847号14頁（#63）。同判決の関連裁判例（別事件）として，新日本製鐵（日鐵運輸）事件・福岡高判平成12・11・28労判806号58頁がある。

87)　企業グループにおけるグループ内企業への出向の有効性が争われた事案において，同様に，配転と同視できる事情（企業間の実質的一体性，多数の実績あり，経済的不利益なしなど）を重視して包括的同意で足りるとした裁判例として，興和事件・名古屋地判昭和55・3・26労判342号

182　第3編　雇用関係法

このように就業規則などの包括的規定によって出向命令権が基礎づけられる場合でも，その行使が権利の濫用など強行法規に反してはならない点は，配転の場合（p176 **2**）と同様である。労契法は，出向命令が，その必要性，対象労働者の選定状況などの事情に照らして権利を濫用したものと認められる場合には，当該命令を無効とすると規定して，この点を確認している（14条）。

これに対し，転籍については，旧労働契約を解約し新たな労働契約を成立させるものである以上，労働者本人の個別の同意が必要であり，使用者が一方的に転籍を命じることはできない。新たな労働契約の成立を含む場合には，旧使用者に対する労働者の承諾（民法625条1項）だけでは足りず，新使用者との間で労働契約を成立させる個別の合意（労契法6条参照）が必要と解されるからである。

3　出向期間中・転籍後の雇用関係

(1)　**出向期間中の関係**　　出向期間中は，基本的な労働契約関係（従業員としての地位）は出向元企業との間で維持されるが，労働契約上の権利義務の一部は出向元企業から出向先企業に譲渡されることになる。権利義務のうちどの部分が譲渡されるかについては，出向元企業と出向先企業の間の出向協定に定められていることが多いが，労働者との関係では，労働協約，就業規則または個別の労働契約上の根拠（労働者の承諾〔民法625条1項〕）があって初めて有効に譲渡されることになる。どの部分が出向先企業に譲渡されるかについての明示の定めがない場合には，黙示の合意や信義則による補充的解釈として，労務提供請求権，指揮命令権，出勤停止処分権など就労にかかわる権利義務は出向先企業に移り，解雇権，復帰命令権など労働契約関係の存否・変更にかかわる

　61頁がある。逆に，実質的にみて出向が配転と同視できないような場合には，なお労働者の個別の同意が必要であると解されよう。

88)　ここでは，配転と同様に，①業務上の必要性（「その必要性」）の存否，②不当な動機・目的の有無（「対象労働者の選定に係る事情」），③労働者の被る不利益の大きさ（「その他の事情」）などを考慮して，権利濫用性が判断されることになる。兵庫県商工会連合会事件・神戸地姫路支判平成24・10・29労判1066号28頁〔退職勧奨に応じない職員を退職に追い込もうとしてなされた出向命令につき不当な動機・目的によるもので権利濫用と判断〕など。

89)　三和機材事件・東京地判平成7・12・25労判689号31頁，国立研究開発法人国立循環器病研究センター事件・大阪地判平成30・3・7労判1177号5頁など。

90)　出向労働者の出向元企業への復帰について，復帰はない旨の特段の合意が成立していない限り，出向元企業は労働者の同意なく復帰を命じることができるとした判例として，古河電気工業・原子燃料工業事件・最二小判昭和60・4・5民集39巻3号675頁がある。

ような権利義務は出向元に残ると解釈されることになろう。出向労働者に対する懲戒処分の権限について，出向元は出向元の就業規則に基づいて出向元企業の立場から懲戒処分を行うことができ，また，出向先（10名未満の会社で就業規則なし）は，親会社である出向元の就業規則の適用についての出向労働者の同意に基づき出向元の就業規則に従って懲戒処分を行うことができるとした裁判例がある[91]。しかし，出向先が制裁罰である懲戒処分を行うためには，自ら就業規則を作成しその手続に則って行う必要があると解すべきである（p197 **3** 参照）（*Column 24*）。

Column 24　出向と労働者派遣の区別　このように出向期間中は，労働契約上の権利義務が出向元企業と出向先企業とで分担されることになる。このことから，出向については二重の労働契約関係が存在するとし，指揮命令権のみが受入企業に移転する労働者派遣とはこの点で区別されるとの見方が一般的である（労働者派遣法2条1号参照）。しかし，両者の区別は相対的なものであり（合意内容によっては指揮命令権のみを移転させる出向もありうる），両者は明確には峻別できないものである。

　出向期間中の労働関係法規の適用については，出向関係の実態に応じ，各法規の趣旨に沿って，出向元企業と出向先企業のいずれに適用されるかが決定されることになる。例えば，労基法の各規定は当該規制事項の決定権限をもっている者に適用されるため，賃金支払いに関する24条以下は賃金支払義務を負っている使用者，労働時間に関する32条以下は就労を命じる権限をもつ出向先企業に適用されることになる。労働安全衛生法は，現実に就労を命じている出向先企業が遵守する義務を負う[92]。

　(2)　**転籍後の関係**　　転籍の場合，それが有効に行われれば，そこでの合意内容に従って転籍先企業との新たな労働契約関係に入ることになる。例えば，退職金の支払いについて，転籍元における在籍期間を通算して転籍先を退職する時に転籍先からまとめて支給される旨の合意が転籍時になされていたときには，転籍元には退職金を支払う義務はないものとされる[94]。

---

91)　勧業不動産販売・勧業不動産事件・東京地判平成4・12・25労判650号87頁。
92)　その他，労働法上の「使用者」としての責任の帰属については，p61 **3** 参照。
93)　なお，転籍後に転籍先企業との労働契約が無効であることが判明したときには，転籍元企業との労働契約の終了は転籍先企業との新たな労働契約の成立を停止条件としていたと解釈して（契約の合理的意思解釈），転籍元企業と労働契約関係にあることを求めることができる場合がある（生協イーコープ・下馬生協事件・東京高判平成6・3・16労判656号63頁）。

184　　第3編　雇用関係法

5 企業組織の変動——合併・事業譲渡・会社分割・会社解散

企業組織の変動に伴って労働者も他の企業に移動するなど労働者の地位に変動が生じることがある。このような企業組織の変動として，①合併，②事業譲渡，③会社分割，④会社解散などがある。

1 合　併

合併については，吸収合併（会社法2条27号）と新設合併（同条28号）の2形態があるが，いずれの場合にも合併される会社は消滅し，労働契約を含むすべての権利義務は合併会社（存続会社または新設会社）に当然に承継される（会社法750条，754条参照。「一般承継（包括承継）」と呼ばれる）。合併する複数の会社間の労働条件の統一を図るため，合併の前または後に労働協約や就業規則の変更（p424(2)，p87 **2**）が行われることが多い。

2 事 業 譲 渡

事業譲渡とは，企業組織の全部または一部を一体として他に譲渡することをいう。事業譲渡においては，合併とは対照的に，譲渡元と譲渡先の個別の合意に基づいていかなる権利義務が移転するかが決定される（「特定承継」と呼ばれる）。この場合，労働者との関係では次の2つの問題が生じうる。

第1に，労働者が事業譲渡とともに移転することが譲渡元と譲渡先で合意されている場合，労働者は移転を拒否できるかである。事業譲渡においては，権利の譲渡についての譲渡元使用者に対する労働者の承諾（民法625条1項）および新たな労働契約の成立についての譲渡先使用者と労働者との合意（労契法6条参照）が必要であるため，労働者はこれを拒否できると解される[95]。

第2の問題は，次の事例のように，事業譲渡の対象から排除された労働者が移転（譲渡先との労働契約上の地位確認）を求めることができるかである。

---

94) 幸福銀行（退職出向者退職金）事件・大阪地判平成15・7・4労判856号36頁。

95) 事業譲渡等指針（平28・8・17厚労告318号）は，①事業譲渡の際の労働契約の承継に必要な承継予定労働者の承諾（民法625条1項）を得るために，事前の協議を行うことが適当であること，②譲渡会社等は，労働者の理解と協力を得るため，労働者の過半数組合（それがない場合には過半数代表者）と事前に協議するよう努めることが適当であることなど，会社等が留意すべき事項を定めている。

事例 42

　病院を経営しているオタケ会は，経営難に陥っているタケノコ病院を丸ごとジャンポケ会に譲渡しようと考え，ジャンポケ会と事業譲渡契約を結んだ。その契約の取決事項のなかには，「タケノコ病院の従業員の労働契約関係を基本的に承継する。ただし，労働組合に加入している者および労働条件の引下げに異議のある者についてはその限りでない」との定めがあった。ジャンポケ会は，タケノコ病院の従業員と個別に面接して，ジャンポケ会の下で働くことを希望する従業員を採用することとしたが，タケノコ病院で労働組合活動をしていた太田さんと労働条件引下げに異議を述べた斉藤さんには採用の打診をしなかった。太田さん，斉藤さんはジャンポケ会に対し労働契約上の権利を有する地位確認を請求することができるか？

　この場合も，原則として，事業譲渡における権利義務関係の移転は譲渡元と譲渡先の合意（事業譲渡契約）によって決まるため，譲渡先（ジャンポケ会）は承継対象に特定労働者を含めないことによってこれを排除することができることになる[96]。しかし，その人選が不当労働行為（労組法7条違反）や脱法行為（民法90条違反）など強行法規違反にあたるような場合には，特定労働者を排除する行為は違法・無効とされ，不法行為（民法709条）として損害賠償を請求することができる[97]。さらにここで，譲渡先との労働契約関係の存在を求めるためには，譲渡先と労働者との間に労働契約を基礎づける合意が存在することを立証することが必要になる。例えば，事例42のようなケースでは，特定労働者を排除する事業譲渡契約部分（事業譲渡契約の取決事項の「ただし書」部分）を無効として，排除された労働者も含め譲渡先に承継される合意があったもの（取

96）　東京日新学園事件・東京高判平成17・7・13労判899号19頁（#65）〔譲渡元と譲渡先の間に労働契約関係を承継しない旨の合意があり，譲渡元の教職員を譲渡先が雇用する旨の合意の存在を推認させる事情はない〕，更生会社フットワーク物流ほか事件・大阪地判平成18・9・20労判928号58頁〔譲渡元と譲渡先とは法的に別人格であり，個別の合意がない以上従業員たる地位の承継を認めることはできない〕など。従来は，労働契約を承継しないという特別の合意がない限り事業譲渡において労働契約関係も包括的に承継されるという裁判例（日伸運輸事件・大阪高判昭和40・2・12判時404号53頁など）がみられたが，近年は，事業譲渡は特定承継であることを前提としたうえで，下述する承継合意の解釈や法人格否認の法理の適用（p62 _1_）等によって個別具体的な事案に応じた解決を図る傾向にある。

97）　中労委（青山会）事件・東京高判平成14・2・27労判824号17頁〔組合員を承継対象から排除する合意は不当労働行為にあたり無効〕，勝英自動車学校（大船自動車興業）事件・東京高判平成17・5・31労判898号16頁〔労働条件変更に同意しない労働者を承継対象から排除する合意は公序に反し無効〕など。

186　第3編　雇用関係法

決事項の「本文」のなかに太田さんも斉藤さんも含まれることになり，これに太田さんと斉藤さんが同意することによって譲渡先と労働者の間に労働契約が成立している）と解釈することによって，譲渡先に対し労働契約上の地位確認を請求することが可能となる[98]。その他，裁判例として，違法な解雇によって承継対象から外されていた労働者も含むものとして事業譲渡がなされたと推認し，労働契約の承継を認めたもの[99]，事業を包括的に承継した者が事実上従業員を継続して使用していたという事案で，労働契約の承継についても黙示の合意が認められるとしたもの[100]，自動車学校の閉鎖に伴い解雇された労働者につき，新たに開設された学校の取締役が団交の席で原則として全員移ってもらう旨発言していたことから，合理的意思解釈として新設校との間の労働契約の成立を認めたもの[101]などがある。

3 会 社 分 割

会社分割とは，事業に関する権利義務の全部または一部を他の会社に承継させる法定の制度である（会社法 2 条 29 号・30 号，757 条以下）。会社分割には，既に存在する会社に事業を承継させる吸収分割（757 条以下）と，新たに会社を設立して承継の相手方とする新設分割（762 条以下）の 2 形態がある。

> **事例 43**
>
> 　電鉄，百貨店およびホテル事業を営むタイガーホールディングスは，会社分割制度を使って，赤字が累積している百貨店事業を白騎士ファンドに承継してもらうこととした。その分割契約上の承継対象のなかに，百貨店事業で働いていた岡田さんと電鉄事業で働いていた掛布さんは含まれていたが，百貨店事業で働いていた真弓さんは含まれていなかった。見知らぬファンドに移りたくない岡田さん，電鉄事業に残りたい掛布さんは，白騎士ファンドへの承継を拒否できるか？　百貨店事業に愛着があり，百貨店事業とともに移りたい真弓さんは，白騎士ファンドに承継してもらうことができるか？　会社分割手続としてのいわゆる 7 条措置，5 条協議または 2 条通知がなされなかった場合はどうなるか？

　会社分割制度の下では，吸収分割の場合には分割契約（758 条），新設分割の

---

98)　前掲 97) 中労委（青山会）事件判決，前掲 97) 勝英自動車学校（大船自動車興業）事件判決。

99)　タジマヤ（解雇）事件・大阪地判平成 11・12・8 労判 777 号 25 頁。

100)　A ラーメン事件・仙台高判平成 20・7・25 労判 968 号 29 頁。

101)　ショウ・コーポレーション（魚沼中央自動車学校）事件・東京高判平成 20・12・25 労判 975 号 5 頁。

第 2 章　雇用関係の変遷　187

場合には分割計画（763条）の定めに従い，労働契約を含む権利義務の承継が決定されるのが原則である（労働契約承継法3条参照）。債権者（労働者）の同意なく権利義務が承継される点で「包括承継」とされ，その承継の範囲が分割契約等に定められた部分に限定されているため「部分的」包括承継と呼ばれる[103]。ただし，会社の恣意的な選別によって労働者が不利益を被ることを防ぐため，①承継される事業に主として従事する労働者が分割契約・分割計画上承継の対象として記載されていない場合には，一定期間内に異議を申し出て承継の効果を発生させることができ（4条），また，②承継される事業に主として従事していない労働者（従として従事している労働者および全く従事していない労働者）が分割契約・分割計画上承継対象に含まれている場合には，異議を申し出て承継の効果を免れることができる（5条）とされている[104]。使用者が特定の労働者を承継の対象から排除するまたは承継の対象に含める目的で会社分割の前に労働者を承継事業外または事業内に配転させた場合，当該配転命令は不当な動機・目的によるものとして権利濫用・無効（p176 **2**）と判断されうる（配転命令前の従事事業に基づいて上記の異議申出権が発生する）。なお近時，承継される事業に主として従事する労働者を分割契約・分割計画上承継対象とせず，承継会社への転籍に同意した者に限り承継を認めるという取扱い（いわゆる「転籍合意」）を行う例がみられたが，このような取扱いにつき，裁判例は，労働者が希望すればそのまま承継されるという労働契約承継法が保障した利益を一方的に奪うものであり，同法の趣旨を潜脱するものとして公序良俗に反し無効であるとし，

102）　会社分割の際の労働契約の承継に関するルールの詳細は，労働契約承継法施行規則（平12・12・27労働省令48号）および同指針（平12・12・27告示127号）によって定められている。

103）　別会社に在籍出向しているものと取り扱われていた労働者も含めて会社分割により新設会社に承継されるとした裁判例として，グリーンエキスプレス事件・札幌地決平成18・7・20労旬1647号66頁がある。

104）　このように労働契約承継法は，承継業務に主として従事しているか否かという客観的な事実に基づいて労働者に異議申出権を付与し，使用者の主観的な選別に基づく労働者の不利益（承継排除（4条），承継強制（5条））を防止しようとしている（ 事例43 の掛布さんは承継に異議を申し出，真弓さんは不承継に異議を申し出て，その希望を実現できる）。これに対し，承継される事業に主として従事する労働者が分割契約・分割計画上承継の対象として記載された場合（ 事例43 の岡田さん）に，労働契約の承継を拒否する（元の会社への残留を求める）ことは認められていない（日本アイ・ビー・エム（会社分割）事件・最二小判平成22・7・12民集64巻5号1333頁（#67）参照）。

188　第3編　雇用関係法

同労働者が同法4条所定の異議申出を行った場合と同様に労働契約はそのまま承継会社に承継されると判断した。[105]

　分割会社との間で締結されていた労働協約は，分割先である承継会社等との間でも締結されたものとみなされる（6条3項）。なお，労働協約の債務的部分（p429 **3**）については，労働組合との承継の合意に基づき，分割契約等に記載する（同条1項参照）ことによって，承継会社等への承継の効果を発生させる（権利義務を承継会社等との間に移転させ分割会社との関係では消滅させる）ことができる（同条2項。このような合意と記載がなければ同条3項によるみなしとなる）。

　分割会社は，分割にあたり，まず，ⓐすべての事業場において過半数組合（それがない場合には過半数代表者）と協議をして労働者の理解と協力を得るよう努力をし（7条，同法施行規則4条），次に，ⓑ承継される事業に従事している労働者と労働契約の承継に関して協議をし（商法等改正法附則5条1項），[106] さらに，ⓒ通知期限日（分割契約等を承認する株主総会の2週間前の日の前日等）までに，承継される事業に主として従事している労働者，主として従事していないが承継対象とされた労働者，および，労働協約を締結している労働組合に対して，所定事項を書面により通知する義務を負っている（労働契約承継法2条）。[107] この手続（ⓐ，ⓑ）につき，判例は，①商法等改正法附則5条1項の協議（ⓑ「5条協議」）が特定の労働者との関係で全く行われなかったとき，または，5条協議の

105）　阪神バス（勤務配慮・本訴）事件・神戸地尼崎支判平成26・4・22労判1096号44頁。2016（平成28）年に労働契約承継法施行規則・指針（前掲102））が改正され（平28・8・17厚労省令140号・厚労告317号），会社分割の対象とすることなく労働者の個別の同意によって承継会社等に転籍させるいわゆる「転籍合意」の場合も，労働者との個別協議（商法等改正法附則5条1項）や書面通知（労働契約承継法2条）等の法定の手続は省略できないものとすることが定められた。この改正施行規則・指針によれば，例えば，承継事業に主として従事していた労働者が転籍合意等の手続のなかで法定の書面通知（労働契約承継法2条）を受けていない場合には，後述するように，会社分割の効力発生後も異議を申し出ることによって承継会社等の労働者である地位の確認を主張できることになる。
106）　2016（平成28）年に改正された労働契約承継法施行規則・指針は，①労働者との個別協議（商法等改正法附則5条）の対象に，承継される事業に従事していない労働者で分割契約等に記載されて承継対象となった者を含むものとすること，②個別協議の説明事項として，分割会社・承継会社等の債務の履行の見込みに関する事項を追加することとした。
107）　2016（平成28）年に改正された労働契約承継法施行規則・指針は，承継される労働者等への書面通知（労働契約承継法2条）の通知事項に，労働条件はそのまま維持される旨を追加することとした。

際の分割会社からの説明や協議の内容が著しく不十分で法が5条協議を求めた趣旨（労働者の希望等を踏まえた承継判断をさせることによる労働者保護）に反することが明らかな場合には，当該労働者は労働契約承継の効力を争うことができるとし，②労働契約承継法7条の措置（ⓐ「7条措置」）については，法が努力義務として課したものでそれ自体労働契約承継の効力を左右するものではなく，5条協議義務違反の有無（①）を判断する一事情になるにとどまるとした[108]。また，労働契約承継法2条1項所定の通知（ⓒ）については，それが適法になされず，その結果，異議申出を行う機会を失った労働者は，会社分割の効力発生日以後においても，適法な異議申出を行った場合と同様の効果（承継会社等の労働者たる地位確認または分割会社の労働者たる地位確認）を主張することができると解されている[109]。

4 会社の解散

会社は，株主総会の決議，合併，破産手続開始の決定，解散を命じる裁判等によって解散される（会社法471条）。会社は解散により直ちに消滅するわけではなく，合併による解散，および，破産手続開始の決定による解散で破産手続が終了していない場合を除き，清算手続に入り（475条1号），清算が結了するまでは清算の目的の範囲内で法人格が存続する（476条）。したがって，会社が解散しても，労働契約関係は当然終了するわけではなく，会社の解散に伴う解雇についても，解雇規制（労基法20条等）や解雇権濫用法理（労契法16条）は適用される[110]。不当労働行為など不当な動機・目的をもってなされた解散（例え

---

108) 前掲104）日本アイ・ビー・エム（会社分割）事件判決〔結論としては5条協議義務違反の存在を否定〕。エイボン・プロダクツ事件・東京地判平成29・3・28労判1164号71頁は，労働契約の承継に関する労働者と工場長との個別の話合い（5条協議）において，労働組合を脱退することと引換えに労働契約の承継の選択を迫られたことは，5条協議を求めた法の趣旨に反することが明らかであるから，同労働者は労働契約承継の効力を争うことができるとした。

109) 前掲105）阪神バス（勤務配慮・本訴）事件判決，労働契約承継法指針（前掲102））第2の2(3)ニ参照。

110) 石川タクシー富士宮ほか事件・東京高判平成26・6・12労判1127号43頁〔会社解散に伴う解雇につき，解散・解雇に関する具体的な説明文書を従業員に配布し，説明会を開催して質疑応答を経るなど，円満に解散・解雇を行うことが望ましいが，解雇の必要性があり，解雇に合理性が認められる場合には，このような手続をとらなかったとしても当然に解雇権濫用となるわけではないと判示〕，龍生自動車事件・東京地判令和3・10・28労判1263号16頁〔会社の解散に伴う解雇につき，一応の手続的配慮がなされ，従業員や労働組合を排除するという不当な目的があったともいえないから，解雇権濫用にはあたらないと判示〕参照。

ば組合潰しのための解散）について，解散決議を無効とする裁判例もかつて存在
した。[111] しかし，解雇権濫用の効果は解雇を無効とするにとどまり，また，不当
労働行為の救済についても，解散決議の無効以外の方法（後述する解散会社を背
後で支配していた者や事業承継会社への責任追及）で救済を図ることが可能であり，
救済方法としても現実的であると解される。[112]

　解散決議自体が有効であるとしても，清算結了により会社の法人格が消滅す
るまでは解雇権濫用として解雇を無効とし労働契約上の権利を有する地位の確
認請求をすることは可能であり，[113] 取締役の任務懈怠を理由に取締役への損害賠
償請求が認められることもある。[114] さらに，清算が結了して解散会社の法人格が
消滅し同社への請求ができなくなったとしても，事案によっては，解散した会
社を背後で支配していた法人・自然人を相手方として，法人格否認の法理等に
より労働契約上の権利を訴求することが認められ（p62 **1**），また，解散会社か
ら事業を承継した会社に対し，事業譲渡をめぐる承継合意の解釈等により，労
働契約上の権利を有する地位の確認請求が認められる場合がある（p185 **2**）。会
社法の制定時（2005（平成17）年）に最低資本金制度が廃止され会社の設立や
解散がより容易になったことに伴い，規範的には，これらの法理等を実態に応
じて積極的に活用し，法人格の形式的操作による責任回避行動を抑制する必要
性が高まっている。

⑥ 休　　職

　休職とは，労働者に就労させることが適切でない場合に，労働契約を存続さ
せつつ労働義務を一時消滅させることをいう。その例としては，傷病休職，事
故欠勤休職，起訴休職，出向休職，自己都合休職，組合専従休職などがある。
法律上義務づけられた制度ではなく，各企業で任意に定められているものであ
る。

　休職制度は，一般に労働協約や就業規則などに定められ，それに基づいて使

111）　盛岡市農協事件・盛岡地判昭和60・7・26労判461号50頁など。
112）　労働組合の壊滅を目的とした会社解散決議も有効であるとする裁判例として，大森陸運ほか2
　　社事件・大阪高判平成15・11・13労判886号75頁などがある。
113）　グリン製菓事件・大阪地決平成10・7・7労判747号50頁。
114）　JT乳業事件・名古屋高金沢支判平成17・5・18労判905号52頁。

第2章　雇用関係の変遷　191

用者が一方的に発令することが多い。裁判例では，会社が行っている業務改善
プロセスはパワーハラスメントにあたるとの見解を労働者が述べたことに対し
て会社が発した休職命令につき，合理性は認められず無効であるとしたものが
ある。[115] 休職期間中の賃金については，企業ごとにさまざまな取扱いがなされて
おり，基本的には労働協約，就業規則および労働契約の定めによって決定され
る問題である。ただし，会社側の都合や会社の帰責事由によって休職（労働不
能）となっている場合には，労働者は賃金請求権を失わない（民法 536 条 2 項）。[116]

事例 44

　航空運送事業を営むエール・ジャポン社の就業規則には，傷病休職について，
「休職期間（18 か月）が満了しても傷病が治癒していないときには退職とする」旨
の規定が定められている。同社でキャビンアテンダント（CA）をしていた堀さん
は脊椎間狭窄症のため傷病休職をとっていたが，その期間が満了する際，医師の診
断書とともに，今すぐ CA として勤務復帰することは難しいが，地上勤務であれば
行うことができる旨の上申書を会社に提出した。これに対し会社は，従前の職務を
支障なく行えない状態では「治癒」したとはいえないとして，休職期間満了と同時
に堀さんを自動退職扱いとした。堀さんは，会社に対し労働契約上の権利を有する
地位確認を請求することができるか？

　この事例のように，傷病休職や事故欠勤休職の場合，休職期間満了の時点で
休職事由が消滅していないときには，解雇がなされ，または，労働契約の自動
終了（自動退職）という効果が発生するものとされることがある。ここでは特
に，どれくらい病状が回復していれば「治癒」したと判断され，労働契約の終
了という効果が発生しないのかが問題となる。裁判例によると，休職期間満了
時に従前の職務を支障なく行える状態にまでは回復していなくとも，①相当期
間内に治癒することが見込まれ，かつ，②当人に適切なより軽い作業が現に存
在するときには，使用者は労働者を病気が治癒するまでの間その業務に配置す
べき信義則上の義務を負い，労働契約の終了（解雇または自動退職）の効果は発

---

115) クレディ・スイス証券（休職命令）事件・東京地判平成 24・1・23 労判 1047 号 74 頁〔理論的
　　には休職命令権の権利濫用（その動機・目的の不当性等）の問題〕。タカゾノテクノロジー事
　　件・大阪地判令和 2・7・9 労判 1245 号 50 頁〔傷病休職命令につき，欠勤が続いていたわけでは
　　なく，産業医も欠勤する必要がある状況でもなかったと述べていること等から，発令の要件を欠
　　き無効と判断〕も参照。
116) 全日本空輸事件・東京地判平成 11・2・15 労判 760 号 46 頁（#64）。

192　　第 3 編　雇用関係法

生しないと解釈されている。近時の裁判例として，うつ病で休業していた教員[117]に回復可能性があるにもかかわらず主治医に問い合わせることなく行った解雇を権利濫用として無効としたもの，休職期間満了時に使用者が合理的配慮を講[118]じたとしても担当業務を通常程度行う健康状態に回復していたとは認められないとして休職期間満了による退職扱いを有効としたものなどがある。[119][120]

　メンタルヘルス不調で休職した労働者の職場復帰を促すために，リハビリ勤務など状況に応じた適切な対応を行うことが信義則上使用者に求められることがある。このリハビリ勤務中の賃金について，無給の合意の下で本来の業務に[121]比べ軽易な作業に従事していた事案で，債務の本旨に従った履行の提供とはい

---

117)　エール・フランス事件・東京地判昭和 59・1・27 労判 423 号 23 頁〔復職時に空港勤務から営業所勤務への転勤を申し出たのに対し回復の見通しの調査や復職にあたっての配慮をすることなく復職不能として退職扱いとした措置を無効と判断〕，東海旅客鉄道（退職）事件・大阪地判平成 11・10・4 労判 771 号 25 頁（#76）〔脳内出血の後遺症が残るなか少なくとも工具室での勤務は可能であったにもかかわらず復職不能として退職扱いしたことは就業規則違反として無効と判断〕など。日本ヒューレット・パッカード（休職期間満了）事件・東京高判平成 28・2・25 労判 1162 号 52 頁〔配置転換によって債務の本旨に従った履行の提供をできるような職場を見出すことは困難であったとして休職期間満了による退職を有効と判断〕なども参照。

118)　J 学園（うつ病・解雇）事件・東京地判平成 22・3・24 労判 1008 号 35 頁。日本漁船保険組合事件・東京地判令和 2・8・27 労経速 2434 号 20 頁〔労働者が提出した主治医の治癒証明について，使用者が主治医との面談を求めたが，労働者がその実現への協力を拒否したため，休職期間満了により自然退職扱いしたことは違法無効とはいえないと判断〕なども参照。

119)　日東電工事件・大阪高判令和 3・7・30 労判 1253 号 84 頁。早稲田大学事件・東京地判令和 5・1・25 労経速 2524 号 3 頁〔大学教授の高次脳機能障害等による傷病休職期間の満了時に大学（使用者）が休職期間の延長と模擬授業の実施を提案したのに対し，この提案に応じなかったため，大学として復職可能との判断ができずに解任したことは違法無効とはいえないと判断〕も参照。

120)　ここでは，①復職可否の判断（休職事由の消滅・傷病の治癒等）と②退職扱いの可否の判断（使用者の配慮の有無・程度等）を区別することも重要である。両者を区別せず傷病休職からの復職要件の判断（①）に当該傷病発症前（入社当初）から有していた特性（②で考慮されるべき事項）を考慮に入れること（その結果休職期間満了により退職扱いすること）は解雇法理を潜脱するものとして妥当でないとし，当該事案では休職理由である傷病の症状が解消した時点で復職を認めるべきであった（傷病休職前からの特性を考慮して復職を認めず休職期間満了により退職扱いしたことは無効である）と判断した裁判例として，シャープ NEC ディスプレイソリューションズ事件・横浜地判令和 3・12・23 労判 1289 号 62 頁がある。

121)　綜企画設計事件・東京地判平成 28・9・28 労判 1189 号 84 頁〔試し出勤中に少なくとも相当の期間内に通常の業務を遂行できる程度に回復すると見込まれる状況にあったといえるから休職期間満了による退職扱いは無効〕，三菱重工業事件・名古屋高判令和 4・2・18 労経速 2479 号 13 頁〔精神疾患による欠勤日数が就業規則所定の上限日数（33 か月）を超えたことを理由とした解雇につき，産業医・保健師・人事労政担当部門長等で組織される再出勤審査会における審査手続や当時の本人の状態・態度を考慮すると，リハビリ勤務を経ることなくなされた解雇も有効と判断〕など。

第 2 章　雇用関係の変遷　　193

えないとしても，当該作業が使用者の指揮監督下で行われその作業の成果を使用者が享受している場合には，最低賃金の適用（最賃法4条2項）により，使用者は最低賃金額相当の賃金を支払う義務があるとした裁判例がある。[122]

労働者が刑事事件で起訴された場合に休職を命じる起訴休職については，その趣旨・目的から，企業の対外的信用の失墜や労務の継続的な給付に障害等が生じるおそれがある場合に限り認められると解されている。[123] 近時の裁判例として，起訴休職の期間の上限を2年とする定めを合理的とし，期間満了後も勾留されていた労働者の解雇を有効としたものがある。[124]

2 職場規律と懲戒

企業は，多数の労働者を組織し円滑に企業活動を行っていくために，就業規則に服務規律（企業組織の構成員として守るべきルール）を定めるのが一般的である（労基法89条9号参照）。労働者がこの服務規律に違反した場合，使用者は当該労働者に対して制裁罰として懲戒処分を行うことがある。

1 懲 戒 権

懲戒処分は，「使用者が従業員の企業秩序違反行為に対して科す制裁罰」と定義されうる。使用者が懲戒処分を行う権限は懲戒権と呼ばれるが，判例は懲戒権など使用者の職場秩序維持のための諸権限を基礎づける枠組みとして，広く「企業秩序」論と呼ばれる理論を展開している。

1 判例の「企業秩序」論

判例によると，使用者は，企業の存立と事業の円滑な運営のために必要不可欠な権利として企業秩序を定立し維持する権限（企業秩序定立権）をもち，労働者は，労働契約を締結して雇用されることによって企業秩序を遵守すべき義務（企業秩序遵守義務）を負うとされる。[125] その理論的根拠は必ずしも明確ではない

---

122) 日本放送協会事件・名古屋高判平成30・6・26労判1189号51頁。理論的には，賃金請求権の成否に関する契約の解釈（およびそれに基づく強行法規の適用）の問題である。

123) 日本冶金工業事件・東京地判昭和61・9・29労判482号6頁，前掲116）全日本空輸事件判決。

124) 国立大学法人B大学事件・大阪高判平成30・4・19労経速2350号22頁。

125) 富士重工業事件・最三小判昭和52・12・13民集31巻7号1037頁，関西電力事件・最一小判昭和58・9・8労判415号29頁（#52），国鉄札幌運転区事件・最三小判昭和54・10・30民集

194 第3編 雇用関係法

が，上記のような判例の説示からすれば，労働契約の内容としてそのような権利義務が設定されている（契約説）というより，そもそも使用者は企業経営上の必要性からそのような権利をもち，労働者は雇用されることにより当然そのような義務を負う（固有権説）と判例は考えているようである。

この使用者の企業秩序定立権（労働者側からみると企業秩序遵守義務）の射程について，判例は，企業組織を構成する「人的要素」のみならず「物的施設」にも広く及ぶものと考えている。具体的には，使用者は，労働者（「人的要素」）に対し，①企業秩序維持のために具体的に指示・命令をし，②企業秩序違反行為に対して事実調査をし，③違反者に対して懲戒処分を行うなど，企業秩序維持のために広範な権限を有するものとされる。[126] また，使用者が所有・管理する「物的施設」に関する権利（施設管理権）もこの企業秩序定立権に含まれるものと解されており，この権利を侵害した者に対して必要な指示・命令をし，懲戒処分を行うことも可能とされている。[127]

もっとも，この企業秩序定立権も無制限に行使されうるものではない。①その行使が権利濫用や公序違反など強行法規違反にあたる場合には違法・無効なものとされ，[128] また，②職場規律について定めた規定（就業規則規定など）が企業秩序維持という趣旨に照らし限定的に解釈されることがある（*Column 25*）。

Column 25 「ひげ」と企業秩序　　顧客との関係や身だしなみとして服務規律上「ひげ」が禁止されていることがある。これに対し，裁判所は，その趣旨に照らして限定解釈を加えている。例えば，ハイヤー運転手の「ひげ」を禁止する服務規律規定について，同規定は「不快感を与えるひげ」や「異様・奇異なひげ」のみを禁止したものであると限定解釈をしたもの，[129]

---

33 巻 6 号 647 頁（#88）など。

126）　前掲 125）国鉄札幌運転区事件判決など。これらの権限は，労働者の職場内の職務遂行行為のみならず，職場外の職務遂行以外の行為にも及ぶと解されている（前掲 125）関西電力事件判決など）。

127）　前掲 125）国鉄札幌運転区事件判決など。施設管理権を単なる「物権」だと捉えると，その侵害行為に対して，妨害排除請求権などの物権的請求権や器物損壊罪，建造物侵入罪などの刑事罰は導かれうるが，懲戒処分という一種の自力救済（自ら制裁罰を加えること）をそれによって根拠づけることはできない。判例は，施設管理権を「企業秩序定立権」の１つと捉えることにより，侵害行為に対し懲戒処分を科すことも可能であると理論構成したものといえる。

128）　例えば，従業員の所持品検査については，合理的な理由に基づいて，一般的に妥当な方法と程度で，画一的に実施されるものでなければならないとされ（西日本鉄道事件・最二小判昭和43・8・2民集 22 巻 8 号 1603 頁（#58）〔傍論〕），また，髪を黄色に染めて元に戻さなかった従業員に対して行われた解雇は権利の濫用にあたるとした裁判例がある（東谷山家事件・福岡地小倉支決平成 9・12・25 労判 732 号 53 頁）。

郵便事業職員の「ひげ」「（男性）長髪」を禁止する身だしなみ基準について，「顧客に不快感を与えるようなひげ及び長髪は不可とする」という内容に限定して適用されるべきとしたものがある。[130]

2　懲戒権の法的根拠

　使用者は企業秩序を乱す行為を行った従業員に対し懲戒処分を行う権限（懲戒権）をもつといわれる。では，その理論的根拠はどこに求められるのか。

　学説は，大別すると，①使用者は経営権の一環として当然に懲戒権を有するとする固有権説と，②使用者は労働契約上の根拠に基づいてその限りで懲戒権を有するとする契約説の 2 つに分かれている。[131]

　これに対し，最高裁は，上記のように懲戒権を企業秩序定立権の一環として把握しており（p194 **1**），懲戒権を使用者の固有権として捉えているようである。[132]なお，近時の判例は，使用者が労働者を懲戒するにはあらかじめ就業規則に懲戒の種別および事由を定めておくことが必要であると判示している[133]（*Column 26*）。また，下級審裁判例には契約説に立つものも多い。[134]

　　Column 26　懲戒権の法的根拠──判例の立場の位置づけ　　フジ興産事件判決[135]（前掲注133））から，最高裁は懲戒権の法的根拠について契約説をとっているとみる見解もある。しかし，この判決が契約説に立っているとすると，なぜ就業規則でなければならないのか（労働協約ではいけないのか）という理論的な問題が残る。この判決は，懲戒権の法的根拠としてではなく，後述する罪刑法定主義類似の要請（p197 **3**）から，懲戒の種別と事由を就業規則に明定することを要求したものと理解できよう（前掲注125）国鉄札幌運転区事件判決の「規則に定めるところに従い」という説示も同様に理解されよう）。なお，その後の最高裁判決は，「使用者の懲戒権の行使は，企業秩序維持の観点から労働契約関係に基づく使用者の権能として行われるものである」と説示している。[136]この「労働契約」「に基づく」という文言からは契約説的な理

---

129)　イースタン・エアポートモータース事件・東京地判昭和 55・12・15 労判 354 号 46 頁。

130)　郵便事業（身だしなみ基準）事件・大阪高判平成 22・10・27 労判 1020 号 87 頁。

131)　懲戒権をめぐる学説については，小西國友「懲戒権の理論」労働法文献研究会編・前掲 15）105 頁以下，籾井常喜「懲戒権論」籾井常喜編『戦後労働法学説史』808 頁以下（労働旬報社，1996），土田道夫『労働契約法〔第 2 版〕』470 頁以下（有斐閣，2016）など参照。

132)　前掲 125）関西電力事件判決など。

133)　フジ興産事件・最二小判平成 15・10・10 労判 861 号 5 頁（#21）〔p197 **事例45** 類似のケース〕。

134)　洋書センター事件・東京高判昭和 61・5・29 労判 489 号 89 頁，十和田運輸事件・東京地判平成 13・6・5 労経速 1779 号 3 頁など。

135)　例えば，奥野寿〔判批〕法学教室 284 号 76 頁以下（2004）。

136)　ネスレ日本（懲戒解雇）事件・最二小判平成 18・10・6 労判 925 号 11 頁（#54）。

196　第 3 編　雇用関係法

解が可能であるが,「関係」や「権能」という文言からは固有権説的な理解（労働契約という関係上その関係に基づいて使用者がもつ固有の権能であるとの理解）も可能である。例えば，常用労働者 10 人未満の事業場で就業規則がない事案や，就業規則ではなく労働協約に懲戒処分の根拠規定がある事案では，判例がいかなる立場に立っていると考えるかで，法的判断のレベルや結論が変わってくる可能性がある。

探究 3

労働契約を単なる労務提供と賃金の交換契約だとみると，労働契約上当然に企業秩序定立権や懲戒権が内在しているとはいえないようにも思われる。しかし，労働関係とは本質的にそのような「契約」なのか？ それとも労働関係は企業というひとつの共同体的な「制度」であり，この集団的な「制度」を運営するためのルールの集合体（このなかに企業秩序定立権や懲戒権が含まれる）と把握されるべきか（*Column 27*）？

Column 27 懲戒権の法的根拠——理論的考察 　企業秩序定立権および懲戒権については，次の 2 つの理由から，契約説の立場に立つべきであると考える。第 1 に，労働者と使用者の関係を「契約」と捉える現行法の基本的枠組み（民法 623 条，労契法 6 条参照）のなかでは，固有権説はその理論的根拠に乏しい。たしかに，使用者には「経営の自由」（憲法 22 条参照）が認められているが，そこから他者を強制する義務（使用者からみると経営権という権利）を直接導き出すことはできないからである。第 2 に，その前提にある「契約」か「制度」かという基本的選択においても，現在の日本で「制度」理論（労働関係の共同体的な把握）をとることは規範的にみて問題が大きい。日本の労働関係の実態をみると，たしかに労働と賃金のドライな交換契約というより，会社という共同体への人的帰属関係との性格が強い。しかし，その実態に内在している弊害（閉鎖的な企業共同体のなかでの集団による個人の抑圧，外部者や少数者の排除など）を考慮すると，日本の現状で規範的に「制度」理論をとってしまうことは大きな社会的危険を内包した（それを規範的に承認することにもなる）選択であるといえる。

3 懲戒権の法的規制

事例 45

不二子社は，懲戒の事由と種別（懲戒解雇を含む）を定めた就業規則を，労働者の過半数代表者の同意を得たうえで所轄の労働基準監督署長に届け出ていたが，同社の従業員の次元さんが勤務するセンターにはこれを備え付けていなかった。次元さんは取引先の要望に応えずにトラブルを発生させたり，上司に対し反抗的態度をとるなどしたため，同社は次元さんを就業規則規定に基づいて懲戒解雇した。この懲戒解雇は有効か？

懲戒権の法的根拠について契約説の立場に立つと，懲戒処分が有効になされるためには，まず第 1 に，就業規則などにその根拠規定が定められていること

第 2 章　雇用関係の変遷　　197

が必要とされる。この根拠規定が就業規則である場合には，その規定が「周知」され（p82(3)）かつ「合理性」がある（p82(4)）ことが求められ，また，その規定は企業秩序の維持という趣旨に照らして限定的に解釈されることがある（具体例は p202 **3**）。労契法 15 条が「使用者が労働者を懲戒することができる場合」と定めているのは，このように「懲戒権を行使する契約上の根拠が存在する場合」を意味するものと解される。

　第 2 に，契約上の根拠に基づいて懲戒権が行使されていたとしても，それは権利の濫用など強行法規違反にあたるものであってはならない。特にここでは，懲戒処分のもとになった労働者の行為（企業秩序違反行為）の重大さとの関係で懲戒処分の内容が不相当に重い場合には，社会通念上相当として是認できない懲戒処分として権利の濫用であり無効と判断されることになる。労契法 15 条は，「当該懲戒が，当該懲戒に係る労働者の行為の性質及び態様その他の事情に照らして，客観的に合理的な理由を欠き，社会通念上相当であると認められない場合は」権利の濫用として無効とすると規定し，このことを確認している。これまでの判例（前掲注 138）の 3 判決など）からすると，労働者の行為の性質・態様（行為の内容と悪質さ）に加えて，結果（企業秩序への影響），情状（過去の処分歴や反省の有無），使用者の対応（他の労働者の処分との均衡，行為から処分までの期間）などが「その他の事情」として考慮されている。

　第 3 に，懲戒処分は制裁罰との性格をもち刑事処罰と類似性をもつため，罪刑法定主義類似の諸原則を満たすものでなければならないと解釈されている。[139]

---

137)　固有権説の立場からすると，このような契約上の根拠がなくとも，使用者は自らが固有権としてもっている懲戒権を行使して懲戒処分をできることになる。もっとも，固有権説に立ったとしても，後述する罪刑法定主義類似の要請から，事業場において法律に類似する機能をもつ就業規則に懲戒の種別と事由を定めておくことが求められる。

138)　ダイハツ工業事件・最二小判昭和 58・9・16 労判 415 号 16 頁〔労働者の行為の悪質さ，反省のなさ，執拗な反発，再三にわたる職場の混乱を考慮して懲戒解雇は有効〕，前掲 136）ネスレ日本（懲戒解雇）事件判決〔7 年前の職場での管理職への暴行行為等を理由とした懲戒処分につき処分時点でこのような重い処分をする合理的理由はなく諭旨退職は無効〕，東京都・都教委事件・最一小判平成 24・1・16 労時 2147 号 127 頁〔式典での国歌斉唱の際の起立斉唱命令に従わなかったことを理由とする減給処分は重きに失し違法〕など。

139)　これらの諸原則に反する懲戒処分は，公序（民法 90 条）に違反し（または契約上の根拠を欠き）違法・無効となると解釈されうる。裁判例では権利濫用（労契法 15 条）として無効とするものも少なくない。

使用者が労働者を懲戒するには，あらかじめ就業規則において懲戒の種別と事由を定めておくことが必要であり（懲戒の種別・事由の明定），懲戒規定をその作成・変更時点より前の事案に遡及して適用してはならない（不遡及の原則）。また，同じ事由について繰り返し懲戒処分を行うことも禁止される（一事不再理の原則）。さらに，懲戒処分を行うにあたっては適正な手続を踏むこと（特に本人に対して懲戒事由を告知して弁明の機会を与えること）が必要であり，このような適正手続を欠いた懲戒権の行使は無効となる。[143]

② 懲戒処分の種類

懲戒処分の種類は，企業ごとにさまざまである。そのなかでも典型的な処分として，軽いものから順に，以下のようなものがある。

1 戒告・けん責

どちらも労働者の将来を戒める処分であるが，けん責は労働者に始末書の提出を求めるものであるのに対し，戒告は始末書提出を求めないものであることが多い。昇進や査定に影響を与えることもあるため，権利の濫用等にあたる場合には，無効確認請求の対象となりうる。[144]

2 減　給

賃金を減額する処分である。労働者の経済的利益に直接影響する処分であるため，労基法は，一事案における減給額は平均賃金の1日分の半額以下，減給の総額は一賃金支払期の賃金総額の10分の1以下のものでなければならない

140）　前掲133）フジ興産事件判決（p196 ***Column 26***）。

141）　また，使用者が懲戒処分当時認識していなかった非違行為は，当該懲戒処分の理由とされたものではないから，特段の事情がない限り，事後的に懲戒処分の理由として追加主張することはできないと解されている（山口観光事件・最一小判平成8・9・26労判708号31頁（#53））。

142）　「過去に処分を受け改悛の見込みがない場合」との懲戒事由が定められている場合，過去に処分を受けたこと自体を懲戒事由とすることは一事不再理の原則に反するが，労働者に反省する態度がみられず将来同様の行為を繰り返すおそれが現実に存在する場合には，その限りでこれを懲戒事由として処分を行うことができると解される。

143）　日本ボクシングコミッション事件・東京地判平成27・1・23労判1117号50頁〔事前の弁明の機会を経ない懲戒解雇を権利濫用として無効〕，テトラ・コミュニケーションズ事件・東京地判令和3・9・7労経速2464号31頁〔けん責処分という軽い処分でも弁明の機会を付与しなかったことは権利濫用として無効〕など。

144）　例えば，全国建設労働組合総連合事件・東京地判令和4・12・7労経速2521号16頁〔数度の業務上の過誤等を理由になされたけん責処分は相当とはいえず無効〕など。

第2章　雇用関係の変遷　199

との制限を定めている（91 条）。この「減給」とは，有効に成立した賃金を減額する処分を指すため，例えば，下記の出勤停止処分（**3**）でそもそも賃金が発生しない場合や，遅刻・早退等で就業規則規定等に基づき賃金がカットされる（労働契約上その分賃金が発生していないものとされる）場合には，この制限の適用はない。[145]

3 出勤停止

労働契約を存続させつつ，労働者の労働義務の履行を停止させる処分である。出勤停止期間中は賃金が支払われない取扱いがなされることが多い。この場合に労働者が賃金を請求できるか否かは，出勤停止（労働不能）について使用者の責めに帰すべき事由があるか否かによる（民法 536 条 2 項）。この出勤停止処分が 6 か月など長くに及ぶ場合は，重過ぎる処分として懲戒権の濫用とされることがある。[146] また，出勤できず無給とされること自体，労働者にとって重い不利益処分であるため，短い期間の出勤停止処分でも，非違行為の程度等に応じて懲戒権の濫用とされることもある。[147] この懲戒処分としての出勤停止処分と，業務命令として発せられることがある自宅待機命令（p98 **1**）とは，懲戒処分に対する法規制の適用の有無を判断するために，理論的に明確に区別されるべきである（p176 *Column 22* 参照）。

4 降 格

労働者の企業秩序違反行為に対して制裁を与えることを目的として，その役職や職能資格を低下させる処分である。人事権の行使としての降格との区別については，前述した通りである（p176 *Column 22*）。

5 諭旨解雇

会社側が労働者に退職を勧告し，本人の願い出によるという形で退職させる処分である（諭旨退職と呼ばれることもある）。[148] 退職金は支払われることが多いが，

---

145) 賃金減額を伴う降格処分につき，権利濫用として無効であり，職責や職務内容の変更をもたらすものでないから，減給の制裁（労基法 91 条）にあたり，同条にも抵触するとした裁判例として，前掲 61）ビジネクスト事件判決がある。

146) 岩手県交通事件・盛岡地一関支判平成 8・4・17 労判 703 号 71 頁〔6 か月の懲戒休職は重過ぎるとして 3 か月を限度に効力を承認〕。

147) 例えば，長崎自動車事件・福岡高判令和 2・11・19 労判 1238 号 5 頁〔懲戒事由自体（同僚への恫喝行為，威圧的言動）は存在するが 7 日間または 5 日間の出勤停止処分は重きに失するとして無効〕など。

200 第 3 編 雇用関係法

その一部または全部が支給されないこともある。諭旨解雇（諭旨退職）の懲戒処分としての効力については，次の懲戒解雇（**6**）に準じる重大な処分として，慎重に判断すべきである。[149]

6 懲戒解雇

懲戒処分としての解雇であり，懲戒処分のなかで最も重い処分である。退職金の全部または一部が支給されず，また，解雇予告（またはそれに代わる解雇予告手当）を伴わないで即時解雇されるのが一般的である。退職金の不支給が適法か（諭旨解雇の場合も同様である），予告なしの解雇は適法かという問題は，懲戒解雇の有効性とは理論的に別の問題として検討される（退職金不支給の適法性についてはp241 (b)，即時解雇の適法性についてはp208 **1**）。なお，懲戒解雇は懲戒処分の性格と解雇の性格をあわせもつものであるため，労契法上は懲戒処分に関する規定（15条）と解雇に関する規制（16条。p212 **3**）の双方が適用される。[150]

使用者が懲戒解雇の意思表示と同時に，予備的に普通解雇の意思表示をすることがある。この場合，裁判所は，懲戒解雇としての効力を審査し，これが否定された場合には，予備的主張としての普通解雇の効力について判断するという手順をとることが多い。これに対し，使用者が普通解雇の予備的な意思表示をしていない事案で，裁判所が，懲戒解雇としては無効であるが普通解雇としては有効であると判断することができるかが解釈上問題となりうる（いわゆる「無効行為の転換」の可否）。紛争の一回的解決の要請からすればこれを肯定することも考えられるが，懲戒解雇と普通解雇では意思表示の性質が大きく異なり，[151]

---

148)　退職勧告に従わなかった場合には懲戒解雇することが予定されていることが多い。その意味では，この退職勧告による処分は「諭旨退職」と呼称するのが適切であり，従わなかった場合の解雇は次の「懲戒解雇」（**6**）にあたることになる。

149)　例えば，日本クリーン事件・東京高判令和4・11・16労判1293号66頁〔重大な規律違反行為（情報漏洩）はあるが諭旨退職は重きに失するとして無効〕など。

150)　懲戒解雇については労契法15条を適用すれば足りるとする見解も有力である（荒木尚志＝菅野和夫＝山川隆一『詳説労働契約法〔第2版〕』158頁以下（弘文堂，2014））。しかし，①懲戒権濫用（15条）と解雇権濫用（16条）では判断の内容が同一ではないこと，②実態として懲戒処分としての解雇と経営上の必要性に基づく解雇（整理解雇）が明確に峻別できない場合（例えば解雇の必要性がある状況で重大な非違行為を行った労働者を解雇した事案）等もありうることを考えると，懲戒解雇には両規定を重畳的に適用すべきである（レイズ事件・東京地判平成22・10・27労判1021号39頁参照）。もっとも，重大な非違行為への制裁罰としてなされる典型的な懲戒解雇については，労契法15条の合理性・相当性が認められれば，16条の合理性・相当性も認められることになろう。

第2章　雇用関係の変遷　201

転換を容易に認めると相手方（労働者）の地位を著しく不安定にするため，使用者による懲戒解雇の意思表示に普通解雇の意思表示が含まれていない限り，転換を認めるべきではない。[152]

❸ 懲 戒 事 由

懲戒処分の適法性（p197 **3**）を，懲戒事由ごとにみてみよう。

> **事例 46**
>
> 次のような事案において使用者が科した懲戒処分は果たして適法か？
>
> ①工場で旋盤工として働いている松本さんは，大学生のときに成田空港反対闘争に参加し凶器準備集合罪で起訴され（後に執行猶予付きの有罪判決が出された），大学を除籍されて中退していたが，採用試験の際の履歴書には，「最終学歴 高卒」，「賞罰 なし」と記載していた。そのことが入社後約6年経過した時点で判明したため，会社は松本さんを懲戒解雇した。
>
> ②神戸営業所から名古屋営業所への転勤命令を拒否した小藪さんを懲戒解雇した。
>
> ③会社は職員に対し職場内での政治活動を禁止し，かつ，ビラ配布を許可制にしているにもかかわらず，同社職員の木村さんが「ベトナム侵略反対，米軍立川基地拡張阻止」と書いた小型のプレートを着用して勤務し，ワッペン着用を呼びかけるビラを休憩時間中に他の職員に配布したため，同社は木村さんに対して戒告処分を行った。
>
> ④精神的な不調で欠勤している佐藤さんが，有給休暇をすべて消化した後も，欠勤届を提出せずに40日間にわたり欠勤を続けていたため，「正当な理由なく無断欠勤を14日以上続けた」として諭旨退職処分とした。
>
> ⑤会社は物品の私用を禁止しているにもかかわらず，同社職員の河村さんが会社のパソコンを使って私的メールを交信（約7か月で28回）していたため，同社は河村さんを減給処分とした。同社には，業務用パソコンの取扱規則はなく，河村さんに注意や警告をしていなかった。
>
> ⑥深夜に酔っ払って他人の居宅の風呂場に侵入して逮捕され，住居侵入罪として罰金刑に処せられた従業員の土肥さんを，「不正不義の行為を犯し会社の対面を著しく汚した」として懲戒解雇した。
>
> ⑦会社は従業員の兼業を許可制としているが，同社でトラック運転手として働いている中俣さんが会社の許可なく貨物運送のアルバイトをしている（年に1～2回）

---

151) 日本経済新聞社事件・東京地判昭和45・6・23労民集21巻3号980頁など。

152) 三井鉱山事件・福岡高判昭和47・3・30判時669号99頁，野村證券事件・東京高判平成29・3・9労判1160号28頁など。

202　第3編　雇用関係法

ことが判明したため，同社は中俣さんを懲戒解雇した。

1　経歴詐称

　労働者が採用の際に学歴・職歴・犯罪歴など経歴を偽っていた場合，使用者は錯誤（民法95条）または詐欺（96条）があったとして労働契約締結の意思表示を取り消すことができる場合がある。使用者は，この民法上の手段を超えて，懲戒処分により労働者に制裁罰を加えることができるか。この点につき，判例は，経歴は企業秩序の維持にかかわる重要な事項であるから，それを詐称することは懲戒事由となりうる（場合によっては懲戒解雇も可能である）としている。[153]もっとも，懲戒処分の対象となる経歴詐称は，使用者による能力や人物評価を妨げ継続的な労働契約関係における信頼関係を損なうような重要な経歴（最終学歴や職歴など）の詐称に限られる。[154]

2　業務命令違反

　使用者が発した有効な業務命令（配転命令，所持品検査命令など）に労働者が従わなかった場合，業務命令違反として懲戒処分が科されうる。[155]もっとも，業務命令違反が認められても，処分が苛酷にすぎるなどの事情が存在する場合には懲戒権の濫用と評価されることがある。[156]

3　職場規律違反

　就業規則などに記載された職場規律規定に違反する行為は，懲戒処分の対象となりうる。しばしば問題となるのは，職場内でのビラ配布などの政治活動を禁止する規定に違反した場合に，懲戒処分をなしうるかである。判例は，①就業規則に職場内での政治活動の禁止，ビラ配布の許可制を定めることは，企業

---

153)　炭研精工事件・最一小判平成3・9・19労判615号16頁（#55）〔 事例46 の①類似のケース〕など。

154)　学歴詐称については，高く詐称する場合だけでなく，低く詐称する場合（例えば大学中退歴を秘匿して高卒と申告）も懲戒事由に該当しうると解されている（日本鋼管鶴見造船所事件・東京高判昭和56・11・25労判377号30頁，前掲153）炭研精工事件判決など）。

155)　前掲64）東亜ペイント事件判決〔 事例40 ・ 事例46 の②類似のケースで配転命令拒否に対する懲戒解雇は有効〕，前掲128）西日本鉄道事件判決〔所持品検査命令拒否に対する懲戒解雇は有効〕など。

156)　メレスグリオ事件・東京高判平成12・11・29労判799号17頁，山宗事件・静岡地沼津支判平成13・12・26労判836号132頁。

秩序維持の見地から合理的な定めとして許されるとしつつ（就業規則の合理性），
②形式的に同規定違反にあたる行為があったとしても，実質的に企業秩序を乱
すおそれのない特別の事情が認められる場合には，同規定違反は成立しないと
判示している（就業規則の限定解釈）[157]。

　ハラスメントなどの非違行為が懲戒処分の対象とされることも多い[158]。例えば，
女性従業員に対し１年余にわたり露骨で卑わいな性的発言等を繰り返していた
男性管理職に対する出勤停止処分と下位等級への降格について，女性従業員が
明白に拒否の姿勢を示していなかったことや事前に会社が警告や注意等を行っ
ていなかったことは加害者に有利にしんしゃくできる事情とはいえず，本件処
分は懲戒権の濫用にはあたらないとした判例[159][160]がある。

4　無断欠勤等

　労働者が無断で（正当な理由なく）欠勤，遅刻，早退などを繰り返し勤務を怠

---

157)　目黒電報電話局事件・最三小判昭和52・12・13民集31巻7号974頁（#56）〔 事例46 の③
　　類似のケースで特段の事情はないとして戒告処分は有効〕，倉田学園（大手前高（中）校・53年
　　申立て）事件・最三小判平成6・12・20民集48巻8号1496頁〔昼休み時間中に工場食堂内で平
　　穏にビラを配布した行為につき特段の事情ありとして戒告処分は無効〕など。

158)　例えば，大阪観光バス（懲戒解雇）事件・大阪地判平成12・4・28労判789号15頁，国立大
　　学法人Ｂ大学（アカハラ）事件・東京高判平成25・11・13労判1101号122頁，学校法人Ｚ大
　　学事件・東京地判令和元・5・29経速2399号22頁など。

159)　海遊館事件・最一小判平成27・2・26労判1109号5頁。また，市職員が勤務時間中に同市内
　　のコンビニエンスストアでその店員にわいせつ行為をしたことを理由とする6か月の停職処分に
　　つき，厳しく非難されるべき行為であるとして処分を有効とした判例（加古川市事件・最三小判
　　平成30・11・6労判1227号21頁）や，上司や部下への暴行等に対する懲戒処分の審査手続にお
　　いてその公正さを害する行為（暴行の加害者〔被処分者〕が被害者等を威迫した行為）を行った
　　ことを理由とする第2の懲戒処分（停職6か月）を有効と判断した判例（氷見市事件・最三小判
　　令和4・6・14労経速2496号3頁）がある。

160)　その他，非違行為に対する懲戒処分の有効性が争われた近時の裁判例として，ロピア事件・横
　　浜地判令和元・10・10労判1216号5頁〔スーパーマーケット勤務の労働者が商品を会計せずに
　　持ち帰ったことを理由としてなされた懲戒解雇につき，就業規則上の懲戒事由（故意の窃盗）が
　　あったとはいえず，処分も不相当に重いものであるため無効であり，同労働者の居住地の近隣店
　　舗を含む全店舗のタイムカード設置場所や従業員通路に，同人の所属店舗，氏名，商品持ち帰り
　　行為により懲戒解雇処分となったことを記載した書面を掲示したことは，同人の名誉を毀損する
　　不法行為にあたる〕，みずほ銀行事件・東京地判令和2・1・29労判1254号62頁〔情報セキュリ
　　ティ規程に違反して対外秘の情報資産を持ち出し常習的に漏洩していた行為を理由とする懲戒解
　　雇は有効〕，日本郵便（北海道支社・本訴）事件・札幌高判令和3・11・17労判1267号74頁
　　〔100回にわたる旅費の不正受給を理由とする懲戒解雇につき，類似事案での処分例との比較，
　　会社の旅費支給事務の杜撰さ，被処分者のこれまでの成績の優秀さや会社への貢献，反省の程度
　　等を考慮し，権利濫用として無効〕なども参照。

204　第3編　雇用関係法

ることが，懲戒処分の対象（懲戒事由）とされていることがある。もっとも，無断で欠勤したことによって，つねに懲戒処分が有効になされうるわけではない。例えば，**事例46** の④に類似するケースで，判例は，使用者としては，精神科医による健康診断を実施してその診断結果等に応じて休職等の措置を検討し経過をみるなどの対応をとるべきであり，このような対応をとることなく「無断欠勤」として諭旨解雇処分の措置をとった使用者の対応は適切なものとはいい難く，このような事情の下では，労働者の欠勤は懲戒事由たる「無断欠勤」にはあたらないと判示した。[161]

5　会社物品の私用

職場規律の維持や公私混同の回避のため，従業員が会社の物品を私用で用いることが禁止されていることがある。例えば，会社のパソコンを利用した私的メールの送受信などがこれに反する行為として懲戒処分の対象とされることがあるが，①メールの内容が業務関連か私用かを必ずしも明確に区別できない場合には，禁止される「物品の私用」にはあたらないと解釈される可能性があり（就業規則の限定解釈），また，②私用メールの頻度・時間，他の従業員の利用実態，利用規則を整備して注意や警告を行ってきたかという使用者側の予防措置，処分の重さなどを考慮して，懲戒処分は権利の濫用と判断されることがある。[162][163]

6　私生活上の非行

労働者の私生活上の非行についても，会社の名誉や信用を損なうことがあるため懲戒処分の対象とされることがある。もっとも，労働者の職場外・勤務時間外の行為には労働者の私生活（プライバシー）の尊重の要請もはたらくため，懲

---

161)　日本ヒューレット・パッカード事件・最二小判平成 24・4・27 労判 1055 号 5 頁〔諭旨解雇は無効〕。その他，公務執行妨害で逮捕・勾留され 9 日間勤務しなかったこと（無断欠勤）につき，他の懲戒事由（経歴詐称等）とあわせて懲戒解雇事由にあたるとしたもの（前掲153）炭研精工事件判決（〔原審〕東京高判平成 3・2・20 労判 592 号 77 頁）），精神疾患を有している教諭に対し，病状・行状への配慮や業務軽減措置等も行ったうえで，合計 23 回にわたる無断欠勤行為を理由としてなされた懲戒免職処分を有効としたもの（札幌市・市教委（市立中学校教諭）事件・札幌高判平成 28・9・29 労判 1148 号 17 頁）などがある。

162)　全国建設工事業国民健康保険組合北海道東支部事件・札幌地判平成 17・5・26 労判 929 号 66 頁，〔**事例46** の⑤類似のケースで減給処分は無効〕，学校法人 Y 大学事件・東京高判平成 30・6・18 判時 2398 号 106 頁〔職場のパソコンに自らの情交関係を映した動画を保存しコピーした行為などを理由とする懲戒解雇は重きに失し無効〕など。

163)　そもそも会社が従業員のメールの送受信状況を閲覧・監視できるかについては，p147 **2** 参照。

戒事由該当性や懲戒処分の相当性はより厳格に判断されることになる。例えば，タイヤ製造・販売会社の従業員が深夜に酩酊して他人の住居に侵入し 2,500 円（1965（昭和 40）年当時）の罰金刑を受けたため，使用者が同人を懲戒解雇した事案において，判例は，懲戒事由にはあたらない（「会社の体面を著しく汚した」とまではいえない）として懲戒解雇を無効と判断した（就業規則の限定解釈）[165]。

7　二重就職・兼業規制

　会社の承諾（許可）を得ずに他社に雇われたり自ら事業を営むことは，会社の利益を害するおそれがあるため，二重就職または兼業として懲戒事由とされることがある。もっとも，労働者の職場外・勤務時間外の行為については労働者の私生活の尊重や職業選択の自由の要請がはたらくため，二重就職・兼業の懲戒事由該当性やこれに対する懲戒処分の相当性はより厳格に判断されるべきである。これらの点を考慮して，裁判例では，①二重就職・兼業を全面的に禁止する就業規則規定は合理性を欠くが，これを許可制とする規定には合理性が認められる[166]（就業規則の合理性）としつつ，②ⓐ深夜に及ぶ長時間の兼業等で労務提供に具体的に支障が生じる場合や[167]，ⓑ競合する会社へ就職または自ら事業経営し所属企業の利益を侵害するなど背信行為があると認められる場合に限定[168]

---

164)　飲酒運転を理由とする公務員の懲戒免職については，それまでの勤務成績の良好さ，事故後の態度，謝罪・反省の姿勢等の事情を考慮して懲戒免職処分は重すぎる処分であり権利濫用にあたるとしたもの（加西市（職員・懲戒免職）事件・大阪高判平成 21・4・24 労判 983 号 88 頁，水産庁（懲戒免職）事件・東京地判平成 26・2・12 労経速 2207 号 3 頁），事故当時の酩酊状態，警察官への態度の悪さ，報告義務の懈怠等の事情から懲戒免職処分も権利濫用にはあたらないとしたもの（S 市事件・大阪高判平成 22・7・7 労経速 2081 号 28 頁，高知県（酒酔い運転・懲戒免職）事件・高松高判平成 23・5・10 労判 1029 号 5 頁）など，事案（情状等）によって判断が分かれている。

165)　横浜ゴム事件・最三小判昭和 45・7・28 民集 24 巻 7 号 1220 頁（#59）〔 事例 46 の⑥類似のケース〕。これに対し，鉄道会社の従業員が別会社の電車内で痴漢行為をして逮捕され罰金刑に処せられたことからなされた懲戒解雇を有効とした裁判例として，小田急電鉄（退職金請求）事件・東京高判平成 15・12・11 労判 867 号 5 頁（#34）がある。

166)　小川建設事件・東京地決昭和 57・11・19 労判 397 号 30 頁，マンナ運輸事件・京都地判平成 24・7・13 労判 1058 号 21 頁など。

167)　前掲 166）小川建設事件決定，前掲 166）マンナ運輸事件判決など。十和田運輸事件・東京地判平成 13・6・5 労経速 1779 号 3 頁〔 事例 46 の⑦類似のケースで会社の業務に具体的に支障を来したことはない等として懲戒解雇は無効〕も参照。

168)　橋元運輸事件・名古屋地判昭和 47・4・28 判時 680 号 88 頁〔競業会社の取締役に就任〕，ナショナルシューズ事件・東京地判平成 2・3・23 労判 559 号 15 頁〔会社の営業部長だった者が競業する店舗を経営し，会社の支店長を勧誘して雇入れ，会社の仕入先から商品を仕入れ，取引先

206　第 3 編　雇用関係法

して，懲戒事由にあたる（ⓐⓑ以外の場合には許可なく兼業しても懲戒事由にはあたらない）と解釈されている（就業規則の限定解釈）。

　厚生労働省は，2018（平成30）年1月に策定した「副業・兼業の促進に関するガイドライン」（2020（令和2）年9月改定）のなかで，これらの裁判例を参考に，各企業が労働者の副業・兼業の自由を制限することが許されるのは，例えば，①労務提供上の支障がある場合，②業務上の秘密が漏洩する場合，③競業により自社の利益が害される場合，④自社の名誉や信用を損なう行為や信頼関係を破壊する行為がある場合であるとしている。

3　雇用関係の終了

　雇用関係（労働契約）が終了する事由としては，大きく3つのタイプのものがある。第1に，使用者がその一方的な意思表示によって労働契約を解約する「解雇」，第2に，労働者がその一方的な意思表示によって労働契約を解約する「辞職」，第3に，両当事者の合意によって労働契約が解約される「合意解約」である。このなかでも特に「解雇」は，労働者に大きな生活上の打撃等を与えることが多いため，さまざまな形で特別の法的制限が課されている。

　その他，期間の定めのある労働契約の期間満了による終了（「雇止め（やといどめ）」と呼ばれる），傷病休職期間の満了による終了，定年，当事者の消滅（労働者の死亡，使用者（法人格）の消滅（p190 **4**））なども労働契約の終了事由となる。[169]

1　解　雇

　民法は，期間の定めのない雇用契約について，2週間の予告期間を置けばいつでも解約できる旨を定めている（627条1項）。この当事者の解約の自由を使用者側からみたものが「解雇の自由」である。しかし，解雇は労働者の生活に重大な打撃をもたらすことも多いため，法はさまざまな形で解雇に制限を加えて

　　からリベートを要求等）など。

[169]　雇止め，傷病休職期間満了による終了，定年は，広い意味では合意解約（解雇の意思表示を伴う場合には解雇）の一種といえる。定年制と高齢者の雇用・就業については，後の章で検討する（第5章 **1**）。

第2章　雇用関係の変遷　207

いる。これを解雇手続の規制と解雇理由の規制に分けてみていくことにしよう。

■ 解雇手続の規制

1 解雇予告

　民法によると，期間の定めのない雇用契約は2週間の予告期間を置けばいつでも解約できるとされている（627条1項）。この雇用契約（労働契約）の解約のうち，使用者が一方的に行う解雇について，労基法は，それに伴う労働者の生活上の打撃（経済的損失）を和らげるため，予告期間を30日に延長する旨を定めている。使用者は，解雇をするには，少なくとも30日前に労働者に予告をするか，30日分以上の平均賃金[170]（予告手当）を支払わなければならない（20条1項）。この予告日数は1日分の平均賃金を支払った日数だけ短縮できる（同条2項）。

　もっとも，その例外として，①天災事変その他やむを得ない事由[172]により事業の継続が不能になった場合，および，②労働者の責に帰すべき事由に基づいて解雇する場合には，予告なく即時解雇することができるとされている（同条1項但書）。これらの場合には行政官庁の除外認定を受けることが必要である（同条3項）[173]。

> ### 事例47
> 　月曜日に行われる朝礼に5分だけ遅刻した小野寺さんは，朝礼後人事部長に呼び出され，「時間に遅れる奴にはろくな奴はおらん。お前は今日限りでクビ，懲戒解雇だ。退職金も出さん」と宣告された。この解雇は法的に有効か？

　このような事例では，①解雇手続（即時解雇）の適法性，②解雇理由の相当

---

170) 労基法上の「平均賃金」とは，原則として，直前3か月間の賃金総額（臨時に支払われた賃金や3か月を超える期間ごとに支払われる賃金（賞与等）などは含まれない）をその期間の総日数で除することによって算定される（算定方法の詳細については労基法12条参照）。

171) なお，①日々雇用労働者（継続雇用期間が1か月以内の場合），②2か月以内の有期契約労働者（2か月を超えて継続雇用されていない場合），③4か月以内の有期契約で季節的業務に従事している労働者（4か月を超えて継続雇用されていない場合），④試用期間中の労働者（14日を超えて継続雇用されていない場合）については，この解雇予告規定（労基法20条）の適用はない（21条）。

172) 使用者の故意・重過失によらない火災，震災等がこれにあたる（昭63・3・14基発150号）。

173) この行政官庁の除外認定は事実確認的なものであり，これがなくとも「労働者の責に帰すべき事由」がある場合には，使用者は解雇予告手当の支払義務を負わないとした裁判例として，旭運輸事件・大阪地判平成20・8・28労判975号21頁がある。

208　第3編　雇用関係法

性（解雇権濫用，懲戒権濫用），③退職金不支給の適法性などが問題になるが，ここでは，①即時解雇と労基法20条の関係についてみておこう。ここでは特に，ⓐ即時解雇を可能とする「労働者の責に帰すべき事由」の射程と，ⓑ予告義務違反の解雇の効力が問題となる。

　即時解雇を可能とする「労働者の責に帰すべき事由」（ⓐ）について，行政解釈は，労働者の非違行為が重大・悪質であり予告なしで解雇することもやむを得ない場合に限って認められるべきであるとしている[174]。したがって，短時間の遅刻を1回したという事情だけでは，この帰責事由があるとは到底いえないだろう。

　では，即時解雇をなしうる事由が存在しないのに，解雇予告をせず予告手当も支払わないでなされた解雇の効力はどうなるのか（ⓑ）。学説上は，予告義務違反の解雇は無効である（無効説），予告義務違反が成立するのみで解雇自体は有効である（有効説），解雇無効の主張と予告手当の請求を労働者が選択できる（労働者選択権説）といった見解がみられる[175]。これに対し，判例は，使用者が即時解雇に固執しない限り，解雇後30日が経過した時点または予告手当を支払った時点で解雇の効果が発生するという立場（相対的無効説）をとっている[176]（*Column 28*）。

　Column 28　予告義務違反の解雇の効力（私見）　　労基法20条違反の解雇の効力につき，判例は相対的無効説をとっているが，同条の構造と理論的に整合しない。労基法20条は解雇に伴う経済的打撃を30日分緩和するという趣旨・性質の規定であり，解雇の効力には直接触れていない。これに，紛争の一回的解決の要請（かりに解雇を無効としたとしても解雇事由自体が存在していればその後有効に解雇されうることになる）をも併せ考えると，労基法20条は30日前の予告または予告手当の支払いを求めているだけであり，解雇自体を無効とするものではない（有効説）と解釈すべきであろう。

---

174)　昭23・11・11基発1637号，昭31・3・1基発111号。これは，予告なしでよい場合には予告なしでよいとする一種の循環論法であり，論理的にはあまり意味をなさない定義といえる。同条の「労働者の責に帰すべき事由」については，「通常の解雇事由としての労働者の非違行為よりも悪質性が高く，当該労働者を継続して雇用することが企業経営に支障をもたらす場合」との定義が適当であろう。

175)　学説については，東京大学労働法研究会編・前掲84）360頁以下〔森戸英幸〕など参照。

176)　細谷服装事件・最二小判昭和35・3・11民集14巻3号403頁（#70）。

第2章　雇用関係の変遷　　209

2 解雇の時期的制限

　使用者は，労働者が業務上の負傷や疾病による療養のために休業する期間およびその後30日間，ならびに，産前産後休業の期間およびその後の30日間は，その労働者を解雇してはならない（労基法19条1項）。労働者が安心して業務上災害や出産の際に休業をとれるよう保障する趣旨で定められた規定である。例えば，業務に起因してうつ病を発症し休業（療養）している労働者に対し，就業規則上の休職期間（p191 **6**）が満了したとしてなされる解雇は，本条に違反するものとして無効とされる[177]。また，同様の事案で，就業規則上「解雇」ではなく「退職」と記載されていることから，休職期間満了に伴い「退職」したものと取り扱ったとしても，労基法19条1項の類推適用により退職扱いは無効と解される[178]。産休中の従業員を退職扱いとし退職通知を送付した行為は，労基法19条1項および育児介護休業法10条（p326 **5**）に違反し不法行為にあたるとした裁判例もある[179]。

　ただし，使用者が業務上の傷病について療養開始後3年を経過しても治らないため平均賃金の1,200日分の打切補償（81条）を支払った場合，または，天災事変その他やむを得ない事由により事業の継続が不可能となった場合（この場合には行政官庁の認定が必要である（19条2項））には，以上の解雇制限は適用されない（19条1項ただし書）。労基法81条の打切補償の支払いは，文言上使用者が災害補償を行っていること（75条）を前提としているように読めるが，判例は，労災保険法による保険給付はこれに代わるものとの実質をもつものであるため，労災保険法による療養補償給付を受ける労働者が療養開始後3年を経過しても治らないため使用者が打切補償を支払った場合にも，労基法19条1項ただし書により解雇制限は解除されると解している[180]。これらの場合にも，解雇権濫用法理（労契法16条）の適用はあるが，裁判例のなかには，労基法81条の打切補償の要件を満たした場合には，業務上の疾病の回復のための配慮を

---

177) 東芝（うつ病・解雇）事件・東京高判平成23・2・23労判1022号5頁〔業務に起因してうつ病を発症し約3年間休業していた労働者に対する解雇は労基法19条に違反し無効〕。
178) アイフル（旧ライフ）事件・大阪高判平成24・12・13労判1072号55頁，社会福祉法人県民厚生会ほか事件・静岡地判平成26・7・9労判1105号57頁など。
179) 出水商事事件・東京地判平成27・3・13労判1128号84頁。
180) 学校法人専修大学事件・最二小判平成27・6・8民集69巻4号1047頁（#71）。

210　　第3編　雇用関係法

全く欠いていたというような特段の事情が認められない限り，解雇は合理的理由があり社会通念上も相当と認められることになるとしたものがある。[181]

3 労働協約等による手続的制限

労働協約や就業規則上，使用者が解雇を行うときには労働組合と事前に協議しまたは同意を得ることを要する旨が定められることがある（「解雇協議・同意約款」と呼ばれる）。これらの規定は労働契約の内容となり（労組法16条，労契法7条参照），使用者の解雇権を契約上制限するものとなる。これらの規定に反して解雇する権限を使用者はもたないため，これらの手続を踏んでいない解雇は無効となる。

❷ 解雇理由の規制

1 法令による制限

法令により，一定の理由による解雇が禁止されている場合がある。これは2つの類型のものに大別されうる。

第1に，差別的な解雇の禁止である。①国籍・信条・社会的身分を理由とした解雇（労基法3条），②組合所属または正当な組合活動等を理由とした解雇（労組法7条），③性別を理由とした解雇（均等法6条），④女性の婚姻・妊娠・出産等を理由とする解雇（均等法9条）⑤通常の労働者と同視すべき短時間・有期雇用労働者に対する解雇（パート有期法9条），⑥障害者であることを理由とする解雇（障害者雇用促進法35条）などがそれにあたる。

第2に，法律上の権利行使を理由とした解雇の禁止である。①育児・介護休業等の申出・取得を理由とする解雇（育児介護休業法10条，16条など），②裁量労働制，高度プロフェッショナル制度の適用を拒否したことを理由とする解雇（労基法38条の4第1項6号，41条の2第1項9号，労基則24条の2の2第3項1号），③事業主にハラスメントの相談をしたこと等を理由とする解雇（均等法11条2項，11条の3第2項，育児介護休業法25条2項，52条の4第2項），④公益通報者

---

181) アールインベストメントアンドデザイン事件・東京高判平成22・9・16判タ1347号153頁。学校法人専修大学事件（前掲180）の差戻審・東京高判平成28・9・12労判1147号50頁は，本件は労働能力の喪失が認められる事案であり，解雇までの間に業務上の疾病の回復のための配慮を全く欠いていたという特段の事情もないため，解雇権濫用にはあたらないとした。

保護法上の公益通報をしたことを理由とする解雇（3条），⑤労働基準監督官等に法違反の事実を申告したことを理由とする解雇（労基法104条2項，労安衛法97条2項，最賃法34条2項，賃確法14条2項），⑥厚生労働大臣に労働者派遣法違反等の事実を申告したことを理由とする解雇（49条の3第2項），⑦個別労働紛争解決促進法上の紛争解決援助を求めたこと等を理由とする解雇（4条3項，5条2項），⑧均等法，パート有期法，労働者派遣法上の紛争解決援助を求めたこと等を理由とする解雇（均等法17条2項・18条2項，パート有期法24条2項・25条2項，労働者派遣法47条の7第2項・47条の8第2項），⑨障害者雇用促進法上の紛争解決援助を求めたこと等を理由とする解雇（74条の6第2項，74条の7第2項）などである。

2 就業規則・労働協約による制限

就業規則には通常，解雇事由を定めた規定が置かれている（有斐閣HPの就業規則例15条参照。2003（平成15）年労基法改正により解雇事由が就業規則への必要記載事項であることが確認された（89条3号））。その趣旨については，限定列挙とする見方と例示列挙であるとする見方があるが，裁判例では限定列挙とされることが多い。[182] 限定列挙とされる場合には，解雇事由に該当する事実は使用者側が主張立証すべきことになる。[183]

3 判例による規制

前述のように，日本の民法は雇用契約（労働契約）の解約の自由を定めている（627条1項）。しかし，使用者が行う一方的な解約である解雇については，労働者の生活に重大な影響を与えることを考慮して，判例により大きな制約が加えられるに至っている。

そもそも終戦後の昭和20年代には，解雇は実態としてかなり広く行われていたが，下級審裁判例のなかには，解雇が与える労働者の生活への深刻な影響を考慮して解雇に正当な理由を要求するものもみられた。[184] その後，昭和30年

---

182) 寿建築研究所事件・東京高判昭和53・6・20労判309号50頁など。この点は，理論的には，どのような趣旨で解雇事由を列挙したか，個別の事案に応じた契約（就業規則規定）の解釈の問題といえる。

183) ゼネラル・セミコンダクター・ジャパン事件・東京地判平成15・8・27労判865号47頁。使用者が解雇事由に該当する事実を立証できなかった場合には，解雇権の不存在または解雇の合理的理由の不存在（p213 (1)）を理由に解雇は無効となる。

212 第3編 雇用関係法

代以降の高度経済成長のなかで，正社員の長期雇用慣行を中心とする日本的雇用システムが徐々に定着・浸透していくと，キャリアの途中での解雇の労働者への打撃は一般的により大きなものとなっていく。このような社会実態のなかで，昭和40年代には，正当な理由がない解雇は権利の濫用（民法1条3項）として無効となるという解雇権濫用法理が，下級審裁判例のなかでほぼ定着するようになる。この流れを受け，最高裁は，昭和50（1975）年の日本食塩製造事件判決[185]において，「使用者の解雇権の行使も，それが客観的に合理的な理由を欠き社会通念上相当として是認することができない場合には，権利の濫用として無効になる」と判示し，判例法理としての解雇権濫用法理を確立した。この法理は，2003（平成15）年労基法改正によって労基法18条の2として法律上明文化され，さらに2007（平成19）年労契法の制定に伴って労契法16条として規定されるに至った（労基法18条の2は削除された）。

(1) **解雇権濫用法理**　判例（それを明文化した労契法16条）によると，解雇は，①客観的に合理的な理由を欠き，②社会通念上相当であると認められない場合には，権利の濫用として無効となるとされている。権利濫用法理という一般法理を用いて，解雇に，客観的合理性（①）と社会的相当性（②）という2つの要件が課されているのである。この2つの要件を満たす具体的な解雇理由の存在については，実際の裁判では，使用者が主張立証責任を負うとされることが一般的である。[186]

事例48

　新大谷社で30年にわたり経理業務に従事してきた陣内さんは，同社でペーパーレス化・テレワーク化が進められるなか，新しく導入された業務ソフトによる処理に順応できず，業務遂行が滞るようになった。同社は，陣内さんを解雇できるか？　60歳定年制，60歳以降70歳までの継続雇用制度をとっている同社は，陣内さんと同様に新技術に順応できない59歳の鷲谷さんを，本人が継続雇用を希望し

---

184) 例えば，東京生命保険事件・東京地決昭和25・5・8労民集1巻2号230頁，日本曹達事件・新潟地高田支判昭和25・8・10労民集1巻5号835頁。

185) 最二小判昭和50・4・25民集29巻4号456頁。

186) 2003（平成15）年労基法改正時の衆参両院の附帯決議参照。理論的には，①解雇理由についての情報・資料は通常は使用者が有していること，②就業規則上の解雇事由が限定列挙とみられる場合にはそれに該当する事実の主張立証責任は使用者側が負う（p212 **2**）が，解雇の合理性・相当性を基礎づける事実と就業規則上の解雇事由該当性を基礎づける事実は多くの場合重なりあうことから，使用者に解雇理由の主張立証責任が課されることが多いものと理解されうる。

第2章　雇用関係の変遷　213

ているにもかかわらず，同制度の対象とせずに60歳定年をもって雇用終了とすることができるか？

　解雇の合理的理由（①）は，一般に，ⓐ労働者の労働能力や適格性の低下・喪失（例えば労働者が私的な事故により労働能力を喪失したこと），ⓑ労働者の義務違反や規律違反行為などの非違行為（例えば労働者が度重なる遅刻や早退で企業秩序を乱したこと），ⓒ経営上の必要性（例えば経営難で人員整理もやむを得ないこと）という大きく3つの類型に分けられる[187]。

　これらの理由のうちのどれかが存在した（①客観的に合理的な理由がある）としても，さらに解雇は，社会通念上相当なものとして認められなければならない（②社会的相当性の要件）[188]。この点につき，日本の裁判所は，容易には解雇の社会的相当性を認めず，労働者側に有利な諸事情を考慮したり，解雇以外の手段による対処を求めたりすることが多い。

　ⓐ労働者の能力や適格性を理由とした解雇の事例としては，一方で，本人の特段の能力を期待して人事本部長という職務上の地位を特定して中途採用した者について，人事本部長としての業務履行や能率が極めて悪いことから，他の職種への配置換えを検討しないでなされた解雇を有効とした裁判例があるが[189]，他方，タクシー運転手として勤務することを予定して入社した労働者が二種免許を喪失しタクシー運転手の業務に就けなくなったとしても，使用者が他の職種を提供することは困難ではないことから，そのことのみをもって解雇することはできないとした裁判例がある[190]。このように，労働能力の有無を判断する職種の範囲（その時点で従事している職種で判断するか，他のより容易な職種での就労可能性も含むか）は，契約上職種が特定されている度合いや他の職種を提供することの難易などを考慮して，個別の事案ごとに決定されている。

　また，どの程度能力・能率が低ければ解雇が可能といえるかについては，人

---

187)　その他，ユニオン・ショップ協定に基づき非組合員が解雇されるというケースも日本ではありうる（p405 **2**）。
188)　実際の裁判例においては，この2つの要件は明確に区別されることなく一体として判断されることが多い。
189)　フォード自動車事件・東京地判昭和57・2・25労判382号25頁。
190)　東京エムケイ事件・東京地判平成20・9・30労判975号12頁。

214　第3編　雇用関係法

事考課の結果が下位 10% 未満の者に対してなされた解雇について，いまだ解雇事由たる「労働能率が劣り，向上の見込みがない」とはいえないとして解雇を無効としたもの[191]，通信社の記者の職務能力の不十分さを使用者が主観的評価として認識していたとしても，同人は PIP（業績改善プラン）の課題をほぼ達成しているなど，その職務能力の低下は重大なものであったとはいえず，使用者側が具体的に改善矯正策を講じたが改善がなされなかったとの事情も認められないとして解雇を無効としたもの[192]など，単に能力・能率が低いだけではなく，労働契約の継続を困難とするほどの重大な能力低下がなければならず，また，使用者として具体的に改善矯正策を講じたが改善されず改善の見込みもないことが求められることが多い[193]。解雇を有効とした近時の例としては，エンジニアの能力・能率が一定程度低かったなかで使用者から改善協力を求められても真摯な対応をせず使用者の指示にも従わない姿勢を示していたこと等からなされた解雇[194]，協調性に欠け著しく不適切な言動や職務怠慢があった労働者に対し複数回の指導・注意を行ったが改善の見込みがなかったなかで行われた解雇[195]，長期間にわたり多数のパワハラ行為（部下等への暴行・暴言等）を繰り返してきたことを理由とする消防職員の分限免職処分（民間企業では普通解雇に相当）につき同人の粗野な性格を簡単に矯正することはできず改善の余地がないとみることも不合理ではないとされた例[196]などがある。

　ⓑ労働者の非違行為を理由とした解雇については，代表的な例として，ラジオニュースの担当アナウンサーが 2 週間に 2 度寝過ごして放送事故を起こし，第 2 事故に関しては当初上司に報告せずその後事実と異なる報告書を提出したことを理由としてなされた普通解雇につき，「必ずしも社会的に相当なものと

---

191) セガ・エンタープライゼス事件・東京地決平成 11・10・15 労判 770 号 34 頁。
192) ブルームバーグ・エル・ピー事件・東京高判平成 25・4・24 労判 1074 号 75 頁（＃73）。
193) 日本アイ・ビー・エム事件・東京地判平成 28・3・28 労判 1142 号 40 頁〔現在の担当業務に関して業績不良があるとしても，その適性に見合った職種への転換や職位への降格，一定期間内に業績改善がみられなかった場合の解雇の可能性をより具体的に伝えたうえでの業績改善機会の付与などの手段を講じることなく行われた解雇は権利濫用として無効〕など。 事例48 の陣内さんについても，適性に見合った職種転換や職務能力の改善矯正策などを講じることなく能力不足として解雇することは権利濫用にあたると解される。
194) Zemax Japan 事件・東京地判令和 3・7・8 労経速 2467 号 18 頁。
195) インジェヴィティ・ジャパン合同会社事件・東京地判令和 4・5・13 労経速 2507 号 14 頁。
196) 長門市・市消防長事件・最三小判令和 4・9・13 労判 1277 号 5 頁。

して是認することはできない」として，同解雇を無効とした最高裁判決[197]がある。この事案のように，裁判所は，労働者の責めに帰すべき事情だけでなく，労働者に有利な事情等も考慮に入れて，総合的に解雇の合理性・相当性を判断する傾向にある[198]。解雇を有効とした近時の例としては，社内における自己の意見・不満を外部にぶちまけるメールを関係者等に送付した労働者の担当を停止して難易度が低い単純作業を担当させる業務指示を出したがこれに従わず，その後も上長の指示命令に従わない状態を継続したなかでなされた解雇，指揮命令違反の程度は著しく，使用者の注意・指導に対しては改善の姿勢を示さずかえって反抗的な態度を示していた労働者の解雇[199]の例がある（ⓑ労働者の義務違反・規律違反行為を理由とする解雇については p202 **3** の懲戒解雇・諭旨解雇等の事例[200]も参照）。

(2) 整理解雇の法理

> **事例 49**
>
> 酸素・窒素等の製造販売等を営む TY 酸素社のアセチレン部門では，競争激化，生産効率の低下等のなかで約 8 年にわたり赤字が累積したため，同社は同部門の閉鎖を決定し，同部門で働く従業員全員を解雇することにした。同部門の閉鎖にあたり，他部門への配転や希望退職者の募集等の措置はとられなかった。この解雇は有効か？

整理解雇とは，使用者が経営不振などの経営上の理由により人員削減の手段として行う解雇をいう。これは，前述の解雇の合理的理由（p213(1)）のうち第 3 の理由（ⓒ経営上の必要性）に基づく解雇のことをさす。整理解雇は，他の類型の解雇とは異なり，労働者側の事由を直接の理由とした解雇ではないことから，一般の解雇と比べてより具体的で厳しい制約が課されている。すなわち，解雇の客観的合理性と社会的相当性という一般的・抽象的な 2 つの要件をより

---

197) 高知放送事件・最二小判昭和 52・1・31 労判 268 号 17 頁（#72）。
198) グレイワールドワイド事件・東京地判平成 15・9・22 労判 870 号 83 頁〔就業時間中の私的メールで会社の対外的信用を害しかねない上司批判を繰り返すなどしたことは解雇事由にあたるが，同社で約 22 年間良好な勤務成績をあげて会社に貢献してきたことを考慮すると解雇は無効〕，近鉄住宅管理事件・大阪地判令 4・12・5 労判 1283 号 13 頁〔マンション管理人のマスク不着用（苦情 1 件），通勤手当の不正受給（意図的でなく合計 3 万円弱）という規律違反を理由とする解雇は社会通念上相当といえず無効〕なども参照。
199) 東芝総合人材開発事件・東京高判令和元・10・2 労判 1219 号 21 頁。
200) 欧州連合事件・東京地判令和 4・2・2 労経速 2485 号 23 頁。

216　第 3 編　雇用関係法

具体化する形で，裁判例上，次にあげるような「整理解雇の4要件」が設定されている（*Column 29*）。

***Column 29*　整理解雇法理が形成された経緯**　　整理解雇法理は，1971（昭和46）年のドルショックおよび1973（昭和48）年の第1次オイルショックに起因する構造的不況・雇用調整の波のなかで，裁判所が形成していった法理である。その背景には，当時の日本社会に既に社会通念として浸透していた長期雇用慣行が存在し，特に造船業・鉄鋼業等の大企業でとられた雇用調整方法（入念な労使協議を行いながら多様な手段を講じて解雇をできる限り回避するという手法）をモデルとしながら，この法理が形成されていったという経緯がある。

この整理解雇法理の「4要件」を初めて明確な形で提示したのは，大村野上事件判決である。[201] その後の東洋酸素事件判決[202]では，就業規則の解雇事由（「やむを得ない事業の都合」）該当性の判断として，①人員削減の必要性，②解雇の必要性，③人選の合理性の「3要件」が明示されるとともに，④解雇に至る手続が労使間の信義則に反しないことが解雇の効力発生要件としてあげられており，全体として整理解雇の「4要件」が掲げられた（もっとも同判決では個別の要件の判断が緩和され，結論として整理解雇は有効とされた）。最高裁も，あさひ保育園事件判決[203]において，園児の減少に対応して保母2人の人員削減が決定され希望退職者募集等の措置がとられなかったこと（①・②），人員整理の決定と同時に2名の指名解雇の実施が決定されたこと（③），職員に対し人員整理の必要性等を説明して協力を求める努力が一切なされず解雇日の6日前に突如解雇が通告されたこと（④）に言及しながら，当該整理解雇を権利の濫用にあたると判断しており，それまでの下級審裁判例が形成した整理解雇法理を実質的に踏襲した判断をした。

①　人員削減の必要性　　まず，経営上の理由により人員削減をする必要性があることである。この点につき，近年の裁判例は，企業の経営実態に細かく立ち入って審査することを控え，使用者の経営判断を基本的に尊重する傾向にある。もっとも，企業の財政状況に全く問題がない場合や[204]，整理解雇を行いつつ新規採用をするといった矛盾した行動がとられていた場合[205]には，人員削減の必要性がなかったものと評価されうる。

201）　長崎地大村支判昭和50・12・24労判242号14頁。
202）　東京高判昭和54・10・29労判330号71頁（#74）〔 事例49 　類似のケース〕。
203）　最一小判昭和58・10・27労判427号63頁。
204）　前掲183）ゼネラル・セミコンダクター・ジャパン事件判決〔給与の約3年半分に相当する巨額の利益剰余金がある財務状況での高コスト体質の改善のための解雇につき人員削減の必要性を否定〕，バークレイズ証券事件・東京地判令和3・12・13労判1290号91頁〔外資系金融機関の雇用慣行についても整理解雇法理は妥当するとし，解雇以前から収益が拡大しているなかで行われた経営効率化のための解雇につき人員削減の必要性を否定〕など参照。
205）　オクト事件・大阪地決平成13・7・27労判815号84頁，泉州学園事件・大阪高判平成23・7・15労判1035号124頁など。

② 解雇回避努力　　次に，人員削減をする必要性が認められる場合でも，解雇という手段をとる前に，解雇以外の人員削減手段を用いて解雇をできる限り回避することが求められる。一般的には，整理解雇を行う前に，残業の削減，新規採用の手控え，余剰人員の配転・出向，非正規従業員の雇止め・解雇，一時休業，希望退職者の募集などの手段をとって，解雇を回避する真摯な努力を行っておくことが要求されている[206]。ただし，これらの措置のうちいかなるものをとるべきかは個々の事案によって異なりうるものであり，解雇回避努力の内容を一律に画定すること（機械的にこれらの諸措置すべてをとることを求めること）はできない。ここで求められるのは，当該企業において可能な限りの措置をとって解雇を回避するよう努力を尽くすことである[207]。

③ 人選の合理性　　解雇回避努力を尽くしてもなお余剰人員が存在する場合，その数（余剰人員数）を画定したうえで，合理的な人選基準を定め，その基準を公正に適用して被解雇者を決定することが求められる[208]。合理的な基準の

---

206) 例えば，前掲 203) 最高裁あさひ保育園事件判決では，解雇回避措置をとらずに実施した整理解雇が権利の濫用にあたり無効とされた。学校法人奈良学園事件・奈良地判令和 2・7・21 労判 1231 号 56 頁〔大学の学部廃止に伴う教員の解雇につき，職種限定合意があったとしても整理解雇法理の適用が排除されるわけではなく，他学部への異動の可否の検討など解雇回避努力が尽くされていない等として解雇は無効〕，センバ流通（仮処分）事件・仙台地決令和 2・8・21 労判 1236 号 63 頁〔コロナ禍で雇用調整助成金の利用が可能であったにもかかわらずこれを利用しないで行った解雇につき，解雇回避措置が不十分だとして解雇は無効〕なども参照。

207) 財団法人市川房枝記念会事件・東京地判平成 20・4・22 労経速 2007 号 21 頁〔小規模の財団法人における事業縮小の事案で，余剰人員を配転・出向させて対処する余地がないなか，退職勧奨を行って話合いによる解決を目指した（労働者側がこれに応じないまま事業終了日が到来し解雇した）ことで，解雇回避に向けた一応の努力をしたことを肯定〕，新井鉄工所事件・東京高判平成 30・10・10 労経速 2391 号 28 頁〔ほぼ唯一の事業からの撤退を決め他部門等への配転可能性がないなかで希望退職に応じない者すべてを解雇対象としたことについて解雇回避努力を尽くしていないとはいえないと判断〕，クレディ・スイス証券事件・東京高判令和 5・1・25 労経速 2525 号 26 頁〔運用部廃止に伴う解雇につき，使用者は原告労働者の適性や意向に配慮しながら異動に向けた提案をしたにもかかわらず，同人は長期間にわたって真摯な対応を怠っていたこと等から解雇回避努力を肯定〕，クレディ・スイス証券事件・東京地判令和 5・5・31 労経速 2526 号 18 頁〔ポジションごとに定員や職務要件が決まっている人事制度において，原告労働者が部長を務めていた金融市場営業部が閉鎖され，その職位，報酬や専門性に適したポジションがないなかで，具体的なポジションの提示等がなかったとしても，解雇回避努力を尽くしていないとはいえないと判断〕など参照。

208) 森山（仮処分）事件・福岡地決令和 3・3・9 労判 1244 号 31 頁〔コロナ禍での業務縮小を理由とする解雇につき，希望退職者を募ることなく幹部会で人選を行い，解雇対象者から意見聴取も行わずになされた解雇は無効〕参照。

218　第 3 編　雇用関係法

例としては，勤務成績，勤続年数，労働者の生活上の打撃（扶養家族の有無・数）などがあげられる。もっとも，この人選基準も個々の事案により異なりうるものであり，一律にその適否を判断することはできない。なお，「責任感」や「協調性」といった抽象的な基準は，客観性を欠き恣意的な選定を許すものとして，その合理性が否定されることがある。[210]

　④　手続の妥当性　　さらに，労働協約や就業規則に解雇協議約款（p211 **3**）がある場合はもちろん，そうした規定がない場合でも，使用者は信義則上労働組合や労働者に対して，人員整理の必要性，解雇回避の方法，整理解雇の時期・規模・人選の方法などについて説明を行い，その納得を得るために誠意をもって協議しなければならないと解されている。[211]裁判例のなかには，労働組合と協議しその合意を得ていたが，被解雇者となる可能性の高い労働者（組合員）から意見を聞くなどの手続をとっていなかったことから，解雇手続は十分な相当性を備えたものとはいえないとしたものもある。[212]

　なお，裁判例では，この整理解雇の4「要件」を「要素」である（すべてを満たすことは必ずしも必要ではない）と理解し，この4つの要素などを総合的に判断して整理解雇の合理性・相当性を決しようとする傾向がある。[213]理論的には，

---

209)　ヴァリグ日本支社事件・東京地判平成 13・12・19 労判 817 号 5 頁〔「53 歳以上の幹部職員」という人選基準について，経済的代償や再就職支援なく「53 歳」という年齢を基準とすることは労働者やその家族の生活への配慮を欠くものであり，また，「幹部職員」のみを解雇対象とすることも業務の性質からみて合理的とはいえないとして，人選基準の合理性を否定〕，横浜商銀信用組合事件・横浜地判平成 19・5・17 労判 945 号 59 頁〔年齢，職位，考課といった選定基準自体は合理的であるとしつつ，これらをどのように考慮し人選をしたのか不明であるとして，人選の合理性を否定〕など。

210)　労働大学事件・東京地判平成 14・12・17 労判 846 号 49 頁〔「適格性の有無」という基準の合理性を否定〕。

211)　ネオユニットほか事件・札幌高判令和 3・4・28 労判 1254 号 28 頁〔就労継続支援 A 型（雇用型）事業所の閉鎖に伴うスタッフおよび利用者の解雇につき，被解雇者への説明等の手続の相当性を否定〕，アンドモワ事件・東京地判令和 3・12・21 労判 1266 号 74 頁〔コロナ禍での店舗の大規模撤退を理由とした整理解雇につき，人員削減の必要性，解雇回避努力，人選の合理性は認められるが，被解雇者に書類確認の趣旨の架電がなされただけで解雇について説明がなされなかったことは解雇手続として著しく妥当性を欠くとして，解雇は無効〕など。

212)　ジャパンエナジー事件・東京地決平成 15・7・10 労判 862 号 66 頁。

213)　ロイヤル・インシュアランス・パブリック・リミテッド・カンパニー事件・東京地決平成 8・7・31 労判 712 号 85 頁，山田紡績事件・名古屋高判平成 18・1・17 労判 909 号 5 頁，ユナイテッド・エアーラインズ（旧コンチネンタル・ミクロネシア）事件・東京高判令和 3・12・22 労判 1261 号 37 頁など。

第 2 章　雇用関係の変遷　　219

「権利濫用」という一般法理の適用の問題である以上，これらの事情を総合考慮して決定する（4要素以外にも考慮要素はありうる）との立場をとることも不適当ではない。ただし，このような立場をとったとしても，総合考慮される諸要素のなかでこれら4つの要素は相対的に重要な要素である（「要件」に近い要素である）ことが否定されるわけではないことには注意が必要である。[214]

いずれの理解に立つにしても，①から③を基礎づける事実については具体的解雇理由として使用者側が主張立証責任を負い，④については労働者側がその欠如（手続の不当性）について主張立証責任を負うものと位置づけられる。[215]そこで提示された事実を勘案して整理解雇の合理性・相当性（権利濫用性）を判断することになる（***Column 30***）。

Column 30　会社更生手続と解雇権濫用（整理解雇）法理——日本航空事件判決　　日本航空が会社更生手続により企業再建を図るなかで管財人が行った解雇について，東京高裁は，解雇権濫用法理は当然適用されるとしたうえで，①本件解雇当時，破綻的清算を回避し利害関係人の損失の分担のうえで成立した更生計画の履行として，事業規模に応じた人員規模にするために人員を削減する必要があったこと（解雇後営業利益が飛躍的に改善したとしても解雇の時点で人員削減の必要性がなかったとは推認できないこと），②賃金減額による人件費圧縮，特別早期退職・希望退職の募集等一定の解雇回避努力を行ったこと，③恣意が入る余地がない人選基準を作成し，同基準に基づいて解雇対象者を選定したこと，④労働組合と13回の団体交渉を行い，解雇対象者に特別退職金と一時金を支給してその理解を得るよう努めたことから，本件解雇は管財人が有する権限の濫用とは認められないと判示した。[216]このように企業の倒産手続がとられている場合でも，法人格が消滅していない限り解雇権濫用（整理解雇）法理を適用することは可能であり（p190 **4**参照），その枠組みのなかで具体的な状況に応じた解釈を行えばよい。

(3)　変更解約告知の法理

事例50

スウェーデン航空では，世界的な不況と航空規制緩和に伴う競争激化のなかで，業績が悪化している日本支店の合理化・コスト削減計画を立て，その一環として，

---

214)　実際の裁判例でもこれらの4要素の重要性は認識されており，これらのうち1つでも欠けると権利濫用と判断されることが多い（山川・前掲54）267頁以下，荒木・前掲45）352頁など参照）。

215)　前掲183）ゼネラル・セミコンダクター・ジャパン事件判決，東京自転車健康保険組合事件・東京地判平成18・11・29労判935号35頁など。

216)　日本航空（運航乗務員整理解雇）事件・東京高判平成26・6・5労経速2223号3頁〔最一小決平成27・2・5判例集未登載（上告棄却・不受理）により確定〕。日本航空事件・大阪高判平成28・3・24労判1167号94頁〔最三小決平成29・6・6労経速2320号48頁（上告不受理）により確定〕も参照。

日本支店の従業員に賃金体系の変更（年俸制の導入），退職金制度の変更および労働時間の変更を内容とする労働条件の大幅な変更を申し出たうえで，これに応じなかった両角さんら 25 名を全員解雇した。両角さんらは，同社に対し，解雇の無効と従前の労働条件による処遇を求めることができるか？

　変更解約告知とは，労働条件の変更を申し入れ，これに応じない場合には労働契約を解約する旨の意思表示をいう。その本来の目的は，解雇それ自体というより，（解雇の脅威を背景にした）労働条件の変更にあることが多い。日本では，使用者は配転などによって労働義務の内容を相当程度変更することができ（p176 **3** 以下），また，就業規則の改定によって集団的に労働条件を変更することも可能である（p84 **3**）ため，労働条件変更のために変更解約告知という手段を用いる必要性はさほど高くない。

　変更解約告知の法的取扱いについて，日本の裁判例の立場は分かれている。裁判例のなかには，事例50 に類似したケースで，変更解約告知に応じない労働者の解雇の効力について，①労働条件変更の必要性が労働者の被る不利益を上回っていて，変更に応じない労働者の解雇がやむを得ないものと認められ，かつ，②解雇回避努力が十分に尽くされていることを要件に，解雇を適法としたものがある。[217] これは変更解約告知について特別の法理を提示したものといえる。他方，ドイツと異なって明文の規定のない日本においては，労働条件の変更ないし解雇に変更解約告知という独立の類型を設けることは相当でないとした裁判例もある。[218]

　変更解約告知をめぐって理論的に問題となる点は，大きく次の 2 点である。

　1 つは，変更解約告知に対し，労働者が異議をとどめて承諾することを認め，雇用を継続しながら労働条件変更の効力を争うことができるようにするかである。ドイツとは異なって日本にはその可能性を認める明文の規定がなく，逆に日本の民法は相手方の申込みに対し条件を付けて承諾する可能性を否定している（528 条）ことから，わが国では異議留保付承諾の可能性を認めることはできないとする見解もある。[219] しかし，①民法 528 条は契約の成立に関する規定で

217）　スカンジナビア航空事件・東京地決平成 7・4・13 労判 675 号 13 頁（#75）〔事例50 類似のケース〕。
218）　大阪労働衛生センター第一病院事件・大阪地判平成 10・8・31 労判 751 号 38 頁。

第 2 章　雇用関係の変遷　221

あり，継続的契約である労働契約の内容を変更する申込み（変更解約告知）には同条の適用はないと解釈できること[220]，および，②異議留保付承諾を認めることによって，労働者が労働条件変更の承諾か解雇かという二者択一の選択を迫られることを回避できる（労働条件変更自体を争う選択肢が与えられる）ことから，労働者の異議留保付承諾（労働条件変更に合理性がないことを解除条件とした承諾）の可能性を認めるべきであろう[221]。この立場に立つと，労働者が異議留保付承諾をした場合，労働条件変更が合理的であれば解除条件の不成就により承諾の効果が有効に発生し[222]，労働条件変更に合理性がないときには承諾が解除されて変更前の契約内容に基づく請求が認められる（変更拒否を理由としてなされた解雇は合理的理由を欠き無効とされる）ことになる。

　もう1つの問題は，労働者が労働条件変更を承諾しなかった場合になされる解雇の効力をいかに判断するかである[223]。この点について理論的に考えると，変更解約告知を経た解雇についても，解雇自体については通常の解雇と異なる行為があるわけではない。したがって，整理解雇法理も含む通常の解雇権濫用法理の枠内で，解雇の前に労働条件変更の申出（一種の解雇回避措置）がなされていること，労働条件変更のために配転や就業規則変更という手段を用いる可能性がなかったこと（あるいはあったこと）など，変更解約告知に伴う特殊な事情を考慮に入れながら，解雇の合理性・相当性（権利濫用性）を判断すればよい[224]。例えば，人員削減を目的とした変更解約告知に対して，これに応じない者が多数出たからといって，余剰人員数を確定することなくこれらの者すべてを解雇

219）　日本ヒルトン事件・東京高判平成14・11・26労判843号20頁。

220）　土田道夫『労務指揮権の現代的展開』460頁以下（信山社，1999），荒木尚志『雇用システムと労働条件変更法理』307頁以下（有斐閣，2001）など。

221）　理論的には，労働者が一時的に使用者の申入れに従って就労することに使用者に特段の不都合はないから，使用者は労働者による異議留保付承諾を認めるべき信義則上の義務を負うと解釈されうる（土田・前掲220）461頁参照）。

222）　東京海上日動火災保険（契約係社員）事件・東京地判平成19・3・26労判941号33頁は，使用者による労働条件変更（契約上限定された職種の変更）の有効性について，変更の必要性・相当性，労働者の不利益の程度・代償措置など，就業規則変更の合理性と類似した判断要素（p92(d)）を掲げて判断している。

223）　上記の2つの裁判例（前掲217）スカンジナビア航空事件決定と前掲218）大阪労働衛生センター第一病院事件判決）は，この点で見解が分かれている。

224）　その意味では，上記の2つの裁判例のうち，大阪労働衛生センター第一病院事件判決の方が理論的に妥当と解される。

することは，合理性・相当性を欠き権利濫用として無効と解される。[225]

(4) **解雇権濫用の法的効果**　権利の濫用とされた解雇は私法上無効となる（労契法16条）。裁判所は，本案訴訟においては，労働者が労働契約上の権利を有する地位にあることを確認する判決を下し，保全手続では，労働契約上の権利を有する地位にあることをかりに定める仮処分命令などを下すことになる。また，この場合，解雇期間中は使用者の責めに帰すべき事由によって就労ができなかったものとして，賃金請求権は消滅せず，労働者は解雇無効期間中の賃金の支払いを請求できると判断されるのが一般的である（民法536条2項（*Column 31*）。解雇期間中に中間収入があった場合の取扱いについてはp255(3)参照）。さらに，労働者が違法な解雇によって賃金以外にも損害（精神的損害など）を受けたことを立証できれば，不法行為として損害賠償を請求することもできる（民法709条）。なお，権利濫用にあたる解雇をされた労働者が，解雇の効力は争わず，不法行為として損害賠償請求のみを行う場合もある。この場合，労働契約は終了したものとして取り扱われるため賃金請求権自体は認められないが，違法な解雇によって生じた賃金相当額の経済的損害（逸失利益）や精神的損害[226]（慰謝料）の賠償が認められる。[227]飲酒癖のため取引先からも苦情が寄せられ，自ら勤務態度を改める見込みも乏しかった統括事業部長兼務取締役の解雇は不法行為にはあたらないとした最高裁判決がある。[228]

Column 31　**解雇権濫用と賃金請求権の存否**　労働者が労働義務を履行できない場合に使用者の責めに帰すべき事由（民法536条2項）による履行不能といえるかどうかは，履行不能に至った理由・経緯，両当事者の態様，その際の状況などを総合的に勘案しながら判断される。権利濫用にあたる解雇によって履行不能となった場合，違法な解雇をした使用者自身に第一次的な責任があるため，労働者が現実の履行の提供をしていなくても賃金請求権は失わない（履行不能の帰責事由は使用者にある）。[229]ただし，労働者側に客観的にみて就労の意思や能力がないなど，履行不能の原因は違法な解雇ではなく労働者側の事情にあると認められる場合には，

---

225)　関西金属工業事件・大阪高判平成19・5・17労判943号5頁参照。

226)　わいわいランド事件・大阪地判平成12・6・30労判793号49頁。

227)　東京セクハラ（M商事）事件・東京地判平成11・3・12労判760号23頁〔6か月分の賃金相当額および20万円の慰謝料を認容〕，前掲114）JT乳業事件判決〔2年分の賃金相当額と再就職先での賃金との差額および100万円の慰謝料を認容〕，テイケイ事件・東京地判平成23・11・18労判1044号55頁〔34週分の賃金相当額を認容〕など。

228)　小野リース事件・最三小判平成22・5・25労判1018号5頁。

229)　前掲178）アイフル（旧ライフ）事件判決参照。

賃金請求権は消滅することになる。[230]

2 解雇以外の終了事由

■ 辞職と合意解約

> **事例 51**
>
> 荒木鐵工所で働いている神吉さんは，ある政治団体への勧誘活動を非公然に行っていたところ，同社の同僚で同じ政治団体に加入していた石﨑さんが突然失踪した。同社は，石﨑さんの失踪について調査を行うなかで，石﨑さんと神吉さんが同じ政治団体に加入していることを示す資料を入手した。同社の人事部長である笠木さんは神吉さんと面談し，その資料を神吉さんに提示したところ，神吉さんは呆然自失の態でしばし沈黙した後，突然退職する旨を告げ，慰留も拒み，「一身上の都合」と記入した退職届を提出した。人事の最終決済権者である笠木人事部長は，この退職届を受領した。翌日，神吉さんは弁護士と相談し，同社宛に退職の意思表示を撤回する旨の内容証明郵便を送付した。退職の撤回は認められるか？

1 定義と性質決定

解雇とは対照的に，労働者がその一方的な意思表示によって労働契約を解約することを「辞職」という。また，両当事者の合意に基づいて労働契約が終了することを「合意解約」という。

実際上問題となることが多いのは，事例51 のように，労働者が突然「辞めます」という発言をしたり，辞表や退職届などを会社に提出した場合に，辞職の意思表示をしたことになるのか，合意解約の申込みをしたことになるのかという点である。後述するように，前者にあたる場合には相手側への到達後は撤回できず，後者にあたる場合には相手方が承諾するまでは撤回できると解釈されている。また，前者は意思表示の 2 週間後に効力が発生するが，後者は即時解約も可能と解されている。これらの効果の違いがあるため，いずれにあたる

---

230) ニュース証券事件・東京高判平成 21・9・15 労判 991 号 153 頁など。他所で就労していたとしても，解雇が無効とされた場合には復帰して就労する意思と能力を保持し続けていると認められるから，賃金請求権は消滅しないとした裁判例として，新日本建設運輸事件・東京高判令和 2・1・30 労判 1239 号 77 頁なども参照。

224　第 3 編　雇用関係法

かが重要な争点となることがある。

　外形的には，辞職の意思を伝える旨の「辞表」や「辞職届」の提出は辞職の意思表示であり，退職を願い出て相手の応答を待つ旨の「退職願」や「依願退職届」は「合意解約の申込み」にあたるといえそうである。もっとも，意思表示の性質決定は，その形式や文言のみによってなされるものではなく，当事者の真意がいずれにあったのかを客観的な実態等に照らして行われるべきものである。理論的には，それぞれの定義に沿って，労働者の意思表示が使用者側の対応・返答を待たずに労働契約を終了させようとするもの（例えば使用者に退職を申し出たり願い出るものではなく一方的に辞めることを告げるもの）なのか，使用者側の対応・返答を待って結論を出そうという趣旨のもの（例えば使用者に退職を申し出たり願い出るもので一方的な通告でないもの）なのかを探究することによって，その性質を決定することになる。[231]

　いずれの意思表示であったとしても，そもそも真意に基づく確定的な意思表示といえるのか，意思の欠缺または意思表示の瑕疵があり無効または取り消しうるものでないのかが，問題となりうる（p226 **4**）。

2　辞　　職

　期間の定めのない労働契約の場合，労働者は 2 週間前に申し入れればいつでも辞職することができる[232]（民法 627 条 1 項）。辞職は，労働者の一方的な意思表[233]

---

231)　全自交広島タクシー支部事件・広島地判昭和 60・4・25 労判 487 号 84 頁〔「今月いっぱいで辞めさせていただきます」との労働者の発言を合意解約の申込みと解釈〕，株式会社大通事件・大阪地判平成 10・7・17 労判 750 号 79 頁〔「会社を辞めたる」との労働者の発言を合意解約の申込みと解釈〕など。

232)　就業規則上辞職の予告期間を 2 週間を超える期間（例えば 30 日間）とする規定が置かれていることもあるが，2 週間を超える部分は民法 627 条 1 項に反し無効となる（広告代理店 A 社元従業員事件・福岡高判平成 28・10・14 労判 1155 号 37 頁参照）。これに対し，同条を任意規定と解し 2 週間を超える予告期間も有効とする見解もある（東京大学労働法研究会編・前掲 84）314 頁〔野田進〕など）が，不当な拘束を防ごうとする同条の趣旨に照らすと妥当な解釈とはいえない。

233)　ただし，期間によって報酬が定められている場合，使用者からの解約の申入れは次期以後についてすることができ，その申入れは当期の前半に行わなければならない（例えば月給制の場合，解雇の申入れは月の前半に行うことによって翌月 1 日以降に効力を発生させることができる。民法 627 条 2 項）。6 か月以上の期間によって報酬を定めた場合（例えば年俸制の場合）には，この解約の申入れは 3 か月前にしなければならない（同条 3 項）。やむを得ない事由がある場合には，期間の定めの有無にかかわらず，直ちに解約することができる（628 条）。2017（平成 29）年民法（債権法）改正（2020（令和 2）年 4 月 1 日施行）により，期間によって報酬を定めた場

示によって効力が発生するもの（形成権の行使）であり，使用者にその意思表示が到達した時点以降は撤回できない。この場合，予告期間満了によって契約終了の効果が発生することになる。ただし，錯誤（民法95条），詐欺・強迫（96条）など意思の欠缺や意思表示の瑕疵があった場合には，意思表示の無効や取消しを主張することができる（下記 **4**）。

3　合意解約

「合意解約」は労働者と使用者の合意により労働契約を終了させるものであり，2週間の予告期間を置くことなく，両当事者の合意に基づいていつでも契約を終了させることができる。

この合意解約は両当事者の意思表示が合致することにより成立するが，労働者の合意解約の申込みの意思表示については，使用者側が承諾の意思表示をするまではこれを撤回することができると解釈されている[234]。なお，2017（平成29）年民法改正により，意思表示の効力発生時期が到達時に統一されたこと（改正民法97条1項〔2020（令和2）年4月施行〕）により，労働者側の合意解約の申込みに対する使用者側の承諾の意思表示も，相手方（労働者）に到達した時点で効力が発生することとなった[235]。

4　退職（辞職・合意解約）の意思表示の欠缺・瑕疵

事例 52

五反田ゼロックス社で営業職に従事している東口さんは，同社の勤怠管理システ

　　合の解約期間の制限（民法627条2項・3項）は使用者からの解約にのみ適用されるものとされたため，期間によって報酬を定めた場合でも労働者からの辞職の意思表示は2週間前の予告（同条1項）により行うことができることとなった。

[234]　大隈鐵工所事件・最三小判昭和62・9・18労判504号6頁（#68）〔 事例51 類似のケースで，最終決裁権者である人事部長が退職願を受理した時点で承諾の意思表示があったと認定〕，岡山電気軌道（バス運転者）事件・岡山地判平成3・11・19労判613号70頁〔退職承認の権限をもたない常務取締役観光部長による退職届受領後の撤回を承認〕など。なお，契約の申込みに対し一定の拘束力を認めている民法523条以下の規定は，新たな契約締結の際の申込みを想定したものであり，継続的な契約関係である労働契約を終了させようとする合意解約の申込みには適用されないと解釈されている（〔上記大隈鐵工所事件の原審〕名古屋高判昭和56・11・30判時1045号130頁など）。

[235]　日東電工事件・広島高判令和4・6・22労判ジャーナル131号40頁〔労働者による退職願の提出行為は合意解約の申込みの意思表示にあたるとし，部長が同労働者に対し退職願が会社に受理されていることを伝えたことにより使用者の承諾の意思表示が同労働者に到達したと認められ，労働契約は合意解約によって終了したと判断〕参照。

226　第3編　雇用関係法

ム上，自らの労働時間を実際よりも長く入力し（誤入力分約1万1700円），外出旅費や通勤交通費の二重請求をしていた（約9400円）ことも判明した。東口さんは，同社の人事担当者の森田さんから「職を辞して懲戒解雇を避けたいのか」，「自主退職であれば退職金は出る」，「自主退職するか，会社から放逐されるか，決めてほしい」と言われ，「罪をつぐない職を辞します」と記した顛末書を提出して，自主退職する旨の意思表示をした。東口さんから相談を受けた労働法に詳しいあなたは，どうアドバイスするか？

　労働者による辞職または合意解約の申込み・承諾の意思表示については，そもそも真意に基づく確定的な意思表示といえるのか，意思表示にあたり心裡留保，錯誤，詐欺・強迫などがあったとして合意解約を無効としまたは取り消すことができる場合にあたらないかなどが問題となる。

　まず，労働者の真意に基づく確定的な意思表示といえるのかを明らかにする必要がある。裁判例として，労働者が非を指摘されその反発心から突発的に退職する旨発言し，翌日は通常通り勤務，翌々日の夕刻に退職しない旨発言した事案で，労働者の退職の発言をもって確定的な退職の意思表示があったとはいえないとしたもの，労働者が口頭で自主退職の意思表示をしただけで書面による意思表示を明示していない場合には，外形的に自主退職を前提とするような行動をとった（マンション住込管理人が管理人室を退去した）としても，そのような行動をとらざるを得ない特段の事情があれば，自主退職の意思表示と評価することはできないとしたものがある。

　また，使用者側からの退職の提案に対して労働者がとった言動が合意解約の承諾にあたるかが問題となることもある。裁判例として，上司による退職勧告に対し労働者（カナダ人）が「それはグッド・アイデアだ」と答えたのは，退

236）　税理士事務所地位確認請求事件・東京地判平成27・12・22労経速2271号23頁。

237）　日本ハウズイング事件・東京地判平成26・12・24労経速2339号25頁。その他，リバーサイド事件・東京高判令和4・7・7労判1276号21頁〔シフト制で勤務する労働者がシフトの提出を行わなかったこと等により退職の意思表示があったとはいえず，使用者の帰責事由による不就労期間中の賃金請求権の金額を過去の平均労働時間等を考慮して認定〕，栃木県・県知事（土木事務所職員）事件・宇都宮地判令和5・3・29労判1293号23頁〔うつ病で傷病休暇中の職員が一貫して復職を希望していたにもかかわらず，上司から退職以外の選択肢の提示なく退職を勧められ退職の選択肢しかないという思考に陥って提出した退職願について自由意思の存在を否定〕など。

職承諾の趣旨ではなく呆れた感情を大げさに表現したものにすぎないとしたも[238]の，使用者からの退職勧奨に対し残りの勤務日について有給休暇を取得したり退職金を受領していたとしても，仕事を継続したい旨の意向を一貫して表明していた場合には合意解約が成立していたとはいえないとしたもの[239]などがある。

　労働者が退職の意思なく退職する旨の意思表示をした場合，それが真意に基づかないことを使用者が知りまたは知ることができたときは，その意思表示は無効となる（民法 93 条 1 項ただし書[240]）。また，例えば，自主退職しなければ懲戒解雇になると誤信してなされた退職の意思表示には動機の錯誤が認められ，その動機は使用者に表示されていたといえるから，退職の意思表示には要素の錯誤が認められ無効であるとした例[241]など，退職の意思表示の動機に重要な誤信があり，その動機が相手方（使用者）に表示され，表意者（労働者）に重過失がない場合には，重要な錯誤として退職の意思表示を取り消すことができる（同法 95 条[242]）。さらに，労働者を一室におしとどめて懲戒解雇や告訴をほのめかし退職を強要するなど，労働者に恐怖心を抱かせて退職の意思表示をさせた場合には，強迫として退職の意思表示を取り消すことができる（同法 96 条[243]）。

---

238)　朋栄事件・東京地判平成 9・2・4 労判 713 号 62 頁。

239)　O 法律事務所（事務員解雇）事件・名古屋高判平成 17・2・23 労判 909 号 67 頁。また，使用者から退職勧奨を受けて退職合意書に署名したことにつき，両当事者間に交渉力の差異があり，退職は労働者に大きな不利益を生じさせることから，労働者が自由意思に基づいて退職の意思を表示していることが必要であるとした裁判例（グローバルマーケティングほか事件・東京地判令和 3・10・14 労判 1264 号 42 頁〔自由意思に基づくものとはいえないとして退職合意の成立を否定。最高裁山梨県民信用組合事件判決（p86 注 40)）参照〕）もある。

240)　昭和女子大学事件・東京地決平成 4・2・6 労判 610 号 72 頁〔退職する意思なく提出された退職願につき，それが真意に基づくものではないことを使用者側も知っていたとして心裡留保にあたり無効〕。

241)　富士ゼロックス事件・東京地判平成 23・3・30 労判 1028 号 5 頁〔 事例52 類似のケース〕。

242)　学校法人徳心学園（横浜高校）事件・横浜地決平成 7・11・8 労判 701 号 70 頁〔懲戒解雇になると誤信してなされた合意解約の申込みは動機の錯誤であり無効〕，ビジョン事件・東京地判平成 27・7・15 労判 1145 号 136 頁〔転勤先で勤務できる程度に病状が回復したとの診断書が提出されない限り復職は認められないと誤信し診断書を提出できないことが退職の動機であることを表示して行った退職の意思表示は錯誤として無効〕，テイケイ事件・東京地判令和 4・3・25 労判 1269 号 73 頁〔休憩時間を 2 時間取って申告しなかったことが執行猶予の付かない重大な犯罪（電子機器使用詐欺罪）であるとの虚偽の説明をされ，退職すれば警察には連れていかない旨を使用者から告げられて退職の意思表示をしたことは，退職しなければ罪を免れられないと誤信してなされた錯誤にあたり無効〕など。

243)　石見交通事件・松江地益田支判昭和 44・11・18 労民集 20 巻 6 号 1527 頁，ソニー（早期割増退職金）事件・東京地判平成 14・4・9 労判 829 号 56 頁など。

5　退職勧奨

事例 53

　フグの関商業高校では，教員の新陳代謝を図るために高年齢教員を対象に退職勧奨を実施した。同高校の教諭の増尾さんは，同高校を設置する市教育委員会から約3か月の間に十数回出頭を命じられ，同委員会次長の磯野さんらから「あなたが辞めたら2，3人は雇えますよ」，「組合が要求している定員増もあなた方がいるからできませんよ」，「とにかく勧奨はしますよ。いつまでかかろうと，イエスと言ってもらえるまでやります」等との発言を繰り返された。増尾さんは，このような退職勧奨に対し，何らかの請求をすることができるか？

　使用者が，人員削減等の理由から，労働者の辞職または合意解約の申込み・承諾を促す形で，退職を勧奨することがある。この退職勧奨は，基本的に労働者の自由意思を尊重する態様で行われる必要があり，この点が守られている限り，使用者はこれを自由に行うことができる。これに対し，使用者が労働者に対し執拗に辞職を求めるなど，労働者の自由な意思の形成を妨げ，労働者の人格的利益を侵害する態様で退職勧奨が行われた場合には，労働者は使用者に対し不法行為（民法709条）として損害賠償を請求することができる。例えば，労働者が退職しない旨を表明しているにもかかわらず長時間・長期間にわたり勧奨を繰り返した事案[244]，労働者の名誉感情を不当に害する屈辱的な言辞を用いて執拗に退職勧奨が行われた事案[245]，上司らが繰り返し辞職を迫り考慮の機会を与えないままその場で退職願の作成等の手続をさせようとした事案[246]などで，社会通念上相当と認められる範囲を超えた違法な退職勧奨として不法行為に基づく損害賠償請求が認められている。

---

244)　下関商業高校事件・最一小判昭和55・7・10労判345号20頁（#69）〔事例53類似のケース〕，日本航空（雇止め）事件・東京高判平成24・11・29労判1074号88頁，日立製作所（退職勧奨）事件・横浜地判令和2・3・24判時2481号75頁など。

245)　兵庫県商工会連合会事件・神戸地姫路支判平成24・10・29労判1066号28頁〔「自分で行き先を探してこい」，「ラーメン屋でもしたらどうや」，「管理職としても不適格である」などと発言して退職勧奨を行った理事および使用者の不法行為責任を肯定〕。

246)　東武バス日光ほか事件・東京高判令和3・6・16労判1260号5頁。

第2章　雇用関係の変遷　229

② 期間の定めのある労働契約の終了

　日本では，原則として3年以内の期間であれば，期間の定めのある労働契約を締結することが認められている（労基法14条参照）。期間の定めのある労働契約については，やむを得ない事由がなければ，期間途中で契約を解約することはできない（民法628条，労契法17条1項参照）。期間の定めのある労働契約の期間が満了すれば，契約関係が終了するのが原則であるが，労契法は，有期契約労働者を雇用の不安定さから実質的に保護する目的で判例上形成された雇止め法理を法文化し，有期労働契約が実質的に無期労働契約と同視できる場合，および，労働者の更新の期待に合理的理由が認められる場合には，使用者による雇止めに客観的合理性・社会的相当性が必要であることを定めている（19条）。これらの点の詳細については，後述する（p354 _2_）。

3 終了後の法規制

　労働契約の終了に伴って労働契約上の権利義務の多くは消滅する[247)]。しかし，労働者と使用者の間のすべての権利義務が消滅するわけではない。

① 契約の定めに基づく権利義務

　第1に，労働契約上の定めに基づいて権利義務が契約終了後も残ることがある。例えば，就業規則規定などに基づく労働者の競業避止義務（p107(2)）や使用者の退職金支払義務（p240(4)）などである。

　退職後に支払われる企業年金について，退職後の労働者にも就業規則等の規程を変更してその減額や打切りを行うことができるかが問題となることがある。ここでまず問題となるのは，（自社年金について）就業規則変更の効果を退職した労働者に及ぼすことができるかである。しかし，労働者は退職後は労働者（労契法2条1項）でなくなるため，就業規則変更の効果（10条）は及ばないものと解される[248)]。そこで次に，就業規則とは別に退職年金規程（規約）などが設けられそこに改定条項（改廃規定）が定められている場合，それに基づいて退

---

247)　開成交通事件・東京地判平成23・3・30労経速2109号26頁〔社宅契約は労働契約の終了に伴い終了するとして会社から定年退職者への社宅明渡請求を認容〕。
248)　荒木＝菅野＝山川・前掲150）111頁参照。

230　第3編　雇用関係法

職年金の減額や打切りを行うことができるかが問題となる。この点につき，裁判例には，①改定条項に基づく年金減額措置につき一定の合理性・必要性が認められるため権利の濫用にはあたらず有効としたもの[249]，②改定条項があるとしても支給を打ち切る権利まで留保したものとはいえないとして年金打切措置を無効としたもの[250]，③改廃規定に基づく給付額の減額につき変更の必要性，変更内容の相当性，手続の相当性など就業規則変更と類似の視点から合理性が認められるとして減額を有効としたものなどがある[251]。理論的には，企業年金の根拠規定となっている契約の解釈の問題である[252][253]。

② 法律上の定めに基づく権利義務

第2に，法律上の定めに基づいて契約終了後も権利義務が残る場合がある。不正競争防止法に基づく秘密保持義務（p107 (2)）や労基法等に基づく次の諸義務である。

1 退職時の証明

労働者が退職する際に，使用された期間，業務の種類，事業における地位，賃金，退職の事由（解雇理由を含む）について証明書を交付するよう請求した場合，使用者は遅滞なくこれを交付しなければならない（労基法22条1項）。解雇

249）　幸福銀行（年金減額）事件・大阪地判平成10・4・13労判744号54頁。
250）　幸福銀行（年金打切り）事件・大阪地判平成12・12・20労判801号21頁。
251）　松下電器産業（年金減額）事件・大阪高判平成18・11・28労判930号13頁，りそな企業年金基金・りそな銀行（退職年金）事件・東京高判平成21・3・25労判985号58頁，早稲田大学（年金減額）事件・東京高判平成21・10・29労判995号5頁など。
252）　森戸英幸『企業年金の法と政策』216頁以下（有斐閣，2003），内田貴「民営化（privatization）と契約――制度的契約論の試み(5)(6)完」ジュリスト1309号51頁以下・1311号142頁以下（2006）など参照。
253）　企業年金には，それぞれの企業が独自に行う自社年金のほかに，企業から独立した別法人によって管理・運用される厚生年金基金や確定給付企業年金など（法定企業年金）がある。後者（厚生年金基金，確定給付企業年金）については，公的年金との関連づけや税制上の優遇等があるため，それを減額しようとする場合には，上記の契約上の根拠に加えて，法令上，①給付額の減額がやむを得ないと認められること，②受給権者等の3分の2以上の同意を得られていることなどを要件に，厚生労働大臣の認可または承認を受けることが必要とされている（厚生年金基金設立認可基準，確定給付企業年金法施行令4条2号・7条，同法施行規則5条・6条・12条・13条。前掲251）りそな企業年金基金・りそな銀行（退職年金）事件判決参照）。この厚生労働大臣の承認が与えられなかったことの適法性が争われた事件として，NTTグループ企業（年金規約変更不承認処分）事件・東京高判平成20・7・9労判964号5頁〔不承認処分は適法と判断〕がある。

第2章　雇用関係の変遷　231

予告の日から退職の日までの間に請求した場合も（解雇以外の理由で退職したときを除き）同様である（同条2項）。この証明書には労働者の請求しない事項を記入してはならない（同条3項）。解雇の場合には，解雇理由を具体的に記載する必要があるが，労働者が解雇の事実のみの記載を請求したときには解雇理由を記載してはならない（平11・1・29基発45号）。

2　金品の返還

使用者は，労働者が死亡または退職した場合に権利者（本人，相続人など）の請求があったときには，7日以内に賃金を支払い，また，積立金，保証金，貯蓄金その他名称のいかんを問わず，労働者の権利に属する金品を返還しなければならない（23条）。ただし，退職金は，労基法上の賃金（p248 **1**）にあたる場合でも，定められた支払期日までに支払えば足りる（昭26・12・27基収5483号など）。

3　帰 郷 旅 費

満18歳未満の年少者が解雇から14日以内の日に帰郷する場合には，解雇について年少者に帰責事由があり同事由について行政官庁の認定を受けた場合を除き，使用者は帰郷に必要な旅費を負担しなければならない（64条）。

4　労働保険・社会保険の手続

事業主（使用者）は，雇用保険法および健康保険法・厚生年金保険法上の義務として，公共職業安定所長および年金事務所に，被保険者資格喪失届を提出しなければならない（雇用保険法7条・83条1号，健康保険法48条・208条1号，厚生年金保険法27条・102条1号）。雇用保険に関しては，事業主は離職証明書等を添付して提出しなければならず（雇用保険法施行規則7条），これに基づいて公共職業安定所長は失業等給付（p482 **2** など）を受給するために必要な離職票を労働者に交付する（17条）。

使用者が雇用保険および健康保険・厚生年金保険の被保険者資格取得届を公共職業安定所長および社会保険事務所（当時）に提出することを怠っていたことは，使用者の労働契約上の付随義務違反として債務不履行を構成するとして，使用者に，雇用保険に加入していれば得られたはずの給付金と同額の損害等の賠償[254]，および，労働者が自ら国民年金・国民健康保険の保険料を負担し，本来受けられたはずの厚生年金給付を受けられなくなったことによる損害等の賠償[255]

を命じた裁判例がある。

254）　医療法人一心会事件・大阪地判平成 27・1・29 労判 1116 号 5 頁。
255）　豊國工業事件・奈良地判平成 18・9・5 労判 925 号 53 頁〔本人が年金の支給開始年齢に達していた事案で，本来受けられたはずの厚生年金給付相当額を含めて損害を認定〕，有限会社 Y 事件・東京高判令和 4・8・19 判時 2552 号 92 頁〔本人が年金支給開始年齢に達していない事案で，将来の年金支給額を確定することは著しく困難であるとして，民訴法 248 条に基づき相当な損害額を認定〕など。NOVA 事件・名古屋高判令和 2・10・23 労判 1237 号 18 頁〔業務委託契約による英会話講師について実態は健康保険法上の被保険者に該当するにもかかわらずその届出義務を怠っていた使用者に対し，1 人あたり 3 万円ないし 15 万円の慰謝料の支払いを命令〕などもある。

第 2 章　雇用関係の変遷　　233

第3編

第3章　雇用関係の内容

1　基本的労働条件

1　賃　金

1　賃金の形態と法

　労働の対価として支払われる賃金は，労働条件のうちで最も重要なものの1つである。賃金は，給料，給与，俸給，労賃，手当などさまざまな名称で呼ばれている。

　賃金を，いかなる期間を単位として決定されているかという観点からみると，時間給，日給，月給，年俸などの形態がみられる。これらのほかに，賞与（一時金。いわゆるボーナス）や退職金が支払われることもある。

　賃金の内訳をみると，例えば月給（月例賃金）の場合には，基本給と諸手当（資格手当，家族手当，通勤手当など）からなる所定内賃金と，特別な勤務に対して支払われる所定外賃金（時間外労働賃金，休日労働賃金，特殊勤務手当など）から構成されていることが多い（**図表3**〔次頁〕）。

　賃金をいかなる形態でいかなる額のものとするかは，基本的に当事者が自由に決定できるものであり，後に述べるような法律上の規制（p248**3**）に反しない限り，労使自治や契約自由の原則に委ねられるものである。

　賃金をめぐる法的問題のポイントは，①賃金はどのような根拠によって発生するのか（p236**2**），②有効に発生した賃金に対してどのような法規制がかけられているのか（p248**3**）の2点にある。

235

図表3 賃金の内訳（月給の場合）

2 賃金請求権

1 賃金請求権の発生

(1) **発生根拠と発生時期**　賃金請求権の根拠は，それを支払う旨の当事者の合意に求められる。民法は「労働に従事すること」に対して「報酬を与えること」を内容とした契約を雇用契約と定義し（623条），労働と報酬（賃金）が対価関係にあることを示しているが，労働に対して報酬を支払わない旨の契約（無償（準）委任契約）をすることも法的には制限されていない。また逆に，労働をしていない期間でも，家族手当，住宅手当，休職中の賃金保障など労働契約上の定めに基づいて賃金が支払われることもある。このように，賃金請求権は，労働自体によって根拠づけられるわけではなく，労働者に対して賃金を支払う旨の合意にその根拠がある。この合意は，労働協約，就業規則の定めのみならず，当事者間の明示・黙示の合意，事実たる慣習など，労働契約の内容となりうるすべての形態の法源によって形成されうる（p67 第3章）。裁判例としては，長年の確立した慣行の存在から労使慣行（p95 _1_）に基づく退職金請求権を肯定したもの[1]，求人票上の「退職金有り」という記載から退職金請求権を肯定したもの[2]，募集広告に「月給18万8000円＋能力給＋各種手当」との記載がありそれと同内容の説明を受けていたことから基本給月額18万8000円の請求権を認めたもの[3]などがある。

賃金請求権がいつ発生するかについても，基本的に当事者の合意の内容（個

---

1) 学校法人石川学園事件・横浜地判平成9・11・14労判728号44頁。
2) 丸一商店事件・大阪地判平成10・10・30労判750号29頁。
3) 美研事件・東京地判平成20・11・11労判982号81頁。三菱自動車（執行役員退職金）事件・最二小判平成19・11・16労判952号5頁〔退任する執行役員に対し退職慰労金を必ず支給する旨の合意や事実たる慣習があったとはいえないとして執行役員による退職慰労金請求権を否定〕も参照。

別の契約の解釈）によって確定される。個別の契約の解釈によっても具体的な合意内容が確定できない場合には，賃金の支払時期（履行期）に関する民法上の任意規定（624条）に従って，労務の提供または報酬単位期間の経過とともに賃金請求権が発生すると解釈される[4]。この労務の提供は債務の本旨に従ったものでなければならない[5]（p100(1)）。

(2) **労働義務が履行不能の場合の賃金請求権**　　労働義務が履行不能となった場合の賃金請求権の帰趨についても，基本的には個別の契約の解釈によることになる。例えば，家族手当や住宅手当について具体的な就労の有無にかかわらず支給する旨の合意があると解釈される場合には，労働不能の場合にもこれらの手当を請求できることになる。しかし，個別の契約の解釈によってもこの点についての合意内容が明らかにならない場合には，民法上の危険負担に関する規定（536条）によって処理されることとなる。この場合，履行不能が天災事変など両当事者の責任によらずに生じたときには使用者は労働者からの賃金請求を拒むことができる（同条1項）が，使用者の責めに帰すべき事由によって履行不能となったときには労働者からの賃金請求を拒むことができない（同条2項）。この使用者の帰責性の有無は，履行不能に至った理由・経緯，両当事者の態様，その際の状況などを総合的に勘案して判断される。使用者の責任が肯定される例としては，違法な解雇によって就労不能となった場合（p223(4)），正当性のないロックアウトによって就労不能となった場合（p444 **3**），使用者側の事情で労働者を自宅待機としている場合[6]，シフト制において一定の日数・時間数を所定労働時間とする合意等が認定できるなかで使用者がシフトの日数・時間数を削減して労働者が就労できない場合（p96注59））などがあげられる（**Column 32**）。

Column 32　経営難による休業と賃金請求権（裁判例）　　やむを得ない経営状況のなか，

4）　東京大学労働法研究会編・『注釈労働基準法（上）』372頁以下〔水町勇一郎〕（有斐閣，2003）。
5）　労働者が債務の本旨に従った履行の提供をしようとしているのに使用者がその受領を拒否している場合には，使用者の責めに帰すべき履行不能として労働者からの賃金請求を拒むことができない（(2)）。
6）　アディーレ事件・東京地判平成31・1・23労経速2382号28頁〔業務停止処分を受けた弁護士法人が所属弁護士を自宅待機としたことにつき使用者の帰責事由による履行不能と判断〕，JTB事件・東京地判令和3・4・13労経速2457号14頁〔不正受給の調査等のため命じられた出勤停止期間につき業務上の都合によるものとして使用者の帰責性を肯定〕など。

多数組合との協定に基づき，賃金の6割を支給しながら4日から6日間の一時的な休業（一時帰休）が実施された事案で，原告労働者が所属する少数組合に対し使用者が十分な説明をせず，真剣かつ公正な方法で誠実に交渉したとはいえないことなどを考慮して，使用者の帰責性を肯定し，賃金全額の請求を認めた裁判例がある[7]。また，有期契約によって雇用された労働者（期間工）全員に対し期間途中で合意解約を申し入れ，これに応じない労働者に対し期間満了日まで平均賃金の6割の休業手当を支給しつつ休業扱いとしたことについて，有期契約の期間中の賃金債権の維持の期待は保護されなければならず，正社員等には休業期間中に基本日給100％を支給していることとも著しく均衡を欠いている（労契法3条2項参照）として，賃金全額の請求（民法536条2項）を認めたものもある[8]。このように，就労不能時の賃金請求の可否を決める鍵となる使用者の帰責性（民法536条2項）の有無は，交渉手続の公正さを含む諸事情を総合考慮して決められている。

(3) 賞与請求権

(a) **日本の賞与の特徴・性格**　日本企業においては，夏と冬の年に2回賞与（一時金）が支給されることが多い。その額は，通常，基本給額などの基礎額に支給率（月数）を乗じることによって算定されるが，個々の労働者の賞与額については出勤率，人事考課（査定）などを考慮して具体的に確定されることが多い。

賞与は，賃金後払的性格とともに，従業員の貢献に対する功労報償的性格，将来の労働に対する勤労奨励的性格，企業業績の収益分配的性格などの性格をもっていることが多い。法的には，その算定方法，支給内容等の実態を踏まえながら，個別具体的にその性格を評価・判断していくことが重要である。

(b) **賞与請求権の発生**

事例54

　アルコ製作所の就業規則には，「毎年6月および12月に会社の業績，従業員の勤務成績等を考慮して賞与を支給する」との規定があり，同社は，これまで毎年，年に2回，従業員に賞与を支給してきた。しかし，国際競争が激しくなるなかで売上げが激減し企業収益も悪化してきたため，今年の冬のボーナスを支給しない方針を固め，賞与のための査定や賞与の支給率決定をしなかった。アルコ製作所の従業員で，家族とクリスマスやお正月を過ごすためのボーナスを心待ちにしていた平子さんは，同社に対し賞与の支払いを請求することができるか？　会社の経営状態は悪くないなかで，会社内の不正を告発したために会社から自宅待機扱いされ賞与の査

7）池貝事件・横浜地判平成12・12・14労判802号27頁がある。
8）いすゞ自動車（雇止め）事件・東京高判平成27・3・26労判1121号52頁。

238　第3編　雇用関係法

定がなされなかった（ゆえに賞与不支給とされた）酒井さんについてはどうか？

　賞与請求権も，当事者間の合意（個別の契約の具体的な解釈）に基づいて発生する[9]。多くの企業では，　事例54　のように，就業規則上賞与の支給規定が定められている（労基法89条4号参照）が，その支給の前提となる具体的な支給率・額について使用者の決定や労使の合意・慣行がない場合に，賞与請求権が発生するかが解釈上問題となる。判例・裁判例の多くは，具体的な額の決定がない以上，賞与請求権は具体的には発生しないとする[10]。もっとも，使用者による正当な理由のない低額の賞与決定や賞与不支給に対し，過去の支給実績等に照らして一定額の賞与請求権が認められると契約解釈（黙示の合意の認定）をしたものや[11]，継続勤務によって最低保証額の賞与請求権は発生する（個別の人事査定を要しない）として最低保証額の賞与請求権を認めたもの[12]など，実態に応じた柔軟な契約解釈により賞与請求権の発生を認めた裁判例もある。また，賞与額の確定に必要な査定を使用者が行わなかったことについて，査定がない以上具体的な賞与請求権は発生しないが，労働者の期待権を侵害しているとして賞与相当額の損害賠償を命じた裁判例もある[13]。

　なお，賞与など賃金の不支給措置について，労基法上の賃金全額払原則（24条1項）との抵触も問題となりうるが，この原則は有効に発生した賃金債権についてその全額の支払いを命じるものであって，具体的に発生していない賃金については同原則との抵触の問題は生じない。

9）　例えば，毎回同様の方法によって長期間にわたり賞与が算定されてきたという実態に照らし，労働契約の意思解釈（黙示の合意の認定）によって賞与請求権を肯定した裁判例（毅峰会（吉田病院・賃金請求）事件・大阪地判平成11・10・29労判777号54頁）がある。

10）　江戸川会計事務所事件・東京地判平成13・6・26労判816号75頁，クレディ・スイス証券事件・最一小判平成27・3・5判時2265号120頁，福岡雙葉学園事件・最三小判平成19・12・18労判951号5頁など。

11）　日本圧着端子製造事件・大阪地判平成9・1・24労判712号26頁，前掲9）毅峰会（吉田病院・賃金請求）事件判決（　事例54　の酒井さんに類似したケース）。

12）　リーマン・ブラザーズ証券事件・東京地判平成24・4・10労判1055号8頁。

13）　直源会相模原南病院事件・東京高判平成10・12・10労判761号118頁，藤沢医科工業事件・横浜地判平成11・2・16労判759号21頁。キムラフーズ事件・福岡地判平成31・4・15労判1205号5頁〔正当事由のない不公平な低査定により賞与が減額されたことにつき期待権侵害として慰謝料20万円の支払いを命令〕も参照。

事例 55

サトウ病院では,「毎年夏季（考課対象期間：10／16〜4／15）及び冬季（考課対象期間：4／16〜10／15）の賞与支給日に在籍する従業員に対し,法人の業績,職員の勤務成績等を勘案して支給する」旨の賃金規程の下,夏季給与については毎年基本給の 1.5 か月分とする取扱いをしてきた。同病院の職員として勤務していたナカソネさんは,夏季賞与の考課対象期間である 10 月 16 日から 4 月 15 日の間,通常通り勤務していたが,その後体調を崩し,夏季賞与の支給日である 6 月 28 日の 20 日前に死亡したため,同病院はナカソネさんに夏季賞与を支給しなかった。ナカソネさんの遺族は,同病院に夏季賞与の支払いを請求することができるか？

この事例のように,賞与については,就業規則等に支給日在籍要件が定められていることがあり,この場合,支給日前に退職した労働者には賞与請求権が発生しないかが問題となる。判例上は,支給日在籍要件の定めも合理性を有し,支給日前に退職した者には賞与請求権は発生しないとしたものがあるが,賞与の具体的性格に照らして個別具体的に判断すべき問題である。例えば,将来の勤労を促すために過去の勤務成績等にかかわらず在籍する全員に一定額で支給されるような勤労奨励的性格が強い賞与については支給日在籍要件も合理的であるといえるが,従業員の過去の勤務成績や会社の業績等を考慮して支給額が決定される賃金後払的性格と収益分配的性格が強い賞与については,支給日に在籍しなかったという事実だけで賞与を不支給とすることは合理性を欠くといえよう[15]。

(4) 退職金請求権

(a) 日本の退職金の特徴・性格　　日本企業においては,長期雇用慣行や年功的処遇とあいまって,退職金制度が広く普及している。その額は,通常,退

---

14)　大和銀行事件・最一小判昭和 57・10・7 労判 399 号 11 頁。

15)　裁判例として,前掲 12) リーマン・ブラザーズ証券事件判決〔労働者側に帰責性のない退職（整理解雇）により支給日に在籍できなかった事案で支給日在籍要件を公序違反・無効と解釈して賞与請求権を肯定〕,医療法人佐藤循環器内科事件・松山地判令和 4・11・2 労判 1294 号 53 頁〔 事例 55 類似のケースで,賞与の賃金後払・功労報償的性格に照らすと考課期間終了後の病死・退職により賞与を不支給とすることは酷だとして,支給日在職要件を公序違反・無効とし賞与請求権を肯定〕など。また,支給日在籍要件そのものの事案ではないが,年内退職予定者の賞与を非退職予定者の 18% としていた事案で,賞与に将来に対する期待部分（勤労奨励的性格）があるとしても,それに相当すると解される割合（非退職予定者の賞与額の 2 割）を超える格差部分を公序違反・無効とし,無効となった部分（8 割部分）の賞与請求権を肯定した裁判例（ベネッセコーポレーション事件・東京地判平成 8・6・28 労判 696 号 17 頁）もある。

240　第 3 編　雇用関係法

職時の基本給などの算定基礎賃金に支給率（月数）を乗じることによって算定される。支給率は勤続年数に応じて増加し，また，自己都合退職の場合には定年や会社都合退職の場合に比べて低く設定されていることが多い。今日では，退職金は退職年金の形で支払われることも多く（p230 **1**），退職金を在職中のポイントで累積算定するポイント制退職金や，退職時ではなく在職時に前倒しして賃金に上乗せ払いする前払退職金の導入も進んでいる。ポイント制退職金では累積ポイントに実勢金利を付利していくキャッシュバランス制度，前払退職金では前払退職金として毎月の賃金に上乗せするか確定拠出年金（DC）の掛金とするかを選択できる制度を導入する動きもある。

退職金の法的性格については，一般に，賃金額を算定基礎とし，勤続に応じて額が加算されていくことから賃金後払的性格を有するが，同時に，勤続による退職金額の増加は累進的であり，過去の勤務が同じであっても退職事由によって支給率に差が設けられていることが多いことから，功労報償的性格をも有すると解されてきた。しかしながら，近年，退職金の実態は上記のように大きく変化しており，その実態の多様性に応じて，個別具体的にその性格を評価・判断していくことが重要になる。

(b) 退職金請求権の発生

事例 56

ODK 電鉄社の従業員である吉川さんは，電車内で痴漢行為を行い，逮捕勾留後，20 万円の罰金刑に処せられた。同社は，吉川さんが深く反省していること等を踏まえ，吉川さんを昇給停止および降職処分とし，始末書を提出させた。その約 6 か月後，吉川さんは再び電車内で痴漢行為を行い，逮捕勾留後，懲役 4 月，執行猶予 3 年の有罪判決を受けた。同社は，賞罰委員会の討議を経て，吉川さんを懲戒解雇し，同社退職金支給規則の「懲戒解雇により退職するものには，原則として，退職金は支給しない」との規定に基づき，吉川さんに退職金を支給しなかった。吉川さんは，同社に対し退職金の支払いを請求できるか？

退職金請求権も，当事者間の合意（個別の契約の具体的な解釈）に基づいて発生する。使用者が制度として退職金を支給する場合には，就業規則にその支払

---

16) 会社から退職協力要請に応じて退職を申し出た労働者の退職金につき，自己都合退職の低い支給率ではなく「業務上の都合による解雇」に準じた高い支給率に基づき算定すべきと解釈した裁判例として，芝電化事件・東京地判平成 22・6・25 労判 1016 号 46 頁がある。

いに関する規定を置かなければならないものとされており（労基法 89 条 3 号の
2），その適用対象とされている労働者には一般に退職金請求権が認められる。
このような明文の規定がない場合には，黙示の合意などを含む労働契約の意思
解釈によって，退職金請求権の有無が決せられることになる（p236(1)）。

　退職金については，　事例56　のように，就業規則（退職金規程）に，懲戒解雇
された者およびそれに準じる重大な非違行為を行った者には退職金の一部また
は全部を支給しない旨の条項（いわゆる「退職金減額・不支給条項」）が設けられ
ていることが多い。この場合，この減額・不支給条項の合理性およびその適用
の当否が問題となる。判例は，一般に，退職金は賃金後払的性格をもつと同時
に功労報償的性格をもあわせもつものであるから，功労の抹消に応じた減額・
不支給条項も合理性がないとはいえないとしつつ[17]，その適用において，背信性
など過去の功労の抹消の程度に応じた限定解釈を行っている（**Column 33**）。例
えば，裁判例では，過去の功労を失わせるほどの重大な背信行為があったとは
いえないとして退職金の支払いを命じたもの[18]，過去の功労を一切抹消させるほ
どの背信行為ではないとして退職金の 6 割に限り減額を承認したもの[19]，非違行
為（痴漢行為）による懲戒解雇は有効としつつ，それまでの真面目な勤務態度，
同社における過去の支給事例等を考慮し，退職金の 3 割の支払いを命じたもの[20]
などがある。

　なお，近年増加している賃金後払的性格の強い退職金（例えば基本給に直結す
る職能資格ポイントを積算するポイント制退職金や前払退職金との選択制で前払賃金相
当額を積み立てて算定する退職時積立払金）については，過去の功労の抹消によっ

---

17)　三晃社事件・最二小判昭和 52・8・9 労経速 958 号 25 頁は，退職金半額条項も合理性がないと
　　はいえないとした。
18)　トヨタ工業事件・東京地判平成 6・6・28 労判 655 号 17 頁，日本コンベンションサービス事
　　件・大阪高判平成 10・5・29 労判 745 号 42 頁など。ジブラルタ生命保険事件・東京地判令 4・
　　6・10 労経速 2504 号 27 頁〔既に支給された退職金の返還請求を棄却〕も参照。
19)　橋元運輸事件・名古屋地判昭 47・4・28 判時 680 号 88 頁。
20)　小田急電鉄（退職金請求）事件・東京高判平成 15・12・11 労判 867 号 5 頁（#34）〔　事例56
　　類似のケース）。退職金全額不支給を適法としたものとして，みずほ銀行事件・東京高判令 3・
　　2・24 労判 1254 号 57 頁，宮城県教育委員会事件・最三小判令和 5・6・27 民集 77 巻 5 号 1049 頁
　　〔公務員（公立高校教諭）の飲酒運転による物損事故の事案。宇賀克也判事の反対意見あり〕など，
　　退職金支給額を本来の 3 分の 1 に減額したことは勤続の功の減殺の程度を考慮すると相当であり
　　有効としたものとして，エスプリ事件・東京地判令 4・12・2 労経速 2520 号 30 頁なども参照。

242　　第 3 編　雇用関係法

てこれを減額・不支給とすることには合理性がなく，その旨を定める就業規則
規定は無効であると解される[21)][22)]。

　近年では，従業員の早期退職を促すために，定年前に退職する従業員に割増
退職金を支給する制度を設ける企業が少なくなく，そこでは，従業員の早期退
職の申出に対し使用者が承認をすることが，割増退職金を伴う早期退職の条件
とされていることが多い。このような制度の場合，早期退職を承認制とするこ
とに合理的な理由がある限り，従業員の早期退職の申出に対し使用者が承認を
しなければ，割増退職金債権の発生を伴う退職の効果は生じない[23)]。

Column 33　非違行為を行っていたことが退職後に判明した場合の退職金の取扱い　　労
働者が退職し退職金請求権が発生した後になって，労働者が在職中に非違行為を行っていたこ
とが判明し，使用者が退職金の支払いを取りやめたり，既に支払った退職金の返還を求めたり
することがある。このような事態に対し，裁判例としては，重大な非違行為を行った者からの
退職金請求は権利の濫用として許されないとするものや[24)]，既に支給された退職金について使用
者からの返還請求を認めたものがある[25)]。しかし，既に賃金として確定的に発生したものを減
額・不支給とすることは賃金全額払原則（労基法 24 条 1 項）に反する違法な行為である（既払
分の返還条項も同原則に反し無効である）。退職金請求権が発生した後に重大な背信行為が判明
した場合には，退職金の減額や返還ではなく，労働者の故意や重過失に基づく不法行為（また
は債務不履行）として損害賠償請求により対応すべきである。また，このような事態を防ぐた
めに，重大な非違行為を行った可能性があるなど特段の事情がある場合には退職金請求権の発
生そのものを一定期間（例えば事実調査に必要な 3 か月間）留保するという規定を就業規則上設
けておくことも考えられる。

2　賃金請求権の変動

　賃金請求権の変動としては，賃金額が上昇する昇給と賃金が減額される減給
とがある。

(1)　昇　　給

　事例57

　工事用機材の製造販売を行う三間機材社では，24 年前から継続的に毎年定期昇

---

21)　中部ロワイヤル事件・名古屋地判平成 6・6・3 労判 680 号 92 頁参照。
22)　会社の取締役が，定款や株主総会の決議によって定められる退職慰労金とは別に，一般の従業
　　員に対して支払われる退職金の支払いを求めることができるかについては，p60 注 27）参照。
23)　神奈川信用農業協同組合（割増退職金請求）事件・最一小判平成 19・1・18 労判 931 号 5 頁。
24)　アイビ・プロテック事件・東京地判平成 12・12・18 労判 803 号 74 頁，ピアス事件・大阪地判
　　平成 21・3・30 労判 987 号 60 頁。
25)　阪神高速道路公団事件・大阪地判昭和 63・11・2 労判 531 号 100 頁，ソフトウエア興業（蒲田
　　ソフトウエア）事件・東京地判平成 23・5・12 労判 1032 号 5 頁など。

第 3 章　雇用関係の内容　　243

給を行い，特に直近9年間は運用規程等に基づき，昇給幅や昇給対象者を変えることなく定期昇給を実施してきた。また，同社の昇給規程には，毎年当然に昇給が実施されることを前提としたうえで，「事業の情勢によって昇給を停止することがある」との規定があった。同社は，複数年連続して売上げが減少し経常利益が赤字になるなか，従業員の昇給を停止することを決定した。もっとも，同社の資産内容はその当時でも極めて優良な状態にあり，また，同社は労働組合からの経理状況の開示要求に対し具体的な説明をしなかった。同社従業員の杉本さんは，同社に対し，定期昇給があったものとして賃金の差額の支払いを請求することができるか？

　わが国で一般にみられる昇給の形態は，定期昇給（定昇）とベースアップ（ベア）とからなる。定期昇給とは，一定の時期に，年齢や勤続年数あるいは職能資格の上昇などに伴い，賃金額が上昇すること（年功的昇給）をいう。ベースアップとは，物価や企業業績，世間相場などを考慮して，賃金の基準額（賃金表）そのものを改定し賃金の全体的底上げを行うことを指す。これらの昇給を決定する方法として日本に特徴的なシステムが，毎年年度末に次年度の昇給額等について労使で交渉する「春闘」（春季労使交渉とも呼ばれる）である。この全国一斉に行われる春闘によって，定期昇給とベースアップを含む各企業の来年度の賃上げの平均額（率）が決定され，そこで決定された全体額を個別の人事考課（査定）等に応じて各労働者に分配するという形で，各労働者の具体的な昇給額が決定されることが多い。

　定期昇給でもベースアップでも，人事考課（査定）に基づいて具体的な昇給額が決定される場合には，具体的に昇給を根拠づける契約上の根拠[26]がない限り，労働者が具体的な昇給請求権をもつと解することはできない。ただし，使用者の査定権の行使が違法である場合には，不法行為または債務不履行として損害賠償請求をすることができる（p172**1**）。

（2）減　　給

事例58

　ミルク証券では資格（部長・次長・課長・主任等）と号俸によって基本給が定ま

26）　三和機材事件・千葉地判平成22・3・19労判1008号50頁〔 事例57 類似のケースで，昇給を停止する「事業の情勢」の存在を否定し，昇給を根拠づける黙示の合意の存在を認定して，昇給した賃金を受ける地位の確認請求を認容〕。

244　第3編　雇用関係法

る職能給制度がとられていた。同社は営業成績が振るわなかったため，従業員の段階的な降格を行い，職能給等の減額を行った。同社の営業社員である内海さんは，課長二から主任一に降格され，基本給（職能給）は 32 万円から 22 万円に減額された。この降格は適法か？

事例 59

ボーイシステム開発研究所では 40 歳以上の研究職員について，毎年個別交渉を行って給与額を決定する年俸制を採用していた。同研究所では，経営状態が悪化し債務超過の状態となったため，人件費を含む経費削減を行うこととし，研究員の駒場さんらに来年度の年俸額を今年度より引き下げる提案をしたが，駒場さんはこれに納得せず合意が得られなかったため，研究所は駒場さんの来年度の年俸を提案通りに引き下げて支給した。駒場さんは，前年度の年俸額との差額の支払いを請求することができるか？

労働者に対して個別になされる減給措置が適法かどうかを判断するうえでの理論的なポイントは，①減給が賃金制度上予定されているものか（減給に就業規則の合理的な規定など契約上の根拠があるか[28]），②使用者の措置に権利濫用や違法な差別など強行法規に反する点はないかの 2 点にある[30]。個別の減給措置がなされるケースとしては，職務や職位が変更されて賃金が引き下げられる場合と，年俸制など能力や成果の評価に基づいて（職務や職位は変更されないまま）賃金が減額される場合がある。

(a) **職務や職位の変更による減給の場合**　事例 58 のように職務や職位の変化に伴う減給措置の適法性については，次の 3 つの類型に分けて考えることができる。

第 1 に，ⓐ職務や職位と連動した賃金制度（職務給，役職手当など）の場合で

---

27)　集団的に行われる賃金引下げの適法性については，労働協約による不利益変更（p424 (2)），就業規則の不利益変更（p84 **3**），変更解約告知（p220 (3)）を参照。

28)　ユニデンホールディングス事件・東京地判平成 28・7・20 労判 1156 号 82 頁〔就業規則（賃金減額規程）上の「担当職務の見直しに合わせ，給与の見直しを行う場合がある。見直し幅は，都度決定する」との規定は，賃金の減額方法・減額幅等の基準が示されておらず，賃金減額の根拠にはならないとし，同規程による賃金減額は無効〕など。

29)　マッキャンエリクソン事件・東京高判平成 19・2・22 労判 937 号 175 頁〔所定の評価基準ではなく退職勧奨拒否を理由とした降級は裁量権逸脱として無効〕など。

30)　明治ドレスナー・アセットマネジメント事件・東京地判平成 18・9・29 労判 930 号 56 頁など参照。

第 3 章　雇用関係の内容　　245

ある。この場合，職務や職位が適法に変更されたときには，それと連動して賃金も変動することになる[31]。そのようなものとして賃金制度が設計・合意されているからである。ただし，ここでは，職務や職位の変動自体の適法性（特にその権利濫用性）を判断する際に，賃金減額の大きさが労働者の被る著しい不利益の1つとして考慮されることになる[32]。

第2に，ⓑ職務や職位と直接連動していない賃金制度（年功給，生活手当など）の場合である。この場合，職務や職位が変更されても，賃金は当然に変動するわけではない。賃金制度上予定されていない減給については，それを基礎づける特段の根拠がない限り，これを行うことはできない[33]。

第3に，ⓐとⓑの中間的な賃金制度（職能給など）の場合である。この場合には，当該賃金制度の具体的な運用実態等に照らして，当該賃金が職務や職位と連動しているか否かを判断する，すなわち，当該賃金についての当事者間の真の合意内容がⓐかⓑかを認定することが必要である[34]。そこで，職務や職位の変更によって賃金が当然に変動することまでは予定されていない（ⓑ）と判断される場合には，賃金（職能資格）を引き下げる措置には，それを基礎づける当該労働者の同意や就業規則の合理的な規定など特段の根拠が必要とされることになる[35]。

(b) 能力や成果の評価に基づく減給の場合　　事例59 のように，年俸制など労働者の能力や成果の評価に基づいて個別に賃金額を決定する賃金制度において，評価が低いことを理由に賃金（年俸）が減額されることもある。このよう

---

31) 笹原メーソンリー事件・大阪地判平成 11・7・30 労判 778 号 85 頁など。

32) アメリカン・スクール事件・東京地判平成 13・8・31 労判 820 号 62 頁〔施設管理部長としての能力資質に重大な疑問を抱かせる事実があったことに照らし，降格の幅（二段階降格）と給与減額の幅（約 60 万円から 4 万 4000 円余減額）をいずれも相当とし降格・減給処分は有効〕，マーベラス事件・東京地判令和 4・2・28 労判 1267 号 5 頁〔賃金グレードを繰り返し下げる賃金減額（降給）につき当初賃金の 10% を超える減額部分は権利濫用として無効〕など。

33) スリムビューテイハウス事件・東京地判平成 20・2・29 労判 968 号 124 頁〔降格に伴う年俸減額（1150 万円から 690 万円）につき降格は有効であるとしても職位と賃金を関連づける会社の賃金制度が明らかにされていないとして減給措置は無効〕。

34) 東京アメリカンクラブ事件・東京地判平成 11・11・26 労判 778 号 40 頁，アーク証券（本訴）事件・東京地判平成 12・1・31 労判 785 号 45 頁〔事例58 類似のケース〕など。

35) チェース・マンハッタン銀行事件・東京地判平成 6・9・14 労判 656 号 17 頁，前掲34）アーク証券（本訴）事件判決〔事例58 類似のケース〕など。

246　　第 3 編　雇用関係法

な減給措置が適法になされるためには，①能力・成果の評価と賃金決定の方法が就業規則等で制度化され（労働契約の内容となり）[36]，かつ，②その評価と賃金額の決定が権利濫用や違法な差別など強行法規に反しない態様で行われたことが必要になる[37]。裁判例では，年俸制において新年度の賃金額についての合意が成立しない場合は，年俸額決定のための評価基準，決定手続等が制度化されて就業規則等に明示され，かつ，その内容が公正な場合に限り，使用者に評価決定権があるとしたものがある[38]（労契法7条参照）。賃金額についての合意が成立せず，使用者が一方的に賃金を決定できる根拠もない場合には，合理的意思解釈（黙示の合意の認定や信義則など）によって契約内容の補充を行うことになるが，特に具体的な指標や基準がない場合には従前の賃金額が契約内容となるものと解されよう[39]。

(c) 黙示の同意の認定　　使用者による賃金引下げに対し，労働者が明示または黙示の同意をすれば，合意によって労働契約の内容が変更されることになる（労契法8条。p85 **1**）。もっとも，使用者によって一方的に引き下げられた賃金を労働者が異議を述べずに受領していたとしても，そこから労働者による黙示の同意を認定することには慎重であるべきである。会社の雰囲気など使用者による有形・無形の圧力のなかで，労働者が真意によらずにそのような行動をとらざるを得ない状況に置かれていた可能性があるからである[40]。なお，労働者

---

36)　新聞輸送事件・東京地判平成 22・10・29 労判 1018 号 18 頁〔年度途中の降格に伴って年俸額を一方的に減額したことにつき，使用者にそのような権限を付与する制度となっていない（そのような権限を根拠づける証拠はない）として減給措置は無効〕。

37)　インテリム事件・東京高判令和 4・6・29 労判 1291 号 5 頁〔年俸額に含まれる固定残業代を一方的に減額したことは年俸額決定権限の濫用として無効〕。

38)　日本システム開発研究所事件・東京高判平成 20・4・9 労判 959 号 6 頁（# 33）〔 事例59 類似のケース〕。

39)　前掲38) 日本システム開発研究所事件判決（# 33）〔 事例59 類似のケース〕，学究社（年俸減額）事件・東京地判令和 4・2・8 労判 1265 号 5 頁など。

40)　多くの裁判例は，労働者が賃金引下げに異議を述べずにこれを受領していただけでは労働者の黙示の同意があったとはいえないとしている（京都広告事件・大阪高判平成 3・12・25 労判 621 号 80 頁，前掲34) アーク証券（本訴）事件判決〔 事例58 類似のケース〕，鞆鉄道（第 2）事件・広島高判平成 20・11・28 労判 994 号 69 頁など）。賃金減額の合意を有効としたものとして，ザ・ウィンザー・ホテルズインターナショナル事件・札幌高判平成 24・10・19 労判 1064 号 37 頁〔使用者からの賃金減額の説明・提案に対し「ああ分かりました」と応答し，その後 11 か月間異議を述べずに減額された賃金を受領し，1 年経過した時点で減額された内容の労働条件確認書に署名押印した事案で，確認書に署名押印した時点で自由意思により同意したものと認定〕，Chubb

との個別合意による労働条件の不利益変更の可否に関する最高裁山梨県民信用組合事件判決（p86 注 40））が，労働者が同意する前提として使用者による十分な情報提供・説明があったことが重要な判断要素となると述べている点は，理論的には，労働者の黙示の同意による賃金引下げにおいても同様にあてはまるものといえる。

3　賃金請求権の消滅

賃金請求権は，弁済，時効，放棄，相殺などによって消滅する。このうち放棄と相殺に関しては，賃金全額払原則（労基法 24 条 1 項）との関係で問題が生じる（p251（3））。請求権の消滅時効の期間として，通常の賃金は 2 年，退職金は 5 年の期間が定められていたが，2017（平成 29）年民法（債権法）改正（施行は 2020（令和 2）年 4 月 1 日）により民法の消滅時効の規定が整理されたことに伴い，当該規定の特例である労基法 115 条の消滅時効についても 2020（令和 2）年に法改正を行い，通常の賃金請求権の消滅時効期間を当分の間は 3 年（2020 年 4 月 1 日施行。時効の起算点は権利を行使することができる時），施行から 5 年経過後の見直しを経て 5 年とすることとされている（労基法 115 条）。

請求を行わなければ請求権が消滅してしまう消滅時効の期間として，労基法は，同法の規定による賃金（退職手当を除く）の請求権は 5 年（当分の間は 3 年〔附則 143 条 3 項〕），退職手当の請求権は 5 年，災害補償その他の請求権は 2 年と定めている（115 条）。この消滅時効の起算点は，民法の一般債権の主観的起算点（権利行使できることを知ったとき）とは異なり，客観的起算点（権利行使できるとき＝賃金支払日等）とされている（同条）。

③　賃金の法規制

1　労基法上の賃金

労基法，最低賃金法，賃金の支払の確保等に関する法律などの法律は，賃金に関する法規制を定めている。これらの労働関係法規による規制の対象となる「賃金」は，労基法 11 条により，「賃金，給料，手当，賞与その他名称の如何

損害保険事件・東京地判平成 29・5・31 労判 1166 号 42 頁〔病気休職からの復帰に向けたリハビリ勤務期間の最初の 4 か月強について，労働者の同意を得て，所定労働時間を 7 時間から 5 時間に短縮し，基本給を 1 割減額した措置を有効と判断〕がある。

を問わず，労働の対償として使用者が労働者に支払うすべてのものをいう」と定義されている。つまり，労基法等の規制を受ける賃金とは，①使用者が労働者に支払うもので，②労働の対償であるものである。

　労基法上の賃金は，第1に，「使用者が」労働者に支払うもの（①）とされる。したがって，従業員が客から直接受け取るチップや，社外積立の年金で社外機関（例えば厚生年金基金や勤労者退職金共済機構）が労働者（退職者）に直接支払う形態のものは，労基法上の「賃金」にはあたらない。

　第2に，賃金は，「労働の対償」にあたるもの（②）とされる。この「労働の対償」の意味については，使用従属関係の下で行われる「労働」の対価と狭く捉える立場[41]と，「労働関係上の地位」に対する報酬と広く捉える立場[42]がある。実務（裁判例・行政解釈）では，「労働の対償」の意味を厳密に定義・画定することなく，使用者が労働者に支給するもののうち，①賞与，退職金，結婚祝金，死亡弔慰金，災害見舞金などの任意的恩恵的給付，②住宅資金貸付け，住宅貸与，会社の運動施設などの福利厚生給付，③制服，出張旅費，交際費などの企業設備・業務費という3つのタイプ以外の給付は，広く「労働の対償」にあたると解釈されている。もっとも，①任意的恩恵的給付のうち，労働協約，就業規則，労働契約などによって予め支給条件が明確に定められているものについては，「労働の対償」たる賃金として保護すべきであると解されている[43]。

　使用者が物品や自社商品券など通貨以外の形で支払う現物給付も，「労働の対償」として支給される場合には賃金にあたる[44]。自社株式を予め設定した価格（権利行使価格）で将来において購入する権利を付与するいわゆる「ストック・オプション」については，労働条件の内容にはなりうるが，権利行使による利益の発生が労働者の判断に委ねられているため，労基法上の賃金にはあたらないとする解釈例規がある[45]。

---

41)　吾妻光俊編『註解労働基準法』131頁（青林書院新社，1965）。

42)　有泉亨『労働基準法』236頁（有斐閣，1963）。

43)　伊予相互金融事件・最三小判昭和43・5・28判時519号89頁〔退職金の賃金性を肯定〕，新日鉄室蘭製鉄所事件・札幌地室蘭支判昭和50・3・14判時775号169頁〔賞与の賃金性を肯定〕，昭22・9・13発基17号，昭28・3・20基発137号など。

44)　ただし，現物給付は法令，労働協約または命令の定めに従って支払われる場合にのみ適法と認められ，この要件を欠く場合には，それに相当する利益を通貨で支払わなければならない（労基法24条1項。p250(1)）。

2 賃金の支払方法

> **事例 60**
>
> 次の使用者の措置は，労基法 24 条に違反するか？
> ①給料日になったが，十分な現金が手元になかったため，不足分を自社の商品券で支給すること。
> ②従業員が退職金債権を金融業者に譲渡したとの通知を受けたので，同従業員の退職金を貸金回収にきた金融業者に支払うこと。
> ③従業員の欠勤から 4 か月経過後に欠勤分の給与（給与の 7〜8%）の返納を求め，返納しなければ翌月および翌々月分の給与から控除する旨を通知し，給与から控除すること。
> ④従業員が会社に対して負っている住宅ローンの残債務をその従業員の退職金と相殺して清算すること。
> ⑤同業他社に転職する会社の総責任者につき，在職中の経費使用の疑惑にかかる会社の損害の一部を塡補する趣旨で，同人に対し「いかなる性質の請求権も有しないことを確認する」旨の書面への署名を求めたところ，同人が署名したため，400万円余の退職金を支払わなかったこと。
> ⑥賃金制度を年俸制に改めたのに伴い，年俸を年に 2 回（4 月と 10 月）に分けてまとめて支払うこと。

労基法は，使用者に賃金を確実に支払わせ労働者の経済生活の安定を図るために，賃金の支払方法に関する 4 原則等を定めている。

(1)　**通貨払原則**　賃金は，通貨により支払わなければならない。労働者にとって最も安全で便利な手段で賃金を受領させることを保障する趣旨の原則である。支払うべき賃金の全部または一部を通貨以外のもの（現物）で支払うこと（例えば **事例 60** の①）や小切手による賃金の支払いは，この原則に反するものとされる。ただし，法令や労働協約に定めのある場合，および，厚生労働省令で定める賃金について確実な支払いの方法として厚生労働省令で定める方法による場合には，その限りでない（労基法 24 条 1 項）。例外の後者として，労基法施行規則は，労働者の同意を得ることを条件に，①指定された銀行口座への振込み，所定の要件を満たす証券総合口座への払込み，一定の要件を満たすものとして厚生労働大臣が指定する資金移動業者の口座への資金移動[46]，②自己宛

---

45)　平 9・6・1 基発 412 号。
46)　PayPay や楽天ペイなどの資金移動業者の口座への賃金支払い（いわゆる「賃金のデジタル払

250　第 3 編　雇用関係法

小切手等による退職金の支払いを認めている（7条の2）。

（2）**直接払原則**　使用者は，賃金を労働者に直接支払わなければならない（労基法24条1項）。その趣旨は，親方，仲介人，代理人など第三者による賃金の中間搾取を防止することにある。したがって，労働者から委任を受けた代理人や法定代理人に支払うことも，この原則に反するものとされる[47]。また，賃金債権が第三者に譲渡された場合も，使用者は譲受人に賃金を支払うことはできず，労働者本人に支払う必要がある[48]。ただし，賃金が民事執行法や国税徴収法などの法律に基づき差し押さえられた場合には，差押債権者に支払ってもよいと解釈されている[49]。

（3）**全額払原則**　使用者は，賃金の全額を支払わなければならない。その趣旨は，賃金を確実に受領させることにより労働者の経済生活の安定を確保することにある。ただし，法令に別段の定めがある場合[50]，および，事業場の過半数代表との労使協定がある場合は，賃金の一部を控除して支払うことができる[51]（24条1項）。

使用者による賃金債権の相殺がこの原則に違反するかについて，判例は，賃金を確実に労働者に受領させるという本原則の趣旨からすると，全額払原則には相殺禁止の趣旨も含まれると解している[52]。もっとも，判例は，①過払賃金を清算するための調整的相殺については，その時期，方法，金額などからみて労働者の経済生活の安定を脅かすおそれがない場合[53]，②労働者の同意に基づく相

い」）は，2022（令和4）年労基則改正により，新たに認められたものである（労基則7条の3以下も参照。2023（令和5）年4月施行）。

47）　未成年者の親権者や後見人も，未成年者の賃金を未成年者に代わって受け取ってはならない（労基法59条。p317**2**）。

48）　解釈例規によると，労働者の配偶者が本人に代わって賃金を受け取りにいく場合など賃金受領のための「使者」であることが明らかなときには，使者への支払いは適法と解されている（昭63・3・14基発150号）。しかし，代理人と使者の区別はあいまいであるため，銀行口座等への賃金振込みが認められている場合には使者への支払いは認めるべきでないだろう。

49）　電電公社小倉電話局事件・最三小判昭和43・3・12民集22巻3号562頁。

50）　例えば，所得税や社会保険料の源泉徴収（所得税法183条，健康保険法167条，厚生年金保険法84条など）がこれにあたる。

51）　例えば，組合費のチェック・オフ（p403**1**）を行う場合に用いられている。

52）　関西精機事件・最二小判昭和31・11・2民集10巻11号1413頁など。

53）　福島県教組事件・最一小判昭和44・12・18民集23巻12号2495頁（#31）〔**事例60**の③類似のケース〕。

第3章　雇用関係の内容　251

殺については，労働者の自由意思に基づくものと認めるに足りる合理的な理由
が客観的に存在する場合[54]，③解雇無効期間中の賃金からの中間収入の控除につ
いては，平均賃金の 6 割を超える部分の相殺であれば（p255(3)），それぞれ全
額払原則には違反せず，適法になされうるとしている。これらの場合には，実
質的にみて，本原則の趣旨である労働者の経済生活の安定を脅かすおそれのな
いものとして，その範囲内で例外的に賃金の相殺も適法であると解釈されてい
るといえよう。例えば，事例60 の④のような事案（前掲注54）日新製鋼事件判
決参照）では，労働者の同意に基づく相殺を認めることによって，労働者が賃
金を担保に中長期的な生活設計を立てることが可能となり，本原則の趣旨であ
る労働者の経済生活の安定・充実に資すると考えられるのである[55]。理論的には，
全額払原則は，賃金の相殺については，労働者の経済生活の安定という趣旨に
反するもののみを禁止の対象としていると解釈することができよう[56]。

　また，労働者が賃金債権を放棄した場合，それが自由意思に基づくものと認
めるに足りる合理的な理由が客観的に存在しているときには賃金債権は消滅し，

---

54)　日新製鋼事件・最二小判平成 2・11・26 民集 44 巻 8 号 1085 頁（＃32）〔事例60 の④類似のケース〕，全日本空輸（取立債権請求）事件・東京地判平成 20・3・24 労判 963 号 47 頁など。これらは，労使協定が存在しない場合に同原則の趣旨に基づき例外を認める解釈である。住友生命保険（費用負担）事件・京都地判令和 5・1・26 労判 1282 号 19 頁は，営業職員の賃金からの営業にかかる費用の諸費用の控除につき，賃金からの控除対象を事理明白に定めた労使協定が存在しているなかで，労働者の自由意思に基づく個別同意が認められない部分（一律課金されていた募集資料コピー用紙トナー代および労働者が明示的に異議を述べた部分）については労基法 24 条 1 項に違反すると判示したが，この事案では有効な労使協定の存在ゆえに全額払違反は成立せず，労働者の自由意思に基づく同意の有無は労働者の労働契約上の費用負担義務の存否の問題（p75 **Column 12**）であると解される。

55)　もっとも，労働者の同意は使用者の有形・無形の圧力の下でなされるおそれがあるため，単に労働者が同意をしているのみでは十分ではなく，それが労働者の自由意思に基づくものであることを基礎づける客観的に合理的な理由（賃金の相殺をしても労働者の経済生活の安定を脅かすことがないという客観的な事実）が存在することが求められている。プレナス（ほっともっと元店長 B）事件・大分地判平成 29・3・30 労判 1158 号 32 頁〔寮費を毎月給与から控除する旨の誓約書に署名押印していたことにつき，誓約書提出が入居条件であり，完全な自由意思に基づくものとはいえないとして，寮費の賃金からの控除は違法無効と判断〕など参照。

56)　なお，賃金債権については，原則として，その支払期に受ける給付（手取り額）の 4 分の 3 に相当する部分は差押禁止債権とされ（民事執行法 152 条，153 条），この部分について債務者（ここでは使用者）は債権者（労働者）の同意なく相殺することはできないとされている（民法 510 条）。賃金全額払原則の例外となる労使協定に基づく賃金控除につき，民事執行法 152 条 1 項，民法 510 条に照らし，賃金額の 4 分の 1 が控除の限度となるとした裁判例（不二タクシー事件・東京地判平成 21・11・16 労判 1001 号 39 頁）がある。

252　　第 3 編　雇用関係法

使用者がそれを支払わなくても全額払原則には違反しないと解されている[57]。

(4) **毎月一回以上一定期日払原則**　賃金は、毎月一回以上一定の期日を定めて支払わなければならない（24条2項）。毎月一定期日の支払いを保障することにより労働者の経済生活の安定を図ることを趣旨とした原則である。この原則は、年俸制の場合にもあてはまる（事例60 の⑥はこの原則に違反する）。ただし、臨時に支払われる賃金、賞与その他これに準じるものとして命令で定められた賃金（労基則8条）については、この限りでない。

(5) **非常時払**　使用者は、労働者が出産、疾病、災害その他命令で定める非常の場合の費用にあてるために請求する場合には、支払期日前であっても、既になされた労働に対する賃金を支払わなければならない（労基法25条、労基則9条）。

(6) **出来高払の保障給**　使用者は、出来高払制その他の請負制で使用する労働者については、労働時間に応じ一定額の賃金の保障をしなければならない[58]（労基法27条）。タクシー運転手などに多い仕事の成果（出来高）で賃金が決定される労働者の生活保障を図る趣旨の規定である。保障の具体的な額について、本条は何も定めていないが、通常の実収賃金とあまりへだたらない程度の収入が保障されるようにすべきとの解釈例規がある[59][60]。

---

[57]　シンガー・ソーイング・メシーン事件・最二小判昭和48・1・19民集27巻1号27頁〔 事例60 の⑤類似のケースで退職金請求権放棄の意思表示の効力を肯定〕、北海道国際航空事件・最一小判平成15・12・18労判866号14頁〔既発生の賃金請求権につき放棄の黙示の意思表示の効力を否定〕など。

[58]　この「出来高払制その他の請負制」とは、民法上の請負契約ではなく、賃金が実際になされた仕事の成果に応じて算定される形態のことを意味する。

[59]　昭22・9・13発基17号、昭63・3・14基発150号。この通達を受けて、行政当局は、平均賃金（労基法12条1項）の6割程度を保障することが妥当（26条参照）との解釈を示している（厚生労働省労働基準局編『平成22年版労働基準法（上）』379頁（労務行政、2011））。

[60]　タクシー乗務員の実質的な完全歩合給制は労基法等に違反するとし、最低賃金との差額（p256 **4**）、時間外・休日労働、深夜労働に対する割増賃金（p272 (2)）等の支払いを命じた裁判例（朝日交通事件・札幌地判平成24・9・28労判1073号86頁）がある。また、ガスボンベ配送員の売上額（車両費用と管理費を差し引いたもの）が契約上定められた固定給額（月22万円）を下回る場合にその差額を労働者である配送員の債務として計上する定めは、労基法27条の趣旨に反し公序良俗違反として無効であるとしたもの（東陽ガス事件・東京地判平成25・10・24労判1084号5頁）もある。

第3章　雇用関係の内容　　253

3 休業手当

(1) 意 義 　使用者の責に帰すべき理由による休業の場合，使用者は，休業期間中，平均賃金（労基法 12 条 1 項。p208 注 170））の 6 割以上の休業手当を支払わなければならない（26 条）。その趣旨は，労働者の最低生活を保障することにある。ここにいう「休業」とは，労働義務のある時間に労働ができなくなること（1 日のうちの数時間のものでもよい）を意味し，労働義務がない「休日」とは異なるものである。

> **事例 61**
>
> 　北西エアライン社では，その日本支社従業員等で組織する労働組合が羽田空港の機材の占拠を伴うストライキを行ったため，羽田空港での地上作業が困難となって日本経由便の減少と路線変更を余儀なくされ，大阪を経由する便が 12 月 12 日以降存在しなくなった。そこで同社は，大阪営業所に勤務する従業員に 12 月 12 日から 15 日までの間，就労を必要としなくなったとして休業を命じた。休業を命じられ賃金が支払われなかった原西さん（同組合の組合員）は同社に対し賃金や休業手当の支払いを請求できるか？　非組合員である藤原さんはどうか？

(2) 民法上の危険負担との関係 　民法 536 条 2 項によれば，使用者の責めに帰すべき事由により就労不能になった場合には，労働者は賃金全額を請求できる（p237 (2)）。この民法 536 条 2 項と労基法 26 条との関係について，判例は，前者は民法上の一般的な過失責任主義に立つものであるのに対し，後者は労働者の生活保障のために使用者の帰責事由をより広い範囲で認めたものと解している。[61] 具体的には，労基法 26 条の帰責事由とは，使用者に故意・過失がなく，防止が困難なものであっても，使用者側の領域において生じたものといいうる経営上の障害など（例えば，機械の故障や検査，監督官庁による操業停止命令，親工場の経営難のための資材・資金の獲得困難）を含むものと解釈されている。[62] ただし，地震や台風などの不可抗力は含まれない。[63]

---

61) ノース・ウエスト航空事件・最二小判昭和 62・7・17 民集 41 巻 5 号 1283 頁（#99）〔**事例 61** 類似のケース（原西さん）で民法 536 条 2 項と労基法 26 条の使用者の帰責性をいずれも否定〕。

62) 昭 23・6・11 基収 1998 号。バイボックス・ジャパン事件・東京地判令和 3・12・23 労判 1270 号 48 頁〔親会社からの資金供給停止による事業停止・休業につき，労基法 26 条とともに民法 536 条 2 項の使用者の帰責性も肯定。あわせて休業手当と同額の付加金（労基法 114 条）の支払いも命令〕など。

63) ホテルステーショングループ事件・東京地判令和 3・11・29 労判 1263 号 5 頁〔コロナ禍におけ

254 　第 3 編　雇用関係法

(3) 解雇期間中の賃金と中間収入

> **事例 62**
>
> 　南光台タクシー社でタクシー乗務員として働き月給 30 万円を得ていた原さんは，2019 年 1 月に同社から理由なく解雇された。原さんは，この解雇の違法性を裁判所で争い，2023 年 12 月に解雇無効の確定判決を得たが，本件が争われていた期間のうち，2020 年 1 月から 2021 年 12 月にかけてはビル警備員のアルバイトをして月額 10 万円，2022 年 1 月から 2023 年 12 月にかけてはトラックの運転手として月額 20 万円の収入を得ていた。南光台タクシー社は，原さんに支払うべき解雇期間中の賃金から，原さんが同期間中に得ていた収入を差し引いて支払うことができるか？

　民法 536 条 2 項後段によると，使用者の帰責事由によって就労不能となり賃金の支払いを受ける場合であっても，労働者が債務を免れたことによって得た利益は使用者に償還する必要があると定められている。そこで，①解雇無効期間中に他で就労して得た収入（中間収入）は償還の対象になるか，②償還の方法として賃金から控除（相殺）することは賃金全額払原則（労基法 24 条 1 項）に違反しないか，③休業手当の保障（労基法 26 条）との関係をどのように考えるかが問題となる。

　この点につき，判例は，①中間収入が副業的なものでない限り償還の対象となるが，③最低生活保障という労基法 26 条の趣旨からすると，平均賃金の 6 割までの部分からは控除できない。そして，②この平均賃金の 6 割の絶対保障枠を超える部分については，これと時期的に対応する中間収入の額を控除（相殺）することも適法であると解釈している。したがって，使用者は，平均賃金の 6 割は支払う義務を負うが，それを超える部分からは，それと時期的に対応する中間収入額を控除することができる[64]。これを図で示すと，**図表 4**（次頁）のようになる。

　るホテルのルーム係の休業につき，使用者は売上げの状況等を踏まえつつ従業員の勤務日数・時間数を調整し裁量をもった判断で従業員を休業させていたことから，不可抗力による休業とはいえないとし，労基法 26 条の使用者の帰責性を肯定）。

[64] 米軍山田部隊事件・最二小判昭和 37・7・20 民集 16 巻 8 号 1656 頁，あけぼのタクシー事件・最一小判昭和 62・4・2 労判 506 号 20 頁（#77）。なお，解雇無効期間中の賞与（一時金）と中間収入控除の関係について，最高裁は，賞与の支給日が属する月の中間収入額をそこから控除する取扱いをしている（社会福祉法人いずみ福祉会事件・最三小判平成 18・3・28 労判 933 号 12 頁）。

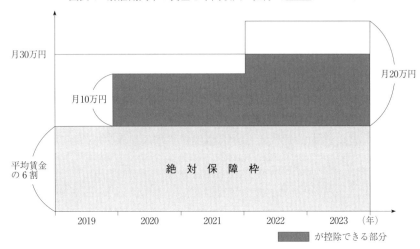

4 最低賃金

最低賃金法は，賃金が低くなりすぎることや，企業間で社会的に不公正な競争が行われることを回避するため，賃金の最低額を保障することを定めている。同法は，格差問題の深刻化を受けて2007（平成19）年に改正された（2008（平成20）年7月施行）。

最低賃金の額は，最低賃金審議会の調査審議に基づいて（10条，11条，15条2項〜5項），時間単位で定められる（3条）。最低賃金には，都道府県ごとの地域別最低賃金（9条以下）と，特定の産業について地域別最低賃金を上回る最低賃金を定める特定最低賃金（15条以下）がある。地域別最低賃金は，地域における労働者の生計費，賃金および通常の事業の賃金支払能力を考慮して定めなければならないものとされる（9条2項）が，2007（平成19）年最賃法改正によって，この労働者の生計費を考慮する際には，労働者が健康で文化的な最低限度の生活を営むことができるよう，生活保護に関する施策との整合性に配慮する（生活保護受給者の収入の方が多くならないようにする）との規定が新たに設けられた（同条3項）。

使用者は，最低賃金の適用を受ける労働者（2条1号，労基法9条参照。p53 *1*）に対して，最低賃金額以上の賃金を支払わなければならない（最賃法4条

[65]
1 項）。これに反する労働契約の部分は無効となり，最低賃金と同様の定めをしたものとみなされる（同条2項）。また，地域別最低賃金を守らなかった者は罰金刑に処せられ，両罰規定によって法人等も処罰される（40条，42条）。

5　賃金債権の履行確保

(1)　先取特権および倒産手続　　企業が経営困難や倒産に陥り賃金の支払能力がなくなったとき，その履行を確保するための方法として，民法上の先取特権や倒産法上の各種手続が定められている。

　民法上，労働者（使用人）は給料その他雇用関係に基づいて生じた債権について，使用者（債務者）の総財産のうえに一般先取特権をもつ（民法306条2号，308条）。先取特権をもつ労働者は，使用者の総財産につき競売や強制執行がなされた場合に優先弁済を受けることができる。しかし，一般先取特権の場合，特別の先取特権や登記を備えた担保物権（抵当権等）に劣後し（329条2項，336条ただし書），第三取得者に引き渡された動産に対しては行使できない（333条）という限界があるため，貧弱になった総財産から弁済を受けることは実際には難しい。

　企業が倒産した場合には，法的手続として，会社更生，民事再生，破産などの手続が定められている（**Column 34**）。しかし，実際には，これらの法的手続によらずに，私的整理（事実上の倒産）として財産の整理が行われることが多く，賃金債権が十分に保護されないことも少なくない。

Column 34　倒産手続のなかでの賃金債権の弁済　　会社更生手続においては，手続開始前6か月間の一般賃金と手続開始後の一般賃金は「共益債権」とされ（会社更生法130条1項，127条2項），更生手続によらずに更生債権等に先立って随時弁済される（132条1項・2項）。それ以外の一般賃金は更生債権となるが，一定の優先的取扱いを受ける（168条1項2号）。なお，退職金については特別の定めが設けられている（130条2項～4項）。
　民事再生手続においては，一般先取特権が認められる一般賃金・退職金は「一般優先債権」とされ，再生手続によらずに随時弁済される（民事再生法122条1項，2項）。手続開始後の一般賃金・退職金は「共益債権」となり（119条2号），一般優先債権と同様に再生債権に先立って随時弁済される（121条1項・2項）。
　破産手続においては，手続開始前3か月間の給料請求権，および，手続終了前に退職した労

---

65)　著しく労働能力の低い精神・身体障害者，試用期間中の者などについて使用者が都道府県労働局長の許可を受けたときには，厚生労働省令の定めに従って減額された額を最低賃金額とするという減額の特例が定められている（7条）。

第3章　雇用関係の内容　　**257**

働者の退職手当請求権については退職前3か月間の給料総額に相当する部分（手続開始前3か月間の給料総額が多い場合にはその額）が「財団債権」とされ（破産法149条），優先的に弁済を受けられる。また，手続開始前の原因に基づく給料請求権で財団債権とならないものについては「優先的破産債権」となり，配当手続で優先弁済を受ける（98条1項，民法306条2号・308条）。なお，優先的破産債権にあたる給料請求権・退職手当請求権について，その弁済を受けなければ生活維持に困難が生じるおそれがあるときには，裁判所が破産配当前にその弁済を許可することができる制度も設けられている（破産法101条）。

　(2)　**賃金支払いの確保**　　会社が倒産などに陥り賃金の弁済を受けられない場合，賃金の支払の確保等に関する法律（賃確法）に基づき，政府から未払賃金の一部立替払いが行われることがある。

　賃確法は，社内貯蓄金・退職金の保全や賃金の支払確保などを目的として[66]1976（昭和51）年に制定された法律である。この法律に従い，政府は，事業主が法律上倒産した場合や，中小企業の事業活動が停止して再開の見込みがなく支払能力がないことが労働基準監督署長により認定された場合に，退職労働者の請求に基づき，未払賃金の一定部分の立替払いを行っている（7条，同法施行令2条，施行規則8条）。[67]

2 労働時間

■ 労働時間法制の意義と現状

　労働時間は，賃金とならんで労働者にとって最も重要な労働条件の1つであり，これに規制を加えることは労働法上の重要な政策課題の1つとされてきた。

　労働時間を法的に規制する目的には，いくつかのものがある。第1に，長時間の労働は労働者の健康を害するとともに，労働者の精神的なゆとりを損なうものとなるため，長時間労働を禁止し，労働者に余暇（労働解放時間）を保障することによって，労働者の身体や精神の保護を図ることである。第2に，失業が深刻化しているときに，失業者にも雇用の機会を分け与える（いわゆる

---

[66]　事業主が労働者の貯蓄金を管理する場合（p116 **5**），金融機関と保証契約を締結するなどして，その保全措置を講じなければならないとされている（賃確法3条）。また，事業主は，退職金について，貯蓄金に準じる保全措置を講じるよう努めなければならない（5条）。なお，退職労働者に対する未払賃金については，年14.6％という高率の遅延利息が定められている（6条，同法施行令1条）。

[67]　立替払いの財源は，全額使用者負担である労災保険の保険料によって賄われている。

258　　第3編　雇用関係法

「ワーク・シェアリング」）目的で，労働時間短縮政策などが推進されることもある。さらに，労働時間を規制するにあたり，働き方の多様化にあわせて法制度自体を柔軟で効率的なものにしようとする改革も進められており，労使自治や自己決定が制度のなかに組み込まれている場合もある。今日の労働時間法制は，これら複数の要請を複合的に調整する機能も営んでいる。

　現在の日本の労働時間法制をみてみると，そこには大きく2つの問題がある。

　1つは，旧来の法の機能不全に起因するものである。そもそも近代的な労働法は，19世紀後半から20世紀にかけて，当時の社会的原動力であった「工場で集団的に働く従属的労働者」をモデルとして形成されたものであった（p101）。なかでも，その端緒となった労働時間法制は，集団的に働く工場労働者を念頭に置きながら定型的な規制を課すという性質をもつものであった。しかし，1970年代以降のポスト工業化，グローバル化の社会趨勢のなか，旧来の定型的な労働時間法制は多様化する社会実態に対応できない事態に陥った。そこで先進諸国は，1980年代以降，労働時間法制の柔軟化を進めてきた。日本も1987（昭和62）年労基法改正以降，変形労働時間制の拡大や裁量労働制の導入・拡大など，労働時間制度の多様化・柔軟化を図る法改正を行ってきた。さらに，近年のデジタル化の進展のなかで時間や場所を問わない働き方も広がりをみせ，新たな課題も生まれている（p333 5_1）。

　もう1つは，労働をめぐる日本固有の問題である。日本の労働問題のなかでも最も深刻な問題の1つとして，長時間労働の問題がある。特に近年，労働時間の二極化傾向が進み，正社員の労働時間が長時間化している（とりわけ平日の労働時間が長くなり睡眠時間が減少する傾向にある）ことが指摘されており，その極限状況では過労死・過労自殺に至るなど，日本における過重労働の問題は欧米諸国に比べてかなり深刻なものとなっている。2018（平成30）年に成立した働き方改革関連法は，時間外労働の上限時間を労基法上罰則付きで設定すること等によって，日本の長時間労働の実態・文化を抜本的に改革しようとするものである。

　以下では，このような状況にある現行の労働時間法制の概要をみていく。そ

68）　黒田祥子「日本人の労働時間——時短政策導入前とその20年後の比較を中心に」RIETI Policy Discussion Paper Series 10-P-002（2010）など。

第3章　雇用関係の内容　　259

図表 5　労働時間法制の全体像

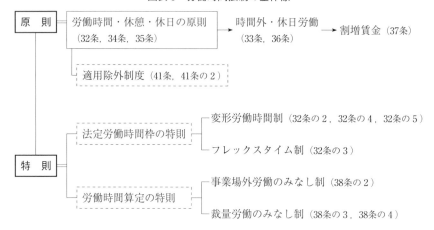

の全体像（主要なもの）を図で示すと，図表 5 のようになる。

2　労働時間制度の基本的枠組み

1　労働時間の概念

> **事例 63**
>
> 次の時間は「労働時間」として労基法の規制対象となるのか？
> ①お寿司屋さんで板前見習をしている長谷川さんが，お客さんが来ないので椅子に座って休んでいる時間（お客さんが来たらすぐに対応しなければいけない手待時間）。
> ②ビル警備員の岡さんに対し，巡回監視業務の合間に認められている仮眠時間。この仮眠時間中は，ビルの仮眠室に待機（仮眠）し，警報が鳴ればこれに対処しなければならない。
> ③銀行員の阿部さんが，今日の仕事が終わっていないのに強制退社時間である 22 時になったため，自宅にデータを持ち帰って風呂上がりに仕事を行った時間。
> ④工場で働く柴田さんらが，工場で作業を開始する前に工場横の広場で体操・朝礼を行う時間。また，作業の前後に更衣室で作業服・安全用具を着脱する時間。
> ⑤勤務医である趙さんが，所定労働時間外に開催される勉強会に参加し発表をする時間，および，その準備のための時間。

「労働時間」には，広い意味では，労働契約や就業規則などで労働義務があるものと定められた「労働契約上の労働時間」概念と，労基法の規制対象とな

る「労基法上の労働時間」概念とがある。このうち，「労働契約上の労働時間」
とは，就業規則など労働契約の定めによって労働義務があるとされている時間
をいい，当事者の主観的意思によって決定されるものである。これに対し，
「労基法上の労働時間」は，使用者が実際に労働者を「労働させ」る実労働時
間をさす（32条参照）。判例は，これを，「@労働者が使用者の指揮命令下に置
かれていると⑥客観的に評価できる時間」と定義している。[69]

　この判例の立場のうち，「労基法上の労働時間」性の判断を客観的な観点か
ら行うとしている点（⑥）は理論的に正しい。この判断において当事者の意
図・契約内容など主観的な事情を考慮すると，当事者の意思によって労基法規
制を免れることを容易に認めてしまうことになりかねず，労基法の強行法規性
（13条参照）に反するからである。もっとも，判断の具体的基準として，判例
が「指揮命令下」に置かれていることのみをあげている点（@）には疑問があ
る。労働者が使用者の指揮命令下に置かれていても，労働時間とは評価できな
い場合もあるからである（例えば仕事とは全く関係なく趣味で行っている日曜早朝の
草野球でたまたま会社の上司が監督をし部下である選手にサインを出している時間）。
「労基法上の労働時間」性は，指揮命令や黙認など使用者の関与の存在（「させ
（る）」要件）だけでなく，職務遂行と同視しうるような状況の存在（「労働」要
件）をあわせた2要件から判断すべきである。[70]

　具体的には，小売店の店員等が顧客を待っている手待時間（事例63の①）は，
顧客の来店を待つこと（一種の「労働」）を使用者に義務づけられている（「さ
せ」られている）ため，労基法上の労働時間にあたると解される。[71]また，ビル
警備員の夜間仮眠時間（②）も，仮眠室への滞在と警報等への対応が義務づけ

---

69) 三菱重工長崎造船所事件・最一小判平成12・3・9民集54巻3号801頁（#35）。
70) 荒木尚志『労働時間の法的構造』（有斐閣，1991）参照。実際には，判例においても，「指揮命
　令下」という基準のなかでこの2つの点が考慮され，労働時間性が判断されていることが多い。
71) すし処「杉」事件・大阪地判昭和56・3・24労経速1091号3頁〔事例63の①類似のケース〕。
　中央タクシー（未払賃金）事件・大分地判平成23・11・30労判1043号54頁〔タクシー乗務員が
　乗車して客待ち待機をしていた時間（会社からの指示・命令に反していた時間も含む）の労働時
　間性を肯定〕，北九州市事件・福岡高判令和2・9・17労経速2435号3頁〔路線バス乗務員の運転
　業務の間の待機時間につきバスの移動等が労働契約上義務づけられていたとはいえず労働から解
　放されていたとして労働時間性を否定〕，医療法人社団誠馨会事件・千葉地判令和5・2・22労判
　1295号24頁〔医師の病院外におけるオンコール待機時間につき緊急性の高い業務に限り頻度も
　多くなかったことから労働時間性を否定〕なども参照。

第3章　雇用関係の内容　261

られていたことから，労基法上の労働時間にあたると解釈された。[72] 作業前後の作業服や安全用具等の着脱時間（④）も，事業所内でそれを行うことが義務づけられている場合には，労基法上の労働時間にあたる。[73] これに対し，労働を行ってはいるが使用者が全く関与していない時間（③の時間で使用者が黙認すらしていない場合）[74] や，使用者の指示を受けているが「労働」性がない時間（上記の草野球の時間）については，労働時間性が否定されることになるだろう。所定労働時間外に行われる研修・教育活動への労働者の参加（⑤）についても，職務との関連性があり，使用者の指示を受けて参加している場合には，労基法上の労働時間にあたるものと解される。[75]

2 労働時間・休憩・休日の原則

(1) 法定労働時間 　使用者は，労働者に，休憩時間を除いて，1週40時間を超えて労働させてはならず，かつ，1日8時間を超えて労働させてはならない（労基法32条）。これを超える労働をさせるときには，法所定の要件を満たさなければならず，かつ，割増賃金を支払わなければならない（p267 **3**）。

---

72) 大星ビル管理事件・最一小判平成14・2・28民集56巻2号361頁（#36）〔 事例63 の②類似のケース〕。大林ファシリティーズ（オークビルサービス）事件・最二小判平成19・10・19民集61巻7号2555頁〔マンション住込み管理員が所定労働時間の前後に住民や外来者からの要望に対応すべく管理員室隣の居室で待機状態に置かれている時間の労働時間性を肯定〕。奈良県（医師・割増賃金）事件・大阪高判平成22・11・16労判1026号144頁〔医師の宿日直勤務時間中の診療の合間の待機時間の労働時間性を肯定〕なども参照。

73) 前掲69）三菱重工長崎造船所事件判決〔 事例63 の④類似のケース〕。アートコーポレーションほか事件・東京高判令和3・3・24労判1250号76頁〔朝礼前に制服を着用することが義務づけられていた事案で，制服の着用と朝礼に要する時間は使用者の指揮命令下に置かれていたとして労働時間性を肯定〕なども参照。

74) 持ち帰り残業や自発的残業についても，使用者の黙認や許容があった場合には労働時間になると解されている（京都銀行事件・大阪高判平成13・6・28労判811号5頁参照）。また，残業承認制を採用していた会社において，労働者が事前に申請せずに行っていた時間外労働について，会社は所定労働時間内に終了させることが困難な量の業務を行わせ，同労働者が残業していたことを会社代表者が認識していたという事情等を考慮して労働時間性を肯定した裁判例（クロスインデックス事件・東京地判平成30・3・28労経速2357号14頁）がある。

75) 前原鎔断事件・大阪地判令和2・3・3労判1233号47頁〔出欠をとらず不参加への制裁や不利益もない安全委員会の安全活動への参加時間の労働時間性を否定し，当該労働者の参加が開催の前提とされ参加しないと賃金査定等にかかわる勉強会への参加時間の労働時間性は肯定〕，長崎市立病院事件・長崎地判令和元・5・27労判1235号67頁〔 事例63 の⑤類似のケースで，勤務医が上司（診療部長）から指示されて参加した勉強会・検討会での発表時間や準備時間の労働時間性を肯定し，自主的な研さんの色合いが強い抄読会や学会への参加・準備時間の労働時間性は否定〕など参照。

262　第3編　雇用関係法

この「1 週 40 時間・1 日 8 時間」原則は，実際には週休 2 日制（週 5 日労働制）を念頭に置いて定められたものであるが，法律上は週休 2 日制にすることは要求されていない（下記(3)）。したがって，例えば，1 日 6 時間・週 6 日労働制とすることもこの原則には違反しない。逆に，週 4 日であっても 1 日 9 時間労働とすることは「1 日 8 時間」原則に違反することになり，この原則を超えて行われた部分は時間外労働となる。

なお，常時使用する労働者が 10 人未満の商業・サービス業等では，特例として，法定労働時間が 1 週 44 時間・1 日 8 時間とされている（労基法 40 条，労基則 25 条の 2 第 1 項）。

(2) **休　　憩**　使用者は，労働時間が 6 時間を超え 8 時間以内の場合には少なくとも 45 分，8 時間を超える場合は少なくとも 1 時間の休憩を，労働時間の途中に与えなければならない（労基法 34 条 1 項）。この休憩時間は，事業場の全労働者に一斉に与えるのが原則であるが，事業場の過半数代表との労使協定がある場合にはその例外が認められる（同条 2 項）。また，休憩時間は労働からの解放を保障する時間であるから，労働者に自由に利用させなければならない（同条 3 項）。ただし，休憩時間だからといって労働者はいかなる行為をしてもよいというわけではなく，企業秩序維持のための必要かつ合理的な制約は休憩時間中にも及びうる[76]（p194**1**）。

(3) **休　　日**　使用者は，労働者に毎週少なくとも 1 回の休日（原則として午前 0 時から 24 時間の労働義務からの解放）を与えなければならない（労基法 35 条 1 項）。ただし，4 週間を通じ 4 日以上の休日を与える場合には，この週休 1 日原則は適用されない（同条 2 項，労基則 12 条の 2 第 2 項）。

休日をあらかじめ特定することは法律上求められていないが，就業規則により休日を特定するよう行政指導がなされている[77]（有斐閣 HP の就業規則例 21 条参照）。休日が特定されている場合，使用者がそれを他の日に振り替えることを命じることができるかが問題となるが，①就業規則などに使用者が休日を振り

---

76)　目黒電報電話局事件・最三小判昭和 52・12・13 民集 31 巻 7 号 974 頁（#56）。休憩時間中の業務指示につき，前掲 71) 医療法人社団誠馨会事件判決〔医師の休憩時間につき PHS による連絡を受け医師としての対応を要求されていたとして労働時間性を肯定（休憩時間性を否定）〕参照。

77)　昭 63・3・14 基発 150 号など。

第 3 章　雇用関係の内容　263

替えることができる旨の規定が存在し（契約上の根拠），②休日を振り替えた後の状態が週休1日原則など労基法上の規定に反していない場合（強行法規違反の不存在）には，使用者は労働者の個別的同意を得ずに休日振替を命じることができるものと解される[78]。なお，休日振替は実際に休日に労働がなされる前に行われる必要があり，実際に休日に労働が行われた後に他に休日（代休）を与える取扱いがなされたとしても，休日とされていた日に行われた労働は「休日労働」として割増賃金支払義務（37条1項）を発生させ[79]，労基法35条違反を成立させうる。

(4) 適用除外

> **事例64**
>
> モグモグバーガーの直営店で店長をしている藤田さんは，会社の規則上「管理監督者」として取り扱われ，店長として年額635万円（評価によって580万円から780万円まで変動する）の賃金を支給されているが，週40時間・1日8時間を超える労働に対する割増賃金は支給されていない。藤田さんはモグモグバーガーに対して割増賃金の支払いを請求することができるか。なお，店長である藤田さんは，店舗の責任者としてアルバイトの採用・勤務シフト決定等を行っているが，企業経営全体にかかわる職務や権限は付与されていない。また，店長の勤務スケジュールは店長自身が決定できることになっているが，実際には店舗の管理等のため週40時間を超える労働が月100時間を超える場合があるなど，藤田さんは相当長時間の労働を余儀なくされている。店長の賃金は，店長のすぐ下の地位にある（管理監督者として扱われていない）アシスタントマネージャーの賃金（時間外割増賃金を含み平均年額590万円）よりも一定程度高いものとして設定されているが，店長としての評価やアシスタントマネージャーの時間外労働時間数によっては両者が逆転することもある。

労基法41条は，農業・畜産・水産業に従事する労働者（1号）[80]，管理監督者および機密事務取扱者（2号），監視・断続的労働従事者（3号[81]。ただし行政官庁

---

78) 三菱重工業横浜造船所事件・横浜地判昭和55・3・28労判339号20頁など。

79) ドワンゴ事件・京都地判平成18・5・29労判920号57頁。

80) 養鶏業者につき，労基法41条1号該当者として労基法上の労働時間規制の適用はないが，会社の就業規則は適用されるとして，就業規則規定に基づく賃金，時間外・休日労働手当等の請求を認容した裁判例（農事組合法人乙山農場ほか事件・千葉地八日市場支判平成27・2・27労判1118号43頁）がある。

81) 監視・断続的労働従事者とは，全体としてみた場合に通常の労働者より労働密度の薄い監視業務や断続的業務に従事する者（工場の警備員，マンションの管理人など）を指す。この監視・断

264　第3編　雇用関係法

の許可を得た者に限る）については，労働時間，休憩，休日に関する規制を適用しないと定めている。これらの適用除外の対象は，狭義の労働時間，休憩，休日に関する規定であり，年次有給休暇，育児・介護休業，深夜労働割増賃金に関する規定の適用は除外されない。[82]

　本条に関して最も問題となるのは，適用除外の対象となる「管理監督者」の範囲である。同条が管理監督者を適用除外とした趣旨は，労働時間規制を超えて活動することが要請される重要な職務と責任をもち，現実の勤務態様も労働時間規制になじまない者について，その地位の特殊性ゆえに労働時間，休憩，休日規制を適用しないものとした点にある。[83] その範囲について，行政解釈は，部長，工場長等労働条件の決定その他労務管理について経営者と一体的な立場にある者をいうとしている。[84] この点は，企業内での肩書きなど形式的・主観的な事情ではなく，個別の実態に即して客観的に判断されるべきである。裁判例上は，①労務管理上の使用者との一体性（例えば経営上の重要事項に関する権限や部下の人事権をもっていること）のほか，②労働時間管理を受けていないこと（例えば出社・退社時間の拘束がないこと），③基本給や手当面でその地位にふさわしい処遇を受けていること（例えば時間外労働賃金に相当する管理職手当を支給されていること）を考慮に入れて判断がなされている（**Column 35**）。また，行政解釈によると，上下の指揮命令系統（ライン）に直属しないスタッフ職も，経営上の重要な企画立案等の職務を担当し，ライン管理職と同格以上に位置づけられている場合には，適用除外の対象となるとされている。[85]

　続的労働従事者については，使用者の恣意的判断によって適用除外とされることを防ぐために，行政官庁の許可を得ることが必要とされている。医師，看護師等の宿直勤務については，通常の勤務時間の拘束から完全に解放された後のものであり，実作業が軽度または短時間の業務に限られ，宿直の場合夜間に十分な睡眠がとれることが，適用除外の許可を得るために必要であるとする解釈例規がある（令元・7・1基発0701第8号）。

82)　ことぶき事件・最二小判平成21・12・18労判1000号5頁〔管理監督者にあたる者であっても深夜労働の割増賃金を請求できる〕。

83)　寺本廣作『労働基準法解説』255頁以下（信山社，1998），厚生労働省労働基準局編・前掲59）621頁以下参照。

84)　昭22・9・13発基17号，昭63・3・14基発150号。

85)　昭63・3・14基発150号。もっとも，これまでの裁判例は，スタッフ職に関する行政解釈の立場にはよらず，管理監督者性の一般的判断枠組み（上記の①〜③の基準）に従って具体的に判断している（岡部製作所事件・東京地判平成18・5・26労判918号5頁〔工場の営業開発部部長の

Column 35 「管理監督者」性の判断例　　これまでの裁判例では，工場長や部長等の地位
にある者[86]，店舗の店長や支社長[87]，マネージャー等の地位にある者などについて，①経営や人事
に関する重要な権限をもっていない，②実際には出退勤時間の管理を受けている，③管理監督
者にふさわしい処遇を受けていないことなどを理由に，管理監督者性を否定するものが多い。
管理監督者性が肯定された例としては，会社全体や複数の支店等を統括する権限を有している
者[89]，経営幹部として事業経営上重要な権限・責任を有している者[90]，部門の責任者（人事課長，
営業部次長等）で労務管理の権限を有している者[91]などで，実質的に労働時間管理を受けておら
ず，管理監督者にふさわしい待遇を受けているものがある。

　以上の従来型の適用除外（労基法 41 条）に加えて，2018（平成 30）年働き方
改革関連法による労基法改正は，「高度プロフェッショナル制度」と呼ばれる
新たなタイプの適用除外を導入した。
　その要件は，①書面等による合意で職務が明確に定められ，使用者から支払
われると見込まれる年間賃金額が 1075 万円（労基則 34 条の 2 第 6 項）以上であ
る労働者を，②高度の専門的知識等を必要とし時間と成果の関連性が通常高く
ないと認められる業務として厚生労働省令で定める業務（金融商品の開発業務，
自らの投資判断に基づく資産運用・有価証券取引業務，有価証券市場における高度の分

　　管理監督者性を否定〕，丸栄西野事件・大阪地判平成 20・1・11 労判 957 号 5 頁〔デザイナー職の
　　管理監督者性を否定〕，三井住友トラスト・アセットマネジメント事件・東京高判令和 4・3・2 労
　　判 1294 号 61 頁〔月報関連業務等に従事していた専門社員の管理監督者性を否定〕など）。適用除
　　外制度の趣旨に照らすと，裁判例の立場が妥当である。

86)　橘屋事件・大阪地判昭和 40・5・22 労民集 16 巻 3 号 371 頁，神代学園ミューズ音楽院事件・東
　　京高判平成 17・3・30 労判 905 号 72 頁（#42）など。

87)　日本マクドナルド事件・東京地判平成 20・1・28 労判 953 号 10 頁〔 事例64 類似のケース〕，
　　ゲートウェイ 21 事件・東京地判平成 20・9・30 労判 977 号 74 頁など。

88)　日本コンベンションサービス（割増賃金請求）事件・大阪高判平成 12・6・30 労判 792 号 103
　　頁，コナミスポーツクラブ事件・東京高判平成 30・11・22 労判 1202 号 70 頁，そらふね元代表取
　　締役事件・名古屋高金沢支判令和 5・2・22 労判 1294 号 39 頁など。

89)　ことぶき事件・東京高判平成 20・11・11 労判 1000 号 10 頁〔社内でナンバー 2 の地位にある総
　　店長〕，セントラルスポーツ事件・京都地判平成 24・4・17 労判 1058 号 69 頁〔6 つの店舗を統括
　　するエリアディレクター〕など。

90)　ハヤシ事件・福岡高判平成 21・1・30 判時 2054 号 88 頁〔社内でナンバー 3 の地位にあり組立
　　外注の発注権限や製造部での労務管理権限を有している製造部長〕，ビュアルネッサンス事件・東
　　京地判平成 24・5・16 労判 1057 号 96 頁〔経営会議等に参加し重要業務を担当していた取締役〕
　　など。

91)　徳洲会事件・大阪地判昭和 62・3・31 労判 497 号 65 頁〔人事上の重要な決定権限をもつ人事第
　　二課長〕，姪浜タクシー事件・福岡地判平成 19・4・26 労判 948 号 41 頁〔経営協議会のメンバー
　　で労務管理の権限をもつ営業部次長〕。

析・評価に基づく投資助言業務，事業運営に関する調査・分析に基づく考案・助言業務，新たな技術・商品・役務の研究開発業務（同条3項）に就かせる場合に，③健康管理時間（事業場内にいた時間と事業場外で労働した時間の合計時間）を客観的な方法により把握する措置を使用者が講じること，④当該労働者への健康確保措置（年間104日以上かつ4週間に4日以上の休日の付与（義務），および，ⓐ11時間以上の休息時間（勤務間インターバル）の確保かつ深夜業は1か月4回以内，ⓑ健康管理時間の上限設定（週40時間を超える時間を1か月100時間以内または3か月240時間以内とする），ⓒ1年に1回以上2週間の継続した休日（労働者が請求した場合1年に2回以上1週間の継続した休日）を付与，ⓓ臨時の健康診断の実施（ⓐからⓓはいずれか1つ以上をとる選択的措置義務））を使用者が講じること，⑤当該労働者から書面等で同意を得ること（この同意は撤回可能（労基法41条の2第1項7号参照）），⑥当該事業場の労使半数ずつによって構成される労使委員会（p285 *Column 38*）の委員の5分の4以上の多数による議決により法定事項（同条1項各号）に関する決議をし行政官庁に届け出ることである。

　これらの要件をすべて満たす場合，労働時間，休憩，休日の規定に加えて，深夜労働の割増賃金の規定も適用しないものとされる（同項柱書）。[92]

3　時間外・休日労働

　使用者は，法定労働時間（p262(1)）を超えてまたは法定休日（p263(3)）に労働をさせることができないのが原則である。しかし，法は，その例外として，①災害・公務による臨時の必要がある場合，および，②労使協定が締結されている場合には，法定労働時間を超える労働（時間外労働）や法定休日における労働（休日労働）をさせることができるとしている。この時間外・休日労働に対しては，割増賃金が支払われなければならない。[93]

---

92)　この新たな適用除外は，管理監督者等の従来型の適用除外とは異なり，深夜労働の割増賃金についても適用が除外される点で，より柔軟度が高い制度となっている。その分，長時間労働等に伴うリスクが高くなる可能性があるため，他の適用除外や裁量労働のみなし制に比べて，年収要件（①），業務要件（②），健康確保措置（④），労働者の個人同意（⑤）と労使委員会の決議（⑥）等の点で，より厳しい要件が設定されている。また，健康管理時間が一定時間（週40時間を超える時間が月100時間〔労働安全衛生規則52条の7の4第1項〕）を超える場合には，医師による面接指導を行うことが事業者に罰則付きで義務づけられている（労働安全衛生法66条の8の4，120条1号）。

93)　例えば，就業規則上1日の所定労働時間が7時間とされている事業場においても，ここにいう

(1) **要　　件**　　労働者に法的に有効に時間外・休日労働をさせるためには，第1に，労基法上の要件を満たしていること，第2に，契約上の根拠があることの2つが必要である。

(a) **労基法上の要件**　　時間外・休日労働を適法に行わせるための方法として，労基法上2つの方法が定められている。

第1に，非常事由による時間外・休日労働である。使用者は，災害その他避けることができない事由によって臨時の必要がある場合には，行政官庁の許可を得て，必要な限度において時間外・休日労働をさせることができる（33条1項）。ただし，事態急迫のため行政官庁の許可を受ける暇がない場合においては，事後に遅滞なく届け出なければならない（同項ただし書）。行政官庁の許可が与えられるのは，突発的な災害，急病の発生や機械の故障などで人命・公益を守るために必要がある場合などに限定されている。[94][95]

第2に，労使協定による時間外・休日労働である。使用者は，事業場の過半数代表と労使協定を締結し，これを行政官庁に届け出た場合，その定めに従って時間外・休日労働をさせることができる（36条1項）。[96]

2018（平成30）年働き方改革関連法による労基法改正は，この労使協定（36協定）による時間外・休日労働について，労働者の健康確保，労働生産性の向上，ワーク・ライフ・バランスの改善等を図ることを目的として，罰則付きで時間外（休日）労働の上限時間を設定した。

具体的には，①法定労働時間を超える時間外労働の限度時間を原則として月45時間，年360時間（（3か月を超える）1年単位の変形労働時間制の場合には月42時間，年320時間）とする（労基法36条3項・4項），②特例として，臨時的な特

「時間外労働」（労基法上の時間外労働）とは，1日8時間を超える労働時間のことを指す。7時間目から8時間目の間の1時間は，所定労働時間外の時間ではあるが，法定労働時間内の時間である（「法内超勤」とも呼ばれる）。

94）　昭22・9・13発基17号，昭26・10・11基発696号，令元・6・7発基0607第1号。

95）　また，官公署の事業に従事する公務員については，公務のために臨時の必要がある場合には，時間外・休日労働をさせることができる（労基法33条3項）。

96）　もっとも，この労使協定（36協定）自体は，労基法の規制を解除する効力をもつにすぎず，私法上の権利義務を設定する効力はもたない（p68 **1**）ため，使用者が労働者に時間外・休日労働を命じるためには，労働契約上時間外・休日労働義務を設定しておくことが必要である（p271(b)）。

268　第3編　雇用関係法

別の事情がある場合に労使協定（特別条項）により限度時間（①）を超える時間を定めることができるが，この場合にも，ⓐ時間外・休日労働をさせることができる時間を 1 か月 100 時間未満かつ 2 か月ないし 6 か月平均でいずれにおいても月 80 時間以内とする[97]（同条 5 項・6 項）[98]，ⓑ1 年について時間外労働をさせることができる時間を 720 時間以内とする（同条 5 項），ⓒ月 45 時間（3 か月を超える）1 年単位の変形労働時間制の場合には月 42 時間）を超えることができる月数を 1 年について 6 か月以内とする（同項）ものとされた（**Column 36**）。厚生労働大臣は，時間外・休日労働を適正なものとするために指針を定め[99]（同条 7 項），労使当事者は協定の内容がこの指針に適合したものとなるようにしなければならず（同条 8 項），行政官庁は労働者の健康確保に特に配慮しつつ労使当事者に必要な助言・指導を行うことができるとされている（同条 9 項・10 項）。

　新たな技術・商品・役務の研究開発業務は，この労働時間の上限に関する規定（同条 3 項〜5 項，6 項 2 号・3 号）の適用から除外されるものとされている（同条 11 項）[100]。

　36 協定（限度時間を超える場合に付される特別条項を含む）には，①時間外・休日労働をさせることができる労働者の範囲，②対象期間（1 年間に限る），③時間外・休日労働をさせることができる場合，④1 日，1 か月，1 年のそれぞれ

97）　この 1 か月 100 時間，2 か月ないし 6 か月平均で月 80 時間という基準（ⓐ）については，脳・心臓疾患の労災認定基準（平 13・12・12 基発 1063 号）に由来するものであり，その時間数の算定方法として，同基準における算定方法に合わせて，休日労働を含む数字としてカウントすることとされた。

98）　坑内労働等健康上特に有害な業務については，時間外労働は 1 日 2 時間を超えないこととされている（労基法 36 条 6 項 1 号）。

99）　平 30・9・7 厚労告 323 号。

100）　なお，時間外労働の上限に関する規定の適用猶予措置として，①災害時の復旧・復興のための建設事業には，当分の間，1 か月 100 時間未満，2 か月ないし 6 か月平均で月 80 時間以内の上限は適用しない（労基法附則 139 条 1 項），②建設〔関連〕事業には，2024 年 3 月 31 日までの間，上限に関する規定は適用しない（同条 2 項），③自動車運転業務には，2024 年 3 月 31 日までの間，上限に関する規定は適用せず，2024 年 4 月 1 日以降も，当分の間，1 か月 100 時間未満，2 か月ないし 6 か月平均で月 80 時間以内の上限は適用せず，1 年の上限時間を 960 時間以内とする（同法附則 140 条），④医業に従事する医師には，2024 年 3 月 31 日までの間，上限に関する規定は適用せず，2024 年 4 月 1 日以降も，医療提供体制の確保に必要な者として厚生労働省令で定める医師については，当分の間，厚生労働省令で定める上限時間による（同法附則 141 条），⑤鹿児島県・沖縄県の砂糖製造事業には，2024 年 3 月 31 日までの間，1 か月 100 時間未満，2 か月ないし 6 か月平均で月 80 時間以内の上限は適用しない（同法附則 142 条）ものとされていた。

第 3 章　雇用関係の内容　269

の期間についての延長時間・休日労働日数の上限，⑤有効期間の定め，⑥１年の起算日，⑦１か月 100 時間未満，２か月ないし６か月平均で月 80 時間以内の要件を満たすこと，⑧限度時間（月 45 時間，年 360 時間）を超えて労働させることができる場合，⑨限度時間を超える場合の健康・福祉確保措置，⑩限度時間を超える労働に対する割増賃金率，⑪限度時間を超えて労働させる場合の手続を記載し，定められた書式（様式第９号。特別条項を付す場合には様式第９号の２）によって，行政官庁（所轄の労働基準監督署長）に届け出なければならない（労基法 36 条１項・２項，労基則 16 条・17 条）。時間外・休日労働をさせることができる場合（③）としては，「納期のひっ迫または臨時的な受注の集中」，「機械類のトラブルへの対応」，「予算または決算業務の実施」，「顧客または取引先からのクレームへの対応」，「その他前各号に準ずる業務上の必要性」のため，「通常の労働時間内での労働では処理が困難なとき」等の記載がなされることが多い。

Column 36 「2024 年問題」——上限規制の適用猶予措置と特例基準の設定　　建設（関連）事業，自動車運転業務，医業に従事する医師等については，2018（平成 30）年働き方改革関連法による労基法改正部分の施行後５年間は時間外労働の上限規制の適用を猶予する措置が定められていた（労基法附則 139 条～142 条。前掲注 100)）。これらのうち，建設（関連）事業については，猶予措置が終了する 2024（令和 6）年 4 月から一般的な上限規制が適用される[101]が，自動車運転業務および医師については，2024 年 4 月以降も，一般規制とは異なる特例基準が適用されることとされている。

自動車運転業務については，2024 年 4 月以降も，当分の間，１年の上限時間を 960 時間以下とする規制が適用される（労基法附則 140 条）。この年 960 時間の上限規制と併せて，ⓐタクシー・ハイヤー運転手については，日勤の１か月の拘束時間を 288 時間以下，日勤の１日の休息時間を継続 11 時間以上を基本とし 9 時間を下回らないものとすること等，ⓑトラック運転者については，１年の拘束時間を原則 3300 時間以下（労使協定で一定要件の下 3400 時間まで延長可能），１か月の拘束時間を原則 284 時間以下（労使協定で一定要件の下 310 時間まで延長可能），１日の休息時間を継続 11 時間以上を基本とし 9 時間を下回らないものとすること等，ⓒバス運転者については，１年の拘束時間を原則 3300 時間以下（労使協定で一定要件の下 3400 時間まで延長可能），１か月の拘束時間を原則 281 時間以下（労使協定で一定要件の下 294 時間まで延長可能），１日の休息時間を継続 11 時間以上を基本とし 9 時間を下回らないものとすること等を定めた改正改善基準告示が発出されている[102]。

---

101)　災害時の復旧・復興のための建設事業については，なお当分の間，適用猶予が残るものとされている（労基法附則 139 条１項）。

102)　「自動車運転者の労働時間等の改善のための基準」（平元・2・9 労告 7 号，令 4・12・23 厚労告 367 号改正）。

医師については，2024年4月以降も，医療提供体制の確保に必要な者として厚生労働省令で定める医師については，当分の間，厚生労働省令で定める上限時間によるとされている（同法附則141条）。この2024年4月以降の医師の上限時間は，都道府県知事により指定されるカテゴリー[103]に従って，一般的な診療勤務従事医（A）については年960時間以下・原則月100時間未満，地域医療確保暫定特例水準（B＝救急医療等に従事し長時間労働が必要となる医師，連携B＝地域医療確保のために派遣され通算で長時間労働が必要となる医師）については年1860時間以下（連携Bの個々の医療機関における上限は月960時間以下）・原則月100時間未満，集中的技能向上水準（C-1＝集中的に長時間の臨床・専門研修を積む必要のある研修医，C-2＝特定の高度技能の修得のために集中的に長時間修練する必要のある医師）については年1860時間以下・原則月100時間未満とされ，地域医療確保暫定特例水準（B，連携B）については2035年度末を目標に解消する，集中的技能向上水準（C-1，C-2）については将来に向けて縮減方向とすることとされている[104][105]。

これらの2024年4月からの上限規制の移行（猶予措置の終了と特例基準の適用等）をめぐる実務上の課題を総称して，「2024年問題」と呼んでいる。

(b)　契約上の根拠の存在　　使用者が労働者に具体的に時間外・休日労働を命じるためには，36協定の締結・届出など労基法上の要件を満たすことに加えて，労働契約上時間外・休日労働を行う義務を設定しておく必要がある。

> **事例65**
>
> 　野武士製作所のムサシ工場に勤務していた横塚さんは，上司である上床主任から手抜き作業を注意され，残業してやり直しをすることを命じられたが，これを拒否して帰宅した。同社は，この残業拒否につき横塚さんを14日の出勤停止処分とし始末書の提出を命じたが，横塚さんはその後も残業命令に従う義務はないという態度を変えなかったため，同社は横塚さんを懲戒解雇した。懲戒解雇の効力の前提として，横塚さんは同社からの残業命令に従う義務を負うか？　同社の就業規則には，「会社は，過半数組合との労使協定により，1日8時間の労働時間を延長することがある」旨，過半数組合との労使協定には，「会社は，①納期に完納しないと重大な支障を起こすおそれのある場合，……⑥業務の内容によりやむを得ない場合，⑦

---

103)　この都道府県知事による指定を受けるために，各医療機関が作成・提出した医師の労働時間短縮計画を評価センター（医療機関勤務環境評価センター）が評価し，その評価結果を踏まえた指定申請に基づいて都道府県知事がB，連携B，C-1，C-2の指定を行い，医療機関による36協定の締結を経て実際に業務が開始されるという，医師の労働時間短縮に向けた取組みの手順も定められている。

104)　令4・1・19厚労省令5号・6号。

105)　この上限時間の設定と併せて，月の上限を超える場合の面接指導と就業上の措置（共通），連続勤務時間制限28時間・勤務間インターバル9時間の確保・代償休息のセット（B・連携B・C-1・C-2については義務〔臨床研修医（C-1）については連続勤務時間制限を強化・徹底〕，Aについては努力義務）等の追加的健康確保措置も定められている。

第3章　雇用関係の内容　　271

その他前各号に準ずる理由のある場合は，労働時間を延長することがある」旨の規定がある。

　この時間外・休日労働義務がいかなる場合に認められるかについて，学説上は，労働者の個別の同意が必要であるという見解（個別的同意説）や，就業規則や労働協約上の包括的規定でも足りるとする見解（包括的同意説）などがみられた。この点につき，最高裁日立製作所武蔵工場事件判決は，使用者が就業規則に36協定の範囲内で時間外労働をさせることができる旨を定めており，その規定の内容が合理的なものである限り，労働者はその定めるところに従い時間外労働をする義務を負うと判示した。[106] 就業規則上の規定が合理的なものであれば労働契約の内容になるとの判例（p78 **2**. 労契法7条）に従い，基本的には包括的同意説の立場を採用したものといえる。[107] なお，就業規則の合理的な規定によって時間外労働命令権の存在が根拠づけられる場合でも，その命令（権利の行使）に，①業務上の必要性がない，②不当な動機・目的からなされている，③労働者に著しい不利益を負わせるものであるなど，特段の事情が認められる場合には，権利の濫用として無効となる（民法1条3項，労契法3条5項）と解することによって，労働者の私生活保護の要請等との調整を図るべきであろう。[108]

　(2)　**割増賃金**　　労基法上の時間外労働や休日労働に対しては，通常の労働時間または労働日の賃金（p278 *Column 37*）の2割5分以上5割以下の範囲内で命令の定める率以上の率で計算した割増賃金を支払わなければならない（労基法37条1項本文）。条文上は，労基法上の要件（33条，36条）を満たして行われる時間外・休日労働に対して割増賃金を支払うことが義務づけられるような規定になっているが，労基法上の要件を満たさずに行われる時間外・休日労働

---

106)　最一小判平成3・11・28民集45巻8号1270頁（#38）〔 事例65 類似のケース〕。

107)　同判決は，36協定が時間外労働の時間を限定し，かつ，時間外労働事由を限定していることから，就業規則規定を合理的なものと判断した。

108)　トーコロ事件・東京高判平成9・11・17労判729号44頁〔眼精疲労等の状態にあり残業命令に従えないやむを得ない事由があったとして残業命令に従う義務を否定〕，シルバーハート事件・東京地判令和2・11・25労判1245号27頁〔シフトを大幅に削減し労働者に著しい不利益を与える決定についてシフト決定権限の濫用にあたり違法と判断〕参照。

272　　第3編　雇用関係法

についても，37条1項の規制（割増賃金の支払義務）は当然及ぶと解釈されている[109]。割増率は，時間外労働については2割5分，休日労働については3割5分と定められている（割増賃金令）が，2008（平成20）年労基法改正により，月60時間を超える時間外労働部分については割増率が5割に引き上げられた（労基法37条1項ただし書）[110]。例えば，通常の労働時間・労働日の賃金が時間あたり2000円の労働者が月に80時間の時間外労働をした場合，月60時間までの割増率は25％（割増賃金を含めた賃金額は時間あたり2500円），月60時間から80時間までの割増率は50％（同3000円）となる。この法改正によって引き上げられた割増賃金部分（上記例で月60時間から80時間までの時間外労働についての時間あたり500円部分）については，事業場の過半数代表との労使協定により有給の代替休暇を与えることができる旨を定め，労働者が実際にこの休暇を取得した場合には，これを支払うことを要しないとされている（37条3項，労基則19条の2）[111]。

また，午後10時から午前5時までの時間帯に労働（いわゆる「深夜労働」[112]）をさせた場合には，通常の労働時間の賃金の2割5分以上の率で計算した割増賃金を支払わなければならない（労基法37条4項）。

なお，時間外労働と深夜労働とが重複した場合，および，休日労働と深夜労働が重複した場合には，割増率は合算され，それぞれ5割以上（月60時間を超える時間外労働部分と重複した場合は7割5分以上），6割以上の割増賃金を支払わなければならない（労基則20条）[113]。

109）　小島撚糸事件・最一小判昭和35・7・14刑集14巻9号1139頁。

110）　ただし，資本金または出資の総額が3億円（小売業・サービス業については5000万円，卸売業については1億円）以下の事業主，および，常用労働者数が300人（小売業については50人，卸売業・サービス業については100人）以下の事業主の事業については，当分の間，割増賃金の引上げを適用しないとする猶予措置が定められていた（労基法附則138条）。2018（平成30）年働き方改革関連法は，この中小事業主への猶予措置を2023（令和5）年4月に廃止することとした（労基法附則138条の削除）。

111）　この代替休暇の単位は1日または半日，代替休暇を与えることができる期間は月60時間を超える時間外労働をさせた月の末日の翌日から2か月以内，代替休暇の時間数は月60時間を超えた時間外労働時間数（本文中の例によると80−60＝20時間）に引き上げられた割増率（50％−25％＝0.25）を乗じた時間（20×0.25＝5時間）とされている（労基則19条の2）。労働者が実際に代替休暇を取得しなかった場合には，使用者は50％の割増賃金を支払わなければならない。

112）　厚生労働大臣が必要と認めるときには，午後11時から午前6時までの時間帯とすることができるとされている。

事例 66

　次のような賃金の支払い方は，労基法 37 条に違反するか？

　①雇用契約書に「賃金月額 56 万円（残業手当含む）」，「給与明細書表示（月額給与 46 万円，業務手当 10 万円）」，賃金規程に「業務手当は時間外労働に対する手当の代わりとして支給する」と記載し，業務手当を時間外労働等への対価（割増賃金）として支払うこと。

　②基本給 23 万円のうち 8 万 8000 円を月 80 時間の時間外勤務に対する割増賃金として支払い，1 か月 80 時間を超える時間外労働をした場合にはその分の割増賃金を追加して支払うこと。

　③病院に勤務する医師に対し，残業代込みで年俸 1700 万円を支給し，時間外・休日・深夜労働があっても割増賃金等は支払わないこと。

　④タクシー乗務員に対し，売上高から計算した対象額（A）をもとに時間外・休日・深夜労働割増賃金（B）を算出し，月給（歩合給）は対象額から割増賃金を控除した額（A-B）とするとして，毎月，月給（A-B）と時間外・休日・深夜労働割増賃金（B）を支給すること（合計支給額は A となり時間外労働等があっても変わらない）。

　⑤トラック運転手に対し，業務内容等に応じて決定した賃金総額（A）から基本給等（定額）を差し引いた金額を「割増賃金」として支給し，この「割増賃金」は基本給等を基礎に労基法 37 条に基づいて算定した「時間外手当」（B）とその残りの額（「調整手当」（C））から構成されるものとすること（賃金総額 A＝基本給等＋〔B＋C〕で，B が増えた分 C が減ることにより A は時間外労働等があっても変わらない）。

　これらの事例のように，使用者が時間外・休日・深夜労働に対する割増賃金に代えて一定額の賃金を支払うことや，通常の賃金のなかに含めてこれを定額払いすることは可能かが問題となることが多い。この点について，判例は，通常の労働時間の賃金にあたる部分と割増賃金にあたる部分とを判別することができ（「判別」要件），かつ，割増賃金にあたる部分が法定計算額以上でなければ（「割増賃金額」要件），このような支払い方をすることはできないとの考え方を示している。[114]　したがって，そもそも，通常の労働時間の賃金部分と割増賃金部分とを区分せずにまとめて定額払いしている形態のものは，労基法 37 条の

---

113)　労働がなされる時間帯に着目した深夜労働規制（労基法 37 条 4 項）と労働時間の長さに着目した他の労働時間規制（同条 1 項等）とはその趣旨目的が異なる（前掲 82）ことぶき事件判決参照）ため，両者は重畳的に適用されるものと位置づけられている。

114)　高知県観光事件・最二小判平成 6・6・13 労判 653 号 12 頁，テックジャパン事件・最一小判平成 24・3・8 労判 1060 号 5 頁など。

274　　第 3 編　雇用関係法

計算を不可能とするものとして，同条違反となる。[115]

　この法理の適用にあたっては，そもそも使用者側が定額残業代と主張する賃金部分が「割増賃金にあたる部分」といえるのか，すなわち，当該賃金部分が時間外労働等の対価（割増賃金）として支払われたものといえるのか（時間外労働等に対する「対価性」）が問題となりうる。この点について，近時の判例は，ある手当が時間外労働等の対価といえるか否かは，契約書等の記載内容，使用者の説明の内容，実際の勤務状況等の事情を考慮して判断されるとし，日本ケミカル事件（ 事例66 の①類似のケース）[116] では，①労働契約上当該手当が時間外労働等に対する対価として支払われるものと位置づけられ，②その支払額が実際の時間外労働等の状況と大きく乖離していないことから，時間外労働等に対する対価と認められるとした。[117] これは，定額残業代の割増賃金該当性（時間外労働等に対する「対価性」）について，①契約書への記載や使用者の説明等に基づく労働契約上の対価としての位置づけ，および，②実際の勤務状況に照らした手当と実態との関連性・近接性を考慮する判断枠組みを提示したものということができる。この判断枠組みによれば，契約書への記載や使用者の説明が不十分な場合は契約上の対価としての位置づけ（①）を欠き，[118] また，手当の性質や額が時間外労働等の実態と乖離している場合には実態との関連性・近接性（②）を欠くとして，割増賃金の支払いとは認められないことになるだろう。[119]

　さらに，定額残業代であるとして支給されている手当等に対価性（「割増賃金に相当する部分」との性格）が認められるとしても，その額が労働者の健康を損な

---

115)　鳥伸事件・大阪高判平成 29・3・3 労判 1155 号 5 頁。

116)　後述する国際自動車（差戻上告審）事件判決（後掲 123））は，この時間外労働等に対する対価性の判断においては，当該手当の名称，算定方法だけでなく，労基法 37 条の趣旨も踏まえ，賃金体系全体における当該賃金部分の位置づけ等にも留意して検討しなければならないとし，日本ケミカル事件判決（後掲 117））が示した考慮事情に労基法 37 条の趣旨を加える旨を説示した。

117)　日本ケミカル事件・最一小判平成 30・7・19 労判 1186 号 5 頁。

118)　定額残業代部分について契約書への記載や使用者による説明が不明確・不十分であったことから，当該部分を割増賃金の支払いとは認めなかった裁判例として，前掲 115) 鳥伸事件判決，ライフデザインほか事件・東京地判令和 2・11・6 労判 1263 号 84 頁など参照。

119)　サン・サービス事件・名古屋高判令和 2・2・27 判時 1224 号 42 頁〔割増賃金にあたると主張された職務手当（月約 80 時間分の時間外労働の割増賃金に相当）と実際の時間外労働数（月 120 時間超）に大きな乖離があること等から，同手当の時間外労働に対する対価性を否定し割増賃金の算定基礎に含まれると判断〕参照。

第 3 章　雇用関係の内容　275

う危険性があるほど長時間の時間外労働等に相当する場合には，その定額残業代の定めは公序良俗（民法90条）に反し無効であると解される[120]。

割増賃金の支払いをめぐっては，さらに，ⓐ高賃金の労働者にも割増賃金の支払いを命じる労基法37条は適用されるのか，ⓑ基本給の概算払いの事案にも同条は厳密に適用されるのか，ⓒ基本給から割増賃金相当額を控除して支払う（その結果，時間外・休日・深夜労働をしても支払われる賃金総額は変わらなくなる）方法をとることは適法かが問題となる。ⓐ高賃金労働者への労基法37条の適用について，最高裁は，年俸1700万円のなかに時間外労働等の割増賃金を含むとの合意があった勤務医の事件（ 事例66 の③類似のケース）で，労基法37条には使用者に割増賃金を支払わせることによって時間外労働等を抑制しようとする趣旨が含まれるとして，通常の労働時間相当部分と割増賃金が判別できない年俸の支払いによって本条の割増賃金が支払われたということはできないと判断し，高賃金の労働者にも本条が適用されることを明確にした[121]。また，ⓑ基本給の概算払いのケース（基本給を月額41万円とし，月間総労働時間が180時間を超える場合には1時間あたり2,560円を別途支払い，140時間未満の場合には1時間あたり2,920円を控除する旨の約定があり，基本給の一部が他の部分と区別されて時間外労働の割増賃金とされていたという事情がない事案）について，最高裁は，月間180時間以内の労働時間中の法定時間外労働部分についても，使用者は，基本給とは別に，割増賃金を支払う義務があるとした[122]。さらに，ⓒタクシー乗務員の歩合給から時間外・深夜労働等の割増賃金（割増金）を控除して支払う賃金形態をとり，時間外・深夜労働等をしても賃金総額は変わらないものとする仕組みの適法性が問題となった事件（ 事例66 の④類似のケース）で，最高裁は，まず，判別要件の前提となる時間外労働等に対する対価性の判断において，当

---

120) イクヌーザ事件・東京高判平成30・10・4労判1190号5頁〔 事例66 の②類似のケースで固定残業代を月80時間の時間外労働に対する割増賃金とする定め（実際に月間80時間を超える時間外労働も少なからず行われていた）は公序に反し無効〕，木の花ホームほか1社事件・宇都宮地判令和2・2・19労判1225号57頁〔月131時間余の時間外労働に相当する職務手当を固定残業代とする定めは公序に反し無効〕，国・渋谷労基署長（カスタマーズディライト）事件・東京地判令和5・1・26労経速2524号19頁〔月150時間前後に相当する職務手当の割増賃金性を否定〕。

121) 医療法人康心会事件・最二小判平成29・7・7労判1168号49頁。

122) 前掲114）テックジャパン事件判決。

276　第3編　雇用関係法

該手当の名称，算定方法だけでなく，労基法 37 条の趣旨を踏まえ，賃金体系全体における当該賃金部分の位置づけ等にも留意して検討しなければならないとの一般論を述べたうえで，本件の仕組みは，その実質において，通常の労働時間の賃金である歩合給を時間外労働等がある場合に名目的に割増金に置き換えて支払うこととするものであり，本件割増金の一部に時間外労働等の対価が含まれているとしても，通常の労働時間の賃金である歩合給として支払われるべき部分を相当程度含んでいると解さざるを得ず，割増金のうちどの部分が時間外労働等の対価にあたるか明らかでないから，通常の労働時間の賃金にあたる部分と割増賃金にあたる部分とを判別することはできず，本件割増金は通常の労働時間の賃金にあたるものとして同条の割増賃金額を算定すべきとした。[123]時間外労働等に相応する割増賃金の額が増えれば増えるほど，通常の労働時間の賃金として支給される基本給（本件では歩合給）が減額され，基本給（当該歩合給部分）が 0 円になる可能性もあるという本件事案の特徴から，本件では，通常の労働時間の賃金にあたる部分と割増賃金にあたる部分とを明確に判別することができず，割増賃金にあたると主張されている部分（割増金）に時間外労働等に対する対価性は認められないとの趣旨の判決であると位置づけられよう。[124]

　さらに，最高裁は，トラック運転手の事案（ 事例66 の⑤類似のケース）で，業務内容等に応じて決定した賃金総額から基本給等を差し引いた金額を「割増賃金」として支給し，この「割増賃金」は基本給等を通常の労働時間の賃金として労基法 37 条に基づいて算定した「時間外手当」とその余の額（「調整手当」）からなるとする給与体系について，本件時間外手当と調整手当は，一方の額が定まると他方の額が定まるという関係にあり，両者を包摂した本件割増

---

123) 国際自動車（差戻上告審）事件・最一小判令和 2・3・30 民集 74 巻 3 号 549 頁（＃40）。

124) これに対し，能率手当以外の基準内賃金をもとに時間外手当 A，能率手当をもとに時間外手当 B が算出され，能率手当は出来高に基づき算出された賃金対象額が時間外手当 A の額を上回る場合に支給される（賃金対象額から時間外手当 A 相当額を減額した額が能率手当とされる）制度について，判別要件を充たし，本件能率手当は時間外手当 A を含む固定給部分に追加して支給される（固定給部分は減額されない）という性質を有するものであるとして，労基法 37 条に違反しないとした裁判例がある（トールエクスプレスジャパン事件・大阪高判令和 3・2・25 労判 1239 号 5 頁〔最一小決令和 3・9・9 労判 1248 号 96 頁（上告棄却・上告受理申立不受理）により確定〕）。

賃金は，通常の労働時間の賃金として支払われるべき部分を相当程度含んでいると解さざるを得ないから，判別要件を欠き，適法な割増賃金の支払いとはいえないと判示した。[125] 判例は，通常の労働時間にあたる部分と割増賃金にあたる部分が実質的に混在している（後者が増えると前者が減る関係にある）場合に，両者を判別できるか（判別要件の充足の有無）を中心に労基法 37 条違反性を判断しているといえよう。

Column 37　割増賃金の算定基礎　　割増賃金の算定基礎となる「通常の労働時間・労働日の賃金」とは，「当該労働を通常の労働時間・労働日に行った場合に支払われる賃金」を意味し，時間外・休日労働の対価として支払われる手当で通常の賃金と判別できるものはそこから除外される。例えば月給制の場合には，月給額（時間外・休日労働割増賃金などを除く）を月の所定労働時間数で除した額とされる（労基法 37 条 1 項・3 項，労基則 19 条 1 項 4 号参照）。さらに，家族手当，通勤手当，別居手当，子女教育手当，住宅手当，臨時に支払われた賃金，1 か月を超える期間ごとに支払われる賃金（賞与など）は，この算定基礎に算入しなくてよいものとされている（労基法 37 条 5 項，労基則 21 条）。「管理監督者」性（p264 (4)）が否定された労働者に支払われていた管理職手当等については，手当の額や決定基準等からみて時間外・休日労働の対価として支払われていたもので通常の賃金と判別できるものは，割増賃金の算定基礎から除外され，割増賃金の支払いに充当されるが，[126] そうでなければ「通常の労働時間・労働日の賃金」として割増賃金の算定基礎に算入され，割増賃金の支払いには充当されない。[127]

❸　労働時間制度の特則——労働時間の柔軟化

以上述べた労働時間制度の基本的枠組みに対し，これを柔軟化するための特別の制度が労基法上設けられている。1 つは，変形労働時間制など法定労働時間を柔軟化する制度であり，もう 1 つは裁量労働制など労働時間の算定の仕方に関する特別の制度である。

1　法定労働時間の柔軟化

法定労働時間の枠を柔軟化する制度として，変形労働時間制（3 種類）とフレックスタイム制がある。

(1)　変形労働時間制　　変形労働時間制とは，一定の単位期間について，週

---

125)　熊本総合運輸事件・最二小判令和 5・3・10 労判 1284 号 5 頁。

126)　日本アイティーアイ事件・東京地判平成 9・7・28 労判 724 号 30 頁，東和システム事件・東京高判平成 21・12・25 労判 998 号 5 頁など。

127)　キャスコ事件・大阪地判平成 12・4・28 労判 787 号 30 頁，ボス事件・東京地判平成 21・10・21 労判 1000 号 65 頁など。

278　　第 3 編　雇用関係法

あたりの労働時間数の平均が週法定労働時間の枠内に収まっていれば，1 週または 1 日の法定労働時間の規制を解除することを認める制度である。例えば，単位期間を 4 週間とした場合，月末の週に所定労働時間を 45 時間としても，その他の週の労働時間を短くして 4 週間で 160 時間を超えないようにすれば，月末の週の週 40 時間を超える部分も時間外労働とはならないものとして取り扱われる[128]。

この制度は，時期により業務に繁閑のある場合や交替制労働の場合などに，労働時間規制を柔軟化する手段として用いられる。現行法では，1 か月単位，1 年単位，1 週間単位の 3 つの変形制が認められている。

(a) 1 か月単位の変形労働時間制　　使用者は，事業場の過半数代表との労使協定または就業規則その他これに準じるものにより，1 か月以内の一定期間を平均して 1 週間あたりの労働時間が 1 週 40 時間を超えない定めをした場合[129]には，その定めにより，特定された週または日において 1 週 40 時間・1 日 8 時間を超えて労働させることができる（労基法 32 条の 2）。

> **事例 67**
>
> 　西日本トレイン社では，1 か月単位の変形労働時間制が採用され，就業規則上，従業員の勤務を「毎月 25 日までに翌月分を指定する」，「ただし，業務上の必要がある場合は，指定した勤務を変更する」ことが定められていた。同社は，従業員の髙橋さんに対し，4 月 25 日付けで 5 月分の勤務指定をしたが，その後その勤務指定を変更した。髙橋さんは，勤務指定変更後の労働時間で勤務し，所定労働時間分の賃金しか支給されなかった。髙橋さんは，変更前の勤務時間を超過して働いた部分につき，時間外労働として割増賃金の支払いを請求できるか？

この制度においては，単位期間における各週・各日の所定労働時間を具体的に特定しておく必要がある。その趣旨は，労働時間の不規則な配分によって労働者の生活に与える影響を小さくすることにあるため，各週・各日の所定労働

---

128)　変形労働時間制の下で時間外労働とされるのは，①所定労働時間が 8 時間を超えて設定された日についてはそれを超えて労働した時間，それ以外の日については 8 時間を超えて労働した時間，②所定労働時間が 40 時間を超えて設定された週についてはそれを超えて労働した時間，それ以外の週については 40 時間を超えて労働した時間，および，③（①・②で時間外労働とされた時間を除く）変形期間における法定労働時間の総枠を超えて労働した時間である。

129)　1 か月の平均労働時間が 1 週間あたり 40 時間を超える定めをした 1 か月単位の変形労働時間制を無効とした裁判例として，ダイレックス事件・長崎地判令和 3・2・26 労判 1241 号 16 頁，社会福祉法人セヴァ福祉会事件・京都地判令和 4・5・11 労判 1268 号 22 頁参照。

時間を就業規則等によってできるだけ具体的に特定しておく必要があり，例えば，使用者がその都度勤務割表を作成し変形期間の3日から5日前に従業員に周知することや，「業務の都合により1か月を通じ1週平均38時間以内の範囲内で就業させることがある」旨の規定では，この特定をしたことにはならないと解されている。[130] いったん特定した労働時間を変更することは，就業規則などにその根拠規定（変更条項）があり，かつ，労働者が予測可能な程度に具体的に変更事由が定められている場合にのみ認められる。[131]

この変形制は，1か月のなかで業務の繁閑の激しい企業や深夜交替制労働（例えばタクシー運転手）の場合に多く用いられている。1年単位や1週間単位の変形制とは違って，各週や各日の労働時間の上限は特に定められていない。

(b) 1年単位の変形労働時間制　　使用者は，事業場の過半数代表との労使協定[132]により，1か月を超え1年以内の一定の期間を平均して1週間あたりの労働時間が40時間を超えない定めをした場合には，その定めにより，特定された週または日において1週40時間・1日8時間を超えて労働させることができる（労基法32条の4）。

この制度においても，対象期間内の労働日および各日の所定労働時間をあらかじめ特定しておく必要がある。[133] また，変形制の期間が長期に及ぶため，協定で定める労働時間の限度は，原則として，1日10時間，1週52時間（労基則12条の4第4項，労基則附則65条・66条），連続して労働させることのできる日数は6日（労基則12条の4第5項），期間内の所定労働日数の上限は1年あたり280日（同条3項）とされている。この変形制は，季節により繁閑の差があるデパートや結婚式場などで多く利用されている。

(c) 1週間単位の変形労働時間制　　小売業，旅館，料理店，飲食店であって

---

130) 岩手第一事件・仙台高判平成13・8・29労判810号11頁，前掲72) 大星ビル管理事件判決。日本マクドナルド事件・名古屋高判令和5・6・22労経速2531号27頁〔就業規則に記載のない勤務シフトによって労働時間が特定されたことにはならないとして変形制は無効と判断〕も参照。

131) JR東日本（横浜土木技術センター）事件・東京地判平成12・4・27労判782号6頁，JR西日本（広島支社）事件・広島高判平成14・6・25労判835号43頁（#37）〔 事例67 類似のケースで労働時間の特定の要件を充たさず変形制は無効と判断〕。

132) この変形制では変形期間が長期にわたるため，労使協定の締結・届出が要件とされ，就業規則による導入は認められていない。

133) その特定の仕方については，労基法32条の4第2項参照。

常時使用する労働者が 30 人未満の事業においては，使用者は事業場の過半数代表との労使協定により[134]，1 週間単位で，あらかじめ各日の労働時間を特定せずに[135]，1 日 10 時間まで労働させることが可能な変形労働時間制をとることができる（労基法 32 条の 5，労基則 12 条の 5）。

　日ごとの業務の繁閑が激しい零細事業(例えば地方の小規模旅館)に対して非定型の変形労働時間制を認めたものであるが，実際上はあまり利用されていない。

　（2）**フレックスタイム制**　　使用者は，事業場の過半数代表との労使協定に一定の期間（清算期間）とその期間における労働時間（総労働時間）等を定め，就業規則その他これに準じるものに始業・終業時刻の決定を労働者に委ねる旨を定めることによって，フレックスタイム制を採用することができる。清算期間は 3 か月以内で，総労働時間は週あたりの平均が 40 時間（特例事業では 44 時間）を超えないように設定しなければならない（労基法 32 条の 3）。2018（平成 30）年働き方改革関連法による労基法改正は，清算期間の上限を従来の 1 か月から 3 か月に延長し，より柔軟にこの制度を利用できるようにした。ただし，清算期間が 1 か月を超えるフレックスタイム制については，清算期間の開始日以後 1 か月ごとに区分した期間において 1 週あたりの平均の労働時間が 50 時間を超えるときには，当該超過部分は法定時間外労働となり，その 1 か月の期間ごとに割増賃金を支払わなければならないとされた（同条 2 項）。

　フレックスタイム制の下では，労働時間規制は協定の定める清算期間を単位として行われるため，1 週・1 日あたりの規制は解除され，清算期間における法定労働時間の総枠を超えた時間のみが時間外労働とされる。

　このように，フレックスタイム制は，それぞれの日に何時から何時まで就業するかを労働者の自由な決定に委ねる代わりに[136]，1 週・1 日の法定労働時間を超えても，清算期間における法定労働時間の総枠を超えない限り時間外労働と

---

134)　この変形制では労働時間をあらかじめ特定することが要求されておらず非定型な勤務を課すことになるため，労使協定の締結・届出が要件とされ，就業規則による導入は認められていない。

135)　使用者は，労使協定により週の所定労働時間の総枠のみを定め，各日の労働時間については，変形期間が始まる前に労働者に書面で労働者に通知すればよい（労基法 32 条の 5 第 2 項，労基則 12 条の 5 第 3 項）。

136)　ただし，労働者が必ず勤務しなければいけない時間帯（例えば 10 時から 15 時までのコアタイム）を定めることはできる。

はならないものとする制度である。

2 労働時間の算定に関する特則

労働時間の計算は，実労働時間により行うのが原則である（p260 **1**）。これに対し，労基法上いくつかの特別のルールが定められている。

(1) **労働時間の通算制**　労働者が複数の事業場で就労する場合には，労働時間は通算して計算される（労基法 38 条 1 項）。これは，同一事業主の下での複数事業場労働のみならず，事業主が異なる場合にも適用される[137]。したがって，使用者は，他企業でも就労している労働者については，他企業での労働時間を把握し，違法な時間外労働とならないよう注意する必要がある。

(2) **坑内労働の坑口計算制**　坑内労働については，その場所の特殊性ゆえに，労働者が坑口に入った時刻から坑口を出た時刻までの時間を労働時間とみなすものとされる（労基法 38 条 2 項）。坑内での休憩時間も労働時間とみなされる代わりに，休憩の一斉付与や自由利用の原則は適用されない（同項但書）。

(3) **労働時間のみなし制**　労基法は，実労働時間による労働時間算定の例外として，実際に何時間労働したかにかかわらず，一定時間労働したものとみなすという制度を設けている。ここでは，労働時間のみなし効果が発生するのみであり，みなし時間が法定労働時間を超える場合には，時間外労働に関する法規制は及ぶ。また，みなし時間が法定労働時間以内であったとしても，休憩（p263 (2)）や休日労働・深夜労働に関する法規制（p267 **3**）はなお適用される。この労働時間のみなし制には，事業場外労働のみなし制と裁量労働のみなし制の 2 つがある。

事例68

　派遣会社である HK トラベルサポート社は，派遣添乗員として雇用している福本さんを HK 交通社に派遣し，同社の海外旅行添乗業務に従事させた。HK トラベルサポート社は，福本さんが海外添乗において 1 日 8 時間，週 40 時間を超えて勤務することがあったにもかかわらず，事業場外労働のみなし制を適用しているとして，時間外労働割増賃金を支払っていない。福本さんは同社に実労働時間に基づいた割増賃金の支払いを請求できるか？

---

137) 昭 23・5・14 基発 769 号。

282　第 3 編　雇用関係法

(a) 事業場外労働のみなし制　　労働者が労働時間の全部または一部について事業場外で業務に従事し、かつ、労働時間の算定が困難な場合には、所定労働時間だけ労働したものとみなされる（38条の2第1項）。ただし、その業務を遂行するためには所定労働時間を超えて労働することが通常必要になる場合には、その業務の遂行に通常必要とされる時間労働したものとみなされる（同項ただし書）。この場合、業務の遂行に通常必要とされる時間は、個別の事情に応じて客観的に判断・決定されることになるが、実際にはその特定・認定は困難であるため、事業場の過半数代表との労使協定によってこれを定めることができるとされている（同条2項・3項、労基則24条の2第3項・4項）。

　この制度は、外回りの営業、報道記者、出張の場合などに用いられることが多い。[139]

(b) 裁量労働のみなし制　　労働時間の算定は実労働時間によるのが原則であるが、事業場外労働のほかに、労働者が大きな裁量をもって業務を遂行しているため実労働時間による管理になじみにくい場合にも、一定の要件の下でみなし労働時間制の適用が認められている。

　この制度は、裁量労働のみなし労働時間制（または単に「裁量労働制」）と呼ばれ、1987（昭和62）年の労基法改正において、研究開発やシステムエンジニア

---

138) これは、使用者が主観的に算定困難と認識したり、労使が算定困難と合意すれば足りるというものではなく、就労実態等の具体的事情から客観的にみて労働時間を算定し難い場合であるといえることを要する（阪急トラベルサポート事件・最二小判平成26・1・24労判1088号5頁（#41）〔 事例68 に類似するケースで海外旅行添乗業務につき「労働時間を算定し難いとき」には該当しない〕、セルトリオン・ヘルスケア・ジャパン事件・東京高判令和4・11・16労判1288号81頁〔自宅から医療機関を直行直帰で訪問するMR（医療情報担当者）につき、出勤・退勤をスマートフォン等で打刻する勤怠管理システムの導入後は「労働時間を算定し難いとき」に該当しない〕など）。

139) 情報通信機器を用いて行う在宅勤務については、①当該業務が私生活を営む自宅で行われ、②当該情報通信機器が使用者の指示により常時通信可能な状態におくこととされておらず、③当該業務が随時使用者の具体的な指示に基づいて行われるものではない、という3つの要件をすべて満たす場合に限り、事業場外労働のみなし制を適用することができるとする解釈例規がある（平16・3・5基発0305001号、平20・7・28基発0728002号）。2021（令和3）年3月に改定された「テレワーク・ガイドライン」（厚生労働省「テレワークの適切な導入及び実施の推進のためのガイドライン」）は、例えば、勤務時間中に労働者が情報通信機器から自由に離れることが認められており、使用者からの指示に即応する必要がない、または、会社支給の携帯電話等を所持していても、労働者に即応義務が課されていない等の場合には、「常時通信可能な状態におくこととされていない」という要件（②）を充たす等の具体的な説明をしている。

第3章　雇用関係の内容　　283

などの専門職について導入された（専門業務型裁量労働制）。その後，1998（平成10）年および2003（平成15）年の労基法改正により，事業の運営に関する企画・立案・調査・分析の業務を行う一定範囲のホワイトカラー労働者にも適用することが可能となっている（企画業務型裁量労働制）。

(i) 専門業務型裁量労働制　　使用者が，業務の性質上労働者の裁量が大幅に認められるものとして厚生労働省令で定められる一定の業務について，事業場の過半数代表と労使協定を締結し，一定の事項を定めて行政官庁に届け出た場合，その業務については労使協定で定めた時間だけ労働したものとみなされる（労基法38条の3）。

この制度の適用対象となる業務として，厚生労働省令は，①研究開発，②情報処理システムの分析・設計，③取材・編集，④デザイナー，⑤プロデューサー・ディレクター，⑥その他厚生労働大臣が指定する業務をあげている（労基則24条の2の2第2項）。

また，裁量労働制の下での働きすぎや制度の濫用を防止するために，健康確保のための措置（勤務状況の把握を含む）や苦情処理に関する措置を講じることが，労使協定事項として求められている（労基法38条の3第1項4号，5号）。

(ii) 企画業務型裁量労働制　　事業場における労働条件に関する事項を調査審議することを目的とする委員会（労使半数ずつによって構成されるいわゆる「労

---

140) 2023（令和5）年労基則改正は，この労使協定に記載すべき事項として，当該労働者の同意を得なければならないこと，同意をしなかった労働者に対し解雇その他不利益な取扱いをしてはならないこと（改正労基則24条の2の2第3項1号），同意の撤回手続（同2号），労働者ごとの同意と撤回の記録の保存（同4号ハ）を追加し，専門業務型裁量労働制についても，後述する企画業務型裁量労働制と同様に，労働者の個人同意を得ること（および同意の撤回手続を定めること）を制度適用の要件とすることとした（2024（令和6）年4月施行）。

141) プログラミング業務は裁量性の高い業務ではないため，専門業務型裁量労働制の対象となる「情報システムの分析又は設計の業務」に含まれない（エーディーディー事件・大阪高判平成24・7・27労判1062号63頁）。

142) コピーライター，システムコンサルタント，ゲーム用ソフトウェアの創作，証券アナリスト，大学での教授研究，公認会計士，弁護士，弁理士，税理士など（平9・2・14労告7号，平14・2・13厚労告22号，平15・10・22厚労告354号）。2023（令和5）年厚労省告示により，厚生労働大臣が指定する業務（⑥）として，銀行・証券会社における顧客への合併・買収等の考案・助言の業務が追加された（令5・3・30厚労告115号。2024（令和6）年4月施行）。裁判例として，レガシィほか1社事件・東京高判平成26・2・27労判1086号5頁〔税理士資格を有していない従業員による税務書類の作成等の業務は「税理士の業務」にあたらない〕参照。

284　第3編　雇用関係法

使委員会」（*Column 38*））が一定事項について 5 分の 4 以上の多数による決議をし，使用者がそれを行政官庁に届け出た場合，業務の性質上その遂行方法を大幅に労働者に委ねる必要がある一定の業務に，それにふさわしい労働者を就かせたときには，その労働者は決議で定めた時間だけ労働したものとみなされる（労基法 38 条の 4）。

　この制度の適用対象となる業務は，①事業の運営に関する事項についての，②企画・立案・調査・分析の業務であって，③業務の性質上これを適切に遂行するにはその遂行方法を大幅に労働者に委ねる必要があるため，④当該業務の遂行手段と時間配分の決定等に関し使用者が具体的な指示をしないこととする業務である。これらの 4 つの要件はすべて満たされる必要があり，企画部門等で就労するすべての労働者にこの制度を適用できるわけではない。また，この制度を適用できる労働者は，このような対象業務を適切に遂行しうる知識・経験等を有する者に限られる。以上の対象業務や対象労働者の具体的範囲は，指針[143]によって示されている（労基法 38 条の 4 第 3 項）。

　裁量労働制の下での働きすぎや制度の濫用を防止するために，健康確保のための措置（勤務状況の把握を含む）や苦情処理に関する措置を講じることが，労使委員会の決議事項として求められている（同条 1 項 4 号，5 号）。また，この制度を適用する際に当該労働者の個別の同意を得る必要があること[144]，および，同意をしなかった労働者に対し不利益な取扱いをしないことが，労使委員会の決議事項として求められている[145]（同項 6 号）。

　***Column 38*　労使委員会制度**　　労使委員会は，1998（平成 10）年労基法改正で企画業務型裁量労働制が導入された際に設けられた制度である。その委員の半数は，過半数労働組合がある場合にはその組合，ない場合には労働者の過半数を代表する者によって，任期を定めて指

---

143)　平 11・12・27 労告 149 号，平 15・10・22 厚労告 353 号。

144)　本制度の立法趣旨・経緯（平成 10 年 9 月 17 日第 143 回国会参議院労働・社会政策委員会会議録 4 号 29 頁〔甘利明労働大臣発言〕参照）から，当該労働者の同意がない場合には労働時間のみなしの効果は発生しないものと解される。

145)　2023（令和 5）年労基則改正により，専門業務型裁量労働制についても労働者個人の同意を得ることが求められることとなり，この点では専門業務型裁量労働制と企画業務型裁量労働制との相違がなくなることになった。また，同改正により，専門業務型裁量労働制の改正と合わせて企画業務型裁量労働制についても労働者の同意の撤回手続（およびその記録の保存）が決議事項として追加された。さらに，企画業務型裁量労働制についてのみ，評価制度・賃金制度の変更内容の説明が決議事項に追加された（2024（令和 6）年 4 月施行）。

名される（残りの半数は使用者が指名できる。38条の4第2項，労基則24条の2の4）。労使委員会は，企画業務型裁量労働制の問題だけでなく，広く労働条件に関する事項を調査審議し事業主に意見を述べることを目的とする機関と位置づけられており，労基法上の労使協定のうち労働時間や休暇に関するものについては，労使委員会の委員の5分の4以上の多数による決議によって代替することができるものとされている（労基法38条の4第5項）。

3 休　暇

1 現行法上の休暇・休業

　日本で法律上認められている休暇・休業としては，労基法上の年次有給休暇（39条），産前産後の休業（65条），生理日の休暇（68条），育児介護休業法上の育児休業・出生時育児休業（5条以下・9条の2以下），介護休業（11条以下），子の看護休暇（16条の2以下），介護休暇（16条の5以下）がある。産前産後休業，生理日の休暇は「女性の保護」（p318 **2**），育児休業・出生時育児休業，介護休業，子の看護休暇，介護休暇は「育児介護休業法」（p320 **1**）でみることにして，ここでは，年次有給休暇についてみていくことにしよう。

2 年次有給休暇

　労基法は，労働者の心身のリフレッシュを図り，また，自己啓発の機会をもつことを可能とする趣旨で，労働者が賃金を受けながら休暇をとることができる年次有給休暇（いわゆる「年休」）制度を定めている。

　年休制度の発祥の地であるヨーロッパでは，使用者が労働者の意見・希望を聞いたうえで具体的な年休日程を決定し，それに従って年休が完全に消化されるというやり方が一般的である。これに対し，日本では，年休を取得する時期（時季）を原則として労働者が決定できる制度となっており，労働者が病気など不測の事態のために年休を残しておいたり，職場に年休を取りにくい雰囲気[146]があることなどもあいまって，年休の未消化という問題が生じている。そこで，年休の計画的取得を促すために，1987（昭和62）年労基法改正によって労使合意に基づいて計画的に年休を取得する計画年休制度（p292(2)）が設けられた。しかし，グローバル競争の激化や長引く景気低迷のなかで，1990年代後半以

146）あらかじめ年休日程（年休カレンダー）が決定されそれを消化していくフランスやドイツでは，病気のために年休をとるということは想定されていない。

286　第3編　雇用関係法

降，年次有給休暇の取得日数や取得率がふたたび減少・低下する傾向がみられ，いかにして労働者に休暇を取得させ仕事と生活のバランスをとっていくかが重要な政策課題となった。2018（平成30）年の働き方改革関連法による労基法改正は，年休の確実な取得を促進するため，使用者に年休付与義務を課す（10日以上の年次有給休暇が付与される労働者に対し，毎年5日，時季を定めて付与しなければならないこととする）新たな制度を導入した（労基法39条7項・8項）。

1　年休の権利の構造

労基法は，一方で，使用者は一定の要件を満たした労働者に法所定の日数の年休を与えなければならない（39条1項）と定め，他方で，使用者は年休を労働者の請求する時季に与えなければならない（同条5項）と定めている。このように規定されている年休の権利の法的性質はどのようなものと考えられるか。具体的には，どのような行為によって年休の効果が発生すると考えられるのか。

この点について，学説上は，①労働者の一方的意思表示によって年休の効果が発生するとする形成権説，②労働者の請求を使用者が承認することによって年休の効果が発生するとする請求権説，③年休権は労働者が法定の要件を満たすことにより当然発生するが，労働者はこれとは別に年休の時季を特定する権利をもつとする二分説などが主張された[147]。そのなかで，判例は，ⓐ年次有給休暇の権利は法定の要件が充足されることによって法律上当然に発生する権利であり（労働者の請求を待って生じるものではない），ⓑ労働者がその範囲内で時季指定をしたときは，使用者が時季変更権を行使しない限り年休の効果が発生すると判示して，二分説に立つことを明らかにした[148]。

判例が示すように，年休の権利は，法定の要件を満たすことにより法律上当然に発生する権利（年休権）と，労働者がこの年休権の目的物（具体的時期）を特定する権利（時季指定権）の2つの権利から構成されていると考えられる。なお，計画年休制度（p292(2)）は，年休権のうち一定範囲のものを労使協定によって具体的に特定する制度であり，その範囲で労働者の時季指定権に優先す

147）　学説については，菅野和夫「年次有給休暇の法理論」労働法文献研究会編『文献研究 労働法学』45頁以下（総合労働研究所，1978），山口浩一郎「年次有給休暇の法的構造」伊藤博義ほか編『労働保護法の研究』269頁以下（有斐閣，1994）など参照。

148）　白石営林署事件・最二小判昭和48・3・2民集27巻2号191頁（#43）〔p294 事例71 類似のケースでの一般論〕。

第3章　雇用関係の内容　287

るものと位置づけられる。また，2018（平成30）年働き方改革関連法により導入された使用者による年休付与義務（p292（3））は，年休権のうち一定範囲のものを使用者による時季指定により具体的に特定する制度であり，その範囲内では労働者の時季指定権に優先するものと位置づけられる。現行法では，法定の要件充足により当然発生する年休権とともに，その目的物を特定する方法として，労働者の時季指定権の行使，労使協定による計画年休，使用者の時季指定義務の履行という3つの方法がある。

2　年休権の発生

使用者は，雇入れの日から起算して6か月以上継続勤務し，全労働日の8割以上出勤（*Column 39*）した労働者に対して，継続しまたは分割した10労働日[149]以上の有給休暇を与えなければならない（労基法39条1項）。6か月継続勤務した労働者に付与される年休日数は10労働日であるが，その後勤続年数を増すに従ってその日数は20労働日まで加算される（図表6参照。同条2項）。また，所定労働日数が少ない労働者については，所定労働日数に比例して算定された日数（図表7参照）の年休が付与される（同条3項，労基則24条の3）。

年休制度は本来，1日以上の単位で休養することによって人間性の回復（労働から解放された自由な余暇時間の享受）を図ることを趣旨とするものである。したがって，年休は暦日（午前0時から午後12時までの24時間）を基本単位として付与されるのが本来の姿である。

これに対し，2008（平成20）年労基法改正によって，時間単位での年休の付与が法律上認められた。これは，労働者の多様な事情・希望にあわせて年休を小刻みに取得することを可能とすることにより，年休の消化率を高めることを目的としたものである。しかしこれは，上述の年休制度の本来の趣旨と相容れない側面をもつため，その要件として，法所定の事項を記載した労使協定を締結することが求められ，また，時間単位で付与できる年休日数も5日に限定されている（労基法39条4項）。

---

149)　この「継続勤務」とは，労働契約関係が実質的に存続していることをいい，期間の定めのある労働契約が更新されている場合（国際協力事業団事件・東京地判平成9・12・1労判729号26頁）や合併・在籍出向があった場合（昭63・3・14基発150号，中津市（特別職職員・年休）事件・大分地中津支判平成28・1・12労判1138号19頁〔村の市への編入の際の任用の事例〕）も，「継続」の要件は基本的に満たされる。

図表6　年次有給休暇の付与日数
（週の所定労働日数が 5 日以上または週の所定労働時間が 30 時間以上の労働者）

継 続 勤 務 年 数	0.5	1.5	2.5	3.5	4.5	5.5	6.5 以上
付与日数（労働日）	10	11	12	14	16	18	20

図表7　所定労働日数の少ない労働者の年休付与日数
（週の所定労働時間が 30 時間未満の労働者）

週所定労働日数	年間所定労働日数	継 続 勤 務 年 数						
		0.5	1.5	2.5	3.5	4.5	5.5	6.5 以上
4 日	169〜216 日	7	8	9	10	12	13	15
3 日	121〜168 日	5	6	6	8	9	10	11
2 日	73〜120 日	3	4	4	5	6	6	7
1 日	48〜72 日	1	2	2	2	3	3	3

Column 39　「全労働日の 8 割以上出勤」の算定について　　年休権の発生要件である「全労働日の 8 割以上出勤」は，労働者の責めに帰すべき事由による欠勤率が特に高い者をその対象から除外する趣旨で定められたものである。[150] この趣旨に照らし，労働者に帰責性のない欠勤日（不可抗力による休業日や使用者の責めに帰すべき事由による休業日など）は，基本的に，算定の対象となる「全労働日」や「出勤」日から除外される。さらに，使用者に無効な解雇を言い渡されたために就労できなかった日など使用者側の強い帰責性の下で出勤できなかった日[151]や，労働者が法律上の権利を行使して休業している日は，「全労働日」に含めたうえで「出勤」日として取り扱われる。[152]

3　年休の時期の特定

　上記の要件を満たして発生した年休権は，労働者の時季指定権の行使（(1)），計画年休を定める労使協定（(2)），または，使用者の時季指定による年休付与（(3)）によって，その内容（具体的な時期）が特定される。前者の場合には，使用者が業務上の都合からその時期の変更を求めること（時季変更権の行使）がある。

　(1)　**時季指定権の行使**　　法律上の要件を満たして発生した年休権（p288 **2**）は，労働者がその時期（時季）を特定することによって，[153] 有給で労働義務が消

---

150)　八千代交通（年休権）事件・最一小判平成 25・6・6 民集 67 巻 5 号 1187 頁参照。

151)　前掲 150) 八千代交通（年休権）事件判決。

152)　業務上の負傷・疾病の療養のために休業した期間，産前産後休業および育児・介護休業の期間は，「出勤」日とみなされ（労基法 39 条 10 項），年休取得日についても「出勤」日に含まれるものと解されている（昭 22・9・13 発基 17 号など）。

減するという具体的な効果を発生させる。この時季指定は，年休予定日または予定時間の前までに（少なくとも予定日・予定時間の労働義務が発生する前までに）行われる必要がある。年休予定日の一定日数前までに時季指定を行うよう求める定めが就業規則などに置かれることがあるが，判例は，このような規定は合理的なものである限り効力が認められるとして，原則として前々日までに時季指定をすることを求めた就業規則規定を有効なものと判断した[154]。

　労働者の時季指定に対し，使用者は，労働者の請求した時季に年休を与えることが事業の正常な運営を妨げる場合には，他の時季にこれを与えることができる（労基法39条5項ただし書）。この使用者の権利は時季変更権と呼ばれ，その適法な行使は，労働者による年休権行使の効果を消滅させ，労働者に当該日の労働義務を負わせる効果をもつ。この使用者の時季変更権の行使については，労働者に年休の時季を特定する権利がある以上，代わりに年休を付与する時季を使用者が指定する必要はなく，年休を承認しない旨労働者に告げることで足りる[155]。もっとも，年（年休付与単位）の終わりで，労働者の指定した日数分の年休を他の時季に与えることが不可能なとき（例えば労働者の年休指定日数が10日でその年の残りの労働日数も10日の場合）には，原則として使用者は時季変更権を行使できないものと解される。

事例 69

　経営状態が思わしくないナガノ興業社では，社員の数を常にギリギリに設定し，各課とも必要最低人員で営業を行っている。同社で働くスキー好きの船木さんは，年休がかなり余っているので3日間の年休を取って家族と北海道にスキー旅行に行こうと思い，年休を取りたい旨の申出をしたが，課長の笠谷さんは「うちの課にそんな余裕はない。君一人でも欠けると会社全体が回らなくなるから年休はあきらめてくれ」と返答した。船木さんは年休を取ることをあきらめなければならないか？

　使用者が時季変更権を適法に行使するための要件は，労働者の指定した時季に年休を与えることが「事業の正常な運営を妨げる」ことである。この点は，

---

153)　労基法は，季節を含めた時期という意味で「時季」という言葉を用いている。

154)　電電公社此花電報電話局事件・最一小判昭和57・3・18民集36巻3号366頁。このような定めが合理的で有効であるとしても，この定めに反する労働者の時季指定権の行使が無効となるわけではなく，定めに反する直前の時季指定により代替要員の確保が困難であった等の事情が使用者の時季変更権行使の適法性を基礎づける事実として考慮されるにすぎないものと解される。

290　第3編　雇用関係法

単に，①業務遂行のための必要人員を欠くなど業務上の支障が生じることだけでなく，②人員配置の適切さや代替要員確保の努力など労働者が指定した時季に年休が取れるよう使用者が状況に応じた配慮を尽くしているかどうかも踏まえながら，判断される。業務上の支障（①）だけで判断すると，使用者がギリギリの人員で勤務体制を組んでいる場合には実際に年休が取得できなくなるおそれがあり，年休制度の趣旨に反する事態を招くため，年休を取得させるための使用者の配慮（②）もあわせて考慮されているのである。したがって，使用者としては，代替要員の確保などの点で相当の配慮（②）をしても，必要人員の確保が困難で業務上の支障が生じる（①）ような場合に，適法に時季変更権を行使できることになる。

事例 70

　大日本新聞社の社会部記者で，40 日の年次有給休暇（うち 20 日は前年度繰越分）を有する澤路さんは，年休を利用してヨーロッパへ私的な取材旅行を行うことを計画し，1 年のうちで仕事が比較的暇だと予想される 8 月 20 日から 24 日間（約 4 週間）年休を取得する旨の休暇届を会社に提出した。これに対し，同社は，2 週間ならともかく約 4 週間も連続で休暇を取られるのは困るとして，後半 2 週間については年休の取得を承認しない旨を澤路さんに伝えた。この会社の意思表示にもかかわらず，澤路さんは計画通りヨーロッパ旅行へ出掛け，8 月 20 日から 24 日間出勤しなかった。同社は，澤路さんの給料から後半 2 週間分の賃金をカットできるか？

　労働者が指定した年休が長期にわたる場合には，業務上の支障（①）が生じるか否か判断が難しくなる場合がある。そこで判例は，事例 70 のように長期の年休の場合には事前の調整を図る必要が生じるとし，労働者がこの事前の調

---

155)　前掲 154）電電公社此花電報電話局事件判決。例えば，事例 69 の笠谷課長の「年休はあきらめてくれ」という発言も使用者の時季変更権の行使といえる。

156)　弘前電報電話局事件・最二小判昭和 62・7・10 民集 41 巻 5 号 1229 頁など。

157)　恒常的な要員不足の状態で常時代替要員の確保が困難である場合には，使用者が時季変更権を行使することは許されない（JR 東海（年休）事件・東京地判令和 5・3・27 労判 1288 号 18 頁〔時季変更権行使は違法〕，阪神電気鉄道株式会社事件・大阪高判令和 5・6・29 労経速 2528 号 22 頁〔恒常的な要員不足の状態ではなかったとして時季変更権行使は適法〕など）。他方で，使用者が通常の配慮をしても代替要員を確保することが客観的にみて不可能な場合には，配慮をしたといえる具体的な行為をすることまでは求められない（電電公社関東電気通信局事件・最三小判平成元・7・4 民集 43 巻 7 号 767 頁）。

158)　以前から予定されていた特別の技術研修期間中に労働者が年休の時季指定をした場合，その業務上の必要性が高く，その時期に年休を取得させるとその目的が達成できないという事情がある

第 3 章　雇用関係の内容　　291

整を経ることなく長期の年休の時季指定をしたときには，業務上の支障（①）の発生の判断等について使用者側の裁量を認めざるを得ないと判示している。この判例の立場によると，事前の調整を経ていない場合には，使用者が年休取得のために相当の配慮（②）を行っており，かつ，使用者の業務上の支障（①）の判断が不合理でない（裁量の範囲を逸脱していない）限り，時季変更権の行使が適法とされることになる。[159]

（2）**計画年休**　使用者は，事業場の過半数代表と，労使協定により，年休を与える時季に関する定めをしたときには，その定めに従って年休を与えることができる。計画年休と呼ばれ，年休の消化率を高める目的で，1987（昭和62）年労基法改正により導入された制度である。ただし，各労働者について5日間は計画年休の対象にならない（労基法 39 条 6 項）。

このような労使協定が締結されると，その定めに従って年休日が特定される。[160]その効果は当該協定によって適用対象とされた全労働者（これに反対する労働者を含む）に及ぶ。[161]

（3）**使用者による年休付与義務**　2018（平成 30）年の働き方改革関連法による労基法改正は，年休取得の促進を目的として，使用者による年 5 日の年休付与義務を定めた。すなわち，使用者は，10 日以上の年次有給休暇が付与される労働者に対し，年次有給休暇の日数のうち 5 日については，基準日から 1年以内の期間に，労働者ごとに時季を定めることにより付与しなければならない（労基法 39 条 7 項本文）。使用者がこの義務を果たさなかったときには，30万円以下の罰金に処するものとされている（同法 120 条 1 号）。

ときには，「事業の正常な運営を妨げる場合」にあたるとして時季変更権の行使を適法としたもの（日本電信電話事件・最二小判平成 12・3・31 民集 54 巻 3 号 1255 頁）がある。

159)　時事通信社事件・最三小判平成 4・6・23 民集 46 巻 4 号 306 頁（#45）では，使用者は 2 週間ずつ 2 回に分けて休暇をとってほしい旨回答し，後半部分にのみ時季変更権を行使していることなどから，使用者として相当の配慮（②）をしているといえ，また，使用者の業務上の支障（①）の判断も不合理なものとはいえないとして，時季変更権の行使が適法とされた。

160)　計画年休を定める労使協定には，他の労使協定とは異なり（p68 **1**。例えば 36 協定については p268 (a)），当事者間の権利義務を設定する（年休日を特定する）効果が認められる。計画年休については，他の労使協定の対象とは異なり，年休の付与自体が法律上定められた権利であり，その具体的な内容が法律に基づく手続（労使協定）によって特定されるという構造をもつからである。

161)　三菱重工長崎造船所事件・福岡高判平成 6・3・24 労民集 45 巻 1＝2 号 123 頁。

労働者の時季指定権の行使または計画年休制度により年休が付与された場合には，それらの日数分（5日を超える場合には5日）については，使用者の時季指定により与えることを要しない（使用者の5日の年休付与義務の対象から差し引いてよい）ものとされている（同法39条8項）。例えば，労働者が自ら時季指定権を行使して（または計画年休も含めて）5日以上の年休を取得した場合には使用者は当該労働者についてはその年は年休付与義務を負わず，労働者が時季指定権の行使により3日間の年休を取得した場合には使用者は5日に足りない2日分の年休付与義務を負うことになる。使用者は，年休付与の時季について当該労働者の意見を聴かなければならず（労基則24条の6第1項），その意見を尊重するよう努めなければならない（同条2項）。

この使用者の年休付与義務の基準期間となる1年間は，原則として，それぞれの労働者について，雇入れから6か月を経過した日から1年ごとに区分した期間（最後に1年未満の期間を生じたときはその1年未満の期間）とされる。この期間は，中途採用の者など労働者の雇入れの日が異なる場合には，それぞれ異なる期間となり，使用者としては年休の管理が煩雑になるおそれがある。そこで，法は，10労働日以上の年休を基準日（雇入れから6か月経過日）より前の日から与えることとしたときは，10労働日以上の年休を与えることとした日（「第一基準日」）から1年以内の期間に時季を定めて年休を付与すればよいこととした（労基法39条の7項ただし書，労基則24条の5第1項）。これにより，雇入れの日が異なり年休の基準日・基準期間が労働者ごとに異なる場合であっても，例えば10労働日以上の年休の付与開始日をすべての労働者について4月1日に繰り上げることとした場合には，すべての労働者について4月1日から3月31日の1年間を年休付与の基準期間として年休の一括管理をすることが可能とされた。[162]

---

162) 例えば，10労働日以上の年休を，初年度は雇入れから6か月後の10月1日から付与することとし，翌年度は4月1日から繰り上げて付与するという方法をとった場合には，この2つの期間を合わせた期間（「履行期間」）については，その月数を12で除した期間に5を乗じた日数（(18か月÷12)×5＝7.5）だけ使用者は年休付与義務を負うとの調整規定が設けられている（労基則24条の5第2項）。また，年休の繰上げ付与について，10労働日を分割して付与する（例えば，4月1日から5労働日，3か月の試用期間が終了し本採用となる7月1日から残りの5労働日を

4 年休の自由利用

> **事例 71**
>
> 遠刈田営林署に勤務する労働組合員の村上さんは，同じ労働組合に所属する職員と一斉に年次有給休暇届を提出する一斉休暇闘争（年休を利用したストライキ）を実施した。同営林署はこれを年次有給休暇とは認めず，村上さんのその分の賃金を不支給とした。村上さんは不支給とされた賃金の支払いを請求することができるか？

労働者は取得した年休を自由に利用することができる[163]。もっとも，所属事業場の業務運営を阻害する目的で一斉に年休を取得する一斉休暇闘争（年休の争議目的利用）は，正常な勤務体制を前提とする年休制度の趣旨（労基法 39 条 5 項参照）に反するものであるため，年休権の行使とは認められないと解されている[164]。

5 年休取得に対する不利益取扱い

> **事例 72**
>
> 沼津タクシー社では，自動車の実働率を上げるために乗務員の出勤率を高める必要があり，皆勤手当制度を導入した。この皆勤手当は，月給の 2% 弱に相当する額のものであり，欠勤 1 日の乗務員には半額減額，欠勤 2 日以上の乗務員には支給されないものとされた。同社で乗務員をしている岩崎さんが年休を取得したところ，会社は年休を欠勤扱いとし，岩崎さんの皆勤手当を減額する措置をとった。岩崎さんは，同社に対しこの皆勤手当減額分の支払いを請求することができるか？

使用者は，年休を取得した労働者に対して賃金減額など不利益な取扱いをし

付与する）こととした場合，合計して 10 労働日以上の年休が付与されることとなった日（7 月 1 日）からの 1 年間に 5 日の年休付与義務を負うこととなるが，この場合，この 1 年間より前（4 月 1 日から 6 月 30 日まで）に労働者の時季指定権の行使または計画年休により年休が取得された日数については，この 1 年間（7 月 1 日から翌年 6 月 30 日まで）の年休付与義務の日数に含めてよい（4 月 1 日から 6 月 30 日までに例えば 2 日間の年休を取得した場合には 7 月 1 日から翌 6 月 30 日までの基準期間の年休付与義務は 3 日（5 日－2 日＝3 日）とされる）との調整規定も設けられている（同条 4 項）。

163) 前掲 148) 白石営林署事件判決〔 **事例 71** 類似のケースでの一般論〕。

164) 前掲 148) 白石営林署事件判決，国鉄郡山工場事件・最二小判昭和 48・3・2 民集 27 巻 2 号 210 頁，徳島県職組事件・最二小判昭和 53・12・8 労判 312 号 49 頁〔所属事業場とは別の事業場での争議行為の応援目的ゆえに年休成立を肯定〕，津田沼電車区事件・最三小判平成 3・11・19 民集 45 巻 8 号 1236 頁（#44）〔所属事業場の業務阻害目的ゆえに年休成立を否定〕など。

294 第 3 編 雇用関係法

ないようにしなければならない。このことを定めた労基法附則 136 条は，使用者に努力義務を課すにとどまり，直接私法上の効力を発生させるものではないと解釈されている。もっとも，不利益取扱いの趣旨・内容によっては，法が年休権を保障した趣旨を実質的に失わせるものとして，公序に反し無効（民法 90条）とされる場合がある。特に，不利益の程度が大きく権利行使に対する事実上の抑制力が強い場合には，年休権保障の趣旨を実質的に失わせるものとして公序違反になると解されている[165]（他の休暇・休業に対する不利益取扱いについては p326 **5** 参照）。

6 年休権の消滅

労働者が年休を消化することによって年休権は消滅する。労働者が消化していない年休については，労基法 115 条の 2 年の消滅時効にかかり，1 年に限り繰越しが認められる（発生から 2 年で消滅する）ものと解されている[166][167]。

2 労働者の安全・健康の確保

労働法が誕生した背景には，労働者の肉体や精神などの人間性を保護すべき要請が強くはたらいていた（p10 **1**）。なかでも，労働者が働くうえでその安全や健康を確保することは，労働法の原点の 1 つといえる。

労働者の安全や健康を確保するための法政策としては，まず何よりも，労働者のけがや病気（労働災害）の発生を事前に防止する「労働安全衛生」が重要である。そして，予防措置を尽くしても不幸にして生じてしまった労働災害に対して，事後的に救済を講じる「労災補償」がもう 1 つの重要な柱となる。

1 労働安全衛生

1947（昭和 22）年に制定された労基法には「安全及び衛生」という章（第 5

---

165) 沼津交通事件・最二小判平成 5・6・25 民集 47 巻 6 号 4585 頁〔 事例 72 類似のケースで，皆勤手当の支給は年休取得を一般的に抑制する趣旨ではなく減額も相対的に大きなものではないこと等から，年休権保障の趣旨を実質的に失わせるものではなく減額措置は有効と判断〕。
166) 昭 22・12・15 基発 501 号，前掲 149）国際協力事業団事件判決。
167) ある年の年休にはその年の分と前年の繰越分とが共存することがありうるが，労働者は，特に指定をしない限り，前年の繰越分から年休の時季指定をしているものと解すべきである。

第 3 章　雇用関係の内容　295

章）が設けられ，労働安全衛生に関する規定が定められていた（旧42条以下）。しかし，これらの規定は，技術の高度化や生産過程の複雑化のなかで陳腐なものとなり，労働災害の増加に対応して総合的・多角的に法政策を推進すべき必要性が高まったことから，1972（昭和47）年に，労基法とは独立して，労働安全衛生法が制定された。

　労働安全衛生法は，職場における労働者の安全と健康の確保とともに，快適な職場環境の形成を促すことを目的とした法律である（1条）。この目的を実現するため，同法は，事業者その他の関係者に対して，①職場における安全衛生管理体制の整備（総括安全衛生管理者・安全管理者・衛生管理者，産業医などの選任，安全衛生委員会の設置など。10条以下），②危険・健康障害の防止措置の実施（機械や危険物から生じる危険の防止措置など。20条以下），③機械・有害物などに関する規制（有害物の使用の禁止など。37条以下[168]），④安全衛生教育・健康診断などの実施（年1回以上の一般健康診断の実施など。59条以下[169]）を義務づけている。

　これらの法規制の実効性を確保するために，労働安全衛生法は，罰則（115条の3以下）や労働基準監督制度による監督・取締り（90条以下）を行うほか[170]，行政による労働災害防止計画の策定（6条以下）や事業者の自主的取組み（労働安全衛生マネジメントシステム）の推進（71条の2以下）など，総合的・多面的な

---

[168]　危険物の表示等を命じた労働安全衛生法57条等に基づく権限を労働大臣（当時）が適切に行使しなかったために現場で作業していた労働者および労働者に該当しない者（一人親方等）に健康被害が生じたことの違法性が争われた事件で，最高裁は，同条は場所の危険性に着目した規制であり，その場所で作業する労働者に該当しない者も保護する趣旨のものであるとして，労働大臣（当時）が同条等に基づく権限を行使しなかったことは，労働者に該当しない一人親方等との関係においても，同法の趣旨等に照らし，国家賠償法1条1項の適用上違法であるとした（国・エーアンドエーマテリアル等事件・最一小判令和3・5・17民集75巻5号1359頁）。この判決を受け，2022（令和4）年4月に労働安全衛生規則等改正が行われ，危険有害作業を行う事業者に対し，一人親方等についても労働者と同様に保護が図られるよう一定の措置を実施することが義務づけられた（令4・4・15厚労省令82号）。

[169]　本法に基づく健康診断について，労働者は，事業者の指定する医師とは別の医師の診断を受け，その結果を証明する書面を事業者に提出することもできるとされている（66条5項ただし書。医師選択の自由）。

[170]　労働安全衛生法上の規定が私法上の効力をもつか（これに反する契約を無効とし当事者間に契約上の義務を設定するか）については争いがある。同法の行政取締法規としての性格からすると，同法の諸規定が直接私法上の効果を設定するものではないとしても，使用者が信義則上負う安全配慮義務（p309 **3**）の内容を確定する際に考慮される重要な要素となることは認められよう（札幌国際観光（石綿曝露）事件・札幌高判平成20・8・29労判972号19頁。p67注1）参照）。

296　第3編　雇用関係法

法規制システムを採用している。

　2005（平成17）年の同法改正により，過重労働・メンタルヘルス対策を充実させるために，事業者は，時間外・休日労働が月100時間を超え疲労の蓄積が認められる労働者について，労働者の申出により医師による面接指導を行わなければならず，当該労働者について医師の意見を聴取して必要があると認めるときには，作業の転換，労働時間の短縮などの措置を講じなければならないとされた。また，2014（平成26）年の同法改正により，①危険性・有害性のある化学物質の管理のあり方の見直し，②労働者の心理的な負担の程度を把握するための医師・保健師等による検査（ストレスチェック）の実施の義務づけ（従業員50人以上の事業者に義務づけ。50人未満の事業者については当分の間努力義務），③職場における受動喫煙を防止するための適切な措置を講じることの努力義務などが，事業者に課された。

　さらに，2018（平成30）年の働き方改革関連法による労働安全衛生法改正では，①医師による面接指導に関し，すべての労働者を対象として，事業者に客観的な方法等により労働時間を適正に把握する義務を課し（労働安全衛生法66条の8の3，労働安全衛生規則52条の7の3），時間外・休日労働が月80時間を超え疲労の蓄積が認められる労働者について，労働者の申出により医師による面接指導を行うこと（労働安全衛生法66条の8，労働安全衛生規則52条の2以下），②産業医を選任した事業者は，産業医に対し，労働者の健康管理等を適切に行うために必要な情報を提供しなければならないこと（労働安全衛生法13条4項，労働安全衛生規則14条の2），③事業者は，産業医の勧告を受けたときは，当該勧告の内容等を衛生委員会・安全衛生委員会に報告し，当該勧告の内容およびそれを受けて講じた措置の内容を記録し保存しなければならないこと（労働安全衛生法13条6項，労働安全衛生規則14条の3）などが定められた。

2 労災補償

1 労災補償制度の背景と枠組み

　労働者が働いていてけがや病気などの災害が発生した場合，市民法の世界では，不法行為（日本では民法709条）として使用者に損害賠償を請求することが

考えられる。この場合，請求をする被災労働者側が，行為の違法性に加え，使用者の故意・過失，損害の発生，使用者の行為と損害の間の因果関係の存在を立証すべき責任を負うことになるが，①十分な情報をもたない労働者側がこれらの点を立証することは実際には困難である。また，かりにこれらの立証に成功したとしても，②使用者に十分な資力がない場合には労働者は損害の賠償を受けられないおそれがある。このような状況のなか，労働災害に苦しんでいた労働者を救済する法制度として，各国で労災補償制度（特にその一形態として労災保険制度）が設けられていった。

　日本では，1947（昭和22）年に，労基法と労働者災害補償保険法（労災保険法）[171]が同時に制定され，労災補償に関する2つの制度が設けられている。

　労基法上の災害補償制度は，労働者の業務上の傷病・死亡について，使用者に無過失責任を課し，補償額を（療養補償を除き）平均賃金を基礎として定率的に定めることで，被災労働者側の立証の困難さ（①）を克服するものとなっている。また，使用者の補償責任の履行を確保するために罰則（119条）も定められている。

　労災保険法に基づく制度（労災保険制度）は，業務上の傷病・死亡および通勤による傷病・死亡について，使用者の過失の有無にかかわらず，法律に定められた定型的な給付を行うものとすることで，被災労働者の立証の困難さ（①）を克服するものとなっている。また，労災保険制度では，使用者の無資力の危険（②）をも克服するために，政府が管掌する社会保険制度の形をとり，労働者を使用する全事業主から保険料を徴収して，被災労働者・遺族に政府が直接保険給付を行う方法をとっている。

　この2つの制度のうち，労災保険法による給付内容が労基法の補償内容よりも多くの点で大幅に上回っており，また，労災保険法により給付が行われるべき場合には使用者はそれに相当する労基法上の補償責任を免れるとされている（労基法84条1項）ため，実際には労基法上の災害補償制度が適用される余地はほとんどなくなっている[172]。以下では，日本の労災補償制度の中心をなしている

---

171)　その第8章に「災害補償」に関する規定（労基法75条以下）が定められている。

172)　労基法上の災害補償が適用される場面として，休業補償の最初の3日間がある。労災保険法による休業補償給付は休業の4日目から支給される（14条）のに対し，労基法上の休業補償責任

298　第3編　雇用関係法

労災保険制度についてみていく。

2 労災保険制度──労災保険による給付

1 制度の概要

労災保険制度は，労働者を使用するすべての事業主に強制的に適用される（労災保険法3条1項）[173]。また，中小事業主，自動車自転車運送業・建設業等の自営業者（一人親方など），特定農作業・家内労働・芸能等の特定作業従事者，海外派遣者など「労働者」以外の一定の者についても任意的に加入を認める特別加入制度が設けられている（33条以下。*Column 40*）。労災保険の保険料は，賃金総額に保険料率を乗じた額とされる（労働保険料徴収法11条）。保険料率は，事業の種類ごとに，過去3年間の災害率などを考慮して8.8%から0.25%（2024（令和6）年4月改定）の間で定められている（12条2項，同法施行規則別表第1）。また，一定規模以上の事業については，過去3年間の保険給付額に応じて保険料率を40%の範囲内で増減させる（災害発生を防げば保険料率を低くしてもらえる）メリット制がとられている（労働保険料徴収法12条3項）[174]。

労働災害が発生した場合，被災した労働者またはその遺族が政府に請求することにより，保険給付が行われる（労災保険法12条の8第2項参照）。具体的には，被災労働者・遺族が労働基準監督署長に保険給付の申請を行い，これに対し労働基準監督署長が支給または不支給の決定を下す[175]。事業主が法定の手続や保険

は最初の1日目から発生するからである（76条1項）。この3日分の休業補償については，事業主が被災労働者に支払う義務を負う。

173) ただし，国の直営事業，非現業の官公署については，労災保険法の適用はなく（3条2項），国家公務員災害補償法，地方公務員災害補償法によってそれぞれ別の労災補償制度が設けられている。船員については，休業手当金・障害年金・遺族年金等に関して，船員保険法による特別の制度が設けられている（船員保険法29条2項）。また，個人経営の農林・畜産・水産事業でごく小規模なものは，暫定的に労災保険制度の任意適用事業とされている（1969（昭和44）年労災保険法改正法附則12条）。

174) 新型コロナウイルス感染による労働災害については，このメリット制による保険料率の増減に反映させない特例が設けられた。

175) 労働基準監督署長の決定に不服がある場合，各都道府県の労災保険審査官に審査請求をすることができ，さらにその決定に不服があれば労働保険審査会に再審査請求をすることができる（労災保険法38条1項）。労災保険審査官の決定を経た後，または，労災保険審査官への審査請求後3か月を経過しても決定がないときは，労働基準監督署長の決定の取消しを求める行政訴訟を提起することができる（40条，38条2項）。

第3章 雇用関係の内容　299

料の納付を怠っている場合でも，労働災害が発生すれば労働者は保険給付を受けることができる。この場合，政府は，事業主から保険料を追徴するとともに，事業主に故意・重過失があれば保険給付に要した費用を事業主から徴収できる（労災保険法31条1項1号）。また，労災保険制度では労働者の過失の有無は問われておらず，労災民訴（p309 **3**）のように労働者側の過失による過失相殺（民法722条2項）は行われない。ただし，労働者の故意または重過失により発生した災害については，政府は保険給付を行わないことができるとされている（労災保険法12条の2の2）。

労働基準監督署長は，傷病や死亡が「業務災害」（p301 **2**），「複数業務要因災害」[176]（p306 **3**）または「通勤災害」（p307 **4**）に該当すると認められる場合に，保険給付の支給を決定する。保険給付の内容としては，①傷病の療養のための療養（補償）給付（労災保険法13条，20条の3，22条），②療養のための休業補償としての休業（補償）給付（14条，14条の2，20条の4，22条の2），③治癒しても障害が残った場合の補償としての障害（補償）給付（15条，20条の5，22条の3），④被災者が死亡した場合の遺族（補償）給付（16条，20条の6，22条の4），⑤死亡した場合の葬祭費用としての葬祭料（葬祭給付）（17条，20条の7，22条の5），⑥1年6か月を経過しても治癒していない場合の補償としての傷病（補償）年金（18条，18条の2，20条の8，23条），⑦障害（補償）年金（③）または傷病（補償）年金（⑥）を受ける者の介護費用としての介護（補償）給付（12条の8第4項，19条の2，20条の9，24条）がある。このほか，労働安全衛生法上の定期健康診断で脳・心臓疾患に関し一定の所見があると診断された場合に労働者の請求によって行われる2次健康診断等給付がある（労災保険法7条1項4号，26条以下）。

Column 40 特別加入制度の給付対象となる「業務」と「事業」　　特別加入制度は，中小事業主など「労働者」にはあたらない一定の者について，労災保険に任意に加入する（保険料を納付する）ことによって，労災保険の適用を認める制度である。特別加入者については，いかなる「業務」や「事業」に従事して被災した場合に保険給付がなされるかが問題となる。最高裁は，特別加入制度は労働者に関して成立している労災保険関係を前提に事業主を労働者と

---

176)　2020（令和2）年労災保険法改正によって，個々の使用者の下での業務では労働災害とは認定できないが，複数の使用者の下での業務を総合して評価すると労働災害と認定できる災害を「複数業務要因災害」として保険給付を行う制度が新たに設けられた（p306 **3**）。

300　　第3編　雇用関係法

みなして労災保険を適用する制度であるため，労働者を使用している業務（土木工事）と無関係の業務（重機の賃貸業務）に起因する事故は保険給付の対象とならないとした[177]。また，事業主（特別加入者）が，特別加入の承認を受けた「建築工事施工」ではなく，営業活動（工事予定地の下見）の途中で自動車転落事故に遭った事案における判断として，使用する労働者は建築現場の事業にのみ従事し営業等の事業に従事していないため，営業等の事業については保険関係は成立せず，事業主（特別加入者）の営業活動中の災害は保険給付の対象にならないとした[178]。

2 「業務災害」の認定

(1) **判断基準**　労災保険給付は，「業務災害」または「通勤災害」に対して支給される。これらのうち，「業務災害」については，「労働者の業務上の負傷，疾病，障害又は死亡」と定義されている（労災保険法 7 条 1 項 1 号）。ここでの判断のポイントとなるのは，「業務上の」災害といえるかという点であり，これは具体的には，①「業務」といえるか（業務遂行性），②業務「上の」災害といえるか（業務起因性）の 2 点から判断される。

事例 73

次のような事件・事故と病気は，労災保険給付の対象となるか？

①従業員親睦の運動会で転んで骨折した。

②業務に関連して開催された研修生らの歓送迎会に上司の意向によって参加し，会の終了後，研修生らをアパートまで送ったうえで工場に戻って業務を行うため，研修生らを車に同乗させて車を運転している途中で交通事故に遭って労働者が死亡した。

③出張中宿泊したホテルで酔って階段を踏み外して転倒し死亡した。

④地震によって会社建物が倒壊しその下敷きになって負傷した。

⑤支店長付きの運転手として早朝から深夜まで勤務し，約 5 か月にわたり 1 か月平均の時間外労働時間が約 150 時間に及ぶなかで，走行中に気分が悪くなり，くも膜下出血を発症した。

⑥上司が部下のキャリアを否定しその人格や存在自体を否定するような発言（「存在が目障りだ」，「お願いだから消えてくれ」，「給料泥棒」等）を嫌悪の感情に基づき直截に大声で発するなかで，部下が精神障害を発症し自殺した。

---

(2) **「業務上の傷病・死亡」（事故性傷病）の認定**　「業務災害」性の判断において第 1 のポイントとなるのは「業務遂行性」である。例えば，実労働時間

---

177)　姫路労基署長（井口重機）事件・最一小判平成 9・1・23 労判 716 号 6 頁。
178)　国・広島中央労基署長（竹藤工業）事件・最二小判平成 24・2・24 民集 66 巻 3 号 1185 頁。

第 3 章　雇用関係の内容　301

中に起こった災害はもちろん，宴会や運動会（ 事例73 の①）であっても参加が事実上強制されている場合には，業務遂行性が認められる。夜の歓送迎会の終了後に業務を行うために職場に戻る途中で遭った交通事故（ 事例73 の②）について，歓送迎会への参加を含む一連の行動は会社から要請されていたものであり，当該労働者は事故の際，なお会社の支配下にあったとして，業務遂行性を肯定した判例がある。[179] 事業場外労働や出張中の災害（ 事例73 の③）については，移動中や宿泊中など職務を遂行していない時間であっても，業務上の都合からそのような状態に置かれているため，業務遂行性が広く認められている。[180]

　業務遂行中の災害であっても，それが業務ではなく，地震・竜巻などの自然現象（ 事例73 の④）や犯罪行為などの外部の力に起因して生じた場合には，「業務起因性」が否定され「業務災害」と認められないことがある。もっとも，これらの場合でも，例えば地震による被害を受けやすい場所で働いていて地震災害を受けた場合など，業務に内在する危険が現実化したといえるときには，業務起因性が肯定されうる。[181][182]

　(3)　「業務上の疾病」（職業病）の認定　　業務上の疾病（職業病）の認定については，特に「業務起因性」の判断が重要なポイントとなる。[183] この業務起因性

---

179)　国・行橋労基署長（テイクロ九州）事件・最二小判平成 28・7・8 労判 1145 号 6 頁（#46）。

180)　大分労基署長（大分放送）事件・福岡高判平成 5・4・28 労判 648 号 82 頁，鳴門労基署長事件・徳島地判平成 14・1・25 判タ 1111 号 146 頁など。

181)　例えば，1995（平成 7）年 1 月の阪神大震災の際に生じた災害については，多くのものが「業務災害」との認定を受けた（小嶌典明「震災と労働行政」ジュリスト 1070 号 148 頁以下（1995）参照）。2011（平成 23）年 3 月の東日本大震災の際も同様の取扱いとされた（平 23・3・11 基労補発 0311 第 9 号など）。同僚による暴行・死亡につき業務に内在する危険の現実化として業務起因性を肯定した例として国・尼崎労基署長（園田競馬場）事件・大阪高判平成 24・12・25 労判 1079 号 98 頁がある。

182)　業務に伴う飲酒については，当該飲酒は業務の遂行に不可欠または関連・付随したものであったとして業務起因性を肯定した裁判例（国・渋谷労基署長（飲酒事故）事件・東京地判平成 26・3・19 労判 1107 号 86 頁，国・大阪中央労基署長（ダイヤモンド）事件・大阪地判令和元・5・29 労判 1220 号 102 頁）と，会社の納会での過度の飲酒による急性アルコール中毒死につき納会の目的を逸脱した過度の態様の飲酒行為によるものであったとして業務起因性を否定した裁判例（国・品川労基署長（急性アルコール中毒死）事件・東京地判平成 27・1・21 労経速 2241 号 3 頁）がある。

183)　例えば，長年有害物質にさらされた職場で働いた後にある病気が発症したという場合には，業務遂行性は当然の前提とされ，業務と病気との因果関係（業務起因性）の有無が主たる争点とされる。

302　　第 3 編　雇用関係法

の立証には専門的な医学的知識を必要とすることが多いため，労基法施行規則
は，別表第１の２において，医学的にみて業務に起因して発生する可能性が高
い疾病を業務の種類ごとに類型的に列挙している（例えば石綿にさらされる業務
による肺がん・中皮腫（7号8））。2010（平成 22）年には同表が改正され，従来は
例示されていなかった過重負荷による脳・心臓疾患（長期間にわたる長時間の業
務その他血管病変等を著しく増悪させる業務による脳・心臓疾患。8号），心理的負荷
による精神障害（人の生命にかかわる事故への遭遇その他心理的に過度の負担を与え
る事象を伴う業務による精神障害。9号）などが明示的に列挙された。これらに該
当することが立証された場合には，特段の反証がない限り，「業務上の疾病」
と認められる（労基法 75 条 2 項，労基則 35 条参照）。なお，上記別表の第 11 号
には「その他業務に起因することの明らかな疾病」との定めが置かれており，
第 10 号までに列挙された疾病にあたらなくても，個別に業務起因性が立証さ
れれば「業務上の疾病」と認められる。

　この業務上の疾病（業務起因性）の判断が問題となる典型的なケースとして，
長時間の業務等による脳・心臓疾患（上記別表8号。死亡した場合「過労死」と呼
ばれている）がある。脳・心臓疾患は，高血圧や動脈硬化など基礎疾患をもつ
労働者に発症することが多いため，業務（過労）に起因して発症したのか，基
礎疾患に起因して発症したのかが問題になることが多い。この点に関する判断
基準として，判例は，業務による過重な負荷が，労働者の基礎疾患をその自然
の経過を超えて増悪させ，発症に至ったと認められるときには，相当因果関係
（業務起因性）の存在を肯定できるとしている[184]。この最高裁判決を受けて，厚生
労働省は，発症に近い時期の過重負荷のほか長期間にわたる疲労の蓄積も考慮
されるとし，例えば，①発症前 1 か月間に時間外労働が 100 時間を超える，ま
たは，②発症前 2 か月間ないし 6 か月間に時間外労働が 1 か月あたり 80 時間[185]

---

184) 横浜南労基署長（東京海上横浜支店）事件・最一小判平成 12・7・17 労判 785 号 6 頁（#47）
〔 事例73 の⑤類似のケース〕。この「相当因果関係」説のほか，裁判例では，業務が相対的に有
力な原因であることが必要であるとする「相対的有力原因」説（品川労基署長事件・東京高判平
成 2・8・8 労判 569 号 51 頁など）や，業務が共働原因となって発症したことで足りるとする
「共働原因」説（三田労基署長事件・東京高判昭和 51・9・30 判時 843 号 39 頁など）がとられて
いた。
185) この時間外労働時間数の算定にあたり，工場のエキスパート（班長相当）が行っていた創意く
ふう提案や QC サークル活動の時間（国・豊田労基署長（トヨタ自動車）事件・名古屋地判平成

を超える場合には，業務と発症の関連性が強いとする行政認定基準を定めている（***Column 41***）。

Column 41 **脳・心臓疾患の認定基準と判断例**　　この行政認定基準（平13・12・12基発1063号）では，発症に近い時期の労働時間（時間外労働時間）の目安のほか，勤務の不規則性，交替制勤務・深夜勤務，作業環境，精神的緊張の程度などもあわせて，業務の過重性を総合的に判断するものとしている。[186] 裁判例としては，発症前6か月間の時間外労働時間数は月平均で約54時間であり指針が例示する80時間ないし100時間に達していないが，密度の高い勤務で変則的な夜勤・交代勤務に従事するなど質的に過重であったことを考慮して業務（公務）起因性を肯定したもの，[187] 発症前1か月ないし6か月の時間外労働時間数は1か月あたりいずれも30時間未満であり土日の休日も確保されているが，発症前10か月半の間に合計10回・183日間の海外出張の業務に従事していたことは相当な精神的緊張を伴うものであるとして業務起因性を肯定したもの，[188] 発症前1か月の63時間余の時間外労働による身体的負荷を背景としつつ総務部長による一方的叱責と決裁拒否による強度の精神的負荷が労働者の有していた血管病変等をその自然の経過を超えて急激に悪化させ心肺停止等を発症させたとして業務起因性を肯定したものなどがある。[189] また，心臓に障害をもつ労働者の過労による死亡につき，業務起因性の判断は平均的の労働者ではなく障害をもつ当該労働者を基準とすべきとして業務起因性を肯定したものもある。[190]

　近年，過重な心理的負荷によるうつ病などの精神障害（上記別表9号。過労による精神障害で自殺した場合「過労自殺」と呼ばれている）も深刻化している。精神障害の業務起因性に関する行政認定基準によると，[191]①対象疾病（精神障害）を発病し，②発病前おおむね6か月間に業務による強い心理的負荷が認められ，

　　19・11・30労判951号11頁），銀行のシステム統合のマニュアル習得のための自宅学習時間（札幌東労基署長（北洋銀行）事件・札幌高判平成20・2・28労判968号136頁），出張の際の移動時間（国・神戸東労基署長（川崎重工業）事件・神戸地判平成22・9・3労判1021号70頁）など，使用者の具体的な指揮命令下にあるといえない時間も，使用者の支配下における「業務」の時間として算入する裁判例が多い。

186)　厚生労働省は，2021（令和3）年9月，この労災認定基準について，ⓐ月平均80時間等の水準には至らないがこれに近い時間外労働で，一定の労働時間以外の負荷が認められるときには，業務と発症との関連性が強いと評価する，ⓑ労働時間以外の負荷要因として，勤務間インターバルが短い勤務，身体的負荷を伴う業務などを追加する，ⓒ短期間の過重業務・異常な出来事について，業務と発症との関連性が強いと判断できる場合を明確化する等の改正を行った（令3・9・14基発0914第1号）。

187)　国・国立循環器病センター（看護師・くも膜下出血死）事件・大阪高判平成20・10・30労判977号42頁。

188)　松本労基署長（セイコーエプソン）事件・東京高判平成20・5・22労判968号58頁。

189)　国・島田労基署長（生科検）事件・東京高判平成26・8・29労判1111号31頁。

190)　国・豊橋労基署長（マツヤデンキ）事件・名古屋高判平成22・4・16労判1006号5頁。

191)　平23・12・26基発1226第1号。

③業務以外の心理的負荷および個体側要因により発病したとは認められない，という3つの要件を充たした場合に，労働災害（上記別表9号）にあたるとされている。この認定基準では，心理的負荷の強度を弱・中・強の3段階に分類した「業務による心理的負荷評価表」（別表1）が定められており，総合評価で「強」と判断された場合に強い心理的負荷（②）の要件を充たすとされている。また，いじめやセクハラのように出来事が繰り返されるものについては，その開始時から一体のものとして心理的負荷を評価することも定められている。この行政認定基準は，専門家の知見を踏まえたものとして裁判所の判断においても参考とされることが多いが，法的には労災認定の行政内部基準にすぎず，裁判所の法的判断を直接拘束するものではない[194]（**Column 42**）。

業務に起因して精神障害が発症したと認められ，精神障害を発症するなかで労働者が自殺した場合には，精神障害と自殺との間にも一般に因果関係が認められている。業務を原因としてうつ病等が発症した場合には，その病態として自殺行為が出現する蓋然性が高いと医学的に認められていることから，労働者の故意により発生した災害（労災保険法12条の2の2）とはされず，自殺（死亡）という結果についても一般に業務起因性があると考えられている[195]。

---

[192] 裁判例として，国・函館労基署長（NTT北海道テレマート）事件・札幌地判平成27・3・6労判1126号46頁〔派遣先の上司からセクハラを受け，約2年7か月にわたりセクハラや嫌がらせ等のストレス因にさらされていた労働者の精神障害による休業の業務起因性を肯定〕，国・札幌東労基署長（紀文フレッシュシステム）事件・札幌地判令和2・3・13労判1221号29頁〔約2か月の間に連続して行われた身体接触や性的な言動について，一体となったセクハラとして心理的負荷を「強」と評価し，それらの行為を受けた労働者の精神障害の発症の業務起因性を肯定〕参照。

[193] 2019（令和元）年労働施策総合推進法改正によりパワー・ハラスメントの定義等が法律上定められたこと（p138 **2**）にあわせて，労災保険の精神障害認定基準が改正され（令2・5・29基発0529第1号），認定基準の「業務による心理的負荷評価表」にパワー・ハラスメント（「上司等から，身体的攻撃，精神的攻撃等のパワーハラスメントを受けた」）が明示された。

[194] 国・鳥取労基署長（富国生命・いじめ）事件・鳥取地判平成24・7・6労判1058号39頁など。

[195] 過重業務とうつ病自殺との因果関係（業務起因性）が肯定された例として，豊田労基署長（トヨタ自動車）事件・名古屋高判平成15・7・8労判856号14頁，名古屋南労基署長（中部電力）事件・名古屋高判平成19・10・31労判954号31頁，地公災基金東京都支部長（市立A小学校教諭）事件・東京高判平成29・2・23労判1158号59頁など。職場でのハラスメントとうつ病自殺との因果関係が肯定された例として，国・静岡労基署長（日研化学）事件・東京地判平成19・10・15労判950号5頁〔**事例73** の⑥類似のケース〕，国・渋谷労基署長（小田急レストランシステム）事件・東京地判平成21・5・20労判990号119頁〔部下による中傷ビラ〕，国・豊田労基署長事件・名古屋高判令和3・9・16裁判所ウェブサイト〔困難な課題や許容範囲を超え

Column 42 **精神障害の業務起因性判断の基準となる労働者——「ストレス-脆弱性理論」**

　精神障害の業務起因性判断においては，心理的ストレスが弱い場合でもそれを受ける個体側の反応性・脆弱性によってはうつ病が発症することがあること（いわゆる「ストレス-脆弱性理論」）から，業務上のストレスによってうつ病に罹患したこと（個体側の要因ではなく業務に起因していること）をどのような人を基準に判断すべきかが問題となる。上記の行政認定基準は，同種の労働者（職種，職場における立場や職責，年齢，経験等が類似する者）を基準に判断するとしているが，裁判例の多くは，平均的な労働者を基準としつつ，そこには何らかの個体的脆弱性を有しながらも勤務軽減を必要とせず通常の業務を遂行できる者も含むとして，やや幅のある判断をしている。[196] さらに，対人関係が苦手という労働者の性格を考慮して使用者側に配慮を求めた（配慮なく対人業務に就かせたことは同人に相当大きな心理的負荷を与えたとした）[197] ものもある。

3　「複数業務要因災害」の認定等

　2020（令和2）年労災保険法改正は，副業・兼業など複数の使用者の下で就労する複数事業労働者の労働災害について「複数業務要因災害」に関する保険給付という新たな保険給付制度を設けた。政府の副業・兼業促進政策のなかで，労災保険制度においても複数事業労働者の適切な保護を図るための制度整備を行うという観点から，複数事業での負荷を総合的に評価して労災認定を行い，給付額の算定において複数事業の賃金額を合算した額を基礎とすることとする制度改正である（2020（令和2）年9月施行）。[198]

　すなわち，労災保険法は，事業主が同一でない2以上の事業に使用される労働者を「複数事業労働者」と新たに定義し（1条），複数事業労働者の2以上の事業の業務を要因とする災害を「複数業務要因災害」（7条1項2号）として，「業務災害」，「通勤災害」，「二次健康診断等給付」と並ぶ新たな保険給付の対

　る精神的攻撃〕，国・津労基署長（中部電力）事件・名古屋高判令和5・4・25労経速2523号3頁〔新入社員への難易度の高い業務や上司の暴言等〕などがある。

196)　新宿労基署長（佼成病院）事件・東京地判平成19・3・14労判941号57頁，前掲195）国・静岡労基署長（日研化学）事件判決，国・三田労基署長（日本電気）事件・東京高判令和2・10・21労判1243号64頁など。国・福岡中央労基署長（新日本グラウト工業）事件・福岡地判令和3・3・12労判1243号27頁〔本人の不安障害やアルコール依存症は重度のものではなく平均的労働者の範囲内といえるから個体側要因として評価すべきではないと判示〕も参照。

197)　国・福岡東労基署長（粕屋農協）事件・福岡高判平成21・5・19労判993号76頁。

198)　複数業務要因災害の保険料負担については，単独の使用者の下での業務で災害が発生したとは評価できないため，個々の使用者の保険料率算定におけるメリット制（p299 **1**）には反映させず（労働保険料徴収法12条3項），事業の種類別の危険性に応じた保険料率算定においても，通勤災害と同様に，全業種一律の負担とすることとされた。

306　　第3編　雇用関係法

象とすることとした（20条の2以下）。この「複数業務要因災害」の認定については，1つの事業における業務上の負荷のみでは業務起因性が認められないが，複数の事業の業務上の負荷を総合して評価すると業務起因性が認められる場合に，「複数業務要因災害」にあたると認定して保険給付を行うこととした（7条1項2号，2条の2以下）。例えば，A社とB社の2社で就労している労働者について，いずれも週35時間労働で心臓疾患を発症した場合，それぞれの会社の業務負荷のみでは業務起因性が認められないが，両者を総合すると週40時間を超える時間外労働が月100時間を超え，業務起因性が肯定されうる。

なお，複数事業労働者が被災した場合（複数業務要因災害に限らず1つの事業の業務のみを要因とする災害を含む）の休業給付や遺族給付等の算定において，2020（令和2）年改正前は，災害が発生した会社等での賃金額を基礎に保険給付額が決定され，他の会社等での就労が不能となってもそこでの賃金喪失分は補償の対象外とされていた。2020（令和2）年改正は，就労の実態に応じた被災労働者の保護を図るため，複数事業労働者の業務災害および通勤災害に対する保険給付の算定基礎となる給付基礎日額は，同労働者を雇用しているすべての使用者の給付基礎日額を合算した額とすることとした（労災保険法8条3項）[199]。

4 「通勤災害」の認定

事例74

次のような事件・事故は，労災保険給付の対象となるか？

①単身赴任している者が自宅で家族と週末を過ごした後，月曜からの仕事に備え日曜の午後に単身赴任先の社宅に戻る途中，駅の階段で転んで骨折した。

②会社からの帰りに夕食の買い物のため，通常の経路から140メートル離れた商店に向かう途中で交通事故にあって死亡した。

③通勤のため自宅から最寄り駅まで歩いていたところ，カルト教団の信者に毒をかけられて死亡した。

④会社での研修後，近くの居酒屋で開かれた懇親会に参加し，そこから自宅まで自転車で帰っている途中に転倒して負傷した。

---

199) 例えば，A社で20万円，B社で15万円の賃金を得ていた労働者がA社で発生した災害でいずれの会社でも就労不能となった場合，改正前の休業給付はA社での賃金20万円のみを基礎に算定されていたが，改正後の複数事業労働者休業給付はB社での15万円を基礎とした分も合算して算定されることとなった。

第3章 雇用関係の内容　307

労災保険給付は，「通勤災害」に対しても行われる。労災保険法によると，「通勤災害」とは，「労働者の通勤による負傷，疾病，障害又は死亡」と定義されており（労災保険法7条1項3号），例えば，通勤途中の交通事故，駅の階段での転倒，落下物による負傷などがそれにあたりうる。ここにいう「通勤」とは，住居と就業場所間の往復だけでなく，兼業労働者の就業場所間の移動や，単身赴任者等の住居間移動（事例74の①）も含まれ，これらの場所の間を合理的な経路と方法で移動することをいう（同条2項，施行規則6条・7条）。ただし，移動経路からの「逸脱」や移動の「中断」があった場合には，それ以降は「通勤」とは認められない（労災保険法7条3項）。もっとも，この逸脱・中断が，日常生活上必要な行為（日用品の購入，職業訓練・教育訓練，選挙権の行使，病院・診療所における診察・治療，家族の介護など）をやむを得ない事由のために最小限度で行うものである場合には，これらの逸脱・中断後の移動は「通勤」にあたるとされている（労災保険法7条3項ただし書，施行規則8条）。近親者（義父）の介護も「日常生活上必要な行為」にあたり，その居宅に立ち寄って介護を行った後の移動も「通勤」にあたるとした裁判例がある。[200]

裁判例によると，事例74の②のような事案では，合理的な経路からの「逸脱」中に生じた事故とされ「通勤災害」にはあたらないとされている。[201]また，通勤途上の災害であったとしても，自然現象や外部の力などによって生じた災害（事例74の③など）については，通勤に内在する危険が現実化したものといえない限り，「通勤災害」にはあたらない。[202]逆に，運動会や宴会（事例74の④）などであっても，参加が強制され，それ自体が業務（「就業場所」）と認められる場合には，そこから自宅に帰る途中で起こった事故は「通勤災害」に該当しうるとされている。[203]

---

200) 国・羽曳野労基署長（通勤災害）事件・大阪高判平成19・4・18労判937号14頁（＃48）。
201) 札幌中央労基署長（札幌市農業センター）事件・札幌高判平成元・5・8労判541号27頁。かりに夕食の買い物という日常生活上必要な行為（7条3項ただし書）であったとしても，「逸脱」中に起こった事故については「通勤災害」にあたらない。
202) 大阪南労基署長（オウム通勤災害）事件・大阪高判平成12・6・28労判798号7頁。
203) 大河原労基署長（JR東日本白石電力区）事件・仙台地判平成9・2・25労判714号35頁。もっとも，酒食を伴う会合（慰労会）への参加に一定時間までは業務性が認められるとしても，その業務性が終了した後約3時間にわたり飲酒や居眠りをし酩酊状態で帰宅した行為は合理的な方法による通勤とはいえないとした裁判例（国・中央労基署長（通勤災害）事件・東京高判平成

308　第3編　雇用関係法

❸ 労災民訴——使用者への損害賠償請求

1 労災保険と民事損害賠償

労災保険制度による給付は，精神的損害（慰謝料）をカバーするものではなく，給付額も現実の損害の大きさにかかわらず定型的に定められているため，労働者が被った損害をすべて補償するものではない。また，そもそも労災保険給付の対象とならない災害であっても，民法上の損害賠償請求が認められることがある[204]。そのようななか，日本では，政府に対する労災保険給付の請求とは別に，使用者に対して民事訴訟により損害賠償請求をすることができると解されている[205]。この両方の請求が行われた場合，労災保険給付で補償された損害については，使用者はその限りで民法上の損害賠償請求を免れるものとされている（労基法84条2項類推適用）。また，労働災害が使用者以外の第三者の行為によって発生した場合，労災保険給付をした政府は，その給付額の限度で，被災者や遺族が第三者に対して有する損害賠償請求権を取得する（労災保険法12条の4第1項）。被災者・遺族が第三者から先に損害賠償を受けた場合には，政府はその限度で保険給付をしないことができるとされている（同条2項）（***Column 43***）。

Column 43 **労災保険給付が年金で支給される場合の使用者の損害賠償責任等との調整**

労災保険給付が年金として支給される場合，使用者は既に支払われた年金額のみならず，将来支払われる年金額の分まで損害賠償責任を免れうるかが問題となる。最高裁は，将来の年金給付額については，いまだ現実の給付がない以上，被災労働者は使用者への損害賠償請求額[206]から控除する必要はない（使用者はその部分の損害賠償責任を免れ得ない）との判断を示した。しかしこの解釈によると，使用者の二重の負担（労災保険料と損害賠償）により被災者が二重の利得を受けることになる。そこで，1980（昭和55）年に労災保険法が改正されて年金前払一時金制度が設けられ，使用者はその金額の限度で将来の年金額分の損害賠償責任を免れうるものとされた（64条1項）。

労働災害が使用者以外の第三者の行為によって発生し，労災保険給付が年金として支給される場合，第三者は損害賠償額から将来支払われる年金額を控除できるかが問題となる。判例は

20・6・25労判964号16頁）もある。

[204] 労災保険給付の支給要件（p301 **2**，p306 **3**，p307 **4**）と民法上の不法行為や債務不履行の成立要件は異なるからである。

[205] フランスやアメリカの多くの州などでは，労災補償の対象となる災害については，使用者は原則として民事（一般法）上の損害賠償責任を負わないとされている（東京大学労働法研究会編『注釈労働基準法（下）』931頁〔岩村正彦〕（有斐閣，2003））。

[206] 三共自動車事件・最三小判昭和52・10・25民集31巻6号836頁（#51）。

第3章 雇用関係の内容　309

これを否定しており、労災保険法上も特に調整規定は置かれていない。もっとも最高裁は、1977（昭和52）年の仁田原・中村事件判決の後、地方公務員等共済組合法上の遺族共済年金について、将来の年金給付であっても口頭弁論終結時点で支給を受けることが確定している額の限度で損害賠償額から控除されると判断しており、労災保険法の解釈にも影響を与えることが考えられる。

　また、労働者の死亡により相続人が遺族補償年金の支給を受ける場合、死亡した労働者の損害賠償請求権を取得した相続人が使用者に対して行う不法行為損害賠償請求といかに調整を行うかも問題となりうる。この点について、最高裁は、遺族補償年金により塡補される遺族の被扶養利益の喪失は損害賠償請求における逸失利益等の消極損害と同性質であり、その損害は不法行為時に塡補されたものと法的に評価して、逸失利益等の消極損害の元本との間で損益相殺的な調整を行うべきであると判示した。

2　安全配慮義務の確立と展開

事例 75

　次のような場合、民事上の損害賠償請求は認められるか？　それはどのような法的根拠で、どのような内容のものとなるか？

　①自衛隊員（国家公務員）が勤務中の事故で死亡した事件で、遺族から使用者（国）に対する損害賠償請求。

　②長時間の残業が恒常化し業務量の調整が行われないまま疲労が蓄積してうつ病に罹患し自殺した従業員の遺族から会社への損害賠償請求。死亡した従業員が素直で責任感があり完璧主義の性格であった点は、その請求に影響を与えるか？

　③建設工事の下請会社の従業員が工事現場での作業中に、命綱を付けず養生網にすき間がある状態で転落し死亡した事件で、遺族から元請会社（工事現場を監督し下請会社に建設工事の一部を請け負わせていたゼネコン）に対する損害賠償請求。

　④過重業務や仕事上のストレスのなかでうつ病にり患し休職した従業員から会社に対する損害賠償請求。従業員が通院、病名、薬の処方等の情報を会社に申告していなかったことは、その請求に影響を与えるか？

　⑤過重労働により精神疾患にり患し自殺した従業員の遺族から会社への損害賠償請求。精神疾患の発症から自殺まで僅かな期間しかなく、従業員が精神疾患にり患していたことを会社が具体的に認識していなかったことは、その請求に影響を与えるか？

　被災労働者が使用者に対し損害賠償を請求する法的根拠としては、まず、不

207）　仁田原・中村事件・最三小判昭和52・5・27民集31巻3号427頁。
208）　寒川・森島事件・最大判平成5・3・24民集47巻4号3039頁。
209）　フォーカスシステムズ事件・最大判平成27・3・4民集69巻2号178頁。

法行為責任（民法 709 条，715 条，717 条など）の追及が考えられる。しかし，不法行為による損害賠償請求権の消滅時効は 3 年であり（724 条（当時）），また，被災労働者側が使用者の過失の存在を立証する責任を負うことなどが，救済を困難としていると考えられてきた。そこで判例は，使用者は労働契約上の信義則（1 条 2 項）に基づき労働者の生命や健康を危険から保護するよう配慮すべき義務（安全配慮義務）を負うとして，使用者に債務不履行責任（415 条）を問うことを認めた。[210] 労契法は，これを，「使用者は，労働契約に伴い，労働者がその生命，身体等の安全を確保しつつ労働することができるよう，必要な配慮をするものとする」という形で，法律上明文化している（5 条）。被災労働者が債務不履行として責任を追及する場合，被災労働者側が安全配慮義務の内容を特定し，義務違反の存在を基礎づける事実を主張立証する責任を負い，使用者側が自らに帰責事由がないことを立証する責任を負うことになる。[211] なお，消滅時効については，これまで，債務不履行では 10 年（民法 167 条 1 項），不法行為では損害および加害者を知った時から 3 年（724 条）とされてきたが，2017（平成 29）年民法（債権法）改正（施行は 2020 年 4 月）により，人の生命・身体の侵害による損害賠償請求権については，債務不履行の場合，権利行使できることを知った時から 5 年，権利行使できる時から 20 年（民法 166 条 1 項，167 条），不法行為の場合，損害および加害者を知った時から 5 年，不法行為時から 20 年（724 条，724 条の 2）とされ，債務不履行構成と不法行為構成との違いが基本的に解消されることとなった。

　この安全配慮義務は，単に労働契約上の義務であるだけでなく，広く「特別な社会的接触の関係」にある当事者間における付随義務であると構成されている。[212] それゆえ，例えば，元請企業と下請企業従業員，派遣先企業と派遣労働者

---

210)　陸上自衛隊八戸車両整備工場事件・最三小判昭和 50・2・25 民集 29 巻 2 号 143 頁〔事例75 の①類似のケース〕，川義事件・最三小判昭和 59・4・10 民集 38 巻 6 号 557 頁〔私企業の事案でも同法理を確認〕など。この安全配慮義務は，労働契約上の義務であると同時に，不法行為法上の注意義務をも構成する（注意義務違反は使用者の過失による利益侵害として不法行為となる）と解されている（電通事件・最二小判平成 12・3・24 民集 54 巻 3 号 1155 頁（＃49）〔事例75 の②類似のケース〕参照）。

211)　債務不履行の場合には，労働者が死亡した場合の遺族固有の慰謝料請求権（711 条）は認められない（大石塗装・鹿島建設事件・最一小判昭和 55・12・18 民集 34 巻 7 号 888 頁（＃50）〔事例75 の③類似のケース〕）。

など，直接の労働契約関係がない当事者間であっても，労働者の生命・健康に
かかわる指揮命令や管理監督が行われている場合には，当該使用者（元請企業，
派遣先企業）は労働者（下請企業従業員，派遣労働者）に対し安全配慮義務を負う
ものとされる[213]。さらに，労働契約に該当しない労務供給契約（請負，準委任等）
についても，シルバー人材センターとその高齢者会員[214]，工務店と一人親方[215]，業
務委託をした会社と委託を受けたフリーランス[216]，大学病院と無報酬で診療行為
等に従事していた大学院生（医師）[217]等の事案で，安全配慮義務の存在が肯定さ
れている。

3　安全配慮義務（違反）の内容

安全配慮義務は，労働者がその生命，身体等の安全を確保しつつ労働するこ
とができるよう使用者が必要な配慮をする義務であり（労契法5条参照），その
内容は，問題となる具体的状況等によって異なるものとなる。この義務は，当
初は，事故・災害型の事案で認められ，物的施設および人的組織の管理等にお
いて，労働者の生命，身体を危険から保護するよう配慮する義務とされていた[218]。

また，粉じん作業によるじん肺り患など職業病の事案では，有害物質の排出
抑制，保護具の装着，安全教育，健康診断などの疾病防止措置とともに，疾病
り患が発見されたときには職種転換など増悪回避措置等を講じる義務とされて
いる[219]。

---

212)　前掲210）陸上自衛隊八戸車両整備工場事件判決。公務員の事案（ 事例75 の①参照）であっ
　　たため「労働契約上の信義則」ではなく「特別な社会的接触の関係〔における〕信義則」という
　　構成がとられた。
213)　前掲211）大石塗装・鹿島建設事件判決〔 事例75 の③類似のケース〕，三菱重工業神戸造船
　　所事件・最一小判平成3・4・11労判590号14頁など。出向労働者の過重労働に対するうつ病自
　　殺等の事案でも，出向先企業の安全配慮義務違反が肯定されている（JFEスチール（JFEシス
　　テムズ）事件・東京地判平成20・12・8労判981号76頁，ネットワークインフォメーションセ
　　ンターほか事件・東京地判平成28・3・16労判1141号37頁）。
214)　綾瀬市シルバー人材センター（I工業所）事件・横浜地判平成15・5・13労判850号12頁。
215)　H工務店（大工負傷）事件・大阪高判平成20・7・30労判980号81頁。
216)　アムールほか事件・東京地判令和4・5・25労判1269号15頁〔会社代表者がフリーランスに
　　対して行った性的自由を侵害する行為について契約締結前の行為も含めて安全配慮義務違反を肯
　　定〕。
217)　鳥取大学附属病院事件・鳥取地判平成21・10・16労判997号79頁。
218)　前掲210）陸上自衛隊八戸車両整備工場事件判決〔 事例75 の①類似のケース〕，前掲210）川
　　義事件・最三小判昭和59・4・10民集38巻6号557頁など。
219)　日鉄鉱業松尾採石所事件・東京高判平成4・7・17労判619号63頁，筑豊炭田じん肺訴訟事

安全配慮義務違反は，過重労働による脳・心臓疾患（過労死など）や精神障害・過労自殺などの事案でも認められている。判例によると，使用者は労働者が過重労働により心身の健康を損なわないよう注意する義務を負い（この義務は健康配慮義務とも呼ばれている），具体的には，使用者が健康診断などを実施し労働者の健康状態を把握したうえで，それに応じて業務の軽減など適切な措置を講じなかった場合には，安全配慮義務（健康配慮義務）に違反すると解されている。裁判例のなかには，労働時間について自己申告制がとられている場合，使用者は実際の労働時間の実態調査などをして長時間労働で労働者の健康状態が悪化しないよう注意すべき義務を負うとしたもの，労働者が上司からの命令でなく自発的に長時間労働をしていたとしても，それを容易に知ることができたのに労働時間を減らす措置をとらなかった使用者には健康配慮義務違反が認められるとしたもの，労働者が不規則勤務や長時間労働をしている場合に使用

件・福岡高判平成 13・7・19 判時 1785 号 89 頁など。近時の裁判例として，住友ゴム工業（旧オーツタイヤ・石綿ばく露）事件・大阪高判令和元・7・19 労判 1220 号 72 頁〔1960（昭和 35）年当時，使用者は高濃度のタルク粉じんの飛散，タルクへの石綿の混在，石綿の生命・健康への危険性のすべてを知悉していたとして，石綿ばく露による疾病（肺がん）について使用者の予見可能性を肯定し，使用者による消滅時効の援用は権利濫用にあたるとして，使用者に安全配慮義務違反による損害賠償を命令〕なども参照。また，いわゆるシックハウス症候群等が問題となった事案で，使用者は，勤務場所および通行・出入りする場所に，化学物質過敏状態を発症させるような濃度・量の化学物質が存在しないように配慮すべき義務を負うとした裁判例がある（慶応義塾（シックハウス）事件・東京高判平成 24・10・18 労判 1065 号 24 頁〔安全配慮義務違反として使用者に損害賠償を命令〕）。

220)　前掲 210) 電通事件判決〔 事例 75 の②類似のケース〕。

221)　川崎製鉄（水島製鉄所）事件・岡山地裁倉敷支判平成 10・2・23 労判 733 号 13 頁，山田製作所（うつ病自殺）事件・福岡高判平成 19・10・25 労判 955 号 59 頁，アテスト（ニコン熊谷製作所）事件・東京高判平成 21・7・28 労判 990 号 50 頁，大阪府事件・大阪地判令和 4・6・28 労経速 2500 号 3 頁など。労働者が仕事の遂行方法や労働時間の配分について自ら裁量的に判断して働いている場合であっても，仕事の量や締切りの設定が使用者によって行われている限り，労働者は自らの判断のみで過重労働を解消することができないため，使用者は安全配慮義務（健康配慮義務）を免れない（システムコンサルタント事件・東京高判平成 11・7・28 労判 770 号 58 頁参照）。近時の裁判例では，長時間労働により具体的な疾患を発症したという証拠がないとしても，心身の不調を来す危険がある長時間労働に従事させたことを安全配慮義務違反として，使用者に損害賠償（慰謝料の支払い）が命じられている（無洲事件・東京地判平成 28・5・30 労判 1149 号 72 頁〔月 80 時間を超える時間外労働の事案〕，狩野ジャパン事件・長崎地大村支判令和元・9・26 労判 1217 号 56 頁〔月 100 時間以上（長いときには 160 時間以上）の時間外労働等の事案〕，アクサ生命保険事件・東京地判令和 2・6・10 労判 1230 号 71 頁〔月 30 時間ないし 50 時間以上の時間外労働の事案〕）。

222)　九電工事件・福岡地判平成 21・12・2 労判 999 号 14 頁。

者が安全配慮義務を履行するためには，入館禁止や帰宅を命令するなどの方法も念頭に置いて長時間労働を防止する必要があるとしたもの[224]などがある。また，兼業労働者の長時間労働による精神疾患の発症について，本業の使用者は兼業先での就労状況も比較的容易に把握できたのであるから，業務軽減措置をとるべき義務を負っていたとして安全配慮義務違反を肯定した裁判例がある[225]。

さらに，職場におけるセクハラ・パワハラなどのいじめ・嫌がらせの事案でも，使用者がその予防を図り適切な対応を行うなど十分な措置を講じていないなかで身体的・精神的な被害等が生じた場合には，使用者の安全配慮義務（職場環境配慮義務）違反が肯定されている[226]（p142 **3**）。

4　労働者側の過失・要因（過失相殺・素因減額）

安全配慮義務違反が認められる事案において，例えば労働者の頑張り屋で責任感が強いといった性格が損害（健康被害）の発生・拡大に寄与した可能性がある場合に，過失相殺に関する規定（民法722条2項）を適用・類推適用して，使用者の損害賠償額の調整（過失相殺または素因減額）を行うことができるかが問題となることがある。この点につき，最高裁電通事件判決は，労働者の性格が個性の多様さとして通常想定される範囲を外れるものでない限り，過失相殺の対象としてしんしゃくすることはできないと判示した[227]。もっとも，労働者の基礎疾患や通常想定される範囲を外れた性格が業務の過重性とともに原因となって疾病・死亡するに至り，その損害の全部を使用者に賠償させることが公平を失するときは，過失相殺に関する規定（民法722条2項）を類推適用して労働

---

223)　オーク建設（ホームテック）事件・広島高松江支判平成21・6・5労判990号100頁，福井県・若狭町（町立中学校教員）事件・福井地判令和元・7・10労判1216号21頁。

224)　富士通四国システムズ（FTSE）事件・大阪地判平成20・5・26労判973号76頁。

225)　大器キャリアキャスティングほか1社事件・大阪高判令和4・10・14労判1283号44頁〔あわせて，兼業労働者の連続かつ長時間労働の発生は同人の積極的な選択の結果生じたものであることは過失相殺で考慮されるとして，4割の過失相殺を相当と判断〕。

226)　川崎市水道局（いじめ自殺）事件・東京高判平成15・3・25労判849号87頁，誠昇会北本共済病院事件・さいたま地判平成16・9・24労判883号38頁〔p137 事例26 類似のケース〕，前掲216）アムールほか事件判決〔会社代表者のフリーランスへの性的自由侵害行為，正当な理由のない報酬支払拒否行為について安全配慮義務違反を肯定〕，新潟市（市水道局）事件・新潟地判令和4・11・24労判1290号18頁〔中堅職員の自殺につき上司らにコミュニケーションをとりやすい職場環境を構築すべき注意義務違反があったとしつつ，本人の対応の不十分さにつき5割の過失相殺を認定〕など。

227)　前掲210）電通事件判決〔 事例75 の②類似のケース〕。

314　第3編　雇用関係法

者の基礎疾患・性格をしんしゃくし損害賠償額を定めることができるとされている。[228]

　労働者が自らの病気に関する情報を使用者に申告していない場合に，使用者に安全配慮義務違反が成立するか，成立するとしても損害賠償の額を定めるにあたって労働者の過失として斟酌できるかも問題となりうる。この点につき，最高裁は，メンタルヘルスに関する神経科の医院への通院，その診断に係る病名，神経症に適応のある薬剤の処方等の情報は，労働者のプライバシーに属する情報であり，人事考課等に影響しうる事柄として通常は職場において知られることなく就労を継続しようとすることが想定される性質の情報であるところ，使用者は，必ずしも労働者からの申告がなくても，その健康にかかわる労働環境等に十分な注意を払うべき安全配慮義務を負っているため，労働者がこれらの情報を使用者に申告しなかったことをもって，使用者の安全配慮義務違反に基づく損害賠償の額を定めるにあたって過失相殺をすることはできないとした。[229]労働者が発症前に関係者に悩みを打ち明けたり転属を願い出るといった対応をしていないことも，労働者の落ち度として過失相殺の対象とすることはできないとした裁判例もある。[230]

5　結果の予見可能性（使用者側の責任事由）

　疾病や死亡（自殺）について使用者の有責行為（過重労働や上司による誹謗など）以外の特殊な要因が絡み，使用者に損害の発生を予見し防止することを期待できない場合には，使用者の責任事由としての予見可能性（結果回避義務）を欠くとして，使用者の安全配慮義務違反が否定されることがある。[231]この予見

---

228)　NTT東日本北海道支店事件・最一小判平成20・3・27労判958号5頁〔同事件の差戻審（札幌高判平成21・1・30労判976号5頁）で労働者の急性心筋虚血・死亡の原因の大半はその基礎疾患の存在にあったとして7割の素因減額を認定〕，太陽家具百貨店事件・広島高判平成31・3・7労判1211号137頁〔長時間労働による心臓疾患・死亡につき本人の既往症（高血圧）による素因減額を2割と認定〕など。

229)　東芝（うつ病・解雇）事件・最二小判平成26・3・24労判1094号22頁〔 事例75 の④類似のケース〕。

230)　公立八鹿病院組合ほか事件・広島高松江支判平成27・3・18労判1118号25頁。

231)　日赤益田赤十字病院事件・広島地判平成15・3・25労判850号64頁〔使用者として過重な業務を割り当てておらず，言動等で異常な点も見受けられなかったとして，うつ病り患・自殺に関する使用者の予見可能性を否定〕，みずほトラストシステムズ（うつ病自殺）事件・東京高判平成20・7・1労判969号20頁〔新入社員が入社後の研修で遅れをとってうつ病にり患し自殺した

第3章　雇用関係の内容　　315

可能性は，長時間労働やハラスメントの実態など健康被害の原因となる事実を使用者が認識していたまたは認識しうる状況にあった場合には肯定されるため，例えば単に労働者がうつ病を発症していることを使用者が認識していない状況で自殺したというだけでは，使用者の責任（結果回避義務）は否定されない。[232]

6　取締役の個人責任

安全配慮義務違反は，基本的には使用者（法人企業の場合は法人，個人企業の場合は企業主個人）の責任を問う法理であるが，会社として極めて不合理な長時間労働体制がとられ，取締役もそれを承認していたといえる場合には，悪意・重過失による任務懈怠（会社法429条1項）として，取締役にも長時間労働によって労働者に生じた損害を賠償する責任が課されることがある。[233]

3　年少者・女性の保護

そもそも，産業革命が進展した19世紀に労働法の嚆矢として定められた労働時間規制は，将来労働力や兵力となる子どもと子どもを産む女性を保護することを目的としたものであった（p10 ❶）。年少者と女性を特別に保護する諸規定は，その意味では，近代的労働法の原初的な姿を示すものといえる。年少者・女性の保護規定は，今日では，その目的を修正しながら——未成熟な年少者と母性たる女性の保護を目的として——，次のような形で定められている。

ことにつき，研修等の業務は過重なものでなく，同人の休暇前の時点で使用者として通常の注意をすればうつ病り患を知り得たとも認められない等として，安全配慮義務違反を否定〕など。

[232]　日本赤十字（山梨赤十字病院）事件・甲府地判平成24・10・2労判1064号52頁〔 事例75 の⑤類似のケースで使用者の予見可能性を肯定〕など。

[233]　大庄ほか事件・大阪高判平成23・5・25労判1033号24頁〔給与の最低支給額に80時間の時間外労働が組み込まれ，36協定では月100時間の時間外労働が許容され，実際に月300時間を超える長時間労働が常態化しているなかで，労働者（調理業務従事者）が入社約4か月で急性心不全により死亡した事案〕，サン・チャレンジほか事件・東京地判平成26・11・4労判1109号34頁（#14）〔長時間労働とパワハラによる飲食店店長のうつ病自殺について代表取締役の任務懈怠を肯定〕，サンセイほか事件・東京高判令和3・1・21労判1239号28頁〔長時間労働による脳出血死につき取締役の任務懈怠を肯定〕など。

316　第3編　雇用関係法

1 年少者の保護

❶ 年 齢 制 限

　使用者は，満15歳に達した日以後の最初の3月31日が終了するまで，児童を使用してはならない（労基法56条1項）。ただし，非工業的事業に関する職業で，児童の健康・福祉に有害でなく，労働が軽微なものについては，行政官庁の許可を受けて，満13歳以上の児童を修学時間外に使用することができる。また，映画製作，演劇の事業については，満13歳に満たない児童を同じ条件で使用することができる（同条2項）。[234]

❷ 代理契約締結・代理賃金受領の禁止

　未成年者[235]の労働契約については，親権者や後見人が未成年者に代わって契約を締結してはならない（58条1項）。また，親権者や後見人は未成年者に代わって賃金を受け取ってはならない（59条）。未成年者が労働契約を締結するときには，法定代理人（親権者または後見人）の同意が必要になる（民法5条1項，823条1項）が，この同意がある場合であっても，親権者，後見人，行政官庁は，労働契約が未成年者に不利であると認めるときには，これを将来に向かって解除することができる（労基法58条2項）。

❸ 労働時間・就業制限

　未成年者の労働時間や就業については，18歳未満の者に対する時間外・休日労働の制限（60条），深夜業の禁止（61条），危険有害業務の就業制限（62条），坑内労働の禁止（63条）などが定められている。

---

234) 満18歳未満の者を使用する場合，使用者は年齢を証明する戸籍証明書を事業場に備え付けなければならない。また，労基法56条2項により児童を使用する場合には，学校長の証明書および親権者等の同意書を事業場に備え付けなければならない（57条）。

235) 2018（平成30）年の民法改正により，2022（令和4）年4月から，成年年齢が20歳から18歳に引き下げられた（改正民法4条）とともに，婚姻適齢が男女とも18歳とされた（同731条）。

第3章　雇用関係の内容　317

2 女性の保護

1 女性保護政策の経緯

　労基法は，従来，①妊娠・出産など女性の母性を保護する規定とともに，②女性の体力の弱さなどを考慮して，時間外・休日労働の特別規制や深夜業の禁止など，女性一般を特別に保護する規定を定めていた（旧64条の2以下）。しかし，女性の一般的保護（②）は，真の男女平等の理念に反するとともに，例えば男性と同じように仕事をしようとしても女性は午後10時には退社せざるを得ないなど，女性の活用を実質的に妨げる側面をもつことが指摘されるようになった。そこで，1997（平成9）年労基法改正（1999（平成11）年4月施行）は，一方で，母性保護規定（①）を充実させつつ，他方で，女性の一般的保護規定（②）を基本的に廃止するという政策をとった。その結果，現行法上は，以下のように，妊産婦等を保護する母性保護規定（①）を中心とした規制となっている。

2 危険有害業務・坑内業務の就業制限

　使用者は，妊娠中の女性および産後1年を経過しない女性（「妊産婦」）を，重量物取扱業務，有害ガスを発生させる場所における業務など妊産婦の妊娠・出産・哺育等に有害な業務に就かせてはならない（64条の3）。また，使用者は，妊産婦（産後1年以内の女性については坑内業務に従事しない旨を申し出た者）を坑内業務に就かせてはならない（64条の2第1号）[236]。

3 産前産後休業

　労基法は，出産予定日前の6週間（多胎妊娠の場合は14週間），出産後の8週間について，産前産後休業を取得することを保障している。これらのうち，産前休業は女性の請求により認められる任意的休業であり，産後休業は請求の有

---

[236]　なお，坑内業務については，妊産婦以外の女性一般についても就業の制限が定められている（64条の2第2号）。これは，女性の一般的保護（上記 **1** の②）が例外的に残存しているものである。2006（平成18）年労基法改正により，技術上の管理監督業務については女性も坑内で行うことができるものとされたが，人力掘削業務，動力掘削業務などについてはなお女性の坑内での就業は禁止されている（女性労働基準規則1条）。

318　第3編　雇用関係法

無にかかわらず就業が禁止される強制的休業である（65条1項[237]，2項[238]）。

　産前産後休業に対して使用者が賃金を支払うことは義務づけられていない。ただし，健康保険から賃金（標準報酬日額）の3分の2に相当する出産手当金が支給される（健康保険法102条[239]）。

④　労働時間規制・育児時間

　使用者は，妊産婦が請求した場合，時間外・休日労働や深夜業などをさせてはならない（労基法66条）。また，満1歳未満の生児を育てる女性は，労基法上の休憩時間（p263(2)）のほか，1日2回それぞれ30分以上の育児時間を請求することができ，この時間中は使用者はその女性を使用してはならない（67条）。

⑤　生理日の休暇

　使用者は，生理日の就業が著しく困難な女性が休暇を請求したときは，その女性を生理日に就業させてはならない（68条）。生理日の休暇に対して賃金を支払うことは義務づけられていない[240]。

4　労働と私生活の調和

　近年，ワーク・ライフ・バランスの実現が，政策的にも人事労務管理上も重要な課題となっている。具体的な政策手法としては，法律で具体的な基準を定

237）　ただし，産後7週目から8週目については，女性が就業を請求した場合，医師が支障がないと認めた業務に就かせることは可能である（65条2項ただし書）。

238）　また，使用者は，妊娠中の女性が請求した場合には，他の軽易な業務に転換させなければならない（65条3項）。軽易業務への転換に伴う降格等の不利益取扱いの違法性についてはp132 ⑤ 参照。妊娠をした女性労働者の業務軽減についての面談時に，上司が行った「妊婦として扱うつもりないんですよ」，「万が一何かあっても自分は働きますちゅう覚悟があるのか，最悪ね」等の発言は妊産婦労働者の人格権を侵害する違法なものであり，また，会社がその後も同労働者から再度の申出を受けるまで業務軽減等の措置をとっていなかったことは妊娠した労働者への使用者の健康配慮義務に違反するとして，上司および会社の損害賠償責任を肯定した裁判例（ツクイほか事件・福岡地小倉支判平成28・4・19労判1140号39頁）がある。

239）　産前産後休業を理由とした不利益取扱いの禁止（均等法9条）についてはp132 ⑤，産前産後休業を欠勤扱いすることの適法性についてはp326 ⑤ 参照。

240）　生理日の休暇を欠勤扱いすることの適法性についてはp326 ⑤ 参照。

第3章　雇用関係の内容　　319

めて権利を保障するという方法（例えば育児介護休業法による育児休業・介護休業等の保障）のほか，企業の自主的な取組みを制度的に促していくという方法（例えば次世代法による一般事業主行動計画の策定・届出）などがある。

1 育児介護休業法

　家庭生活と職業生活の両立を図るための休業制度として，1991（平成3）年に育児休業法が制定され（1992（平成4）年4月施行），子が満1歳になるまでの育児休業の保障などが定められた。1995（平成7）年には，同法を育児介護休業法に改正して，介護休業の保障が定められた（1999（平成11）年4月施行）。2004（平成16）年には，育児・介護対象者の拡大，育児休業期間の延長，子の看護休暇の創設などを定めた同法改正（2005（平成17）年4月施行）が成立した。また，2009（平成21）年には，育児のための短時間勤務制度の義務化，父親の育児休業取得の促進措置，介護のための短期休暇制度の創設，育児休業の取得等をめぐる紛争解決の援助・調停制度の創設などを定めた同法改正が成立し（主要部分は2010（平成22）年6月30日施行），育児・介護休業，子の看護休暇等の充実が図られた。さらに，2016（平成28）年には，育児・介護をめぐる就業環境を整備し継続就業を促すこと等を目的として，育児休業の取得対象の拡大，介護離職の防止のための介護休業制度等の充実を図る同法改正が行われた（2017（平成29）年1月施行）。2017（平成29）年には，育児休業の延長期間（保育園に入所できない場合等に1歳6か月まで）をさらに6か月（2歳まで）延長することを可能とする同法改正が行われた（2017（平成29）年10月施行）。

　2019（令和元）年には，育児休業・介護休業等に起因する問題（育児休業等関係言動問題）に関する国，事業主，労働者の責務の明確化，労働者が事業主に育児休業・介護休業等の相談をしたこと等を理由とする不利益取扱いの禁止等を定めた同法改正が行われた。さらに，2021（令和3）年には，①男性の育児休業取得を促進するための出生時育児休業制度の創設，②妊娠・出産の申出をした労働者に対する個別の働きかけと雇用環境整備の事業主への義務づけ，③有期雇用労働者の育児・介護休業の取得要件の緩和，④大企業への育児休業取得状況の公表の義務づけ[241]等を定める同法改正が行われた。[242]

　育児・介護休業の特徴は，①男性でも女性でも取得できる（夫婦そろって取得

320　　第3編　雇用関係法

することもできる）こと，②使用者は業務の繁忙等を理由としてこれを拒否したり時季を変更したりできないこと，③賃金の保障はないが政府（雇用保険）から一定の給付がなされることにある。

■ 育児休業

1 休業対象者

満 1 歳未満の子を養育する労働者は，男女を問わず，子が満 1 歳に達するまでの期間（1 歳の時点で保育所への入所ができないなど特別の事情がある場合には 1 歳 6 か月まで。2017（平成 29）年改正により，同様の事情がある場合にはさらに 6 か月（2 歳まで）延長可能とされた），育児休業を分割して 2 回まで取得することができる。有期契約で雇用される者については，その子が 1 歳 6 か月に達する日までに労働契約（契約が更新される場合には更新後の契約）が満了することが明らかでない者に限り，育児休業の申出をすることができる（5 条 1 項ただし書）。

　事業主は，事業場の過半数代表との労使協定により，①継続雇用期間が 1 年未満の者，②休業の申出から 1 年（5 条 3 項および 4 項の申出にあっては 6 か月）以内に雇用関係が終了することが明らかな者や週の所定労働日数が 2 日以下の者など（同法施行規則 8 条参照）については，休業の申出を拒むことができる

---

241) 常用労働者数が 1000 人を超える事業主は，毎年 1 回以上，育児休業の取得の状況として厚生労働省令で定めるものを公表しなければならない（育児介護休業法 22 条の 2）。2021（令和 3）年改正により，育児休業の取得促進策の 1 つとして新設された義務である（施行は 2023（令和 5）年 4 月）。

242) さらに，政府は，①子が 3 歳になるまでの育児支援措置の努力義務および短時間勤務制度の代替措置にテレワークを追加する，②3 歳から就学前までの育児支援措置につき短時間勤務制度，始業時刻等の変更，テレワーク等，保育施設の設置運営等，新たな休暇の付与のうち 2 つ以上を選択して措置を講じる（労働者はそのなかから 1 つ選べるようにする）ことを義務づけるとともに，3 歳までの所定時間外労働の免除（権利）を就学前まで延長する，③子の看護休暇の取得事由に感染症に伴う学級閉鎖等や子の行事（入園式・卒園式・入学式）への参加を追加して「子の看護等休暇」に名称変更し，請求期間を小学校 3 年生修了時まで延長する（併せて勤続 6 か月未満の者の労使協定による除外の仕組みを廃止する〔介護休暇についても同様〕），④仕事と育児の両立支援のための労働者への面談（3 歳になるまでの適切な時期）と個別の意向聴取・意向配慮の義務を新設する，⑤育児休業取得状況の公表義務の対象を常用労働者数 300 人超の事業主に拡大する，⑥次世代法を 2035（令和 17）年 3 月まで延長し，一般事業主行動計画の策定の仕組みや認定基準等を見直す，⑦介護に直面した労働者が申出をした場合に事業主に個別の周知・意向確認と雇用環境の整備を義務づける等を内容とした育児介護休業法等の改正法案を，2024（令和 6）年の通常国会に提出する予定である。

第 3 章　雇用関係の内容　　321

（育児介護休業法 6 条 1 項ただし書）。

　育児休業の期間は，上述のように，原則として子が 1 歳になるまでの 1 年間とされているが，父と母がともに育児休業を取得する場合には，子が 1 歳 2 か月になるまでの間で 1 年間育児休業を取得することを可能とし（9 条の 6。いわゆる「パパ・ママ育休プラス」），保育所入所や職場復帰の大変な時期に父母が協力して子育てをできるようにしている。

2　男性の育児休業取得促進のための出生時育児休業

　2021（令和 3）年改正は，男性の育児休業取得を促進するための特別の措置（ポジティブ・アクション）として，一般の育児休業より柔軟な制度として出生時育児休業（いわゆる「産後パパ育休」）制度を創設した（育児介護休業法 9 条の 2以下。施行は 2022（令和 4）年 10 月）。

　労働者は，その養育する子について，事業主に申し出ることにより，出生時育児休業（子の出生日から起算して 8 週間を経過する日の翌日までの期間内に 4 週間以内の期間を定めてする休業）をすることができる（育児介護休業法 9 条の 2 第 1 項本文）。事業主は，労働者から出生時育児休業申出があったときは，これを拒むことができない（同法 9 条の 3 第 1 項本文）。[243]

　出生時育児休業は，分割して 2 回まで取得することができる（同法 9 条の 2第 2 項 1 号）。出生時育児休業の期間中は，一般の育児休業の期間とは異なり，一定の手続と要件の下で，休業者を就業させることができる。すなわち，当該事業所の労使協定で定めた労働者について，当該労働者から出生時育児休業開始予定日の前日までに就業可能日等の申出を受け，事業主はその申出による就業可能日等の範囲内で日時を提示して，出生時育児休業の開始予定日の前日までに当該労働者の同意（当該労働者はこの同意を撤回できる）を得た場合に限り，厚生労働省令で定める範囲内（就業日数の合計が所定労働日数の半分以下，就業日の労働時間の合計が所定労働時間の合計の半分以下等〔同法施行規則 21 条の 17〕）で，当該労働者を当該日時に就業させることができる（同法 9 条の 5 第 2 項〜第 5 項）。

---

243)　有期契約で雇用される者については，子の出生日（出産予定日前の出生の場合には出産予定日）から起算して 8 週間を経過する日の翌日から 6 か月を経過する日までに労働契約が満了することが明らかでない者に限り，申出をすることができる（同項ただし書）。

3　妊娠・出産の申出をした労働者に対する個別の働きかけと雇用環境整備

2021（令和3）年改正は，育児休業の取得を促すために，事業主に労働者への個別の働きかけと環境の整備を行うことを義務づけた（2022（令和4）年4月施行）。

事業主は，労働者本人またはその配偶者が妊娠・出産したこと（その他これに準ずるものとして厚生労働省令で定める事実〔育児介護休業法施行規則69条の2〕）を申し出たときは，当該労働者に対して，育児休業制度（出生時育児休業制度を含む）等について周知する（面談，書面の交付，ファクシミリ・電子メール等の送信のいずれかの方法による〔同69条の4〕）とともに，育児休業申出についての当該労働者の意向を確認するための面談等の措置を講じなければならない（育児介護休業法21条1項，同法施行規則69条の3）。

また，事業主は，育児休業申出が円滑に行われるようにするため，①育児休業に係る研修の実施，②育児休業に関する相談体制の整備，③その他厚生労働省令で定める雇用環境の整備措置（育児休業取得事例の収集・提供，育児休業制度と取得促進の方針の周知〔同法施行規則71条の2〕）のいずれかの措置を講じなければならない（育児介護休業法22条1項）。

4　休業取得者の処遇

事業主は，育児休業の期間中賃金を支払う義務はない。もっとも，雇用保険法により，育児休業取得者のうち一定の要件を満たす者に休業前の賃金の67%を支給する育児休業給付制度が設けられている（雇用保険法61条の7，附則12条。p490**2**）。出生時育児休業についても，育児休業と同様に，出生時育児休業取得者のうち一定の要件を満たす者に休業前の賃金の67%を支給する出生時育児休業給付金制度が設けられている（雇用保険法61条の8）。

5　その他の育児支援措置

育児介護休業法は，育児休業を取得しない労働者や育児休業取得後小学校に入学するまでの間の育児を支援するための措置を講じることを事業主に求めている。

同法は，3歳未満の子を養育する労働者について，①短時間勤務制度を設けること（その時間を「1日6時間」とする措置を含むこと。育児介護休業法23条1項，施行規則74条1項），および，②所定時間外労働の免除を制度化すること（育児

介護休業法 16 条の 8）を義務づけ，短時間勤務制度と所定時間外労働の制限によって労働者が就業しつつ育児をすることを容易にしている[244]。また，これらの義務に加えて，ⓐ育児休業を取らずに 1 歳未満の子を養育する労働者については，③フレックスタイム制，④始業・終業時刻の繰上げ・繰下げ，⑤託児施設等の提供，⑥⑤に準じる便宜供与，ⓑ 1 歳から 3 歳に達するまで子を養育する労働者については，始業時刻変更等の措置（上記③〜⑥），⑦育児休業に準じる措置，ⓒ 3 歳から小学校就学の始期に達するまでの子を養育する労働者については，①短時間勤務制度，②所定時間外労働の免除，始業時刻変更等の措置（③〜⑥），⑦育児休業に準じる措置を講じるよう努めなければならないとしている（育児介護休業法 24 条 1 項）。

　このほか，同法は，小学校入学前の子を養育する労働者について，法定時間外労働の量的制限，深夜業の制限，配転における配慮も求めている。事業主は，小学校就学の始期に達するまでの子を養育する労働者が請求したときは，事業の正常な運営を妨げる場合を除き，1 か月につき 24 時間，1 年につき 150 時間を超える時間外労働をさせてはならず（17 条），同様の条件で，午後 10 時から午前 5 時までの深夜業をさせてはならない（19 条）。また，事業主は，就業場所の変更を伴う配転を行おうとする場合には，労働者の子の養育の状況に配慮しなければならない（26 条）[245]とされている。

② 介 護 休 業

1　休業対象者

　要介護状態の家族（育児介護休業法 2 条 3 号・4 号，施行規則 2 条・3 条参照）をもつ労働者は，男女を問わず，対象家族 1 人について，通算 93 日の範囲内で 3 回まで，介護休業を取得することができる。有期契約で雇用される者については，介護休業開始日から起算して 93 日を経過する日から 6 か月を経過する日までに労働契約（契約が更新される場合には更新後の契約）が満了することが明

---

244)　ただし，事業主は，事業場の過半数代表との労使協定により，継続雇用期間が 1 年未満の者，週の所定労働日数が 2 日以下の者（同法施行規則 73 条，44 条）については，これらの制度の適用対象外とすることができる（育児介護休業法 23 条 1 項ただし書，16 条の 8 第 1 項）。

245)　この規定自体は直接私法上の効力を生じさせるものではないが，配転命令の権利濫用性を判断する際にこれらの事情は重要な要素として考慮される（p176 **2**）。

らかでない者に限り，介護休業の申出をすることができる（11条1項ただし書）。

事業主は，事業場の過半数代表との労使協定により，①継続雇用期間が1年未満の者，②休業の申出から93日以内に雇用関係が終了することが明らかな者や週の所定労働日数が2日以下の者（同法施行規則24条参照）については，休業の申出を拒むことができる（育児介護休業法12条2項）。

2　休業取得者の処遇

事業主は，介護休業の期間中賃金を支払う義務はない。もっとも，雇用保険法により，介護休業取得者のうち一定の要件を満たす者に休業前の賃金の40％（2016（平成28）年雇用保険法改正により同年8月から当分の間67％に引上げ）を支給する介護休業給付金制度が設けられている（雇用保険法61条の4。p490■）。

3　その他の介護支援措置

育児介護休業法は，事業主に対し，要介護状態にある家族を介護する労働者で介護休業をしないものについて，労働者の申出に基づき，3年以上の期間，①短時間勤務，②フレックスタイム制，③始業・終業時刻の繰上げ・繰下げ，④介護サービス費用の助成のうち少なくとも1つを，④を除き2回以上利用できる措置として，講じることを義務づけている（育児介護休業法23条3項，同法施行規則74条3項）。また，介護休業取得の要件（p324 1）を満たさない家族介護労働者についても，事業主は，介護休業，介護休暇，短時間勤務等の選択的措置に準じて，介護を必要とする期間・回数等に配慮した必要な措置を講じるよう努めなければならない（育児介護休業法24条2項）。

また，同法は，要介護状態にある家族を介護する労働者についても，その請求により，所定時間外労働を免除することを事業主に義務づけている（育児介護休業法16条の9）。

事業主は，要介護状態にある家族を介護する労働者が請求したときは，事業の正常な運営を妨げる場合を除き，1月につき24時間，1年につき150時間を超える時間外労働をさせてはならず（18条），同様の条件で，午後10時から午前5時までの深夜業をさせてはならない（20条）。事業主は，就業場所の変更を伴う配転を行おうとする場合には，労働者の家族の介護の状況に配慮しなければならない（26条。p176 2）。

第3章　雇用関係の内容　　325

❸ 子の看護休暇

　小学校就学の始期に達するまでの子を養育する労働者（有期契約雇用者を含む）は，男女を問わず，1年度において5労働日（対象となる子が2人以上の場合は10労働日）を限度として，傷病にかかった子の世話または疾病の予防を図るために必要な子の世話をするための看護休暇を取得することができる（育児介護休業法16条の2，同法施行規則32条）。2016（平成28）年改正はこれを半日単位で取得することを可能とし，さらに2019（令和元）年同法施行規則改正はこれを時間単位で取得することを可能とした（育児介護休業法16条の2第2項，同法施行規則34条1項）。事業主は，事業場の過半数代表との労使協定により，①継続雇用期間が6か月未満の者，②週の所定労働日数が2日以下の者（同法施行規則36条参照）については，休暇の申出を拒むことができる（育児介護休業法16条の3第2項）。

❹ 介 護 休 暇

　要介護状態の家族をもつ労働者（有期契約雇用者を含む）は，男女を問わず，1年度において5労働日（対象となる家族が2人以上の場合は10労働日）を限度として，家族の世話をするための介護休暇を取得することができる（育児介護休業法16条の5，同法施行規則38条）。2016（平成28）年改正はこれを半日単位で取得することを可能とし，さらに2019（令和元）年同法施行規則改正はこれを時間単位で取得することを可能とした（育児介護休業法16条の5第2項，同法施行規則40条1項）。事業主は，事業場の過半数代表との労使協定により，①継続雇用期間が6月未満の者，②週の所定労働日数が2日以下の者（同法施行規則42条参照）については，休暇の申出を拒むことができる（育児介護休業法16条の6第2項）。

❺ 育児・介護支援措置を理由とする不利益取扱いの禁止

1 意　　義

　育児介護休業法は，労働者が育児休業・出生時育児休業，介護休業，子の看護休暇，介護休暇，所定時間外労働の免除，時間外労働・深夜労働の制限，短時間勤務（またはフレックスタイム制，始業・終業時刻の繰上げ・繰下げ等）を事業

326　　第3編　雇用関係法

主に申し出たことまたはこれらを行ったことを理由として，事業主が当該労働者に対して解雇その他の不利益な取扱いをすることを禁止している（10条，16条，16条の4，16条の7，16条の10，18条の2，20条の2，23条の2）。この育児介護休業法上の不利益取扱い禁止規定は，男女雇用機会均等法上の婚姻・妊娠・出産等を理由とする不利益取扱い禁止規定（9条。p132 **5**）と同様に強行規定であり，これに反する行為は違法・無効となる。[246]

事例76

使用者の以下のような取扱いは適法か？

①アメリカンカード社で37人の部下をもち部長（チームリーダー）として勤務していた横澤さんは，育児休業中に会社の組織変更によって担当チームが廃止され，同じポストに復帰することができなくなった。会社は，横澤さんの基本給（ジョブバンド）は維持しつつ，横澤さんの業務上のブランクや育児負担を考慮して，育児休業からの復帰時に横澤さんを部下のいないポストに配置した。

②フード食品社で事務統括の職務に就いていた紺野さんは，育児休業から復帰する際に短時間勤務を希望したところ，同社ではパート社員でなければ短時間勤務はできない旨の説明を受け，やむを得ず低処遇のパート社員として短時間勤務をすることになった。

③語学スクールのコーチ（正社員）として働いていた酒寄さんは，育児休業からの復帰時に子どもの保育園が決まらないという状況のなかで，使用者から契約内容等の説明を受け，有期・短時間勤務の契約社員となる旨の合意をして，契約社員として復帰した。

2　原職復帰をめぐる問題

育児介護休業法は，上述のように，育児・介護休業等の申出や取得を理由とする不利益取扱いを禁止している。しかしこれは，育児休業や介護休業の後，休業取得者を元の職務（原職）に復帰させることを事業主に当然に義務づけているものではない。休業後に原職とは異なる職務や場所に配置することが，業務上の必要性など他の正当な理由に基づくもの（例えば休業中の事業再編により従来の職務や事業場が廃止され原職以外に配置せざるを得ない状況にある場合）であれ

246）　育児介護休業法は，育児休業等に関する労働者と事業主の間の紛争について，都道府県労働局長が必要な助言・指導・勧告を行う制度（52条の4。事業主が不利益取扱い禁止の勧告に従わなかった場合には厚生労働大臣がその旨を公表できる（56条の2）），および，紛争調整委員会による調停制度（52条の5以下）を設け，実効性の確保を図っている。

第3章　雇用関係の内容　　327

ば，育児・介護休業を理由とする不利益取扱いにはあたらないが，他に正当な理由なく原職と異なる職務や場所に配置することは，育児・介護休業を理由とする不利益取扱いとして同法10条または16条等に反し違法・無効であると解される。

　裁判例では，育児休業から復帰した労働者を原職より負担の軽い業務に担当変更したことは育児休業を理由とする不利益取扱いにはあたらないが，この担当業務変更に伴う降格と賃金減額について契約上の根拠を欠き人事権の濫用にあたるとして違法としたもの[247]，産休中の労働者を退職扱いし退職通知を送付したことや使用者が復職拒否または解雇しようとしているとの認識を抱かせて育児休業からの復帰予定日が来ても不就労となっていることは，育児介護休業法10条等に反する不法行為であり，使用者の責めに帰すべき就労不能であるとして，賃金支払請求および損害賠償請求を認めたものがある[248]。また，　事例76　の①類似のケースで，育児休業等による業務上のブランクや育児の負担を考慮して配置を決定したことは「〔育児休業等〕を理由とする」措置ということができ，また，労働者のキャリア形成を踏まえた十分な話合いや説明をせず労働者が渋々これを受け入れたという事情から当該措置は労働者の自由意思による承諾に基づかない「不利益な取扱い」にあたるとして，育児介護休業法10条等に違反するとした裁判例がある[249]。

3　短時間社員・契約社員等への変更をめぐる問題

　育児休業から復帰するにあたり，休業前の正社員としてではなく，パート社員や契約社員に変更することとされたことは，育児介護休業法10条等が禁止する不利益取扱いにあたるか。この点について，裁判例としては，使用者が変更の内容を具体的に説明し，労働者がその内容を理解のうえ自由意思に基づいて同意をしたかという点に着目して判断をするものが多い。

---

247)　コナミデジタルエンタテインメント事件・東京高判平成23・12・27労判1042号15頁（p173注51）。
248)　出水商事事件・東京地判平成27・3・13労判1128号84頁。
249)　アメックス（降格等）事件・東京高判令和5・4・27労判1292号40頁。そのほか，学校法人横浜山手中華学園事件・横浜地判令和5・1・17労判1288号62頁〔育児休業の延長申出により人事配置等に混乱が生じたこと等を解雇事由とすることは育児介護休業法10条に違反する〕も参照。

328　第3編　雇用関係法

例えば，事例76の②類似のケースで，使用者としては嘱託勤務のまま時短措置をとるべきであったにもかかわらず，パート契約でなければ時短勤務はできない旨を説明したうえで，労働者の真に自由な意思に基づかずに嘱託社員からパート社員へ変更（事実上降格）したことは，育児介護休業法23条の2に違反するとして，使用者に損害賠償を命じたもの，事例76の③類似のケースで，有期・短時間勤務の契約社員となる旨の合意につき，子どもの保育園が決まらないといった当時の状況のなか，契約内容等について説明を受け，これを確認して自由意思に基づき合意をしたと認められるため，均等法9条3項や育児介護休業法10条に違反するとはいえないとしたものがある。

　理論的には，短時間社員等への変更は労働者にとって利益と不利益の双方を含みうる措置であることから，その措置全体の「不利益」性について，その措置の内容，使用者による説明の程度，労働者の主観的認識等を勘案し，当該労働者が情報の非対称性を解消しうるような使用者の具体的な説明を受けて状況を理解し真に自由な意思に基づいて変更を希望した（その意味で不利益性はなかった）といえるかが問われているものと解される。

4　不就労に対する無給・欠勤扱い，昇給抑制等をめぐる問題

> **事例77**
>
> 使用者の以下のような取扱いは適法か？
> ①3か月以上育児休業を取得した場合，次年度の昇給対象としないこと。
> ②育児のための短時間勤務をしている従業員について，昇給幅を抑制する（労働時間数に比例する8分の6を乗じた号俸分しか昇給を認めない）こと。
> ③賞与の支給条件として「出勤率90%」という条件を設定し，産前産後休業，生理日の休暇，育児・介護休業の期間を欠勤扱いすること。また，賞与額を算定するうえでも，これらの休暇・休業期間を欠勤として扱い，欠勤率に応じてその額を減額すること。

　産前産後休業，育児・介護休業，子の看護休暇，介護休暇等については，上述のように，その申出や取得をしたことを理由とする不利益取扱いが禁止されている（均等法9条，育児介護休業法10条・16条・16条の4・16条の7・18条の2・

250）　フーズシステムほか事件・東京地判平成30・7・5労判1200号48頁。
251）　ジャパンビジネスラボ事件・東京高判令和元・11・28労判1215号5頁。

第3章　雇用関係の内容　　329

20 条の 2・23 条の 2）。しかし他方で，産前産後休業，生理日の休暇，育児・介護休業，子の看護休暇，介護休暇については，有給であることは法的に保障されておらず，使用者はこれらの期間を無給とすることもできる。したがって，これらの休暇・休業日を賃金の支給・算定上「欠勤」として取り扱ったとしても，当然に法が禁止する不利益取扱いにあたるわけではない。例えば，育児休業取得自体を理由としたものでなく，不就労を理由とした欠勤（無給）扱いであれば，育児休業を理由とした不利益取扱いにはあたらない。

これに対し，賃金の支給・算定上，病気休業など他の休暇・休業より不利益に取り扱うことや，育児休業等により就労しなかった期間・時間を超えて働かなかったものとして不利益に取り扱うことは，育児休業等を理由とする不利益取扱いに該当しうる。裁判例では，3 か月以上の育児休業により次年度は昇給させないとの取扱い（事例77 の①）につき，遅刻，早退，年休等の不就労に比べて育児休業を不利益に扱うものであり，育児介護休業法 10 条の禁止する不利益取扱いにあたるとしたもの[252]，前年度の一部の期間のみ育児休業をした職員を定期昇給の対象としないことは，当該休業期間の不就労による効果以上の不利益を与えるものであって，育児介護休業法 10 条の禁止する不利益取扱いにあたるとしたもの[253]，育児のための短時間勤務をしている労働者に対し昇給を抑制すること（事例77 の②）は，育児介護休業法 23 条の 2 に違反する不法行為にあたるとして損害賠償を命じたものがある[254]。

また，病気休業など他の不就労と同様に取り扱われている場合など，育児介護休業法が禁止する育児休業等を理由とする不利益取扱いにあたらないとされる場合であっても，育児休業等における不就労の期間・時間を欠勤扱いすることが違法と判断されることがある。例えば，判例は，昇給の要件や賞与支給の要件として出勤率要件を設定し，産前産後休業や育児休業の期間等を欠勤日として取り扱うことは，これらの権利の行使を抑制し，法がこれらの権利を保障した趣旨を実質的に失わせるものであり，公序に反し無効（民法 90 条）である

252）　医療法人稲門会（いわくら病院）事件・大阪高判平成 26・7・18 労判 1104 号 71 頁。

253）　学校法人近畿大学（講師・昇給等）事件・大阪地判平成 31・4・24 労判 1202 号 39 頁。

254）　社会福祉法人全国重症心身障害児（者）を守る会事件・東京地判平成 27・10・2 労判 1138 号 57 頁。

と解釈している。[255] 他方で，生理日の休暇を皆勤手当の支給に際し欠勤扱いすること[256]，年休取得日を皆勤手当の支給に際し欠勤扱いすること[257]（p294 **5**），賞与額の算定にあたり産前産後休業の日数や育児短時間勤務の短縮時間分を欠勤扱いしその分減額すること[258]は，権利保障の趣旨を実質的に失わせるものではなく，無効とはいえないと判断されている。

　結局，産前産後休業や育児・介護休業などに対する不利益取扱いについては，第1に，その理由が当該休暇・休業を申請・取得したこと自体にあるのか（均等法9条，育児介護休業法10条・16条・16条の4・16条の7違反性），第2に，休暇・休業そのものが理由ではないとしても，その権利の性質（有給か無給か，要保護性が強いか弱いかなど）や不利益の程度などに照らし，権利行使に対する抑制力が強いかどうか（権利保障の趣旨侵害性〔公序違反性〕）の2つの点で，それぞれその適法性が判断されることになる。

2 次世代法

　少子化問題が深刻化するなか，2003（平成15）年に，子どもが生まれ育成される社会の形成を促すことを目的として，次世代育成支援対策推進法（次世代法）が制定された（2005（平成17）年4月施行）。また，2008（平成20）年には同法が改正され，施策の拡充が図られた。この法律は，2015（平成27）年3月までの10年間の時限立法として制定されたものであったが，2014（平成26）年の同法改正は，これを2025（令和7）年3月まで10年間延長するとともに，当初の認定制度（後述する「くるみん」認定）に加えて，より高い水準の特例認定制度（「プラチナくるみん」認定）を創設した。さらに，2021（令和3）年の次世代法施行規則改正[259]は，「くるみん」と「プラチナくるみん」の認定基準を引き上げ，改正前の「くるみん」と同じ認定基準の「トライくるみん」認定制度を

---

255)　日本シェーリング事件・最一小判平成元・12・14民集43巻12号1895頁〔昇給の要件としての出勤率80%条項で産前産後休業，労災休業の期間を欠勤扱いすることは公序違反・無効〕，東朋学園事件・最一小判平成15・12・4労判862号14頁〔 事例77 の③類似のケースで産前産後休業，育児休業を欠勤扱いすることは公序違反・無効〕。

256)　エヌ・ビー・シー工業事件・最三小判昭和60・7・16民集39巻5号1023頁。

257)　前掲165)沼津交通事件判決。

258)　前掲255)東朋学園事件判決〔 事例77 の③類似のケース〕。

259)　令3・11・30厚労省令185号。

第3章　雇用関係の内容　　331

創設して，3段階の認定制度とするとともに，不妊治療と仕事の両立に関する「プラス」認定制度（次世代法施行規則4条1項2号参照）を創設した（2022（令和4）年4月施行）。

　次世代法は，101人以上の労働者を雇用する事業主に，次世代育成の支援対策として「一般事業主行動計画」（＝次世代育成支援対策に関する計画）を策定し厚生労働大臣に届け出ることを義務づけている。また，100人以下の労働者を雇用する事業主は，その努力義務を負うものとされる（12条）。これを受けて，厚生労働大臣が各事業主の行動計画が厚生労働省令に定める基準に適合するか否かの認定を行い（13条，15条の2），認定を受けた事業主は認定マーク（厚生労働大臣が定める表示。愛称「くるみん」，「プラチナくるみん」，「トライくるみん」）を広告等に付することができるとされている（14条，15条の4）。厚生労働省令で定める現行（2022（令和4）年4月以降）の認定基準としては，①行動計画に定めた目標を達成したこと（3制度共通），②行動計画の公表，労働者への周知を適切に行っていること（3制度共通），③計画期間における男性労働者の育児休業等取得率が一定割合（「くるみん」10%，「プラチナくるみん」30%，「トライくるみん」7%）以上，または，育児休業等取得率と企業独自の育児目的休暇制度利用率の合計が一定割合（「くるみん」20%，「プラチナくるみん」50%，「トライくるみん」15%）以上かつ育児休業等を取得した者が1人以上いること（300人以下の企業については子の看護休暇の取得，育児のための短時間勤務措置の利用等でもよい），④計画期間において出産した女性労働者の75%以上が育児休業等を取得したこと（3制度共通），⑤3歳から小学校入学までの育児支援措置を講じていること（3制度共通），⑥ⓐ所定時間外労働の削減，ⓑ年休取得の促進，ⓒ短時間正社員・在宅勤務・テレワークなど働き方の見直し措置のいずれかを講じていること（「プラチナくるみん」ではⓐ〜ⓒのすべての措置を実施し，かつ，ⓐまたはⓑのいずれかにつき定量的な目標を定めてその目標を達成したこと）などが定められ

---

260)　一般事業主行動計画を策定する義務を負う事業主は，これを公表し（次世代法12条3項），労働者に周知しなければならない（12条の2第1項）。また，同計画を策定する努力義務を負う事業主は，これを公表し（12条5項），労働者に周知するよう努めなければならない（12条の2第2項）。

261)　「プラチナくるみん」では，これらに加えて，⑦出産した女性労働者のうち子の1歳誕生日まで継続して在職している者が90%以上，または，出産した女性労働者および出産予定であった

332　第3編　雇用関係法

ている（次世代法施行規則4条，5条の3）。また，「プラチナくるみん」制度では，行動計画の策定・届出に代えて，毎年少なくとも1回，次世代育成支援対策の実施状況を公表しなければならないとされている（次世代法15条の3）。

5 テレワーク，副業・兼業をめぐる法的問題

近年，柔軟な働き方を通じて各人の多様な環境や希望との調和を図りながら能力の発揮や活躍を促すという観点から，テレワークや副業・兼業といった多様な働き方を推進しようとする動きも強まっている。これらの働き方をめぐる法的問題について要説する。

1 テレワーク

テレワークとは，情報通信機器を利用して通常の事業場以外の場所（遠隔地）で働くことをいう。その特徴は，勤務場所が自宅やサテライト・オフィスなどの遠隔地にある（自宅の場合通勤を要しない）点にある。厚生労働省は，テレワーク・ガイドライン（「情報通信技術を利用した事業場外勤務の適切な導入及び実施のためのガイドライン」）を策定し（2018（平成30）年2月策定，2021（令和3）年3月改定），労働者がテレワークを行う場合には一般の労働関係法令が適用されることを確認しつつ，その労務管理上の留意点等を定めている。

テレワークについても，一般の労働法がそのまま適用される点では通常の働き方と基本的に変わる点はないが，その具体的な適用・解釈にあたって注意すべき点として，以下の諸点があげられうる。

テレワークが常態的に（短期的・一時的なものではなく）行われる場合には，その導入や運用にあたり，配転と同様に（p176 **3**），勤務場所の決定・変更についての契約上の根拠（就業規則の合理的規定等）が必要であると解される。また，その人選等にあたり，短時間・有期・派遣労働者に対する不合理な選別・取扱いがないようにしなければならない（パート有期法8条，労働者派遣法30条

が退職した女性労働者の合計数のうち子の1歳誕生日まで継続して在籍している者が70％以上であること，⑧育児を行う女性労働者が就業を継続し活躍できるよう能力向上やキャリア形成の支援のための計画を策定し実施していることが，認定基準とされている。

第3章 雇用関係の内容　333

の3第1項・30条の4など)。

　テレワークに要する費用(通信費,機器費用,サテライトオフィス使用料等)については,原則として使用者が負担しなければならないと解されるが,それを労働者に負担させる場合には,就業規則に記載しつつ(労基法89条5号),労働契約上の明確な根拠(就業規則の合理的規定や労働者の自由意思に基づく同意等)が必要である(p75 *Column 12*)。

　労働時間管理については,①使用者はテレワーク中も客観的な方法等により労働時間を適正に把握する義務がある(労安衛法66条の8の3),②テレワーク中の労働者の中抜け時間について使用者は把握せず始業・終業時刻のみを把握することとしてもよい(労働者に有利な取扱いであり労基法違反にはならない),③勤務時間の一部についてテレワークを行う場合の就業場所間の移動時間については,労働者による自由利用が保障されていない場合には労働時間に該当し,自由利用が保障されている場合には労働時間に該当しない(休憩時間として取り扱うことができる),④事業場外労働のみなし制の適用については,テレワーク・ガイドラインにその要件の具体的な説明がある(p283注139))。

　テレワーク中でも,使用者の支配下で生じた災害には労災保険法による保護等が及ぶ。また,セクハラ,パワハラ等が起きることもあるため,使用者は十分な防止対策を講じる必要がある(均等法11条,育児介護休業法25条,労働施策総合推進法30条の2第1項など)。

2 副業・兼業

　副業・兼業とは,複数の使用者の下で業務に従事することをいう。その特徴は,1人の労働者が複数の使用者の下で並行して使用される点にあり,使用者(事業者)単位での法の適用を想定していた法制度においては,副業・兼業への適用にあたり制度的な調整を行うことが必要となる事態も生じた。そこで,政府は,副業・兼業を推進するにあたって,労災保険法や雇用保険法の改正を行うとともに,副業・兼業ガイドライン(「副業・兼業の促進に関するガイドライン」)を策定し(2018(平成30)年1月策定,2020(令和2)年9月・2022(令和4)年7月改定),健全な形で副業・兼業が促されるよう法的基盤の整備を進めている。そのポイントは,以下の諸点にある。

334　第3編　雇用関係法

副業・兼業の実施について，労働者が副業・兼業を行うことは原則として自由であり，使用者が例外的にこれを制限できるのは，労務提供上の支障がある場合，業務上の秘密が漏洩する場合など一定の場合に限定されることが，副業・兼業ガイドラインで確認された（p206 **7**）。

　労災保険法については，2020（令和2）年の同法改正により，複数の使用者の下での業務を総合して評価すると業務起因性が認められる災害を「複数業務要因災害」として保険給付を行う制度が新たに設けられた（p306 **3**）。

　雇用保険法については，被保険者から適用除外される短時間労働者（週所定労働時間が20時間未満の者）の所定労働時間は，原則として事業主ごとに算定される（例えばA社とB社でそれぞれ週15時間ずつ就労する兼業労働者はいずれも短時間労働者として雇用保険の被保険者から適用除外される）が，副業・兼業労働者のこのような状況を改善するため，2020（令和2）年の同法改正は，まず65歳以上の高年齢者を対象に，それぞれの事業主の下では週所定労働時間が20時間未満であるが，2つの事業主における週所定労働時間を合計して20時間以上となる場合には，本人の申出により被保険者（高年齢被保険者）になることができるとする雇用保険マルチジョブホルダー制度を設けた（p482注4））。[262]

　労働時間制度については，副業・兼業を行う場合も労基法上の労働時間は通算され（労基法38条1項。p282 (1)），時間外労働の労働者単位の上限規制（休日労働も含め1か月100時間未満，複数月平均80時間以内〔同法36条6項2号・3号〕），および，割増賃金の支払義務（同法37条）は，通算された時間に対して適用される。[263)264)] その実効性確保のために，副業・兼業ガイドラインは，使用者は労働者からの申告等により副業・兼業の有無・内容を確認するための仕組み（労働者の自己申告制度等）を設けておくことが望ましいとした。また，労働時間の通算の仕方として，まず労働契約の締結の先後の順に所定労働時間を通算し，次に

---

262)　社会保険（健康保険・厚生年金保険）制度においては，現行法上も適用要件の充足は事業所ごとに判断する枠組みが維持され，副業・兼業労働者の労働時間の合算は行われていない。

263)　これに対し，事業場ごとの36協定単位で適用される月45時間・年360時間の限度時間（労基法36条4項），それを超える場合の年720時間，年6か月までの上限（同条5項）は事業場ごとに適用される規制であるため，労働時間は通算されない。

264)　副業・兼業労働者の長時間労働等に対する使用者の安全配慮義務については，前掲225）大器キャリアキャスティングほか1社事件判決参照。

第3章　雇用関係の内容　335

所定外労働の発生順に所定外労働時間を通算することによって，通算した労働時間全体を把握し，そのうち法定労働時間を超える部分で自ら労働させた時間について，時間外労働の割増賃金を支払う必要があるとの解釈を示した。[265)]

さらに，副業・兼業ガイドラインは，2022（令和4）年改定で，企業は，副業・兼業を許容しているか否か，条件付許容の場合はその条件について，自社のホームページ等において公表することが望ましいとし，情報の公表と市場の評価を通じて副業・兼業を推進しようとしている。

---

265) この副業・兼業ガイドラインの解釈によれば，例えば，労働契約を先に締結した本業での所定労働時間が週35時間，労働契約を後に締結した副業での所定労働時間が週15時間の場合，両者を通算すると週50時間となり，本業の使用者はその後に加算される自ら労働させた所定外労働部分のみ，副業の使用者は通算で週40時間を超える所定労働時間の週10時間部分とその後に加算される自ら労働させた所定外労働部分について，労基法上の時間外労働として割増賃金を支払う義務を負うことになる。また，同ガイドラインは，簡便な管理モデルとして，副業・兼業の開始前に，先契約事業主の法定外労働時間と後契約事業主の労働時間について，通算時間が上限規制（1か月100時間未満，複数月平均80時間以下）の範囲内に収まるようにそれぞれ上限を設定し，労働者にその範囲内で副業・兼業を行うことを求めることによって，当事者の負担を軽減しつつ労基法が遵守されやすいようにすることを推奨している。

第3編

第4章　非正規労働者に関する法

　長期雇用慣行，年功的処遇，企業別労働組合を「三種の神器」とする日本的雇用システム（p27 **3**）は，基本的には正社員を中心としたシステムであった。パートタイム，有期雇用，派遣等の形態の非正規労働者は，多くの場合，この日本的雇用システムの枠外に置かれ，雇用が不安定で処遇が低く，労働組合からも組織化されていない労働者として位置づけられてきた。

　1990年代後半以降，企業間のコスト削減競争（グローバル競争）が激化すると，コストが安く雇用調整が容易な労働力として位置づけられた非正規労働者が急速に増加し，正規・非正規労働者間の格差問題は大きな社会問題となった。この問題は，日本的雇用システムのあり方そのものに起因するものであった。

1 格差問題をめぐる学説・裁判例の展開

　この正規・非正規労働者間の格差問題について，従来から，学説および裁判例上，その救済の可否をめぐる議論が展開されてきた。議論の中心は，賃金格差の救済（*1*）と優先的な解雇・雇止めの可否（*2*）にあった。

1 賃金格差

事例78

　自動車用警報器等を製造販売している桃子警報器社で働く臨時社員の桜さんらは，2か月の有期労働契約を反復更新し，同社に4年ないし25年勤続していた。桜さんらは女性正社員と同じ組立ラインに配置され，同じ仕事に従事していた。1日の所定労働時間は正社員よりも15分短いものとされていたが，その分は残業扱いとされ，実際の勤務時間は正社員と変わらなかった。それにもかかわらず，女性正社員と桜さん臨時社員との間には大きな賃金格差（勤続年数4年の者で約17%，25年の者では約34%の格差）があった。この賃金格差に不満をもつ桜さんらは，会社

> に対し何らかの請求をすることができるか？

　後述する労契法旧20条やパート有期法8条・9条が制定される以前は，正社員・非正社員間の賃金格差を違法とする明確な法律規定がなかったため，これを公序違反（民法90条）または不法行為（民法709条）として救済できるかが，解釈上の重要な争点とされていた。

　この点につき，学説は，①憲法14条，労基法3条・4条の根底にある「同一（価値）労働同一賃金原則」により公序が設定されており，合理的な理由のない著しい賃金格差は公序に違反するとする救済肯定説[1]と，②年功給や生活給の性格が強く職務を基準とする賃金制度が定着していない日本では，同一（価値）労働同一賃金原則が成立しているということは困難であり，賃金格差は労使自治や国の労働市場政策に委ねるべきであるとする救済否定説[2]とに，大きく分かれていた。

　これに対し，裁判例のなかには，事例78 に類似したケースで，臨時社員の賃金が同一労働・同一勤続年数の正社員の賃金の8割以下である場合には，労基法3条，4条の根底にある均等待遇の理念に反し公序違反となるとし，正社員賃金の8割との差額に相当する損害賠償請求を認めたものがあった[3]。もっとも，その後の裁判例には，雇用形態の違いによる賃金格差は契約自由の範疇の問題であり違法とはいえないとしたもの[4]，同一（価値）労働であるにもかかわらず著しい賃金格差が生じている場合には，均衡の理念に基づく公序違反として不法行為となるという一般論を提示しつつ，結論としては救済を否定した（労働の同一（価値）性を否定した）もの[5]などがあり，判例の立場は定まっていな

---

1) 鈴木芳明「パートタイム雇用と労働契約・就業規則」日本労働法学会誌64号27頁以下（1984），山田省三「パートタイム労働問題への視座設定とその労働条件形成の法理」労働法律旬報1229号23頁以下（1989），本多淳亮「パート労働者の現状と均等待遇の原則」大阪経済法科大学法学研究所紀要13号132頁以下（1991）など。

2) 下井隆史「パートタイム労働者の法的保護」日本労働法学会誌64号14頁以下（1984），野田進「パートタイム労働者の労働条件」日本労働法学会誌64号47頁以下（1984），菅野和夫＝諏訪康雄「パートタイム労働と均等待遇原則」北村一郎編代『現代ヨーロッパ法の展望』131頁以下（東京大学出版会，1998）など。

3) 丸子警報器事件・長野地上田支判平成8・3・15労判690号32頁。

4) 日本郵便逓送事件・大阪地判平成14・5・22労判830号22頁。

5) 京都市女性協会事件・大阪高判平成21・7・16労判1001号77頁。

かった。

2 優先的な解雇・雇止め

> **事例 79**
>
> 斜陽産業社では，深刻な不況のなかで累積赤字が肥大化したため，経営コスト削減の一環として，人員整理を行うこととした。この人員整理に際し，同社は，正社員を解雇する前に，まずアルバイトやパート社員から解雇・雇止めをしようと思っている。このような非正社員の優先的な解雇・雇止めは適法か？

　人員整理の際に，正社員に先立って，パートタイム労働者やアルバイトなど非正社員を解雇や雇止めの対象にすることについて，判例は，簡易な手続により採用されている非正社員（有期契約による臨時員）と終身雇用の期待の下で雇用されている正社員との間にはおのずから合理的な差異があり，正社員への希望退職者の募集に先立って非正社員を雇止めすることも不合理とはいえないとしている。[6]

　ただし，パートタイム労働者など非正社員の解雇・雇止めであっても，解雇権濫用法理が適用または類推適用される場合には，客観的に合理的で社会通念上相当といえる理由が求められる（p354 *2*。労契法16条，19条）。例えば，非正社員の経営上の必要性に基づく解雇・雇止めについては，整理解雇の法理が（類推）適用され，①経営上の必要性，②解雇・雇止め回避努力，③人選の合理性，④手続の妥当性の観点から，解雇・雇止めの合理性・相当性が判断される[7]（p216(2)）。

　以上のような非正規労働者一般に共通する議論を基礎としつつ，パート有期法（p340 *2*），労働契約法（「期間の定めのある労働契約」に関する「第4章」。p352 *3*），労働者派遣法（p364 *4*）という個別の法律の制定・改正により，非正規労

6）　日立メディコ事件・最一小判昭和61・12・4労判486号6頁（#80）など。

7）　三洋電機事件・大阪地判平成3・10・22労判595号9頁，資生堂ほか1社事件・横浜地判平成26・7・10労判1103号23頁，バンダイ事件・東京地判令和2・3・6労経速2423号10頁など参照。これに対し，いすゞ自動車（雇止め）事件・東京高判平成27・3・26労判1121号52頁は，通算契約期間の限度2年11か月として2か月から6か月の有期労働契約を反復更新してきた臨時従業員について，その限度内では雇用継続の期待に合理性が認められ解雇権濫用法理が類推適用されるが，正社員に比べその期待と保護には限界があるとして，整理解雇法理を緩やかに援用し臨時従業員の雇止めを適法と判断した。

第4章　非正規労働者に関する法　　339

働者の保護等を図る法政策が展開されている。

2 パートタイム・有期雇用労働者に関する法——パート有期法

　パートタイム労働者や有期雇用労働者などの非正社員も「労働者」(p51 **1**)
にあたる以上，労基法や労組法をはじめとする労働関係法規による保護の対象
となる。しかし実際には，非正社員の雇用管理はずさんで，その権利保護が不
十分であることも少なくなかった。そこで1993（平成5）年に，パートタイム
労働者の雇用管理の改善等によってその福祉の増進を図ることを目的として，
「短時間労働者の雇用管理の改善等に関する法律」(パートタイム労働法)が制定
された。しかし，この法律は，当初は事業主の努力義務を定めたものにすぎず，
それ自体としては事業主に対する法的拘束力をもたないものであったため，実
効性確保の点で課題を残すものであった。このような課題と，格差問題に対す
る社会的な関心の高まりを受け，同法は2007（平成19）年にほぼ全面的に改正
された。

　2012（平成24）年には労契法が改正され，無期労働契約への転換（18条），雇
止め法理（19条）と並んで，有期契約労働者と無期契約労働者間の不合理な労
働条件の相違の禁止（旧20条）が定められた。2014（平成26）年には，パート
タイム労働法が改正され，均等・均衡待遇の確保の推進（8条，9条）等が図ら
れた。

　2018（平成30）年に成立した働き方改革関連法は，パートタイム労働法の適
用対象に有期雇用労働者を加え，その題名を「短時間労働者及び有期雇用労働
者の雇用管理の改善等に関する法律」(パート有期法)に改めて，パートタイム
労働者と有期雇用労働者を同一の規制の下に置きつつ，不合理な待遇の禁止
（8条），差別的取扱いの禁止（9条）の整備・明確化を図り（労契法旧20条は削
除されパート有期法8条に統合），労働者の待遇についての事業主の説明義務（14
条）の強化等を行った。

1 定　義

　パート有期法は，その適用対象となる「短時間労働者」を，一週間の所定労

340　第3編　雇用関係法

働時間が同一の事業主に雇用される通常の労働者（正社員）に比べ短い労働者と定義している（2条1項）。例えば，週の所定労働時間がいわゆる正社員（フルタイムの基幹的労働者）より1分短いだけの労働者もこの「短時間労働者」にあたることになる。また，2018（平成30）年改正により同法の適用対象に加えられた「有期雇用労働者」は，事業主と期間の定めのある労働契約を締結している労働者と定義されており（2条2項），フルタイム労働者でも有期労働契約を締結していれば，同法の適用対象とされることとなった。同法は，「短時間労働者」と「有期雇用労働者」を包含して「短時間・有期雇用労働者」と表記している（2条3項）。

これらの定義に該当すれば，パートタイマー，学生アルバイト，契約社員，嘱託社員などいかなる名称・形態の労働者も，この法律の適用対象となる。逆に，正社員と週の所定労働時間が全く同じ労働者（いわゆる「疑似パート」など）で無期労働契約を締結している者は，この法律の適用対象外となるが，本法の規定（8条，9条等）の類推適用またはその趣旨を踏まえた公序法理（p337 *1*）等によって司法救済の対象とすることが考えられる。

2 労働条件の明確化と納得性の向上

パートタイム労働者および有期雇用労働者に対しても，労基法上の労働条件明示の規制（労基法15条1項，労基則5条。p168 *3*）は当然に及ぶ。これに加え，パート有期法は，短時間・有期雇用労働者の労働条件が不明確になるおそれが高いことから，事業主に，短時間・有期雇用労働者を雇い入れたときは，労働条件に関する特定事項（昇給・退職手当・賞与の有無，相談窓口）を文書の交付等（労働者が希望する場合には電子メール等の送信による方法も可）により明示することを義務づけている（パート有期法6条，同法施行規則2条）。これに違反した事業主に対しては，10万円以下の過料の制裁が定められている（パート有期法31条）。

また，常時10人以上の労働者を雇用する使用者がパートタイム労働者および有期雇用労働者を雇用している場合，パートタイム労働者および有期雇用労働者にも適用される就業規則を作成する義務を負う（労基法89条。p74 *1*）。これは正社員の就業規則と同一の規則でも別の規則でもよく，使用者はそれを作成・変更する際には事業場の労働者全体の過半数を組織する労働組合または過

第4章　非正規労働者に関する法　341

半数を代表する者の意見を聴取する義務を負う（労基法90条。p76 **2**）。パート有期法は，この労基法上の義務に加えて，パートタイム労働者および有期雇用労働者に適用される就業規則の作成・変更をする際には，パートタイム労働者および有期雇用労働者の意見を反映できるように，それぞれ，短時間労働者の過半数代表および有期雇用労働者の過半数代表の意見も聴取するよう努めることを求めている（7条1項，2項）。

　さらに，パート有期法は，パートタイム労働者および有期雇用労働者の待遇決定における手続や考慮事項の不明確さを解消し，労働者への説明・相談という手続面でその納得性を高めるために，①短時間・有期雇用労働者の雇入れ時に雇用管理の改善等に関して講じる措置（8条～13条）の内容について説明することを事業主に義務づける（14条1項）とともに，②ⓐ短時間・有期雇用労働者と通常の労働者との待遇の相違の内容と理由，ⓑ短時間・有期雇用労働者の待遇等について講じる措置（6条～13条）の決定にあたって考慮した事項について，短時間・有期雇用労働者から求めがあったときには，事業主は当該労働者に説明しなければならないとしている（14条2項）。また，③雇用する短時間・有期雇用労働者の相談に応じ，適切に対応するために必要な体制を整備することが事業主に義務づけられている（16条）。

　これらのうち，短時間・有期雇用労働者と通常の労働者との待遇の相違の内容と理由の説明義務（②ⓐ）は，通常の労働者との間の均等・均衡待遇の実現（不合理な待遇の禁止（8条））を図る目的で，労働者と使用者の間の情報の不均衡を解消し労働者が訴訟を提起することを可能とするための情報的基盤として設定されたものであり，事業主がこの相違の内容と理由を十分に説明しなかったという事実は，待遇の相違の不合理性（8条）を基礎づける事情として訴訟上考慮されるものとなる。[8]

8）　平成30年5月23日第196回国会衆議院厚生労働委員会議録第22号9頁〔加藤勝信厚生労働大臣発言〕参照。

3 パートタイム・有期雇用労働者の待遇の改善

1 差別的取扱いの禁止（パート有期法9条）

> ### 事例 80
>
> 　荷役運送社では，所定労働時間が1日8時間の正社員と1日7時間の準社員を雇用し，トラックによる貨物運送業務を行わせている。正社員と準社員の間で職務内容は同じであり，準社員には異動（転勤・出向）がないが，正社員についてもここ10年以上異動は行われていない。チーフ，グループ長，運行管理者等の役職への任命の点では，5年前までは両者の間に違いがなかったが，5年前から準社員が役職に就いている場合には原則として解任することとされた（もっとも現在も準社員で役職に就いている者が3名いる）。職務内容が同じなのに正社員より賞与が低く（正社員は年間55万円，準社員は15万円），準社員には休日割増賃金（法定外）や退職金の支給もないことに不満をもっている準社員の名倉さんは，会社に対しこれらの差額の支払いを請求することができるか？

　事業主は，「通常の労働者と同視すべき短時間・有期雇用労働者」については，短時間・有期雇用労働者であることを理由として，差別的取扱いをしてはならない（パート有期法9条）。

　この「通常の労働者と同視すべき短時間・有期雇用労働者」とは，①通常の労働者と職務の内容（業務の内容とそれに伴う責任の程度）が同一の短時間・有期雇用労働者であって，②当該事業主との雇用関係が終了するまでの全期間において職務内容・配置の変更の範囲（人事異動等の有無と範囲）が通常の労働者と同一と見込まれるものをいう。本規定の適用にあたり，ある一時点で無期雇用フルタイム労働者（通常の労働者）と職務内容が同一である（①）だけでなく，人事異動等の有無や範囲など長期的な人材活用の仕組み・運用が同一であること（②）を要件としたものである。

　この差別的取扱いの禁止の対象事項は，賃金（賞与，退職金を含む），教育訓練，福利厚生，昇進，解雇など労働者の待遇すべてに及ぶ。本条に違反する事業主の行為は不法行為（民法709条）として損害賠償請求の対象となり，また，法律行為については公序違反として無効となる（民法90条）と解される。裁判例として，事例80 類似のケースで，①正社員と職務内容が同一であり，②転勤・出向や役職への任命等でも正社員と大きな差があったとはいえないにもか

第4章　非正規労働者に関する法　343

かわらず，賞与の額，週休日の日数（休日割増賃金部分），退職金の有無の点で正社員と差が設けられていることは，短時間労働者であることを理由とした差別的取扱いであるとしてパートタイム労働法 8 条 1 項（当時。現行はパート有期法 9 条）違反にあたるとし，不法行為に基づく損害賠償請求を認めたもの（消滅時効は民法 724 条により 3 年）がある。[9]

なお，本条が禁止しているのは，「短時間・有期雇用労働者であることを理由とし〔た〕」差別的取扱いである。したがって，例えば，ある短時間・有期雇用労働者の低賃金が，その職業経験・能力，業績・成果，勤続年数など，短時間・有期雇用労働者であること以外の合理的な理由に基づくものであると認められる場合には，「短時間・有期雇用労働者であることを理由とし〔た〕」差別的取扱いにはあたらないものと解される。[10]

2　不合理な待遇の禁止（パート有期法 8 条）

事例 81

　正社員（無期雇用）と契約社員（有期雇用）間の以下のような待遇の相違は，不合理なものとして法的救済の対象となるか？　不合理だとすればどのような請求が可能か？

　①幅広い人事異動によって高度な仕事を担う人材として長期的に育成している正職員には賞与（職能給を算定基礎として計算）を支給するが，アルバイト職員には支給しないこと（正職員登用制度あり）。

　②正社員には 5000 円支給している通勤手当を，契約社員には 3000 円しか支給しないこと。

　③正社員には有給で付与している夏期冬期休暇（盆と正月の休暇）を，契約社員には付与しないこと。

9）　ニヤクコーポレーション事件・大分地判平成 25・12・10 労判 1090 号 44 頁。また，京都市立浴場運営財団ほか事件・京都地判平成 29・9・20 労判 1167 号 34 頁は，短時間・有期雇用（1 年契約を 5 ないし 13 回更新）の嘱託職員に退職金が支給されていないことについて，本件嘱託職員は正規職員と職務内容が同一で，人材活用の仕組み・運用が異なっていたわけでもなく，このような嘱託職員に退職金を支給しない合理的理由も見当たらないことから，短時間労働者であることを理由とする差別的取扱い（パートタイム労働法 8 条 1 項〔当時〕。現行 9 条）に該当するとし，不法行為に基づく退職金相当額の損害賠償請求を容認した。

10）　裁判例では，待遇に差を設けることに他に合理的理由があるとは認められないことをもって，本条（2014（平成 26）年改正前のパートタイム労働法 8 条 1 項）の禁止する「短時間労働者であることを理由とし〔た〕」差別的取扱いにあたるとされている（前掲 9）ニヤクコーポレーション事件判決，前掲 9）京都市立浴場運営財団ほか事件判決）。

344　　第 3 編　雇用関係法

④転勤義務のある正社員に支給している住宅手当を，転勤義務のない契約社員には支給しないこと。転勤義務のない一般職正社員にも住宅手当が支給されている場合はどうか？

⑤正社員に支給している扶養手当（家族手当）を，契約社員には支給しないこと。

⑥上記①と同様の正社員に支給している退職金（職能給を算定基礎として計算）を，契約社員には支給しないこと（正社員登用制度あり）。

⑦職務内容と人事異動の範囲に違いがない正職員（60歳定年時）と嘱託職員（定年後再雇用）との間に，基本給で約55%，賞与で約60%の違いがあること。

1 意義と判断枠組み

事業主は，短時間・有期雇用労働者の基本給，賞与その他の待遇のそれぞれについて，通常の労働者の待遇との間において，当該待遇の性質・目的に照らして適切と認められる事情を考慮して，不合理と認められる相違を設けてはならない（パート有期法8条）。

この規定は，有期契約労働者と無期契約労働者間の不合理な労働条件の相違を禁止した労契法（旧）20条と，パートタイム労働者と通常の労働者との不合理な待遇の相違を禁止したパートタイム労働法（旧）8条を統合し，その判断の方法をより明確にする形で，2018（平成30）年の働き方改革関連法による法改正で定められたものである。この改正で明確にされた点は，①基本給，賞与その他の待遇のそれぞれについて個別に不合理性を判断すること，および，②その判断において，それぞれの待遇の性質・目的に照らして不合理性を判断することである。[11] 本条は，強行規定との性格をもつものであり，その解釈（不合理性の判断）にあたっては，事業主の主観（例えば「将来の役割への期待」や「有為な人材の確保・定着を図る目的」）ではなく，客観的・具体的な実態（例えば「職務内容の違い」，「人事異動等の有無や範囲の違い」，「実際の勤続年数の違い」）に照らして判断がなされなければならない。この条文の解釈の指針として，「同一労働同一賃金ガイドライン」が定められ，[13] 不合理性の判断における具体的な考え

---

11) 不合理性について，①個々の待遇ごとに，②当該待遇の性質・目的に照らして判断をすることは，改正前の労契法20条をめぐる最高裁判決（ハマキョウレックス〔差戻審〕事件・最二小判平成30・6・1民集72巻2号88頁（#82））でも明らかにされていた。

12) 前掲11）ハマキョウレックス（差戻審）事件判決参照。

13) 平30・12・28厚労告430号。この指針は，裁判所の法的判断を直接拘束するものではないが，法律上の根拠（パート有期法15条）に基づき厚生労働大臣が定めたもの（法の趣旨に沿った判断

方や事例が示されている。

個々の待遇ごとの判断におけるポイントは，当該待遇の性質・目的がどのようなものかを明確にしたうえで，その性質・目的が短時間・有期雇用労働者にも同様に及んでいる場合には同様の支給，その性質・目的が部分的に及んでいる場合には部分的な支給（例えば正社員の6割及んでいるときには6割の支給）が求められ，その性質・目的が及んでいないときには不支給でよいとされることである。[14]

2　具体的判断

待遇のそれぞれについて，具体的な判断の内容をみていこう。

基本給については，その具体的な性質・目的に照らし，労働者の職業能力・経験に応じて支給される「職能給」制度がとられている場合には短時間・有期雇用労働者にもその職業経験・能力に応じた支給[15]，労働者の業績・成果に応じて支給される「業績・成果給」の場合にはその業績・成果に応じた支給，労働者の勤続年数に応じて支給される「勤続給」の場合にはその勤続年数に応じた支給をすることが求められる。[16]最高裁は，名古屋自動車学校（再雇用）事件（ 事例81 の⑦類似のケース。労契法旧20条の適用事案）で，基本給の相違についても不合理と認められる場合がありうることを示しつつ，勤続給，職務給，職能給など当該基本給の具体的な性質・目的を明らかにしたうえで不合理性を判断すべきとした。[17]

賞与については，例えば，算定基礎期間を定め同期間における企業への貢献

基準等を具体化したもの）として，解釈上参照されうるものである。

14)　また，最高裁は，労契法旧20条の不合理性の判断において，労使交渉のプロセス（交渉の結果だけでなく具体的な経緯も含む）を勘案して不合理性を判断すべきことを明らかにしている（名古屋自動車学校（再雇用）事件・最一小判令和5・7・20労判1292号5頁）。

15)　学校法人産業医科大学事件・福岡高判平成30・11・29労判1198号63頁〔臨時職員として30年以上勤続してきた労働者と同時期採用の正規職員の基本給の約2倍の格差を不合理とし，同学歴の正規職員の主任昇格前の賃金水準との差（月額3万円）を限度に損害賠償を命令〕参照。

16)　井関松山ファクトリー事件・高松高判令和元・7・8労判1208号38頁〔年齢に応じて増大する生活費補助の趣旨で支給される物価手当（実質は年齢給）を有期雇用労働者に支給しないことは不合理と判示〕参照。

17)　前掲14）名古屋自動車学校（再雇用）事件判決〔基本給の性質・目的等を具体的に検討・勘案することなく60歳定年時の6割を下回る基本給部分等を不合理と判断していた原審判決（同事件・名古屋高判令4・3・25労判1292号23頁）を破棄し差し戻した〕。

346　第3編　雇用関係法

の度合い（査定）に応じて支給額を決定している標準的な形態の賞与の場合には，短時間・有期雇用労働者にも同期間における企業への貢献の度合いに応じた支給が求められる[18]。最高裁は，事例81の①類似のケース（労契法旧20条の適用事案）で，賞与の相違も不合理と認められる場合はありうることを示しつつ，本件賞与の労務対価の後払い，功労報償，将来の労働意欲向上等の趣旨，正社員人材の確保・定着を図るという目的を踏まえて，正職員とアルバイト職員間の職務内容，配置変更の範囲の相違の存在，高度業務を担う多数の正職員の存在，正職員登用制度の存在等の事情を考慮すると，アルバイト職員への賞与の不支給は不合理とはいえないと判断した[19]。

　その他の諸手当，福利厚生等については，それぞれの待遇の性質・目的に照らし，その性質・目的が短時間・有期雇用労働者にも同様にあてはまる場合には，同一の支給をすることが求められる。例えば，特定の作業に従事することに対して支給される作業手当については，当該作業に同様に従事する短時間・有期雇用労働者にも同一の支給[20]，一定日数以上出勤したことに対する報償として支給される精皆勤手当については同一の業務に従事し同じ要件を満たす短時間・有期雇用労働者にも同一の支給[21]，所定労働時間・労働日以外の時間外・休日労働や特別の勤務に対して支給される時間外・休日労働（特別勤務）手当については同じ時間勤務した短時間・有期雇用労働者にも同一の支給[22]，通勤にか

───────────

18) 例えば，賞与の性質・目的が賞与算定基礎期間の就労への賃金後払いと功労報償にあり，当該期間における短時間・有期雇用労働者の就労や功労の割合が通常の労働者の6割だと判断される場合には，短時間・有期雇用労働者に通常の労働者の6割の賞与を支給することが求められる。

19) 　学校法人大阪医科薬科大学（旧大阪医科大学）事件・最三小判令和2・10・13労判1229号77頁（パート有期法8条について同様の判断をしたものとして，Aホテル事件・大阪地判令和5・6・8労経速2525号10頁がある）。この判断には，考慮事情として本来重視されるべき，本件賞与の支給基準・支給実績等から導き出される性質・目的（賃金後払い，功労報償等の性格）が本件アルバイト職員にどの程度妥当しているのかを十分に考慮することなく，その他の諸事情を総合的に考慮することによって，問題の本質から離れた恣意的な判断・結論に至っている点で，疑問がある。

20) 　前掲11）ハマキョウレックス（差戻審）事件判決〔作業手当〕参照。

21) 　前掲11）ハマキョウレックス（差戻審）事件判決〔皆勤手当〕，長澤運輸事件・最二小判平成30・6・1民集72巻2号202頁〔精勤手当〕，井関松山製造所事件・高松高判令和元・7・8労判1208号25頁〔精勤手当〕参照。

22) 　日本郵便（時給制契約社員ら）事件・最一小判令和2・10・15労判1229号58頁〔年末年始勤務手当〕，日本郵便（非正規格差）事件・最一小判令和2・10・15労判1229号67頁〔年末年始勤務手当，年始期間の祝日給〕，メトロコマース事件・東京高判平成31・2・20労判1198号5頁

第4章　非正規労働者に関する法　　347

かる実費補償として支給される通勤手当については同様に通勤費を負担して通勤している短時間・有期雇用労働者にも同一の支給[23]，食費の負担補助として支給される食事手当については同様に勤務時間内に食事時間が含まれている短時間・有期雇用労働者にも同一の支給[24]，特定地域における生活費等の補償として支給される地域手当については同じ地域で働く短時間・有期雇用労働者にも同一の支給[25]，病気休職中の解雇猶予（安心して健康回復を図ること）の趣旨・目的で付与される病気休職については短時間・有期雇用労働者にも基本的に同一の付与[26]，法定外の年休・休暇については勤続期間など同一の要件を満たす短時間・有期雇用労働者にも同一の付与[27]をすることが求められる。

　「同一労働同一賃金ガイドライン」は，待遇の例や考え方を例示したものであり，そこに記載されていない待遇（住宅手当，家族手当，退職金など）につい

〔早出残業手当〕参照。

23)　前掲11) ハマキョウレックス（差戻審）事件判決〔 事例81 の②類似のケース＝通勤手当〕，九水運輸商事事件・福岡地小倉支判平成30・2・1労判1178号5頁〔通勤手当〕参照。派遣スタッフの通勤交通費を基本給（時給）に組み込み基本給を引き上げて支給していた事案で派遣スタッフへの通勤手当の不支給を不合理でないとした裁判例もある（リクルートスタッフィング事件・大阪地判令和3・2・25労判1246号5頁）。

24)　前掲11) ハマキョウレックス（差戻審）事件判決〔給食手当〕参照。

25)　パート有期法8条の判断として，当該地域手当は転居異動に伴う物価高低による生活費の差額を補てんする趣旨のものであり，転居異動のない契約社員に支給しないことも不合理ではないとした裁判例がある（独立行政法人日本スポーツ振興センター事件・東京地判令和3・1・21労判1249号57頁）が，当該契約社員の基本給のなかに地域手当相当分が含まれている（その分基本給が高額となっている）という実態のチェックをせずに判断した点で，疑問がある。

26)　「同一労働同一賃金ガイドライン」（前掲13)）は，有期雇用労働者については労働契約の残存期間が短い場合があるため，残存期間に応じた病気休職の付与をすることを求めている。なお，病気休職の付与に加えて，その期間中の賃金保障の点で正社員との間に相違を設けることが許されるかについて，最高裁は，労契法旧20条の解釈として，病気休暇・休職期間中の有給保障の性質・目的は長期継続勤務の期待と確保にあるとし，相応に継続的な勤務が見込まれる契約社員についてはその趣旨が妥当するため，正社員との間に有給・無給の相違を設けることは不合理であるとした（前掲22) 日本郵便（時給制契約社員ら）事件判決〔勤続10年以上の契約社員の無給扱いは不合理〕，前掲19) 学校法人大阪医科薬科大学（旧大阪医科大学）事件判決〔勤続2年余りのアルバイト職員の無給扱いは不合理でない〕）。

27)　前掲22) 日本郵便（時給制契約社員ら）事件判決〔夏期冬期休暇〕，前掲22) 日本郵便（非正規格差）事件判決〔夏期冬期休暇〕，日本郵便（佐賀中央郵便局）事件・最一小判令和2・10・15労判1229号5頁〔夏期冬期休暇〕。最高裁は，これらの3判決（ 事例81 の③類似のケース）において，労契法旧20条の解釈として，夏期冬期休暇の目的は労働からの解放により心身の回復を図ることにあり，その趣旨は契約社員にも妥当すると判示した。日東電工事件・津地判令和5・3・16労経速2519号3頁〔年休の半日単位取得，リフレッシュ休暇，特別休暇の相違は不合理〕も参照。

348　第3編　雇用関係法

ては，裁判所が，その性質・目的に応じた判断を行っている。例えば，労契法旧20条の適用事案での判断例として，労働者の住宅に要する費用を補助する目的で支給される住宅手当については，無期雇用労働者と有期雇用労働者の間に広域転勤義務の点で違いがある事案（事例81 の④前段参照）では，後者への不支給を不合理でないとし，[28] 両者の間に転勤義務の点で違いがない（転勤義務のない無期雇用労働者〔地域限定の一般職正社員等〕が存在し住宅手当が支給されている）事案（事例81 の④後段参照）では，転勤義務のない無期雇用労働者と有期雇用労働者との間に住宅費用の負担の点で実質的に違いがあるとはいえないため，有期雇用労働者への不支給を不合理としたものがある。[29] また，扶養親族のある正社員の生活保障と福利厚生を図るために支給されていた扶養手当（家族手当）について，最高裁は，その目的は長期継続勤務の期待と確保にあるとし，扶養親族がありかつ相応に継続的な勤務が見込まれる契約社員にもその趣旨は妥当するとして，相応に継続勤務が見込まれる契約社員への不支給を不合理と判断している。[30] 優良ドライバーの育成や顧客の信頼獲得を目的として支給される無事故手当について，有期雇用労働者にも同一の支給をすることを求めたもの[31]，永年勤続に対する褒賞として支給される賞状，賞金，記念品等（勤続褒賞）について，実態として正社員には功績や業務内容にかかわらず支給されているとすれば，契約社員にも同じ勤続により同一の支給をすることを求めたものもある。[32]

---

28) 前掲11) ハマキョウレックス（差戻審）事件判決〔住宅手当〕。
29) 前掲21) 井関松山製造所事件判決〔住宅手当〕，日本郵便（時給制契約社員ら）事件・東京高判平成30・12・13労判1198号45頁〔住居手当〕，日本郵便（非正規格差）事件・大阪高判平成31・1・24労判1197号5頁〔住居手当〕，前掲22) メトロコマース事件（東京高裁）判決〔住宅手当〕〔これらの高裁判決の判断はいずれも最高裁の上告不受理決定により確定〕。
30) 前掲22) 日本郵便（非正規格差）事件判決〔事例81 の⑤類似のケース。労契法旧20条の適用事案〕。前掲27) 日東電工事件判決も同旨。これに対し，裁判例には，家族手当の生活費補助という性質・目的は有期契約労働者・嘱託社員にも同様に及ぶとし，正社員と同じ要件を充たす有期契約労働者・嘱託社員への不支給は（継続勤務の見込みの有無を問わず）不合理とするものがある（前掲21) 井関松山製造所事件判決〔最高裁の上告不受理決定（最三小決令和3・1・19判例集未登載）により確定〕，科学飼料研究所事件・神戸地姫路支令和3・3・22労判1242号5頁）。
31) 前掲11) ハマキョウレックス（差戻審）事件判決〔無事故手当〕。
32) 前掲22) メトロコマース事件（東京高裁）判決〔勤続10年の褒賞を契約社員に支給しなかったことを不合理と判示。最高裁の上告不受理決定により確定〕。

第4章 非正規労働者に関する法 349

退職金について，最高裁は，事例81の⑥類似のケース（労契法旧20条の適用事案）で，退職金の相違も不合理と認められる場合はありうることを示しつつ，本件退職金の労務対価の後払い，功労報償等の複合的な性質，正社員人材の確保・定着を図るという目的を踏まえて，正社員と契約社員間の職務内容，配置変更の範囲の相違の存在，職務内容等の異なる他の多数の正社員の存在，正社員の存在と登用実績等の事情を考慮すると，契約社員への退職金の不支給は不合理とはいえないと判断した。[33]

定年後継続雇用（再雇用）の有期雇用労働者については，定年後継続雇用であることを理由に低処遇とすることは許されるか（定年後継続雇用であることは本条の不合理性の判断において考慮事情となるか）が問題となりうる。この点が争点となった長澤運輸事件で，最高裁は，定年退職者の有期契約による再雇用では長期雇用は通常予定されず，同労働者は定年退職までは無期契約労働者（正社員）としての待遇を受け，定年退職後は老齢厚生年金の支給を受けることも予定されていることから，定年後再雇用者であることは，待遇の相違の不合理性の判断で考慮事情となりうるとし，定年後再雇用者の待遇を異なるものとすることが直ちに不合理とされるわけではないことを示した。[34] そのうえで，本件においては，基本給相当額の正社員との差が2%ないし12%にとどまること，賞与を含む賃金（年収）の定年退職前との差が21%程度であり，使用者が団体交渉を経て，定年後再雇用者に老齢厚生年金報酬比例部分の支給開始までの間2万円の調整給を支給していること等を総合考慮すると，基本給，賞与等の格差は不合理とは認められないと判断した。[35] これに対し，近時の名古屋自動車

---

33) メトロコマース事件・最三小判令2・10・13民集74巻7号1901頁。この判断には，考慮事情として本来重視されるべき，本件退職金の支給基準・支給実績等から導き出される性質・目的（賃金後払い，功労報償等の性格）が本件契約社員にどの程度妥当しているかを十分に考慮することなく，その他の諸事情を総合的に考慮することによって，問題の本質から離れた恣意的な判断・結論に至っている点で，疑問がある（同判決の宇賀克也判事反対意見も参照）。

34) 前掲21) 長澤運輸事件判決〔労契法旧20条の適用事案〕。

35) 長澤運輸事件判決後の下級審裁判例として，日本ビューホテル事件・東京地判平成30・11・21労判1197号55頁〔定年退職時の賃金との約46%の相違につき，職務内容や職務内容・配置の変更範囲の違い等を考慮し不合理性を否定〕，北日本放送事件・富山地判平成30・12・19労経速2374号18頁〔正社員の基本給との約27%の相違につき，職務内容や職務内容・配置の変更範囲の違い，労働組合との十分な協議を経た決定，その他の給付金・企業年金等の給付の存在，約500万円の年収保障の配慮等を考慮し不合理性を否定〕，社会福祉法人紫雲会事件・宇都宮地判令

350　第3編　雇用関係法

学校（再雇用）事件（ 事例81 の⑦類似のケース。労契法旧 20 条の適用事案）の最高
裁判決は[36]，定年後再雇用の嘱託職員と定年前の正職員との間の基本給および賞
与の相違についても，当該待遇の具体的な性質・目的を明らかにしたうえで，
労使交渉の結果だけでなく具体的な経緯も勘案しつつ，不合理性を判断すべき
であるとし，これらの点を具体的に検討・勘案することなく 60 歳定年時の 6
割を下回る基本給・賞与部分を不合理と判断していた原審判決（前掲注 17））を
破棄差戻しした。この最高裁判決は，当該事案における個々の待遇（基本給，
賞与等）の性質・目的を具体的に明らかにすることなく正社員との量的・概括
的な比較（例えば年収ベースでの総量比較）によって不合理性を判断していた従
来の長澤運輸事件判決等の判断枠組みを修正し，定年後継続雇用（再雇用）の
事案においても個々の待遇の性質・目的に沿った不合理性の判断を個別的・具
体的に行うべきことを示したものとして注目される。

3　立証責任と効果

待遇の相違の「不合理性」については，規範的評価を伴うもの（いわゆる
「規範的要件」）であるため，短時間・有期雇用労働者側が不合理であることを
基礎づける事実（評価根拠事実）を主張・立証し，事業主側が不合理でないこ
とを基礎づける事実（評価障害事実）を主張・立証するという形で，双方が主
張・立証責任を負うものと解される[37]。

本条違反と判断された場合，不合理とされた待遇の定めは本条の強行法規性
により無効となり，不法行為（民法 709 条）として損害賠償請求の対象となる。
また，無効となった労働契約の部分については，フルタイム・無期雇用労働者
に適用されている就業規則規定を短時間・有期雇用労働者に適用する等の契約
の補充的解釈を行うことにより，労働契約上の権利として差額賃金請求等を行
うことも，事案によっては考えられる[38]。

　　和 5・2・8 労判 1298 号 5 頁〔定年退職時との基本給の 2 割相当の相違，期末・勤勉手当（不支
　　給）を含めた年収の 37〜28% 程度の相違につき，2100 万円の退職金と老齢厚生年金の受給，労
　　働組合との合意による決定等を考慮し，職務内容や職務内容・配置の変更範囲が本質的に異なら
　　ないとしても，不合理性（労契法旧 20 条，パート有期法 8 条）を否定〕など参照。

36）　前掲 14）名古屋自動車学校（再雇用）事件判決。

37）　前掲 11）ハマキョウレックス（差戻審）事件判決参照。

38）　前掲 11）ハマキョウレックス（差戻審）事件判決は，当該事案において正社員就業規則と契約
　　社員就業規則が別個独立のものとして作成されていること等を考慮して，正社員就業規則の定め

第 4 章　非正規労働者に関する法　351

❸ 均衡の考慮等（パート有期法10条，11条，12条）

パート有期法は，「通常の労働者と同視すべき短時間・有期雇用労働者」以外の短時間・有期雇用労働者について，通常の労働者との均衡を考慮しつつ，賃金を決定するよう努めることを事業主に求めている（10条）。また，同法は，通常の労働者と職務の内容が同じ短時間・有期雇用労働者に対して，原則として，通常の労働者と同じ教育訓練を実施すること（11条1項），短時間・有期雇用労働者に対して，通常の労働者が利用する福利厚生施設（給食施設，休憩室，更衣室）の利用機会を与えること（12条，同法施行規則5条）を，事業主に義務づけている。

❹ 通常の労働者への転換（パート有期法13条）

パート有期法は，通常の労働者への転換を推進するために，短時間・有期雇用労働者に対し，ⓐ通常の労働者を募集する場合に募集事項を周知すること，ⓑ通常の労働者の新たな配置を行う場合に配置希望の機会を与えること，ⓒ通常の労働者への転換のための試験制度など転換推進措置を講じることのいずれかの措置をとることを，事業主に義務づけている（13条）。[39]

3 有期労働契約の締結・終了・転換に関する法 ── 労働契約法など

1 期間の定めのある労働契約の締結

日本では，ヨーロッパ諸国のように期間の定めのある労働契約の締結に臨時的な業務，一時休業者の代替，試用などの特別の事由（合理的理由）の存在は要求されておらず，有期労働契約の締結自体は当事者の自由に委ねられている。

を契約社員に適用することは就業規則の合理的解釈としても困難と判断した。

[39]　パート有期法上の義務規定（労働条件の明示，不合理な待遇の禁止，差別的取扱いの禁止，教育訓練，福利厚生施設，通常労働者への転換，事業主の説明義務）に関する短時間・有期雇用労働者と事業主の間の紛争については，行政による履行確保（報告徴収・助言・指導・勧告・公表〔パート有期法18条〕），および，行政ADR（都道府県労働局長による紛争解決援助〔24条〕，紛争調整委員会による調停〔25条〕）を行うことにより，行政による実効性確保を図ることとしている。

352　第3編　雇用関係法

民法は、期間の定めのある雇用契約についても、やむを得ない事由があるときには直ちに解約できると規定しており（628条）、その反対解釈として、期間の定めのある雇用契約（労働契約）はやむを得ない事由があるとき以外には中途解約できないと考えられてきた。労契法17条1項は、使用者からの期間満了前の解約（解雇）について、やむを得ない事由がある場合でなければこれを行うことができないと規定し、使用者側からの解約（解雇）について民法628条の反対解釈が妥当することを確認した。この有期労働契約の期間途中解雇を正当化する「やむを得ない事由」（労契法17条1項）とは、期間の定めのない労働契約における解雇の合理的で相当な理由（16条）よりも限定された、より重大な事由であること（解雇の客観的に合理的で社会的に相当な理由に加えて、期間満了を待たずに直ちに雇用を終了させざるを得ない特段の重大な事由が存在すること）が求められる。例えば、労働者が就労不能となったこと、労働者に重大な非違行為があったこと、会社が雇用の継続を困難とするような深刻な経営難に陥り整理解雇に相当する諸措置がとられたことなどがこれに該当しうる。

この中途解約の制限（民法628条の反対解釈）が労働者による解約（辞職）にも及ぶとすると、長期の期間を定めた契約が締結された場合、労働者もその期間中は契約を簡単には解約できないため、労働者が長期にわたって使用者に拘束されるおそれが出てくる。そこで、労基法は、長期にわたる人身拘束を防ぐ趣旨で、労働契約上3年を超える契約期間を定めることを原則として禁止している。ただし、①一定の事業の完了に必要な期間を定める場合にはその期間、②高度な専門知識、技術、経験を有する労働者と満60歳以上の労働者につい

---

40)　ただし、この解約事由が一方当事者の過失によって生じたものであるときは、相手方に対して損害賠償責任を負うとされる（同条後段）。

41)　プレミアライン（仮処分）事件・宇都宮地栃木支決平成21・4・28労判982号5頁、学校法人東奥義塾事件・仙台高秋田支判平成24・1・25労判1046号22頁など。なお、Y株式会社事件・最一小判令和元・11・7裁判所ウェブサイトは、労契法17条1項により有期労働契約の期間途中解雇が無効となる場合に、当該契約の期間満了後にわたる契約上の地位確認請求や賃金支払請求を認容するにあたっては、期間満了により労働契約の終了の効果が発生するか否かを判断する必要があるとした。

42)　この高度専門・技術労働者に該当する基準として、厚生労働大臣は、①博士の学位をもつ者、②公認会計士・医師・弁護士・一級建築士・社会保険労務士など一定の資格をもつ者、③技術者・システムエンジニア・デザイナーなどで一定の実務経験をもち年収が1075万円以上の者などをあげている（平15・10・22厚労告356号）。

第4章　非正規労働者に関する法　353

ては 3 年を超え 5 年以内の期間を定めることは，その例外として認められている（労基法 14 条 1 項）[43]。この制限を超える期間が契約上定められた場合，制限を超える期間を定めた部分は無効となり（13 条参照），その制限期間を超えて事実上就労が続けられている場合には，次に述べるように，期間の定めのない労働契約になったものと推定されることになる。

2 期間の定めのある労働契約の終了

事例 82

アヴィヨン航空社では，経費削減のため，キャビンアテンダント（CA）はすべて契約社員として採用し，1 年の有期労働契約を 4 回まで更新可（最長 5 年間勤務）としている。同社に契約社員として 1 年契約で採用された CA の小峰さんは，勤務成績も悪くなく，同契約を 4 回更新して同社に 5 年間勤務してきた。この 5 年の勤務期間が満了する 1 か月前，同社は小峰さんに対し，「あと 1 か月で契約は終了です。契約の更新はもうありません」と告げた。たしかに，契約書上は 1 年契約で更新限度は 4 回（最長 5 年勤務）と記載され，これまでの 4 回の契約更新時にはその都度新たな契約書に署名捺印するという手続がとられてきた。しかし，小峰さんは同僚のなかでも勤務成績が優秀で，会社から機内販売優秀賞の表彰を受けたこともある。また，これまで同社に契約社員として採用された CA のなかには，5 年間の勤務終了時に会社から声をかけられ，チーフ CA として無期労働契約で改めて雇用されている者もいる（5 年勤務終了者の約 3 割）。小峰さんは，同社に対し労働契約上の権利を有する地位の確認を求めることができるか？

期間の定めのある労働契約は，期間の満了により当然に終了する。ただし，期間満了後も労働者が就労を続け，使用者がこれに異議を述べなかった場合には，黙示の更新があったものとされ，従前と同一の労働条件で期間の定めのな

---

43) この原則 3 年の上限は，2003（平成 15）年労基法改正により 1 年から延長されたものである。この改正法施行後 3 年が経過し政府が施行状況に基づいて必要な措置をとるまでの間は，3 年の上限が適用される労働者は，契約期間の初日から 1 年を経過した時点以降いつでも退職することができるとされている（労基法附則 137 条）。元アイドルほか（グループ B）事件・東京地判平成 28・7・7 労判 1148 号 69 頁は，芸能マネジメント会社と期間 3 年の専属タレント契約を締結し，アイドルグループのメンバーとしてイベント出演等の活動を行っていた者が，契約締結から 1 年以上経過した後に一方的に通告して以後のイベントを欠演したことにつき，同人は労基法上の労働者にあたり，労基法附則 137 条により本件契約は適法に解約されたもの（以後の出演義務は負わない）と判示した。

354 第 3 編 雇用関係法

い労働契約が締結されたものと推定されることになる（民法 629 条 1 項参照。

Column 44）。

***Column 44* 有期労働契約の黙示の更新と期間の定め**　　有期労働契約の黙示の更新後の契約期間については，従前と同一の期間の定めがあるものとして更新されたとみるべきとする有力な見解がある[44]。しかし，①この解釈は期間の定めのない雇用契約に関する規定（627 条）を援用している 629 条 1 項後段と平仄があわないものであり，また，②この見解が懸念する期間の定めのない契約になると解雇が不自由になってしまうという点については，解雇権濫用法理等の実態に即した柔軟な解釈・運用によって対応できるものである（有期契約になるとすると逆にその期間中は解約が難しくなってしまう）。したがって，黙示の更新の際の契約期間については，期間の定めのないものになると解釈すべきである[45]。

　これに対し，使用者が期間の満了に際して，満了後は契約を更新しない旨を通知した場合には，労働契約は当然終了する（その後の契約関係を基礎づける合意が存在しない）ことになる[46]。しかし，この原則を貫いた場合，使用者がその事実上のイニシアチヴに基づきいかなる契約形式をとるかによって，労働者の法的地位が不安定なものとなってしまうおそれがある。そこで判例は，契約の形式ではなく実態に基づいて労働者の実質的な保護を図ろうとする法理を構築した（労契法 19 条は後述するようにこれを法律上明文化した）。この判例上の雇止め法理には，大きく 2 つのタイプのものがある。

　第 1 に，実質無期契約型といわれるものである[47]。これは，期間の定めのある労働契約によって雇用されている場合でも，①業務の客観的内容（従事している業務が臨時的・季節的なものでなく恒常的なものか），②当事者の主観的態様（雇用を継続することについての当事者間でいかなる言動・認識があったか），③更新の手続（長期にわたる反復更新があったか，更新手続が曖昧だったか，これまで更新を拒否した例がないか）などの諸事情を勘案し，当該契約が期間の定めのない労働契約と実質的に異ならない状態で存在していたと認められるときには，雇止めの

---

44)　菅野和夫『労働法〔第 12 版〕』335 頁以下（弘文堂，2019）など。

45)　旭川大学事件・札幌高判昭和 56・7・16 労民集 32 巻 3 = 4 号 502 頁，社会福祉法人ネット事件・東京地立川支判令和 2・3・13 労判 1226 号 36 頁など参照。

46)　このいわゆる「雇止め」は，ある法律効果を発生させようとする意思を表示する「意思表示」とは異なり，ある事実を通知するにすぎない「観念の通知」と呼ばれるものである。したがって，法的に「違法」とはなりえても「無効」となるものではない。

47)　東芝柳町工場事件・最一小判昭和 49・7・22 民集 28 巻 5 号 927 頁など。

第 4 章　非正規労働者に関する法　　355

通知は実質的に解雇の意思表示にあたるため，解雇権濫用法理など解雇に関する法理が類推適用されるとするものである（労契法 19 条 1 号）。

第 2 の構成は，期待保護型といわれるものである[48]。これは，例えば，長期にわたる反復更新がなく更新手続も曖昧とはいえない（③）ため，実質的に無期契約と異ならない状態で存在しているとはいえないような場合でも，業務内容の恒常性（①）や当事者間の言動・認識（②）などから，労働者が更新を期待することにつき合理性があると認められる場合には，同様に解雇に関する法理が類推適用されるとするものである（労契法 19 条 2 号）。

この法理（特に期待保護型）は，裁判例上広い範囲にわたって適用されるに至っており，例えば，契約更新が 1 度もない事案（1 回目の期間満了時点での更新拒否）にもこの法理を及ぼした裁判例が多数ある。例えば，1 年の有期契約を締結したが更新手続は厳格でなくこれまで更新拒否例もなかった事案[49]，定年退職後 1 年の期間を定めて再雇用された労働者の 1 回目の期間満了時の雇止めの事案[50]，契約更新限度を定めその範囲内では更新ありとして締結した有期労働契約の 1 回目の期間満了時の雇止めの事案[51]，1 回目の期間満了時での更新が契約締結時から予定されていた事案[52]，契約書に更新がありうる旨の記載があり更新が確定したとするメールを送信していた事案[53]などである。逆に，この法理でも保護されない（期間満了による契約の当然終了が認められる）ケースとして，業務内容が臨時的・季節的でその業務が終了した場合[54]，大学や予備校の講師など契約上の地位が臨時的な場合[55]，学生アルバイト等で月 5 日程度・1 日 4〜5 時間勤

---

[48]　前掲 6）日立メディコ事件判決など。

[49]　龍神タクシー事件・大阪高判平成 3・1・16 労判 581 号 36 頁。

[50]　エフプロダクト（本訴）事件・京都地判平成 22・11・26 労判 1022 号 35 頁，Y 社事件・広島高判令和 2・12・25 労経速 2462 号 3 頁。

[51]　日本大学事件・東京地判平成 30・12・26 労経速 2378 号 13 頁，学校法人梅光学院ほか（特任准教授）事件・広島高判平成 31・4・18 労判 1204 号 5 頁。

[52]　学校法人南陵学園事件・和歌山地判令和 2・12・4 労経速 2453 号 14 頁。

[53]　グッドパートナーズ事件・東京高判令和 5・2・2 労判 1293 号 59 頁〔2 回目以降の更新については期待の合理性を否定〕。

[54]　日本電子計算事件・東京地決昭和 63・11・30 労判 531 号 48 頁，A 農協事件・東京高判平成 27・6・24 労判 1132 号 51 頁。

[55]　亜細亜大学事件・東京地判昭和 63・11・25 労判 532 号 63 頁，進学ゼミナール予備校事件・最三小判平成 3・6・18 労判 590 号 6 頁〔（原審）大阪高判平成 2・11・15 労判 590 号 10 頁），学校法人沖縄科学技術大学学園事件・福岡高那覇支判令和 4・9・29 労経速 2501 号 3 頁〔終身在職権

356　第 3 編　雇用関係法

務など勤務日数が少ない場合，両当事者に期間満了による契約終了についての明確な合意・十分な認識があった場合[56]などがある[58]。

また近年，使用者があらかじめ契約の更新限度（例えば 事例82 のように1年契約で更新は4回まで）を定めておいたり，最後の更新の際に次回は更新しない旨の不更新条項を差し入れたりする例が増えている。しかし，このような定めがあったからといって雇止め法理の適用が当然なくなるというわけではなく，他の事情（前記の①から③など）もあわせて労働者の更新の期待に合理性があったか否かを判断し，雇止め法理が適用されるか否かが決定される。契約更新の期待の合理性が否定された例としては，①採用時および契約更新時に更新回数と契約期間の上限（不更新条項）が契約上明記され労働者もそれを認識して契約を締結・更新していた事案[59]，②通算勤務期間が2年9か月（更新限度は3年）とさほど長くなく更新手続も毎年履践されていた事案[60]，③不更新条項差入れ時に事前説明会や個人面談を行って経営状況を丁寧に説明し労働者から契約書に署名押印を得ていた事案[61]，④65歳以降の特別嘱託雇用，勤務頻度が低いアル

（テニュア）審査に不合格となり雇止めされた事案〕など。もっとも，大学の専任講師や非常勤講師について契約更新の期待の合理性を肯定し，契約更新と同様の法律関係にあることを認めた裁判例（学校法人茶屋四郎次郎記念学園（東京福祉大学）事件・東京地判令和4・1・27労判1268号76頁〔1年契約を6回締結〕，学校法人玉手山学園事件・京都地判令和5・5・19労経速2533号19頁〔1年契約を5回締結〕）もある。

56) アカデミー事件・東京地判平成22・8・31判例集未登載，シャノアール（カフェ・ベローチェ）事件・東京地判平成27・7・31労判1121号5頁。

57) 北陽電機事件・大阪地決昭和62・9・11労判504号25頁，独立行政法人国立がん研究センター事件・東京地判平成26・4・11労経速2212号22頁，ISS事件・東京地判令和5・1・16労経速2522号26頁〔更新2回，通算契約期間8か月で明示的に更新手続を履践〕など。

58) この雇止め法理などを参考にして，厚生労働大臣が雇止めに関する基準（いわゆる「雇止め告示」）を策定し，行政官庁による助言・指導などが行われている（労基法14条2項，3項）。

59) 北海道大学（契約職員雇止め）事件・札幌高判平成26・2・20労判1099号78頁〔更新限度3年。さらに1年不更新条項付きで更新〕，日本通運（川崎・雇止め）事件・東京高判令和4・9・14労判1281号14頁〔期間1年・上限期間5年の事案〕など。前掲51) 学校法人梅光学院ほか（特任准教授）事件判決〔期間1年・上限期間5年とする就業規則による事案〕，ドコモ・サポート事件・東京高判令和4・1・12判例集未登載〔期間1年・上限期間5年の事案〕も参照。

60) 高知県立大学後援会事件・高松高判平成30・10・31労判ジャーナル83号36頁。

61) 近畿コカ・コーラボトリング事件・大阪地判平成17・1・13労判893号150頁〔少なくとも1年契約が7回締結された事案〕，本田技研工業事件・東京高判平成24・9・20労経速2162号3頁〔1か月ないし3か月契約を継続的に75回，11年1か月にわたり締結してきた事案〕，日本通運事件・東京高判令和4・11・1労判1281号5頁〔契約更新7回，通算契約期間5年10か月で最後の2回の契約に不更新条項が設けられ不更新の説明を個人面談も含め重ねて行っていた事案〕。

バイト，大学の任期付き助教といった契約上の地位の非長期性等を考慮して更新の期待に合理性があるとはいえないとされた事案[62]などがある。これに対し，期待の合理性が肯定された例としては，⑤雇用当初から契約書に更新限度（5年）が定められていたが雇用継続を期待させるような会社幹部の言動等があった事案[63]，⑥契約書には更新限度（3年）の記載がなく労働者への説明も不明確・不十分であった事案[64]，⑦有期労働契約の長期更新のなかで契約更新限度（5年）が導入され，労働者が不更新条項に異を付して契約書に署名したことによって，既に発生していた更新の合理的期待が消滅するわけではないとされた事案[65]，⑧不更新条項付きの契約書に対し，これを拒否して直ちに雇止めされることを避けるために不本意ながら署名押印したことによって，更新の合理的期待が排除されるわけではないとされた事案[66]がある。例えば，契約更新限度の導入時から一貫した説明をし，労働者もその内容を十分に理解して契約更新のたびに契約書に署名押印してきたとしても，それまでの長期の契約更新等により高い更新期待が生じていた場合には，期待の合理性が肯定されることがある[67]。また，不更新条項を含む契約書への労働者の署名押印行為については，労働者の自由意思に基づくものと認めるに足りる合理的理由が客観的に存在する場合に限り[68]，契約更新の合理的期待の放棄が認められるとした裁判例もある[69]。

---

62) JAL メンテナンス事件・東京高判平成 23・2・15 判時 2119 号 135 頁，前掲 56) シャノアール（カフェ・ベローチェ）事件判決，学校法人近畿大学（任期付助教・雇止め）事件・大阪地判令和元・11・28 労判 1220 号 46 頁。

63) カンタス航空事件・東京高判平成 13・6・27 労判 810 号 21 頁〔1 年契約を 4 回更新〕。

64) 学校法人立教女学院事件・東京地判平成 20・12・25 労判 981 号 63 頁〔派遣職員として約 3 年勤務後 1 年の嘱託雇用契約を 2 回更新〕，京都新聞 COM 事件・京都地判平成 22・5・18 労判 1004 号 160 頁〔親会社と事業会社とを通算して更新 4 回・4 年 11 か月勤務ないし更新 10 回・7 年 9 か月勤務〕。

65) 地方独立行政法人山口県立病院機構事件・山口地判令和 2・2・19 労判 1225 号 91 頁〔1 年契約等を更新し 12 年 7 か月勤務〕，博報堂（雇止め）事件・福岡地判令和 2・3・17 労判 1226 号 23 頁〔1 年契約を更新し 30 年勤務〕，放送大学学園事件・徳島地判令和 3・10・25 労経速 2472 号 3 頁〔1 年契約を更新し 12 年勤務。更新限度の承諾書の提出を拒否した事案〕。

66) 明石書店（製作部契約社員・仮処分）事件・東京地判平成 22・7・30 労判 1014 号 83 頁〔7 か月契約と 1 年契約の後，不更新条項を含む 1 年契約を締結〕，高知県公立大学法人事件・高松高判令和 3・4・2 労経速 2456 号 3 頁〔1 年契約等を更新し 4 年 6 か月勤務〕，公益財団法人埼玉県公園緑地協会・狭山市事件・さいたま地判令和 3・4・23 労判 1264 号 57 頁〔3 年契約を 1 回，1 年契約を 2 回締結し 5 年勤務〕。

67) 前掲 65) 博報堂（雇止め）事件判決（上記⑦）。

更新期待に合理性が認められるか否かは，理論的には，契約を終了させる合意（真意）の存否の問題ではなく，労働契約関係上の信義則に基づき労働者の信頼を保護すべきか否かという関係的な規範的判断の問題であると解されるため，更新に関する契約の形式・文言ではなく，継続的な関係のなかでの信義と誠実という観点から実態に照らして判断されるべきである。これまでの裁判例からすると，契約更新限度を定めたとしても，雇用継続を期待させる言動があったり（上記⑤），契約更新限度を設定した時点で既に更新の期待に合理性があるような事案（上記⑦）では，更新限度を迎えた時点での雇止めも（客観的合理性・社会的相当性がなければ）違法とされることになり，また，不更新条項を差し入れたとしても，その時点で既に更新の期待に合理性が認められ，労働者が不本意ながら契約書に署名押印をした事案（上記⑧）では，不更新条項に基づく雇止めも違法とされる可能性がある[70]。

　2012（平成24）年の労契法改正により，判例上形成された上記の雇止め法理が法律上明文化された（19条）。同条1号は，有期労働契約の反復更新により雇止めが無期労働契約の解雇と社会通念上同視できる場合として実質無期契約型（前掲注47）東芝柳町工場事件判決参照），同条2号は，有期労働契約の満了時に労働者が更新を期待することに合理的理由が認められる場合として期待保護[71]

---

68)　山梨県民信用組合事件・最二小判平成28・2・19民集70巻2号123頁（#23）(p85**1**)参照。

69)　日本通運事件・東京地判令和2・10・1労判1236号16頁（同事案では合理的期待の存在を否定。前掲61）同事件・東京高判の第一審判決）。

70)　雇止めに経営上の必要性など実質的な理由がなく，単に無期労働契約への転換（労契法18条参照）を回避する目的で雇止めをした場合，雇止めの客観的合理性・社会的相当性（労契法19条）の判断において，無期転換を意識し法を潜脱するような雇止めは許されない（客観的合理性・社会的相当性を欠く）と解釈されうる（前掲66）高知県公立大学法人事件判決（上記⑧），グリーントラストうつのみや事件・宇都宮地判令和2・6・10労判1240号83頁，前掲65）放送大学学園事件判決）。また，雇止めが労契法19条により違法とされた結果，通算契約期間が5年を超える場合には，労契法18条に基づき，労働者の無期転換の申込みの意思表示があったことを認定し，無期労働契約上の権利を有する地位確認判決が言い渡されうる（学校法人信愛学園事件・横浜地判令和2・2・27労判1226号57頁，前掲グリーントラストうつのみや事件判決，前掲66）公益財団法人埼玉県公園緑地協会・狭山市事件判決，前掲65）放送大学学園事件判決など）。

71)　本条の「更新」とは，有期労働契約と次の有期労働契約の接続または近接した再締結を意味し，例えば，期間1年の有期労働契約の反復更新の後，労働者が無期労働契約締結の新たな申込みをしたことは，本条の「有期労働契約の締結の申込み」にはあたらず，旧有期労働契約が本条に基づき更新されたことにはならないとした裁判例（アンスティチュ・フランセ日本事件・東京高判令和5・1・18労判1295号43頁）がある。雇止め法理（労契法19条）の根底にある信義則の要

第4章　非正規労働者に関する法　359

型（前掲注6）日立メディコ事件判決参照）を，それぞれ明文化している。これらのいずれかにあたる場合，雇止めに客観的合理性・社会的相当性が認められなければ，労働者の更新の申込みに対し使用者は従前の有期労働契約と同一の労働条件で承諾をしたものとみなすと規定し，有期労働契約が更新されたのと同様の法律関係が生じることが確認されている[72]。本条は，これまで形成されてきた判例・裁判例上の雇止め法理の内容や適用範囲を変更することなく，その要件と効果を法律上明文化したものである[73]。

労契法は，使用者は，期間の定めのある労働契約について，その締結の目的に照らして，必要以上に細分化された契約期間で反復して更新することのないよう配慮しなければならないとの規定を定めている（17条2項）。使用者がこの配慮を欠いている場合には，判例法理（19条）による保護（例えば労働者の更新の期待の合理的理由（同条2号）の存在）の可能性が高まると解釈することができよう。

3 有期労働契約の無期労働契約への転換

2012（平成24）年の労契法改正により，同一の使用者の下で有期労働契約が更新されて通算契約期間が5年を超える場合に，労働者が無期労働契約への転換の申込みをすれば，使用者がその申込みを承諾したものとみなされ，期間の定めのない労働契約が成立することになる旨が定められた（18条1項）。例えば，1年契約の場合には5回更新され6回目以降の契約に至っている場合，3年契約の場合には1回更新され2回目以降の契約に至っている場合，その契約（1年契約だと6回目以降，3年契約だと2回目以降）の期間中に，労働者が無期労働

請からすると，本条の形式的な文言に拘泥せず，継続的な労働契約関係における信頼保護の要請に照らして解釈すべきである。

72）従来の判例法理は，雇止め法理が適用され，雇止めに客観的合理性・社会的相当性が認められない場合には，契約が更新されたのと同様の法律関係が生じると解釈してきた（日立メディコ事件・東京高判昭和55・12・16労判354号35頁など参照）。この法理は，理論的には労働契約関係における信義則（民法1条2項）に基づく契約の補充的・修正的解釈を行ったものと位置づけられうる。労契法19条は，労働者の更新の申込みに対し使用者が同一の労働条件で承諾をしたものとみなすという形で，この判例法理の法的効果を確認している。テヅカ事件・福岡地判令和2・3・19労判1230号87頁も参照。

73）平24・8・10基発0810第2号第5の5(2)ウ参照。

360　第3編　雇用関係法

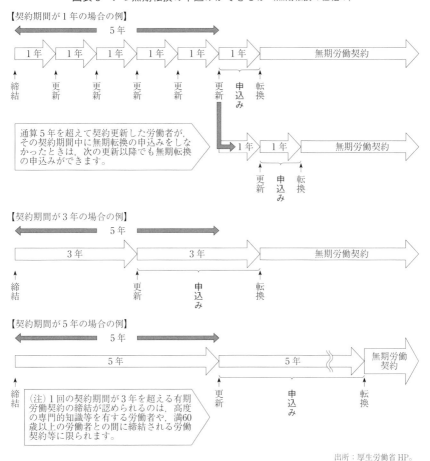

出所：厚生労働省HP。

契約への転換を使用者に申し込めば，使用者はそれを承諾したものとみなされ，その契約の満了の翌日を就労の始期とする無期労働契約が申込みの時点で成立することになる（**図表8**参照。申込みの時点以降に使用者が雇用を終了させようとすることは解雇にあたる）[74]。この規定の趣旨は，有期労働契約を反復更新して労

---

74) 2023（令和5）年の労基法施行規則改正により，この無期転換申込権が発生する契約の更新時に，使用者は，労基法15条1項に基づく労働条件明示事項として，書面等で無期転換申込機会および無期転換後の労働条件を明示しなければならないこととされた（p168 **_3_**）。

者を長期間継続雇用するという有期労働契約の濫用的利用を防ぎ，有期契約労働者の雇用の安定を図ることにある。

　この通算契約期間の算定にあたっては，ある有期労働契約とその次の有期労働契約の間に契約が存在しない期間（いわゆる「空白期間」）が6か月以上続いたときには，通算がリセット（クーリング）されるものとされている（18条2項）。この空白期間前の通算契約期間が1年未満の場合には，クーリング期間はその期間の2分の1の期間を基礎として厚生労働省令で定める期間とされる（18条2項）。なお，就業実態が変わらないにもかかわらず，派遣形態や請負形態などを偽装し，形式的に労働契約上の使用者ではないとして本条の適用を免れようとしても，法の潜脱として，通算契約期間の計算は継続している（クーリング期間にはあたらない）ものと解される。[76]

　通算契約期間が5年に達し，無期労働契約に転換されるときの労働契約の内容（労働条件）は，別段の定めがある場合を除き，契約期間が無期になる以外は有期労働契約の内容と同一のものとなるとされている（18条1項2文）。[77] 無期労働契約に転換しフルタイムで就労している労働者は，パート有期法上の「短時間・有期雇用労働者」には該当せず，非正規雇用労働者の待遇改善規定（同法8条，9条など）の適用を受けないことになる。働き方改革の実行（パート有期法の施行）により，（無期転換していない）有期雇用労働者の待遇改善が実現するなか，無期転換した労働者だけは従来の有期労働契約のときと同じ低処遇のまま（いわゆる「ただ無期」），待遇改善の効果を享受できない事態が生じうる。このような事態に対しては，正規・非正規労働者間の待遇格差の是正というパート有期法8条，9条の趣旨に照らし，同規定の類推適用または公序良俗違反（民法90条）として，「非正規」的な取扱いを受けている無期転換労働者の適切な法的救済を図ることが考えられる。[78]

75）　例えば6か月契約が1回のみ締結された場合のクーリング期間は3か月とされる。その算定の詳細は，平24・10・26厚労省令148号参照。

76）　平24・8・10基発0810第2号第5の4⑵イ参照。

77）　無期労働契約への転換にあたり，職務内容などが変わっていないにもかかわらず，転換後の労働条件を転換前よりも低下させることは，無期転換を円滑に進めることを求める同条の趣旨に照らし，望ましいものではないとされている（平24・8・10基発0810第2号第5の4⑵カ）。法解釈論としては，労契法18条の趣旨に照らし，不法行為または公序違反として違法・無効（民法709条，90条）と解されうる。

362　第3編　雇用関係法

また，使用者としては，無期労働契約への転換を回避するために，通算契約期間が5年を超える前に有期契約労働者を雇止めにする（例えば1年契約の場合には5回（通算5年）を限度とする契約更新限度を定めて5年で雇止めにする）という対応をとることが考えられる。しかし，契約更新限度を定めて（または最後の更新時に不更新条項を差し入れて）行われる雇止めについても，労働者の更新の期待に合理性があったか否かを検討し，雇止め法理の適用を肯定した裁判例があり，当然に雇止めが適法と認められるわけではない（p354 **_2_**）ことには注意が必要である[79]（**_Column 45_**）。

Column 45　大学の研究者・技術者等の「10年特例」　　2013（平成25）年に成立した研究開発力強化法（現在の「科学技術・イノベーション創出の活性化に関する法律」）および大学教員任期法の改正により，大学・研究所等の研究者・技術者等で有期労働契約を締結している者については，労契法18条の無期契約転換権発生のための通算契約期間（5年）を「10年」とする特例が定められた。この「10年特例」の適用範囲について，大学の任期付きの非常勤講師や専任講師等のうちいかなる範囲の者にこの特例が適用されるかが問題となっている。裁判例として，大学講師には教育と研究を一体として行う者（教授・准教授に準ずる職務に従事する者，大学設置基準15条1号）と教育のみを担当する者（同条2号）とが存在し，前者は10年特例が適用される「研究者」（科学技術イノベーション創出活性化法15条の2第1項1号）にあたるが，教育のみを担当する後者はこれに該当しないとして，ドイツ語教育担当の非常勤講師への10年特例の適用を否定した（通算契約期間が5年を超えた同講師による無期転換申込権の行使を認めた）[80]もの，および，大学で介護福祉士養成のための実践的な授業（国家試験の受験対策）

---

78)　2023（令和5）年の雇止め告示（前掲58））改正により，使用者は，無期転換後の労働条件を決定するにあたり，就業の実態に応じて正社員等との均衡を考慮した事項（労契法3条2項参照）について，労働者に説明するよう努めなければならないとされた。

79)　2013年12月7日に成立した国家戦略特区法（附則2条）に基づき，政府は，一定の期間内に終了すると見込まれる事業の業務（高度の専門的な知識，技術，経験を必要とするものに限る）に就く労働者であって，有期労働契約を締結する者（その年収が常用労働者と比較して高水準と見込まれる者に限る）その他これに準ずる者（定年後継続雇用される高齢者）について，労契法18条の特例措置を講じるものとされ，これを受けて，労契法18条の特例措置を定める「専門的知識等を有する有期雇用労働者等に関する特別措置法」が，2014（平成26）年に制定された。本法により，①5年を超える一定の期間内に完了することが予定されている業務に就く高度専門的知識等を有する有期雇用労働者で年収が1075万円以上の者については，当該業務に就く期間（上限10年）は無期契約転換申込権が発生せず，また，②定年後に有期契約で継続雇用される高齢者については，定年後引き続き雇用されている期間は無期契約転換申込権が発生しないものとされる（8条）。この特例の適用を受けることを希望する事業主は，当該有期雇用労働者の特性に応じた雇用管理に関する措置を定めた計画（①については「第一種計画」，②については「第二種計画」と呼称）を作成して厚生労働大臣に提出し，その認定を受けなければならないものとされている（4条以下）。

80)　学校法人専修大学（無期転換）事件・東京高判令和4・7・6労判1273号19頁。

第4章　非正規労働者に関する法　　363

を担当していた専任講師について，大学教員任期法による 10 年特例が適用される「多様な人材の確保が特に求められる教育研究組織の職」（同法 4 条 1 項 1 号）や「特定の計画に基づき期間を定めて教育研究を行う職」（同項 3 号）に該当しないとして，10 年特例の適用を否定したものがある。[81] 実践的な教育を行うという側面が強い非常勤講師等について 10 年特例の適用を否定したこれらの裁判例は，両法の趣旨および文言に沿った解釈を示したものといえよう。

4 派遣労働者に関する法——労働者派遣法など

事例 83

多数の大学院生を抱える法学部 M 教授は，司法試験予備校や公務員試験予備校からの依頼を受けて，大学院生を予備校に派遣し労働法の授業の講師をさせている。派遣を受けた予備校は M 教授に対し 1 コマ 5 万円の報酬を支給しており，M 教授はそのうち 3 万円を講師をした大学院生に講師料として支払っている。差額の 2 万円は，紹介料として M 教授がプールしており，そこから大学院生たちに食事をおごってあげたりしているが，「労働条件実態調査」という名目で八重洲のクラブに行くお金に回したりもしている。M 教授のこのような行動に何か問題はあるか？

1 労働者供給の概念と法規制

労働者派遣の法規制は，労働者供給の法規制を出発点としたものである。

労働者供給とは，供給契約に基づいて労働者を他人の指揮命令を受けて労働に従事させることをいう（職安法 4 条 8 項参照）。このように，自分が抱える労働者を他人に供給して働かせることが自由に認められると，親方（いわゆる"Labor Boss"）などによる強制労働や中間搾取の危険が生じる。この危険を排除するため，職安法は，労働者供給事業を行うこと，および，労働者供給事業を行う者から供給される労働者を使用することを，懲役または罰金の罰則付きで禁止している（44 条，63 条，64 条 10 号）。[82]

---

81) 学校法人羽衣学園（羽衣国際大学）事件・大阪高判令和 5・1・18 労判 1285 号 18 頁。

82) なお，その例外として，労働組合等が厚生労働大臣の許可を受けた場合には，無料で労働者供給事業を行うことができるとされている（45 条）。労働組合による労働者供給に関する近時の裁判例として，供給先と労働者（組合員）との使用関係は労基法等が適用される特殊な労働契約関係であるとしつつ，供給契約の期間満了による雇用終了は有期労働契約の雇止めに相当するとして，労基法 20 条（解雇予告手当）の適用はないとしたもの（泰進交通事件・東京地判平成 19・

364　第 3 編　雇用関係法

この「労働者供給」の概念をめぐっては，まず，民法上の請負契約の一種として行われている「業務処理請負」はこれにあたらないのか（両者はどう区別されるのか）が問題となる。次の事例をみてみよう。

事例 84

ハナワ電器では，佐賀工場の生産ライン 5 本のうち比較的単純な作業からなるライン 3 本を外部の業者にまるごとアウトソーシングすることとし，複数の業者のうち従業員の質が一番高そうなツチヤスタッフ社に当該業務の処理を委託した。ハナワ電器は，外部委託したライン 3 本について，従来は年間約 5 億円（1 人あたり平均年間約 500 万円）の人件費を要していたが，外部委託によりその費用は約 4 億円に縮減された。ツチヤスタッフ社は，従業員 100 人を同工場に派遣して 3 本のライン業務にあたらせ，これらの従業員に対し時給 1250 円（年間約 250 万円）の報酬を支払っている。このような業務委託は適法か？　ツチヤスタッフ社から派遣された者に対し，ハナワ電器の従業員が指揮命令をしながら生産業務を行っている場合はどうか？

この **事例 84** のように，外部委託や業務処理請負という形で会社間で契約が締結され，ある会社（ここではツチヤスタッフ社）の従業員が他社（ハナワ電器）に派遣（供給）されて業務を遂行している場合，職安法が禁止した「労働者供給」にあたるのか，それともそれにはあたらない適法な請負契約かが問題となる。

この点について，職安則 4 条は次の 4 つの要件を明示し，かりに請負契約の形式がとられている場合でも，これらの要件をすべて満たさない限り，職安法が禁止する「労働者供給」事業にあたるとしている。すなわち，①作業の完成について事業主としてのすべての責任を負うこと，②労働者を自ら指揮監督すること，③使用者としての法律上の責任をすべて負うこと，④自ら提供する設備・材料等を使用しまたは専門的な技術・経験を要する作業を行うものであって，単に肉体的な労働力を提供するものでないこと，の 4 つである（同条 2 項）。[83]

11・16 労判 952 号 24 頁），供給先と労働者（組合員）との契約関係は雇用関係であり労契法・労基法が適用されるとしたうえで，本件雇止め（供給先が供給申込みをしないことで契約が期間満了終了となること）に労契法 19 条を適用して契約更新拒絶を違法としたもの（国際自動車（再雇用更新拒絶・仮処分第 1）事件・東京地決平成 28・8・9 労判 1149 号 5 頁）がある。

[83] この 4 つの要件を満たす場合であっても，それが職安法 44 条違反を免れるために故意に偽装されたものであって，その真の目的が労働力の供給にあるときには，「労働者供給」事業であること

第 4 章　非正規労働者に関する法　　**365**

このような状況のなか，1966（昭和41）年にアメリカのマンパワー社の日本法人（マンパワー・ジャパン）が設立され，事務処理業務等の外部委託を受ける事業が日本でも広がっていった。そこで問題となったのが，この新たなビジネスは職安法が禁止する労働者供給にあたらないか（特に②の要件を満たしていないのではないか）という点であった。このような問題が浮上するなかで，これを厳しく取り締まるか，労働者派遣事業という市場のニーズに応えて法制度を改正するかが議論され，1985（昭和60）年に，人材派遣業を「労働者派遣」事業として一定の法規制の下で適法化することとした「労働者派遣事業の適正な運営の確保及び派遣労働者の就業条件の整備等に関する法律」[84]（労働者派遣法）が制定されるに至った。ここで適法化された「労働者派遣」は，「自己の雇用する労働者を，当該雇用関係の下に，かつ，他人の指揮命令を受けて，当該他人のために労働に従事させること」と定義されるものである（2条1号）[85]。すなわち，「労働者供給」のうち，供給元（派遣元）と労働者の間に労働契約関係があり，供給先（派遣先）から指揮命令を受けている形態のものを「労働者派遣」として抜き出して，労働者派遣法の規制の下で適法化したのである[86]（**図表9**参照。**Column 46**）[87]。

Column 46 「偽装請負」問題　　「労働者派遣」と適法な「請負」は，指揮命令を受入企業がしているか送出企業がしているかという点で区別される。厚生労働省は，両者の区別について，具体的に，①業務遂行に関する指示・管理などを自ら行い，自己の雇用する労働者の労

を免れることができないとされている（職安則4条3項）。

84）　2012（平成24）年の同法改正により，同法の正式名称は，「労働者派遣事業の適正な運営の確保及び派遣労働者の保護等に関する法律」に改められた。

85）　この定義からは，「当該他人に対し当該労働者を当該他人に雇用させることを約してするもの」が除外されており（2条1号），受入企業とも労働契約関係が成立する出向（二重の労働契約関係）と，指揮命令権のみが受入企業に移転する労働者派遣とは，この点で区別されている。しかし，両者の区別は相対的なものであり，両者は明確には峻別できないことは，前述した通りである（p184 **Column 24**）。

86）　ベルコほか（代理店従業員・労働契約等）事件・札幌地判令和4・2・25労判1266号6頁は，被告会社の各代理店の雇用する原告労働者らが，被告会社が代理店に委託した葬儀施行業務に従事していたことにつき，各代理店は，自らが雇用する原告労働者らを当該雇用関係の下に，かつ，他人の指揮命令を受けて，当該他人のために葬儀施行業務にかかる労働に従事させたものとして，「労働者派遣」に該当するとした。

87）　同法制定に伴って，職安法上の「労働者供給」の定義から「労働者派遣」にあたるものが除外されるに至った（職安法4条8項）。「労働者派遣」の実態をもちつつ労働者派遣法の規制を満たしていないものは，以後，労働者派遣法違反として取り扱われることになった。

366　第3編　雇用関係法

図表9　業務処理請負・労働者供給・労働者派遣の概念図

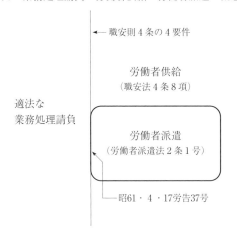

働力を自ら直接利用すること，②資金調達，法律上の責任，設備・材料等の準備などを自ら行い，請け負った業務を契約の相手方から独立して処理することといった基準を示し（昭61・4・17労告37号），これらの基準をすべて満たしていなければ，請負契約の形式がとられていても「労働者派遣」事業にあたる（同告示2条），また，これらの基準を満たす場合であっても，それが労働者派遣法違反を免れるために故意に偽装されたものであって，その真の目的が労働者派遣を行うことにあるときには，「労働者派遣」事業であることを免れることができないとしている（同告示3条）。「偽装請負」の問題は，このように実態は「労働者派遣」であるが，当事者間で「請負契約」との形式がとられている場合に，労働者派遣法違反の問題として生じる。

2　労働者派遣事業の規制

労働者派遣法は，制定以降，数次の改正を経て現行のものに至っている（p473 **1**）。ここでは，現行の法規制の内容を，労働者派遣事業の法規制（事業の適正化）と派遣労働者の保護（就業条件の整備）の2つの観点から要説する。また，近年問題となることが多い派遣労働者の契約の終了をめぐる問題についても概説する。

❶ 労働者派遣事業に対する規制

1 労働者派遣事業の許可制

1985（昭和60）年に労働者派遣法が制定されて以降，労働者派遣事業は，雇用する労働者の性格に応じて，許可制または届出制の下に置かれ，適格性のチェックを受けるものとされてきた。すなわち，労働者派遣事業のうち，派遣元に常時雇用される労働者（常用型派遣労働者）のみを派遣労働者とするものは「特定労働者派遣事業」として厚生労働大臣に届け出なければならず，登録型の派遣労働者など常時雇用以外の労働者も派遣するものは「一般労働者派遣事業」として厚生労働大臣の許可を得なければならないものとされてきた。

これに対し，2015（平成27）年の労働者派遣法改正は，特定労働者派遣事業と一般労働者派遣事業の区別を廃止し，すべての労働者派遣事業を許可制とすることとした。届出制の下，政府による規制や管理が十分に行き届かないなかで，法令に違反しながら労働者を派遣して働かせる悪質な実態がみられたことから，すべての労働者派遣事業を許可制の下に置き，労働者派遣事業の健全化を図ることとしたのである。

2 適用対象業務と派遣期間制限

労働者派遣事業は，法令上列挙された業務（港湾運送業務，建設業務，警備業務，医療関連業務（医師・歯科医師・薬剤師・看護師等））以外のすべての業務について行うことができる（ネガティブ・リスト方式。労働者派遣法4条1項，同法施行令1条，2条）。1999（平成11）年改正までは適用対象業務が26の専門的業務に限定される形でポジティブ・リスト方式がとられていたが，同改正により原則自由化され，さらに2003（平成15）年改正によって物の製造業務にも解禁された。

2015（平成27）年改正以前は，ソフトウェア開発，機械設計等の専門的26業務については派遣期間の制限なし，専門的26業務以外の業務（1999（平成11）年改正以降新たに認められたいわゆる自由化業務）については，同一業務への派遣期間を原則1年（派遣先事業所の過半数労働組合等の意見を聴取した場合3年まで延長可能）との期間制限を設けていた。

2015（平成27）年改正は，このような業務の種類による期間制限の区分を廃止し，派遣労働者が派遣元から期間の定めのある労働契約で雇用されているか

368　第3編　雇用関係法

否かで区分した新たな派遣期間の制限を設けることとした。すなわち，①派遣元に期間の定めのある労働契約で雇用されている派遣労働者（有期雇用派遣労働者）については，(a)派遣元が同一の派遣労働者を派遣先の同一の組織単位に継続して派遣できる期間は3年とする（労働者個人単位の派遣可能期間。労働者派遣法35条の3，40条の3），かつ，(b)派遣先が同一の事業所において労働者派遣を受け入れることができる期間は3年とし，派遣先がこれを超えて継続して労働者派遣を受け入れようとするときには，この延長のたびに（延長の上限期間はその都度3年），派遣先の過半数労働組合等から意見を聴取し，異議が述べられたときには延長の理由等を説明しなければならない（事業所単位の派遣可能期間。40条の2）とされた。これに対し，②派遣元に期間の定めのない労働契約で雇用されている派遣労働者（無期雇用派遣労働者）および雇用機会の確保が特に困難な派遣労働者であって雇用継続等を図る必要があると認められるもの（60歳以上の者）については，これらの期間制限はかからないものとされている（40条の2第1項1号，2号[88]）。以上のように，2015年改正では，無期雇用派遣労働者については期間制限をなくすことによって雇用の安定した無期雇用派遣の利用を促すこととし，また，有期雇用派遣労働者については労働者単位で同一の組織単位への派遣期間の上限を3年としつつ，派遣先が派遣労働者を入れ替えて3年を超えて労働者派遣を受け入れようとすること（それによって常用代替が進むおそれがあること）については派遣先の過半数労働組合等への意見聴取と誠実な説明という手続的なチェックを入れることとしたのである。これらの期間制限に違反して派遣労働者を受け入れている派遣先には，労働契約申込みのみなし規定（40条の6）が適用され，当該派遣労働者が希望（承諾）する場合には当該労働者を直接雇用する義務を負うことになる（p375(2)）。

　このほか，2012（平成24）年改正によって，雇用が不安定で，中間搾取等の弊害や雇用管理上の問題も生じやすい日雇派遣（日々または30日以内の期間を定

---

88)　この他，①事業の開始・転換・拡大・縮小・廃止のための業務で一定期間内に完了することが予定されているもの，②1か月間に業務が行われる日数が派遣先の通常の労働者の所定労働日数に比し相当程度少なく，かつ，厚生労働大臣の定める日数（10日）以下の業務（平15・12・25厚労告446号参照），③派遣先の労働者が産前産後休業や育児休業をする場合の代替業務，④派遣先の労働者が介護休業等をする場合の代替業務については，2015年改正以前から，労働者派遣の期間制限はないものとされている（40条の2第1項3号，4号，5号）。

第4章　非正規労働者に関する法　　369

めて雇用する労働者派遣）が，原則として禁止された（現行35条の4）[89]。また，グループ企業内への労働者派遣の割合を8割以下とすること（23条の2），離職した労働者を離職後1年以内に派遣労働者として受け入れることを禁止すること（現行40条の9，35条の5）も，2012年改正によって定められた。

3 紹介予定派遣の規制

労働者派遣事業を行う者が，同時に民間職業紹介事業の許可を受けまたは届出をした場合には，派遣終了後に派遣先に職業紹介をすることを予定する「紹介予定派遣」（ジョブ・サーチ型派遣。労働者派遣法2条4号）をすることができる。労働者派遣法に基づき厚生労働大臣が定めた指針（47条の12参照）[90]によると，紹介予定派遣の場合，派遣元は同一の派遣労働者を6か月を超えて派遣してはならず，派遣先も6か月を超えて受け入れてはならない。紹介予定派遣を行った派遣先が職業紹介を受けることを希望しない場合，または，職業紹介を受けた派遣労働者を雇用しなかった場合には，派遣元は，派遣労働者の求めに応じ，派遣先にその理由を明示することを求め，派遣先から明示された理由を派遣労働者に対して書面等で明示しなければならないとされている。また，紹介予定派遣の場合には，派遣先による派遣労働者の事前面接など派遣前に派遣労働者の特定を目的とする行為を行うことが，例外的に認められている（26条6項）。

2 派遣労働者の保護

1 就業条件等の明確化

労働者派遣の場合，労働契約を締結している使用者（派遣元）と指揮命令を

---

89) その例外として，①専門的業務のうち雇用管理に支障を及ぼすおそれのない業務（ソフトウェア開発，機械設計，事務用機器操作，通訳・翻訳・速記，秘書，ファイリング，調査，財務処理，取引文書作成，デモンストレーション，添乗，受付・案内，研究開発，事業の実施体制の企画・立案，書籍等の制作・編集，広告デザイン，OA インストラクション，セールスエンジニアの営業・金融商品の営業（いわゆる「17.5 業務」），②雇用機会の確保が特に困難と認められる労働者の雇用継続のために必要と認められる場合（60 歳以上の者，雇用保険の適用を受けない学生（いわゆる昼間学生），年収が 500 万円以上の者，世帯収入が 500 万円以上の主たる生計者以外の者）については，日雇派遣も適法とされている（労働者派遣法施行令 4 条参照）。

90) 「派遣元事業主が講ずべき措置に関する指針」（平 11・11・17 労告 137 号，最終改正令 4・3・25 厚労告 92 号），「派遣先が講ずべき措置に関する指針」（平 11・11・17 労告 138 号，最終改正令 2・10・9 厚労告 346 号），「日雇派遣労働者の雇用の安定等を図るために派遣元事業主及び派遣先が講ずべき措置に関する指針」（平 20・2・28 厚労告 36 号，最終改正令 2・10・9 厚労告 346 号）。

370　第3編　雇用関係法

する使用者（派遣先）が異なるため，就業条件が不明確になるおそれがある。そこで，労働者派遣法は，派遣元と派遣先の間の労働者派遣契約において，派遣労働者の人数，従事する業務の内容，就業の場所・組織単位，指揮命令者，派遣期間・就業日，安全衛生，苦情処理，労働者派遣契約解除にあたって雇用安定のために講じる措置，紹介予定派遣の場合はそれに関する事項など一定の事項を定めなければならないとしたうえで（26条1項），派遣元は，派遣労働者に就業条件等を明示しなければならないとしている（34条）。また，2018（平成30）年働き方改革関連法による労働者派遣法改正により，派遣元は，労働者を派遣労働者として雇い入れようとするときは，文書の交付等（労働者が希望する場合は電子メール等による送信の方法も可）により，特定事項（昇給・退職手当・賞与の有無，協定対象派遣労働者であるか否か，苦情処理に関する事項）を明示しなければならないとされた（31条の2第2項1号，同法施行規則25条の15・25条の16）。

2　派遣元・派遣先が講ずべき措置

(1)　有期雇用派遣労働者に対する雇用安定措置　2015（平成27）年改正は，派遣期間に関する規制を大きく見直したこと（p368 **2**）とあわせて，有期雇用派遣労働者の雇用の安定を図る措置をとることを派遣元に義務づけた。すなわち，有期雇用派遣労働者が派遣先の同一の組織単位の業務に3年間従事した場合，派遣元は，当該有期雇用派遣労働者に対し，①派遣先への直接雇用の依頼，②新たな派遣先での就業機会（その条件が合理的なものに限る）の提供，③派遣元での無期雇用（派遣労働者以外の労働者としての雇用）の機会の提供，④その他教育訓練であって雇用の安定に特に資すると認められる措置（厚生労働省令で定めるもの）のいずれかを講じなければならない（①については派遣先との直接雇用の実現によって講じたものとされる）とされている（労働者派遣法30条1項・2項，同法施行規則25条の2。派遣先の同一組織単位での就業が1年以上3年未満の有期雇用派遣労働者については努力義務）。厚生労働大臣は，この義務に違反する派遣元事業主に，指導・助言，指示を行うことができ（労働者派遣法48条1項・3項），この指示にも違反する場合には労働者派遣事業の許可を取り消すことができる（14条1項4号）。

(2)　教育訓練等の実施　派遣元事業主は，派遣労働者が段階的・体系的

に派遣就業に必要な技能・知識を習得できるように教育訓練を実施しなければならない。派遣労働者が無期雇用派遣労働者である場合には，その職業生活の全期間を通じて能力を有効に発揮できるよう配慮しなければならない（30条の2第1項）。また，派遣労働者が希望する場合には，キャリア・コンサルティングの機会の確保その他の援助を行わなければならない（同条2項）。派遣先は，派遣先に雇用される労働者に対して行う教育訓練につき，派遣元事業主の求めに応じ，派遣先で同種の業務に従事する派遣労働者に対してもこれを実施する等必要な措置を講じなければならない（40条2項）。

（3）　**派遣労働者の待遇の改善**　　2018（平成30）年の働き方改革関連法による労働者派遣法改正は，派遣労働者について，パート有期法の改正規定と同様に，派遣先の通常の労働者との差別的（不利益）取扱いの禁止（労働者派遣法30条の3第2項），不合理な待遇の禁止（同条1項，30条の4），均衡を考慮した賃金決定（30条の5），派遣先の福利厚生施設（給食施設，休憩室，更衣室）の利用機会の付与義務（40条3項），就業規則の作成・変更時の意見聴取（30条の6），待遇の相違の内容と理由等に関する事業主の説明義務（31条の2），行政による履行確保および行政ADR（47条の7以下）などの規定を定め，短時間・有期雇用労働者と同様の方法で派遣労働者の待遇改善を図っている。

なお，派遣労働者については，原則として，派遣先に雇用される正社員（通常の労働者）との間で不利益取扱いの禁止（30条の3第2項），不合理な待遇の禁止（同条1項）が求められている。しかし，このいわゆる「派遣先均等・均衡方式」を貫くと，派遣労働者がキャリアを蓄積して次の派遣先に移動した際に，派遣先の正社員の賃金が低くなった場合に派遣労働者の賃金が下がり，派遣労働者の段階的・体系的なキャリア形成の要請と整合しない事態を招くことになりかねない。そこで，派遣労働者については，派遣元事業主が，①賃金額が同種業務の一般労働者の平均的な賃金額（厚生労働省令で定めるもの）以上であること，②法定の教育訓練を実施し，職務内容・成果・能力等を公正に評価し，賃金を改善させること，③賃金以外の待遇について派遣元事業主の通常の労働者と不合理な待遇差を設けていないことなどの事項を定めた労使協定を締結し，それを実際に遵守・実施している場合に，労使協定による例外（いわゆる「労使協定方式」）を認めることとされている（30条の4）。

この労使協定方式による賃金額の最低基準となる一般の労働者の平均的な賃金額（①）は，派遣就業の場所の所在地を含む地域において同種業務に従事する一般の労働者であって，当該派遣労働者と同程度の能力・経験を有する者の平均的な賃金額とするものとされており（労働者派遣法施行規則25条の9），厚生労働省職業安定局長通知によって，賃金構造基本統計調査および職業安定業務統計の調査結果等をもとに，職種別に一般労働者の平均的な賃金額（職種別の一覧表，能力・経験調整指数，都道府県別・ハローワーク管轄別の地域指数）を毎年公表することとしている[91]。そこでは，基本給・賞与等を含む平均的な賃金額として，職種別に，賃金構造基本統計調査に基づく賃金額，職業安定業務統計による賃金額の2種類の額が時間給換算でそれぞれ示され（それぞれの賃金額には能力・経験調整指数を乗じた勤続1年目，2年目，3年目，5年目，10年目，20年目に相当する額も定められている），当該派遣労働者の職種，能力・経験，就業場所の所在地（地域の物価等を調整するために都道府県別またはハローワーク管轄別の地域指数のいずれかを乗じて調整する）を基準に，この2つの賃金額の少なくともいずれか以上の賃金額（基本給，賞与，諸手当を含んだ時間給換算額）としなければならないものとされている[92]。

原則（派遣先均等・均衡方式）と例外（労使協定方式）のどちらの方式をとっているのか，例外としての労使協定方式の場合その内容はどのようなものかを労働者が知りうるようにするために，当該労使協定を締結した派遣元事業主は，当該協定をその雇用する労働者（派遣労働者以外の労働者を含む）に周知しなければならないとされている（労働者派遣法30条の4第2項）。

派遣元事業主が派遣労働者の待遇改善を図ろうとするとき（特に派遣先均等・均衡方式をとる場合），派遣先の通常の労働者の待遇に関する情報をもっていなければ，派遣労働者の均等・均衡待遇を実現できない。そこで，2018（平成

---

91) 2024（令和6）年度用に公表されたものとして，令5・8・29職発0829第1号参照。

92) これに加えて，通勤手当については，ⓐ通勤にかかる実費の支給，または，ⓑ一般労働者の通勤手当相当額（時給換算で72円〔2024（令和6）年度〕）以上を定額等で支給のいずれか，退職金について，ⓐ標準的な最低勤続年数（3年）・支給月数（勤続年数ごとに定められたもの）を満たした退職手当制度の導入，ⓑ賃金に退職費用に相当する分（5%）を上乗せ支給，または，ⓒ中小企業退職金共済制度に給与の5%以上の掛金で加入の3つのうちのいずれか，を労使の話合いで選択してとることが求められている。

第4章　非正規労働者に関する法　　373

30) 年改正は，派遣先に対し，派遣先の通常の労働者の待遇に関する情報を派遣元事業主に提供することを義務づけた（労働者派遣法 26 条 7 項・10 項，同法施行規則 24 条の 4 第 1 号・24 条の 6）。派遣先がこの情報提供義務を履行しないときには，派遣元事業主は当該派遣先と労働者派遣契約を締結してはならないとされている（労働者派遣法 26 条 9 項）。[93]

このほか，派遣元事業主には，派遣料金と派遣労働者の賃金の差額の派遣料金に占める割合（いわゆるマージン率）等をインターネット等で公開すること（23 条 5 項），労働者派遣に関する料金の額（派遣料金）を派遣労働者に明示すること（34 条の 2）などが義務づけられている。

3　労働関係法規上の責任体制の確立

派遣労働者を雇用している使用者は派遣元であり，労働関係法規上使用者に課された義務・責任は，原則として派遣元が負う。もっとも，派遣労働者が実際に指揮命令を受けて労務を提供しているのは派遣先であるため，現実の就労や指揮命令にかかわる一定の義務・責任については，派遣先も法令上の責任を負うものとされている。具体的には，①労基法上の均等待遇（3 条），強制労働の禁止（5 条），徒弟等の酷使の禁止（69 条），労働安全衛生法上の安全衛生の確保等に関する諸規制，男女雇用機会均等法上の妊娠・出産保護（9 条 3 項，12 条，13 条 1 項）やセクハラ防止措置義務（11 条 1 項）などについては，派遣先も派遣元とともに使用者としての責任を負い，②労基法上の公民権行使の保障（7 条），労働時間・休日・休暇等に関する諸規制（32 条以下），[94]年少者・女性の労働時間・休日・深夜業・危険有害業務・坑内労働に関する諸規制（60 条以下，64 条の 2 以下），女性の育児時間・生理休暇に関する諸規制（67 条以下）については，現実の就労にかかわる規制であるため，派遣先のみが責任を負うものとされている（労働者派遣法 44 条以下）。[95]

---

93)　なお，労使協定方式がとられる場合には，派遣先が提供すべき情報は，派遣先が派遣労働者に実施すべき教育訓練の内容，派遣先が派遣労働者に付与すべき福利厚生施設（給食施設，休憩室，更衣室）の内容に関するものに限定される（労働者派遣法施行規則 24 条の 4 第 2 号）。

94)　もっとも，労働時間の枠組みを設定したり割増賃金を支払うのは派遣元であるため，フレックスタイム制（労基法 32 条の 3），変形労働時間制（32 条の 2，32 条の 4），時間外・休日労働（36 条），事業場外労働のみなし制（38 条の 2），専門業務型裁量労働制（38 条の 3）に係る就業規則や労使協定の整備，および，割増賃金の支払義務（37 条）は，派遣元がその責任を負うものとされている（労働者派遣法 44 条 2 項後段，5 項）。

374　　第 3 編　雇用関係法

4　派遣先による派遣労働者の直接雇用

(1)　派遣先による派遣労働者の雇用の促進　派遣先が同一の事業所で1年以上の期間継続して派遣労働者を受け入れているなかで，当該事業所において労働者の募集を行うときは，派遣先は，業務の内容，賃金，労働時間など当該募集に係る事項を当該派遣労働者に周知しなければならない（40条の5）。また，有期雇用派遣労働者について設定された3年の期間制限（労働者個人単位または派遣先事業所単位）を超えて派遣先が派遣労働者を受け入れている場合には，次に述べる労働契約申込みみなしという効果が発生する（下記(2)）。

なお，派遣元事業主は，派遣労働者または派遣先との間に，正当な理由なく，派遣労働者が派遣元との労働契約の終了後，派遣先と労働契約を締結することを禁止する旨の契約を締結してはならない（33条）。派遣労働者の職業選択の自由（憲法22条参照）を保障する趣旨の強行規定であり，これに反して派遣先との労働契約締結を禁止する合意がなされたとしても無効である[96]。

(2)　派遣先による労働契約申込みみなし

> **事例85**
>
> 　床敷物の製造販売等を目的とするボス社は，床材の製造業務等をブラザー社（ボス社とは独立して運営されている会社）に業務委託し，ブラザー社は自らが雇用する従業員（大谷さんら）をボス社の工場内での床材の製造業務に従事させている。ボス社の工場における床材製造工程では，当初は，ボス社とブラザー社の従業員が混在し，ボス社の熟練従業員がブラザー社の従業員に直接指示を与えていたが，そのことがコンプライアンス上問題視されたことから，両社の従業員が混在して業務に従事する状態は解消された。しかし，ブラザー社の従業員にボス社が業務遂行上の指示を出していること，ブラザー社の従業員の労働時間管理はボス社が行っていること，大谷さんらが製造工程で使用する原材料や製造機械はボス社が準備し調達していることは，以前と変わっていない。大谷さんは，ボス社に対し，ボス社と労働

---

95)　なお，派遣先は，派遣労働者の国籍，信条，性別，社会的身分，正当な組合活動をしたこと等を理由として，派遣元との労働者派遣契約を解除してはならないとされている（労働者派遣法27条）。労働者派遣契約の解除は派遣労働者の失職にもつながりかねないため，解雇に準じ差別的な事由による解除を禁止したものである。本条は強行規定としてこれに違反する解除を無効とし，これを理由とする派遣労働者の解雇も権利濫用として無効となる（労契法16条）ものと解される（トルコ航空ほか事件・東京地判平成24・12・5判時1068号32頁〔正当な組合活動を行ったことを理由とする労働者派遣契約の解除およびそれを前提とした派遣労働者の解雇を無効と判断〕）。

96)　ホクトエンジニアリング事件・東京地判平成9・11・26労時1646号106頁，バイオスほか（サハラシステムズ）事件・東京地判平成28・5・31労判1275号127頁。

契約を締結し直接雇用された地位にあることの確認を請求できるか？

　2012（平成24）年改正により，違法派遣の場合，派遣先が派遣労働者に労働契約の申込みをしたものとみなす規定が新設された。すなわち，派遣先が，①派遣禁止業務への労働者派遣の受入れ，②無許可の派遣業者からの労働者派遣の受入れ[97]，③派遣可能期間を超えた労働者派遣の受入れ，④偽装請負による労働者派遣の受入れに該当する行為のいずれかを行い，派遣先がその行為が違法であることを知りまたは知らなかったことに過失があるときには，派遣先は，当該派遣労働者に対し，その時点における労働条件と同一の労働条件を内容とする労働契約の申込みをしたものとみなすとされた（40条の6第1項）。これらのうち，偽装請負等による労働者派遣の受入れ（④）には，労働者派遣法等の適用を「免れる目的」で偽装請負を行っていたことが，条文上要件として付加されている（同項5号）。その趣旨は，労働者派遣の指揮命令と請負の注文者による指図等との区別は微妙な場合があることから，労働契約申込みみなしという民事的制裁を与えるにあたり，特に偽装請負等の目的という主観的要件を付加したものであると解される。この趣旨からすると，偽装請負等の状態が発生したというだけでは偽装請負等の目的があったと認めることはできないが，労働者派遣の役務提供を受ける者が偽装請負等の状態にあると主観的に認識していた場合，または，日常的かつ継続的に偽装請負等の状態を続けていた等の客観的事実により組織的に偽装請負等の目的で役務提供を受けていたと推認することができ，この推認を覆す特段の事情が認められない場合には，偽装請負等の目的があったと認めることができるものと解される[98]。

---

97)　前掲86) ベルコほか（代理店従業員・労働契約等）事件判決は，被告会社は，労働者派遣法所定の厚生労働大臣の許可を得ることなく労働者派遣の役務の提供を受けていた点で，労働者派遣法40条の6第1項2号の行為（無許可派遣業者からの労働者派遣受入れ）を行ったものとして，原告労働者らに対し労働契約の申込みをしたものとみなされるとした。

98)　東リ事件・大阪高判令和3・11・4労判1253号60頁〔 事例85 類似のケースで日常的・継続的に偽装請負等の状態を続けていたことから同号該当性を肯定し，派遣先との労働契約の成立を認めた。最三小決令和4・6・7判例集未登載による上告棄却・不受理決定により確定〕参照。このほか，同号該当性を肯定した裁判例として，日本貨物検数協会（日興サービス）事件・名古屋高判令和3・10・12労判1258号46頁〔ただし1年以内に労働者からの承諾の意思表示がなかったとして派遣先との労働契約の成立は否定（後掲99)）〕，同号該当性を否定した裁判例として，ハンプテイ商会ほか1社事件・東京地判令和2・6・11労判1233号26頁，竹中工務店ほか2社事

また，2015（平成27）年改正は，派遣期間制限のあり方を大きく改めたことに対応して，上記③の行為を，事業所単位の派遣可能期間（40条の2第1項）を超えた労働者派遣の受入れ（40条の6第1項3号），および，労働者個人単位の派遣可能期間（40条の3）を超えた労働者派遣の受入れ（40条の6第1項4号）に置き換えた。この労働契約の申込みは，これらの違法派遣行為が終了してから1年間は撤回できないものとされている（40条の6第2項[99]）。この労働契約申込みみなしに対して，当該派遣労働者が承諾の意思表示をした場合には，派遣先と当該労働者との間に当該労働者派遣に係る労働条件と同一の内容の労働契約が成立し，当該労働者は派遣先に対して労働契約上の権利を有する地位確認請求をすることができることとなる。

　厚生労働大臣は，派遣先または派遣労働者の求めに応じて，上記の違法派遣行為に該当するか否かについて助言をすることができ（40条の8第1項），派遣労働者が労働契約申込みみなしに対し承諾の意思表示をしたにもかかわらず，派遣先が当該労働者を就労させない場合には，派遣先に対し助言，指導，勧告を行い，勧告に従わないときには企業名の公表をすることができるとされている（同条2項，3項）。

❸　派遣労働者の契約の終了

　派遣労働者には，派遣元に期間の定めなく雇用されている無期雇用派遣労働者と，期間を定めて雇用されている有期雇用派遣労働者の2種類がある。両者では，契約終了をめぐる法律関係が異なってくる。

1　無期雇用派遣労働者の契約の終了

　無期雇用派遣労働者については，派遣元が派遣労働者との労働契約を一方的に解約（解雇）する場合，一般の労働者と同様に，解雇に関する規制・法理（p207 **1**）が適用されることになる。例えば，派遣会社に期間の定めなく雇用されている派遣労働者について，派遣先が派遣労働者の受入れを拒否したとい

　　件・大阪高判令和5・4・20労判1295号5頁がある。

99）　前掲98）日本貨物検数協会（日興サービス）事件判決〔労働者派遣法等の適用を免れる目的で業務委託契約を締結し労働者派遣の役務の提供を受けていた（同条1項5号）ことに該当し，労働契約申込みみなしの効力は発生していたが，1年の法定期間内に労働者からの承諾の意思表示がなかったとして，派遣先との労働契約の成立を否定〕。

第4章　非正規労働者に関する法　　377

うだけでは解雇に客観的に合理的な理由があるとは認められず，解雇は権利の濫用として無効とされる[100]。また，ある会社への派遣が終了し他に派遣する会社がみつからないことを理由に派遣労働者を解雇する場合，整理解雇の法理（p216 (2)）が適用され，解雇回避努力を尽くしたか，適切な手続をとったかなどの事情を考慮して，解雇の適法性が判断されることになる[101]。

2 有期雇用派遣労働者の契約の終了

有期雇用派遣労働者とは，派遣元から期間の定めのある労働契約によって雇用されている労働者をいい，一般には，派遣元との労働契約は派遣先に派遣される期間のみ成立している（派遣先への派遣期間が終了すると派遣元との労働契約も同時に終了する）ものとされていることが多い。例えば，有期雇用派遣労働者が派遣先に 6 か月の期間で派遣される場合，派遣元と派遣労働者の間の労働契約もこれと同じ 6 か月の有期労働契約とされるのが一般的である（2015（平成27）年法改正前はこのような形態を「登録型派遣」と呼んでいた）。この有期雇用派遣労働者の契約終了をめぐる問題は，①派遣先への派遣期間の途中で派遣が終了する場合と，②派遣期間の満了によって派遣が終了する場合の 2 つの事案に分けられる。

前者（①）については，派遣期間として合意されていた期間に残りがあり，その期間はなお派遣元との間に労働契約が存続しているものと解されるため[102]，期間途中での派遣終了による就労不能につき使用者（派遣元）に責めに帰すべき事由（労基法 26 条または民法 536 条 2 項）がある場合には，派遣元は残りの期間につき平均賃金の 6 割の休業手当または賃金の全額[103]を労働者に支払うべき義

---

100) ラポール・サービス事件・名古屋高判平成 19・11・16 労判 978 号 87 頁。

101) ジョブアクセスほか事件・東京高判平成 22・12・15 労判 1019 号 5 頁，シーテック事件・横浜地判平成 24・3・29 労判 1056 号 81 頁など。

102) 期間途中での解約（解雇）にやむを得ない事由（労契法 17 条 1 項。p352 *1* ）がある場合を除く。期間途中で派遣労働者を解雇することに「やむを得ない事由」があったとはいえないとして残りの期間の賃金請求権を認めた裁判例として，前掲 41) プレミアライン（仮処分）事件決定，アウトソーシング事件・津地判平成 22・11・5 労判 1016 号 5 頁などがある。

103) 三都企画建設事件・大阪地判平成 18・1・6 労判 913 号 49 頁〔登録型派遣労働者が派遣期間途中で派遣先から就労を拒否され，派遣元は代わりの労働者を派遣した事案で，労働者の休業は派遣元の帰責事由によるもの（労基法 26 条）として，派遣元に派遣予定期間終了日まで平均賃金の 6 割（休業手当）の支払いを命令〕。

104) 浜野マネキン紹介所事件・東京地判平成 20・9・9 労経速 2025 号 21 頁〔派遣期間の途中で派

378 第 3 編 雇用関係法

務を負う（p254 (2)）。2012（平成24）年労働者派遣法改正により，労働者派遣契約の中途解除によって派遣労働者の雇用が失われることを防ぐため，派遣先の都合により労働者派遣契約を解除する場合には，派遣労働者の新たな就業機会の確保，休業手当などの支払いに要する費用の負担などの措置をとることが，派遣先に義務づけられた（29条の2）[105]。

　後者（②）の事案では，派遣期間の満了によって派遣元との労働契約も原則として終了することになるが，この場合に，期間の定めのある労働契約の期間満了による終了（雇止め）に関する判例法理（p354 **2**。労契法19条）が適用されうるのかが解釈上問題となりうる。この点を結論として否定した裁判例もあるが[106]，雇止め法理の理論的根拠である信義則による契約の補充的・修正的解釈の要請は，直接雇用の労働契約のみならず，労働者派遣における労働契約にも同様に及びうるものであることからすると，当該労働契約関係において労働者の更新の期待に合理性があると認められる場合には雇止め法理（労契法19条）を適用し，当該関係の実態に即した正義・公平の実現を図るべきである[107]。

　なお，労働者派遣の形態がとられていたとしても，法人格否認の法理により

遣先とのトラブルを理由に派遣先で就労できなくなった派遣労働者につき，同労働者の就労不能は他の就労先を探して提供できなかった派遣元の帰責事由によるものとして残りの期間の賃金請求権を肯定〕。

[105]　派遣先が労働者派遣契約を中途解約し派遣労働者が派遣元から解雇された事案で，派遣先による中途解約は派遣労働者の雇用の維持・安定に対する合理的期待を損なわないようにするとの信義則上の配慮を欠いたものであるとして，派遣労働者による派遣先への不法行為損害賠償請求を認めた裁判例（三菱電機事件・名古屋高判平成25・1・25労判1084号63頁）や，派遣先による正当な理由のない派遣労働者の交代要請について，交代条項に基づく権限を濫用したもので違法であるとして，派遣労働者が職場と収入を失ったことについて派遣先に損害賠償を命じた裁判例（国（神戸刑務所・管理栄養士）事件・大阪高判平成25・1・16労判1080号73頁）もある。

[106]　伊予銀行・いよぎんスタッフサービス事件・高松高判平成18・5・18労判921号33頁。この判決は，最高裁の上告不受理決定（最二小決平成21・3・27労判991号14頁）によって支持されたが，同決定の今井功判事反対意見は，「派遣労働者であっても雇止めの法理が適用される場合があり得る」と説示し，本件がそのような場合にあたるのか，更新拒絶について合理的な理由があったのかを判断しなければならないとした。

[107]　派遣元との3か月の有期労働契約を5回更新し1年6か月にわたり派遣先に派遣されていた派遣労働者の勤務態度不良等を理由とする雇止めにつき，雇止め法理（労契法19条）を適用し，契約更新の期待に合理的理由がある（同条2号）としたうえで，本件雇止めに客観的合理性・社会的相当性は認められないとして労働契約上の権利を有する地位確認請求等を認容した裁判例として，スタッフマーケティング事件・東京地判令和3・7・6労経速2465号31頁がある（ただし，労働者派遣の事案だったのか，派遣会社との直接雇用契約で就労場所が派遣先であった事案だったのかは，判決文からは明らかでない）。

派遣元の法人格が否認されるべき場合や，派遣先と派遣労働者の間に黙示の労働契約の成立が認められる場合には，派遣先に直接労働契約上の責任を追及することができることは，前述した通りである（p62 **_1_**）。

5 フリーランスに関する法 —— フリーランス保護法など

_1_ フリーランスの増加とこれまでの法的対応

　企業が「労働者」ではなく「個人事業主」等と位置づけて業務委託契約等の形式でサービスの提供を受けるフリーランス等の「非雇用型」の就業形態が広がっている。[108] また，「第4次産業革命」や「Society5.0」とも呼ばれるデジタル化の急速な進展に伴い，デジタルプラットフォームを通じて仕事を行うプラットフォーム就業者（そのなかには個人業務委託などフリーランスの形態で就業する者も多い）が世界的に増加していることが，フリーランスの拡大の動きなどを加速させている。

　このようなフリーランスの広がりに対して，これまでの労働法は，その実態が「労働者」にあたる場合には労働法の適用（p51 **1**），「労働者」にあたらない場合でも労災保険法上の特別加入制度（p299 **1**）や法の趣旨に基づく判例法理の適用（p310 **2** など）等によって個別に対応してきた。

　しかし，フリーランスという働き方の広がりと重要性に照らし，総合的・包括的な対応をとることが政策的な課題として浮上した。

_2_ フリーランス保護法の制定

　このような状況のなか，政府は，2021（令和3）年3月に，いわゆる「フリーランス・ガイドライン」（「フリーランスとして安心して働ける環境を整備するためのガイドライン」）を策定し，フリーランスに対する独占禁止法，下請法，労

108）　内閣官房日本経済再生総合事務局が2020（令和2）年2月〜3月に実施した「フリーランス実態調査」によると，フリーランス（①自分で事業等を営んでいる，②従業員を雇用していない，③実店舗をもたない，④農林漁業従事者ではない者〔法人の経営者を含む〕）は462万人（本業214万人，副業248万人）と試算されている。

380　第3編　雇用関係法

働関係法令の適用関係の整理・明確化を図った。

さらに，政府は，2023（令和5）年の通常国会に「特定受託事業者に係る取引の適正化等に関する法律」案（いわゆる「フリーランス保護法」案）を提出し，同年4月に同法案は成立した。

このフリーランス保護法は，①適用対象となるフリーランスについて，業務委託を受ける個人事業者で従業員を使用しないもの，または，業務委託を受ける法人で代表者以外の役員や従業員がいないものを「特定受託事業者」（2条1項），当該個人または法人代表者を「特定受託業務従事者」（同条2項）と定義し，これに該当する者に業務委託をする事業者（個人および法人）であって従業員を使用するもの（「特定業務委託事業者」〔同条6項〕）に対して，②経済法の観点から「取引の適正化」（1条）を図る措置として，ⓐ給付の内容，報酬の額等の書面（または電磁的方法）による明示[109]（3条），ⓑ給付の受領日から60日以内の報酬支払い（4条），ⓒ優越的地位の濫用にあたる行為（フリーランスに帰責事由のない受領拒否・報酬減額・返品，著しく低い報酬額の不当な定め，正当理由のない物の購入・役務の利用の強制，不当な経済上の利益の提供要請，フリーランスに帰責事由のない内容変更・やり直し要請）の禁止（5条），および，③労働法の観点から「就業環境の整備」（1条）を図る措置として，ⓓ募集情報の的確な表示（虚偽の表示等の禁止と正確・最新情報の保持）（12条），ⓔ妊娠出産・育児介護に対する必要な配慮（13条），ⓕハラスメント行為に対する必要な体制の整備（14条），ⓖ継続的業務委託契約の中途解除・不更新の30日前の予告（16条）を，それぞれ義務づけている。また，④これらの規定への違反行為に対して，公正取引委員会，中小企業庁長官および厚生労働大臣は，助言，指導，報告徴収・立入検査，勧告，公表，命令をすることができ（6条〜11条，17条〜20条，22条），国は，フリーランスへの相談対応など必要な体制の整備等の措置を講じるもの（21条）とされている（公布日〔2023（令和5）年5月12日〕から1年6か月以内の政令で定める日から施行）。

このように，フリーランス保護法は，2021（令和3）年に策定されたフリーランス・ガイドラインの内容を一部補充しながら，その法的根拠を「法律」に

---

109) この契約条件の明示（3条）については，業務委託をする事業者で従業員を使用していないもの（これも含めて「業務委託事業者」と定義されている〔2条5項〕）にも同様に課されている。

第4章　非正規労働者に関する法　381

格上げするとともに，違反行為に対する公表や命令等を含む実効性確保措置を
定めて，法的ルールの明確性と実効性を高めようとするものである。[110]

---

110) 欧米諸国のプラットフォーム就業者に対する保護政策の展開と課題については，荒木尚志「プ
ラットフォームワーカーの法的保護の総論的考察」ジュリスト1572号14頁以下（2022），笠木
映里「プラットフォームワーカーへの社会保障」ジュリスト1572号23頁以下（2022），石田信
平＝竹内（奥野）寿＝橋本陽子＝水町勇一郎『デジタルプラットフォームと労働法——労働者概
念の生成と展開』（東京大学出版会，2022）など，AI・アルゴリズムによる監視社会の到来をめ
ぐる労働法上の課題については，水町勇一郎「アルゴリズムと労働法」和田肇先生古稀記念論集
『労働法の正義を求めて』869頁以下（日本評論社，2023）など参照。

第3編

第5章　高齢者・障害者・外国人に関する法

　年齢，障害の有無，国籍等にかかわりなく意欲と能力に応じて活躍できる社会を実現し，労働者の能力発揮・自立と企業の成長を促すという観点から，高齢者，障害者，外国人等の雇用の安定と促進を図ることが重要な政策課題となっている。

1　高齢者に関する法──高年齢者雇用安定法など

1　定　年　制

　定年制とは，労働者が一定の年齢に到達することにより労働契約を終了させる制度をいう。定年制には，定年年齢到達時に使用者が解雇の意思表示をする「定年解雇制」と，定年年齢到達により自動的に労働契約が終了する「定年退職制」とがある。前者については，解雇の一種として，予告期間（労基法20条）など労基法上の解雇規制の適用を受けることになる。後者については，就業規則などの規定を通してそれが労働契約の内容となっており，一種の合意解約といえる。

　判例は，定年制について，企業の人事刷新など企業組織・運営の適正化のために行われるものであり，一般的に不合理な制度とはいえないとし，その法的[1]効力を承認している。しかし，定年制には，①少子高齢化のなかで高齢者の活用を促すべき政策的要請に反する，②「年齢」によるステレオタイプな差別であり労働者個人の意欲や能力に従って平等に取り扱うべき法的要請に反するという批判もある[2]。

1）　秋北バス事件・最大判昭和43・12・25民集22巻13号3459頁（#20），アール・エフ・ラジオ日本事件・東京高判平成8・8・26労判701号12頁など。

2 高年齢者雇用安定法

　現在の日本の法政策は，定年制の存在を前提としつつ，それを超えて高齢者
の継続雇用を促していく方向で展開されている。

■1 65歳までの高年齢者雇用確保措置

　高年齢者雇用安定法は，事業主に，定年年齢を定める場合には60歳以上と
することを義務づけ（8条）[3]，さらに，65歳からの年金支給開始に対応するため，
65歳までの高年齢者雇用確保措置（①定年の引上げ，②継続雇用制度の導入，③定
年制の廃止のいずれか）をとることを義務づけている（9条1項）。この3つの措
置のうち，最も多くとられているのは60歳定年から65歳までの継続雇用制度
（②）である。この制度をめぐり，2012（平成24）年の高年齢者雇用安定法改正
は，従来は可能とされていた継続雇用制度の対象となる高年齢者を労使協定の
定める基準によって限定できる仕組みを廃止し，継続雇用を希望する労働者全
員を継続雇用することを事業主に原則として義務づけた。[4] [5]

　この選択的措置義務の1つとしての65歳までの継続雇用制度（②）をめぐ
っては，第1に，これを義務づけた高年齢者雇用安定法9条に私法上の効力が
認められるか（導入された継続雇用制度が同条に違反するものであった場合，同条に
より継続雇用契約の成立という法的効果が発生するか），第2に，（同条に私法上の効
力が認められないとしても）それ以外の根拠によって継続雇用契約の成立を認め
ることができるかが争点とされてきた。第1の点については，同条の定めの抽

2）　欧米諸国の年齢差別禁止法理を比較法的見地から考察した論考として，柳澤武『雇用における
　　年齢差別の法理』（成文堂，2006），櫻庭涼子『年齢差別禁止の法理』（信山社，2008）参照。

3）　牛根漁業協同組合事件・福岡高宮崎支判平成17・11・30労判953号71頁は，本条（当時4条）
　　に反して60歳未満の定年制を定めた就業規則等の規定は私法上無効となり，定年制の定めのない
　　状態が生じたものと解するのが相当であるとした。

4）　2012（平成24）年改正は，同時に，継続雇用制度の対象となる高年齢者が雇用される企業の範
　　囲を，過半数の議決権をもつ子会社および20%以上の議決権をもつ関連会社等まで拡大し，企業
　　グループ内で広く継続雇用を制度化することを可能とすることとした（9条2項，高年齢者雇用
　　安定法施行規則4条の3等参照）。

5）　この労使協定による限定の仕組みの廃止は，老齢厚生年金（比例報酬部分）の支給開始年齢の
　　引上げにあわせて，2013（平成25）年4月の61歳から2025（令和7）年4月の65歳まで，12年
　　間かけて段階的に実施されている（改正法附則3項）。

384　第3編　雇用関係法

象性や行政取締法規としての性格から私法上の効力を否定する裁判例が多い[6]。

第2の点について，最高裁は，継続雇用基準を満たしている労働者については，雇用継続の期待に合理的な理由が認められ，また本件ではこの労働者を継続雇用することなく雇用終了とすることに客観的に合理的で社会通念上相当といえる事情も認められないとして，雇止め法理（p354 *2*）を援用しつつ，継続雇用されたのと同様の雇用関係が存続しているとみるのが相当であると判示し，その契約内容については本件継続雇用規程の定めに従うことになると解釈した[7]。理論的には，判例法理としての雇止め法理（労契法19条参照）と同様に解雇権濫用法理（同法16条）を類推適用しつつ，継続雇用契約の内容については事案に即した契約の補充的解釈を行ったものと位置づけることができる。この理論的枠組みは，2012（平成24）年改正高年齢者雇用安定法の適用下（継続雇用を希望する労働者を継続雇用しない事案）においても同様に妥当しうるものといえる[8]。

2 70歳までの高年齢者就業確保措置

2020（令和2）年高年齢者雇用安定法改正は，70歳までの就業機会の確保を図る目的で，65歳から70歳までの高年齢者就業確保措置を講じることを事業主の努力義務とした[9]（2021（令和3）年4月施行）。この65歳以上の「就業」確

6）　NTT西日本（高齢者雇用・第1）事件・大阪高判平成21・11・27労判1004号112頁，NTT東日本事件・東京高判平成22・12・22判時2126号133頁，京王電鉄ほか1社事件・東京高判令和元・10・24労判1244号118頁など。

7）　津田電気計器事件・最一小判平成24・11・29労判1064号13頁。

8）　2012（平成24）年改正法下で，使用者が継続雇用を希望する労働者を継続雇用しない場合には，解雇を正当化する客観的合理性・社会的相当性（労契法16条）に相当する理由（p213(1)）が必要であると解されている（高年齢者雇用確保措置の実施及び運用に関する指針〔平24・11・9厚労告560号〕第2の2参照）。裁判例として，エボニック・ジャパン事件・東京地判平成30・6・12労判1205号65頁，ヤマサン食品工業事件・富山地判令和4・7・20労判1273号5頁参照。事例48（p213）の鴬谷さんについても，解雇を正当化する客観的合理性・社会的相当性に相当する理由がない限り継続雇用の対象外とすることは認められず（労働法16条の類推適用），継続雇用されたものと同様の労働契約関係が存在しているもの（信義則に基づく労働契約の補充的解釈）と解される。

9）　具体的には，事業主は，①定年の引上げ，②65歳以上の継続雇用制度，③定年の定めの廃止の措置（同法10条の2第1項本文），または，過半数労働組合（それがない場合は過半数代表者）の同意を得て，④当該高年齢者の希望により，新事業を始める高年齢者（創業高年齢者等）と事業主との間で業務委託契約（事業主が当該高年齢者に金銭を支払うものに限る）を締結し，就業を確保する措置，⑤当該高年齢者の希望により，㋐事業主が実施する社会貢献事業，㋑事業主が委託して他の団体等が実施する社会貢献事業，㋒事業主が必要な資金提供等の援助を行い他の団

第5章　高齢者・障害者・外国人に関する法　385

保措置は，65歳までの「雇用」確保措置とは異なり，起業，有償ボランティア等を含むより柔軟な形態での「就業」確保に努めるよう求めている点に特徴がある。

　近時，大学教員など定年年齢を65歳としそれ以降の継続雇用（再雇用）制度がとられているケースで，定年時に継続雇用拒否がなされその違法性が争われる事件も増えている。裁判例は，①雇止め法理（労契法19条）の類推適用の枠組みで継続雇用の合理的期待の有無を判断するものと，②定年延長拒否は無期[10]労働契約から有期労働契約への変更の問題であり労契法19条の類推適用の基礎を欠くとするものとに分かれている。雇止め法理（労契法19条）の根底にある信義則（継続的な労働契約関係における信頼保護）の要請からすると，定年後再[11]雇用の期待に合理性が認められる場合には再雇用拒否に客観的合理性・社会的相当性がない限り再雇用されたものと同様の法律関係となるとする前者（①）が，最高裁津田電気計器事件判決（前掲注7））と理論的に整合的なものと解される。

３　継続雇用制度下の待遇

> **事例 86**
>
> 　60歳定年後，有期労働契約での再雇用にあたり，使用者が次のような対応をすることは違法か？
>
> 　①職務内容等の変更はなく，基本給を約55%，賞与を約60%引き下げること（ 事例81 の⑦参照）。
>
> 　②定年前は総合職として事務職に従事していた労働者に，定年前とは全く異なる清掃等の業務に従事することを提案すること。
>
> 　③労働者がフルタイムでの再雇用を希望しているにもかかわらず，労働時間を約

　　体が実施する社会貢献事業について，当該事業の実施者が当該高齢者との間で業務委託契約（当該事業実施者が当該高年齢者に金銭を提供するものに限る）を締結し，就業を確保する措置（④と⑤を合わせて「創業支援等措置」という。同項ただし書，同条2項）を講じることにより，65歳から70歳までの安定した雇用または就業を確保するよう努めなければならないとされた。

10)　学校法人尚美学園（大学専任教員A・再雇用拒否）事件・東京高判平成29・3・9労判1180号89頁〔結論適法〕，学校法人南山学園（南山大学）事件・名古屋高判令和2・1・23労判1224号98頁〔結論違法〕など。

11)　学校法人尚美学園（大学専任教員B・再雇用拒否）事件・東京高判平成29・9・28判例集未登載，同志社（大学院教授B・定年延長拒否）事件・大阪高判平成30・6・14判例集未登載など。

386　第3編　雇用関係法

45% 減少，時間当たり賃金を約 55% 減少させ，賃金（月収）が約 75% 減少となる提案に終始すること。

　60 歳以降の継続雇用制度の下での処遇については，60 歳以前よりも大きく引き下げる例（例えば 60 歳定年前の 6 割程度とする）がこれまで多くみられた。しかし，従前と職務内容や職務内容・配置の変更の範囲が大きく変わっていないのに，継続雇用制度の下で期間の定めのある契約形態（1 年の再雇用契約・嘱託契約の更新等）とし，基本給などに大きな差異を設けることは，不合理な待遇の相違として違法・無効とされる可能性がある（パート有期法 8 条。p344 **2**）。他方で，待遇の相違を正当化するために，従前の職務・キャリアとは全く関係のない職務内容とし，それまでに培った能力・経験を十分に活かせない配置を行うことは，労働者のやりがい・能力活用という観点からも，企業の生産性・付加価値の向上という観点からも，望ましいものではない。これらの点を勘案し，60 歳以降も労働者の能力を活かした配置と処遇を可能としていくために，60 歳前後を含む中高年齢層の賃金カーブをなだらかなものとする等の人事労務管理制度の改革を進めていくことが求められる。

　判例・裁判例としては，定年後再雇用に移行後の待遇の不合理性が争われた長澤運輸事件判決や名古屋自動車学校（再雇用）事件（ **事例86** の①＝ **事例81** の⑦類似のケース。p346 **2**）などのほか，使用者の提案の内容自体の違法性が問題とされた（再雇用には移行していない）ケースで， **事例86** の②のような使用者の提案は社会通念上労働者にとって到底受け入れ難いものであり，実質的に改正高年齢者雇用安定法の趣旨に明らかに反する違法なものであるとしたもの[12]，定年後継続雇用制度では定年前後での労働条件の継続性・連続性が一定程度確保されることが前提・原則となるところ， **事例86** の③のような使用者の対応に合理的理由があるとは認められず，同制度の趣旨に反する不法行為が成立するとしたもの[13]がある。

---

12)　トヨタ自動車ほか事件・名古屋高判平成 28・9・28 労判 1146 号 22 頁〔1 年分の賃金給付見込額に相当する慰謝料の支払いを命令〕。

13)　九州惣菜事件・福岡高判平成 29・9・7 労判 1167 号 49 頁（#79）〔慰謝料 100 万円の支払いを命令〕。これに対し，関連業務（音響機器の設計・開発業務）を引き続き行いたいという労働者の希望には沿えないことを使用者が予め労働者に説明したうえで，別業務（人事総務関係業務）で

第 5 章　高齢者・障害者・外国人に関する法　　**387**

2 障害者に関する法——障害者雇用促進法など

　2013（平成25）年に障害者雇用促進法が改正された。そこでは，①2006年に国連で採択された障害者権利条約を日本も批准するために必要な対応として，雇用の分野における障害者差別の禁止，および，障害者の職場での支障を改善するための事業主による合理的配慮の提供義務が定められ（**1**），また，②近年増加している精神障害者を法定雇用率制度のなかに位置づけ，精神障害者の雇用を法的に促進していくこと（**2**）が定められた。

1 障害者差別の禁止と合理的配慮義務

　障害者雇用促進法は，事業主に，労働者の募集・採用について，障害者に対して障害者でない者と均等な機会を与えること（34条），および，賃金，教育訓練，福利厚生施設の利用その他の待遇について，障害者であることを理由として障害者でない者と不当な差別的取扱いをしないこと（35条）を義務づけている。例えば，障害者であることを理由として採用を拒否すること，低い賃金を設定すること，研修を受けさせないこと，食堂の利用を認めないことなどが，ここで禁止された差別に該当しうる。

　同法は，これに加え，事業主に，労働者の募集・採用，および，雇用した障害者について，障害の特性に配慮した必要な措置（合理的配慮）を講じることを義務づけている（36条の2〔募集・採用については障害者からの申出による〕，36条の3）。募集・採用にあたって採用試験の問題用紙を点訳・音訳すること，車いす利用者に合わせて机や作業台の高さを調整すること，知的障害者に合わせて分かりやすい文書・絵図を用いて説明すること，通勤ラッシュを避けるため勤務時間を変更することなどが，その例としてあげられる。ただし，事業主に対して過重な負担を及ぼすときは，これらの措置を講じる義務を負わない（36条の2ただし書，36条の3ただし書）。

　再雇用する提案をしたことは，客観的に不合理ではなく，労働者がこれを拒否して再雇用に至らなかったことに使用者の不法行為があったとはいえないとした裁判例（アルパイン事件・東京地判令和元・5・21労判1235号88頁）もある。

388　第3編　雇用関係法

厚生労働大臣は，差別禁止と合理的配慮の具体的な内容について，指針（「障害者差別禁止指針」，「合理的配慮指針」）を定めている（36条，36条の5）。また，これらの規定に関する紛争について，事業所内の苦情処理機関等での自主的な解決を図るよう努めることが事業主に求められ（74条の4），行政による紛争解決援助として，都道府県労働局長による助言，指導，勧告（74条の6）や都道府県労働局の紛争調整委員会による調停（74条の7以下）が行われる。

　なお，これらの差別禁止，合理的配慮義務規定に違反した場合の私法上の効果（裁判上違法・無効として権利を実現できるか）について，障害者雇用促進法は何ら規定を置いておらず，裁判所による私法の一般規定（民法90条，709条等）の解釈に委ねられている。この点につき，差別禁止および合理的配慮義務規定の人権保障規定としての性格およびその社会的重要性からすれば，これらに違反する使用者の行為は公序違反または不法行為として法律行為の無効確認や損害賠償請求の対象となると解すべきであろう。改正法制定前の裁判例として，身体障害者の勤務にあたり，使用者が適切な勤務配慮を行わないことが法の下の平等（憲法14条）の趣旨に反するものとして公序ないし信義則に違反する場合がありうるとし，この公序・信義則違反性は勤務配慮を行う必要性・相当性，会社にとっての負担の程度を総合考慮して判断されるとしたものがある。[14]

2 法定雇用率制度

　障害者雇用促進法は，一定比率以上の障害者の雇用を義務づけ（37条，43条以下），それを達成していない事業主（常用労働者が101人以上の事業主）から，未達成1人につき月5万円の障害者雇用納付金を徴収することとしている（53条以下）。この法定雇用率は，2013（平成25）年改正前は身体障害者および知的障害者を基礎として算定され，一般事業主については2.0パーセント，国・地方公共団体・特殊法人については2.3パーセントとされていたが，2013年改正により，算定基礎に新たに精神障害者（精神障害者保健福祉手帳の交付を受けてい

---

14)　阪神バス（勤務配慮）事件・神戸地尼崎支決平成24・4・9労判1054号38頁〔身体障害をもつバス運転士に勤務配慮を行わないことを違法と判断〕。近時の裁判例として，ネオユニットほか事件・札幌高判令和3・4・28労判1254号28頁〔就労継続支援A型（雇用型）事業所の閉鎖に伴う知的障害・精神障害を有する利用者の整理解雇につき，障害の特性等を踏まえた丁寧な説明や再就職に対する配慮がなく解雇回避努力が尽くされていない等として無効〕も参照。

第5章　高齢者・障害者・外国人に関する法　**389**

る者に限る）が加えられた（37 条以下）。2023（令和 5）年 4 月以降の法定雇用率について，政令（2023（令和 5）年改正）は，一般事業主については 2.7％，国・地方公共団体，特殊法人等については 3.0％（教育委員会は 2.9％）とすることとした。[15]

3 外国人に関する法——入管法，外国人技能実習法など

1 入管法上の在留資格と就労

外国人が日本国内で就労するためには，出入国管理及び難民認定法（入管法）上の就労が認められる在留資格を取得している必要がある（入管法 2 条の 2 参照）。

在留資格には，①特定の活動に係る在留資格と②特定の身分・地位に基づく在留資格がある。①前者（入管法別表第 1 の上欄の在留資格）としては，外交，公用，教授，芸術，宗教，報道（別表第 1 の 1），高度専門職，経営・管理，法律・会計業務，医療，研究，教育，技術・人文知識・国際業務，企業内転勤，介護，興行，技能，特定技能，技能実習（別表第 1 の 2），文化活動，短期滞在（別表第 1 の 3），留学，研修，家族滞在（別表第 1 の 4），特定活動（別表第 1 の 5）が掲げられており，これらの者については，原則としてそれぞれの在留資格で認められた活動（別表第 1 の下欄の活動）のための就労しか行うことができない。[16]②後者（入管法別表第 2 の上欄の在留資格）としては，永住者，日本人の配偶者等，永住者の配偶者等，定住者が掲げられており（別表第 2），これらの者については，就労できる活動に制限はない。例えば，ブラジル，ペルー等の日系人は，

---

15) ただし，障害者の雇入れについて計画的な対応を可能とするよう，2023（令和 5）年度は一般事業主は 2.3％，国・地方公共団体，特殊法人等は 2.6％（教育委員会は 2.5％），2024（令和 6）年度から一般事業主は 2.5％，国・地方公共団体，特殊法人等は 2.8％（教育委員会は 2.7％），2026（令和 8）年度から一般事業主は 2.7％，国・地方公共団体，特殊法人等は 3.0％（教育委員会は 2.9％）と段階的に引き上げることとされている（障害者雇用促進法施行令 2 条，9 条，10 条の 2）。

16) 日本に在留する外国人（入管法別表第 1 の上欄の在留資格をもつ者）が，法務大臣に申請しその許可を受けることによって，在留資格外の活動に従事することも一定の条件の下で認められている（入管法 19 条 2 項）。例えば，留学の資格で在留している外国人が，法務大臣の許可を受け，週 28 時間等の限度内で就労（いわゆるアルバイト）することである。

390　第 3 編　雇用関係法

日本人の配偶者等または定住者の在留資格で，活動の制限なく就労している（単純労働を含む）ことが少なくない。

これらの在留資格等に基づかず就労すること（例えば観光ビザで入国し就労すること等）は不法就労活動とされ（入管法24条3号の4イ），不法就労をさせた使用者やあっせんをした者は不法就労助長罪として処罰される（73条の2）。しかし，労働関係法規の適用については，外国人であっても，入管法上の不法就労者であっても，適用対象たる「労働者」（p51 **1**）に該当する限り，その適用が認められる。[17] 労基法3条の国籍を理由とする差別的取扱いの禁止（p122 **2**）は，不法就労者についても及ぶものと解されている。[18]

2 外国人技能実習制度

外国人技能実習制度は，日本で開発された技能等を外国人に修得させて開発途上国等への移転を図り，これらの国等の経済発展を担う人づくりに寄与することを目的として作られたものである。

1981（昭和56）年の入管法改正により，「外国人研修生」の在留資格が留学生の一形態として創設され，1993（平成5）年の法務省告示（「技能実習制度に係る出入国管理上の取扱いに関する指針」）により，外国人技能実習制度が創設された。このように，従来，入管法上の在留資格や告示・省令等によって定められていた外国人研修生・技能実習制度の下で，人権侵害，低賃金，過重労働等の問題が発生し社会問題となった。[19] そこで，外国人技能実習制度を入管法から独

---

17) 三和サービス（外国人研修生）事件・名古屋高判平成22・3・25労判1003号5頁〔最低賃金法の適用肯定〕など。

18) なお，労働施策総合推進法は，事業主に対し，外国人労働者の雇用管理の改善および再就職支援の努力義務を課す（7条）とともに，外国人雇用状況の厚生労働大臣（公共職業安定所）への届出を罰則付きで義務づけている（28条1項，40条1項2号）。

19) プラスパアパレル協同組合（外国人研修生）事件・福岡高判平成22・9・13労判1013号6頁〔外国人研修生を使用している企業（第2次受入れ機関）がそのパスポートや預金通帳・印鑑を預かって管理し違法な労働をさせていたことにつき，この企業とそれを適切に監査し指導すべきであった監理団体（第1次受入れ機関）の共同不法行為として損害賠償責任を肯定〕，千鳥ほか事件・広島高判令和3・3・26労判1248号5頁〔外国人技能実習生に入管法違反の資格外活動を行わせて実習生らが逮捕勾留された事案で，逮捕勾留期間および実習再開までの期間（帰国者については釈放後3か月間）の賃金相当額等について，実習実施会社，同社代表取締役および監理団体の損害賠償責任を肯定〕など。

第5章　高齢者・障害者・外国人に関する法　391

立した法律によって規律し，体系的にその保護・適正化を図るという観点から，2016（平成28）年に外国人技能実習法が制定された。

外国人技能実習法のポイントは，①技能実習生ごとの技能実習計画の認定制（8条以下），実習実施者の届出制（17条以下），監理団体の許可制（23条以下）等の制度を新設し技能実習制度の適正な実施を図る，②技能実習生に対する人権侵害行為を罰則付きで禁止するなど技能実習生の保護を図る（46条以下），③技能実習計画の認定，実習実施者の届出の受理，監理団体の許可の調査，技能実習生に対する相談・援助等を行う認可法人として外国人技能実習機構を設立する（57条以下），④優良な実習実施者・監理団体に限定して，第3号技能実習生の受入れ（4〜5年目の技能実習の実施）を可能とする（2条，9条，23条以下）点にあった。

もっとも，この法律も，外国人技能実習制度に内在する，①外国の送出し機関も日本の受入れ機関（実習実施機関，監理団体）も民間団体であるため中間搾取などの弊害が生じる可能性がある，②日本で働く技能実習生にとって職場移動の自由がないため低廉な条件でも事実上辞めることができない，といった構造的な問題を根本的に解決するものとはなっていない。政府は，外国人技能実習制度の発展的解消（人材確保と人材育成を目的とし，1年の就労等を条件に転籍を認めること，3年の育成期間を経て日本語試験と技能試験に合格すれば特定技能1号に移行できることとすること等を内容とした新制度〔外国人育成就労制度〕への移行）に向けた改正法案を2024（令和6）年の通常国会に提出する予定である。

3 「特定技能」制度

2018（平成30）年の入管法改正は，新たな在留資格として「特定技能」を創設し，人材が不足する産業分野において特定の技能を有する外国人労働者の受入れを拡大することとした。

同改正では，①在留資格として新たに「特定技能」（相当程度の知識・経験を要する技能を有する外国人に与える特定技能1号および熟練した技能を有する外国人に与える特定技能2号）を創設する，②受入れ機関に，支援計画を作成し特定技能1号外国人に対する日常生活・職業生活・社会生活上の支援を実施することを求める，③特定技能外国人の報酬額が日本人と同等以上であること等を確保す

るため，受入れ機関との雇用契約が所要の基準に適合することを求めることなどが定められた。政府が2018（平成30）年12月に閣議決定した「基本方針」および「分野別運用方針」（入管法2条の3，2条の4）では，特定技能1号の受入れ対象となる特定産業分野は，介護，ビルクリーニング，素形材産業，産業機械製造業，電気・電子情報関連産業，建設，造船・舶用工業，自動車整備，航空，宿泊，農業，漁業，飲食料品製造，外食業の14業種とされ，在留期間の制限がなく家族帯同が認められる特定技能2号については，当初は導入を見送り，特定技能1号の運用状況を踏まえて判断することとされた。その後まず，建設および造船・舶用工業の2分野が特定技能2号の対象と認められ，さらに，特定技能1号の受入れ開始から5年が経過する2024（令和6）年を迎える前に，2023（令和5）年8月31日から，上記の特定技能1号の受入れ対象分野のうち介護を除くすべての分野が特定技能2号の対象分野とされた（令5・8・31「平31・3・15法務省令6号等」改正。介護については現行の専門的・技術的分野の在留資格として認められている〔入管法別表第1の2。p390 *1* の①〕ため特定技能2号の対象分野とはされていない）。

第4編

労使関係法

労働者,使用者と労働組合との
集団的な関係を規律する法

労働者，使用者と労働組合との集団的な関係（労使関係）を規律する法を労使関係法と呼ぶ。労働組合は，経済的に弱い立場に置かれやすい労働者と使用者の対等な交渉を可能とする点だけでなく，集団的な交渉を通じて労働者や使用者に利益をもたらすという点で，重要な意義をもっており，この労働組合と使用者との交渉（団体交渉）を中心とした労使関係法は，労働法のなかでも，その誕生以来，中核をなす法分野として位置づけられてきた（p9 第1章）。ここでは，労使関係法を，その基本的枠組み（労働組合，団体交渉と労働協約）と，労使関係法の中心をなす団体交渉をサポートするシステム（団体行動権の保障，不当労働行為の禁止）に分け，その内容を具体的にみていくことにしよう。

第4編

第1章　労使関係の基本的枠組み

1　労働組合

1　日本の労働組合・労使関係の実態

1　労使関係の構造

　日本の労働組合の最大の特徴は，その多くが企業別に組織されている点にあり（p30 **3**），日本の労使関係もこの企業別組合を基盤として成り立っている。もっとも，日本の労働組合は企業別組合のみによって成り立っているわけではない。日本の労使関係は，大きくみると，企業レベルでの企業別組合を基盤としつつ，この企業別組合が産業レベルで結集する全国単産，さらに全国単産などが加入するナショナル・センターの3層からなっている。

　企業レベルの労使関係は，①団体交渉と②労使協議という2つの方法を用いてコミュニケーションがとられることが多い。①団体交渉は，憲法や労働組合法によって法的に保障されている手段であり，労働組合側としてはストライキなどの行動に出ることによってその交渉力を高めることができる。団体交渉では，合意達成を目指して交渉が行われ，合意に達した場合には労働協約が締結されることが多い（p411 **2**）。これに対し，②労使協議は，法律の厳格なルールに基づく団体交渉とは異なり，労使間で自主的・任意的に行われる協議のことを指し，手続や内容なども労使間の合意に基づいて柔軟に設定される。その実態は企業ごとにさまざまであるが，必ずしも合意達成を目的とせず，労使間で経営に関する事項を含む幅広い問題について意見の交換が行われていることが多い。

　産業レベルでは，企業別組合が結集した連合体として，産業別の連合組合

（いわゆる「単産」）が結成されている。代表的なものとして，流通・サービス業等の UA ゼンセン，自動車産業の自動車総連，地方自治体等の自治労，電機産業の電機連合，機械・金属産業等の JAM，鉄鋼・造船業等の基幹労連などがある[1)]。単産は，企業別組合に対する指導・啓発や組織の充実・強化などを図ることを主な役割としているが，なかでも「春闘」における基本戦略，賃上げ目標，交渉スケジュール等の決定・指令を行うことにその重要な役割がある。この春闘（年度末に次年度の賃上げ額など労働条件の基本的方向性を労使で取り決める過程）は，①鉄鋼，電機，造船，自動車（いわゆる「金属4単産」）の主要企業での先導的な妥結結果が「春闘相場」を形成し全国的に波及効果をもつ，②企業別の労使交渉のなかに物価，景気，生産性などマクロ経済的視点を取り入れるといった機能・特徴を有している。

　さらに，単産などが加入する労働組合の全国的な組織として，日本労働組合総連合会（連合），全国労働組合総連合（全労連），全国労働組合連絡協議会（全労協）という3つのナショナル・センターがある。なかでも，日本の全労働組合員の約7割を傘下にもつ連合は，加入組合と連絡・協議を行うことのほか，①内閣総理大臣，政党，各省庁，使用者団体等との非公式協議や，②各省庁の各種審議会等への参加（委員の派遣）といった公式のルート等を通して，労働者の経済社会生活の改善・向上を図るという観点から政策形成過程に参加するという重要な機能を担っている。

② 労使関係の変容

　日本の労働組合の最大の特徴は，上に述べたように，その基盤が企業別組合にあることにある。これには，構造的な長所と短所がある。

　その長所は，交渉が各企業の実情に応じて柔軟に行われ，変化に対しても機動的に対応できる点にある。特に社会が多様化し市場や技術の動きが速くなるほど，この柔軟性・機動性という長所は強みを発揮する。伝統的に集権的な性

1）　このほか，企業別組合が結集した連合体ではなく，労働者個人が直接加入する産業別の労働組合として全日本海員組合，全日本港湾労働組合などがある。また，地域レベルで，企業・産業や職種にかかわらず組織されている組合として地域合同労組（地域一般労働組合）やコミュニティ・ユニオン（パートユニオン，派遣ユニオン，管理職ユニオンなど）があり，企業別組合でカバーされない労働者を救済する組織として重要な役割を担っている。

398　　第4編　労使関係法

格を強くもっていたフランスやドイツの労使関係に近年分権化の動きがみられる背景には，このような社会変化がある。

企業別組合の短所は，①組織が企業単位であり，労働組合自体が企業の成長や存続を考慮して自社の競争力を損なうような交渉を行いにくいという性格をもつ（p30 **3**）ため，産業レベルや全国・全産業レベルの労働組合と比較すると交渉力が相対的に弱い点と，②企業単位の組織・交渉であるため，全体的・包括的な視点から問題を捉えて企業の枠を超えた公正な競争条件（労働条件の基盤）を設定するという機能をもたない点にある。

日本の労働組合運動は，企業別組合の長所を活かしつつ，その構造的な短所を補う形で展開されてきた。1955（昭和30）年以降産業レベルの単産がイニシアチヴをとって展開している「春闘」や，1989（平成元）年に従来の総評，同盟，新産別，中立労連という4つのナショナル・センターを統一する形で結成された連合による政策参加の推進は，企業の枠を超えた視点を労使交渉にもたらし，企業の枠を超えた公正な労働条件の確立を図ろうとする動きといえる。

労働組合が直面している長期的な変化として，組織率の低下がある。日本の労働組合の組織率は，1949（昭和24）年の55.8％を頂点として趨勢的に減少し，2023（令和5）年には16.3％となっている。その要因としては，そもそも組合組織率が低いサービス業の拡大，非正規労働者の増加，若年層を中心とした組合離れ意識の広がりなどがあげられる。なかでも増加基調にある非正規労働者の組織化をどのようにして進めていくか，さらには労働組合の活動が非組合員や一般市民の支持や共感をいかに獲得していくかが，今後の日本の労働組合の帰趨を決する重要な課題となっている。

2 労働組合の要件

1 労働組合はなぜ法的に保護されているのか？

まず，労働組合の存在意義と法的保護の必要性について考えてみよう。

労働組合の存在意義について，伝統的には，経済的に弱い立場にある労働者が集団で活動・交渉することによって，使用者と対等な立場に立つことを可能とするという点が強調されてきた（p10 **1**）。しかし近年，この労働者保護の要請と同時に，労働組合の存在は使用者の利益にもなりうることが指摘されてい

第1章　労使関係の基本的枠組み　399

る。その理論的根拠は，大きく2つある。第1に，労働関係上交渉の対象となるものは賃金制度，労働時間制度，労働環境など多数の労働者に共通する性格（いわゆる公共財性）をもつものが多く，これらの点は一人一人の労働者と個別に交渉するよりまとめて交渉した方が使用者にとっても効率的であること，第2に，労働者が不満をもった際に会社を辞める（exit）のではなく声（voice）をあげやすい環境を作っておくことで，労働者のやる気，定着率，技能が高まり，使用者としても生産性向上の利益が得られることである。労働者は一人では声をあげにくいため，労働組合などの集団を介して労働者が不満や意見をいいやすい環境を整えることで，労使双方の利益が高まることになる[2]。

　このように，労働組合を通じた集団的な交渉によって労使双方に利益がもたらされるとしても，なぜそれを法によって制度化しなければならないのか（労使双方にとって利益になるとすれば，法が介入しなくても，自主的に取り組むのではないか）。集団の法制度化を必要とする理由は，次の2点にある。第1に，個々の当事者の情報や能力に限界があるために生じる近視眼的な選択（機会主義的行動）をチェックし中長期的に利益になる選択を促すことの重要性である。第2に，当事者が自己利益を追求する行動をとって全体の利益を損なってしまうことを防ぐことである。例えば，労働組合はストライキを行い，会社はロックアウトを行うことで，それぞれより多くの利益を得ようとする。このようなケースで，自己利益だけに固執して十分な話合いを行わず事態の収拾がつかなくなると，労使双方が大きな打撃を被る結果（いわゆる「囚人のジレンマ」といわれる状況）となる。このような状況を防ぐために，両当事者が情報を出しあって誠実な態度で交渉する制度的基盤を作っておくことが重要になる。労働組合という集団を法的に承認し集団的な交渉を促す背景には，このような複合的な理由があることを認識しておく必要がある。

2）　リチャード・B・フリーマン＝ジェームズ・L・メドフ（島田晴雄＝岸智子訳）『労働組合の活路』（日本生産性本部，1987），飯田高「法と経済学からの考察——労働関係における『分権』と『集団』の経済分析」水町勇一郎編『個人か集団か？　変わる労働と法』81頁以下（勁草書房，2006）など。

400　第4編　労使関係法

② 労組法上の「労働組合」の要件

このような機能・役割を担う集団として労組法上保護が与えられている労働組合とは，どのようなものか。

労働者は，公的機関の許可や届出なく，労働組合を自由に設立することができる（自由設立主義）。しかし，設立された労働組合が労組法上の保護を受けるためには，次に掲げる一定の要件を満たす必要がある。

労組法上の「労働組合」は，①労働者が主体となって（主体）[3]，②自主的に（自主性），③労働条件の維持改善その他経済的地位の向上を図ることを主たる目的として（目的）[4]，④組織する団体またはその連合団体（団体性）をいうとされている（2条）。さらに，労働組合が同法の規定する手続に参加したりその救済を受けるためには，⑤組合の民主的な運営を確保するために法定された事項（均等取扱いや民主的意思決定手続など）を記載した規約を作成すること（民主性）も求められる（5条2項）[5]。これらの要件を満たす労働組合は「法適合組合」と呼ばれている[6]。

労働組合が，不当労働行為の救済を労働委員会に申し立てて救済を受ける場合（27条），および，法人格の取得（登記。11条），労働協約の地域的一般的拘束力の申立て（18条），労働委員会の労働者委員の推薦（19条の3第2項，19条

---

3) 近時，インターネットで加入を呼びかけるネット労働組合も増えている。そのなかには，一般の組合員は組合費無料で，紛争を解決したときに成功報酬を徴収するという形態のものもある。実際に組合を運営しているのは数名の役員のみであって，万単位の一般の組合員は組合費無料で，制度的にも実態としても組合大会や役員選挙に関与していないネット労働組合について，労働者が主体となって自主的に組織する団体とはいえないとして，法適合性を否定した労働委員会命令（グランティア事件・東京都労委令和2・6・16労働委員会関係命令・裁判例データベース）がある。

4) 労組法2条但書3号，4号は，福利事業のみを目的とするもの（3号）や主として政治運動・社会運動を目的とするもの（4号）は労組法上の「労働組合」にあたらないことを確認的に示している。

5) この民主性の要件（⑤）は，労働組合が労組法上の手続参加や救済を受けるための要件であり，これを満たさない組合（規約不備組合）にも，協約締結能力（14条，16条）など労組法上のその他の権利は認められる。

6) これら労組法上の要件を満たさない労働者の集団（例えばある特定の紛争の解決のみを目的とした争議団）であっても，労働者がその地位の向上を目的として自主的に組織した団体（憲法上の団結体＝憲法組合）との実質を有するものであれば，憲法28条の保護（正当な団体行動に対する民事免責・刑事免責・不利益取扱いの禁止，団結権侵害に対する司法救済など）を受けることができる（p433第2章）。

第1章 労使関係の基本的枠組み　401

の 12 第 3 項）の手続をとる場合には，上記の要件（①～⑤）を満たすことについて，労働委員会の審査（資格審査）を受けることが必要となる（5条1項[7]）。

3 労働組合の「自主性」

これら 5 つの要件のうち，法的に最も問題となるのは「自主性」の要件である。その趣旨は，労働組合が労働者の真の利益を代表して活動・交渉を行う組織たりうるために，使用者からの独立を求めることにある。

この要件は，労組法 2 条但書 1 号，2 号によって，より具体的な形で定められている[8]。

第 1 に，役員，人事に関する直接の権限をもつ監督的労働者，労働関係に関する機密事項に接するためその職責が組合員であることと直接抵触する監督的労働者など，「使用者の利益を代表する者」の参加を許すものは，自主性を欠く組合とされる（同 1 号。人的独立性）。このため，日本の労使関係実務では，課長など一定の地位に達すると非組合員（いわゆる「非組（ひくみ）」）として労働組合を脱退する取扱いがなされていることが多い。しかし，法的には，使用者の利益代表者にあたるか否かの判断は，形式的な肩書きではなく，使用者からの自主独立性の確保という趣旨に照らし，実質的な観点からなされるべきものである。具体的には，当該労働者が，①雇入れ・解雇・昇進・異動など人事に関する直接の権限を有しているか，②労働関係の計画と方針に関する機密事項に接し，それが組合員としての誠意と責任に直接抵触するような重大なものか，③その他，同人の労働組合への参加によって労働組合の自主独立性が損なわれるような重大な権限や責任を有しているかという点を，実質的に判断することになる。したがって，課長など管理職の肩書きを有する者であっても，法

7） なお，地方公務員法の適用される職員と労組法の適用される職員の双方が加入しているいわゆる混合組合は，適用される法律の区別に従って地方公務員法上の職員団体と労組法上の労働組合との複合的な法的性格を有しており，その限りにおいて，労組法 2 条の定める労働組合に該当し，労組法 7 条による不当労働行為救済の申立てをすることができると解されている（大阪府・大阪府（23 年度任用）事件・東京高判平成 26・3・18 別冊中労時 1460 号 37 頁など）。

8） 厳密にいえば，2 条但書 1 号，2 号は，同条本文の「自主性」が失われる例を具体的に定めたものであり，これに該当する場合には自主性を欠き，労働法上の労働組合性を失わせる効果をもたらすものといえる。もっとも，その該当性は，本文記載のように，法の趣旨に照らして実質的に判断される。

402　第 4 編　労使関係法

的には使用者の利益代表者にあたらず，労働組合に加入することができる場合が多い[9]。いわゆる「管理職組合」も，実質的にみて使用者の利益を代表する者が参加していない場合には，労働組合として労組法上の保護・救済を受けることができる[10]（*Column 47*）。

第2に，組織運営のために使用者から経費の援助を受けている場合も，自主性を欠くものとされる（同2号。経済的独立性）。ただし，労働時間内に有給で使用者と協議・交渉することを認めること，組合員の福利厚生基金に使用者が寄付すること，最小限の広さの事務所を供与することは，これにあたらないものとされている（同号但書）。

Column 47 「純粋利益代表者組合」の法適合性　　学説上，利益代表者が加入する管理職組合であっても，それ以外の一般労働者とは別の独立した組合（純粋利益代表者組合）である場合には，一般労働者の組合の自主性を阻害する弊害は生じないから，法適合組合と認めてよいとする有力な見解がある[11]。しかし，一般労働者と管理職の分断を促すような解釈ではなく，「利益代表者」概念を法の趣旨に即して限定的に解釈し，一般労働者と管理職を包摂した労働組合の自主性も積極的に承認する解釈を行うべきである。法の趣旨（自主独立性の確保）に照らして解釈しても利益代表者にあたるような重大な権限と責任をもつ者（例えば実質的な権限・責任をもつ取締役等）の集団については，使用者の利益と密接に結びついた（自主独立性を欠く）ものとして，労組法による保護は及ばないと解釈すべきであろう。

3 労働組合の組織と運営

◼ チェック・オフ

事例 87

　マッソ石油社は，同社従業員の多数組合であるマッソ労働組合と，「会社は本組合の組合員の賃金から組合費相当額を控除し，これを組合に引き渡すものとする」

9）　例えば，佐賀ゴルフガーデンほか事件・佐賀地判平成22・3・26労判1005号31頁は，労働組合への参加が許されない「役員」（労組法2条但書1号）に該当するか否かは，労働組合の自主性確保という趣旨に照らし，当該労働者の職務の実質的内容等に即して個別具体的に判断すべきであり，これを拡張的に解釈することは相当でないとし，取締役支配人の肩書きをもつ原告の勤務実態等から「役員」にはあたらないと判断した。

10）　中労委（セメダイン）事件・最一小決平成13・6・14労判807号5頁（〔原審〕東京高判平成12・2・29労判807号7頁）参照。

11）　大内伸哉「管理職組合をめぐる法的問題」日本労働法学会誌88号113頁（1996），西谷敏『労働組合法〔第3版〕』85頁以下（有斐閣，2012），荒木尚志『労働法〔第5版〕』661頁（有斐閣，2022）など。

第1章　労使関係の基本的枠組み　　403

旨の協定を締結し，これを実施していた。マッソ労働組合の組合員であった加納さんと村上さんは，闘争方針の違いから同労組と激しく対立するようになり，別組合のエイマッソ労働組合を結成した。加納さんと村上さんは，会社に組合費控除停止依頼書を提出したが，会社は加納さんと村上さんがマッソ労働組合を脱退したことを確認できないとして，組合費相当額の控除とマッソ労働組合への引渡しを継続している。会社のこのような対応は適法か？

　この事例にあるように，労働組合が組合費を確実に徴収するために，使用者と労働組合の協定により，使用者が組合員の賃金から組合費を控除し，それを労働組合に引き渡す方法がとられることが多い。これをチェック・オフという。

　チェック・オフの法律関係は，①労働組合と使用者間の組合費の取立委任契約（チェック・オフ協定）だけでなく，②組合員と使用者間の組合費の支払委任契約が存在することによって，三者間で有効に成立する[12]。

　チェック・オフをめぐっては，大きく2つの解釈問題がある。

　第1に，チェック・オフにも賃金全額払原則（労基法24条1項。p251 (3)）が適用されるかである。この点について，判例は，チェック・オフも賃金の一部の控除である以上，賃金全額払原則の規制を受けると解さざるを得ないとしている[13]。したがって，チェック・オフを適法に行うためには，当該事業場における過半数代表と労使協定を締結する必要がある。

　第2の問題は，チェック・オフに反対している組合員も拘束されるかである。判例は，労働者の支払委任の同意（上記②の同意）がない限りチェック・オフは有効とはいえないため，労働者の同意がないときには使用者はチェック・オフを行うことができず，チェック・オフに反対する組合員はいつでもチェッ

---

12)　チェック・オフの法律関係は，①労働組合と使用者間の組合費の取立委任契約と，③労働組合と組合員間の賃金の受領委任契約の存在によっても，三者間で有効に成立しうる（この場合，労働組合と組合員間で受取物〔賃金〕引渡請求権と組合費支払請求権とを相殺することによって法律的な決済がなされる）。この受領委任の構成では，組合規約上のチェック・オフ規定により労働組合と組合員間に賃金の受領委任契約（③）が有効に成立しているか（規約規定の周知と合理性の存在等）が問題となりうる。裁判例として，アートコーポレーションほか事件・東京高判令和3・3・24労判1250号76頁〔組合規約上のチェック・オフ規定により労働組合・組合員間の賃金受領委任契約の成立を肯定〕など参照。組合員が労働組合を脱退した場合には，組合規約による賃金受領委任の効力は及ばなくなり，チェック・オフの法律関係の有効性は失われるものと解される。

13)　済生会中央病院事件・最二小判平成元・12・11民集43巻12号1786頁。

404　第4編　労使関係法

ク・オフの中止を申し入れることができると判示している[14]（民法 651 条参照）。
そこでは，使用者と過半数組合間の労使協定は，労働者の支払委任の同意に代
わる私法上の効力をもつものではなく（p68 **1**），また，それが労働協約の形で
締結された場合であっても，チェック・オフは「労働条件その他の労働者の待
遇に関する基準」（労組法 16 条。p422 1）にあたらないため，使用者と労働者を
拘束する規範的効力をもつものではないと解釈されている。チェック・オフ
（賃金の一部を控除して組合に引き渡すこと）が「労働者の待遇に関する基準」に
あたらないといえるかは微妙であるが，組合自治や組合財政の健全性をチェッ
クする機能を果たしうることを考慮すると，組合員にチェック・オフに対する
拒否権を認める判例の立場は妥当といえよう。

2 ユニオン・ショップ

> **事例 88**
>
> みなとも銀行は，同社の多数組合であるみなとも銀行労働組合との間に「本組合
> の組合員でない者は，原則として解雇する」旨の協定を締結している。同社に勤務
> し，同組合の組合員であった森田さんは，組合が組合員親睦のための運動会を東京
> ドームで開催したり，組合員に「みなともユニオン（^o^）」とデザインされたジ
> ャージを配っていることにやりきれなさを感じていた。そこで森田さんは，年に 1
> 度の組合大会の場で，マイクを握りしめて，「みんなが払っている組合費を運動会
> やジャージ代に使うくらいなら，その分組合費を安くするか組合員に払い戻してく
> ださい」と熱く語った。組合執行部は，この森田さんの発言を問題視し，森田さん
> を「組合の団結を乱したもの」（組合規約中の統制事由）として除名処分にした。会
> 社はこれを受けて森田さんを解雇した。この解雇は有効か？　森田さんが除名され
> た後，その地域で組織されている合同労組に加入した場合はどうか？

この事例にあるように，日本の労働組合（多数組合）は，組織の拡大強化を
図るために，使用者との間に，当該組合の組合員でない者を解雇する旨の協定
（いわゆる「ユニオン・ショップ協定」）を締結していることが多い[15]。この協定をめ

---

14) エッソ石油（チェック・オフ）事件・最一小判平成 5・3・25 労判 650 号 6 頁（#86）〔**事例 87**
　　類似のケースで，組合員からのチェック・オフ中止の申入れ後は使用者はチェック・オフを中止
　　しなければならないと判断〕。
15) 労組法 7 条 1 号ただし書は，事業場の過半数組合がユニオン・ショップ協定を締結しても不当
　　労働行為にならない旨を定めており，使用者が少数組合と同協定を締結すると不当労働行為にな

第 1 章　労使関係の基本的枠組み　　**405**

ぐっては，大きく2つの解釈問題がある。

第1に，そもそもユニオン・ショップ協定は有効かという点である。ユニオン・ショップ協定は，解雇の威嚇によって特定労働組合への加入を強制するものであり，労働者の組合選択の自由（積極的団結権）や労働組合に加入しない自由（消極的団結権）を侵害するおそれがあるからである。判例・通説は，ユニオン・ショップ協定によって，憲法28条が保障する組合選択の自由を侵害することは許されないとし，他の組合に加入している者（ユニオン・ショップ組合からの脱退・除名後に他組合に加入した者を含む[16]）との関係では，同協定は憲法28条が設定する公序に違反し無効となる（民法90条）と解している[17]。これに対し，組合に入らない自由の重要性から，組合に加入していない労働者との関係でも，ユニオン・ショップ協定を無効と解すべきとする見解も有力に主張されている[18]（*Column 48*）。

第2に，ユニオン・ショップ協定に基づいてなされた解雇は有効かという点も問題になる。第1の問題が団結権保障との抵触の問題であったのに対し，第2の問題は解雇権濫用（労契法16条）の問題であり，両者は理論的に区別されるべきものである。判例は，有効なユニオン・ショップ協定に基づく解雇は，客観的に合理的な理由があり社会通念上相当として是認できるとし，権利濫用にはあたらないと判断している[19]。さらに，そもそも組合による除名処分が無効であった場合に，ユニオン・ショップ協定に基づいてなされた被除名者の解雇の効力はどうなるか。学説上は，除名が無効となったのは労働組合の責任であ

る可能性があることを示している。

16) ユニオン・ショップ組合を脱退し契約期間満了までに他組合に加入しなかった（加入告知をしなかった）労働者の雇止めを適法とした裁判例として，トヨタ自動車事件・名古屋地岡崎支判令和3・2・24労判1265号83頁参照。

17) 三井倉庫港運事件・最一小判平成元・12・14民集43巻12号2051頁（#83）〔組合を脱退し他組合に加入した者について解雇義務を定める部分は無効（解雇も他に特段の事由なく無効）〕，菅野和夫『労働法〔第12版〕』849頁以下（弘文堂，2019），中窪裕也＝野田進『労働法の世界〔第13版〕』181頁（有斐閣，2019）など。

18) 西谷敏『労働法における個人と集団』124頁以下（有斐閣，1992），大内伸哉『労働者代表法制に関する研究』103頁以下（有斐閣，2007）など。

19) 第1の問題についてユニオン・ショップ協定無効論に立てば，無効なユニオン・ショップ協定に基づいてなされた解雇は，他に解雇の合理性・相当性を基礎づける特段の事情がない限り，権利濫用として無効と解されることになる。

406　第4編　労使関係法

り，除名が有効であることを信頼して解雇を行った使用者にその責任をとらせるのは妥当でないとして，解雇は無効とはならないとする見解もある。[20] しかし，判例は，除名が無効である以上，ユニオン・ショップ協定に基づく解雇義務は生じないから，他に解雇の合理性・相当性を基礎づける特段の事情がない限り，解雇は権利濫用として無効となると判断している。[21]

Column 48 ユニオン・ショップ協定の効力をめぐる見解（通説と私見）　　ユニオン・ショップ協定の効力について判例と同様の立場に立つ見解（通説）は，①消極的団結権（組合に入らない自由）が憲法 28 条によって否定されたとはいえないとしても，積極的団結権（ここではユニオン・ショップ組合の団結権）よりも劣後した地位に置かれていると解されること，②日本の労働組合は，ユニオン・ショップを組織的基盤としつつ，産業レベルでの春闘の指導や全国レベルでの政策参加など多面的な社会的機能を営んでいることを重視して，組合に加入していない労働者との関係では，ユニオン・ショップ協定を有効と解釈している。しかし，①有力説が主張する消極的団結権の重要性（例えばフランスやドイツでは消極的団結権の重要性ゆえにユニオン・ショップ協定は法的に禁止されている）とともに，②ユニオン・ショップ協定に依拠した日本の労働組合（多数組合）の実情（ユニオン・ショップ協定により事実上組合加入を強制されているため，組合員の意識や組合の活動が受動的で自律性のないものとなる傾向があること）からすると，ユニオン・ショップ協定は組合に加入していない労働者との関係でも無効と解すべきである。このような解釈と同時に，労働組合の組織率が低下した場合にも，その声を全体に反映させうるような法制度の整備（例えば労働協約の拡張適用制度の充実，労働者代表制度の法制化など）を図っていくことが重要な政策課題となる。

❸　労働組合の自治とその限界

> ### 事例 89
>
> 次のような労働組合の行為は適法か？
> 　①ストライキをして闘っている他の労働組合を支援するために，組合決議に基づいて臨時組合費を徴収すること。
> 　②間近に控えた総選挙のために，組合大会で特定政党の支援決議をすること。
> 　③国政選挙に立候補した特定候補を支援するための資金として，臨時組合費を徴収すること。
> 　④組合が特定候補者を推薦する決議をし，組合を挙げてその選挙運動をしているにもかかわらず，その決議に反して対立候補として立候補した組合員を除名処分にすること。
> 　⑤組合執行部の方針に疑問をもった組合員が組合内少数派グループを結成し執行

---

20)　石川吉右衛門『労働組合法』78 頁（有斐閣，1978）。
21)　日本食塩製造事件・最二小判昭和 50・4・25 民集 29 巻 4 号 456 頁。

第 1 章　労使関係の基本的枠組み　　407

部批判のビラ配布などをしたことに対して，同グループのメンバーを「団結を乱すもの」として除名処分にすること。

労働組合は労働者によって自主的に組織される任意団体である。したがって，その組織の内部運営については，組合自身でルールを決め，それに従わない組合員に対して，戒告，けん責，罰金，権利停止，除名などの統制処分を行うことができるのが原則である（組合自治の原則。*Column 49*）。

しかし同時に，労働組合は，憲法や労組法によって，通常の任意団体にはない特別の権能（民刑事免責，規範的効力をもつ労働協約の締結，不当労働行為の行政救済など）を与えられた団体でもある（労働組合の半公的性格）。そこで，労働組合には，組合の内部運営を民主的に行うことが求められる（労組法5条2項参照。組合民主主義の原則）[22]とともに，その内部自治において組合員個人の市民的自由を尊重することが要請される（市民的自由の尊重）。判例はこれを，「多数決原理に基づく組合活動の実効性と組合員個人の基本的利益の調和という観点から，組合の統制力……に合理的な限定を加えることが必要である」と表現している[23]。例えば，労働組合からの脱退の自由は労働者に認められた重要な権利であり，脱退の自由を実質的に制限する組合規約（例えば脱退承認条項）や労働者と使用者間の合意は，公序に反し無効（民法90条）と解されている[24]。

臨時組合費の徴収については，事例89の①のように，労働者間の連帯や相互協力など労働組合の目的の範囲内のものであり，かつ，組合員の政治的自由等を侵害しないものであれば，許される[25]。選挙における特定政党・候補者の支

---

22) 全日本建設運輸連帯労組近畿地本（支部役員統制処分等）事件・大阪地判平成19・1・31労判942号67頁〔組合規約に定められた手続に基づかずになされた統制処分は無効〕，全日本海員組合（組合長選挙無効確認）事件・東京高判平成24・9・27労判1062号22頁〔組合長を選出する組合の全国大会に対立候補である組合員を入場させなかったことは違法。選挙自体を無効とする重大な手続上の瑕疵はない〕，北海道協同組合通信社労働組合事件・札幌地判令和2・8・6労判1232号5頁〔組合員の統制には，組合規約に制裁の内容，制裁事由，手続等の主要部分が定められ，組合員に周知されていることが必要であるとし，このような組合規約の定めなく，弁明の機会も十分に付与されずに行われた除名処分は無効〕など。

23) 国労広島地本事件・最三小判昭和50・11・28民集29巻10号1698頁（#85）。

24) 日本鋼管鶴見製作所事件・最一小判平成元・12・21労判553号6頁〔脱退承認条項の効力を否定〕，東芝労働組合小向支部・東芝事件・最二小判平成19・2・2民集61巻1号86頁（#84）〔従業員組合に所属し続けることを義務づける内容の会社と従業員間の合意の効力を否定〕。

408　第4編　労使関係法

援については，組合による特定政党・候補者の支援決議や選挙運動自体（ 事例89 の②）は自由であるが，反対する組合員にこれを強制すること（ 事例89 の③・④）はできない。また，組合内の少数派に対する統制処分[26]（ 事例89 の⑤）については，少数派の執行部批判活動も組合の民主的運営に不可欠なものとして最大限尊重されるべきであり，これに対する統制処分は，組合員の表現の自由（憲法21条）を侵害するものとして公序に反し無効となる[27]（民法90条）。もっとも，批判の内容が事実を歪曲した誹謗・中傷である場合や暴力的行為を伴う場合には，組合員の市民的自由の枠を超えた行為として統制処分の対象となりうる（*Column 50*）。

Column 49 労働組合の統制権の根拠　　労働組合の統制権（統制処分を行う権限）の根拠については，憲法28条の団結権保障から導かれるとするもの（団結権説），団体固有の権能として認められるとするもの（団体固有権説），組合員の合意を根拠とするもの（合意説）などの見解がある。日本の労働組合の自主的・任意的団体との法的位置づけ，および，その実態としての内部の閉鎖性・不透明性をチェックすべき規範的必要性からすれば，統制権の根拠は，組合員の脱退の自由と結びついた組合加入時の合意に求められるものと解すべきである。判例も同様の見解に立つものと理解されうる[28]。

Column 50 労働組合による組合員の人格的利益・プライバシー侵害　　労働組合が加入する組合員の人格的利益やプライバシーを損なう行為を行い，労働組合に対し組合員への損害賠償（慰謝料）の支払いが命じられることがある。例えば，組合役員立候補者の所信表明記載ビラについて組合がその一部を削除したことにつき，組合員（立候補者）の意見を表明する人格的利益を侵害したものとして組合に慰謝料（50万円）の支払いを命じたもの[29]，組合が組合員の同意なく行った組合員の個人情報（性格，信条，家族関係等を含む）の収集・保管・使用行為はプライバシー侵害（不法行為）にあたるとして各組合員への慰謝料（21万円）等の支払い

---

25)　前掲23）国労広島地本事件判決（＃85）〔他組合の闘争を支援する炭労資金，安保闘争で処分を受けた組合員を支援する安保資金について，組合員の協力義務を肯定〕参照。

26)　三井美唄労組事件・最大判昭和43・12・4刑集22巻13号1425頁〔組合方針に反し自ら立候補したことを理由とする処分は無効〕，中里鉱業所事件・最二小判昭和44・5・2集民95号257頁〔組合の支援決議と異なる候補者を支援したことを理由とする処分は無効〕，前掲23）国労広島地本事件判決（＃85）〔組合が支援する政党や候補者を支援するための臨時組合費納入義務を否定〕。

27)　厚木自動車部品・全日産自動車労組事件・横浜地判昭和62・9・29労判505号36頁〔執行部批判のビラ配布等を理由とする処分は無効〕，谷川電機製作所労組ほか事件・東京高判令和3・4・7労判1245号5頁〔上部団体からの脱退に反対した組合員の除名処分を無効とし，同処分を付議した執行委員長に対する損害賠償請求を認容〕。

28)　前掲23）国労広島地本事件判決（＃85），前掲24）東芝労働組合小向支部・東芝事件判決（＃84），荒木・前掲11）673頁以下参照。

29)　全日通労働組合事件・大阪高判平成22・2・25労判997号94頁。

第1章　労使関係の基本的枠組み　　409

を命じたもの[30]などがある。

4 労働組合の組織の変動

1 組合財産の帰属と組合の「分裂」

事例 90

　連合社の連合労働組合（組合員 300 人）では，どの政党を支持するかで路線対立が生じ，立憲党を支持する執行部（多数派）と国民党を支持しようとする少数派との間に，深い亀裂が生じてしまった。少数派のリーダーである玉木さんは，これ以上この状態が続くと健全な組合運動はできないと考え，同志 100 人を率いて新しく国民労働組合を結成した。それと同時に，国民労働組合は，連合労働組合に帰属する組合財産の 3 分の 1 の引渡しを請求した。この請求は認められるか？

　労働組合の財産については，労働組合が法人である場合には法人である組合の単独所有に帰し，法人格のない労働組合の場合には組合員の「総有」に属すると解釈されている[31]。したがって，いずれにしても，組合員は財産の持分権をもたず，組合規約に特段の定めがない限り，脱退や除名に際して財産の分割請求権を有しない[32]。

　これに対し，組合員が集団で脱退し新組合を結成した場合に，新組合から旧組合に対する財産の分割請求を認めるための法的構成として考案されたのが，組合の「分裂」概念である。しかし，判例は，「旧組合の内部対立によりその統一的な存続・活動が極めて高度かつ永続的に困難」となった結果，組合員が集団的に離脱し新組合を結成した場合にはじめて，「組合の分裂という特別の法理の導入の可否につき検討する余地を生ずる」と判示し，組合の分裂（新組合からの財産分割請求）を容易には認めない態度をとっている[33]。

---

30)　JAL 労組ほか（プライバシー侵害）事件・東京地判平成 22・10・28 労判 1017 号 14 頁。

31)　品川白煉瓦事件・最一小判昭和 32・11・14 民集 11 巻 12 号 1943 頁。「総有」とは，団体の債権・債務は団体の構成員全員に帰属し，各構成員はそれにつき直接の権利や義務を負わない帰属関係をいう。例えば，権利能力なき社団の財産の所有形態は総有であると解釈されている。

32)　なお，賃金差別の是正等を求めて結成された争議団（労働組合ではない組織）に使用者から支払われた解決金については，争議団自体ではなく各個人に帰属するとして，争議団を脱退した労働者から争議団への支払請求を認容した裁判例（日立神奈川争議団事件・横浜地判平成 18・1・26 労判 927 号 44 頁）がある。

33)　名古屋ダイハツ労組事件・最一小判昭和 49・9・30 労判 218 号 44 頁〔組合大会で組合規約に反

410　第 4 編　労使関係法

❷ 解　散

　労働組合は，組合規約で定めた解散事由の発生，または，組合員の4分の3
以上の多数による総会決議によって，解散される（労組法10条）。法人格を有
する組合の場合，解散が決定されても清算に必要な範囲内で労働組合は存続し
（13条），組合財産は清算手続に移行する（13条の2以下）。法人格のない組合の
場合，解散は総有の廃止にあたるため，組合財産は全員一致の決議により分割
される。

2 　団体交渉と労働協約

1 団 体 交 渉

　団体交渉とは，労働者の集団が代表者を通じて使用者と行う交渉のことをい
う。憲法28条は，団体交渉を行うことを労働者の権利として保障しており，
これを受けて，労組法は，使用者の正当な理由のない団交拒否を不当労働行為
として禁止する形で，使用者の団体交渉義務を定めている（7条2号）。[34]

❶　団体交渉の法的枠組み

　日本の団体交渉法制においては，2つの重要な基本原則がある。複数組合主
義と中立保持義務である。また，実際に誰が団体交渉を行うか（団体交渉の担
当者）をめぐっても法的に問題が生じうる。

1 　団体交渉の主体となる労働組合──複数組合主義

　使用者は自らが雇用する労働者を代表している労働組合のすべてと団体交渉

　する方法で解散決議がなされ，その直後に多数派が新組合を結成した事案で，組合財産の新組合
　への帰属を否定〕，前掲27）谷川電機製作所労組ほか事件判決〔上部団体からの組織脱退の正式
　決議を経ずに結成した新組合への財産の承継を否定し，支部組合（残留派）からの組合財産引渡
　請求を認容〕。

[34]　労組法上の不当労働行為制度による救済を受けるためには，労組法上の要件（2条，5条2項）
　を満たす労働組合（法適合組合）でなければならない（p401❷）。もっとも，労組法上の要件を
　満たさない労働者の集団であっても，労働者がその地位の向上を目的として自主的に組織した団
　体（憲法上の団結体＝憲法組合）との実質を有する場合には，団体交渉権（憲法28条）侵害に対
　する司法救済（p420❷）を受けることはできる。

第1章　労使関係の基本的枠組み　411

を行わなければならない。労働組合の規模や組織レベルを問わず，少数組合で
あっても，産業レベルや全国レベルの労働組合であっても，法適合組合であり，
使用者が雇用する労働者を代表して団交を申し入れている場合には，団体交渉
を行う権利が認められる。[35]労働者が加入する単位組合（例えば企業内組合）の上
部団体（産業別組合）や下部組織（支部，分会）についても，それ自体が法適合
組合としての実体を備え，単位組合等との二重交渉になるおそれがない場合に
は，団体交渉の当事者となりうる。[36]労働者が企業内組合と地域合同労組等に重
複加入している場合も，当該団交事項について二重交渉になるおそれがある等
の事情がない限り，使用者は団体交渉に応じなければならない。[37]

　労組法は，条文上，「使用者が雇用する労働者」の代表者との団体交渉を正
当な理由なく拒んではならないとしている（7条2号）。この文言との関係で，
使用者が現に雇用しているとはいえない採用前や退職後の労働者についても，
労働組合はこれを組織して団交を行う権利をもつのかが問題となりうる。この
点につき，これまでの命令例・裁判例は，団交の射程を「使用者が（現に）雇
用する労働者」の問題に狭く限定することなく，労働契約成立前の採用拒否等
をめぐる団体交渉[38]や解雇・雇止めなど労働契約終了後に申し入れられた団体交
渉[39]についても，団交義務の射程に含まれると解釈してきた。また，解雇・雇止
めなど退職をめぐる問題について，一定期間が経過した後に，退職労働者が加
入する労働組合から団交が申し入れられた事案では，長期間の経過により団交
申入れが時機を失したといえる場合には使用者が団体交渉を拒否することに
「正当な理由」があるとされ，[40]逆に，当該期間中も裁判所で解雇問題を争うな
ど問題を漫然と放置していたわけではなく，長期間経過後の団交申入れも時機

35）　労組法は，労働組合の定義のなかで「労働者が……組織する団体又はその連合団体」（2条），
　　団体交渉の権限に関する規定で「使用者又はその団体と……交渉する権限を有する」（6条）との
　　表現を用いており，企業レベルを超えた団体交渉の可能性を認めている。このように，労組法が
　　団体交渉のレベルについて中立的な態度をとるなか，日本の現実の労使関係は企業レベルの組
　　織・交渉を主流とするものとして歴史的に形成されてきた（p30 **3**）。
36）　国・中労委（ネスレ日本）事件・東京高判平成21・12・24別冊中労時1401号49頁。
37）　中ノ郷信用組合事件・中労委平成25・7・17労働委員会関係命令・裁判例データベースなど。
38）　中労委（青山会）事件・東京高判平成14・2・27労判824号17頁，国・中労委（クボタ）事
　　件・東京地判平成23・3・17労判1034号87頁など。
39）　日本育英会事件・東京地判昭和53・6・30労判301号19頁など。
40）　国鉄清算事業団事件・大阪高判平成7・5・26労民集46巻3号956頁など。

412　　第4編　労使関係法

に遅れたものとはいえない場合には，使用者はこれに応じなければならないと[41]されてきた[42]。これに対し，近年問題となったのは，労働契約の継続中には顕在化していなかった問題（石綿ばく露による健康被害）が退職後長期間経過した後に顕在化し，この問題について退職労働者の加入する労働組合が団交を申し入れてきた場合，使用者はこれに応じなければならないかという点である。この点について，命令例・裁判例の多くは，退職後長期間（長い事案では50年）が経過しているとしても，在職中の事実を原因とする未清算の紛争が存在し，その問題の存在が顕在化してから速やかに団交が申し入れられているとすれば，退職労働者も「使用者が雇用する労働者」にあたるとして，石綿ばく露による健康被害の補償問題が団交の対象となりうることを認めている[43]。

実務上，特定の労働組合と使用者の間で「○○社は△△労働組合のみを団体交渉の相手方として承認する」との協定（唯一交渉団体条項）が締結され，これを根拠に使用者がそれ以外の労働組合との団体交渉を拒否することがある。しかし，このような協定は他の労働組合の団体交渉権（憲法28条）を侵害するものとして公序に反し無効（民法90条）であり，使用者はこの協定を根拠に他の労働組合からの団体交渉の申入れを拒否することはできない[44]。

2　複数の労働組合に対する対応——中立保持義務

日本の複数組合主義の下では，使用者は複数の労働組合と同時に団体交渉等を行う状況に置かれうる。その際に，使用者は，複数の労働組合に対し，当該労使関係の具体的状況に応じて中立的な態度をとることを義務づけられる。これを中立保持義務という。この義務に反する使用者の行為は，特定組合への不利益取扱いや支配介入（労組法7条1号，3号）として不当労働行為となる。具体的には，次のような場合に問題となりうる。

41）　日本鋼管鶴見造船所事件・東京高判昭和57・10・7労判406号69頁〔解雇から6年10か月経過後の団交申入れにつき，当該期間中も裁判所で解雇問題を争うなど問題を漫然と放置していたわけではなく団交の申入れが時機に遅れたものとはいえない〕など。

42）　このような労働契約前後の問題について，学説も，「労働契約関係と隣接する関係」（菅野・前掲17）1013頁以下），「将来もしくは過去の」労働関係（西谷・前掲11）153頁）などと表現し，団体交渉の対象となることを認めている（p447**2**）。

43）　兵庫県・兵庫県労委（住友ゴム工業）事件・大阪高判平成21・12・22労判994号81頁，国・中労委（ニチアス）事件・東京地判平成24・5・16労経速2149号3頁など。

44）　住友海上火災保険事件・東京地決昭和43・8・29労判67号87頁。

> ### 事例91
>
> 　カルロス自動車には，従業員の約95％を組織する多数組合と約2％を組織する少数組合が存在している。同社は，残業を含む新たな勤務体制を組むことを計画し，両組合と交渉したところ，多数組合とは合意に達し労働協約が締結されたが，少数組合はそれと同じ条件で残業することに反対の態度をとったため，少数組合とは協約締結には至らなかった。そこで同社は，多数組合の組合員のみで新たな勤務体制を実施することとし，少数組合員には残業を命じなかった。この会社の態度・取扱いに違法な点はないか？（Ⅰ）
>
> 　また，同社は年末一時金の交渉にあたって，両組合に対し「生産性向上に協力すること」を前提条件に月給の3.5か月分を支給する旨の提案をしたところ，多数組合はこれに同意し，少数組合はこれに同意しなかった。そこで同社は，多数組合員には3.5か月分の年末一時金を支給し，少数組合員には年末一時金を支給しなかった。この会社の態度・取扱いはどうか？（Ⅱ）

　複数の労働組合が存在している場合，使用者はそれぞれの組合に対し中立的な態度をとらなければならない。例えば，団体交渉の際には，同一時期に同一の条件を提示し同一の方法で交渉を行うことが原則となる[45]。もっとも，当該労使関係の具体的な状況に応じて合理的な対応をとることまでは否定されない。例えば，事例91の（Ⅰ）のように，同一時期・同一条件で複数の労働組合と交渉した結果，圧倒的多数の労働者が加入する組合と先に合意に達したため，それ以降使用者が少数組合との交渉で多数組合との合意内容に固執したとしても，そのような使用者の態度は，各組合の組織力・交渉力の差に応じた合理的な対応として中立保持義務には違反しないと解釈されている[46]。

　使用者が中立的態度で交渉した結果，一方の労働組合とは合意し，他の労働組合とは合意に至らなかった場合，その結果の差異は不当労働行為にはあたらない[47]。しかし，ある組合が受け入れられないような条件（いわゆる「さし違え条

---

45)　例えば，多数組合とは取決めに基づいて経営協議会を設け少数組合とは経営協議会を設けていないことは中立保持義務に反するとはいえないが，使用者が多数組合との経営協議会で提示した資料や説明内容を少数組合との団体交渉においてその求めにもかかわらず提示しないことは不当労働行為（不誠実団交）となるとした裁判例（国・中労委（NTT西日本）事件・東京高判平成22・9・28労判1017号37頁）がある。

46)　日産自動車事件・最三小判昭和60・4・23民集39巻3号730頁（#107）。ただし，この事件（事例91の（Ⅰ）類似のケース）では，使用者の態度が特定組合（少数組合）に対する嫌悪の意図に基づくものであったため，不当労働行為が成立するものとされた。

414　　第4編　労使関係法

件」。例えば，生産性向上運動に反対することを基本方針としている組合に対し生産性向上に協力することを条件とすること）をあえて提示し，使用者がそれに固執した結果，その組合は条件を受け入れられずに不利益を被ることとなった場合は，意図的な組合弱体化行為として不当労働行為となると解釈されている[48]。

3　団体交渉の担当者

団体交渉は，労働組合を代表する者（または労働組合の委任を受けた者。労組法6条）と使用者を代表する者（個人企業では個人，法人では代表権を有する者）との間で行われるのが一般的である。団体交渉の担当者以外の多数の組合員が参加する団体交渉（いわゆる「大衆団交」または「組合員参加型団体交渉」）については，これを申し入れた労働組合側に代表者を通じて交渉を行う体制が整っていない場合には，そのことを理由に使用者は団体交渉を拒否することができるが，このような形態の団体交渉が労働協約に定められたり労使慣行として成立している場合には，使用者はこれに応じなければならない[49]。

労働組合が上部団体の役員や弁護士などの第三者に団体交渉の権限を委任し，これらの者が労働組合側の交渉担当者として団体交渉に参加することもありうる。このような第三者の団体交渉への参加を排除するために，労働組合と使用者の間で「労働組合は従業員である組合員以外の第三者に団体交渉を委任しない」との協定（第三者交渉委任禁止条項）が結ばれることもある。この協定については，労使自治に基づき自主的に交渉ルールを取り決めたものであり有効であるとする見解もあるが，憲法28条が保障する団体交渉権を不当に制限するもの（憲法28条が設定する強行的な公序に反するもの）であり，企業内組合の閉鎖性を助長するものともなるため，無効と解すべきである[50]。

使用者側で，代表者（個人事業主，法人の代表権をもつ取締役等）以外の者（労務担当役員，人事部長，工場長，支店長等）も，団交事項について実質的な決定権

---

47)　前掲46）日産自動車事件判決（# 107）参照。
48)　日本メール・オーダー事件・最三小判昭和59・5・29民集38巻7号802頁〔 事例91 の（Ⅱ）類似のケースで不当労働行為の成立を肯定〕。
49)　国・中労委（函館厚生院）事件・東京地判平成20・3・26労判969号77頁〔労使慣行が存在したことから結論として団交拒否（労組法7条2号）にあたるとされた〕。
50)　学説の状況については，東京大学労働法研究会編『注釈労働組合法（上）』296頁以下（有斐閣，1980）参照。

第1章　労使関係の基本的枠組み　　415

限をもち交渉権限を使用者から付与されている場合には，団体交渉の担当者になりうる。弁護士についても同様であり，団交事項について実質的な決定権限・交渉権限をもたず，具体的な交渉や決定を行わない場合には，不誠実団交となる[51]。

2 団体交渉義務の内容

1 対象事項

事例92

> プロ野球球団である大阪近鉄バファローズとオリックスブルーウェーブは，経営難のなかで球団を合併させて1球団とすることを決定した。これに対し2球団の選手も所属している労働組合・日本プロ野球選手会は，2球団が合併することはプロ野球選手の地位に大きな影響を与えることになるとして，一方的な球団合併決定に抗議の意思を示し，球団合併に関する団体交渉を行うよう日本プロ野球機構に求めた。これに対し機構側は，「球団合併の問題は経営事項であり，球団が専権的にこれを決定することができる。日本プロ野球協約にもそのように書いてある」として，団体交渉に応じようとしない。労働組合・日本プロ野球選手会は何らかの法的救済を求めることができるか？　なお，「日本プロ野球協約」とは野球連盟と球団との間で締結されたものであり，球団と労働組合の間で締結された労働協約ではない。

　使用者はいかなる範囲の事項について団体交渉義務を負うのか。労組法はその範囲について明確な規定を置いていない。このような場合に解釈の指針となるのは法の趣旨である。労組法は，その目的規定において，①労働条件の対等決定と②労使自治の促進を掲げている（1条1項）。その趣旨からすると，このような目的を実現する場である団体交渉においては，①労働者の労働条件その他その経済的地位に関する事項（2条参照），および，②労使関係の運営に関する事項であって，使用者（7条）が使用者としての立場で支配・決定できるものについて，交渉を行うことが義務づけられていると解釈されうる[52]。例えば，

---

51)　弁護士等の交渉担当者が実質的な交渉権限を有していたか否かは，実際の団交における具体的言動を踏まえて実質的な交渉権限者としての対応を行ったかという点から判断される（国・中労委（長澤運輸・団交）事件・東京高判令和3・1・28労判1241号35頁）。

52)　水町勇一郎「『労働契約』か『社会関係』か？」菅野和夫先生古稀記念論集『労働法学の展望』525頁以下（有斐閣，2013），水町勇一郎「団体交渉は組合員の労働契約のためにあるのか？」西谷敏先生古稀記念論集『労働法と現代法の理論下』96頁以下（日本評論社，2013）参照。

416　第4編　労使関係法

①労働者の労働条件その他その経済的地位に関する事項として，賃金，労働時間，安全衛生，労災補償，職場環境，人事考課，人事異動，懲戒，採用・解雇，福利厚生，企業年金など[53]，②労使関係の運営に関する事項として，組合員の範囲，ユニオン・ショップ，便宜供与，団体交渉・労使協議のルール，争議行為の手続などがあげられる。 事例92 にあるように，会社組織の変更，事業場の移転，生産方法の変更など，かりにそれが経営上使用者が専権的に決定すべき事項（経営事項）とされている場合であっても，労働者の待遇や労使関係の運営に関連するときには，その限りで義務的団交事項にあたる[54]。当該労働組合の組合員でない者（非組合員）の労働条件等についても，労働者全体に適用される一般的な基準・制度にかかわるなど労働者の経済的地位に関するもの（当該労働者固有の利益にかかわるものを除く）については義務的団交事項にあたると解される[55]。

2 態様

事例93

労働組合からの団体交渉の申入れに対し，使用者が次のような態度をとることは適法か？

①聞いたことがない外部のユニオンだったため，組合員名簿が提出されない限り交渉には応じられないとの態度をとること。

②団体交渉における録音・撮影の禁止，情報一切の口外禁止，会社代理人による議事進行という開催条件を提示し，これに応じられなければ交渉できないとの態度をとること。

③対面での交渉ではなく，オンラインでの交渉であれば応じるとの態度をとること。

④組合役員に対する配転命令を団交事項とした申入れに対し，解決済みの問題だ

---

53) これらのうち，集団的に決定される事項だけでなく，個々の労働者の人事考課，昇格・降格，配転・出向，懲戒，解雇など個別の事項についても，わが国では義務的団交事項に該当すると解釈されている。集団的事項と個別的事項とを峻別することは難しく，両者が相互に結びつきながら雇用労使関係が形成されていくことを考えると，このような解釈は妥当である。

54) 日本プロフェッショナル野球組織（団体交渉等仮処分抗告）事件・東京高決平成 16・9・8 労判 879 号 90 頁，国・中労委（吹田市・校務員配置）事件・東京高判平成 27・5・14 労判 1124 号 56 頁参照。

55) 林兼産業事件・大阪地労委昭和 57・10・6 別冊中労時 980 号 12 頁〔非組合員の労働安全問題であるが労働者全体の労働安全にもかかわる〕，国・中労委（根岸病院・初任給引下げ団交拒否）事件・東京高判平成 19・7・31 労判 946 号 58 頁〔非組合員の労働条件（初任給引下げ）であるが組合員の労働条件等に影響を及ぼす可能性が大きく組合員の労働条件ともかかわりが強い〕など。

第 1 章 労使関係の基本的枠組み　417

として，組合の要求に対する回答や自らの主張を具体的に行わないこと。
　⑤組合員の労働条件にかかわる経営見通し（収益見込み）について，財務諸表等の客観的な資料を提示して具体的な説明をしようとしないこと。

　使用者は，労働組合からの団体交渉の申入れに対し，正当な理由がない限り，交渉のテーブルに着かなければならない。労働組合の団体交渉申入れに対し，使用者が労働組合に組合員名簿の提出を求め，提出されなければ団体交渉には応じないという態度をとることがある（事例93の①）。しかし，組合員が特定されると当該組合員への不利益取扱いや組合脱退勧奨など新たな不当労働行為が発生するおそれもあるため，団体交渉事項のなかに組合員の特定を必要とするなど特別の事情がない場合には，組合員名簿の不提出は使用者が団体交渉を拒否する正当な理由にはならないものと解される。そのほか，使用者が必要性や合理性のない開催条件を提示しそれに固執する態度をとって団体交渉の開催に至らない場合（事例93の②参照）には，正当な理由のない団交拒否として不当労働行為に該当しうる。使用者がオンラインでの団体交渉に固執すること（事例93の③参照）の正当性も，その必要性（感染症拡大のリスク等），合理性（オンラインでも実効的に協議できる課題や環境であること等）の有無・程度などを勘案して判断される。

　団体交渉は，単にテーブルに着くだけの形式的なものであってはならず，法の趣旨に適った態様のものでなければならない。使用者は合意達成の可能性を模索して誠実に交渉する義務（誠実交渉義務）を負うと解されており，最高裁も，誠実交渉義務違反（いわゆる「不誠実団交」）が不当労働行為（労組法7条2号の広義の「団交拒否」）になることを確認している。この誠実交渉義務には，

---

56)　新星タクシー事件・東京地判昭和44・2・28労民集20巻1号213頁など。

57)　商大自動車教習所事件・東京高判昭和62・9・8労判508号59頁〔使用者が固執した場所・時間・交渉人員の条件に合理性がないとして正当性を欠く団交拒否と判断〕，アート警備事件・東京高判令和2・8・20労判1262号37頁〔使用者が情報一切の守秘義務，録音・撮影禁止，使用者側弁護士による議事進行を団交の開催条件としたことに必要性，合理性は認められないとして正当な理由のない団交拒否と判断〕など。

58)　カール・ツアイス事件・東京地判平成元・9・22労判548号64頁（#104），中労委（株式会社シムラ）事件・東京地判平成9・3・27労判720号85頁など。

59)　山形県・県労委（国立大学法人山形大学）事件・最二小判令和4・3・18民集76巻3号283頁。

418　第4編　労使関係法

具体的には，①文書のやり取りや電話による会話だけではなく，直接会見し誠実に協議する義務（会見・協議義務）[60]，②労働組合の要求や主張を聴くだけでなく，使用者としての回答や主張を行う義務（回答・主張義務）[61]，③自らの回答や主張の論拠を示し，必要な資料を提示するなどして誠意をもって交渉する義務（論拠・資料提示義務）が含まれる。例えば，団交事項が会社の経営判断にかかわる場合には，使用者は財務諸表（貸借対照表，損益計算書等）など客観的な資料に基づいて判断の根拠を具体的に説明すること（③）が求められる[62]。誠実団交義務に違反する場合は，実質的な団交拒否（労組法 7 条 2 号）として不当労働行為にあたる。もっとも，使用者は，団体交渉において譲歩をしたり同意をすることまでは要求されておらず，誠実な交渉を行ったにもかかわらず交渉が行き詰まった場合には，正当に団体交渉を打ち切ることができる[63]。団体交渉において合意が成立した事項について，使用者がその書面化を拒むことは，原則として誠実交渉義務に反する不当労働行為になると解されるが，使用者側の表明した見解がなお暫定的・仮定的なもので，労使間に確定的な合意が成立したとはいえない段階では，書面化（労働協約締結）を拒否したとしても不当労働行為にはあたらない[64]。

❸ 団交拒否の救済方法

使用者の団交拒否に対する法的救済としては，労働委員会による救済と裁判所による救済の大きく 2 つのルートがある。

---

60) 清和電器産業事件・最三小判平成 5・4・6 労判 632 号 20 頁〔〔原審〕東京高判平成 2・12・26 労判 632 号 21 頁〕〔使用者が書面の交換方式に固執し直接の話合いに応じないことは団交拒否に該当すると判断〕。

61) 前掲 58）カール・ツアイス事件判決（＃ 104）〔 事例93 の④類似のケースで，組合の要求に対し自らの主張の理由を具体的に説明し相手方を納得させようとする態度がみられず，誠実性を著しく欠くと判断〕など。

62) 国・中労委（モリタほか）事件・東京地判平成 20・2・27 労判 967 号 48 頁〔 事例93 の⑤類似のケースで不誠実団交と判断〕など。

63) 寿建築研究所救済命令取消請求事件・東京高判昭和 52・6・29 労判 281 号 64 頁，池田電器事件・最二小判平成 4・2・14 労判 614 号 6 頁，国・中労委（日本郵便〔晴海郵便局〕）事件・東京地判平成 30・12・20 労判 1210 号 52 頁など。

64) 文祥堂事件・最三小判平成 7・1・24 労判 675 号 6 頁参照。

第 1 章 労使関係の基本的枠組み 419

1　労働委員会による救済

　労働組合は，使用者の団交拒否に対して，労働委員会に不当労働行為の救済申立てを行うことができる（労組法 27 条以下）。労働委員会は，申立てに理由があると認めたときには，個々の具体的事案に応じた適切な救済命令を発する。例えば，「A 社は，B 労働組合に対し，○○を理由に団体交渉を拒否してはならず，誠実に交渉に応じなければならない」との誠実交渉命令が発せられる（労働委員会による不当労働行為の救済については p460 **1** 参照）。

　また労働組合は，団交拒否を労働関係調整法上の労働争議（労調法 6 条）として，労働委員会にあっせん，調停，仲裁を申請することもできる（10 条以下。労働委員会による争議調整については p502 *1* 参照）。

2　裁判所による救済

　労働組合は，使用者の団交拒否に対して，裁判所に直接救済を求めることもできる。団交拒否に対する救済は迅速に行われないと実際上意味がなくなることが多い。しかし，労働委員会による不当労働行為の救済には時間を要することも少なくないため，実務上は裁判所への仮処分申立てという形で救済が求められることが多い。

　その際の請求権（被保全権利）として，かつては団体交渉請求権（団交応諾仮処分）自体を肯定する裁判例がみられた[65]。しかし，誠実団体交渉という給付内容を具体的に特定することは困難であることから，今日では，団体交渉を求める地位の確認という形で請求（仮処分申立て）を認めるのが一般的である[66]。

　また，団交拒否によって損害が生じた場合には，不法行為（民法 709 条）として損害賠償請求をすることもできる[67]（不当労働行為の司法救済については p467 **3** 参照）。

---

65)　前掲 44）住友海上火災保険事件決定など。

66)　国鉄団交拒否事件・最三小判平成 3・4・23 労判 589 号 6 頁（＃111）〔原審〕東京高判昭和 62・1・27 労判 505 号 92 頁〔その法的根拠は労組法 7 条 2 号に求められている〕）。

67)　太陽自動車（太陽自動車労組）事件・東京地判平成 21・3・27 労判 986 号 68 頁〔不誠実団交につき 50 万円の損害賠償を命令〕，エクソンモービル事件・東京高判平成 24・3・14 労判 1057 号 114 頁〔一時金の支給基準に関する不誠実団交につき実質的な交渉の機会を奪われた原告労働者（21 名）の損害を各 10 万円と認定〕など。

2 労働協約

使用者と労働組合が団体交渉（あるいは労使協議の場合もある）において合意に達した場合，労働協約が締結されることが多い。労働協約は，労働関係における第2の法源として労働条件等を設定する（p49 *2*, p72 **2**）とともに，労使自治の枠組みを定める重要な機能を営んでいる（有斐閣HPの労働協約例参照）。

1 労働協約の意義

労組法は，労働協約に，これに反する労働契約の部分を無効とし（強行的効力），無効となった部分および労働契約に定めがない部分を補う効力（直律的効力）を認めている（16条）。この労働協約の労働契約に対する強行的・直律的効力は，「規範的効力」と呼ばれている。

労働協約の法的性質について，学説は，大きくみると，①労働協約は法律と同様に法規範としての性質をもつとする法規範説と，②労働協約は使用者と労働組合間の契約であるが，労組法16条によって政策的に特別の効力が付与されたものであるとする契約説とに分かれている。[68] ドイツやフランスなどヨーロッパの産業別労働協約とは異なり日本の企業別労働協約には法規範としての普遍性が乏しく，また，この部分社会のルールに法規範性を認めようとする法的根拠（国家意思）も明確でないことから，契約説が妥当といえよう。

労組法は，労働協約は，①書面に作成し，②両当事者が署名または記名押印をすることによって効力を生じると規定している（14条）。その趣旨は，合意の有無や内容についての無用な紛争を避ける（ひいてはこのような労使間の紛争に国家権力が介入して裁定を下すことを回避する）ことにある。これらの要件を満たしていない限り，労使間に合意が成立していたとしても，労働協約としての規範的効力は認められない。[69]

---

68) 学説の状況については，中窪裕也「労働協約の規範的効力」季刊労働法172号94頁以下（1994），西谷敏「労働協約論」籾井常喜編『戦後労働法学説史』401頁以下（労働旬報社，1996）など参照。

69) 都南自動車教習所事件・最三小判平成13・3・13民集55巻2号395頁（#90）〔ベースアップの具体的な額について合意に至ったが，その前提となる新賃金体系の導入をめぐる争いがあり協定書が作成されていない状況で，労働協約としての規範的効力を否定〕。なお，労組法14条は，

② 労働協約の規範的効力

労働協約には，大きく2つの効力が認められる。1つは，労働契約を規律する規範的効力であり，もう1つは通常の契約と同じ債務的効力である。この2つの効力という観点からみると，労働協約は，①規範的効力が認められる部分（いわゆる「規範的部分」）と，②規範的効力が認められない部分（いわゆる「債務的部分」）の2つの部分からなるといえる。まず，規範的効力をめぐる問題からみていこう。

1 規範的効力の及ぶ範囲

労働協約に定められた事項のうち規範的効力が認められるのは，「労働条件その他の労働者の待遇に関する基準」を定める部分である（労組法16条。その具体的内容については p416 **1** 参照）。労働者の待遇ではなく，チェック・オフや組合事務所の貸与など労使関係の運営に関する事項については，規範的効力は認められず，通常の契約としての債務的効力のみが認められる（p429 **3**）。

規範的効力が及ぶ人的範囲は，日本では，原則として，当該労働協約を締結した組合の組合員のみとされている。しかし，この原則には，労働協約の拡張適用という重要な例外が定められている（p426 3）。

2 規範的効力と労働条件の決定・変更

(1) 有利原則

事例 94

ネルソン社では，高度なシステム開発能力を有する人材を採用して AI を活用した新たな経営戦略を展開していくことを計画し，最先端のスキルをもつ外部人材の青山さんと契約交渉をしたところ，年俸 1600 万円であれば契約してもよいとの返事をもらった。同社の就業規則の賃金表によると，技術者の最高レベルの賃金額は年間 1200 万円であるため，同社の社長の岸さんは，青山さんを賃金表上の最高レベルの技術者（年間賃金 1200 万円）と位置づけ，これに年間 400 万円の特別手当を加えて支給することとし，その旨の労働契約を締結して青山さんを採用した。同社には，ユニオン・ショップ協定を結んだネルソン労働組合があったため，青山さんは入社と同時に同組合に加入した。その直後に開催された同組合委員長の和田さんと岸社長との定期懇談会の場で，和田委員長は「一部の従業員のみに多額の手当が支給されるというのはいかがなものか」との意見を述べた。そこで，岸社長は青山

同条の要件を満たしていない労使間の合意の通常の契約としての効力（債務的効力）まで否定するものではないと解される（安田生命保険事件・東京地判平成 4・5・29 労判 615 号 31 頁参照）。

422　第4編　労使関係法

さんに対し、「申し訳ないが組合との関係上特別手当は支払えなくなった」と告げた。青山さんは、同社に対し、年間 400 万円の特別手当の支払いを請求することができるか？　なお、同社の就業規則、および、ネルソン労働組合との労働協約には、「賃金は、賃金表に基づく基本給のほか、時間外労働手当、休日労働手当、深夜労働手当、家族手当、通勤手当とする」との規定があり、それ以外の手当については何ら記載がない。

　この事例では、労働協約より有利な労働契約上の合意は有効なのか、それとも労働協約より有利な合意であっても規範的効力によって無効とされるのか[70]が、1 つの争点となる。就業規則と労働契約との関係では、就業規則の「基準に達しない」労働契約の部分を無効とすると定められている（労契法 12 条）ため、就業規則の拘束力は、より有利な契約規定には及ばない片面的なものであることが明らかである（p77 (1)）。しかし、労働協約と労働契約との関係[71]では、労働協約の「基準に違反する」労働契約の部分を無効とするとの文言が用いられている（労組法 16 条）ため、労働協約より有利な労働契約上の合意も労働協約に「違反する」ことになるのか、労働協約より不利な合意のみが「違反する」ことになるのか、法律の文言だけでは明らかでない。

　この点につき、ドイツでは、法律上明文で有利原則が肯定されている。その背景には、ドイツの労働協約は産業レベルでの労働条件の最低基準を定めたものであり、各企業レベルでより有利な合意がなされることを前提としたものであるという実態がある。これに対し、アメリカでは、判例上有利原則が否定されている。その背景には、アメリカの労働協約の多くは事業場や企業レベルで現実の労働条件を定めたものであるという実態があり、また、過半数を勝ち得た労働組合に強い排他的権限を認めようというアメリカ法のポリシーもある。

　日本では、労働協約の多くは企業レベルで現実の労働条件を定めたものであり、この点ではアメリカの状況と類似している。しかし、アメリカのように特定の労働組合に強い排他的権限を認めようという政策は、日本法ではとられていない。

---

70)　労働協約よりも有利な合意を認めることを「有利原則を肯定する」といい、有利な合意を認めないことを「有利原則を否定する」という。
71)　労働協約と就業規則との関係でも同様のことがいえる。

このような状況を考慮すると，日本法は有利原則を明確に肯定する立場にも否定する立場にも立っているわけではなく，有利原則を認めるか否かは基本的に労使自治に委ねられていると解釈すべきであろう。労働協約より有利な労働契約上の合意が認められるか否かは，個々の労働協約規定が有利な合意を許容する趣旨のものか許容しない趣旨のものか，協約締結当事者の意思に照らして判断されるのである。例えば，労働組合と使用者が労働条件の最低基準を設定する趣旨である労働協約規定を締結した場合，その規定より有利な労働契約上の合意は有効と認められる（有利原則の肯定）。しかし，協約締結当事者の意思（当該規定がより有利な労働契約上の合意を認める趣旨のものか）が明らかでない場合には，現実の労働条件を定めた日本の企業別労働協約の実態や団結権を尊重しようとする法（憲法 28 条）の趣旨から，有利原則は否定されるべきである。[72]

(2) 労働条件の不利益変更

事例 95

　NAO 火災海上社では，Ａ社から引き継いだ鉄道保険部の労働者の定年は 63 歳，それ以外の労働者の定年は 55 歳としてきた。同社は多額の赤字を計上するなかで，従来からの懸案事項であった定年年齢の統一と退職金制度の改定を行うこととし，同社の多数組合（各事業場で従業員の 4 分の 3 以上が加入）と新たな労働協約を締結した（就業規則もそれと同内容のものに改定した。この当時高年齢者雇用安定法による定年年齢 60 歳以上の義務づけはなかった）。この新協約によると，定年年齢は 57 歳に統一され，退職金の支給率も引き下げられた。鉄道保険部で勤務していた石堂さん（多数組合の組合員）は，この改定により，定年年齢が 63 歳から 57 歳に引き下げられ，退職金の支給率も 71.0 から 51.0 に引き下げられた。また，この改定時点で満 57 歳に達していた高田さん（鉄道保険部出身。調査役の地位にあり非組合員）は，退職したものとして取り扱われ，それ以降は経過措置により 62 歳まで再雇用されることとされ，給与は定年前の 60% となった。石堂さんおよび高田さんは，会社に対し，改定前の基準による退職金および給与の支払いを請求することができるか？　高田さんが社外の管理職ユニオン（地域合同労組）に加入している場合はどうか？

　労働協約によって労働条件を不利益に変更することができるか。これは，理

---

72)　有利原則についての優れた分析として，諏訪康雄「労働協約の規範的効力をめぐる一考察——有利原則の再検討を中心として」久保敬治教授還暦記念論文集『労働組合法の理論課題』179 頁以下（世界思想社，1980），西谷・前掲 11）343 頁以下がある。

424　　第 4 編　労使関係法

論的には，労働組合にそのような内容の労働協約を締結する権限が認められるかという，労働組合の協約締結権限の範囲の問題といえる。

この点につき，かつての裁判例のなかには，労働組合の目的として労組法上定められた「労働条件の維持改善」(2条)という文言に着目し，労働条件の不利益変更は労働組合の権限の範囲外であるとするものがみられた[73]。しかし現在の判例は，労働条件の不利益変更も原則として労働組合の協約締結権限の範囲内であるとする立場をとっている[74]。

そもそも団体交渉は，単にある時点である事項に限定して行われるにすぎないものではなく，例えば，経営状況が苦しいなかで雇用を守るために賃金面や労働時間面で一定の譲歩をするなど，さまざまな事項を包括しながら中長期的な動向をも視野に入れて行われる労使間の取引（長期的なギブ・アンド・テイクの取引）との性格をもっている。このような取引のなかで，一部の事項について一時的にも不利益な変更が認められないとすると，労働組合の交渉力は大きく縮減され，労働者の全体的・長期的利益に反することになりかねない。団体交渉のこのような性格からすると，ある時点である事項について労働条件の不利益変更をすることも含め，労働組合には広く協約締結権限が認められていると解釈すべきである。その意味で，現在の判例の立場は妥当である。

もっとも，この労働組合の協約締結権限にも限界はある。第1に，既に具体的に発生した個人の権利の処分[75]や組合員を退職させる取決め[76]など，組合員個人の権利性が強いものを処分する決定である。これは「個別的授権事項」と呼ばれ，組合員個人の授権（同意）がない限り労働組合が勝手に処分することはできないと解されている。第2に，特定層の組合員を殊更不利益に取り扱うことを目的とするなど，労働組合の本来の目的を逸脱して協約を締結することであ[77]

---

73) 大阪白急タクシー事件・大阪地決昭和53・3・1労判298号73頁など。
74) 朝日火災海上保険（石堂・本訴）事件・最一小判平成9・3・27労判713号27頁（#91）〔 事例95 の石堂さん類似のケースで，労働組合の協約締結権限を肯定し，労働協約による労働条件の不利益変更を有効と判断〕。
75) 香港上海銀行事件・最一小判平成元・9・7労判546号6頁〔既に発生した退職金債権の額を引き下げる協約の効力を否定〕，平尾事件・最一小判平成31・4・25労判1208号5頁〔既に発生した賃金債権の支払いを猶予する協約の効力を否定〕。
76) 北港タクシー事件・大阪地判昭和55・12・19労判356号9頁〔定年年齢を超えている従業員を退職させる新定年制導入を定めた協約の効力を否定〕。

第1章 労使関係の基本的枠組み　425

る。第3に，組合大会での承認など民主的な手続を踏まないで協約を締結することである。[79] 労働組合の権限の行使は民主的手続を踏んだうえで行うことが前提となっており（労組法5条2項等参照），これを欠く労働組合の行為は権限の範囲外と考えられるからである。判例として，組合規約により執行委員長に労働組合の業務を統括する権限が認められているとしても，これをもって執行委員長に労働協約を締結する権限が付与されていると解することはできない（組合大会や執行委員会により協約締結権限が付与されていることが必要である）としたものがある。[80] これらの場合には，組合の協約締結権限は否定され，規範的効力は認められないことになる（*Column 51*）。

Column 51 労働協約による労働条件の不利益変更——判例の立場と考察（私見）　判例（前掲注74）朝日火災海上保険（石堂・本訴）事件判決）は，協約締結権限の限界について，①協約締結の経緯，②会社の経営状態，③協約基準の全体としての合理性に照らし，特定または一部の組合員を殊更不利益に取り扱うことを目的として締結されたなど労働組合の目的を逸脱して締結されたものといえるか否かによって判断するものと判示している。これは，労働者の不利益の大きさ，経営上の必要性，手続の公正さなどの諸要素を勘案して労働組合の目的を逸脱したものでないかを総合的に判断するという枠組み（総合判断型）を提示したものといえる。しかし，労働組合という特別の権能を与えられた団体が侵害してはならない労働者個人の権利・利益の存在とその重要性，および，労働組合の集団的決定における民主的手続の重要性（p407 **3** 参照）からすると，組合員個人の権利を侵害しないこと，および，民主的な手続を踏むことは，総合判断の一要素ではなく，労働組合本来の目的を逸脱しないことと並ぶ，それぞれ独立した要件として位置づけられるべきである。

3　労働協約の拡張適用（一般的拘束力）

　労働協約の規範的効力は，協約を締結している組合の組合員にのみ及ぶというのが協約の人的適用範囲の原則であった（p422 **1**）。しかし，その例外として，労組法は，労働協約が労働者の大部分に適用されるに至ったときに，組合員以外にもこれを拡張して適用する制度を定めている。これは，労働協約の拡張適用（一般的拘束力）と呼ばれ，事業場単位の拡張適用（17条）と地域単位の拡張

---

77)　西谷・前掲11）362頁は，この労働組合の本来の目的を「組合員の実質的平等」にあるとする。

78)　前掲74）朝日火災海上保険（石堂・本訴）事件判決〔 事例95 の石堂さん類似のケースで一般論としてこのように説示しつつ，本件では労働組合の目的を逸脱していないと判断〕参照。

79)　中根製作所事件・最三小決平成12・11・28労判797号12頁（〔原審〕東京高判平成12・7・26労判789号6頁），鞆鉄道事件・広島高判平成16・4・15労判879号82頁など。

80)　山梨県民信用組合事件・最二小判平成28・2・19民集70巻2号123頁（#23）。

426　第4編　労使関係法

適用（18 条）という 2 つのタイプのものが定められている。

(1) 事業場単位の拡張適用　労組法 17 条は，ある工場事業場に常時使用される同種の労働者の 4 分の 3 以上の労働者が同一の労働協約の適用を受けるに至ったときには，当該工場事業場に使用される他の同種の労働者にも当該協約が適用されるとする。典型的には，ある事業場の多数組合が従業員（同種の労働者）の 75% 以上を組織するに至った場合に，その組合が締結する労働協約の規範的効力が組合員以外にも及ぶというものである[81]。

本条は，事業場の労働条件を統一することによって，①少数者による労働力の安売りを防いで多数組合の団結権を維持強化するとともに，②当該事業場における公正な労働条件を実現して少数者の保護を図るという，複合的な趣旨をもつものである[82]。

労働協約の拡張適用をめぐり，具体的には次のような解釈問題が生じる。

第 1 に，「同種の労働者」とはどのような労働者を指すか。この点については，上述した少数者による安売りの防止（①）という趣旨や少数者保護（②）の趣旨からすると，少数者や多数組合の主観的意図にかかわらず，「当該協約（条項）が適用対象として客観的に想定している労働者」を指すものと解される。したがって，例えば，管理職となって当該組合への加入資格が認められていない者であっても，また，パートタイム労働者や有期雇用労働者など雇用形態が異なる者であっても，当該協約の適用対象にあてはまりうる者であれば「同種の労働者」に含まれることになる。労働協約上の懲戒規定がパートタイム労働者や有期雇用労働者をも適用対象として想定している場合には，これらの労働者も当該規定に関しては「同種の労働者」にあたる。

第 2 に，他の労働組合に加入している労働者にも拡張適用は及ぶか。労組法 17 条の文言上は，この点について何ら限定は設けられていない。しかし，他組合員への拡張適用を肯定すると，憲法 28 条が他組合にも保障している団体

---

81)　本条の適用単位となる「一の工場事業場」について，都市開発エキスパート事件・横浜地判平成 19・9・27 労判 954 号 67 頁は，単なる場所的要素のみならず本条の趣旨に鑑みて決すべきであるとし，従業員の大半が異なる事務所に出向して勤務しているが，その労働条件の内容は出向元の本社で決定されている事案において，出向従業員も含め出向元の本社を「一の工場事業場」と判断した。

82)　朝日火災海上保険（高田）事件・最三小判平成 8・3・26 民集 50 巻 4 号 1008 頁（#92）参照。

交渉権を実質的に侵害することになってしまうため，他組合員への拡張適用は憲法28条に反する解釈として否定されるべきである[83]。したがって，拡張適用が及ぶのは非組合員のみとなる。

　第3に，労働協約の拡張適用によって非組合員に対し労働条件の不利益変更を及ぼすことができるか。これは，理論的には，①労働協約による労働条件の不利益変更と②拡張適用が重なりあった問題であるといえる。上述のように，①不利益変更も原則として協約締結権限の範囲内であり（p424(2)），かつ，②非組合員には拡張適用が及ぶことからすると，原則として非組合員にも不利益変更は及ぶことになりそうである。最高裁朝日火災海上保険（高田）事件判決は，原則としてこれと同様の立場に立ちつつ，非組合員に適用することが著しく不合理であると認められる特段の事情があるときには拡張適用を及ぼすことはできないと解している。非組合員は労働組合の意思決定プロセスに関与する立場になく，また，労働組合側も非組合員の利益を擁護するために活動しているわけではないため，拡張適用によって非組合員の状況が著しく不合理なものにならないように例外的に限定が加えられているのである[84]。

　(2)　**地域単位の拡張適用**　　労組法18条は，ある地域に就業する同種の労働者の大部分が同一の労働協約の適用を受けるに至ったときには，協約当事者の双方または一方の申立てに基づき，労働委員会が決議し，厚生労働大臣または都道府県知事が決定することによって，当該地域における他の同種の労働者および使用者にも当該協約が適用されるとする。

　この地域レベルの拡張適用は，産業別労働協約を基盤としたドイツの制度を日本に導入したものである。企業別労働協約が主流である日本では，本制度はあまり利用されてこず，従来この地域単位の拡張適用が決定されたのは，1950年代の5件と1980年代の3件の合計8件であった[85]。しかしながら，近時，こ

---

83)　拡張適用を認めても他組合（少数組合）はそれを上回る労働条件を求めて団体交渉をすることが可能であるとする反論も考えられるが，このように解すると，組合員獲得に努力してきた多数組合より少数組合のほうが有利な立場に置かれる（少数組合のいいとこ取りを認める）ことになり，妥当でない。

84)　前掲82）朝日火災海上保険（高田）事件判決〔 事例95 の高田さん類似のケースで，高田さんの受ける不利益は大きく，組合員の範囲から除外されていた等の事情から，著しく不合理であるとして拡張適用を否定〕。

85)　本制度の歴史的経緯・運用および理論的課題について考察した論考として，古川景一＝川口美

428　第4編　労使関係法

の制度を活用して，地域レベルでの公正競争条件の確立と待遇改善を進めようとする動きがある。2021（令和 3）年 9 月 22 日，厚生労働大臣は，ヤマダ電機等 3 社と UA ゼンセン加盟組合との間で締結された大型家電量販店の無期雇用フルタイム労働者の年間所定休日を原則 111 日以上とする労働協約（茨城県内の同種の労働者の 90.8％ に適用されていた）につき，茨城県全域に 2022（令和 4）年 4 月 1 日から 2023（令和 5）年 5 月 31 日まで拡張適用することを決定した。また，2023（令和 5）年 4 月 11 日，ヤマダデンキ，デンコードーと UA ゼンセン加盟組合との間で締結された大型家電量販店の無期雇用フルタイム労働者の年間所定休日を原則 111 日以上とすること等を内容とする労働協約（青森県，岩手県，秋田県内の同種の労働者の約 90.3％ に適用されていた）について，厚生労働大臣は，青森県，岩手県，秋田県の全域に 2023 年 6 月 1 日から 2025（令和 7）年 5 月 31 日まで拡張適用することを決定した。[86]

❸　労働協約の債務的効力

　労働協約には，労働契約を規律する規範的効力のほかに，通常の契約と同様の債権債務としての効力（債務的効力）が認められる。この効力は，労働協約の締結当事者である使用者と労働組合との間に認められるものである。協約締結当事者は，そこで設定された義務を誠実に履行しなければならず，義務違反がある場合には，相手方は債務不履行として損害賠償請求をし（民法 415 条），また，組合事務所の貸与契約の不履行の場合など債務の性質が許す場合には履行請求をすることもできる（414 条 1 項）。債務的効力のみが認められる協約事項（債務的部分）としては，①組合員・非組合員の範囲，②チェック・オフ，組合事務所の貸与などの便宜供与，③団体交渉・労使協議に関するルール，④争議行為・組合活動に関するルールなどがある。

　労働協約の債務的効力の 1 つ（上記④の一例）として，平和義務がある。これは，労働協約の有効期間中は協約に定められた事項についてその改廃を求め

貴『新版 労働協約と地域的拡張適用——理論と実践の架橋』（信山社，2022）がある。

86）　さらに，2024（令和 6）年 1 月 5 日，福岡市から水道検針業務を受託している会社 2 社と自治労加盟ユニオンとの間で締結された時間給制水道検針員の最低時給額等を定めた労働協約（福岡市内の同種の労働者の約 72.6％ に適用されていた）について，福岡県知事は，福岡市全域に 2024 年 4 月 1 日から 2025（令和 7）年 3 月 31 日まで拡張適用することを決定した。

て争議行為を行わない義務のことをいう（有斐閣 HP の労働協約例 25 条参照）。この平和義務の根拠は労使間の信義則に求められており，協約上明文の定めがなくても，それを特に排除する規定がない限り，当事者間に設定される義務と解されている[87]。この平和義務は，対象事項が協約に定められた事項に限定されていることから，相対的平和義務と呼ばれる。相対的平和義務に違反して争議行為が行われた場合，そのことから直ちに争議行為の正当性が否定される（その結果，刑事責任・民事責任の追及および実行者の懲戒処分等が可能となる）わけではなく，労働組合が使用者に債務不履行責任を負うにすぎない（争議行為の正当性はこれとは別に判断される（p435 **1**））と解されている[88]。これに対し，労働協約の有効期間中一切の争議行為を禁止する旨が定められることがある。これは絶対的平和義務と呼ばれるが，憲法 28 条が保障する団体行動権（その中心である争議権）を奪うものであり，公序違反として無効（民法 90 条）と解すべきである[89]。

4 労働協約の終了

1 労働協約の期間と解約

期間の定めのある労働協約は，期間の満了により終了する。この期間の上限は 3 年とされており（労組法 15 条 1 項），3 年を超える期間の定めをしても 3 年の期間の定めをしたものとみなされる（同条 2 項）。

期間の定めのある労働協約には，「協約の改廃の申入れがない場合には本協約をさらに同一期間有効なものとする」との自動更新条項や，「新協約締結まで本協約を有効なものとする」との自動延長条項が設けられることが多い。自動更新の場合には現協約と同一期間の協約が成立することになるが，自動延長の場合には特段の取決めがない限り期間の定めのない労働協約と同様の取扱いを受けることになる（労組法 15 条 3 項後段参照）。

期間の定めのない労働協約については，署名または記名押印した文書により，

---

87) 外尾健一『労働団体法』642 頁以下（筑摩書房，1975），山口浩一郎『労働組合法〔第 2 版〕』178 頁（有斐閣，1996），西谷・前掲 11）367 頁など。

88) 弘南バス事件・最三小判昭和 43・12・24 民集 22 巻 13 号 3194 頁（#96）。

89) 外尾・前掲 87）634 頁，片岡曻（村中孝史補訂）『労働法(1)〔第 4 版〕』240 頁（有斐閣，2007）など参照（〔反対〕東京大学労働法研究会編『注釈労働組合法（下）』749 頁（有斐閣，1982），西谷・前掲 11）368 頁以下など）。

430　第 4 編　労使関係法

少なくとも 90 日前に予告することによって，当事者の一方によりいつでも解約することができる（同条 3 項，4 項）。ただし，労働協約の解約が労働組合の弱体化をねらって行われるような場合には，不当労働行為とされることがありうる（p456 **1**）。

労働協約を解約する場合，一方当事者が協約の一部分のみを取り出して解約することができるかが問題となる。裁判例は，労働協約のなかの各条項は相互に関連をもつ一体的合意との性格をもっているから，一方当事者が一部の条項のみを取り出して解約することは原則として許されないとしつつ，協約条項のなかに客観的に他と分別できる部分があり，かつ，当事者も分別した取扱いを予想しえたと考えられる場合には，例外的に一部解約が許されるとしている。[90]

2　労働協約終了後の労働契約の内容

事例 96

　ギリギリ出版社の企業内組合であるギリギリ出版労働組合は，同社と 2021 年 4 月から 3 年の期間の定めのある労働協約を締結していた。同組合は，この労働協約の期間満了の半年前の 2023 年 10 月から期間満了後の新協約の締結に向けて会社側と協議・交渉を行ってきたが，交渉は難航し，協約の期間が満了する 2024 年 3 月になっても新しい労働協約の締結には至らなかった。協約の期間満了後，同組合の組合員である吉野さんの労働条件はどうなるか？

労働協約が終了すると，労働契約を規律していた規範的効力はどうなるか。この問題は，理論的には，労働協約の直律的効力は労働契約に対していかなる関係に立つのかという点にかかわる問題である。

労働協約の直律的効力と労働契約の関係については，①労働協約の内容が労働契約の中に入り込みその内容となるとする化体説と，②労働協約は労働契約[91]を外から規律しているにすぎないとする外部規律説の大きく 2 つの見解がある。[92][93]①化体説によれば，労働協約終了後も従前の協約の内容が契約内容として存続することになる（この効力は労働協約の「余後効」と呼ばれている）が，②外部規

90）　ソニー事件・東京高決平成 6・10・24 労判 675 号 67 頁，黒川乳業（労働協約解約）事件・大阪高判平成 18・2・10 労判 924 号 124 頁。

91）　明石運輸事件・神戸地判平成 14・10・25 労判 843 号 39 頁。

92）　京王電鉄事件・東京地判平成 15・4・28 労判 851 号 35 頁。

93）　学説の展開については，中窪・前掲 68）94 頁以下，西谷・前掲 68）424 頁以下など参照。

律説によると，労働協約の失効によって労働契約を規律する効力も消滅することになる。特定の労働協約による拘束が長期間にわたると労使が社会状況の変化に適切に対応することができなくなるという事態を避けるために定められた労組法15条の趣旨からすると，労働契約を規律する効力も協約の失効とともに消滅するとする外部規律説が妥当といえよう。この見解に立つと，労働協約の終了後の労働契約の内容は，就業規則や労働契約の解釈（明示・黙示の合意，事実たる慣習，任意法規，条理・信義則）によって補充されることになる（p48 **2**）[94]。

94）　鈴蘭交通事件・札幌地判平成 11・8・30 労判 779 号 69 頁（＃93）〔協約失効後就業規則等の補充規範がない状況で従前の協約による賃金・一時金支給基準が労働契約を補充して労働契約関係を規律すると解釈〕，音楽之友社事件・東京地判平成 25・1・17 労判 1070 号 104 頁〔協約失効後も新たな協約の成立や就業規則の合理的改訂・制定がない限り従前の協約規定による労働条件が（効力停止中の昇給条項を除き）労働契約を規律すると解釈〕。

432　　第 4 編　労使関係法

第4編

第2章　団体交渉促進のためのルール

　労使関係法の基本目的は，労働条件が対等に決定される基盤を作るために団体交渉を中心とした労使自治を促すことにある（労組法1条1項参照）。この円滑で公正な団体交渉関係を実現するためのサポート・システムとして，法は，①労働者に団体行動権を保障するとともに，②使用者の不公正な行為を不当労働行為として禁止している。

1　団体行動権の保障

1　団体行動権保障の法的枠組み

　憲法28条は，労働者に団結権，団体交渉権と並んで，団体行動権を保障している。団体行動権とは，労働者がその地位の向上を目的として正当に集団で活動する権利を意味する[1]。この権利の鍵を握っているのは，後で述べるように，「正当性」の概念である（p435 **2**）。国家と私人の関係（私人に対する国家権力の行使）を規律する他の一般的な人権規定とは異なり，憲法28条は，奴隷的拘束・苦役からの自由を定めた憲法18条と並び，私企業と労働者など私人と私人の関係を規律する効力（私法的性格）ももつと解されている[2]。

　憲法28条の団体行動権保障の法的効果として，次の3つのものが認められる。

1）　労組法上の「労働組合」にはあたらない労働者の集団（例えばある特定の紛争の解決のみを目的とした争議団）であっても，労働者がその地位の向上を目的として自主的に組織した団体（憲法上の団結体＝憲法組合）との実質を有するものであれば，団体行動権の保障を受けることができる。

2）　芦部信喜『憲法学Ⅱ　人権総論』185頁（有斐閣，1994），佐藤幸治『憲法〔第3版〕』631頁以下（青林書院，1995）など。

433

第1に，刑事免責である。労働者の集団的行動が刑罰規定の構成要件（例えば不退去罪（刑法130条後段），威力業務妨害罪（234条））に該当する場合であっても，団体行動権の行使にあたる行為については「正当な行為」（35条）として違法性が阻却され，処罰の対象とならない。労組法1条2項はこれを確認的に規定している。

第2に，民事免責である。労働者の集団的行動が債務不履行（民法415条）や不法行為（709条）として使用者に損害を与えた場合であっても，それが団体行動権の行使にあたる場合には，労働者および労働組合は使用者に対する損害賠償責任を免れる。労組法8条はこれを確認的に規定している。

第3に，不利益取扱いの禁止である。労働者が正当な団体行動をしたことを理由として使用者が解雇，配転，懲戒処分など不利益な取扱いをすることは，憲法28条が設定する公序に反し違法・無効（民法90条，709条）とされる。[3]

2 労働者の団体行動

憲法28条による団体行動権保障の対象となる労働者の活動は，「争議行為」と「組合活動」の大きく2つに分けることができる。この2つの活動は，団体行動権保障の効果の点では同じ保護を受ける[4]が，「正当性」の判断基準に違いがある。

1 争議行為の概念

労働者の団体行動の中心にあるのが「争議行為」である。この争議行為の概念について，学説の多数は「業務の正常な運営を阻害する行為」と定義している[5]。これに対し，「労務の不提供（ストライキ，怠業）とそれを維持・強化する

---

3) 労組法7条1号は，労働者が労働組合の正当な行為をしたことを理由とした不利益取扱いを不当労働行為として禁止しているが，不当労働行為制度の趣旨について団結権侵害説（p445 _1_）に立つと，同号は団体行動権保障の効果の1つを定めたものと理解されうる。

4) なお，組合活動については，労組法8条の文言等を根拠に民事免責を否定する見解（下井隆史『労使関係法』82頁（有斐閣，1995），山口浩一郎『労働組合法〔第2版〕』290頁（有斐閣，1996）など）もあるが，憲法28条の構造（組合活動権も含む団体行動権を保障）に照らし妥当でない。

5) 石井照久『労働法〔新版第3版〕』366頁（弘文堂，1973），外尾健一『労働団体法』398頁（筑摩書房，1975），西谷敏『労働組合法〔第3版〕』400頁以下（有斐閣，2012）など。

434　第4編　労使関係法

ピケッティング，職場占拠，ボイコット」を争議行為と定義する有力な見解も[6]ある。

　そもそも，法が団体行動権を保障した趣旨は，団体交渉による労働条件の対等決定を実現するために，力関係上劣位に置かれることが多い労働者に団体行動によって使用者に圧力をかけることを承認することにあった。そのために具体的にどのような手段を用いるかは組合が戦術として決定すべきことであり，戦術の選択自体に法的に限定を加える理由は乏しい。ただし，団体行動権が形成・承認された歴史的経緯[7]からすると，圧力をかける行為の中心にあるのは労務不提供である。このような法の趣旨・沿革からすると，団体行動の中心をなす「争議行為」とは，「団体交渉において要求を貫徹するために使用者に圧力をかける労務不提供を中心とした行為」と定義されるべきである。ここには，ストライキ，スローダウンといった労務不提供だけでなく，それに付随して行われるピケッティング，職場占拠，ボイコット，リボン・バッジ闘争，ビラ配布・貼付などの行為も含まれうる。これに対し，例えば，平常時のリボン・バッジ着用，ビラ配布・貼付など，労務不提供を伴わない団体行動は「組合活動」として争議行為とは異なる正当性判断基準の下に置かれる。

2　団体行動の正当性

　団体行動が憲法 28 条の保障を受けるためには，それが「正当」に行われたものであることが必要である。団体行動の「正当性」は，基本的には法の趣旨および社会通念に照らして判断されるが，その具体的な判断基準は，争議行為と組合活動とで異なるものとされる。両者は，その行為の目的や状況が異なっているからである。

1　争議行為の正当性

　争議行為とは，団体交渉において要求を貫徹するために圧力をかける行為として法的に保障されたものである。したがって，その正当性判断の重要なポイントは，「団交のための圧力行為」といえるか否かにある。具体的には，主体，

6）　菅野和夫『労働法〔第 12 版〕』959 頁以下（弘文堂，2019），下井・前掲 4）169 頁など。
7）　例えば，水町勇一郎『労働社会の変容と再生』63 頁以下，69 頁以下（有斐閣，2001），同『集団の再生』38 頁以下（有斐閣，2005）参照。

第 2 章　団体交渉促進のためのルール　　435

目的，手続，態様の4つの点から判断されている。

> **事例 97**
>
> 　労働組合員による次のような行動は，正当なものとして憲法 28 条の保護（刑事免責，民事免責，不利益取扱いの禁止）を受けることができるか？
>
> 　①労働組合内の少数派が，多数派の意思に従わず，ワイルドな猫のようにストライキに打って出ること。
>
> 　②原子力船「むつ」が佐世保港に入港したこと（これをめぐる国・長崎県・佐世保市の方針）に抗議して，ストライキをすること。
>
> 　③鉄道会社の従業員の労働組合が会社に予告してストライキを行おうとしていたが，会社がストライキ対策として組合役員の構内への立入りを制限しようとしたことに抗議して，予告時間より 12 時間前倒しし（5 分前に会社に通告して）ストライキに突入したこと。
>
> 　④団体交渉で使用者に圧力をかける目的で，組合員の労務提供のスピードをゆっくりとしたものとすること。

　(1) **主　体**　争議行為が「団交のための圧力行為」といえるためには，団体交渉の当事者となりうる者が主体となって行うものでなければならない。したがって，組合員の一部が組合全体の意思に基づかずに行う「山猫スト」（**事例 97** の①）には正当性は認められない。なお，組合規約には，組合員または代議員の直接無記名投票の過半数の決定を経なければストライキ（同盟罷業）を開始しないことを規定しなければならないとされている（労組法 5 条 2 項 8 号）が，この組合規約に定められた手続に違反する争議行為（例えばスト投票を経ていないストライキ）であっても，団体交渉の当事者となりうる者が行う争議行為であれば，主体の点での正当性は認められる。この場合，組合内部で責任問題が生じる可能性はあるとしても，争議行為の正当性自体は対使用者との関係で評価されるべきであるからである。

　(2) **目　的**　争議行為の目的（争議行為における要求事項）は，団体交渉の対象となるべき事項（義務的団交事項）に限定される。したがって，「①労働者の労働条件その他その経済的地位に関する事項，および，②労使関係の運営に関する事項であって，使用者が使用者としての立場で支配・決定できるもの」（p416 **1**）について要求を貫徹するために行う争議行為であれば，目的の点で正当性が認められる。逆に，政治的主張や立法措置を要求するために行われ

436　第 4 編　労使関係法

る「政治スト」や，他企業の他組合の争議行為を支援するために行われる「同情スト」には，正当性は認められない。

（3）**手続**　「団交のための圧力行為」といえるためには，いったん団体交渉を開始したうえで争議行為を行うことが必要になる。したがって，団交を経ないで行われる争議行為には正当性は認められない。もっとも，いったん団交が開始されれば，どの段階で争議行為を行うかは労働組合の選択に委ねられており，交渉が行き詰まりに達していなくても争議行為に出ることができる。

なお，予告のない争議行為（いわゆる「抜き打ちスト」）については，法律や労働協約により予告が義務づけられていない場合には，原則として正当性は否定されない。しかし，予告を欠くことにより，社会通念上著しく不公正な事態がもたらされる場合には，正当性が否定されうる。例えば，鉄道事業者（当時は国鉄）における 事例97 の③類似のケースで，ストライキの前倒し実施の手続面等での正当性を否定した裁判例がある。

（4）**態様**　争議行為の態様における正当性を検討するうえでは，「消極的行為」にとどまる争議行為と，「積極的行為」を伴う争議行為とに分けて考えることができる。

これらのうち，「消極的行為」にとどまる争議行為，すなわち，ストライキ，スローダウンといった労務不提供にとどまる態様のものは，その限りで正当性

8）　全農林警職法事件・最大判昭和48・4・25刑集27巻4号547頁（#5），三菱重工業長崎造船所事件・最二小判平成4・9・25労判618号14頁（#94）〔事例97 の②類似のケースで正当性を否定〕。

9）　学校法人甲大学事件・大阪高判令和3・1・22労経速2444号3頁は，大学教員である組合員らによる週6コマを超える授業担当等の拒否行為について，団体交渉による要求事項の実現というよりも，自らの要求事項を自力執行の形で実現する目的で本件争議行為を行ったといわざるを得ないとして，その目的および態様において正当性を欠くとした（その目的が団交による要求実現ではなく業務命令の拒否自体にあるとされた）。

10）　労調法は，公益事業における争議行為につき，10日前までに労働委員会および厚生労働大臣または都道府県知事に通知することを義務づけている（37条）。

11）　例えば，自治労・公共サービス清掃労働組合ほか（白井運輸）事件・東京地判平成18・12・26労判934号5頁は，公共事業においても，特別の事情がない限り，ストライキの具体的予定を使用者に通告すべき信義則上の義務があるとはいえないとしている。

12）　東京大学労働法研究会編『注釈労働組合法（上）』525頁（有斐閣，1980）参照。

13）　国鉄千葉動労事件・東京高判平成13・9・11労判817号57頁。

14）　スローダウンとは，作業能率を低下させるなど消極的な態様で労務を不完全に提供すること（消極的怠業）をいう（事例97 の④参照）。単なるスローダウンを超えて，使用者の指揮命令権

第2章　団体交渉促進のためのルール　437

が認められる。労務不提供は，使用者に圧力をかける争議行為の本質的部分として保障されているからである。特定の組合員のみを指定してストライキに入る「指名スト」も，労務不提供にとどまる限り，態様面での正当性が認められる[15]。

これに対し，単に消極的行為にとどまらず，「積極的行為」を伴う争議行為については，次の2つの基準から正当性が判断されている。

第1に，暴力の行使を伴う争議行為には，正当性は認められない（労組法1条2項但書参照）。

第2に，積極的行為を伴う争議行為については，使用者の営業の自由や財産権との調和が要請される。争議行為の本質は，労務不提供によって使用者に圧力をかけることにある以上，これを超える行為を伴う場合には，使用者に憲法上保障されている自由や権利との調和を図ることが求められるのである[16]。問題は，労働者の積極的行為を伴う争議行為と使用者の自由・権利との調和をどのような形でとるか（いかなる基準で正当性の有無の線引きをするか）である。

事例98

書籍販売を業とするダローズ書店の企業内組合であるダローズ労組は，会社に対し労働条件の改善を要求してきたにもかかわらず，これが一向に実現されないため，組合員全員で無期限ストに突入した。これに対し，会社は，臨時従業員を雇って同店舗の営業を継続しようとしたが，ダローズ労組の組合員が店舗の前でピケをはり顧客の入店を阻止したため，売上額が大きく減少し多額の損害が生じるに至った。会社は，同組合の役員であり，このピケを主導していた三宅さんらに本損害の賠償を請求することができるか？

判例は，争議行為における労働者の積極的行為が平和的説得（言論による説得）の範囲を超えた場合には正当性は認められないとする「平和的説得」論をとっている[17]。この立場によれば，他の労働者や顧客等に対して職場や店舗に入

を排除して職場を占拠したり，意図的に不良品を生産するなど積極的な行為を伴う積極的怠業については，使用者の自由・権利との調和が要請されることになる。

15) 新興サービス事件・東京地判昭和62・5・26労判498号13頁など。

16) 御國ハイヤー事件・最二小判平成4・10・2労判619号8頁（#95）参照。

17) 朝日新聞社事件・最大判昭和27・10・22民集6巻9号857頁，書泉事件・東京地判平成4・5・6労判625号44頁（#97）など。

438　第4編　労使関係法

ることをやめるようはたらきかけるピケッティングについては，単なる言論による説得にすぎない場合には正当性が認められうるが，実力を行使して入店を阻止したり，スクラムを組んで大声で威圧したような場合には，正当性が否定されることになる[18]。労働者が争議行為の一環として使用者の製品を買わないように顧客や公衆に訴えかけるボイコットも，言論による説得にとどまる限り正当と解されるが，その範囲を超えて誹謗中傷などに及ぶときは正当性が否定される[19]。また，職場に座り込んで他の者の立ち入りを妨害する排他的職場占拠や，バス会社やタクシー会社などにおいて組合員が車の鍵を持ち去り操業を妨害する車両確保戦術も，使用者の営業の自由や財産権を不当に侵害するものとして正当性が否定される[20]（*Column 52*）。

Column 52 **正当性を欠く争議行為と損害賠償責任**　　正当性のない争議行為が行われた場合の使用者に対する損害賠償責任について，学説の多数は，組合員個人の責任を否定し労働組合のみが責任を負うと解している[21]。しかし，民法上の不法行為や債務不履行責任の構造からすれば，違法な行為を行った個人が責任を負担し，労働組合は組合員が加えた損害について使用者責任（民法715条1項）などの形で責任を負うことになる[22]。その結果，正当性のない争議行為については，組合員個人と労働組合とが不真正連帯債務という形で損害賠償責任を負うものとされる[23]。実際に労働組合と組合員がどのような形で責任を負担するかは，組合の内部で解決されるべき問題といえる。

2　組合活動の正当性

　争議行為以外の団体行動は「組合活動」と呼ばれ，争議行為とは異なる基準で正当性が判断されている。その特徴は，「団交のための圧力行為」として保障されたものではないため，主体や目的の点ではより広く解釈されているが，

---

18)　前掲17）書泉事件判決（# 97）〔 事例98 類似のケースでピケストの正当性を否定〕，前掲11）自治労・公共サービス清掃労働組合ほか（白井運輸）事件判決など。

19)　岩田屋事件・福岡高判昭和39・9・29労民集15巻5号1036頁〔「岩田屋の食料品は腐っている」「赤痢菌が入っている」等の発言は正当性を欠くと判断〕。

20)　山陽電気軌道事件・最二小決昭和53・11・15刑集32巻8号1855頁，前掲16）御國ハイヤー事件判決など。

21)　蓼沼謙一「争議行為のいわゆる民事免責の法構造」一橋論叢40巻2号16頁以下（1958），外尾・前掲5）515頁，西谷・前掲5）441頁以下など。

22)　菅野和夫『争議行為と損害賠償』193頁以下（東京大学出版会，1978）参照。

23)　みすず豆腐事件・長野地判昭和42・3・28労判46号18頁，前掲17）書泉事件判決（# 97）〔約4か月にわたる正当性を欠くピケストにより生じた損害9771万円余について労働組合と組合役員等7名に対する共同不法行為責任を肯定〕など。

第2章　団体交渉促進のためのルール　　439

態様の点ではより厳しい限定が加えられているところにある。

> ### 事例99
>
> 　労働組合員による次のような行動は，正当なものとして憲法 28 条の保護（刑事免責，民事免責，不利益取扱いの禁止）を受けることができるか？
> ①労働組合内の少数派による多数派（執行部）を批判する内容のビラの配布。
> ②労基法改悪反対を掲げる街頭宣伝活動。
> ③ホテルの従業員である組合員が，直径 6 cm の赤白の花形に長さ 6 cm・幅 2 cm の白布（「要求貫徹ホテル労連」と記載）の付いたリボンを上衣のネームプレートの下に着用し，接客等の勤務をすること。
> ④お昼の休憩時間中に社員食堂で平穏に労働組合のビラを配布すること。
> ⑤会社経営を批判しその社会的評価を低下させる内容の投稿を SNS 上で行うこと。

　(1) **主　体**　組合活動については，団体交渉の当事者が行わなければならないという限定はなく，労働組合（または憲法上の団結体）の意思（明示または黙示の承認）に基づいた行動と認められれば，広く正当性が認められうる。また，労働組合の意思（多数派による承認）に基づかない行動であっても，組合の民主的意思の形成に必要なものであれば，正当性が認められうる。例えば，組合執行部を批判するビラ配布といった組合内少数派の活動（ 事例99 の①）についても，組合の民主的意思形成に必要な活動でありその意味で労働者の地位向上という目的に資すると認められれば，組合活動として保護の対象となりうる。

　(2) **目　的**　組合活動の目的は義務的団交事項に限定されず，労働者の地位の向上のために行う組合活動であれば，広く正当性が認められうる。政治活動についても，例えば最賃法改正や労基法改悪反対を支援する活動（ 事例99 の②参照）のように「労働者の権利利益に直接関係する立法や行政措置の促進又は反対のためにする活動」にあたる場合には，組合活動として保護の対象となりうる。[24]

　(3) **態　様**　組合活動の態様については，大きく 2 つの限定が加えられている。

　第 1 に，労働契約上の義務に反する活動には正当性は認められない。例えば，

---

24) 国労広島地本事件・最三小判昭和 50・11・28 民集 29 巻 10 号 1698 頁（＃85）〔安保闘争による犠牲者救援活動について労働組合本来の目的達成のための活動であることを肯定〕参照。

440　第 4 編　労使関係法

勤務時間中の組合活動は労働義務に反するため，使用者がこれを許容していない限り正当性を欠くものと解されている。勤務時間中のリボン・バッジ着用については，判例は，労働契約上の職務専念義務に反するため正当性を欠くと判断している[25]が，理論的には，「債務の本旨」に従った労働義務の履行といえるか否か個別に判断されるべき問題である（p100(1)）。

　第2に，企業施設内での組合活動は，使用者の施設管理権による規律に服する。ここでは，労働者の組合活動権（団体行動権の一種）と使用者の施設管理権（p194 1）とを，法的にいかに調整するのかが問題になる。有力説は，企業のなかで組織されている日本の企業別組合においては，組合活動を行ううえで企業施設を利用することが必要不可欠であるので，使用者は組合の企業施設利用を受忍する義務があるとする（受忍義務説）[26]。これに対し，判例は，利用の必要性が大きいことのゆえに利用権限が認められるわけではないとして受忍義務説を否定しつつ，①使用者の許諾を得ることなく企業施設を利用することは，原則として正当な組合活動とはいえない，②ただし，使用者が利用を許さないことが施設管理権の濫用となるような特段の事情がある場合にはこの限りでない，との見解（許諾説）に立っている[27]。例えば，休憩時間中に食堂で平穏にビラを配布するなど職場内の秩序を乱すおそれがない態様で組合活動が行われている場合には，使用者が許諾を与えないことは施設管理権の濫用にあたると判断されている[28]。理論的にも，許諾を要件として労使の話合いを促すという点でも，許諾説が妥当といえよう。

　これらの2つの限定に抵触しない形で行われる組合活動（勤務時間外に企業施設外で行われる情報宣伝活動や街頭宣伝活動など）については，広く正当性が認め

---

25)　目黒電報電話局事件・最三小判昭和52・12・13民集31巻7号974頁（#56），大成観光事件・最三小判昭和57・4・13民集36巻4号659頁（#87）〔事例99の③類似のケースで正当性を否定〕。

26)　学説と裁判例の動向については，浜田冨士郎「企業内組合活動」労働法文献研究会編『文献研究 労働法学』168頁以下（総合労働研究所，1978），大内伸哉「企業内組合活動」季刊労働法161号151頁以下（1991），西谷・前掲5）235頁以下など参照。

27)　国鉄札幌運転区事件・最三小判昭和54・10・30民集33巻6号647頁（#88）。

28)　明治乳業事件・最三小判昭和58・11・1労判417号21頁〔事例99の④類似のケースで正当性を肯定〕など。オハラ樹脂工業事件・名古屋地決令和3・7・5労判1269号80頁〔本社正門付近のフェンスに労働組合が会社の許諾なく設置した横断幕2枚・のぼり旗6本の撤去を会社が請求したことにつき施設管理権の濫用にはあたらないと判断〕も参照。

第2章　団体交渉促進のためのルール　441

られうる。ただし，その態様は使用者を含む市民の私的自由・権利を不当に侵害するものであってはならない。例えば，経営者の自宅前で行われた街頭宣伝活動[29]や経営者につきまとって至近距離から拡声器で要求を繰り返すといった行動[30]は，経営者の私生活の平穏や人格権を侵害し社会的相当性を逸脱したものとして，正当性が否定される。また，組合活動の態様は労働者の地位の向上という目的を達成するための手段として社会通念上相当といえるものでなければならない。例えば，一般通行人へのビラ配布，路上での拡声器を使った街頭宣伝活動，経営批判ビラの私的ホームページへの掲載などの組合活動（ 事例99 の⑤参照）につき，そこに使用者の名誉・信用を毀損する内容が含まれていたとしても，そこで摘示された事実が真実であるかまたは真実であると信じるに足りる相当な理由があり，その態様も労働者の経済的地位の維持・向上という目的を達成するための手段として社会通念上相当と認められる場合には，組合活動の正当性が肯定されている。[31]

❸ 争議行為と賃金

ストライキのために労務提供をしなかった（できなかった）労働者の賃金請求権はどうなるか。賃金請求権の根拠は，「労働」したという事実ではなく，賃金を支払う旨の「合意」に求められることは，前述した通りであり（p236(1)），ここでも，賃金請求権の帰趨は，基本的には個別の契約の解釈の問題となる。したがって，①賃金のいかなる部分がいかなる条件で発生するか（消滅するか）は，契約の解釈の問題として，個別具体的な事情に照らして判断されるべきである。[32]そのうえで，②個別の契約の解釈によってもその帰趨が明らか

---

29) 東京・中部地域労働者組合（街宣活動）事件・東京高判平成 17・6・29 労判 927 号 67 頁，ミトミ建材センターほか事件・大阪高判平成 26・12・24 労経速 2235 号 3 頁など。

30) 全国金属機械労働組合港合同南労会支部事件・大阪地判平成 17・7・27 労判 902 号 93 頁。

31) 銀行産業労働組合（エイアイジー・スター生命）事件・東京地判平成 17・3・28 労判 894 号 54 頁，全労連府中地域合同労働組合（トラストシステム）事件・東京地判平成 19・9・10 労判 953 号 48 頁，プレカリアートユニオンほか（粟野興産）事件・東京高判令和 4・5・17 労判 1295 号 53 頁，全日本建設運輸連帯労働組合関西地区生コン支部（和歌山）刑事事件・大阪高判令和 5・3・6 労判 1296 号 74 頁など。これに対し，フジビグループ分会組合員ら（富士美術印刷）事件・東京高判平成 28・7・4 労判 1149 号 16 頁（#89）は，ビラ等の内容に虚偽があり，真実と信じるに足りる相当な理由もないとして，組合による情宣活動の正当性を否定し，使用者からの損害賠償請求を認容した。

442 第 4 編 労使関係法

にならない場合には，民法上の任意規定等に照らして解釈されることになる。

　ここでは，具体的に3つのタイプの労働者について，賃金請求権の帰趨が問題となりうる。

　第1に，ストライキに参加し労務提供をしなかった労働者（スト参加者）の賃金である。個別の契約の解釈の問題である（例えばストライキ期間中も家族手当や住宅手当などを支給する黙示の合意がある場合にはその請求権が認められる）が，個別の契約の解釈によっても具体的な合意内容が確定できない場合には，賃金の支払時期に関する民法上の任意規定（624条）を参考に，労務の提供がなければ賃金請求権は発生しないと解釈されるべきであろう。[33]

　第2に，ストライキを実行した組合の組合員であるがストライキには参加しなかった労働者（スト不参加者）が，ストライキの影響で労務を提供できない事態に陥った場合（例えば航空会社の地上作業用車両をスト参加者が占拠したため飛行機が欠航になり他の空港の従業員（スト不参加者）の業務がなくなった場合[34]〔p254 事例61 の原西さん〕）の賃金である。このスト不参加者の就労不能につき，使用者に賃金や休業手当の支払義務を課す「責めに帰すべき事由」（民法536条2項，労基法26条）があるかどうかが問題となるが，かりに団体交渉において使用者が譲歩をしなかった結果ストライキが起こったとしても，使用者には団体交渉における譲歩の自由が認められるため，使用者にはいずれの条文の意味でも帰責性はないと解されている。[35] したがって，スト不参加者の労務不提供については，特段の契約上の根拠がない限り，使用者は賃金や休業手当の支払義

32）　三菱重工業長崎造船所事件・最二小判昭和56・9・18民集35巻6号1028頁（#98）は，ストライキ期間中の家族手当請求権につき，当該労使関係上の慣行等に照らして発生しないものとした。

33）　部分的な労務不提供であるスローダウンの場合には，特段の合意がなければ，労務不提供の割合に照らして賃金請求権が発生しない割合が個別に算定されることになる（東京大学労働法研究会編・前掲12）559頁参照）。

34）　判例（ノース・ウエスト航空事件・最二小判昭和62・7・17民集41巻5号1350頁（#99）〔p254 事例61 類似のケース〕）は，この状態を，スト不参加者の労働が「社会観念上不能又は無価値」となった場合と表現している。この場合でも，使用者が労働者の労務の提供を受け入れれば賃金請求権は発生するが，労務の提供を受け入れなかった（例えば休業を命じた）場合に，ここでいうスト不参加者の賃金請求権の問題が生じる。なお，労務を提供できない事態に陥っていない（労働が社会観念上不能または無価値とまではいえない）状態で，使用者が労務の受領を集団的に拒否した場合は，後述するロックアウトと賃金請求権の問題（p444 **3**）となる。

35）　前掲34）ノース・ウエスト航空事件判決。

第2章　団体交渉促進のためのルール　　443

務を負わない。

第3に，ストライキを実行した組合に入っていない労働者（他組合員および非組合員）が，ストライキの影響で労務を提供できない事態に陥った場合（例えばp254 事例61 の藤原さん）の賃金である。これらの労働者の就労不能については，使用者に，民法上の過失責任という意味での帰責性（民法536条2項）はないが，労働者の最低生活保障という観点からは帰責性（労基法26条）が肯定されうる。スト参加者やスト不参加者についてはスト組合が積み立てたスト資金から生活保障費用が拠出されることが想定されるが，他組合員および非組合員にはそれがないため，少なくとも労基法26条の最低生活保障という趣旨に照らすと，使用者に帰責性が肯定されうるのである。したがって，他組合員および非組合員の就労不能に対して，使用者は，特段の契約上の根拠がない場合でも，平均賃金の6割の休業手当を支払わなければならない。

3 使用者の争議対抗行為

使用者は，ストライキを中心とする労働者の争議行為に対抗する手段として，どのようなことができるのか。

第1に，使用者はストライキ期間中も代替労働者を雇用するなどの手段を用いて，操業を継続することができる。これは，営業の自由（憲法22条参照）の一環として保障されているものである。

第2に，使用者は，労働者の争議行為に対抗する手段として，労務の受領を集団的に拒否すること（ロックアウト）がある。

> ### 事例100
>
> 丸水工業社では，賃上げのための団体交渉が決裂したため，同社の企業内組合である丸水工業労働組合は，会社に対して闘争宣言を通告し，組合員が事務所内で喚声をあげてデモ行進をしたり，工場内で作業スピードを緩めるなどの行動をとった。その結果，同社では作業能率が著しく低下し，正常な業務の遂行が困難となるに至った。このような状況のなか，会社は同組合の組合員の水丸さんらに対してロックアウトをし，賃金支払いを拒否することができるか？

36）　明星電気事件・前橋地判昭和38・11・14判時355号71頁。

ロックアウトをめぐる最大の法的争点は，労務の受領を拒否した使用者が，労働者に対する賃金支払義務を免れることができるかである。これは，ロックアウト（使用者の争議行為）の正当性の問題ともいわれる。

判例は，労使を対等な立場に立たせるという「公平」の原則からすれば，力関係において優位に立つ使用者に労働者と同様の争議権を認める必要はないとして，使用者から先制する攻撃的ロックアウトには正当性はないとする。しかし同時に，労使間の均衡を保つという「衡平」の原則からすると，労働者の争議行為によって労使間の勢力の均衡が破れ，使用者側が著しく不利な圧力を受けている場合には，労使間の勢力の均衡を回復するための対抗防衛手段として使用者が行う争議行為にも正当性が認められるとして，使用者による対抗防衛的ロックアウトを正当なものと認めている[37]。このロックアウトの正当性は，ロックアウトの開始の際のみでなく，それを継続するうえでも求められるものと解されている[38]。正当なロックアウトについては，民法 536 条 2 項の使用者の「責めに帰すべき事由」が否定され，使用者の賃金支払義務が消滅するものと解される[39]。

2 不当労働行為の禁止

1 不当労働行為制度の趣旨

労組法 7 条は，使用者の不公正な行為を不当労働行為として類型的に列挙して禁止し，27 条以下で，専門的な行政委員会である労働委員会による特別の

---

37) 丸島水門事件・最三小判昭和 50・4・25 民集 29 巻 4 号 481 頁（#100）〔 事例100 類似の事案でロックアウトの正当性を肯定〕，安威川生コンクリート工業事件・最三小判平成 18・4・18 民集 60 巻 4 号 1548 頁〔事前通告なしまたは 3 分前の通告で 6 回にわたり時限ストライキを繰り返し会社に甚大な損害を与えていた事案でロックアウトの正当性を肯定〕。

38) 第一小型ハイヤー事件・最二小判昭和 52・2・28 労判 278 号 61 頁〔ロックアウトが継続されるなかで労働組合の力が弱まり，ロックアウトの対抗防衛手段としての性格が失われた時点以降，その正当性を否定〕。

39) 労働組合と使用者間の勢力の均衡という観点からこの論旨が認められていることからすると，ロックアウト（による賃金支払義務の消滅）の対象は，当該労働組合の組合員に限定される（他組合員や非組合員には原則として及ばない）ものと解される（菅野・前掲6) 998 頁以下参照）。

第 2 章　団体交渉促進のためのルール　445

審査・救済手続を定めている。この不当労働行為制度の趣旨はどのようなものか。

学説は，大きく2つに分かれている。第1の見解は，不当労働行為は「団結権侵害」行為（憲法28条違反）を列挙したものであり，不当労働行為制度は憲法28条の団結権保障を具体化した制度であるとする（団結権侵害説[40]）。第2の見解は，不当労働行為制度は「円滑な団体交渉関係の実現」のために労組法が政策的に創設した制度であるとするものである（立法政策説[41]）。

両説の法解釈上の大きな違いは，不当労働行為を規定した労組法7条が裁判所による救済（司法救済）の根拠となるか否かという点にある。団結権侵害説によると，労組法7条は憲法28条の権利保障の一環として司法救済の根拠となり，同条は裁判規範として権利義務の有無という観点から解釈・判断されることになる（権利義務的判断）。これに対し，立法政策説によると，労組法7条は労使関係の専門家から構成される労働委員会が行政救済を行うための判断基準にすぎないものとされ，同条は個々の労使関係の特質に照らして柔軟に解釈・判断されることになる（労使関係的判断）。

判例は，不当労働行為制度の目的は労働者の団結権の保護にあるとし，労組法7条に私法的効力（裁判規範性）を認める立場（団結権侵害説）に立っている（p467**1**）。しかし，多様で動態的な人間関係としての労使関係の特殊性，および，労使関係の専門家（労働委員会）により特別の審査・救済が行われることを定めた労組法の趣旨からすると，実態に即した柔軟な審査・救済を可能とする立法政策説が妥当であると考える。

---

40) 外尾・前掲5) 193頁，片岡曻（村中孝史補訂）『労働法(1)〔第4版〕』268頁以下（有斐閣，2007），西谷・前掲5) 142頁以下など。また，不当労働行為は団結権保障を具体化したものであるが，その制度目的は公正な労使関係秩序の実現にあるとする見解（公正労使関係秩序説）もある（岸井貞男『不当労働行為の法理論』1頁以下（総合労働研究所，1978），下井・前掲4) 240頁，山口・前掲4) 75頁など）。

41) 石川吉右衞門『労働組合法』276頁以下（有斐閣，1978），菅野・前掲6) 1001頁以下。

446　第4編　労使関係法

2 不当労働行為の成立要件

❶ 総　説

1　不当労働行為の類型

労組法7条は，不当労働行為として大きく3つの基本類型を定めている。

第1に，労働組合への加入・結成および組合活動をしたことを理由とする不利益取扱い（1号）である。また，労働組合に加入しないことや脱退することを雇用条件とすること（黄犬契約。1号後段），および，労働者が労働委員会に救済の申立てをしたことなどを理由とした報復的不利益取扱い（4号）も，広い意味では不利益取扱いの一種といえる。

第2に，使用者が正当な理由なく団体交渉を拒む団交拒否（2号）である。この点については，既に述べた（p411 *1*）。

第3に，労働組合の結成・運営に支配・介入する支配介入（3号）である。労働組合の運営のための経費援助（3号後段）もこれに含まれる。

2　不当労働行為の主体

> **事例 101**
>
> 　番組制作会社であるオフィスA社では，業界大手の夕日放送から番組制作業務を請け負い，夕日放送局内でテレビ番組の制作を行っている。番組制作作業の進行は，すべて夕日放送の従業員であるディレクターの指揮監督の下で行われている。オフィスA社の従業員は，夕日放送のディレクターの指示に従って行った勤務の結果をオフィスA社の出勤簿に記載し，この記載内容に基づいてオフィスA社から賃金が支払われている。オフィスA社の従業員小宮さんは，夕日放送局内での過密な勤務条件に不満をもつようになり，労働組合を結成して勤務条件改善のために夕日放送に団体交渉を申し入れた。夕日放送はこれに応じなければならないか？

労組法7条は，「使用者は，次の各号に掲げる行為をしてはならない」として，「使用者」の不当労働行為を禁止している。ここにいう「使用者」とは，原則として，当該労働者が労働契約を締結している相手方である企業（労働契約上の使用者（p62 *1*））を指す。不当労働行為制度の究極の目的が団体交渉による労働条件対等決定の実現にある（労組法1条1項参照）ことからすると，不当労働行為制度の基本は，労働協約や労働契約を締結して労働条件を決定する

第2章　団体交渉促進のためのルール　　447

使用者の不公正な行為を禁止しようとすることにあると考えられるからである（*Column 53*）。しかし，この原則には，次の2つの例外がある。

　第1に，労働契約を締結している使用者以外に，労働条件等について「現実的かつ具体的に支配・決定することができる地位にある者」がいる場合には，その限りにおいて，その者が不当労働行為の主体である「使用者」にあたると解されている[43]。実質的に支配している者が労働契約上の使用者以外にいる場合に，実質的な権限をもっていない労働契約上の使用者とだけ団体交渉をしても，労働条件対等決定という法の趣旨は実現されないからである。この判断枠組みを明らかにした最高裁朝日放送事件判決（前掲注43））は，申し入れられている団交事項のうち，勤務時間の割振り，労務提供の態様，作業環境等については発注会社（朝日放送）が実質的に決定することができる地位にあったとして，その限りで発注会社の使用者性（部分的な使用者性）を肯定した。労組法上の使用者性については，学説上，労働契約基本説と支配力説・対抗関係説との大きな対立があるが[44]，最高裁は，この判決において，労働契約基本説を基盤としつつ，「現実的かつ具体的に支配，決定」という文言を用いて支配力説を取り込んだ，折衷的な判断枠組みを採用したものといえる。事例101 では，夕日放送（その従業員であるディレクター）が現実的かつ具体的に支配・決定している労働条件については，夕日放送も「使用者」として団体交渉に応じるべき義務を負うことになる[45]（*Column 54*）。

　第2に，「過去に使用者であった者」および「将来において使用者になる可能性がある者」については，不当労働行為の主体たる「使用者」とされることがある。具体的には，例えば，解雇など労働契約の終了をめぐる問題について，

42）　この点は，団結権侵害説に立っても立法政策説に立っても同じである。
43）　朝日放送事件・最三小判平成7・2・28民集49巻2号559頁（#4）。
44）　学説の状況については，竹内（奥野）寿「労働組合法7条の使用者」季刊労働法236号211頁（2012）参照。
45）　これに対し，労働契約上の使用者以外の者（夕日放送）と団体交渉をして労働協約を締結したとしても，労働者（小宮さん）は夕日放送と労働契約を締結しているわけではないから，当該協約には労働契約を規律する規範的効力がはたらかず，労働条件を対等に決定することにはならないという反論も考えられる。しかし，団体交渉をした夕日放送がオフィスA社に労働条件（労働契約内容）を変更するよう指示することはありうるし，また，夕日放送と債務的効力をもつ労働協約を締結して労使関係を幅広く形成・展開していくことも考えられるため，労働契約上の使用者以外の者に団体交渉を義務づけることに法的意味がないわけではない。

448　　第4編　労使関係法

使用者であった者が不当労働行為の規制対象とされることがありうるし，また，採用拒否など採用をめぐる問題について，使用者となる可能性があった者の不公正な行為が規制対象とされることがある[46]。団交拒否の場面では，この点は，団体交渉を申し入れている労働組合が「使用者が雇用する労働者」の代表者といえるか（労組法7条2号）という団体交渉の主体となる労働組合の問題となる（p411 **1**）。

　なお，最高裁は，国鉄分割民営化の際の特定組合員の採用拒否が問題となった事件で，「雇入れの拒否は，それが従前の雇用契約関係における不利益な取扱いにほかならないとして不当労働行為の成立を肯定することができる場合に当たるなどの特段の事情がない限り，労働組合法7条1号本文にいう不利益な取扱いに当たらない」と判示している[47]。この判例の立場によれば，採用拒否が不利益取扱いとされるのは，事業譲渡の際の譲渡先会社による不採用，定年後の再雇用の拒否などの場合に限定されることになろう。判例は，このような立場をとる根拠として，①使用者に広く認められる採用の自由，および，②労組法7条1号は，雇入れ段階については黄犬契約のみを禁止し（後段），雇入れ段階での不利益取扱いは一般的には禁止されていない（前段）との文理解釈をあげている。しかし，①経済活動の自由（憲法22条参照）の一環である採用の自由を平等な取扱いを受ける権利（憲法14条，28条参照）より優先させることには，比較法的にみても，差別の抑止の必要性（採用における差別が最も大きな差別効果を生む）という点からも，疑問がある[48]。また，②労組法は労基法とは異なり失業者や求職者も保護対象としているという労組法の構造（3条。p57 **2**）や，黄犬契約が禁止されているのにそれより大きな不利益を与える雇入れ拒否が禁止されていないとみるのは説得力に欠けること[49]からすると，最高裁の

---

46)　中労委（青山会）事件・東京高判平成14・2・27労判824号17頁〔事業譲渡の際に譲受企業が組合員を採用しなかったことは不利益取扱いおよび支配介入にあたる〕（〔原審〕東京地判平成13・4・12労判805号51頁），国・中労委（クボタ）事件・東京地判平成23・3・17労判1034号87頁〔派遣先会社は近く直接雇用することを予定している派遣労働者との関係で近い将来労働契約関係が成立する可能性のある者として団体交渉に応じるべき使用者にあたる〕など。

47)　JR北海道・JR貨物事件・最一小判平成15・12・22民集57巻11号2335頁（#103）。

48)　水町勇一郎「採用の自由」角田邦重ほか編『労働法の争点〔第3版〕』130頁以下（有斐閣，2004)，および，そこに掲げられた諸文献参照。

49)　西谷・前掲5）167頁など参照。

文理解釈は妥当とはいえない。労組法 7 条は，採用（雇入れ）段階での差別も含め，広く不利益取扱い（不当労働行為）を禁止していると解釈すべきである。

Column 53　管理職・一般従業員等の行為と使用者の責任　　不当労働行為とされる「使用者の行為」には，使用者そのものの名でなされる行為（解雇，懲戒処分，団交拒否など）や法人の代表者（代表取締役など）の行為だけでなく，管理職や一般従業員などが使用者のために行う行為も含まれうる。例えば，①役員など使用者の利益代表者の行為は，その職責上当然に使用者の行為にあたる。②使用者の利益代表者に近接する職制上の地位にある者（例えば部長，課長など）については，使用者の意を体して行った行為は，使用者との間で具体的な意思の連絡がなくても，使用者の行為と評価される。③利益代表者からは遠い職制の者（係長，班長など）については，その職務上の権限・責任に基づいて行った行為は使用者の行為にあたる。④その他，一般の従業員，取引先の者などについては，使用者の具体的な指示に基づいて行った行為が使用者の行為にあたると解される。

Column 54　判例法理（朝日放送事件判決）に限定を加えようとする動きとその問題点

最高裁朝日放送事件判決（前掲注 43））は，その後，労組法上の使用者性に関する一般的な判断枠組みを示すものとして広く参照されてきた。しかし近年，この法理に一定の限定や変更を加えようとする動きがみられる。

第 1 に，労働者派遣における派遣先の使用者性について，中央労働委員会（中労委）は，派遣先は原則として使用者に該当しないが，労働者派遣法の枠組みや労働者派遣契約で定められた基本的事項を逸脱している場合，労働者派遣法上派遣先に課されている責任や義務を履行していない場合等については，使用者に該当する場合があるとの判断枠組みを示している。これは，判例法理の一般的な枠組みを労働者派遣法の枠組みや規律に即して具体化しようとしたものといえる。

第 2 に，親子会社における親会社の「使用者」性について，中労委は，子会社の事業組織再編や子会社従業員の雇用確保等が団交事項となった事案で，親会社の当該団交事項についての支配力ではなく，子会社従業員の賃金・労働時間等基本的な労働条件についての現実的具体的な支配力を問い，親会社の使用者性を否定した。この中労委等の判断は，当該団交事項についての現実的具体的な支配決定力の有無を問うた最高裁朝日放送事件判決（「部分的使用者性」論）およびその後の裁判例・命令例とは異なり，団交事項を超えた一般的な労働条件（賃金・

50）　中労委（JR 東海（新幹線・科長脱退勧奨））事件・最二小判平成 18・12・8 労判 929 号 5
　　頁。

51）　ショーワ事件・中労委平成 24・9・19 別冊中労時 1436 号 16 頁，阪急交通社事件・中労委平成
　　24・11・7 別冊中労時 1437 号 1 頁など。国・中労委（阪急交通社）事件・東京地判平成 25・12・
　　5 労判 1091 号 14 頁，菅野・前掲 6）417 頁以下も同旨。

52）　高見澤電機製作所外 2 社事件・中労委平成 20・11・12 別冊中労時 1396 号 305 頁。国・中労委
　　（高見澤電機製作所外 2 社）事件・東京高判平成 24・10・30 別冊中労時 1440 号 47 頁，菅野・前
　　掲 6）1011 頁以下，荒木尚志『労働法〔第 5 版〕』764 頁以下（有斐閣，2022）も同旨。

53）　水町勇一郎〔判批〕ジュリスト 1447 号 121 頁以下（2012）。国・中労委（国際基督教大学）事
　　件・東京高判令和 2・6・10 労判 1227 号 72 頁〔業務委託先（保安警備会社）の従業員（組合員）

450　　第 4 編　労使関係法

労働時間等）への支配決定力を広く要求としている点で，労組法上の使用者性に大きな限定を加えようとするものといえる。

このような近年の中労委等の動きに対しては，判例法理（労働契約基本説）そのものを批判する立場から疑問が提起されているが[54]，判例法理を前提としたとしても，そこには次のような理論的な問題点が指摘されうる。

第1に，労働者派遣をめぐる中労委等の判断は，労組法上の使用者性をめぐる法の趣旨・基盤と派遣法の性質・目的とを理論的に見誤っている。最高裁朝日放送事件判決が示唆しているように，労組法上の使用者性の判断は，不当労働行為制度（労組法7条等）の目的，さらにはその基盤にある団結権侵害行為の排除（憲法28条）という趣旨に立脚してなされるべきものである。この判断を，労働者派遣事業の適正な運営等を確保するために事業主の行為を規制するという観点から定められた労働者派遣法の枠組み・規律に沿って行おうとすることは，法の趣旨・性質をいたずらに混同するものといえる。また，その判断において，法令や契約上の義務・責任という法形式を重視しようとしている点は，実態に即して判断すべき強行法規（労組法7条）の適用のあり方として妥当でない。

第2に，親子会社における親会社の団交義務の射程を狭めようとする中労委等の解釈は，不当労働行為制度の趣旨を損ない，団体交渉制度を形骸化させるおそれのあるものである。例えば，親会社が子会社従業員の重要な労働条件（例えば採用・異動・解雇等の人事事項）を実質的に支配決定している場合に，賃金や労働時間等の日常的な労働条件の管理決定を子会社に任せることによって，自らが支配決定している重要な労働条件についても団交義務を免れうることになると，労働条件対等決定という法の趣旨（労組法1条1項参照）が容易に潜脱されることになりかねない。中労委等が上記のような判断をとった実質的な理由は，労組法上の使用者概念の拡散に歯止めをかけることにあるといえるが，この懸念は，親会社等が当該団交事項について「現実的かつ具体的に支配，決定」できる地位にあったか否かを慎重に吟味することで対応できるものである。

2 不利益取扱い

1 成立要件

労組法7条1号は，労働者が組合員であることまたは労働組合の正当な行為をしたことの故をもって，その労働者に対し解雇その他の不利益な取扱いをすること（前段），および，労働者が労働組合に加入しないことや労働組合から脱退することを雇用条件とすること（黄犬契約。後段）を，禁止している。また，労働者が労働委員会に救済の申立てをしたことなどを理由とする不利益取扱い（報復的不利益取扱い。4号）も禁止されている。

の労働条件にかかる発注法人（大学）の団体交渉義務について，当該団交事項（雇用終了の決定）に関する現実的・具体的な支力力の有無によって「使用者」性を判断。結論は否定〕など参照。

54) 根本到「労組法7条の使用者性について」月刊労委労協685号20頁以下（2013）。

条文からもわかるように，不利益取扱い（7条1号前段）の成立要件は，①労働者が組合員であることまたは労働組合の正当な行為をしたこと，②使用者から不利益な取扱いを受けたこと，および，③使用者が労働者の組合加入・組合活動を理由として（「故をもって」）不利益取扱いをしたこと（②の理由が①にあること）の3点にある。①の労働組合の行為の「正当」性は，不当労働行為制度の趣旨（p445 **1**）について団結権侵害説（労組法7条を憲法28条の一環とみる立場）に立つと，団体行動の正当性（憲法28条。p435 **2**）と同一のものと理解されうる。組合内の少数派の活動も，組合内の民主的な意思形成に資する行為であり，労働者の経済的地位の向上を目的としているものであれば，労働組合の正当な行為に該当しうる。②不利益取扱いの態様としては，解雇・雇止め，配転・出向，懲戒処分，昇格・昇給差別，いじめ・嫌がらせなど，労働関係上のさまざまな行為がこれにあたりうる。この不利益性は厳格に判断されるものではなく，経済的不利益のほか，精神的不利益，生活上の不利益，組合活動上の不利益など，多様なものがここに含まれうる。例えば，管理職に昇進させて組合員資格を失わせることも，組合活動上の不利益という点で，不利益取扱いに該当しうる。

2　不当労働行為意思

不利益取扱いの成立要件のうち，③使用者が労働者の組合加入・組合活動を理由として（「故をもって」）不利益取扱いをしたという要件は，使用者が労働者の組合加入・組合活動を認識し，それを理由として不利益取扱いに至ったという点で，「不当労働行為意思」と呼ばれる。この要件の成否は，具体的には次のような場合に問題となる。

事例 102

プレミアビール社の人事部は，春の定期人事異動において，労働組合の執行委員長である新浪さんに対し，府中工場から鳥取工場への配置転換を命じた。新浪さん

---

55)　これに対し，立法政策説に立つと，不当労働行為制度における「正当」性は，当該労使関係の実態に照らし円滑な団体交渉関係を実現するための前提として保護されるべき行為かという観点から，柔軟に判断されるべきものと解される。

56)　千代田化工建設事件・東京高判平成7・6・22労判688号15頁。北辰電機製作所事件・東京地判昭和56・10・22労判374号55頁（#101）も参照。

57)　社会福祉法人佐賀春光園事件・福岡高判令和3・5・27労経速2460号9頁。

452　第4編　労使関係法

は，この配転命令につき，組合活動ゆえの遠隔地への異動であるとして会社側に抗議しているが，会社側は，他の従業員と同様のルールで業務上の必要性から行っている定期人事異動の一環であると言っている。この配転命令は不当労働行為にあたるといえるか？

　この事例のように，不利益取扱い（ここでは配転）をした理由（動機）が，「正当な組合活動」と「業務上の必要性」のように複数考えられる状況を「理由（動機）の競合」という。このような場合についても，組合活動の考慮のゆえに不利益取扱いがなされたか（その考慮がなければ不利益取扱いはなされなかったか）という定式に従って判断すればよい。この内心の意思の認定は，具体的には，外部に表れた間接事実（使用者の労働組合に対する日頃の態度，通常の人事のパターンとの相違点，組合加入・組合活動等との時期的符合など）から推認することによって行われる。なお学説上は，「正当な組合活動」と「業務上の必要性」のいずれがより決定的（優越的）な動機であったかによって不当労働行為意思の存否を判断すべきとする見解（決定的動機説）もある。しかし，組合活動の考慮が相対的に小さなものであってもそれが理由となって処分・決定が行われることはあり（例えば，昇進を決定する査定で，100点満点のうち99点は勤務成績等に基づくポイントであるが，それ以外に多数組合員には1点〔少数組合員には0点〕が付加されており，少数組合員が昇進基準に1点足りずに昇進できなかった場合），このような場合に不利益取扱いの成立を認めない解釈は，条文の文言や趣旨に反し妥当でない。業務上の必要性の寄与が相対的に大きいとしても，組合活動のゆえに不利益取扱いがなされたといえる場合には，不当労働行為の成立を認めるべきである。[58]

　取引先などの第三者が組合員に対し不利益な取扱いをすることを使用者に強要した場合，使用者に不当労働行為意思の存在は認められるかが問題となることもある。この場合，使用者自身は，労働者の組合加入や組合活動ではなく，経営困難になることを避けるという経営上の必要性から，このような行為に出たともいえる。しかし，判例は，第三者による強要の場合でも，それを承知して受け入れた使用者の意思は第三者の意思と直結するとし，不当労働行為意思

58）　荒木・前掲52）772頁以下も同旨。

第2章　団体交渉促進のためのルール　　453

による不利益取扱いの成立を認めている[59]。

3　集団的な賃金・査定差別の立証と救済

事例 103

> 小売業を営む紅丸商事には，A 組合と B 組合の 2 つの労働組合が存在している。両者の組合員の夏季賞与の平均考課率は A 組合員 101 に対し B 組合員 58，冬季賞与については 101 対 79 であった。この夏季賞与について平均考課率が 59 であった B 組合員 21 名が B 組合を脱退し A 組合に加入しまたは非組合員となったところ，冬季賞与における考課率は平均で 96 に跳ね上がった。この間，B 組合の指令により B 組合員が故意に作業能率を下げたり接客態度を悪くするようなことはなかった。B 組合がこの賞与の格差を不当労働行為であるとして救済を申し立てる場合，どのような事実を明らかにすればよいか？　このような査定差別が従来から継続して行われ，基本給の昇給差別として蓄積している場合，どこまで遡って，どのような救済が認められるか？

　不利益取扱いの立証については，原則として，個々の労働者ごとに個別に主張・立証することが求められる。しかし，集団的に差別がなされている場合には，集団的に差別の立証・認定をすることを認めることによって，差別の簡便で迅速な救済を図ることができる。このような観点から判例上認められている立証・認定方法が，「大量観察方式」である。判例によると，ⓐ使用者が組合を嫌悪し反組合的行動をとっていたこと（不当労働行為意思の元となる組合嫌悪の認識），ⓑ比較される両集団の間に著しい賃金格差が存在していること（集団的な不利益取扱いの存在），および，ⓒ両集団の間に勤務成績等の点で同等性があること（組合嫌悪以外の理由の不存在）が認められれば，個別の認定をすることなく集団的に不利益取扱い（および支配介入）が存在していたものと認められるとの立場がとられている[60]（**Column 55**）。

　労組法は，不当労働行為の救済申立ては行為の日から 1 年以内に限るとしつつ，その行為が「継続する行為」である場合にはその終了した日から 1 年以内であれば救済の申立てをすることができるとしている（27 条 2 項）。ここでは，

---

59)　山恵木材事件・最三小判昭和 46・6・15 民集 25 巻 4 号 516 頁。

60)　紅屋商事事件・最二小判昭和 61・1・24 労判 467 号 6 頁〔 事例 103 の賞与格差類似のケース〕。近時の裁判例として，国・中労委（シオン学園）事件・東京高判平成 26・4・23 判時 2248 号 91 頁参照。

454　第 4 編　労使関係法

長年にわたって査定差別が行われてきた結果，賃金格差が蓄積している場合に，どの範囲まで遡って救済を求めることができるかが問題となる。判例は，査定とそれに基づく賃金支払いは一体として一個の不当労働行為をなすから，差別的査定に基づく賃金が支払われている限り不当労働行為は継続するとし，差別的査定に基づく最後の賃金支払いから1年以内であれば救済申立てが認められるとしている[61]。この立場からすれば，申立日の前1年以内にあった賃金支払いの基礎にある差別的査定は1つの「継続する行為」にあたり，それに基づく賃金格差は一括して救済されうることになる（例えば，2022年3月の査定に基づき，2022年度〔2022年4月から2023年3月まで〕に差別的な賃金が支払われていた場合，2024年3月までに申立てをすれば，2022年3月の査定と2022年度の賃金支払いが「継続する行為」として救済の対象となりうる）。なお，この判例は単年度ごとに救済申立てがなされていた事案での判断であり，年度を超えて蓄積してきた賃金格差についても同様のことがいえるかについては，判例はなお明確な立場を示していない。労働委員会命令においては，年度を超えた継続性を認め一括して救済を行ったもの[62]，単年度に限り継続性を認め前年度以前に遡った救済を認めなかったもの[63]などがある。査定差別に基づく賃金格差は少しずつ積み重ねられ数年間経過して初めて顕在化することもあることを考えると，事案によっては複数年度にわたる継続性を肯定し一括した救済を行うことを認めるべきである[64]。

　査定差別の救済にあたって問題となるのは，正当な査定部分と不当な査定部分が混在している可能性があるときに，どの水準を基準として格差の是正を図るかである。近時の裁判例のなかには，使用者が救済対象者の勤務成績等が相当劣っていることを具体的に疎明しない限り，労働委員会が中位者を基準として再査定し昇格・昇給を命じることもその裁量権の範囲内であるとするものが

---

61)　紅屋商事事件・最三小判平成3・6・4民集45巻5号984頁（#109）〔事例103の昇給差別類似のケース。単年度ごとに救済申立てがなされていた事件〕。

62)　日本計算器事件・京都地労委昭和47・11・17不当労働行為事件命令集48集153頁など。

63)　モービル石油事件・中労委平成17・9・21不当労働行為事件命令集133(2)集1371頁など。裁判例として，除斥期間が定められた趣旨を踏まえ，各行為の具体的意図，関連性，時間的接着性等に照らして判断すべきであるとし，複数年度にまたがる昇格等決定行為とこれに基づく賃金支払いは「継続する行為」にあたらないとしたもの（国・中労委（明治（昇格・昇給差別））事件・東京地判平成30・11・29労判1201号31頁）がある。

64)　盛誠吾『労働法総論・労使関係法』260頁以下（新世社，2000）など参照。

第2章　団体交渉促進のためのルール　455

多い。もっとも,人事考課には不当とはいえない部分もあるから他の社員の平均を元に計算した差額の支払いを命じるのは行き過ぎであるとし,個別に救済の程度を判断すべきとした裁判例もある。査定をめぐる証拠の偏在を考慮すると,前者の立場が妥当である。

Column 55 **大量観察方式をめぐる近年の裁判例**　最高裁紅屋商事事件判決（前掲注61））以降の裁判例は,これらの事情のうち両集団の同等性（ⓒ）を欠くことなどを理由に大量観察方式の採用を否定したものと,労働委員会による集団的な認定を適法としたものに分かれている。また,両集団の同等性（ⓒ）の立証について,近年の裁判例のなかには,証拠の偏在を考慮して,労働者側は自己の把握しうる限りにおいて自分の能力・勤務成績が劣らないことを立証すれば足り,これに対し,使用者側は当該労働者が劣ることを具体的に反証する必要があるとしたものや,人事考課制度に評定者の恣意が入り込む余地がある場合には,組合嫌悪（ⓐ）と賃金格差（ⓑ）の存在によって差別の存在が推認され,その推認を覆す（当該労働者の能力が劣っていること等を具体的に立証する）責任は使用者側にあるとしたものがある。

❸　団 交 拒 否

　労組法 7 条 2 号は,使用者が,雇用する労働者の代表者（労働組合）と正当な理由なく団体交渉を拒むことを,団交拒否として禁止している。この点については,既に述べた（p411 **1**）。

❹　支 配 介 入

1　成 立 要 件

　労組法 7 条 3 号は,使用者が,労働組合の結成・運営を支配しまたはそれに介入することを,支配介入として禁止している。また,労働組合の運営に対し経理上の援助を行うこと（経費援助）は,経済的な支配介入として,同号ただ

---

65)　東京地労委（国民生活金融公庫）事件・東京地判平成 12・2・2 労判 783 号 116 頁,中労委（朝日火災海上）事件・東京高判平成 15・9・30 労判 862 号 41 頁。前掲 61）紅屋商事事件判決も,平均考課率の差を参考に計算した差額の支払いを適法としている。

66)　中労委（オリエンタルモーター）事件・東京高判平成 15・12・17 労判 868 号 20 頁（#102）。

67)　放送映画製作所事件・東京地判平成 6・10・27 労判 662 号 14 頁,前掲 65）東京地労委（国民生活金融公庫）事件判決,中労委（芝信用金庫）事件・東京高判平成 12・4・19 労判 783 号 36 頁。

68)　前掲 65）中労委（朝日火災海上）事件判決,前掲 66）中労委（オリエンタルモーター）事件判決。

69)　前掲 65）東京地労委（国民生活金融公庫）事件判決,前掲 66）中労委（オリエンタルモーター）事件判決,国・中労委（昭和シェル石油）事件・東京高判平成 22・5・13 労判 1007 号 5 頁。

70)　前掲 65）中労委（朝日火災海上）事件判決。

し書に列挙された場合（労使交渉・協議時間に対する賃金保障，労働者の福利厚生基金に対する寄附，組合事務所の供与）を除き，禁止される。

支配介入の具体的態様としては，組合脱退のはたらきかけ，組合幹部の解雇・配転，組合活動の妨害，組合事務所貸与の中止，組合の勢力を弱めるための他組合（第二組合）や親睦団体の結成・支援など，さまざまな形態のもの（組合弱体化行為）がこれに含まれうる[71]。使用者の単なる発言・意見表明であっても，組合員に対する威嚇的効果をもつ場合には，支配介入にあたると解されている（*Column 56*）。また，使用者が労働協約規定に反する行為を行うことが支配介入とされることがある。近時の裁判例では，労働条件変更について労使間に事前協議・同意条項があった事案において，使用者による労働条件変更の決定が必要やむを得ないもので，労働組合の理解と納得を得るために使用者として尽くすべき措置を講じた場合には，労働組合の同意を得ないでなされた使用者の一方的決定も同条項に反するものではなく，支配介入にあたらないとしたものがある[72]。

組合員に対する不利益取扱いや団交拒否が同時に組合の弱体化行為（支配介

---

71) 例えば，東京書院事件・東京地判昭和 48・6・28 判タ 298 号 314 頁〔組合活動を阻止するための従業員全員の解雇と会社解散を不利益取扱いであるとともに支配介入にあたると判断〕，奥道後温泉観光バス（配車差別等）事件・松山地判平成 21・3・25 労判 983 号 5 頁〔会社事務室での監視カメラや音声モニター装置の設置について，組合活動を監視されているという不安感を与え組合活動を萎縮させるものであり支配介入にあたると判断〕，東京測器研究所（仮処分）事件・東京地決平成 26・2・28 労判 1094 号 62 頁〔使用者が労働組合の存続の可能性を失わせる結果になることを認識しつつそれを容認する意思の下で行った組合活動家の遠隔地への配転を支配介入にあたると判断〕，引越社事件・名古屋地判平成 29・3・24 労判 1163 号 26 頁〔「勧誘されても絶対に断ってください」「一生を棒に振る事になっても良いですか」等の威嚇的な言辞で組合活動を妨害する貼り紙を掲示した行為を支配介入にあたると判断〕，国・中労委（大阪市（チェック・オフ））事件・東京高判平成 30・8・30 労判 1187 号 5 頁〔労働組合への理由の説明，善後措置等の協議，十分な猶予期間の設定などの手続的配慮を欠くチェック・オフの廃止を支配介入にあたると判断〕，国・中労委（学校法人文際学園〔非常勤講師〕）事件・東京地判平成 31・2・28 労判 1211 号 165 頁〔組合員が公道上で平穏に行っていたビラ配布を法人職員が立ちはだかって妨害したことは支配介入にあたると判断〕など。また，民事事件として，使用者が 24 年間無償で貸与してきた組合事務所の明渡しを請求した事件で，組合が事務所を使用する必要性は極めて高いにもかかわらず，使用者は適切な代替施設を提供せず，組合に対する報復・嫌がらせという支配介入の意思で本件請求をしたことが窺われることから，本件請求には合理的理由があったとはいえないとして，使用者の明渡請求を棄却した裁判例（ヤマト交通（組合事務所明渡請求）事件・東京高判令和元・7・3 労判 1210 号 5 頁）がある。

72) 国・中労委（高見澤電機製作所外 2 社）事件・東京地判平成 23・5・12 別冊中労時 1412 号 14 頁。

第 2 章　団体交渉促進のためのルール　457

入）に該当することも多く，7条1号（不利益取扱い）または2号（団交拒否）と3号（支配介入）とが重畳的に成立することがある。例えば，労働組合が併存するなかで一方の組合に対し差別的な取扱いをすることは，一方組合への不利益取扱いにあたると同時に組合弱体化の支配介入にあたる（p413**2**）。

Column 56 使用者の言論と支配介入（具体例）　　使用者にも言論の自由が保障されている（憲法21条参照）からといって，組合員に威嚇的効果を与え，組合の組織運営に影響を及ぼすような発言をすることは許されない。例えば判例では，社長が従業員等の集会で，工場組合が上部団体（連合会）に加入したことを非難し，脱退しなければ人員整理もありうる旨の演説をしたことによって，工場組合が連合会から脱退するに至った事案[73]，および，労働組合からの団体交渉決裂宣言の後，「〔組合幹部のストのためのストを行なわんとする態度に対し，〕会社も……重大な決意をせざるを得ません。お互いに節度ある行動をとられんことを念願いたしております」との社長声明文を事務所に掲示したため，組合側に大量の脱落者が出てストライキが中止された事案[74]で，支配介入の成立が認められた。また，近時の命令例・裁判例として，会社更生手続中であった日本航空の管財人であり出資者でもあった企業再生支援機構のディレクターらが，労働組合が争議権確立のための投票を行っている最中に，「争議権が確立された場合，それが撤回されるまでは更生計画案で予定されている出資ができない」と発言したことは，組合員に威嚇的効果を与えるもので支配介入にあたるとしたものがある[75]。

2　支配介入の意思

> **事例 104**
>
> 　プレミアビール社が労働組合の指導的立場にあった執行委員長の新浪さんを府中工場から鳥取工場に配転したことによって，府中工場で活発化していた組合運動を率いる者がいなくなり，同組合は事実上活動を停止してしまった。この配転の際に，会社側には反組合的な意図はなく，業務上の必要性に基づいてこれを行っていたとすれば，この配転は支配介入になるか？　会社は，配転によって組合活動に影響が出ることまでは意図していなかったが，反組合的な意思をもっていた場合はどうか？

　不利益取扱い（7条1号）とは異なり，支配介入（3号）については，条文上，不当労働行為意思を成立要件とする文言（「故をもって」など。p452**2**参照）は用いられていない。そこで，支配介入の成立にはその意思（使用者の主観的認識）は必要とされないのかが問題となる。

---

73)　山岡内燃機事件・最二小判昭和29・5・28民集8巻5号990頁。
74)　プリマハム事件・最二小判昭和57・9・10労経速1134号5頁。
75)　東京都・都労委（日本航空乗員組合等）事件・東京高判平成27・6・18労判1131号72頁。

458　第4編　労使関係法

この点については，条文の文言からすると，使用者の具体的な組合弱体化の意思（支配介入をしようとする意欲・認識）までは要件とされないが，使用者の認識とは全く無関係に行為の結果のみから不当労働行為性を肯定すると使用者の行為を過剰に制限することになるため，広い意味で反組合的意思をもって行為がなされたことは必要であると解釈すべきであろう。[76]

3 使用者の施設管理権行使と支配介入

事例 105

　オリエンタルラジオ社の企業内組合であるオリラジ労働組合は，組合大会を開くため従業員食堂を利用しようとしたが，同社は組合に対し従業員食堂の利用を許可せず，食堂を無断で利用しようとした組合員に対し食堂からの退去を命じた。会社側のこのような態度は，組合に対する不当労働行為にあたるか？

　労働組合が企業施設を利用して組合活動をしようとするときに，使用者が施設管理権を行使してこれを制限・禁止することは支配介入にあたるか。

　判例は，使用者の施設管理権の行使は，施設利用を許さないことが使用者の権利の濫用と認められるような特段の事情がない限り，支配介入とはならないとし[77]，組合活動の正当性に関する判断枠組み（p440(3)）と同様に「許諾説」に立った判断をしている。この立場によると，企業の業務運営や施設管理上実質的な支障が生じるおそれがないにもかかわらず施設利用を許さないといった特段の事情がない限り，使用者が労働組合の企業施設利用を制限・禁止しても支配介入にはあたらないことになる。不当労働行為制度の趣旨（p445 **1**）について団結権侵害説に立つ立場からは，不当労働行為性（支配介入性）の判断と憲法28条による保護（組合活動の正当性）の判断を同一の枠組みで判断することは，理論的に一貫している[78]。

---

76) 判例（前掲73）山岡内燃機事件判決）も，同様の趣旨のものと理解されうる。中労委（日本郵政公社（小石川郵便局等組合事務室））事件・東京高判平成19・9・26労判946号39頁〔組合併存下での組合事務室等の貸与に関する差別的取扱いは，組合弱体化を図ろうとする意図を推認させるものとして支配介入に該当すると解すべきであり，使用者が当該組合を敵視しその弱体化を企図する等の積極的な動機を有することを要しないと判示〕も参照。

77) オリエンタルモーター事件・最二小判平成7・9・8労判679号11頁（#106）〔 事例105 類似のケースで権利濫用となる特段の事情の存在を否定し不当労働行為の成立を否定〕など。

78) 立法政策説の立場からすれば，不当労働行為性（支配介入性）の判断においては，施設管理権や権利濫用といった権利義務に拘泥することなく，当該労使関係の実態に照らして円滑な団体交

第2章　団体交渉促進のためのルール　459

労働協約により，信用毀損，誹謗中傷など一定の場合には使用者が掲示物を撤去できるとの条件つきで組合掲示板の貸与がなされていることがある。このような状況下で，使用者が組合の掲示物を自ら撤去することは，当該掲示物が協約上の撤去要件に該当する場合には，労使間の取決めに基づいた行為であり，原則として支配介入にあたらない。これに対し，当該掲示物が協約上の撤去要件に該当しない場合，または，形式的に撤去要件に該当するとしても，全体として正当な組合活動として許される範囲を逸脱していないといえる特段の事情がある場合には，労働協約違反行為，または，正当な組合活動に対する使用者の介入として，支配介入にあたると解されている。[79]

3 不当労働行為の救済

不当労働行為の救済としては，労働委員会による救済と裁判所による救済の大きく2つのルートがある。労働委員会による救済（救済命令）は行政機関が行う一種の行政処分であるため，裁判所による取消訴訟の対象となる。

■ 労働委員会による救済

1 救済手続

労働委員会は，労組法によって設置された独立行政委員会である（19条以下）。労働委員会は，使用者委員，労働者委員，公益委員の各同数によって構成される三者構成の委員会であり（19条1項），厚生労働大臣の所轄の下に置かれる中央労働委員会（19条の2以下）と各都道府県知事の所轄の下に置かれる都道府県労働委員会（19条の12以下）とからなる。

労働組合や労働者から不当労働行為の救済申立て（p461 **2**）がなされると，労働委員会は調査，審問，公益委員会議などの準司法的な審査手続により，不当労働行為の成否を判断する。[80] 審査の結果，不当労働行為の成立が認められる

渉関係の実現を阻害する行為（組合弱体化行為）か否かという観点から，柔軟に判断すべきであると解される。

79）国・中労委（JR東海（大一両・掲示物撤去第1））事件・東京高判平成19・8・28労判949号35頁，国・中労委（JR東海（大阪第2運輸所））事件・東京高判平成21・9・29労判1014号63頁，東海旅客鉄道事件・東京高判平成29・3・9労判1173号71頁など。

80）2004（平成16）年の労組法改正により，労働委員会は，事件に関係のある帳簿書類その他の物

460　第4編　労使関係法

場合には労働委員会は救済命令を発し，認められなかった場合には棄却命令を発する（27条の12）。また，審査の途中で労働委員会が和解を勧め，和解が成立することによって審査手続が終了することも多い（27条の14）。

救済申立ては，通常の場合，まず都道府県労働委員会に対してなされ，都道府県労働委員会の命令に不服がある当事者は中央労働委員会に再審査の申立てをすることができる（27条の15）という，二審制がとられている。

2 申立て

労働委員会に申立人として不当労働行為の救済を求めることができる（申立適格が認められる）のは，労働組合と労働者個人である。不当労働行為の類型別にみると，不利益取扱い（7条1号，4号）については，その取扱いを受けた労働者およびこの労働者が所属する労働組合の双方または一方が申立てをすることができる。労働者が不利益取扱いを受けた後に加入した労働組合でもよい。団交拒否（2号）については，団体交渉の当事者となりうるのは労働組合のみであるから，労働組合のみに申立適格が認められる。支配介入（3号）について，判例は，支配介入（組合弱体化）行為を受ける労働組合のみならず，労働者個人についても，労働者の団結権・団体行動権の保護という不当労働行為制度の趣旨から申立適格を肯定している[81]。実際に，使用者の支配介入行為によって組合が結成されなかった場合，使用者の支配介入行為に対し組合内多数派は使用者と争う態度をとっていない場合など，労働者や組合員個人で支配介入の成否を争うべき事態もありうるため，判例の立場は妥当である。

不当労働行為の救済申立ての被申立人となるのは，労組法7条の「使用者」（p447 2）である。救済命令を履行する公法上の義務を負う主体となるものであるため，法的に独立した主体（個人企業の場合には企業主個人，法人企業の場合には法人）でなければならない。不当労働行為を現実に行った者（個人企業の個人事業主以外）は，被申立人たる使用者ではなく，救済命令の名宛人にはならな

件で，それによらなければ認定すべき事実を認定できないおそれがあると認められる場合には，その提出を所持者に命令（物件提出命令）することができるものとされた（27条の7，27条の10参照）。物件提出命令を受けたにもかかわらず物件を提出しなかった当事者は，労働委員会命令の取消訴訟において，正当な理由がない限り，当該物件について証拠の申出をすることができない（27条の21）。

81）京都地労委（京都市交通局）事件・最二小判平成16・7・12労判875号5頁。

第2章 団体交渉促進のためのルール **461**

い。

不当労働行為の救済申立ては，行為の日（「継続する行為」の場合はその終了した日）から１年以内になされなければならない（27条２項。p454 **3** 参照）。この１年の期間は除斥期間である。このように短い除斥期間が設定されたのは，不当労働行為制度の趣旨が将来に向けて円滑な団体交渉関係の実現を図ることにあるからである。したがって，例えば不当労働行為にあたる解雇がなされた場合，解雇日から１年が経過してしまうと労働委員会に救済申立てをすることはできなくなる。

3 救済命令の内容と限界

労働委員会は，労使関係の専門家から構成される独立行政委員会であり，その専門性ゆえに，個々の事案に応じて適切な是正措置を決定し命令する権限（裁量権）が認められている[82]。もっとも，判例によると，これは救済命令の内容について裁量（効果裁量）を認めたものにすぎず，不当労働行為の成否（要件該当性）の判断についての裁量（要件裁量）は認められないと解されている[83]。

労働委員会が発する救済命令の典型例としては，①不利益取扱いにあたる解雇については，原職復帰命令およびバックペイ（解雇期間中の賃金相当額の支払い）命令，②団交拒否については，当該事項に関する誠実交渉命令，③支配介入については，支配介入行為の禁止命令，ポスト・ノーティス（文書の掲示）命令などがある[84]。確定した救済命令に従わない使用者は50万円（不履行日が５日を超える場合には１日につき10万円を加算）以下の過料に処される（32条後段）。

いかなる内容の救済命令を発するかについては，専門的行政委員会である労働委員会に広い裁量権が認められているが，その裁量権の行使も，不当労働行為制度の目的（判例によると「団結権侵害行為を除去し正常な労使関係秩序を回復すること」）に照らして是認される範囲を超え，裁量権の濫用となるものであって

---

82) 第二鳩タクシー事件・最大判昭和52・２・23民集31巻１号93頁（＃108）。

83) 寿建築研究所事件・最二小判昭和53・11・24労判312号54頁。

84) ポスト・ノーティス命令においては，不当労働行為を「反省」し「陳謝」するといった文書の掲示が命じられることがあるが，これらの文言は同種の行為を繰り返さないという約束を強調するものであって，反省などの意思表明を要求することを本旨とするものではなく，使用者の良心の自由（憲法19条）を侵害するものではないと解されている（亮正会高津中央病院事件・最三小判平成２・３・６労判584号38頁，オリエンタルモーター事件・最二小判平成３・２・22労判586号12頁）。

462　第４編　労使関係法

はならない。具体的には，次のような事案で問題となりうる。

事例 106

　第一鷲タクシー社では，乗務員の賃金体系を改定し経営再建を図ろうとしたが，その従業員で組織する第一鷲タクシー労働組合が団体交渉の場でこれに強硬に反対したため，同労組の中心人物である組合委員長の荒木さんを解雇した。この場合，荒木さんにはいかなる法的救済が与えられるか？　なお荒木さんは，解雇後，係争が継続している間，生計を保つためにトラック運転手のアルバイトをし，第一鷲タクシー社での賃金の8割にあたる収入を得ている。

　このような事案においては，労働委員会が不当労働行為（不利益取扱いや支配介入）にあたるとして救済命令を発する場合に，他社で働いて得た中間収入をバックペイから控除する必要があるのかが問題となる。労働委員会は，中間収入の控除をせずに賃金相当額の全額の支払い（全額バックペイ）を命じることが多い。しかし，判例は，全額バックペイを命じた労働委員会命令の取消訴訟において，「二元論」の立場から中間収入の控除の要否を決定すべきであるとした。すなわち，①「被解雇者個人」の被害の救済の観点からすれば，中間収入を得た部分については経済的不利益は償われているため控除が原則となるが，②個人の被害を超えて「組合活動一般」への侵害がある場合には，その程度に応じて必要かつ適切な救済と認められれば控除は不要であるとされたのである。[86] この判例の立場からすれば，このような二元的な検討を行わずに全額バックペイを命じる労働委員会命令は，裁量権の限界を超えた違法な（取り消されるべき）命令とされる。[87]

　その他，昇進・昇格差別に対して特定職位（○○課長，△△係長など）に就けることを命じる昇進命令は，使用者の人事権への過度の介入として労働委員会の裁量権の限界を超えると判断されうる。[88] もっとも，職位について同年同期入社者に遅れないように取り扱うことを命じることや，直接職位とは結びつかな

---

85)　前掲82）第二鳩タクシー事件判決（#108）。

86)　前掲82）第二鳩タクシー事件判決（#108）。

87)　前掲82）第二鳩タクシー事件判決（#108）〔 事例106 類似のケースで労働委員会の全額バックペイ命令を違法と判断〕，京都淡路交通事件・最二小判昭和52・5・2労判277号35頁など。

88)　第一小型ハイヤー事件・札幌高判昭和52・10・27労判291号59頁，男鹿市農協事件・仙台高秋田支判平成3・11・20労判603号34頁。

い賃金表上の格付けの変更を命じる昇格命令については，労働委員会に認められた裁量権の範囲内とされている。[89]

　また，「使用者は今後組合運営に支配介入してはならない」といった広い範囲の行為を一般的に禁止する命令（いわゆる「抽象的不作為命令」）は，不明確な内容で使用者の行為を過度に制約するおそれがあるため違法と解されている。

　私法的な法律関係と著しくかけ離れた救済命令は，裁量権の濫用とされることがある。例えば，ある組合と使用者との間にチェック・オフ協定や同組合員からの支払委任がないにもかかわらず，使用者に同組合に対して組合費相当額（賃金から天引きして他組合に引き渡されていた分）を支払うように命じた救済命令について，私法的法律関係から著しくかけ離れており裁量権の限界を超える違法なものと判断されている。[90]

　労働委員会が損害賠償を命じることについては，不当労働行為制度の目的は将来に向けて正常な労使関係の実現にあり，過去に生じた損害の賠償・補塡にあるわけではないことからすれば，原則として否定的に解されるべきであるが，過去の問題点を労使双方で認識・清算したうえで将来の関係を築いていくことが労使関係上必要な場合もある。このことからすると，不当労働行為制度の趣旨・目的に照らし，必要かつ相当と考えられる範囲内で労働委員会が金銭賠償を命じることも，労働委員会の裁量の範囲内に含まれると解すべきであろう。[91]

> **事例 107**
> 　安中大学は，同大学の教職員が組織する安大労組との間で行った団体交渉が不誠実だと認定され，労働委員会から誠実交渉を命じる救済命令が出された。しかし，

89）　前掲 65）東京地労委（国民生活金融公庫）事件判決，前掲 65）中労委（朝日火災海上）事件判決，北海道・北海道労委（渡島信用金庫・昇進・昇格差別）事件・札幌地判平成 26・5・16 労判 1096 号 5 頁。

90）　ネスレ日本（東京・島田）事件・最一小判平成 7・2・23 民集 49 巻 2 号 281 頁。立法政策説からすれば，このような私法上の権利義務関係にこだわらず，不当労働行為制度の趣旨（円滑な団体交渉関係の実現）に照らし必要かつ相当な措置かという観点から判断すべきであるが，強行法規に違反するような救済命令は違法と判断されるべきであろう。労働委員会の救済命令の内容は私法上の権利の回復措置に限定されるものではなく，私法上の権利義務とのかい離の程度が救済命令の目的から許容される範囲内にあれば認められるとした近時の裁判例として，平成タクシー事件・広島高判平成 26・9・10 労判 1120 号 52 頁〔給与相当額のバックペイにつき民事訴訟で確定した額を超える支払命令部分も適法と判断〕参照。

91）　充正会高津中央病院事件・東京高判昭和 63・3・24 労判 530 号 87 頁参照。

この命令が出たのは団交実施から4年後であり，交渉事項であった給与制度の見直しは就業規則改定を経て既に実行されているため，今さら団体交渉を命じられても合意成立は事実上不可能な状況にあった。そこで，同大学は労働委員会による誠実交渉命令の取消しを求めて提訴した。この訴えは認められるか？

　使用者の団交拒否・不誠実団交に対して，労働委員会は，誠実交渉命令を出すことが一般的である。事例107 に類似する山形県・県労委（国立大学法人山形大学）事件では，交渉事項について使用者が制度改正を実行してから数年経過後に労働委員会が使用者に誠実団体交渉を命じることの裁量権逸脱の有無が争点となった。最高裁は，交渉事項に関して合意成立の見込みがない場合であっても，誠実交渉命令により，使用者から説明と資料の提示を受け，労働組合の交渉力の回復や労使関係の正常化を図ることができるため，誠実交渉命令を発することは救済命令制度の趣旨・目的を逸脱するものとはいえないと判断した。[92] 団体交渉の意義・目的は，労働条件等についての合意形成（実体的な待遇改善）にとどまらず，十分な説明や資料提示等による労使間のコミュニケーション（手続的な公正さ）とそれを通じた正常な労使関係秩序の形成を含むものであることを明らかにし，それゆえ，労働条件等について合意成立が見込めないような場合でも，労働委員会はその裁量権の範囲内で使用者に誠実交渉を命じることができるとした点で，不当労働行為救済制度の趣旨に沿った判断といえる。

4　救済利益

　過去に不当労働行為にあたる行為があったとしても，その後，不当労働行為によって生じた労使関係上の問題点が是正されまたは解消されている（例えば，解雇を撤回して原職復帰させた，拒否していた団体交渉に応じた，支配介入行為を止めて関係を是正した）場合には，労働委員会は救済の必要性（救済利益）がないとして，申立てを棄却することができる。ただし，将来に向けて正常な労使関係を実現していくために，過去の不当労働行為の存在を認識する必要がある場合には，不当労働行為が存在しこのような行為を繰り返さない旨の文書の掲示（ポスト・ノーティス）や交付等を命じることはできる。

92）　山形県・県労委（国立大学法人山形大学）事件・最二小判令和4・3・18民集76巻3号283頁。

例えば，労働組合が組合員個人の権利利益を回復する形で救済（例えばカットされた賃金の支払い）を求めている事案で，当該組合員が退職等によって組合員資格を喪失した場合，判例は，当該組合員がその権利利益の回復を図る意思がないことを積極的に表明したときは，労働組合はそのような内容の救済を求めることができないが，そのような積極的な意思表示がない場合には労働組合は救済利益を失わないとしている。[93]

2　労働委員会命令の取消訴訟

　労働委員会の命令に対し不服のある当事者は，命令の取消を求めて訴訟を提起することができる（労働組合・労働者側の出訴期間については行政事件訴訟法 14 条 1 項，使用者側の出訴期間については労組法 27 条の 19 第 1 項参照）。この取消訴訟は，都道府県労働委員会の命令に対して（中央労働委員会に再審査の申立てをせずに）直接提起することも，中央労働委員会の再審査命令に対して提起することもできる（労組法 27 条の 19）。この取消訴訟において被告となるのは，命令を下した労働委員会が所属する国または公共団体（都道府県労働委員会命令の場合は都道府県，中央労働委員会命令の場合は国）である。使用者が原告となる場合は労働組合または労働者が，労働組合または労働者が原告となる場合は使用者が，補助参加人として取消訴訟に参加できる。労働委員会の要件裁量を否定する判例の立場（p462 **3**）からすると，裁判所は，①労働委員会の事実認定の当否，[94]②不当労働行為の成否（7 条の要件該当性），③救済命令の内容の適法性（裁量権の範囲を逸脱していないか）を審査し，労働委員会命令の適法性を判断することになる。

　命令の適法性は，処分時（命令発出時）を基準に判断される。しかし，救済命令発出後に，労働組合が消滅するなど命令の履行を不可能とする事情が発生

93）　旭ダイヤモンド工業事件・最三小判昭和 61・6・10 民集 40 巻 4 号 793 頁（＃110）。

94）　実質的証拠法則（行政機関が認定した事実に実質的な証拠がある場合には裁判所もその事実認定に拘束される。公正取引委員会による審判については同法則が採用されていた（独占禁止法旧80 条）が，2013（平成 25）年改正で公正取引委員会が行う審判制度が廃止されたことに伴い同法則も廃止された）は，労働委員会命令の取消訴訟には採用されていないため，裁判所は労働委員会の事実認定に拘束されることなく自らの判断で事実認定を行うものとされている。ただし，2004（平成 16）年労組法改正により，新証拠の提出制限が定められている（p460 注 80））。

466　　第 4 編　労使関係法

した場合には，当該命令の取消を求める訴えの利益は消滅し，当該訴えは却下されうる。もっとも，組合員の退職等により当該企業に組合員がいなくなったとしても，使用者（企業）と労働組合がなお存在し，命令の履行が可能である場合には，命令取消を求める訴えの利益は消滅しないと解されている。[95]

　使用者が救済命令の取消訴訟を提起した場合，労働委員会は，受訴裁判所に対して緊急命令の申立てをすることができる。緊急命令とは，取消訴訟の判決が出て救済命令の効力が確定するまでの間，裁判所が使用者に暫定的に救済命令の全部または一部に従うよう命令するものであり（27条の20），使用者がこれに従わない場合には過料に処される（32条前段）。緊急命令を発令するにあたり，裁判所は，①救済命令の適法性と②緊急命令（即時救済）の必要性の有無について審査することになる。救済命令の適法性（①）については，暫定的に強制力を与えるものにすぎないという緊急命令制度の性質から，疎明資料に基づき救済命令の認定判断に重大な疑義がないかを検討すれば足りると解されている。[96]

　救済命令が裁判所の確定判決によって支持された場合には，命令違反行為をした者は1年以下の禁錮（2022（令和4）年刑法等改正により拘禁刑に）もしくは100万円以下の罰金，または，これらが併科される（28条）。

❸　不当労働行為の司法救済

　不当労働行為を受けた労働組合および労働者は，労働委員会に救済申立てをするルートを経ず，直接裁判所に救済を求めることもできる。ここでは，いかなる法的根拠で司法救済を求めることができるのか，司法救済の内容は労働委員会による救済（行政救済）とどのような点で異なるのかが問題となる。

1　司法救済の法的根拠

　判例は，不当労働行為制度は労働者の団結権・団体行動権（憲法28条）の保護を目的とするものであるとし（団結権侵害説），[97]不当労働行為の司法救済の根

95）　国・中労委（ネスレ日本霞ヶ浦工場・団交）事件・東京高判平成21・5・21労判988号46頁，広島県・広島県労委（熊谷海事工業）事件・最二小判平成24・4・27民集66巻6号3000頁。
96）　吉野石膏事件・東京高判昭和54・8・9労判324号20頁，社会福祉法人札幌明啓院（北海道労委・緊急命令）事件・札幌地決令和元・5・31労判1207号5頁。

第2章　団体交渉促進のためのルール　　467

拠を労組法 7 条自体に求めている[98]。

　これに対し，不当労働行為制度の趣旨について立法政策説（p445 **1**）に立つ
と，同制度は労働委員会による行政救済に特有の制度であり，これを定めた労
組法 7 条は司法救済の根拠にはならないものと解される（司法と行政の峻別）[99]。
この立場によると，不当労働行為に対する司法救済の根拠は，労組法 7 条以外
の規定に求められることになる。例えば，不利益取扱いや支配介入にあたる使
用者の行為は，団結権（憲法 28 条）を侵害する行為として公序違反（民法 90 条）
や不法行為（民法 709 条）を構成し，また，団交拒否に対しては，憲法 28 条の
要請を受けて労働組合による団体交渉の法的枠組み・地位を定めた労組法 1 条
1 項，6 条を根拠に，団交を求める地位の確認を請求することができるものと
解される[100]（p420 **2**）。

2　司法救済の内容

　不当労働行為に対する裁判所による救済の内容は，労働委員会による救済の
内容とは異なるものとなる。例えば，①正当な組合活動に対する解雇（不利益
取扱い）については，解雇無効確認（労働契約上の地位確認）請求，解雇無効期
間中の賃金支払請求とともに，不法行為としての損害賠償請求が認められる場
合がある。②団交拒否に対しては，団体交渉を求める地位の確認請求が認めら
れ，不法行為としての損害賠償請求が認められる場合がある。③組合の結成・
運営への干渉行為（支配介入）については，不法行為としての損害賠償請求と
ともに，その行為が法律行為の場合には同行為の無効確認請求が認められうる。

　労働委員会による救済（行政救済）と裁判所による救済（司法救済）の内容の
違いは，不当労働行為にあたる解雇の場合（例えば p463 事例 106 ）に典型的に
現れる。行政救済においては，団結権侵害説に立つ判例の立場においても，労
働委員会がその専門的な裁量に基づいて救済命令の内容を柔軟に決定すること

---

97)　前掲 82）第二鳩タクシー事件判決。
98)　不利益取扱い（7 条 1 号）については医療法人新光会事件・最三小判昭和 43・4・9 民集 22 巻 4
　　号 845 頁，団交拒否（7 条 2 号）については国鉄団交拒否事件・最三小判平成 3・4・23 労判 589
　　号 6 頁（＃111）〔原審〕東京高判昭和 62・1・27 労判 505 号 92 頁），支配介入（7 条 3 号）につ
　　いては横浜税関事件・最一小判平成 13・10・25 労判 814 号 34 頁など。
99)　石川・前掲 41）413 頁，菅野・前掲 6）1049 頁以下。
100)　菅野・前掲 6）1051 頁参照。

468　　第 4 編　労使関係法

ができるため，原職復帰や全額バックペイが命じられることがある（p462 **3**）。これに対し，司法救済はあくまで私法上の権利義務に基づくものであるため，労働者に就労請求権（p104 **3**）が認められない限り，裁判所は，特定の職務に労働者を就かせる原職復帰を命じることはできず，解雇無効と労働契約上の地位確認をできるにとどまる。また，被解雇者が解雇期間中に他社で就労して利益（中間収入）を得ていた場合には，裁判所は，賃金全額の支払いを命じることはできず，法律上の権利義務関係に従って，平均賃金の6割を超える部分から中間収入の控除をすることになる（p255(3)）。

第2章 団体交渉促進のためのルール　469

第 5 編

労働市場法

求職者と求人者との
取引に関する法

労働市場法とは，求職者（労働者）と求人者（使用者）の間の労働力取引に関する法をいう。これはさらに，労働力取引の仲介を第三者が事業として行う場合にこれを規制する法（雇用仲介事業の規制）と，雇用を促進・援助するための法政策（雇用政策法）の2つのタイプのものからなる。

第5編

第1章　　　　　　　　　雇用仲介事業の規制

1　規制の趣旨・経緯

　労働市場法が存在しない一般市民法の世界では，いかなる者がどのような形で労働契約を締結するか，それを仲介するために誰がどのような形で介入するかは，基本的には当事者の自由とされる（契約自由の原則）。しかし，そのような法原則の下で，問題は生じないのか。

> **事例108**
>
> 　山形の山村で8人の子どもを抱えながら農業を営んでいる伊東さんは，冷害や台風による不作のため家族を養っていくために十分な作物がとれず金策に困り果てていたところ，女工募集人を名乗る小松さんが家を訪れ，「娘さんに働き口を紹介しますよ。私がよく知っている長野の製糸工場で5年働くことを約束してくれれば，前金として100万円さしあげますし，がんばって働いてくれれば家に仕送りをすることもできますよ」と申し出た。万策尽き果てていた伊東さんは，やむを得ず小松さんの申出に応じ，娘を長野の工場に働きに出すことにしたが，その結果，娘は5年間工場と寄宿舎に閉じ込められながらほぼ強制的に働かされることになり，小松さんは娘の紹介料や給料のピンハネで多額の利益を得たのであった。[1]

　このように，労働契約の締結に第三者が自由に介入・介在し，労働力（それを発現させる人間）が自由に取引されると，社会的に弱い立場に置かれている者の困窮状態などにつけこみ，人身売買・強制労働・中間搾取といった危険が生じることになりかねない。そこで法が，これに一定の規制を及ぼすようになった。

　日本でその起源となったのは，無料の職業紹介所を市町村が設置し，有料職

1）　明治期から大正期にかけての紡績工場における女性労働者（女工）の境遇・実態については，細井和喜蔵『女工哀史』（改造社，1925）など参照。

業紹介事業を禁止することなどを定めた，1921（大正 10）年の職業紹介法である。戦後の 1947（昭和 22）年には，同法を廃止して新たに職業安定法が制定された。職業安定法では，①旧法を引き継いで有料職業紹介事業（p476 _1_）が原則禁止とされるとともに（30 条 1 項），②有料労働者供給事業（p364 _1_）が全面的に禁止されるに至った（44 条）。

しかし，石油危機以降の産業構造の変化や労働市場の変化のなかで，労働力の需要と供給のミスマッチが拡大し，民間での職業紹介事業や人材派遣業のニーズが高まった。このような認識は，他の先進諸国の間でも広がり，1997 年には民間雇用仲介業（民間職業紹介事業，労働者派遣事業など）を承認する ILO181 号条約が採択された。この社会状況の変化や国際的な動きのなかで，日本でも，職業紹介事業や労働者供給事業に対する法規制を緩和する動きがみられた。

まず，1985（昭和 60）年に労働者派遣法が制定され，労働者供給事業の一部である労働者派遣事業が特定の業務について適法とされた。同法は，1999（平成 11）年に改正され，立法当初は原則禁止（列挙された業務のみ許容）とされていた労働者派遣の可能業務が，原則として自由化（列挙された業務のみ禁止）されるに至った。さらに，2003（平成 15）年改正では，それまで禁止されていた製造業務についても労働者派遣をすることができることとされた。2008（平成 20）年 9 月の「リーマン・ショック」後の世界同時不況のなかで，いわゆる「派遣切り」など派遣労働者等の雇用や生活の不安定さが社会問題となったことを受けて行われた 2012（平成 24）年の同法改正では，①日雇派遣の原則禁止，②派遣元によるマージン率等の情報公開，③派遣労働者の待遇改善（派遣元による無期転換促進の努力義務や賃金等決定における均衡配慮義務），④違法派遣の場合の派遣先による労働契約申込みみなしなどが定められるとともに，⑤同法の正式名称に「派遣労働者の保護」が明記され（p366 注 84）），目的規定（1 条）にも「派遣労働者の保護・雇用の安定」が書き加えられた。さらに，2015（平

2） その経緯については，清正寛『雇用保障法の研究』（法律文化社，1987），中島寧綱『職業安定行政史』（雇用問題研究会，1988），鎌田耕一「公共職業安定機関の役割と課題」日本労働法学会編『講座 21 世紀の労働法(2) 労働市場の機構とルール』62 頁以下（有斐閣，2000）など参照。

3） 有料職業紹介事業は，音楽家，芸能家，医師，家政婦など，特別の技術を必要とする職業についてのみ，労働大臣の許可の下に認められるものとされた。

474　第 5 編　労働市場法

成27）年には，①すべての労働者派遣事業を許可制とする，②「専門的26業務」か否かという業務による区分を廃止し，無期雇用の派遣労働者には業務によらず期間制限をなくす，③有期雇用の派遣労働者については派遣先の同一組織単位における受入期間を上限3年とし，派遣元はこの上限に達する派遣労働者に対し雇用安定措置を講じる，④派遣元に派遣労働者の段階的・体系的な教育訓練，希望者へのキャリア・コンサルティングの実施を義務づける等の内容の労働者派遣法の抜本的な改正が行われた（規制内容についてはp367 **2**）。2018（平成30）年の働き方改革関連法は，パートタイム労働者，有期雇用労働者と同様に，派遣労働者についても不合理な待遇の禁止（労働者派遣法30条の3第1項，30条の4），不利益取扱いの禁止（同30条の3第2項）等を定め，正規雇用労働者と派遣労働者との待遇格差の是正を図ることを主な内容とした労働者派遣法改正を行った。

　このような労働者派遣法をめぐる動きと並行して，1997（平成9）年には職安法施行規則が改正され，一定の職業についてのみ例外的に許容されていた有料職業紹介事業が，原則として自由化（列挙された業務のみ禁止）された。その後，1999（平成11）年の職安法改正によって，同法の目的自体に，民間職業紹介事業による労働力需給調整の役割が明記され，その適正な運営の確保等により職業の安定と経済社会の発展が目指されるものとされた（1条）。また，2017（平成29）年の職安法改正では，労働関係法令違反の求人者等からの求人の不受理，職業紹介事業者への紹介実績等の情報提供の義務づけ，求人者等への労働契約締結前の労働条件等の明示の義務づけなど，職業紹介の機能強化と求人情報等の適正化が図られた。さらに，2022（令和4）年の職安法改正では，募集情報等提供事業者（求人メディア等）のマッチング機能の質の向上を図るための諸規制が定められた。

2　職業紹介事業の規制

事例109

　人材派遣や人材紹介を業とするマンパワースタッフ社では，経験のある管理的人材が不足している新興企業に，大企業の中堅層で余剰気味となっている人材を紹介

することをビジネスにしようと考えている。このような事業を自由に行うことはできるのか？　事業を行ううえで守らなければならないルールはあるか？　人材不足の企業から委託を受けて人材の募集を事業として行う場合はどうか？

1 職業紹介等の概念と主体

　職業紹介とは，求人と求職の申込みを受け，求人者と求職者の間に労働契約が成立することをあっせんすることをいう（職安法 4 条 1 項）。これには，企業（求人者）に紹介するために求職者を探して契約締結をあっせんするスカウト行為（ヘッドハンティング）[4] や，余剰人員を抱える企業の求めに応じてその転職先を探し転職をあっせんするアウトプレースメントも含まれる（職安法 48 条に基づく厚生労働大臣の指針参照）。

　職業紹介以外に，企業（求人者）が求職者を探す方法として，労働者の募集がある。労働者の募集には，企業自身が直接行う直接募集と，第三者に委託して行う委託募集の 2 種類がある。直接募集は原則として自由に行うことができるが，委託募集については職業紹介事業に類する法規制が定められている[5]。

　また，求人メディア，求人情報誌，ビジネス SNS，人材データベース等を包括するものとして「募集情報等提供」という概念が設けられ（4 条 6 項），これを事業として行う者に対して，2022（令和 4）年職安法改正は，マッチング機能の質の向上等を図るための規制を定めた[6]。

　上記の「職業紹介」を事業として営む主体には，大きく 2 つのものがある。1 つは，国が所管する公共職業安定所（いわゆる「ハローワーク」）である。もう

4）　東京エグゼクティブ・サーチ事件・最二小判平成 6・4・22 民集 48 巻 3 号 944 頁。

5）　委託募集が有料で行われる場合には厚生労働大臣の許可，無料の場合には届出が必要とされる（職安法 36 条）。中間搾取を防止するため，募集に関与する者は労働者から報酬を受け取ってはならない（39 条）。また，募集を行う者は，委託を受けて募集を行う者に認可を受けた報酬以外を与えてはならず，労働者に賃金以外の報酬を与えてはならない（40 条）。さらに，募集の際には労働条件を明示し（5 条の 3），求人情報等を的確に表示しなければならず（5 条の 4），求職者の個人情報の保護を図らなければならない（5 条の 5）。

6）　募集情報等提供事業者に対して，求人情報等の的確表示（職安法 5 条の 4），適切・迅速な苦情処理（43 条の 7）等を義務づけ，法令違反に対する改善命令等を可能とする（48 条の 3）とともに，募集情報等提供のうち求職者に関する情報を収集して行う者（特定募集情報等提供事業者〔4 条 7 項〕）に対し，事前の届出（43 条の 2），労働者からの報酬受領の禁止（43 条の 3，65 条〔罰則〕），事業概況報告書の提出（43 条の 5）等を義務づけた。

476　　第 5 編　労働市場法

1つは，1997（平成9）年改正によって原則として自由に職業紹介を行うことが認められた，民間の職業紹介事業者である。

2 職業紹介等における基本ルール

公共職業安定所と民間職業紹介事業者とに共通する職業紹介等の基本ルールとして，職安法上，以下のような点が定められている。

第1に，求職者の職業選択の自由の尊重である（2条）。職業紹介は，求職者にある職業に就くことを強制するものであってはならない。

第2に，差別的取扱いの禁止である（3条）。何人も，人種，国籍，信条，性別，社会的身分，門地，従前の職業，労働組合の組合員であること等を理由として，職業紹介上，差別を受けることがあってはならない[7]。

第3に，労働条件等の明示である（5条の3）。第三者が介在することで労働条件が不明確になることを防ぐために，求人者は公共職業安定所・職業紹介事業者に対し，公共職業安定所・職業紹介事業者は求職者に対し，従事する業務の内容，賃金・労働時間その他の労働条件を明示しなければならない。2017（平成29）年職安法改正は，職業紹介・募集時に明示された労働条件が労働契約締結前に変更（内容の特定や追加を含む）された場合に，求人者・募集者等に労働契約締結前に求職者に対し書面の交付等によって変更事項を明示することを義務づけた（5条の3第3項，4項）。

第4に，求人等に関する情報の的確表示である。2022（令和4）年職安法改正は，募集情報等の正確性や最新性を保ちマッチング機能の質の向上を図るために，求人等に関する情報の的確表示を義務づける規定を定めた。すなわち，公共職業安定所，職業紹介事業者，募集受託者，募集情報等提供事業者等は，書面・インターネット等の広告等により求人等に関する情報を提供するときは（職安則4条の3第1項），虚偽の表示または誤解を生じさせる表示をしてはならない（職安法5条の4第1項）。また，求人企業および募集受託者は，広告等により求人情報，求人企業等に関する情報（職安則4条の3第3項）を提供するときは，正確かつ最新の内容に保たなければならない（職安法5条の4第2項）。

7）　ただし，労働協約に別段の定めがある場合にはこの限りでないとされている（3条但書）。

第1章　雇用仲介事業の規制　　477

さらに，公共職業安定所，職業紹介事業者，募集情報等提供事業者等は，広告等により求人等に関する情報を提供するときは，正確かつ最新の内容に保つための措置を講じなければならない（同条3項，職安則4条の3第4項）。

第5に，個人情報の保護である（5条の5）。公共職業安定所，職業紹介事業者，求人者，特定募集情報等提供事業者等は，求職者の個人情報の収集・保管・使用にあたっては，業務の目的達成に必要な範囲内で，当該目的を明らかにして，これを行わなければならない。

第6に，求人求職受理の原則である（5条の6，5条の7）。公共職業安定所および職業紹介事業者は，申込みに法令違反などがない限り，求人および求職の申込みをすべて受理しなければならない。2017（平成29）年職安法改正は，公共職業安定所・職業紹介事業者が求人申込みを受理しないことができる範囲を，一定の労働関係法令違反の求人者による求人（5条の6第1項3号），暴力団員等による求人（同項5号）のすべてに広げ，不適切な求人を排除可能とすることで，就職後のトラブルの未然防止を図っている。

第7に，適職紹介の原則である（5条の8）。公共職業安定所および職業紹介事業者は，求職者に対してはその能力に適合する職業を紹介し，求人者に対してはその雇用条件に適合する求職者を紹介するように努めなければならない。

3 民間職業紹介事業者への規制

上に述べた基本ルールに加えて，民間の有料職業紹介事業者には，以下のような法規制が課されている。

有料職業紹介事業は，港湾運送業務と建設業務を除き，すべての業務について行うことができる（ネガティブ・リスト方式。職安法32条の11）。もっとも，その適格性をチェックするために，有料職業紹介事業を行おうとする者は，厚生労働大臣の許可を受けなければならない（30条以下）。[8]

有料職業紹介事業者が（求人者側から）受ける手数料については，上限制手数料（32条の3第1項1号）と届出制手数料（同項2号）の2種類がある。前者

8）無料職業紹介事業についても，法律上規定された場合（地方公共団体，学校等，特別の法律による法人。29条，33条の2，33条の3）を除き，厚生労働大臣の許可制の下に置かれている（33条）。

478　第5編　労働市場法

は厚生労働省令で定められた定型的な規制（例えば6か月を超えて雇用された場合には6か月分の賃金の10.8％以下など）の下で徴収するものであり（職安則20条1項），後者は事業者があらかじめ厚生労働大臣に届け出た手数料表に基づき徴収するものである。なお，求職者からは，手数料徴収が求職者の利益のために必要であるとして厚生労働省令で定める場合（芸能家，モデル，科学技術者，経営管理者，熟練技能者（職安則20条2項））を除き，手数料を受け取ってはならないとされている（職安法32条の3第2項）。

2017（平成29）年職安法改正は，有料職業紹介事業者に，就職者数，就職者のうちの早期離職者数，手数料等の情報を提供することを義務づけ（32条の16第3項），これらの情報を公表することにより，求職者と求人者が適切な職業紹介事業者を選択できるようにするための環境の整備を図っている。

3 労働者供給事業の規制

労働者供給事業の規制，および，そこから派生した労働者派遣事業の規制については，「非正規労働者に関する法」のなかで既に述べた（p364 **4**）。

第1章　雇用仲介事業の規制　479

第5編

第2章　　　　　　　　　　　　　　　　　　雇用政策法

1　労働市場政策の類型と動向

　労働市場に対して国家がいかに介入するかをめぐっては，大きく2つのタイプの政策がある。

　第1に，消極的労働市場政策である。これは，労働力の需要と供給の調整を基本的に市場に委ね，国家は競争から脱落した者へのセーフティネット（失業手当）の整備のみを行うべきという政策である。

　第2に，積極的労働市場政策である。これは，国家はセーフティネットの整備だけにとどまらず，雇用維持政策，職業訓練・能力開発政策，雇用創出政策などの多様な政策を講じて，より積極的に労働市場に介入すべきとする政策である。その原点は，完全雇用を目的とするケインズ主義経済政策にあり，特に第2次大戦後の経済成長期に先進諸国でこの積極的労働市場政策が推進された（p15 **2**）。

　しかし1980年代以降，ケインズ主義的な積極的労働市場政策を見直し，消極的労働市場政策に政策の重心をシフトさせていこうとする動きがみられるようになった。社会が多様化・高速化するなかで，国家による画一的・硬直的な保護・規制では社会の多様な変化に十分に対応できないため，国家による保護や規制ではなく，市場による柔軟な需給調整機能を重視していこうとする動きが各国で強まったのである（p18 **3**）。しかし，市場はときに近視眼的になりやすく，市場からの脱落者に事後的なセーフティネットを提供するだけでは失業の長期化・固定化がもたらされるという問題点もある。近年では，失業問題が深刻化（とりわけ長期失業者や若年失業者が増加）するなかで，政府のきめの細かい積極的な支援により失業者や無業者の労働市場への復帰・参加を促そうとす

481

るいわゆる「アクティベーション（activation）」政策（個々の状況にあった継続的な職業能力開発，職業紹介等）の重要性が指摘されている[1]。また，アメリカ，フランス，イギリスなどの欧米諸国では，労働法の領域にとどまらず，社会保障法，税制（給付つき税額控除）など他の法領域と一体化した総合的政策として就業（広義の労働へのアクセス）を促進し，社会的公正さ，経済的効率性，財政健全化という複数の政策課題を実現しようとする動きもみられる[2]。

　ここでは，日本の現行の雇用政策法（雇用の促進・援助のための法政策）を，消極的労働市場政策と積極的労働市場政策とに分けて要説する。

2　消極的労働市場政策──雇用保険による求職者給付・就職促進給付

1　雇用保険制度と失業等給付

　雇用保険法は，失業者の生活を支えるために，雇用保険制度の一環として，一定の給付（求職者給付と就職促進給付）を支給する制度を定めている[3]（10条以下）。失業等給付は，政府が保険者となって労使から保険料を徴収し，被保険者である労働者が失業した場合に，公共職業安定所を通じて支給するものである。雇用保険制度は，労働者を雇用するすべての事業に適用され（5条1項），そこで雇用される労働者は被保険者とされる。ただし，週所定労働時間が20時間未満の者[4]，同一事業主での雇用見込みが30日以内の者[5]，短期または短時

---

1 ）　鶴光太郎＝樋口美雄＝水町勇一郎編『労働市場制度改革』（日本評論社，2009），宮本太郎『生活保障──排除しない社会へ』（岩波書店，2009），菊池馨実『社会保障再考──〈地域〉で支える』（岩波書店，2019）など参照。

2 ）　水町勇一郎「現代労働法の新たな理論動向と日本」島田陽一先生古稀記念論集『働く社会の変容と生活保障の法』41頁以下（旬報社，2023）。

3 ）　この2つの給付と，後述する雇用継続給付〔高年齢雇用継続給付，介護休業給付〕，教育訓練給付（p489 **4**）は総称して，雇用保険制度上の「失業等給付」と呼ばれている（10条）。

4 ）　副業・兼業労働者については，まずは65歳以上を対象に，本人の申出を起点に2つの事業主における労働時間を合算して週所定労働時間が20時間以上であれば被保険者とする雇用保険マルチジョブホルダー制度を2022（令和4）年1月から導入し（37条の5），その効果等を施行後5年を目途として検証することとされている。

5 ）　30日以内の期間を定めて雇用される者については，公共職業安定所で日雇労働被保険者手帳の交付を受け，日雇労働被保険者として給付を受ける方法がある（42条以下）。

482　　第5編　労働市場法

間で季節的に雇用される者，学生・生徒で厚生労働省令で定める者等について
は，雇用保険制度の適用対象から除外されている（6条1号，2号，3号，4号等）。

2020（令和2）年改正により失業等給付から育児休業給付が独立して位置づ
けられた（p490 **2**）。保険料率は，2024（令和6）年度は，失業等給付に充てら
れる部分は0.8%，育児休業給付に充てられる部分は0.4%（いずれも労使折半負
担）とされている（労働保険料徴収法12条6項参照）。

2 求職者給付

失業等給付のうち求職者給付は，離職前2年間に被保険者期間が通算12か
月以上ある者[6]（受給資格者）に対して支給される（雇用保険法13条）。また，求
職者給付の支給要件とされる「失業」状態とは，「被保険者が離職し，労働の
意思及び能力を有するにもかかわらず，職業に就くことができない状態にある
こと」をいう（4条3項）。具体的には，公共職業安定所に出頭して求職の申込
みをし，求職活動をきちんと行ったことを確認したうえで，失業の認定がなさ
れる（15条）。なお，失業期間が7日に満たない場合には，待期期間として求
職者給付の基本手当は支給されない（21条）。

求職者給付の中心となる基本手当の日額は，離職前6か月間の賃金額（一時
金を除く）に基づき計算される賃金日額の50%から80%とされる（賃金日額が
低いほど給付率が高くなる。16条，17条）。

給付日数は，年齢と被保険者期間の長さおよび離職理由に応じて，**図表10**
（次頁）のように定められている（22条以下）。特に，倒産・解雇等により離職
を余儀なくされた者については，給付日数が相対的に長く設定されている。

3 就職促進給付

就職促進給付は，失業者が早期に再就職することを促すために設けられたも
のである。その中心となる就業促進手当は，失業者が早期に再就職したことに

6）この被保険者期間は，離職日から1か月ごとに遡った期間内に賃金支払基礎日数が11日以上あ
　るものまたは賃金支払基礎時間が80時間以上あるものを，1か月として計算される（14条）。た
　だし，倒産・解雇等で離職した特定受給資格者および雇止め等で離職した特定理由離職者につい
　ては，離職前1年間に被保険者期間が通算6か月以上あればよい（13条2項，3項）。

第2章　雇用政策法　483

図表 10　求職者給付（基本手当）の給付日数

【一般の離職者（定年退職，自己都合退職等）】

離職日における年齢	被保険者期間		
	10 年未満	10 年以上 20 年未満	20 年以上
65 歳未満	90 日	120 日	150 日

【倒産・解雇等による離職者】

離職日における年齢	被保険者期間				
	1 年未満	1 年以上 5 年未満	5 年以上 10 年未満	10 年以上 20 年未満	20 年以上
30 歳未満	90 日	90 日	120 日	180 日	－
30 歳以上 35 歳未満		120 日*	180 日	210 日	240 日
35 歳以上 45 歳未満		150 日*	180 日	240 日	270 日
45 歳以上 60 歳未満		180 日	240 日	270 日	330 日
60 歳以上 65 歳未満		150 日	180 日	210 日	240 日

＊2017（平成 29）年雇用保険法改正により従前の 90 日から引上げ（2017 年 4 月施行）

【就職が困難な者（障害者等）】

離職日における年齢	被保険者期間	
	1 年未満	1 年以上
45 歳未満	150 日	300 日
45 歳以上 65 歳未満	150 日	360 日

より支給せずにすんだ基本手当の一部を還元する形で支給するものである。例えば，基本手当の所定給付日数の 3 分の 1 以上を残して安定した職業に就いた場合には支給残日数の 6 割分の基本手当日額，基本手当の所定給付日数の 3 分の 2 以上を残して安定した職業に就いた場合には支給残日数の 7 割分の基本手当日額の再就職手当が支給される（56 条の 3 第 1 項 1 号）。また，再就職時に賃金が低下する者について再就職のインセンティブを強化するため，再就職後に 6 か月間継続して雇用されたことを要件として，上記の再就職手当に加え，離職時賃金と再就職後賃金との差額の 6 か月分（ただし基本手当日額に，支給残日数 3 分の 1 以上の者には 40%，支給残日数 3 分の 2 以上の者には 30% を乗じて得た額〔再就職手当と合計すると支給残日数の 100% 相当となる〕を上限とする）を一時金と

484　第 5 編　労働市場法

して追加的に支給する就業促進定着手当も設けられている（56条の3第3項2号）。

3 積極的労働市場政策

1 雇用保険二事業

　政府は，雇用保険制度において，失業等給付と並んで，雇用保険二事業を行っている。この雇用保険事業は，従来は雇用安定事業，能力開発事業，雇用福祉事業の三事業とされていたが，2007（平成19）年雇用保険法改正により雇用福祉事業が廃止され，現在は雇用安定事業と能力開発事業の二事業となっている。これらの事業の費用に充てるために，事業主から賃金総額の0.35％の保険料（労働者負担分はなし）が徴収されている（労働保険料徴収法12条6項）。

■ 雇用安定事業

　雇用安定事業とは，失業の予防，雇用状態の是正，雇用機会の増大など雇用の安定を図るために，政府が事業主に対して一定の助成を行うものである（雇用保険法62条）。具体的には，雇用調整助成金，労働移動支援助成金，60歳超雇用推進助成金，地域雇用開発助成金，特定求職者雇用開発助成金，産業雇用安定助成金などの事業が行われている。

　なかでも代表的な雇用調整助成金とは，景気の変動，産業構造の変化等により事業活動の縮小を余儀なくされた事業主が，休業など雇用の安定を図るための措置を講じた場合に，労使協定の締結を条件に，政府が支給するもの（例えば中小企業については休業手当負担額・教育訓練賃金負担額・出向にかかる出向元負担額の3分の2，中小企業以外については2分の1等）である。

　2008（平成20）年秋以降の世界同時不況下で，この雇用調整助成金を申請して雇用の維持を図る事業主（特に中小企業）が急増した。これに対し，2013（平成25）年の日本再興戦略（第2次安倍政権）では，雇用維持型の雇用調整助成金から労働移動支援型の労働移動支援助成金に大幅に資金をシフトさせることにより，「失業なき労働移動」の実現を図ることが目指された。労働移動支援助成金（再就職支援奨励金）とは，事業活動の縮小などに伴い離職を余儀なくされ

第2章　雇用政策法　485

る労働者に再就職支援（民間職業紹介事業者に委託して支援）等を行った事業主に対し，委託費用の一定割合（中小企業については3分の2〔45歳以上が対象の場合5分の4〕，中小企業以外については2分の1〔45歳以上が対象の場合3分の2〕）等を支給する制度である。

さらに，2020（令和2）年，新型コロナウイルス感染症の影響により事業活動の一時的な縮小を余儀なくされた事業主が出向により労働者の雇用を維持することに対し，出向元と出向先の双方の事業主を助成する産業雇用安定助成金が創設された。この制度は，2022（令和4）年10月から拡充されて「産業雇用安定助成金（雇用維持支援コース）」に名称変更された。これに加えて，同年12月には，在籍型出向による労働者のスキルアップを支援する「産業雇用安定助成金（スキルアップ支援コース）」が，2023（令和5）年4月には，新型コロナウイルス感染症の影響等で事業活動の一時的縮小を余儀なくされた事業主が新事業への進出等の事業再構築を行うために必要な人材を受け入れることを支援する「産業雇用安定助成金（事業再構築支援コース）」が，同年11月には，景気の変動等で事業活動の一時的縮小を余儀なくされた事業主が生産性向上に資する取組み等に必要な人材を雇い入れることを支援する「産業雇用安定助成金（産業連携人材確保等支援コース）」が創設された。[7]

2　能力開発事業

能力開発事業とは，労働者の職業能力の開発・向上を促進するために政府が行う援助事業である（63条）。具体的には，事業主が行う職業訓練への助成，公共職業訓練施設の設置・運営，有給の教育訓練休暇を与える事業主への援助，キャリアコンサルティングの機会確保・事業主への助成などが行われている。

2011（平成23）年雇用保険法改正は，これらの二事業に加えて，求職者支援法（p487 *2*）による認定職業訓練の助成・援助，職業訓練受講給付金の支給を行う就職支援事業を政府が新たに行うこととした（雇用保険法64条）。この事業は，同条によると能力開発事業の一環として位置づけられているが，その費用は，従来からの二事業とは異なり，国庫（一般会計）および雇用保険の失業等

7）雇用情勢の変化のなか，「産業雇用安定助成金（雇用維持支援コース）」は2023（令和5）年10月をもって廃止された。

486　第5編　労働市場法

給付用保険料（労使折半負担。p482 *1*）によって賄われるものとされている（66条6項，68条2項）。

2 職業能力の開発

　市場や技術の変化が高速化している今日では，従来にも増して労働者の職業能力を開発・向上させる教育訓練の重要性が高まっている。日本企業ではこれまで職場における教育訓練（OJT）が労働者の職業能力を養成するための重要な機能を果たしてきたが，技術の変化や労働者の企業間移動が激しくなると，企業の枠を超えて職業能力の開発を行っていくことも重要になる。1985（昭和60）年には，従来の職業訓練法を全面改正し，職業能力の開発・向上を体系的に推進していくための職業能力開発促進法が制定された。

　この法律に基づき，国や地方公共団体による公共職業訓練が，職業能力開発校，職業能力開発大学校，職業能力開発促進センター，障害者職業能力開発校などで行われている（15条の7）とともに，事業主が行う職業訓練措置に対して国や地方公共団体から援助・助成が行われている（15条の2）。

　また，2011（平成23）年5月には求職者支援法が成立し，失業者の職業訓練と就職支援を行う求職者支援制度が実施されている（同年10月施行）。この制度の目的は，雇用保険の失業等給付を受給できない求職者に対し，生活のための給付金を受けながら無料の職業訓練を受ける仕組みを作り，その就職を促進することにある（1条，2条参照）。この制度の対象となる者（特定求職者）には，雇用保険の求職者給付（p483 *2*）の受給が終わってしまった者，被保険者期間が短く受給資格が得られなかった者，短時間または短期間の就労で適用除外とされていた者，学卒未就職者，自営業を廃業した者などが含まれる。これらの特定求職者が，厚生労働大臣が認定した職業訓練や公共職業訓練を受講し，かつ，収入要件（本人や世帯の収入が一定額を超えないこと）など一定の要件を満たすときには，職業訓練受講給付金（月額10万円の職業訓練受講手当および通所手当）が，最長1年間，国から支給される（7条）。また，この特定求職者の職業訓練や就職活動のプロセス全体を視野に入れて，ハローワーク（公共職業安定

8） 雇用保険二事業の能力開発事業も，その1つとして位置づけられる。

所長）が個別に就職支援計画を作成し，個人の特性にあった指導や支援を行うこととされている（11条，12条）。

3 高齢者等の雇用促進

政府は，高年齢者，障害者，特定地域の者，生活困窮者，若年者など就職や雇用維持が困難な状況にある者に対して，特別に定められた立法に基づいて，雇用の安定・促進を図る政策を推進している。

高年齢者雇用安定法（1986（昭和61）年制定）は，定年年齢を定める場合には60歳以上とすることを事業主に義務づけて60歳定年制の普及を図る（8条）とともに，60歳から65歳までの高年齢者雇用確保措置（①定年年齢の引上げ，②継続雇用制度の導入，③定年制の廃止のいずれか）をとることを事業主に義務づけ（9条1項），65歳から70歳までの高年齢者就業確保措置（①から③，または，④創業する高年齢者との業務委託契約の締結，⑤社会貢献事業に従事する高年齢者との業務委託契約の締結のいずれか）をとることを事業主の努力義務とする（10条の2）ことによって，高年齢者の雇用・就業の安定を図ろうとしている（p384 *2*）。

障害者雇用促進法（1960（昭和35）年制定）は，事業主に一定比率（障害者雇用率[9]）以上の障害者の雇用を義務づけ（37条，43条以下），それを達成していない常用労働者数が101人以上の事業主から，未達成1人につき月5万円の障害者雇用納付金を徴収することとしている（53条以下）。徴収された納付金は，障害者雇用率を超えて障害者を雇用している事業主に支給される障害者雇用調整金（障害者雇用率を超える1人あたり月27,000円）などの財源に充てられている（p389 *2*）。

地域雇用開発促進法（1987（昭和62）年制定）は，雇用情勢が厳しい地域における総合的な地域雇用対策を講じることによって，これらの地域の労働者の職業の安定を図ることを目的とした法律である。2007（平成19）年改正法によると，厚生労働大臣が，①雇用開発促進地域（2条2項）および②自発雇用創造地域（同条3項）における雇用開発に関する「地域雇用開発指針」を策定し（4条），この指針に基づいて，都道府県が雇用開発促進地域（①）についての地域

---

9) 2021（令和3）年3月から，国・地方公共団体・特殊法人については2.6%，一般事業主については2.3%とされている。

488　第5編　労働市場法

雇用開発計画，市町村および都道府県が自発雇用創造地域（②）についての地域雇用創造計画を策定するものとされている（5条，6条）。政府は，これらの計画を推進するための事業を，雇用保険二事業の雇用安定事業または能力開発事業（p485 *1*）として助成・援助しまたは自ら行う（もしくは地域協議会や団体に委託する）ものとされる（7条，10条）。

2013（平成25）年に制定された生活困窮者自立支援法は，働きたくても働けない，住居をもたないなどの生活困窮者（現に経済的に困窮し最低限度の生活を維持することができなくなるおそれのある者（同法3条1項））に対し，自立相談支援機関が個別に計画を作成し，自立相談・就労準備・就労訓練・生活支援等の措置を講じることによって，生活困窮者の自立の促進を図ることを目的とした法律である（同法1条，3条2項以下など）。同法に基づく就労訓練事業（一般就労に就くことが困難な者に対して提供されるいわゆる「中間的就労」）には，雇用契約を締結せず訓練として就労を体験する段階（いわゆる「非雇用型」）と，雇用契約を締結したうえで支援付きの就労を行う段階（いわゆる「雇用型」）の2つが想定されており，後者（「雇用型」）については労基法上の労働者に該当するとして，最賃法などの労働基準関係法令が適用されるものとされている。

若者雇用促進法は，若者の雇用環境が悪化するなか，若者の雇用対策に専門的・体系的に取り組む固有の立法として，旧来の勤労青少年福祉法を改正する形で，2015（平成27）年に制定された法律（正式名称は「青少年の雇用の促進等に関する法律」）である。この法律は，青少年について，適職の選択や職業能力の開発・向上に関する措置等を総合的に講じることにより，雇用の促進と能力の有効発揮を図ることを目的としたものであり（同法1条），青少年の個別の状況に応じたハローワーク（公共職業安定所）による職業指導・職業紹介（9条，10条），新卒採用を行う事業主の応募者等への職場情報の提供義務（13条），優良な取組みを行っている中小企業への「ユースエール認定企業」認定と助成金等での優遇制度（15条以下）などを定めている。

4 雇用保険による雇用継続・教育訓練給付

雇用保険制度上の失業等給付（p482 *1*）は，失業した者に支給される求職者給付・就職促進給付以外に，一定の者が雇用を継続するときに支給される雇用

継続給付，および，職場外で教育訓練を受けた労働者に支給される教育訓練給付を含むものである。

◨ 雇用継続給付

雇用継続給付には，高年齢雇用継続給付，介護休業給付の2種類のものがある。

高年齢雇用継続給付は，60歳以上65歳未満の被保険者（被保険者期間が5年以上の者）で60歳時点より賃金が75%未満に減少した者について，賃金の減少分を補うために支給されるものである。給付額は，60歳以降の賃金額の15%（2020（令和2）年雇用保険法改正により2025（令和7）年4月から10%に減額）とされる（ただし賃金との合計額が60歳時点での賃金額の75%を超えないように調整がなされる。雇用保険法61条）。

介護休業給付は，介護休業を取得した被保険者（休業開始前2年間の被保険者期間が12か月以上の者）に休業前の賃金の40%相当額（2016（平成28）年雇用保険法改正により，当分の間，67%相当額に引き上げられている）を支給するものである（61条の4，附則12条）。

◩ 育児休業給付

2020（令和2）年雇用保険法改正は，それまで失業等給付のなかの雇用継続給付の一種として位置づけられてきた育児休業給付を，子を養育するために休業した労働者の雇用と生活の安定を図る給付と位置づけ，その給付と負担の関係を明確にしつつ的確な財政運営を図るという観点から，失業等給付から独立させた（雇用保険法1条，61条の6以下参照。2020（令和2）年4月施行）。また，2021（令和3）年改正により，育児休業給付の1つとして出生時育児休業給付金が創設された（61条の6第1項，61条の8）。

育児休業給付は，育児休業および出生時育児休業を取得した被保険者（休業開始前2年間の被保険者期間が12か月以上の者）に，休業前の賃金の67%相当額（休業開始時から最初の6か月間。その後は50%相当額とされる）を支給するものである（61条の7第5項，61条の8第6項）。

❸ 教育訓練給付

　教育訓練給付（一般教育訓練給付）は，語学学校での語学の習得など，労働者が自己の能力を高めるために職場外で自主的に教育訓練を受けた場合に，その費用の2割に相当する額（ただし10万円を上限とする）を支給するものである。適用対象となる教育訓練は，厚生労働大臣によって指定される（2017（平成29）年1月から一般教育訓練の受講にあたりキャリア・コンサルティングを受けたことも一般教育訓練給付の対象とされている）。この給付を受けられる者は，一般被保険者[10]である者または一般被保険者でなくなってから1年以内の者で，一般被保険者であった期間が3年以上の者（当分の間は初回に限り1年以上の者）とされている（雇用保険法60条の2，附則11条）。

　さらに，従来からの一般教育訓練給付より高度で専門的・実践的な教育訓練（学び直し）を促すために，2014（平成26）年雇用保険法改正により専門実践教育訓練給付制度が創設され，2017（平成29）年の同法改正では同制度の拡充（支給率・支給上限額の引上げ，支給対象者の要件緩和）が行われた。この専門実践教育訓練給付制度は，①業務独占資格・名称独占資格（看護師，介護福祉士，保育士，建築士等）の取得を目指す訓練，②情報，環境，観光，商業等の専門学校が企業等と連携して設計する実践的な課程，③社会人向けの大学（院）での実践的なプログラムなど，中長期的なキャリア形成に資する教育訓練として厚生労働大臣が指定する講座（原則2年。資格等につながる場合等は最大3年）を受講し修了した被保険者（支給要件期間が3年以上（初めて教育訓練給付金を受けようとする場合2年以上）ある者。教育訓練給付金を受給したことがある場合にはこれに加えて前回の受給日から3年以上経過している者）に対し，教育訓練経費の一部に相当する額（受講費用の50%。さらに学位取得や資格取得等一定の成果が上がった場合に20%を追加的に支給。1年の支給上限56万円）を支給するものである[11]。

---

10)　雇用保険の被保険者のうち，高年齢被保険者，短期雇用特例被保険者，日雇労働被保険者を除く者をいう（60条の2第1項1号）。

11)　なお，2019（令和元）年雇用保険法施行規則改正により，一般教育訓練給付と専門実践教育訓練給付の中間的な制度として，特定一般教育訓練給付制度が設けられた。この給付は，速やかな再就職および早期のキャリア形成に資する教育訓練（特定一般教育訓練。厚生労働大臣が指定する講座）を受けた場合に，その費用の40%に相当する額（上限20万円）を支給する制度である。対象者は一般教育訓練給付と同様であるが，特定一般教育訓練給付については，受講前に訓練前キャリアコンサルティングを受け，ジョブ・カードを作成し，ハローワークで受給資格確認を行

なお，2019（平成31）年4月から，管理栄養士養成など4年課程の教育訓練を受講する場合には，給付金の支給上限額について，上記の最大3年分に加えて，4年目受講相当分（受講費用の50％。さらに資格取得等の場合20％の追加。年間上限56万円）を支給する給付上限の上乗せ（ただし，既に専門実践教育訓練を受講したことがある者および高収入の在職者については対象外とする）が行われている。[12]

　うことが必要とされている（雇用保険法施行規則101条の2の7第1号の2，101条の2の11の2など）。

12)　さらに，政府は，①雇用保険の適用対象を週所定労働時間が10時間以上の労働者に拡大する（2028（令和10）年度施行予定），②自己都合離職者に設定されている求職者給付（基本手当）の給付制限期間を原則2か月から1か月に短縮する（自ら教育訓練を行った場合には制限を解除する）（2025（令和7）年度施行予定），③就業促進手当の一種として支給されている就業手当を廃止し，就業促進定着手当の上限を支給残日数の20％に引き下げる，④育児休業給付の給付率を，子の出生直後の一定期間以内（男性は子の出生後8週間以内，女性は産後休業後8週間以内）に被保険者と配偶者の両方が14日以上の育児休業を取得する場合に，最大28日間，80％（手取りで10割相当）に引き上げる，⑤2歳未満の子を養育するために時短勤務をしている場合の給付として育児時短就業給付（時短勤務中の賃金の10％〔賃金との合計額が時短前の賃金を超えないように調整〕）を創設する，⑥教育訓練給付を一部拡充（専門実践教育訓練の受講後に賃金が上昇した場合に受講費用の10％を追加支給〔最大給付率80％〕，特定一般教育訓練により資格取得し就職等した場合には受講費用の10％を追加支給〔最大給付率50％〕）する，⑦雇用保険被保険者（被保険者期間5年以上）が教育訓練を受けるために休暇を取得した場合に賃金の一定割合（離職者への基本手当と同額）を支給する教育訓練休暇給付金を創設する等を内容とした雇用保険法等の改正法案を，2024（令和6）年の通常国会に提出する予定である。

第6編

労働紛争解決法

労働紛争を
解決するための法

これまで述べてきたように，労働者と使用者の個別の関係，労働組合を介した集団的な関係，求職者と求人者との間の関係など，労働関係をめぐってはさまざまな法的問題が生じうる。これらの労働関係をめぐるさまざまな紛争を解決するための法を，労働紛争解決法と呼ぶ。ここでは，日本の労働紛争の特徴を明らかにしたうえで，労働紛争解決のためのシステムの概要を示し，労働紛争解決法の改革の方向性と課題について考えることにしよう。

第6編

第1章　　　　　　　　日本の労働紛争の特徴

1　裁判所利用率の低さ

　労働紛争をめぐる日本の最大の特徴は，訴訟によって紛争解決を図ろうとする比率が極めて低いことにある。

　日本の労働法による法的保護は，その内容の点では，問題領域による程度の差はあるものの，全体的にみると，欧米先進諸国と比べてそれほど遜色のあるものではない[1]。しかし，それが終局的な紛争解決の場である裁判所にもちこまれる数は，欧米先進諸国のそれと比べて圧倒的に少ない。例えば，フランスの労働審判所（個別労働紛争を所管する第一審裁判所）における1年間の新受件数は約12万件[2]，ドイツの労働裁判所（労働紛争を所管する裁判所）では約26万件[3]であるのに対し，日本では約6,500件[4]と，その数は極めて少ない。

　もっとも，このことは，実際の労働現場で法的な問題が存在しておらず，当事者の不満が解消されていることを意味しているわけではない。2001（平成13）年に制定された個別労働紛争解決促進法によって全国各地に設置された総合労働相談コーナー（p500 *1*）には，年間100万件を超える相談が寄せられている。

　日本の実際の労働関係においては，いじめ・嫌がらせ，自己都合退職・解雇，

---

1 ）　ダニエル・H・フットは，「日本の労働者に認められた法的保護は，ドイツやフランスなどの労働者保護的な法制度に比肩するし，局面によってはそれよりもむしろ充実している場合もある」と述べている（ダニエル・H・フット（溜箭将之訳）『裁判と社会』99頁（NTT出版，2006））。

2 ）　2022年時点で115,516件である（Ministère de la Justice, Références Statistiques Justice - Edition 2023）。

3 ）　2022年時点で259,177件である（Statistischer Bericht - Arbeitsgerichte - 2022）。

4 ）　2022（令和4）年の地方裁判所での労働関係民事通常訴訟新受件数は3,298件，労働審判事件の新受件数は3,208件，合計6,506件である。

労働条件の引下げなど，数多くの潜在的な法的問題が存在しているが，それが終局的な紛争解決の場である裁判所にほとんど上ってこない状況にある。潜在的に存在する法的問題を実効的に解決できるシステムの欠如，その結果生じている法と実態の乖離が，日本の労働法に内在する大きな問題点の1つといえる。

2 紛争解決制度の特徴

　日本の労働紛争の解決制度の内容については，次の第2章，第3章で要説するが，その前にここでは，当事者（労働者や使用者など）が労働紛争に直面したときに利用できる制度の代表的なものとその長所・短所について，簡単にまとめておくことにしよう（図表11）。

　このような紛争解決制度のなかで，労働審判や通常訴訟の利用率が相対的に低いことが，日本の労働法の大きな特徴となっている。[5]その原因の1つは，気軽に利用できる総合労働相談コーナーも含めて，これらの紛争解決制度の全体像が十分に理解・認識されていないことにあるのかもしれない。問題に直面したときに，泣き寝入りするのではなく，これらの制度をうまく選択・利用すること（その理解のための周知・教育を行うこと）が，日本の労働法の遵守のための大きな一歩となるだろう。

5）　水町勇一郎「日本の『働き方改革』──『司法化』の観点から」法律時報94巻12号63頁以下（2022）参照。

496　第6編　労働紛争解決法

図表 11　労働紛争解決のための諸制度のメリットとデメリット

	総合労働相談コーナー 6)	労働局あっせん 7)	労働審判	通常訴訟
位置づけ	全国各地の労働局等に設置される相談コーナー（p500 *1*）	全国各地の労働局で行われる紛争調整手続（p502 *3*）	全国の地方裁判所で行われる紛争解決手続（p505 **1**）	全国の裁判所（地裁→高裁→最高裁）で行われる終局的な紛争解決手続（p508 **2**）
長　所	無料で，ワンストップで，相談に乗ってくれる。取扱い案件も多い。	無料で，弁護士を付けずに利用できる。1～2回で終わることが多い。	通常訴訟に比べ少数回・短期間で紛争解決に至ることが多い。相手方が反対すれば通常訴訟に移行する。	複雑な事件も含め，紛争を終局的に解決する。相手方が反対しても法律に基づいて結論を出す。
短　所	相談がメインで，ここで紛争を解決してもらえるわけではない。	相手方が反対すると終了となる。解決の場合も得られる金銭が少額となることが少なくない。	手数料あり。弁護士を付けることは義務ではないが，付けた方がスムーズに進む。通常訴訟より得られる金銭が少額となることもある。複雑な事件にはなじみにくい。	手数料あり。弁護士を付けることが一般的。解決までに期間が長くかかることが多い。

6）　これと併せて，厚生労働省の事業として，電話相談窓口（「労働条件相談ほっとライン」）や労働条件に関する総合情報サイト（「確かめよう労働条件」）も設けられている（厚生労働省のホームページ参照）。

7）　これと並んで，都道府県の労働委員会には，集団的労働紛争に関する調整手続（p502 *1*）や個別労働紛争に関する相談・あっせん手続（p504 *2*）が設けられている。労働委員会のこれらの手続では，労使関係の専門家によるサポートを受けられるという長所があるが，前者（集団的労働紛争の調整手続）では個別労働紛争は対象とされておらず，後者（個別労働紛争の相談・あっせん手続）については実施してない都県労働委員会（東京，兵庫，福岡）もある点に注意が必要である。

第 1 章　日本の労働紛争の特徴　　497

第6編

第2章　行政による紛争解決システム

　労働紛争の解決のための法制度としては，大きく分けると，行政による紛争解決と裁判所による紛争解決の2つがある。まず，行政による紛争解決システムについて概観しよう。

1　行政による紛争解決システム

　労働紛争の解決のためには，それぞれの企業・職場において自主的に紛争の解決・予防を図ることが重要である。労働条件の公共財性，労働紛争の多様さ・複雑さ，労働紛争発生に伴うコストの大きさを考慮すると，それぞれの職場において状況に応じた集団的なシステムを構築し，紛争の解決だけでなく紛争発生の予防を図ることが重要になるのである。

　しかし，企業内の紛争解決システムにも限界がある。①各企業・職場において常に自主的に取組みが行われるのか，②取組みの公正さは確保できるのか，③問題の認識・解決を図るために必要な情報や能力を各当事者が十分にもっているのかといった問題点がありうるからである。そこで，問題の認識や公正な解決を促すために，情報提供や紛争解決のための指導・あっせんなど，行政が当事者をサポートするシステムが設けられている。

2　都道府県労働局長による個別労働紛争の解決促進

　増加しつつある個別労働紛争の解決に向けたサポートをするために，2001（平成13）年に個別労働紛争解決促進法が制定された。同法は，「労働条件その他労働関係に関する事項についての個々の労働者と事業主との間の紛争（労働者の募集及び採用に関する事項についての個々の求職者と事業主との間の紛争

499

を含む……）」（いわゆる「個別労働関係紛争」）を対象に，行政機関を通じて迅速かつ適正な解決を促すことを目的としたものである（1条）。具体的には，次に述べる，①総合労働相談，②都道府県労働局長による助言・指導，③紛争調整委員会による紛争解決のあっせんの3つの制度が設けられたほか，地方公共団体も個別労働関係紛争の防止・解決を促すために必要な施策を推進するよう努めるべき旨が定められている（20条1項。**図表12**参照）。[1]

　なお，男女雇用機会均等法上の紛争（5条〜7条，9条，11条1項・2項，11条の3第1項，12条，13条1項に関するもの）については，個別労働紛争解決促進法上の助言・指導（②）およびあっせん（③）の適用はなく，均等法17条による都道府県労働局長の助言・指導・勧告，および，同法18条以下の紛争調整委員会による調停（募集・採用をめぐる紛争（5条）は除く）が行われる（16条）。[2]
パート有期法，労働者派遣法，育児介護休業法，障害者雇用促進法上の紛争についても，男女雇用機会均等法と同様の紛争解決制度が定められている（p352注39），p388 **1**，p372(3)）。

1 総合労働相談

　都道府県労働局長は，個別労働関係紛争の防止と自主的な解決を促すため，労働者，求職者，事業主に対し，情報の提供，相談その他援助を行うものとされている（個別労働紛争解決促進法3条）。これを受けて，各都道府県労働局は，管轄地域の各所に総合労働相談コーナーを設け，ワンストップサービスで広く労働関係に関する相談に応じている。この総合労働相談コーナーには，年間100万件を超えるさまざまな相談が寄せられている。

1）　これを受けて，現在，各都道府県の労働委員会の多くで，個別労働紛争の相談・あっせんが行われている（p504 **2**）。

2）　また，厚生労働大臣は，男女雇用機会均等法の施行に関し，事業主に報告を求め，助言・指導・勧告をすることができる（29条1項）。差別禁止規定やセクハラ防止措置義務など（5条〜7条，9条1項〜3項，11条1項・2項，11条の3第1項，12条，13条1項）に違反する事業主がその勧告に従わない場合は，その旨を公表することができる（30条）。均等法以外にも，この企業名公表の手法を採用する法律が増えている（パート有期法18条2項，育児介護休業法56条の2，高年齢者雇用安定法10条3項，障害者雇用促進法47条，労働安全衛生法78条6項，職安法48条の3第3項，労働者派遣法40条の8第3項，49条の2第2項，フリーランス保護法19条）。

500　　第6編　労働紛争解決法

図表12 行政による個別労働紛争解決システム

```
┌─────────────────────────────────────────────────────┐
│ 企　業                                                │
│                                                       │
│  ┌──────────┐              ┌──────────┐              │
│  │  労働者  │◀┈┈┈┈ 紛 争 ┈┈┈▶│  事業主  │              │
│  └──────────┘              └──────────┘              │
│                                                       │
│              ⬭ 自主的解決 ⬭                           │
└─────────────────────────────────────────────────────┘

┌─────────────────────────────────────────────────────┐
│ 都道府県労働局                                        │
│                                                       │
│  ┌────────────────────────────────────┐  ┌─────────┐│
│  │   総合労働相談コーナー             │◀─│都道府県  ││
│  │ 労働問題に関する相談・情報提供の    │  │（労政    ││
│  │ ワンストップサービス               │  │主管事務所，││
│  └────────────────────────────────────┘  │労働委員会），││
│                    │                       │労使団体   ││
│  ┌────────────────────────┐               │における   ││
│  │ 紛争解決援助の対象とすべき事案 │        │相談窓口   ││
│  └────────────────────────┘               └─────────┘│
│                                                       │
│  ┌──────────────┐   ┌──────────────┐                │
│  │ 紛争調整委員会 │   │ 都道府県労働局長 │             │
│  │               │   │ による助言・指導 │             │
│  │ あっせん委員（学識経験│ └──────────────┘            │
│  │ 者）によるあっせん・あ│                            │
│  │ っせん案の提示 │                                   │
│  └──────────────┘                                    │
└─────────────────────────────────────────────────────┘

┌─────────────────────────────────────────────────────┐
│ 労働基準監督署，公共職業安定所，雇用環境・均等部（室） │
│         法違反に対する指導・監督等                     │
└─────────────────────────────────────────────────────┘
```

2 都道府県労働局長による助言・指導

　都道府県労働局長は，個別労働関係紛争に関して，当事者の双方または一方から解決のための援助を求められたときには，当事者に必要な助言または指導を行うことができるとされている（4条1項）。この制度は，法令や判例等に照らして問題があると思われる事案などにおいて，都道府県労働局長が紛争解決

第2章　行政による紛争解決システム　501

に向けた助言・指導を行うものであり[3]，助言・指導を行うために必要がある場合には，都道府県労働局長は労働問題の専門家の意見を聴くものとされている（同条2項）。

3 紛争調整委員会によるあっせん

都道府県労働局長は，個別労働関係紛争（ただし募集・採用に関するものを除く）に関して，当事者の双方または一方から申請があり，紛争解決のために必要があると認める場合には，紛争調整委員会にあっせんを行わせるものとされている（5条1項）[4]。紛争調整委員会は，学識経験者から厚生労働大臣により任命される委員によって組織されるものであり，各都道府県労働局のなかに置かれる（6条，7条）。あっせんは，紛争調整委員会の委員のなかから指名された3名の委員により非公開の調整手続として行われるものであり，当事者や参考人からの意見聴取等を経て，委員3名の全員一致で作成されたあっせん案の提示が行われる（12条，13条）。当事者間で合意が成立した場合には，民法上の和解契約（民法695条以下）として取り扱われることが一般的である。あっせんによって紛争が解決する見込みがない場合には，あっせん委員は手続を打ち切ることができる（個別労働紛争解決促進法15条）。

3 労働委員会による紛争解決

労組法によって設置された独立行政委員会である労働委員会は，前に述べた不当労働行為の審査・救済（p460 **1**）のほか，労働争議の調整や個別労働紛争の相談・あっせんを行っている。

1 労働争議の調整

労働関係調整法は，当事者による労働争議の自主的な解決を援助するため，

3）なお，裁判所において争われている紛争や，既に確定した判決が出されている紛争などについては，助言・指導の必要性はないものとして取り扱われている（平13・9・19発地129号など）。

4）事業主は，労働者が都道府県労働局長に紛争解決の援助を求めたり（p501 **2**），あっせんの申請をしたことを理由として，当該労働者に対して解雇その他の不利益な取扱いをしてはならない（4条3項，5条2項）。

502 第6編 労働紛争解決法

図表13　労働委員会による労働争議の調整手続

	あ っ せ ん	調　　停	仲　　裁
開始要件	一方の申請または職権	原則として双方申請	双方申請のみ
機　　関	あっせん員 （会長が指名）	調停委員会 （公労使委員三者構成）	仲裁委員会 （公益委員または特別調整 委員により構成）
解 決 案	あっせん案 （提示することもある） →拘束力なし	調停案 （原則として提示する） →拘束力なし	仲裁裁定 （原則として行う） →拘束力あり

労働委員会による労働争議の調整制度を定めている。この制度の対象となる「労働争議」とは，労働関係上の当事者間の主張の不一致により争議行為が発生している状態または発生するおそれがある状態をいうと定義されており（6条），争議行為が発生する可能性がある状態を広く含むものであるため，労使関係上の紛争の多くがこれに含まれる。

　労働委員会による争議調整の主な方法は，あっせん，調停，仲裁である。あっせんは，当事者の申請または職権に基づいて，あっせん員が当事者双方の主張の要点を確かめ，事件を当事者の合意により解決するよう努める手続である（10条以下）。調停は，公労使三者で構成される調停委員会が当事者の意見を聴いて調停案を作成し，その受諾を勧告する手続である（17条以下）。仲裁は，当事者双方からの申請に基づいて，公益委員（または特別調整委員）からなる仲裁委員会が行うものであり，その裁定は労働協約と同一の効力をもつものとして当事者を拘束する（29条以下）（図表13参照）。

5）　ここでいう「争議行為」とは，同盟罷業（ストライキ），怠業，作業所閉鎖（ロックアウト）その他労働関係の当事者が，その主張を貫徹することを目的として行う行為およびこれに対抗して行う行為であって，業務の正常な運営を阻害するものをいうと定義されている（7条）。

6）　この他，労働関係調整法は，公益事業（8条）に関する争議行為について，国民の日常生活に著しい障害が生じることを防ぐために，労働委員会の職権による調停（18条4号），厚生労働大臣または都道府県知事からの請求に基づく労働委員会による調停（同条5号），内閣総理大臣の決定（50日間の争議行為の禁止を伴う（38条））に基づく中央労働委員会による緊急調整（35条の2以下）の手続を定めている。

第2章　行政による紛争解決システム　503

_2_ 個別労働紛争の相談・あっせん

　都道府県労働委員会は，不当労働行為の救済や労働争議の調整といった集団紛争の解決のほか，個別労働紛争の相談・あっせんを行っていることが多い。個別労働紛争解決促進法が，地方公共団体に個別労働紛争の解決促進のために必要な施策を推進するよう努めることを要請したことを受けて（20条1項），各都道府県の労働委員会が，都道府県知事の委任を受ける形で，個別労働紛争の解決促進のための事務を執行する（地方自治法180条の2参照）例が増えているのである。実際には，当事者の申請を受けて，公労使3名のあっせん員（相談員）が当事者の合意による紛争解決へ向けたサポートをする手続が定められていることが多い。また，地方自治体の労政窓口において，地方自治法に基づく自治事務として，労働相談とあわせて，中立的な立場で労働紛争の解決を促すあっせんが行われていることもある。

7）　各都道府県労働委員会のホームページに，その手続の概要が定められている。

504　第6編　労働紛争解決法

第6編

第**3**章　裁判所による紛争解決システム

　当事者による取組みや行政によるサポートによっても，紛争が解決しないことは少なくない。そこで，紛争の終局的な解決を図る場として，裁判所による紛争解決システムが設けられている。

　日本では，労働紛争に関する専門の司法機関が設けられているドイツ（労働裁判所）やフランス（労働審判所）などとは異なり，通常裁判所が，労働紛争も含めた法律上の争訟一般を裁判する権限を有している（裁判所法3条1項参照）。もっとも，裁判所での通常の訴訟手続では解決までに長い時間と費用がかかることが多く，また，多様で複雑な労働関係をめぐる紛争を実情に応じて解決するためには労働関係に関する専門的な知識と経験を有する者が手続に参加することが望ましい。このような従来の裁判手続の問題点と，個別労働紛争の増加を背景に，2004（平成16）年に労働審判法が制定され，2006（平成18）年4月から，全国の地方裁判所において個別労働紛争に関する労働審判が実施されている。

1 労働審判手続

　労働審判制度は，労働関係に関する事項について個々の労働者と事業主との間に生じた民事紛争（「個別労働関係民事紛争」[1]）を対象に，労働関係の専門的知識・経験を取り入れて，紛争の実情に即した迅速かつ適正な解決を図ることを

1）　労働審判の対象となる「個別労働関係民事紛争」における「労働関係」とは，純然たる労働契約に基づく関係に限られず，事実上の使用従属関係から生じる関係を含むとし，労働審判手続による解決が適当と考えられる状況の存在について一応の根拠を明らかにすることで足りるとしたうえで，会社の店舗におけるリラクゼーション・ボディケアの施術者について同手続での解決が許容される蓋然性も否定できないため申立てを直ちに却下することはできないとして，原審の申立て却下決定を取り消した裁判例（AR事件・大阪高決平成26・7・8判時2252号107頁）がある。

505

目的とした非訟手続制度である（労働審判法1条参照）。

労働審判手続は，当事者が書面により裁判所に申立てをすることによって開始される（5条）。その審理は，裁判官（労働審判官）と労働関係の専門的知識経験を有する者（労働審判員）から構成される労働審判委員会が行う（7条以下）。労働審判委員会は速やかに争点および証拠の整理を行い，原則として3回以内の期日において審理を終結しなければならない（15条）。そのため，委員会は第1回期日に当事者の陳述を聴いて争点・証拠の整理をし，可能な証拠調べを行う（労働審判規則21条）。当事者はやむを得ない事由がある場合を除き，第2回期日が終了するまでに主張および証拠書類の提出を終えなければならない（27条）。委員会は各期日において随時調停を行うことが可能であり（22条），調停による解決に至らない場合には合議によって解決案（「労働審判」）を決定する。労働審判手続の指揮は労働審判官が行う（労働審判法13条）が，委員会の決議は労働審判員も含めた3名の過半数の意見による（12条1項）。労働審判の内容は基本的には当事者間の権利関係を踏まえたものとされるが，非訟手続であるため，手続の経過を踏まえて紛争の解決をするために相当と認める事項を定めることができる[2]とされ（20条1項，2項），通常の民事訴訟より柔軟な解決を図ることが認められている（図表14参照）。

労働審判に対して，当事者に異議がない場合には，審判は裁判上の和解と同一の効力をもつものとされる（21条4項）。当事者から異議が申し立てられた場合には，審判はその効力を失い（同条3項），審判の申立てがあった時点で訴訟の提起があったものとみなされ（22条1項），通常訴訟に移行してより本格的な審理がなされることになる。[3]労働審判委員会が，事案の性質上労働審判手

2） 労働審判のなかに当事者の意に反して口外禁止条項を付すことが相当といえるかが問題となることがある。裁判例として，審判で終了したことも原則として第三者に口外できないとする口外禁止条項は，これを明確に拒絶していた当事者（労働者）の心情をあわせて考えると，当事者に将来にわたり過大な負担を強いるものであって受容可能性はなく，本件手続の経過を踏まえていないものとして相当性を欠くとしたもの（国（口外禁止条項）事件・長崎地判令和2・12・1労判1240号35頁）がある。

3） 労働審判で労働審判官を務めた裁判官が，審判への異議申立てにより移行した通常訴訟で担当の裁判官となることができるか（除斥されるべきか）が争われた事件で，最高裁は，労働審判は異議申立てにより訴えの提起があったものとみなして移行した訴訟の「前審の裁判」（民訴法23条1項6号）にあたるとはいえず違法ではないとした（小野リース事件・最三小判平成22・5・25労判1018号5頁）。

図表 14　労働審判制度の概要

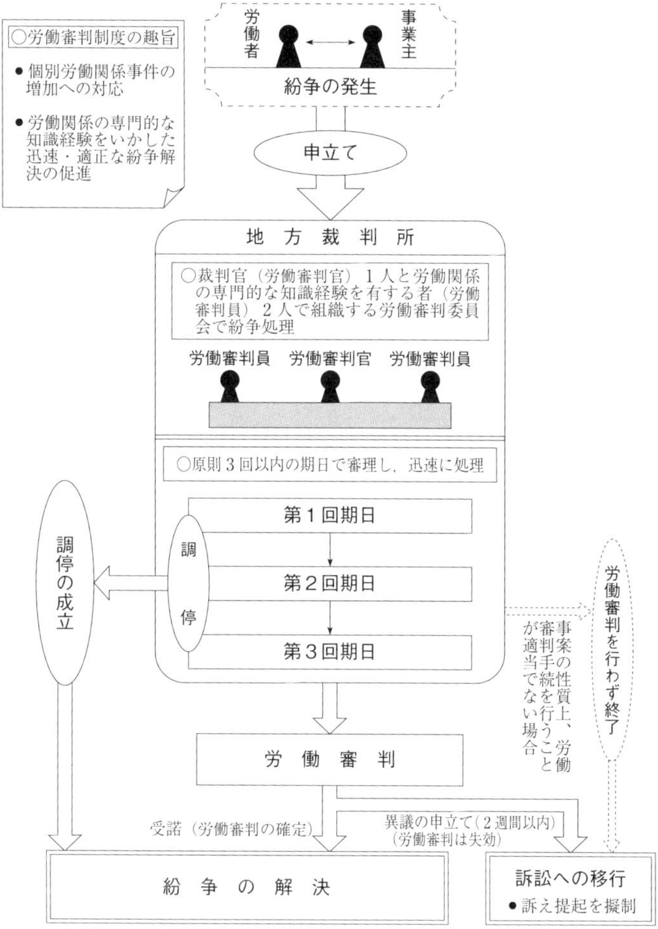

○労働審判制度の趣旨
● 個別労働関係事件の
　増加への対応
● 労働関係の専門的な
　知識経験をいかした
　迅速・適正な紛争解
　決の促進

労働者　⟷　事業主
紛争の発生

申立て

地 方 裁 判 所

○裁判官（労働審判官）1 人と労働関係
　の専門的な知識経験を有する者（労働
　審判員）2 人で組織する労働審判委員
　会で紛争処理

労働審判員　労働審判官　労働審判員

○原則 3 回以内の期日で審理し，迅速に処理

第 1 回期日

第 2 回期日

第 3 回期日

調停

調停の成立

審判手続を行うことが適当でない場合

事案の性質上，労働

労働審判を行わず終了

労 働 審 判

受諾（労働審判の確定）

異議の申立て（2 週間以内）
（労働審判は失効）

紛 争 の 解 決

訴訟への移行
● 訴え提起を擬制

続を行うことが紛争の迅速かつ適正な解決のために適当でないとして労働審判
事件を終了させた場合も，同様に通常訴訟に移行するものとされる（24 条）（図
表 14 参照）。

第 3 章　裁判所による紛争解決システム　　507

2　民事通常訴訟

　民事紛争の解決手続のうち，事件の終局的な判断を下すことを目的とする手続が，通常訴訟手続である。通常訴訟手続は，訴訟手続の最も基本的なものであり，民事訴訟法の規定に基づいて慎重かつ本格的な審理が行われるが，実際には，その手続のなかで当事者の合意（和解）により紛争の解決がなされることも多い。労働事件については，家庭裁判所のような専門の裁判所は設けられていないが，東京，大阪，横浜，名古屋，福岡など大規模な地方裁判所には，労働事件を専門的または集中的に取り扱う専門部や集中部が置かれている。

3　保全訴訟

　保全訴訟は，通常訴訟（本案訴訟）による権利の実現を保全するために，簡易迅速な審理によって裁判所が仮の措置（仮差押，仮処分）を命じるものである。保全手続は，民事保全法（1989（平成元）年制定，1991（平成3）年施行）に基づき，原則として簡易な審尋手続によって行われる。審判の対象とされるのは，①本案訴訟において実現されるべき権利があること（被保全権利の存在），および，②著しい損害等が発生することを避けるために暫定的な措置をとる必要があること（保全の必要性）である。労働紛争においても，解雇された労働者が労働契約上の地位の保全や賃金の仮払いを求める仮処分，団体交渉を拒否された労働組合が団体交渉を求める地位にあることの確認を求める仮処分などで，保全手続が利用されている。

4　簡易裁判所による少額訴訟手続・民事調停

　以上のような手続のほか，訴額60万円以下の金銭請求事件については，簡易裁判所において原則1回の口頭弁論で審理される少額訴訟手続を利用することができる（民訴法368条以下）。
　また，個別労働紛争については労働審判手続のなかで調停による紛争解決が

508　　第6編　労働紛争解決法

試みられる（p505 **1**）が，民事調停法に基づき簡易裁判所で行われる通常の民
事調停も従来どおり利用することができる。

む す び
──日本の労働法の特徴と課題

1 日本の労働法の特徴

本書のむすびとして，まず，これまでの日本の労働法の特徴を，法規範の内容と法形式という観点から，もう一度簡単に確認しておこう。

1 法規範の内容からみた特徴

日本の労働法を法規範の内容という観点からみると，その重要な特徴は，「解雇に関する厳格な規制」と，これとは対照的な，「（解雇以外の）労働条件に関する柔軟な規制」にある。その基盤にあったのは，正社員の雇用保障を重視しつつ，外部環境の変化に対して柔軟に対応する企業別の協調的な労使関係である。これらの特徴は，長期雇用慣行を中心とした日本的雇用システムと連動して正社員の雇用保障を重視しつつ，解雇による外的柔軟性の欠如を労働条件の柔軟な変更による内的柔軟性の確保によって補おうとしたものということもできる（p37 *2*）。

このなかで，法（労働法）は，大きく次の2つの役割を果たしてきた。

第1に，日本的雇用システムの枠組みを基本的に承認し，これを法のなかに取り込みながら法的ルールとして一般化するという役割である。例えば，解雇権濫用法理は，解雇の適法性を厳しくチェックすることによって（正社員を主たる対象とした）長期雇用慣行を維持する役割を果たし，逆に，就業規則による労働条件の不利益変更法理，時間外労働の絶対的な上限の不存在，非正社員の処遇・利用に対する厳格な規制の不存在などは，労働条件の柔軟な変更・運

---

1) 2018（平成30）年の働き方改革関連法は，時間外労働の絶対的上限の設定，正社員・非正社員間の待遇格差の是正を2つの柱とするものであり，これまでの日本的雇用システムがもたらして

用や非正社員の安価で柔軟な利用により，企業が外部環境の変化に対応するための柔軟性を確保することを可能としてきた。これらの法理は，中小企業を含め一般的に妥当するルールとして法的に位置づけられており，労働契約法において法律上明文化されるなど，それを明確化しようとする動きも進められている。

　第2に，法は，日本的雇用システムの枠組みのなかでみられる不合理な取扱いや濫用的な行為を規制する役割も同時に果たしてきた。例えば，就業規則による労働条件の不利益変更については，合理性がない場合には拘束力が否定され，また，人事管理上広く行われている配転や出向についても，動機・目的が不当な場合や労働者が著しい不利益を被る場合には，権利の濫用として違法・無効とされてきた。

　このように，これまでの日本の労働法は，日本的雇用システムのあり方と密接にかかわりあいながら，その枠組みを承認し一般化すると同時に，そのなかの不合理な行為を一定範囲で規制するものとして機能してきたという特徴をもつものであった。

2 法形式からみた特徴

　労働法の法源となる法形式を，①制定法，②協約法，③判例法の3つに分類した場合，日本の労働法では，どれが一番重要な役割を果たしてきたか。数値化することによって単純に答えを出すことが難しい問題であるが，比較法的にみた場合，日本では相対的に判例法（③）が重要な役割を果たしてきたといえる。これは，他の法形式のあり方とも密接にかかわっている。

　そもそも，日本では，①公労使三者の合意を重視するコーポラティズム的政策形成過程[2)]の下，解雇や労働条件変更といった重要な問題について法律によって明確で透明なルールを定めて問題の解決を図るという手法をとることが避けられ，また，②企業内労働組合を基盤とする日本的労使関係の下，企業横断的

きた問題に切り込んだものといえる。
2）三浦まり「連合の政策参加」中村圭介＝連合総合生活開発研究所編『衰退か再生か──労働組合活性化への道』169頁以下（勁草書房，2005），久米郁男『労働政治』（中央公論新社，2005）など。

な労働協約（例えば産業別労働協約）によって労働関係の明確なルールを定める
という慣行も定着しなかった。この制定法（①）と協約法（②）の欠落部分を
補いつつ、西洋から輸入された法技術と日本的な雇用の実態を埋めるものとし
て、裁判所は、就業規則変更法理や解雇権濫用法理など極めて重要な意味をも
つ法理論（③判例法）を積極的に形成し発展させてきたのである。[3]

　判例法による規制には、その柔軟性に大きな特徴が認められる。例えば、就
業規則による労働条件の変更の可否をめぐる判断基準は、究極的には「合理
的」か否かという点にあり、この抽象的な「合理性」という判断基準の下で、
個別の事情に応じた柔軟な処理が可能となっている。同時に、社会状況の多様
な変化に対して、外的変化を「合理性」のなかに取り込み、内的修正を図るこ
とによって、規制の枠組みを変えることなく柔軟に対応できるという特長もあ
る。

　しかし、この判例法の柔軟な基準にも問題点がある。判断の基準があいまい
であり、当事者からみると行動の法的結果を予測しにくい（予測可能性・法的安
定性が低い）という点である。就業規則の不利益変更の「合理性」について一
審、控訴審、上告審でその結論が一転二転することがみられることが、その典
型的な例としてあげられる。[4]

　このように、日本の労働法は、法技術としては西洋近代法としての「労働
法」（p10 **1**、p15 **2**）を輸入しつつも、明確な基準を定めて権利義務を明らかに
し訴訟によって白黒をはっきりさせるという西洋近代的な方向では定着・発展
をみなかった。[5]日本の労働法は、西洋近代的な概念・法技術を用いつつ、長期
雇用慣行を中心とした日本独自の雇用システムや、分権的で柔軟な問題解決を
重視する伝統的な法文化の影響を受けながら、独自の形で発展していったので
ある。

3）　諏訪康雄『雇用と法』26 頁以下（放送大学教育振興会，1999）参照。2007（平成 19）年に労働
　　契約法が制定され，判例法理を法律上明文化する動きが進められているが，これらの法理は判例
　　によって形成され，今後も判例の蓄積・展開によって変容・発展をみていくという意味で，判例
　　法のもつ重要性は変わっていない。

4）　例えば，みちのく銀行事件・最一小判平成 12・9・7 民集 54 巻 7 号 2075 頁（〔一審〕青森地判
　　平成 5・3・30 労判 631 号 49 頁，〔二審〕仙台高判平成 8・4・24 労判 693 号 22 頁）。

5）　西谷敏「日本における労働紛争解決システム」石部雅亮＝松本博之編『法の実現と手続』269
　　頁以下（信山社，1993），村上淳一『〈法〉の歴史』57 頁以下（東京大学出版会，1997）など。

2 課　題

　しかし，このような特徴をもつものとして形成・展開されてきた日本の雇用システムと労働法は，グローバル化やデジタル化といった大きな社会変化のなかで，機能不全に陥っている。「企業共同体」を基盤として展開されてきた日本の雇用システムは，1990 年代以降の外部環境や産業構造等の急速な変化に十分に対応できず，労働生産性の相対的な低下[6]，実質賃金の低迷[7]，働きがいの低下[8]といった深刻な事態をもたらしている。同時に，労働法においても，経済の停滞や社会的格差の拡大といった世界的な課題のなかで，アメリカ，イギリス，フランス等の欧米諸国でみられる労働法・社会保障法・税制を政策的な一貫性をもって制度的に再編し社会的公正，経済的効率性，財政健全化という複数の政策目的の実現を図ろうとするダイナミックな動きや，広義の就業促進や差別禁止政策を展開して当事者の創造性や潜在能力を生かしながらセーフティネットを広く整えていこうとする動きは，日本ではまだ不十分なものにとどまっている[9]。

---

6 ）　日本生産性本部『労働生産性の国際比較 2022』（2022 年 12 月）によると，OECD データに基づく 2021 年の日本の時間あたり労働生産性は 49.9 ドル（5006 円＝購買力平価換算）であり，米国（85.0 ドル＝8534 円）の 6 割強，OECD 加盟 38 か国中 27 位（データが取得可能な 1970 年以降最も低い順位）となっている。

7 ）　OECD データをもとに 1 人あたり実質賃金（2021 年の米国ドル〔購買力平価ベース〕により実質化した値）の推移をみると，1991 年から 2021 年にかけて，アメリカは 1.52 倍，イギリスは 1.51 倍，フランスとドイツは 1.34 倍に上昇しているが，日本は 1.05 倍にとどまっている（内閣官房『新しい資本主義のグランドデザイン及び実行計画　2023 改訂版』4 頁以下（2023 年 6 月）参照）。

8 ）　オランダの総合人材サービス会社ランスタッドが 2019 年に実施した仕事満足度（job satisfaction）調査によれば，日本は「仕事に満足」と回答したのは 42％ と調査対象 34 か国中最下位（1 位はインドの 89％，アメリカは 78％ で 5 位，ドイツは 71％ で 17 位，フランスは 68％ で 27 位）（Randstad, Randstad workmonitor Q4 2019: Work-life balance economic and financial outlook for 2020）。米国の調査会社ギャラップが 2022 年に実施した働きがい（employee engagement）調査によれば，日本は働きがいの強い従業員の割合は 5％ で，調査対象 129 か国中 128 位（世界平均は 23％，アメリカは 34％，ドイツは 16％，フランスは 7％）であった（Gallup, State of the Global Workplace: 2023 Report）。

9 ）　その要因として，省庁間の垣根が相対的に高く縦割りの政策立案・運用が根強く残っている日本の行政・立法システムのあり方（そのなかに残る合意重視のコーポラティズム的政策形成過程），および，労働法の理論や政策立案において哲学，歴史学，経済学，人的資源管理等の基礎理論に

近年，社会は急速に変化し，社会が求める要請も社会的公正さ，経済的効率性，財政規律など複雑に入り組んだものとなっている。しかし，社会の変化が速く，その要請が複雑になればなるほど，人間性を保障する技法である法は，単線的な思考や感情的な対応によるものであってはならず，多様性を包摂した人間の賢慮（jurisprudence）に基づくものでなければならない。労働法改革に取り組むうえでは，労働法の新たな機能と役割についての理論的な考察を深め，その理論的基盤に立脚しつつ，他の法領域との総合的な連携も広く視野に入れて，体系的な議論と制度設計を行うことが求められる。

　労働法は，人間社会と深く結びつき，動態的に変化する法である。

探究 4

　労働法は，数値による計算と予測によって答えを導き出すことができる「科学」か？　計算（科学）には還元できない人間的な価値（個人の尊厳等）に基づく一種の「信仰」か？　それともその両者の緊張関係の間に立つ「理性」と「言葉」の技法か？[10]

基づいて論証や制度設計を行おうとする意識が希薄であることをあげることができる（水町勇一郎「現代労働法の新たな理論動向と日本」島田陽一先生古稀記念論集『働く社会の変容と生活保障の法』37 頁以下（旬報社，2023）参照）。2018（平成 30）年働き方改革関連法による「働き方改革」は，日本的雇用システムがもたらした弊害（長時間労働問題や正規・非正規格差問題等）に対し，経済政策と労働・社会政策とを融合させつつ，総合的に対策を講じようとするものであった（その手法として内閣総理大臣を議長とし連合会長と経団連会長という労使のトップが参加した働き方改革実現会議によってトップダウンで政策立案を行った）点で，これまでの日本の政策形成過程とは異なる特徴をもつ試みであった。しかしなお，改革は緒に就いたばかりである。

10)　Supiot (A.), *Homo juridicus: Essai sur la fonction anthropologique du droit*, Paris, Seuil, 2005, pp. 7 et s.

むすび　　515

事 項 索 引

あ 行

ILO······················20, 474
アウトプレースメント·············476
アクティベーション···············482
アダム・スミス················2, 9
あっせん···················502, 503
アメリカ革命···················11
アルバイト·······37, 39, 178, 339, 341
安全衛生委員会·················296
安全配慮義務·········106, 311〜, 335
イギリス工場法··················13
異議留保付承諾·················221
育児介護休業法·······53, 67, 120, 179,
　　　　　　　　　211, 320〜, 500
育児休業··················321〜, 332
育児休業給付··············323, 483, 490
育児支援措置···············323, 332
医　師······262, 269, 271, 276, 312
　　──による面接指導·········267, 297
医師選択の自由·················296
意思表示の合致··················48
いじめ・嫌がらせ（→ハラスメント）·····137〜
一時金　→賞与
一事不再理の原則···············199
一斉休暇闘争··················294
一般教育訓練給付···············491
一般労働者派遣事業···············368
遺伝子情報···················159
遺伝子情報差別禁止法·············118
委　任···················61, 236
違法派遣····················376
違約金・賠償予定の禁止············114
飲　酒·····················223
飲酒運転····················206
ヴァルデク＝ルソー法·············14
請　負···········26, 61, 66, 365
打切補償····················210
訴えの利益···················467

うつ病自殺··················305, 313
営業の自由···················444
営業秘密····················107
HIV····················147, 149
エミール・デュルケーム·············16
LGBTQ··················135〜, 146
LGBT 理解増進法··············121, 135
えるぼし····················135
黄犬契約············157, 447, 449, 451
OJT····················28, 487
親子会社····················450

か 行

皆勤手当··············295, 331, 347
解　雇··········129, 207〜, 237, 339, 353,
　　　　　　　377, 406, 448, 457, 468
　　──の自由·················207
解雇回避努力··················218
介護休暇··················326, 329
介護休業·················324〜, 329
介護休業給付··············325, 490
解雇協議・同意約款··············211
戒　告···················199, 408
外国人·····················390
外国人技能実習生···············161
外国人技能実習法···············392
解雇権濫用···················406
解雇権濫用法理······18, 37, 59, 68, 88, 161,
　　　　　　　190, 193, 210, 213〜,
　　　　　　　339, 356, 385, 511
介護支援措置··················325
解雇予告··················208〜
解散（解散組合）···············411
会社更生手続··················220
会社更生法···················257
会社の解散··················190〜
会社分割··················64, 187
街頭宣伝活動··················441
外部委託····················365

517

外部規律説（労働協約と労働契約の関係）
······························431
解約の自由·······························212
科学技術イノベーション創出活性化法······363
確定拠出年金·····························241
家事使用人······························53
過失相殺·······························314
過重労働対策····························297
家族手当·················237, 278, 349, 443
化体説（労働協約と労働契約の関係）······431
合　併·······························185
株式持ち合い·························26, 33
下部組織·······························412
仮眠時間·······························261
仮差押·······························508
仮処分·····························420, 508
過労死·················40, 259, 303, 313
過労自殺·················40, 304, 313
簡易裁判所·····························509
勧　告·························352, 500
監査役·······························65
監視カメラ·····························147
監視・断続的労働従事者················264
間接差別·················120, 131〜, 157
管理監督者····························264〜
管理職·····························450, 452
管理職組合·····························403
管理職ユニオン·························398
機会主義的行動·························400
企画業務型裁量労働制··················284
期間の定めのある労働協約················430
期間の定めのある労働契約······114, 207, 352〜
企業グループ·····························181
企業秩序定立権·················106, 194〜
企業別労働組合（企業内労働組合）
······························30, 397, 512
危険責任の原理·························102
寄宿舎·······························117
偽装請負·························366, 376
偽装解散·························63, 64
起訴休職·························191, 194
規範的効力　→労働協約の規範的効力
規範的部分　→労働協約の規範的部分

希望退職者の募集·························218
基本給·······························346
機密事務取扱者·························264
義務的団交事項·················417, 436
キャリア·······························180
キャリア・コンサルティング······372, 475, 491
休業手当·················254〜, 443, 485
休　憩·························263, 282
救済命令·····························462〜
救済利益·······························465
休　日·······························263
　──の特定·····························263
　──の振替え·····························264
休日労働·························267〜, 282
休日労働手当····························347
休　職·························191〜, 210
求職者給付·····························483
求職者支援制度·························487
求人求職受理の原則····················478
求人票·························87, 169
求人メディア····························475
給付つき税額控除·······················482
休息時間·························267, 270
教育訓練·················129, 170〜, 372, 475, 487
教育訓練休暇····························486
教育訓練給付····························491
競業避止義務····························107
強行の効力·················70, 77, 421
強行法規·························48, 67〜
行政監督·······························71
行政執行法人職員·················53, 57
強制仲裁·······························88
強制貯金の禁止·························116
強制労働·················114, 364, 473
共同不法行為····························64
強　迫·················226, 227, 228
共謀罪·······························14
業務委託·······························58
業務起因性·························301, 302
業務災害·····························301〜
業務処理請負····························365
業務遂行性·····························301
業務遂行にかかる費用····················75

業務命令	99
——違反	203
協約締結権限	425
許　可	370, 478
許諾説（労働組合の施設利用）	441, 459
緊急命令	467
均衡待遇	352
勤続褒賞	349
均等待遇	338
均等待遇基本枠組指令	118
勤務間インターバル	267, 271, 304
勤労権	47
苦情処理措置	284
組合員名簿	418
組合活動	429, 435, 457
——の正当性	439
組合規約	401
組合財産	410
組合自治の原則	408
組合事務所の貸与	429, 457
組合選択の自由	406
組合に加入しない自由	406
組合の分裂	410
組合費	404
組合民主主義の原則	408
グループ企業内派遣	370
くるみん	332
ケア・ハラスメント	139
計画年休	287, 292, 293
経済活動の自由	156
刑事罰	70
刑事免責	434
継続する行為（不当労働行為）	454
経費援助	403
契約更新	129
契約更新限度	357, 363
契約自由の原則	473
契約締結上の過失	165
契約締結の自由	47, 156, 160
経歴詐称	203
系　列	26, 34
ケインズ主義	17, 20, 481
結婚祝金	249

減　給	199, 244
研究開発力強化法	363
兼　業	206, 306
健康確保措置	284
健康診断	99, 296
健康配慮義務	106
健康保険	232
研　修	99
原職復帰	327, 462, 469
けん責	199, 408
建設事業	269, 270
憲法組合	401, 433
権利停止	408
権利濫用	68
言論の自由	458
合意解約	207, 224, 226
合意原則	81, 85
合意の優先	83
公益通報者保護法	150〜, 211
公益通報対応業務従事者	152
降　格	129, 174, 200
効果裁量	462
公共財	400
公共職業安定所	476, 482
公共職業訓練施設	486
拘禁刑	71
攻撃的ロックアウト	445
交際費	249
公　序	47, 68
厚生年金保険	232
公正労使関係秩序説	446
構造的アプローチ	23
拘束時間	270
高度プロフェッショナル制度	266
坑内労働	282
高年齢雇用継続給付	490
高年齢者雇用安定法	384, 488
高年齢者雇用確保措置	384, 488
高年齢者就業確保措置	385
公民権の保障	117
公民権法第 7 編	20, 118
合理的配慮	157, 388
コース別雇用制	130

事 項 索 引　519

小切手···········250	採用内々定·········164
国際労働機関　→ILO	採用の自由········155〜, 449
国　籍··········146	裁量労働制········259, 283〜
国籍差別········122, 123	詐　欺·······203, 226
国連女子差別撤廃条約·····119, 126	先取特権··········257
個人情報保護······145, 148, 159, 478	作業手当··········347
個人情報保護法·······148〜, 159	錯　誤·····203, 226, 227, 228
個人の尊厳··········48	差押禁止債権········252
国家公務員······53, 57, 59	さし違え条件········414
国家戦略特区法·······363	サッチャーリズム·······19
子の看護休暇·······326, 329	査　定　→人事考課
個別的授権事項·······425	36協定··········268〜
個別労働関係紛争·······500	差別的取扱いの禁止···120, 121, 340, 343〜, 477
個別労働関係民事紛争······505	産業医·········296, 297
個別労働紛争解決促進法···212, 495, 499〜	産業革命··········12
雇用安定事業·······485, 489	産業雇用安定助成金·······486
雇用安定措置······371, 475	産業民主主義········16
雇用開発促進地域·······488	産前産後休業·····132, 210, 318, 329
雇用関係法·········45	時間外手当··········347
雇用継続給付········490	時間外労働····38, 267〜, 279, 324, 511
雇用契約··········60	時季指定権········287, 289〜
雇用差別禁止法·······119〜	時季変更権········287, 289〜
雇用対策法········120	指揮命令··········98
雇用調整助成金······218, 485	事　業··········54
雇用福祉事業········485	事業場外労働·······283, 302
雇用保険··········232	事業譲渡·······185, 191
雇用保険二事業······485〜, 489	事業主········66, 71
雇用保険法·····53, 323, 325, 482	──の説明義務······342, 372
雇用保険マルチジョブホルダー制度····335, 482	事業主行動計画······135, 332
コロナ禍·······218, 254	事実たる慣習······49, 95, 236
婚　姻·········132	子女教育手当········278
	辞　職······207, 224, 225
さ　行	私生活上の非行········205
	次世代法·······320, 331〜
災害見舞金·········249	施設管理権······195, 441, 459
罪刑法定主義·······71, 198	思想・信条差別·······158
債権法改正······225, 248, 311	思想・良心の自由······48, 146
再雇用　→定年後継続雇用	自宅待機······99, 200
最低賃金法······18, 53, 67, 391	失業等給付········482
裁判所による救済　→司法救済	失業保険法········18
債務的効力　→労働協約の債務的効力	指　導······352, 500, 501
債務の部分　→労働協約の債務の部分	自動車運転業務······269, 270
債務の本旨·····100, 237, 441	支配介入····413, 447, 449, 456〜, 461, 468
採用内定·····59, 68, 160〜	

——の意思 ………………… 458	出　張 ………………… 99, 283, 302
自発雇用創造地域 ………………… 488	出張旅費 ………………… 249
シフト制 ………………… 237	出入国管理及び難民認定法 ………… 390
シフト制勤務 ………………… 96	受動喫煙防止 ………………… 297
司法救済 ………………… 420, 446, 467〜	受忍義務説（労働組合の施設利用）… 441
死亡弔慰金 ………………… 249	純粋利益代表者組合 ………………… 403
市民革命 ………………… 11	春　闘 ………………… 18, 244, 398
市民的自由の尊重 ………………… 408	試　用 …………… 59, 68, 159, 165〜, 208
社会運動歴 ………………… 159	障　害 ………………… 149, 159
社会権 ………………… 46〜	障害者雇用促進法 ………… 157, 488, 500
社会性 ………………… 5	障害者雇用調整金 ………………… 488
社外積立年金 ………………… 249	障害者雇用納付金 ………………… 488
社会的身分差別 ………………… 122	障害者雇用率 ………………… 488
社会保険 ………………… 13	障害者差別の禁止 ………… 121, 157, 388〜
借金歴 ………………… 159	紹介予定派遣 ………………… 370
車両確保戦術 ………………… 439	障害をもつアメリカ人法 ………… 20, 118
就業規則 ………………… 73	昇　格 ………………… 174, 452, 463
——の意見聴取 ………………… 76	少額訴訟手続 ………………… 508
——の契約変更効 ………………… 85, 89〜	昇　給 ………………… 243, 330, 452
——の契約補充効 ………………… 81	消極的団結権　→組合に加入しない自由
——の拘束力 ………………… 78	使用者 ………………… 62
——の最低基準効 ………………… 77	——の行為 ………………… 450
——の周知 ………………… 76, 78, 82, 91	労基法上の—— ………………… 65
——の届出 ………………… 76	労組法上の—— ………………… 66
——の必要記載事項 ………………… 74	労働契約上の—— ………… 62〜, 448
——の不利益変更 ……… 85〜, 87〜, 511	使用者責任 ………………… 141
自由権 ………………… 46〜	昇　進 ………………… 129, 174, 463
就職支援事業 ………………… 486	傷病休職 ………… 192, 210, 248, 348
就職促進給付 ………………… 483	上部団体 ………………… 412
終身雇用制　→長期雇用慣行	情報宣伝活動 ………………… 441
囚人のジレンマ ………………… 400	情報提供義務 ………………… 374
自由設立主義 ………………… 401	情報の的確表示 ………………… 477
住宅資金貸付け ………………… 249	消滅時効 ………………… 248, 295
住宅貸与 ………………… 249	賞　与 …… 38, 238〜, 249, 253, 278, 331, 346
住宅手当 ………………… 237, 278, 349, 443	賞与支給日在籍要件 ………………… 240
10年特例（研究者等の無期契約転換）…… 363	常用型派遣労働者 ………………… 368
就労請求権 ………………… 104	職業安定法 ………………… 18, 21, 117, 474
宿日直勤務 ………………… 262, 265	職業訓練 ………………… 487
出勤停止 ………………… 200	職業訓練法 ………………… 18
出　向 …… 59, 68, 181〜, 312, 452, 486, 512	職業紹介 ………………… 476
出　産 ………………… 132	職業紹介事業 ………………… 117, 473〜
出生時育児休業 ………………… 322	職業紹介法 ………………… 21, 474
出生時育児休業給付金 ………………… 490	職業選択の自由 ………… 108, 375, 477

職業能力開発促進法	171, 487
職業病	302
食事手当	348
職種・雇用形態の変更	129
職能給	246
職能資格制度	29, 172, 175
職場環境配慮義務	106, 142
職場規律違反	203
職場占拠	435, 439
職務給	245
職務専念義務	100, 441
職務著作	103
助 言	500, 501
所持品検査	147, 195, 203
女 性	
——の育児時間	319
——の危険有害業務・坑内業務の就業制限	
	318
——の労働時間規制	319
女性活躍推進法	121, 135
女性保護政策	318
ジョブ・サーチ型派遣 →紹介予定派遣	
除 名	406, 408, 410
ジョン・メイナード・ケインズ	17
新型コロナウイルス	299
新型コロナウイルス感染症	100
人格権	99, 145〜, 158
信義則	49, 89
信教の自由	48
人事権	38, 106, 169〜
人事考課	126, 172, 244, 456
人事上の配慮義務	107
真実解散	63
人種・出身民族差別禁止指令	118
信条差別	122
人身売買	473
深夜労働	273, 282, 325
心裡留保	227
随意雇用原則	36, 88
スタッフ職	265
ストック・オプション	249
ストライキ	434〜, 503
ストレス―脆弱性理論	306

ストレスチェック	297
スローダウン	435, 437, 443
成果主義賃金	32
生活困窮者自立支援法	489
政治活動の禁止	203
政治スト	437
誠実義務	107
誠実交渉義務	418
誠実交渉命令	420, 462, 465
誠実労働義務	100
性自認	118, 146
精神障害	304, 389
製造業務派遣	368, 474
生存権	46〜
性的指向	118, 121, 135, 159
性同一性障害	136
制 服	249
整理解雇	216〜, 339, 378
生理日の休暇	319, 330
セクシュアル・ハラスメント	120, 138, 305
積極的団結権 →組合選択の自由	
絶対的平和義務	430
船 員	53, 59
潜在能力アプローチ	23
前借金相殺の禁止	116
選択の自由	156
専門業務型裁量労働制	284
専門実践教育訓練給付	491
全労協（全国労働組合連絡協議会）	398
全労連（全国労働組合総連合）	398
素因減額	314
争議行為	430, 434, 503
——と賃金	442
——の正当性	435〜, 445
早期退職	243
争議団	401, 410
総合労働相談コーナー	495, 497, 500
相 殺 →賃金の相殺	
相対的平和義務	430
相 談	504
総 有	410
即時解雇	209

522

た　行

大学教員任期法……………………363
怠　業………………………434, 503
対抗防衛的ロックアウト…………445
第三者交渉委任禁止条項…………415
大衆団交……………………………415
退職勧奨………129, 144, 228, 229
退職金………60, 240〜, 249, 350, 373
　──の保全………………………258
退職金減額・不支給条項…………242
代表的労働組合制…………………88
大量観察方式………………………454
脱　退…………………………406, 410
　──の自由………………………408
団結権…………………………47, 406
団結権侵害説………446, 459, 467
団交応諾仮処分……………………420
団交拒否……411, 419, 449, 456, 462, 468
単　産…………………………397, 398
短時間労働者………………………341
男女均等待遇原則指令……………118
男女雇用機会均等法…53, 67, 119, 128〜, 500
男女賃金差別の禁止………………124〜
男女平等取扱法理……………68, 119
男女別コース制……………………130
団体交渉………397, 411〜, 429, 447
　──の主体………………………411
　──の担当者……………………415
　──を求める地位の確認…420, 468
団体交渉権……………………47, 415
団体交渉請求権……………………420
団体行動権……………………47, 433〜
団体行動の正当性…………………435〜
治安警察法…………………………14
地域一般労働組合…………………398
地域合同労組……………398, 412
地域雇用開発計画…………………488
地域雇用開発指針…………………488
地域雇用開発助成金………………485
地域雇用開発促進法………………488
地域雇用創造計画…………………489
地域単位の拡張適用………………428

地域手当……………………………348
地域別最低賃金……………………256
チェック・オフ…251, 403, 422, 429, 457
地方公務員………………53, 57, 59
中央労働委員会……………………450
中間搾取………117, 251, 364, 473
中間収入………252, 255, 469
仲　裁………………………………503
抽象的不作為命令…………………464
中立保持義務………………………413
懲戒解雇……………………………201
懲戒処分（懲戒）…150, 184, 194〜, 452
　──の種別・事由の明定………199
長期雇用慣行……………27, 33, 511
調査の自由…………………………159
調整的相殺　→賃金の相殺
調　停………………………500, 503
直接払原則…………………………251
直律的効力………70, 77, 421, 431
貯蓄金管理………………116, 258
賃　金……………………………235〜
　──の相殺………………………252
　──の放棄………………………252
　──のデジタル払い……………250
　労基法上の──…………………248
賃金差別（賃金格差）…………124, 337〜
賃金請求権………………236〜, 442
賃金全額払原則…239, 248, 251, 255, 404
賃金台帳……………………………127
賃金の支払の確保等に関する法律…258
通貨払原則…………………………250
通勤災害……………………………307
通勤手当………278, 348, 373
通常訴訟手続………………………508
通常の労働者への転換……………352
定額残業代…………………………275
定期昇給……………………97, 244
定　年………129, 383〜, 488
定年後継続雇用………350, 384〜
テイラー主義………………………16
適職紹介の原則……………………478
適正手続……………………………199
出来高払の保障給…………………253

事項索引　　523

手続的規制……………………23
手待時間……………………261
テレワーク…………………333〜
テレワーク・ガイドライン…283, 333
転 籍…………………………181〜
転籍合意……………………188
同一（価値）労働同一賃金原則…126, 338
同一労働同一賃金ガイドライン…345
動機の競合　→理由の競合
同居親族……………………59
同居親族事業………………53
倒産法………………………257
同情スト……………………437
統制処分……………………409
登録型派遣労働者………368, 378
特定一般教育訓練給付……491
特定技能……………………392
特定労働者派遣事業………368
特別加入制度……………299, 300
特別条項……………………269
特許法………………………103
都道府県労働局長…72, 327, 352, 389, 500, 501
届 出………………………368
トライくるみん……………332
取消訴訟……………………466
取締役………56, 60, 65, 191, 316, 403
努力義務…………………295, 340
奴隷的拘束・苦役からの自由………48

な　行

内 定　→採用内定
内々定　→採用内々定
内部告発……………………150
内部告発者保護法理………152
内部通報対応体制整備義務…152
内部労働市場………………30
中抜け時間…………………334
ナポレオン法典……………11
二重交渉……………………412
二重就職　→兼業
2024年問題…………………270
日本の金融システム………26
日本的雇用システム……27〜, 37〜, 337, 511

日本的産業システム………26
日本労働組合総連合会　→連合
任意法規……………………48
妊 娠………………………132
認定マーク…………………332
抜き打ちスト………………437
ネガティブ・リスト……368, 478
年 休………………………286〜
　——の繰越し………………295
　——の時間単位付与………288
　——の自由利用……………294
年休権………………………287
年休付与義務……………287, 292〜
年金前払一時金制度………309
年功賃金……………………32
年功の処遇…………………30
年次有給休暇　→年休
年少者………………………317〜
　——の代理契約締結・代理賃金受領の禁止
　…………………………317
　——の労働時間・就業制限…317
年俸制…………………245, 246
年齢差別禁止法………20, 118
年齢制限（年少者の保護）…317
年齢制限禁止………120, 157
農業・畜産・水産業従事者…264
能力開発事業…………485, 489
ノリス・ラガーディア法……14

は　行

パートタイム労働者（パート）……37, 39, 122, 337, 339, 340
パートタイム労働法………120, 340
パート有期法……121, 212, 340, 500
パートユニオン……………398
賠償予定の禁止　→違約金・賠償予定の禁止
排他的交渉代表制…………88
配 転………59, 68, 176〜, 203, 452, 457, 512
配慮義務……………………106
派遣期間の制限……………369
派遣先均等・均衡方式……372
派遣労働者………39, 311, 337, 367
破産法………………………258

パタニティー・ハラスメント‥‥‥‥‥‥139
働きがい‥‥‥‥‥‥‥‥‥‥‥‥‥‥‥514
働き方改革‥‥‥‥40, 121, 259, 266, 273, 281, 287,
292, 297, 340, 372, 475, 515
罰　金‥‥‥‥‥‥‥‥‥‥‥‥‥‥‥‥408
バックペイ‥‥‥‥‥‥‥‥‥‥‥‥462, 469
パパ・ママ育休プラス‥‥‥‥‥‥‥‥322
ハラスメント‥‥‥‥‥‥‥‥‥‥‥‥204
ハラスメント防止措置義務‥‥‥‥‥‥138
ハローワーク　→公共職業安定所
パワー・ハラスメント‥‥‥‥138, 139, 305
犯罪歴‥‥‥‥‥‥‥‥‥‥‥‥‥149, 159
B型肝炎ウイルス‥‥‥‥‥‥‥‥‥‥147
引き抜き‥‥‥‥‥‥‥‥‥‥‥‥‥‥109
ピケッティング‥‥‥‥‥‥‥‥‥435, 439
非正規労働者（非正社員）‥‥‥37, 337～
一人親方‥‥‥‥‥‥‥‥‥‥‥‥‥‥296
日々雇用労働者‥‥‥‥‥‥‥‥‥‥‥208
秘密保持義務‥‥‥‥‥‥‥‥‥‥‥‥107
日雇派遣‥‥‥‥‥‥‥‥‥369, 370, 474
病気休職　→傷病休職
表現の自由‥‥‥‥‥‥‥‥‥‥‥48, 409
病　歴‥‥‥‥‥‥‥‥‥‥‥‥‥149, 159
ビラ配布・貼付‥‥‥‥‥‥‥203, 435, 440
付加金‥‥‥‥‥‥‥‥‥‥‥‥‥‥‥‥70
副業・兼業‥‥‥‥‥‥‥‥‥‥334～, 482
副業・兼業ガイドライン‥‥‥‥‥207, 334
複数業務要因災害‥‥‥‥‥‥‥‥306, 335
複数組合主義‥‥‥‥‥‥‥‥‥‥‥‥411
服務規律‥‥‥‥‥‥‥‥‥‥‥‥‥‥194
福利厚生給付‥‥‥‥‥‥‥‥‥‥‥‥249
福利厚生措置‥‥‥‥‥‥‥‥‥‥‥‥129
不更新条項‥‥‥‥‥‥‥‥‥‥‥357, 363
不合理な待遇（労働条件）の禁止‥‥121, 340,
345, 372, 475
不真正連帯債務‥‥‥‥‥‥‥‥‥‥‥439
付随義務‥‥‥‥‥‥‥‥‥‥‥‥106～, 142
不正競争防止法‥‥‥‥‥‥‥‥‥‥‥107
不遡及の原則‥‥‥‥‥‥‥‥‥‥‥‥199
物件提出命令‥‥‥‥‥‥‥‥‥‥‥‥461
不妊治療‥‥‥‥‥‥‥‥‥‥‥‥‥‥332
不当労働行為‥‥‥‥‥‥‥‥190, 401, 445～
不当労働行為意思‥‥‥‥‥‥‥‥‥‥452

不変更の合意‥‥‥‥‥‥‥‥‥‥‥‥‥94
不法行為法上の注意義務‥‥‥‥142, 145, 311
扶養手当‥‥‥‥‥‥‥‥‥‥‥‥‥‥349
プライバシー‥‥‥‥‥‥‥‥‥144～, 159
プラチナくるみん‥‥‥‥‥‥‥‥332, 333
プラットフォーム就業者‥‥‥‥‥380, 382
フランス革命‥‥‥‥‥‥‥‥‥‥‥‥‥11
フリーランス‥‥‥‥‥‥140, 143, 312, 380～
フリーランス・ガイドライン‥‥‥‥‥380
フリーランス保護法‥‥‥‥‥‥‥‥‥381
不利益取扱い‥‥‥‥‥‥120, 294, 413, 434,
447, 451～, 463, 468
──の禁止‥‥‥‥‥‥‥‥‥372, 475
フレックスタイム制‥‥‥‥‥‥‥‥‥281
フレデリック・W・テイラー‥‥‥‥‥16
紛争調整委員会‥‥‥‥327, 352, 389, 500, 502
平均賃金‥‥‥‥‥‥‥‥‥‥‥‥‥‥208
平和義務‥‥‥‥‥‥‥‥‥‥‥‥‥‥429
平和的説得‥‥‥‥‥‥‥‥‥‥‥‥‥438
ベースアップ‥‥‥‥‥‥‥‥‥‥‥‥244
別居手当‥‥‥‥‥‥‥‥‥‥‥‥‥‥278
ヘッドハンティング‥‥‥‥‥‥116, 476
便宜供与‥‥‥‥‥‥‥‥‥‥‥‥‥‥429
変形労働時間制‥‥‥‥‥‥‥‥259, 278～
1週間単位の──‥‥‥‥‥‥‥‥280
1か月単位の──‥‥‥‥‥‥‥‥279
1年単位の──‥‥‥‥‥‥‥‥280
変更解約告知‥‥‥‥‥‥‥‥‥‥221～
ボイコット‥‥‥‥‥‥‥‥‥‥‥435, 439
ポイント制退職金‥‥‥‥‥‥‥‥241, 242
報償責任の原理‥‥‥‥‥‥‥‥‥‥‥102
法人格否認の法理‥‥‥‥‥‥62, 191, 379
法定外休暇‥‥‥‥‥‥‥‥‥‥‥‥‥348
法定外年休‥‥‥‥‥‥‥‥‥‥‥‥‥348
法定雇用率‥‥‥‥‥‥‥‥‥‥‥‥‥389
法定労働時間‥‥‥‥‥‥‥‥‥‥‥‥262
法適合組合‥‥‥‥‥‥‥‥‥401, 403, 412
法の適用に関する通則法‥‥‥‥‥‥‥54
法の下の平等‥‥‥‥‥‥‥‥‥‥‥‥48
報復的不利益取扱い‥‥‥‥‥‥‥447, 451
ボーナス　→賞与
保険料‥‥‥‥‥‥‥‥‥‥‥298, 482, 487
ポジティブ・アクション‥‥‥‥120, 134, 157

事項索引　　525

募集・採用差別 …………………… 128
募集情報等提供 ………………… 476
募集情報等提供事業者 ………… 475
ポスト・ノーティス …………… 462
保全訴訟 ………………………… 508

ま　行

毎月一回以上一定期日払原則 …… 253
前払退職金 ………………… 241, 242
マタニティ・ハラスメント …… 138, 139
マックス・ウェーバー …………… 4
未払賃金の立替払い …………… 258
民事再生法 ……………………… 257
民事執行法 ……………………… 251
民事訴訟法 ……………………… 508
民事保全法 ……………………… 508
民事免責 ………………………… 434
無期雇用派遣労働者 ……… 369, 377
無期転換 ………………………… 168
無期労働契約への転換 …… 121, 359, 360〜
無効行為の転換 ………………… 201
無事故手当 ……………………… 349
無断欠勤 ………………………… 204
メインバンク制 ……………… 26, 33
メリット制 ………………… 299, 306
メンタルヘルス ……………… 193, 315
メンタルヘルス対策 …………… 297
申立適格 ………………………… 461
黙示の合意 …… 88, 183, 236, 239, 242, 247
黙示の更新 ……………………… 354
黙示の労働契約の成立 ……… 64, 380

や　行

役職制度 ………………………… 172
約　款 ……………………… 75, 80
約款理論 ………………………… 80
雇止め …… 37, 59, 339, 355, 363, 379
雇止め法理 …… 121, 355〜, 363, 379, 385
山猫スト ………………………… 436
唯一交渉団体条項 ……………… 413
有期雇用派遣労働者 …… 369, 371, 378
有期雇用労働者 ……………… 337, 341
有期労働契約　→期間の定めのある労働契約

ユースエール …………………… 489
有利原則 ………………………… 422
諭旨解雇 ………………………… 200
諭旨退職 ………………………… 200
ユニオン・ショップ …………… 404〜
要件裁量 ………………………… 462
要配慮個人情報 ………………… 149

ら　行

利益代表者 ………………… 402, 450
リスキリング …………………… 170
立法政策説 …………… 446, 459, 468
リハビリ勤務 ……………… 193, 248
リボン …………………………… 100
リボン・バッジ着用 ……… 435, 441
留学出費返還 …………………… 115
留学費用の返還 ………………… 115
理由の競合 ……………………… 453
両罰規定 …………………… 66, 71
ル・シャプリエ法 ……………… 14
レーガノミックス ……………… 19
連合（日本労働組合総連合会） …… 398
連　帯 …………………………… 16
労災保険制度 …………………… 298〜
労災保険法 ………………… 53, 298〜
労災補償 ………………………… 297〜
労災民訴 ………………………… 309〜
労使委員会決議 …………… 68, 286
労使関係法 ………………… 45, 396〜
労使慣行 ………………………… 97
労使協議 …………………… 397, 429
労使協定 ………… 68, 251, 263, 267, 279,
　　　　　　　　　284, 288, 292, 321, 325
労使協定方式 …………………… 372
労働安全衛生 …………………… 295〜
労働安全衛生法 ………… 53, 67, 296
労働安全衛生マネジメントシステム …… 296
労働委員会 …… 401, 419, 428, 446, 460〜, 502
労働移動支援助成金 …………… 485
労働関係調整法 ………… 420, 502
労働基準監督官 ………………… 72
労働基準法 ……………… 18, 53, 67, 68〜
　——の適用除外 ………………… 53

労働協約‥‥‥‥‥‥49, 72, 77, 88, 421～, 513
　──による不利益変更‥‥‥‥‥424, 428
　──の一般的拘束力‥‥‥‥73, 88, 426～
　──の解約‥‥‥‥‥‥‥‥‥‥‥430
　──の規範的効力‥‥‥‥‥‥72, 421～
　──の規範的部分‥‥‥‥‥‥‥‥422
　──の債務的効力‥‥‥‥‥‥‥‥429
　──の債務的部分‥‥‥‥‥‥189, 422
　──の終了‥‥‥‥‥‥‥‥‥‥430
労働局あっせん‥‥‥‥‥‥‥‥497, 502
労働組合‥‥‥‥‥‥‥‥399～, 403～
　──の解散‥‥‥‥‥‥‥‥‥‥411
　──の自主性‥‥‥‥‥‥‥‥‥402
　──の組織率‥‥‥‥‥‥‥‥‥399
　労組法上の──‥‥‥‥‥‥‥‥401
労働組合法‥‥‥‥‥‥‥‥14, 18, 57
労働契約‥‥‥‥‥‥‥12, 49, 59～, 95～
労働契約承継法‥‥‥‥‥‥‥‥‥188
労働契約法‥‥‥‥‥‥‥‥40, 59, 68
労働契約申込みみなし‥‥369, 375, 474
労働憲章‥‥‥‥‥‥‥‥‥‥‥113～
労働災害防止計画‥‥‥‥‥‥‥‥296
労働裁判所‥‥‥‥‥‥‥‥‥‥495
労働三権‥‥‥‥‥‥‥‥‥‥‥47
労働時間‥‥‥‥‥‥‥‥‥13, 258～
　──の通算‥‥‥‥‥‥‥‥‥‥335
　──の通算制‥‥‥‥‥‥‥‥‥282
　──のみなし制‥‥‥‥‥‥‥‥282～
　労基法上の──‥‥‥‥‥‥‥‥260
　労働契約上の──‥‥‥‥‥‥‥260
労働時間規制の適用除外‥‥‥‥‥264～
労働市場政策
　消極的──‥‥‥‥‥‥‥‥‥‥481
　積極的──‥‥‥‥‥‥‥‥‥‥481
労働市場法‥‥‥‥‥‥‥‥‥‥45
労働者‥‥‥‥‥‥‥‥‥‥‥‥51～
　使用者が雇用する──‥‥‥412, 449

　同種の──‥‥‥‥‥‥‥‥‥‥427
　労基法上の──‥‥‥‥‥‥‥‥53
　労組法上の──‥‥‥‥‥‥‥‥57～
　労働契約上の──‥‥‥‥‥‥‥59～
労働者委託募集‥‥‥‥‥‥‥‥‥476
労働者供給‥‥‥‥‥‥‥‥364, 365
労働者供給事業‥‥‥‥‥‥‥‥‥474
労働者災害補償保険法‥‥‥‥‥‥18
労働者派遣‥‥‥‥‥‥‥65, 366, 450
労働者派遣事業‥‥‥‥‥‥367～, 474
労働者派遣法‥‥‥53, 121, 212, 366, 474
労働者名簿‥‥‥‥‥‥‥‥‥‥127
労働条件通知書‥‥‥‥‥‥‥87, 169
労働条件の明示‥‥‥‥‥168, 341, 477
労働審判‥‥‥‥‥‥‥‥‥497, 505～
労働審判委員会‥‥‥‥‥‥‥‥‥506
労働審判員‥‥‥‥‥‥‥‥‥‥506
労働審判官‥‥‥‥‥‥‥‥‥‥506
労働審判所‥‥‥‥‥‥‥‥‥‥495
労働審判法‥‥‥‥‥‥‥‥‥‥505
労働生産性‥‥‥‥‥‥‥‥‥‥514
労働施策総合推進法‥‥‥53, 139, 157
労働争議‥‥‥‥‥‥‥‥‥‥‥503
　──の調整‥‥‥‥‥‥‥‥‥‥502
労働紛争解決法‥‥‥‥‥‥‥45, 494
労務受領義務‥‥‥‥‥‥‥‥‥104
労務受領拒否‥‥‥‥‥‥‥‥‥100
ロックアウト‥‥‥‥‥‥237, 444, 503

わ 行

ワーク・シェアリング‥‥‥‥‥‥259
ワーク・ライフ・バランス‥‥‥‥319
若者雇用促進法‥‥‥‥‥‥‥‥489
ワグナー法‥‥‥‥‥‥‥‥‥‥14
割増賃金‥‥‥‥‥‥‥‥‥‥272～
　──の算定基礎‥‥‥‥‥‥‥‥278

事 項 索 引　　527

判 例 索 引

東京地決昭和 25・5・8 労民集 1 巻 2 号 230 頁（東京生命保険事件）·············· 213

新潟地高田支判昭和 25・8・10 労民集 1 巻 5 号 835 頁（日本曹達事件）·············· 213

最大判昭和 27・10・22 民集 6 巻 9 号 857 頁（朝日新聞社事件）·············· 438

最二小判昭和 29・5・28 民集 8 巻 5 号 990 頁（山岡内燃機事件）·············· 458, 459

最一小判昭和 31・11・2 民集 10 巻 11 号 1413 頁（関西精機事件）·············· 251

最一小判昭和 32・11・14 民集 11 巻 12 号 1943 頁（品川白煉瓦事件）·············· 410

東京高決昭和 33・8・2 労民集 9 巻 5 号 831 頁（読売新聞社事件，百選 25）·············· 104

最一小判昭和 35・3・11 民集 14 巻 3 号 403 頁（細谷服装事件，百選 70）·············· 209

最一小判昭和 35・7・14 刑集 14 巻 9 号 1139 頁（小島撚糸事件）·············· 273

最一小判昭和 36・5・25 民集 15 巻 5 号 1322 頁（山崎証券事件）·············· 56

最二小判昭和 37・5・18 民集 16 巻 5 号 1108 頁（大平製紙事件）·············· 60

最二小判昭和 37・7・20 民集 16 巻 8 号 1656 頁（米軍山田部隊事件）·············· 255

最二小判昭和 38・6・21 民集 17 巻 5 号 754 頁（十和田観光電鉄事件）·············· 71, 118

前橋地判昭和 38・11・14 判時 355 号 71 頁（明星電気事件）·············· 444

福岡高判昭和 39・9・29 労民集 15 巻 5 号 1036 頁（岩田屋事件）·············· 439

大阪高判昭和 40・2・12 判時 404 号 53 頁（日伸運輸事件）·············· 186

大阪地判昭和 40・5・22 労民集 16 巻 3 号 371 頁（橘屋事件）·············· 70, 266

東京地判昭和 41・3・31 判時 442 号 16 頁（日立電子事件）·············· 182

東京地判昭和 41・12・20 判時 467 号 26 頁（住友セメント事件）·············· 119

長野地判昭和 42・3・28 労判 46 号 18 頁（みすず豆腐事件）·············· 439

最大判昭和 42・5・24 民集 21 巻 5 号 1043 頁（朝日訴訟）·············· 47

最三小判昭和 43・3・12 民集 22 巻 3 号 562 頁（電電公社小倉電話局事件）·············· 251

最三小判昭和 43・4・9 民集 22 巻 4 号 845 頁（医療法人新光会事件）·············· 468

最三小判昭和 43・5・28 判時 519 号 89 頁（伊予相互金融事件）·············· 249

最三小判昭和 43・8・2 民集 22 巻 8 号 1603 頁（西日本鉄道事件，百選 58）·············· 147, 195, 203

東京地決昭和 43・8・29 労判 67 号 87 頁（住友海上火災保険事件）·············· 413, 420

東京地判昭和 43・8・31 判時 539 号 15 頁（日本電気事件）·············· 179

最大判昭和 43・12・4 刑集 22 巻 13 号 1425 頁（三井美唄労組事件）·············· 409

最三小判昭和 43・12・24 民集 22 巻 13 号 3050 頁（千代田丸事件）·············· 99

最三小判昭和 43・12・24 民集 22 巻 13 号 3194 頁（弘南バス事件，百選 96）·············· 430

最大判昭和 43・12・25 民集 22 巻 13 号 3459 頁（秋北バス事件，百選 20）·············· 79, 82, 87, 90, 92, 383

東京地判昭和 44・1・28 労民集 20 巻 1 号 28 頁（日本軽金属事件）·············· 167

最一小判昭和 44・2・27 民集 23 巻 2 号 511 頁·············· 62

東京地判昭和 44・2・28 労民集 20 巻 1 号 213 頁（新星タクシー事件）·············· 418

最二小判昭和 44・5・2 集民 95 号 257 頁（中里鉱業所事件）·············· 409

松江地益田支判昭和 44・11・18 労民集 20 巻 6 号 1527 頁（石見交通事件）·············· 228

最一小判昭和 44・12・18 民集 23 巻 12 号 2495 頁（福島県教組事件，百選 31）·············· 251

仙台地判昭和 45・3・26 判時 588 号 38 頁（川岸工業事件）·············· 63

東京地判昭和 45・6・23 労民集 21 巻 3 号 980 頁（日本経済新聞社事件）·············· 202

528

最三小判昭和 45・7・28 民集 24 巻 7 号 1220 頁（横浜ゴム事件，百選 59）・・・・・・・・・・・・・・ 206
名古屋地判昭和 45・9・7 労判 110 号 42 頁（レストラン・スイス事件）・・・・・・・・・・・・・・・・・・・・ 105
奈良地判昭和 45・10・23 判時 624 号 78 頁（フォセコ・ジャパン・リミティッド事件，百選 27）
・・ 108

最三小判昭和 46・6・15 民集 25 巻 4 号 516 頁（山恵木材事件）・・・・・・・・・・・・・・・・・・・・・・・・・ 454
福岡高判昭和 47・3・30 判時 669 号 99 頁（三井鉱山事件）・・・・・・・・・・・・・・・・・・・・・・・・・・・・・・ 202
名古屋地判昭和 47・4・28 判時 680 号 88 頁（橋元運輸事件）・・・・・・・・・・・・・・・・・・・・・ 206, 242
2 京都地労委昭和 47・11・17 不当労働行為事件命令集 48 集 153 頁（日本計算器事件）・・・・・・・・・ 455
最二小判昭和 48・1・19 民集 27 巻 1 号 27 頁（シンガー・ソーイング・メシーン事件）・・・・・・・ 253
最二小判昭和 48・3・2 民集 27 巻 2 号 191 頁（白石営林署事件，百選 43）・・・・・・・・・ 287, 294
最二小判昭和 48・3・2 民集 27 巻 2 号 210 頁（国鉄郡山工場事件）・・・・・・・・・・・・・・・・・・・・・・ 294
最大判昭和 48・4・25 刑集 27 巻 4 号 547 頁（全農林警職法事件，百選 5）・・・・・・・・・・・・・・・ 437
仙台地判昭和 48・5・21 判時 716 号 97 頁（国家公務員共済組合連合会事件）・・・・・・・・・・・・・・ 177
東京地判昭和 48・6・28 判タ 298 号 314 頁（東京書院事件）・・・・・・・・・・・・・・・・・・・・・・・・・・・・ 457
最大判昭和 48・12・12 民集 27 巻 11 号 1536 頁（三菱樹脂事件，百選 8・10）・・・・・ 47, 123, 158, 166
横浜地判昭和 49・6・19 判時 744 号 29 頁（日立製作所事件）・・・・・・・・・・・・・・・・・・・・・・・・・・・ 164
最一小判昭和 49・7・22 民集 28 巻 5 号 927 頁（東芝柳町工場事件）・・・・・・・・・・・・・・・ 355, 359
最一小判昭和 49・9・30 労判 218 号 44 頁（名古屋ダイハツ労組事件）・・・・・・・・・・・・・・・・・・・ 410
最三小判昭和 50・2・25 民集 29 巻 2 号 143 頁（陸上自衛隊八戸車両整備工場事件）・・・・・ 311, 312
札幌地室蘭支判昭和 50・3・14 判時 775 号 169 頁（新日鉄室蘭製鉄所事件）・・・・・・・・・・・・・ 249
秋田地判昭和 50・4・10 判時 778 号 27 頁（秋田相互銀行事件）・・・・・・・・・・・・・・・・・・ 126, 127
最二小判昭和 50・4・25 民集 29 巻 4 号 456 頁（日本食塩製造事件）・・・・・・・・・・・・・・・ 213, 407
最二小判昭和 50・4・25 民集 29 巻 4 号 481 頁（丸島水門事件，百選 100）・・・・・・・・・・・・・・ 445
徳島地判昭和 50・7・23 労判 232 号 24 頁（船井電機・徳島船井電機事件）・・・・・・・・・・・・・・・・ 64
東京地決昭和 50・9・12 判時 789 号 17 頁（コバル事件）・・・・・・・・・・・・・・・・・・・・・・・・・・・・・・ 119
最三小判昭和 50・11・28 民集 29 巻 10 号 1698 頁（国労広島地本事件，百選 85）・・・・・・・ 408, 409, 440
長崎地大村支判昭和 50・12・24 労判 242 号 14 頁（大村野上事件）・・・・・・・・・・・・・・・・・・・・・ 217
最一小判昭和 51・5・6 民集 30 巻 4 号 437 頁（CBC 管弦楽団労組事件）・・・・・・・・・・・・・・・・・・ 59
最一小判昭和 51・7・8 民集 30 巻 7 号 689 頁（茨城石炭商事事件，百選 28）・・・・・・・・・・・・・ 102
東京地決昭和 51・7・23 判時 820 号 54 頁（日本テレビ放送網事件）・・・・・・・・・・・・・・・・・・・・ 178
東京高判昭和 51・9・30 判時 843 号 39 頁（三田労基署長事件）・・・・・・・・・・・・・・・・・・・・・・・・ 303
大阪高判昭和 51・10・4 労民集 27 巻 5 号 531 頁（大日本印刷事件）・・・・・・・・・・・・・・・・・・・・ 162
東京高判昭和 52・1・26 労判 269 号 44 頁（国鉄動労静岡鉄道管理局事件）・・・・・・・・・・・・・・ 171
最二小判昭和 52・1・31 労判 268 号 17 頁（高知放送事件，百選 72）・・・・・・・・・・・・・・・・・・・ 216
最大判昭和 52・2・23 民集 31 巻 1 号 93 頁（第二鳩タクシー事件，百選 108）・・・・・・・ 462, 463, 468
最二小判昭和 52・2・28 労判 278 号 61 頁（第一小型ハイヤー事件）・・・・・・・・・・・・・・・・・・・・ 445
東京高判昭和 52・3・31 労判 274 号 43 頁（東箱根開発事件）・・・・・・・・・・・・・・・・・・・・・・・・・・ 116
最二小判昭和 52・5・2 労判 277 号 35 頁（京都淡路交通事件）・・・・・・・・・・・・・・・・・・・・・・・・・ 463
最二小判昭和 52・5・27 民集 31 巻 3 号 427 頁（仁田原・中村事件）・・・・・・・・・・・・・・・・・・・・ 310
東京高判昭和 52・6・29 労判 281 号 64 頁（寿建築研究所救済命令取消請求事件）・・・・・・・・・ 419
最二小判昭和 52・8・9 労経速 958 号 25 頁（三晃社事件）・・・・・・・・・・・・・・・・・・・・・・・・・・・・・ 242
最二小判昭和 52・10・25 民集 31 巻 6 号 836 頁（三共自動車事件，百選 51）・・・・・・・・・・・・・ 309
札幌高判昭和 52・10・27 労判 291 号 59 頁（第一小型ハイヤー事件）・・・・・・・・・・・・・・・・・・・ 463

判例索引　529

最三小判昭和 52・12・13 民集 31 巻 7 号 974 頁（目黒電報電話局事件，百選 56）···· 100, 204, 263, 441
最三小判昭和 52・12・13 民集 31 巻 7 号 1037 頁（富士重工業事件）·············· 194
大阪地決昭和 53・3・1 労判 298 号 73 頁（大阪白急タクシー事件）·············· 425
東京高判昭和 53・6・20 労判 309 号 50 頁（寿建築研究所事件）·············· 212
東京地判昭和 53・6・30 労判 301 号 19 頁（日本育英会事件）·············· 412
最二小決昭和 53・11・15 刑集 32 巻 8 号 1855 頁（山陽電気軌道事件）·············· 439
最二小判昭和 53・11・24 労判 312 号 54 頁（寿建築研究所事件）·············· 462
最二小判昭和 53・12・8 労判 312 号 49 頁（徳島県職組事件）·············· 294
神戸地決昭和 54・7・12 労判 325 号 20 頁（ブック・ローン事件）·············· 178
最二小判昭和 54・7・20 民集 33 巻 5 号 582 頁（大日本印刷事件，百選 9）·············· 161, 162, 163
東京高決昭和 54・8・9 労判 324 号 20 頁（吉野石膏事件）·············· 467
神戸地判昭和 54・9・21 労判 328 号 47 頁（中本商事事件）·············· 64
東京高判昭和 54・10・29 労判 330 号 71 頁（東洋酸素事件，百選 74）·············· 217
最三小判昭和 54・10・30 民集 33 巻 6 号 647 頁（国鉄札幌運転区事件，百選 88）···· 194, 195, 196, 441
東京高判昭和 55・2・18 労民集 31 巻 1 号 49 頁（古河鉱業足尾製作所事件）·············· 107
名古屋地判昭和 55・3・26 労判 342 号 61 頁（興和事件）·············· 182
横浜地判昭和 55・3・28 労判 339 号 20 頁（三菱重工業横浜造船所事件）·············· 264
最二小判昭和 55・5・30 民集 34 巻 3 号 464 頁（電電公社近畿電通局事件）·············· 161, 163
最一小判昭和 55・7・10 労判 345 号 20 頁（下関商業高校事件，百選 69）·············· 229
東京地判昭和 55・12・15 労判 354 号 46 頁（イースタン・エアポートモータース事件）···· 146, 196
東京高判昭和 55・12・16 労判 354 号 35 頁（立メディコ事件）·············· 360
最一小判昭和 55・12・18 民集 34 巻 7 号 888 頁（大石塗装・鹿島建設事件，百選 50）···· 311, 312
大阪地判昭和 55・12・19 労判 356 号 9 頁（北港タクシー事件）·············· 425
最三小判昭和 56・3・24 民集 35 巻 2 号 300 頁（日産自動車事件）·············· 119
大阪地判昭和 56・3・24 労経速 1091 号 3 頁（すし処「杉」事件）·············· 261
最一小判昭和 56・6・4 労判 367 号 57 頁（名古屋市水道局事件）·············· 162
札幌高判昭和 56・7・16 労民集 32 巻 3 = 4 号 502 頁（旭川大学事件）·············· 355
最二小判昭和 56・9・18 民集 35 巻 6 号 1028 頁（三菱重工業長崎造船所事件，百選 98）·············· 443
東京地判昭和 56・10・22 労判 374 号 55 頁（北辰電機製作所事件，百選 101）·············· 452
東京高判昭和 56・11・25 労判 377 号 30 頁（日本鋼管鶴見造船所事件）·············· 203
名古屋高判昭和 56・11・30 判時 1045 号 130 頁（大隈鐵工所事件）·············· 226
東京地判昭和 57・2・25 労判 382 号 25 頁（フォード自動車事件）·············· 214
最一小判昭和 57・3・18 民集 36 巻 3 号 366 頁（電電公社此花電報電話局事件）·············· 290, 291
最三小判昭和 57・4・13 民集 36 巻 4 号 659 頁（大成観光事件，百選 87）·············· 101, 441
最大判昭和 57・7・7 民集 36 巻 7 号 1235 頁（堀木訴訟）·············· 47
最二小判昭和 57・9・10 労経速 1134 号 5 頁（プリマハム事件）·············· 458
最一小判昭和 57・10・7 労判 399 号 11 頁（大和銀行事件）·············· 240
東京高判昭和 57・10・7 労判 406 号 69 頁（日本鋼管鶴見造船所事件）·············· 413
東京地決昭和 57・11・19 労判 397 号 30 頁（小川建設事件）·············· 206
福岡地決昭和 58・2・24 労判 404 号 25 頁（大成会福岡記念病院事件）·············· 177
福岡高判昭和 58・6・7 労判 410 号 29 頁（サガテレビ事件）·············· 65
最一小判昭和 58・9・8 労判 415 号 29 頁（関西電力事件，百選 52）·············· 194, 195, 196
最二小判昭和 58・9・16 労判 415 号 16 頁（ダイハツ工業事件）·············· 198

530

最一小判昭和 58・10・27 労判 427 号 63 頁（あさひ保育園事件）················· 217, 218

最三小判昭和 58・11・1 労判 417 号 21 頁（明治乳業事件）······················· 441

最二小判昭和 58・11・25 労判 418 号 21 頁（タケダシステム事件）················· 92

東京高判昭和 58・12・14 労民集 34 巻 5 = 6 号 922 頁（欧州共同体委員会事件）······ 166

東京高判昭和 58・12・19 労判 421 号 33 頁（八州事件）·························· 164

東京地判昭和 59・1・27 労判 423 号 23 頁（エール・フランス事件）················· 193

名古屋地判昭和 59・3・23 労判 439 号 64 頁（ブラザー工業事件）················· 166

大阪高判昭和 59・3・30 労判 438 号 53 頁（布施自動車教習所・長尾商事事件）······· 63

最三小判昭和 59・4・10 民集 38 巻 6 号 557 頁（川義事件）··················· 311, 312

最三小判昭和 59・5・29 民集 38 巻 7 号 802 頁（日本メール・オーダー事件）········· 415

最一小判昭和 60・3・7 労判 449 号 49 頁（水道機工事件）······················· 101

東京地判昭和 60・3・14 労判 451 号 27 頁（安田信託銀行事件）··················· 173

最二小判昭和 60・4・5 民集 39 巻 3 号 675 頁（古河電気工業・原子燃料工業事件）···· 183

最三小判昭和 60・4・23 民集 39 巻 3 号 730 頁（日産自動車事件，百選 107）····· 414, 415

広島地判昭和 60・4・25 労判 487 号 84 頁（全自交広島タクシー支部事件）··········· 225

最三小判昭和 60・7・16 民集 39 巻 5 号 1023 頁（エヌ・ビー・シー工業事件）········ 331

盛岡地判昭和 60・7・26 労判 461 号 50 頁（盛岡市農協事件）····················· 191

最一小判昭和 61・1・24 労判 467 号 6 頁（紅屋商事事件）······················· 454

最一小判昭和 61・3・13 労判 470 号 6 頁（電電公社帯広局事件）················ 80, 99

東京高判昭和 61・5・29 労判 489 号 89 頁（洋書センター事件）··················· 196

浦和地判昭和 61・5・30 労判 489 号 85 頁（サロン・ド・リリー事件）··············· 115

最三小判昭和 61・6・10 民集 40 巻 4 号 793 頁（旭ダイヤモンド工業事件，百選 110）··· 466

最一小判昭和 61・7・14 労判 477 号 6 頁（東亜ペイント事件，百選 62）··· 177, 178, 179, 203

東京地判昭和 61・9・29 労判 482 号 6 頁（日本冶金工業事件）··················· 194

最一小判昭和 61・12・4 労判 486 号 6 頁（日立メディコ事件，百選 80）····· 339, 356, 360

東京地判昭和 61・12・4 労判 486 号 28 頁（日本鉄鋼連盟事件）················ 127, 130

東京高判昭和 62・1・27 労判 505 号 92 頁（国鉄団交拒否事件）················ 420, 468

福井地判昭和 62・3・27 労判 494 号 54 頁（金井学園福井工大事件）··············· 177

大阪地判昭和 62・3・31 労判 497 号 65 頁（徳洲会事件）······················· 266

最一小判昭和 62・4・2 労判 506 号 20 頁（あけぼのタクシー事件，百選 77）········· 255

東京地判昭和 62・5・26 労判 498 号 13 頁（新興サービス事件）··················· 438

最二小判昭和 62・7・10 民集 41 巻 5 号 1229 頁（弘前電報電話局事件）············· 291

最二小判昭和 62・7・17 民集 41 巻 5 号 1283 頁・1350 頁（ノース・ウエスト航空事件，百選 99）

····························· 254, 443

名古屋地判昭和 62・7・27 労判 505 号 66 頁（大隈鐵工所事件）··················· 102

東京高判昭和 62・9・8 労判 508 号 59 頁（商大自動車教習所事件）··············· 418

大阪地決昭和 62・9・11 労判 504 号 25 頁（北陽電機事件）····················· 357

最三小判昭和 62・9・18 労判 504 号 6 頁（大隈鐵工所事件，百選 68）············· 226

横浜地判昭和 62・9・29 労判 505 号 36 頁（厚木自動車部品・全日産自動車労組事件）··· 409

最三小判昭和 63・2・16 民集 42 巻 2 号 60 頁（大曲市農業協同組合事件）··········· 92

東京高判昭和 63・3・24 労判 530 号 87 頁（亮正会高津中央病院事件）············· 464

大阪地判昭和 63・11・2 労判 531 号 100 頁（阪神高速道路公団事件）············· 243

東京地判昭和 63・11・25 労判 532 号 63 頁（亜細亜大学事件）··················· 356

判例索引　531

東京地決昭和 63・11・30 労判 531 号 48 頁（日本電子計算事件）‥‥‥‥‥‥‥‥‥‥‥‥‥356
東京地判平成元・1・26 労判 533 号 45 頁（日産自動車事件）‥‥‥‥‥‥‥‥‥‥‥‥‥‥‥‥125
最一小判平成元・3・2 判時 1363 号 68 頁（塩見訴訟）‥‥‥‥‥‥‥‥‥‥‥‥‥‥‥‥‥‥‥‥47
札幌高判平成元・5・8 労判 541 号 27 頁（札幌中央労基署長（札幌市農業センター）事件）‥‥‥308
最三小判平成元・7・4 民集 43 巻 7 号 767 頁（電電公社関東電気通信局事件）‥‥‥‥‥‥‥‥291
最一小判平成元・9・7 労判 546 号 6 頁（香港上海銀行事件）‥‥‥‥‥‥‥‥‥‥‥‥‥‥‥‥425
東京地判平成元・9・22 労判 548 号 64 頁（カール・ツアイス事件，百選 104）‥‥‥‥‥‥418, 419
最一小判平成元・12・7 労判 554 号 6 頁（日産自動車事件）‥‥‥‥‥‥‥‥‥‥‥‥‥‥‥‥178
最二小判平成元・12・11 民集 43 巻 12 号 1786 頁（済生会中央病院事件）‥‥‥‥‥‥‥‥‥‥404
最一小判平成元・12・14 民集 43 巻 12 号 1895 頁（日本シェーリング事件）‥‥‥‥‥‥‥‥‥331
最一小判平成元・12・14 民集 43 巻 12 号 2051 頁（三井倉庫港運事件，百選 83）‥‥‥‥‥‥‥406
最一小判平成元・12・21 労判 553 号 6 頁（日本鋼管鶴見製作所事件）‥‥‥‥‥‥‥‥‥‥‥408
最三小判平成 2・3・6 労判 584 号 38 頁（亮正会高津中央病院事件）‥‥‥‥‥‥‥‥‥‥‥‥462
東京地判平成 2・3・23 労判 559 号 15 頁（ナショナルシューズ事件）‥‥‥‥‥‥‥‥‥‥‥‥206
横浜地判平成 2・5・29 労判 579 号 35 頁（ダイエー事件）‥‥‥‥‥‥‥‥‥‥‥‥‥‥‥‥‥146
最三小判平成 2・6・5 民集 44 巻 4 号 668 頁（神戸弘陵学園事件，百選 11）‥‥‥‥‥‥‥‥‥167
東京高判平成 2・8・8 労判 569 号 51 頁（品川労基署長事件）‥‥‥‥‥‥‥‥‥‥‥‥‥‥‥303
大阪高判平成 2・11・15 労判 590 号 10 頁（進学ゼミナール予備校事件）‥‥‥‥‥‥‥‥‥‥356
最二小判平成 2・11・26 民集 44 巻 8 号 1085 頁（日新製鋼事件，百選 32）‥‥‥‥‥‥‥‥‥252
東京高判平成 2・12・26 労判 632 号 21 頁（清和電器産業事件）‥‥‥‥‥‥‥‥‥‥‥‥‥‥419
大阪高判平成 3・1・16 労判 581 号 36 頁（龍神タクシー事件）‥‥‥‥‥‥‥‥‥‥‥‥‥‥‥356
東京高判平成 3・2・20 労判 592 号 77 頁（炭研精工事件）‥‥‥‥‥‥‥‥‥‥‥‥‥‥‥‥205
最二小判平成 3・2・22 労判 586 号 12 頁（オリエンタルモーター事件）‥‥‥‥‥‥‥‥‥‥462
東京地判平成 3・2・25 労判 588 号 74 頁（ラクソン事件，百選 78）‥‥‥‥‥‥‥‥‥‥‥‥109
神戸地判平成 3・3・14 労判 584 号 61 頁（星電社事件）‥‥‥‥‥‥‥‥‥‥‥‥‥‥‥‥‥176
最一小判平成 3・4・11 労判 590 号 14 頁（三菱重工業神戸造船所事件）‥‥‥‥‥‥‥‥‥‥312
最三小判平成 3・4・23 判時 589 号 6 頁（国鉄団交拒否事件，百選 111）‥‥‥‥‥‥‥‥420, 468
最三小判平成 3・6・4 民集 45 巻 5 号 984 頁（紅屋商事事件，百選 109）‥‥‥‥‥‥‥‥455, 456
最三小判平成 3・6・18 労判 590 号 6 頁（進学ゼミナール予備校事件）‥‥‥‥‥‥‥‥‥‥‥356
最一小判平成 3・9・19 労判 615 号 16 頁（炭研精工事件，百選 55）‥‥‥‥‥‥‥‥‥203, 205
大阪地判平成 3・10・22 労判 595 号 9 頁（三洋電機事件）‥‥‥‥‥‥‥‥‥‥‥‥‥‥‥‥339
最三小判平成 3・11・19 民集 45 巻 8 号 1236 頁（津田沼電車区事件，百選 44）‥‥‥‥‥‥‥294
岡山地判平成 3・11・19 労判 613 号 70 頁（岡山電気軌道（バス運転者）事件）‥‥‥‥‥‥‥226
仙台高秋田支判平成 3・11・20 労判 603 号 34 頁（男鹿市農協事件）‥‥‥‥‥‥‥‥‥‥‥‥463
最一小判平成 3・11・28 民集 45 巻 8 号 1270 頁（日立製作所武蔵工場事件，百選 38）‥‥‥‥272
大阪高判平成 3・12・25 判時 621 号 80 頁（京都広告事件）‥‥‥‥‥‥‥‥‥‥‥‥‥‥‥‥247
仙台高判平成 4・1・10 労判 605 号 98 頁（岩手銀行事件）‥‥‥‥‥‥‥‥‥‥‥‥‥‥‥‥125
東京地決平成 4・2・6 労判 610 号 72 頁（昭和女子大学事件）‥‥‥‥‥‥‥‥‥‥‥‥‥‥‥228
最二小判平成 4・2・14 労判 614 号 6 頁（池田電器事件）‥‥‥‥‥‥‥‥‥‥‥‥‥‥‥‥‥419
福岡地判平成 4・4・16 労判 607 号 6 頁（福岡セクシャル・ハラスメント事件，百選 17）‥‥140, 146
東京地判平成 4・5・6 労判 625 号 44 頁（書泉事件，百選 97）‥‥‥‥‥‥‥‥‥‥‥‥438, 439
東京地判平成 4・5・29 労判 615 号 31 頁（安田生命保険事件）‥‥‥‥‥‥‥‥‥‥‥‥‥‥422
最三小判平成 4・6・23 民集 46 巻 4 号 306 頁（時事通信社事件，百選 45）‥‥‥‥‥‥‥‥‥292

東京高判平成 4・7・17 労判 619 号 63 頁（日鉄鉱業松尾採石所事件）・・・・・・・・・・・・・・・312

東京地判平成 4・8・27 労判 611 号 10 頁（日ソ図書事件）・・・・・・・・・・・・・・・・・・・・・・・126, 128

最二小判平成 4・9・25 労判 618 号 14 頁（三菱重工業長崎造船所事件，百選 94）・・・・・・437

最二小判平成 4・10・2 労判 619 号 8 頁（御國ハイヤー事件，百選 95）・・・・・・・・・438, 439

東京地判平成 4・12・25 労判 650 号 87 頁（勧業不動産販売・勧業不動産事件）・・・・・184

東京地判平成 5・1・28 労判 651 号 161 頁（チェスコム秘書センター事件）・・・・・・・・109

最大判平成 5・3・24 民集 47 巻 4 号 3039 頁（寒川・森島事件）・・・・・・・・・・・・・・・・・・310

最一小判平成 5・3・25 労判 650 号 6 頁（エッソ石油（チェック・オフ）事件，百選 86）・・・・・・405

青森地判平成 5・3・30 労判 631 号 49 頁（みちのく銀行事件）・・・・・・・・・・・・・・・・・・・513

最三小判平成 5・4・6 労判 632 号 20 頁（清和電器産業事件）・・・・・・・・・・・・・・・・・・・419

福岡高判平成 5・4・28 労判 648 号 82 頁（大分労基署長（大分放送）事件）・・・・・・・・302

最二小判平成 5・6・11 労判 632 号 10 頁（国鉄鹿児島自動車営業所事件，百選 24）・・・・・99

最二小判平成 5・6・25 民集 47 巻 6 号 4585 頁（沼津交通事件）・・・・・・・・・・・・・・295, 331

大阪高判平成 5・6・25 労判 679 号 32 頁（商大八戸ノ里ドライビングスクール事件，百選 29）・・・・・97

前橋地判平成 5・8・24 労判 635 号 22 頁（東京電力（群馬）事件）・・・・・・・・・・・・・・124

甲府地判平成 5・12・22 労判 651 号 33 頁（東京電力（山梨）事件）・・・・・・・・・・・・・・124

東京高判平成 6・1・16 労判 656 号 63 頁（生協イーコープ・下馬生協事件）・・・・・・・・184

福岡高判平成 6・3・24 労民集 45 巻 1 = 2 号 123 頁（三菱重工長崎造船所事件）・・・・・・・・292

最二小判平成 6・4・22 民集 48 巻 3 号 944 頁（東京エグゼクティブ・サーチ事件）・・・・・・476

旭川地決平成 6・5・10 労判 675 号 72 頁（損害保険リサーチ事件）・・・・・・・・・・・・・・180

千葉地判平成 6・5・23 労判 661 号 22 頁（東京電力（千葉）事件）・・・・・・・・・・・123, 124

名古屋地判平成 6・6・3 労判 680 号 92 頁（中部ロワイヤル事件）・・・・・・・・・・・・・・・243

最二小判平成 6・6・13 労判 653 号 12 頁（高知県観光事件）・・・・・・・・・・・・・・・・・・・274

東京地判平成 6・6・16 労判 651 号 15 頁（三陽物産事件）・・・・・・・・・・・・・・・・・・・・125

東京地判平成 6・6・28 労判 655 号 17 頁（トヨタ工業事件）・・・・・・・・・・・・・・・・・・・242

大阪地決平成 6・8・5 労判 668 号 48 頁（新関西通信システムズ事件）・・・・・・・・・・・・63

東京地判平成 6・9・14 労判 656 号 17 頁（チェース・マンハッタン銀行事件）・・・・・・・246

東京高決平成 6・10・24 労判 675 号 67 頁（ソニー事件）・・・・・・・・・・・・・・・・・・・・・431

東京地判平成 6・10・27 労判 662 号 14 頁（放送映画製作所事件）・・・・・・・・・・・・・・456

横浜地判平成 6・11・15 労判 667 号 25 頁（東京電力（神奈川）事件）・・・・・・・・・123, 124

最三小判平成 6・12・20 民集 48 巻 8 号 1496 頁（倉田学園（大手前高（中）校・53 年申立て）事件）・・・204

最三小判平成 7・1・24 労判 675 号 6 頁（文祥堂事件）・・・・・・・・・・・・・・・・・・・・・・・419

最一小判平成 7・2・9 労判 681 号 19 頁（興栄社事件）・・・・・・・・・・・・・・・・・・・・・・・60

最一小判平成 7・2・23 民集 49 巻 2 号 281 頁（ネスレ日本（東京・島田）事件）・・・・・・464

最三小判平成 7・2・28 民集 49 巻 2 号 559 頁（朝日放送事件，百選 4）・・・・・・・・448, 450

最一小判平成 7・3・9 労判 679 号 30 頁（商大八戸ノ里ドライビングスクール事件）・・・・・97

東京地判平成 7・3・30 労判 667 号 14 頁（HIV 感染者解雇事件）・・・・・・・・・・・・・・148

東京地決平成 7・4・13 労判 675 号 13 頁（スカンジナビア航空事件，百選 75）・・・・・221, 222

大阪高判平成 7・5・26 労民集 46 巻 3 号 956 頁（国鉄清算事業団事件）・・・・・・・・・・412

東京高判平成 7・6・22 労判 688 号 15 頁（千代田化工建設事件）・・・・・・・・・・・・・・452

最三小判平成 7・9・5 労判 680 号 28 頁（関西電力事件，百選 13）・・・・・・・・・・・・・146

最二小判平成 7・9・8 労判 679 号 11 頁（オリエンタルモーター事件，百選 106）・・・・・・459

判例索引　533

東京地決平成 7・10・16 労判 690 号 75 頁（東京リーガルマインド事件）‥‥‥‥‥‥‥‥ 109

横浜地決平成 7・11・8 労判 701 号 70 頁（学校法人徳心学園（横浜高校）事件）‥‥‥‥‥ 228

東京地判平成 7・11・27 労判 683 号 17 頁（医療法人思誠会（富里病院）事件）‥‥‥‥‥‥ 153

東京地判平成 7・12・4 労判 685 号 17 頁（バンク・オブ・アメリカ・イリノイ事件）‥‥‥ 144, 175

東京地判平成 7・12・25 労判 689 号 31 頁（三和機材事件）‥‥‥‥‥‥‥‥‥‥‥‥‥‥‥ 183

最二小判平成 8・2・23 労判 690 号 12 頁（JR 東日本（本荘保線区）事件）‥‥‥‥‥‥ 99, 144, 171

名古屋地判平成 8・3・13 労判 706 号 95 頁（中部電力事件）‥‥‥‥‥‥‥‥‥‥‥‥‥‥ 123, 124

長野地上田支判平成 8・3・15 労判 690 号 32 頁（丸子警報器事件）‥‥‥‥‥‥‥‥‥‥‥ 338

最三小判平成 8・3・26 民集 50 巻 4 号 1008 頁（朝日火災海上保険（高田）事件，百選 92）‥‥ 427, 428

盛岡地一関支判平成 8・4・17 労判 703 号 71 頁（岩手県交通事件）‥‥‥‥‥‥‥‥‥‥‥ 200

仙台高判平成 8・4・24 労判 693 号 22 頁（みちのく銀行事件）‥‥‥‥‥‥‥‥‥‥‥‥‥ 13

東京高判平成 8・5・29 労判 694 号 29 頁（帝国臓器製薬事件）‥‥‥‥‥‥‥‥‥‥‥‥‥ 179

東京地判平成 8・6・28 労判 696 号 17 頁（ベネッセコーポレーション事件）‥‥‥‥‥‥‥ 240

福岡高判平成 8・7・30 労判 757 号 21 頁（九州朝日放送事件）‥‥‥‥‥‥‥‥‥‥‥‥‥ 178

東京地決平成 8・7・31 労判 712 号 85 頁（ロイヤル・インシュアランス・パブリック・リミテッ
ド・カンパニー事件）‥‥‥‥‥‥‥‥‥‥‥‥‥‥‥‥‥‥‥‥‥‥‥‥‥‥‥‥‥‥‥ 219

東京高判平成 8・8・26 労判 701 号 12 頁（アール・エフ・ラジオ日本事件）‥‥‥‥‥‥‥ 383

最一小判平成 8・9・26 労判 708 号 31 頁（山口観光事件，百選 53）‥‥‥‥‥‥‥‥‥‥‥ 199

最一小判平成 8・11・28 労判 714 号 14 頁（横浜南労基署長（旭紙業）事件，百選 1）‥‥‥ 53, 55

最一小判平成 9・1・23 労判 716 号 6 頁（姫路労基署長（井口重機）事件）‥‥‥‥‥‥‥‥ 301

大阪地判平成 9・1・24 労判 712 号 26 頁（日本圧着端子製造事件）‥‥‥‥‥‥‥‥‥‥‥ 239

東京地判平成 9・2・4 労判 713 号 62 頁（朋栄事件）‥‥‥‥‥‥‥‥‥‥‥‥‥‥‥‥‥‥ 228

仙台地判平成 9・2・25 労判 714 号 35 頁（大河原労基署長（JR 東日本白石電力区）事件）‥‥‥‥ 308

最二小判平成 9・2・28 民集 51 巻 2 号 705 頁（第四銀行事件，百選 22）‥‥‥‥‥‥‥‥‥ 92, 93

大阪地判平成 9・3・24 労判 715 号 42 頁（新日本通信事件）‥‥‥‥‥‥‥‥‥‥‥‥‥‥ 178

最一小判平成 9・3・27 労判 713 号 27 頁（朝日火災海上保険（石堂・本訴）事件，百選 91）
‥‥‥‥‥‥‥‥‥‥‥‥‥‥‥‥‥‥‥‥‥‥‥‥‥‥‥‥‥‥‥‥‥‥‥‥‥‥‥ 425, 426

東京地判平成 9・3・27 労判 720 号 85 頁（中労委（株式会社シムラ）事件）‥‥‥‥‥‥‥ 418

京都地判平成 9・4・17 労判 716 号 49 頁（京都セクシュアル・ハラスメント（呉服販売会社）事
件）‥‥‥‥‥‥‥‥‥‥‥‥‥‥‥‥‥‥‥‥‥‥‥‥‥‥‥‥‥‥‥‥‥‥‥‥‥‥‥ 142

東京地判平成 9・5・26 労判 717 号 14 頁（長谷工コーポレーション事件，百選 12）‥‥‥‥ 115

仙台地判平成 9・7・15 労判 724 号 34 頁（学校法人梅檀学園（東北福祉大学）事件）‥‥‥ 104

東京地判平成 9・7・28 労判 724 号 30 頁（日本アイティーアイ事件）‥‥‥‥‥‥‥‥‥‥ 278

東京地決平成 9・10・31 労判 726 号 37 頁（インフォミックス事件）‥‥‥‥‥‥‥‥‥‥‥ 162

横浜地判平成 9・11・14 労判 728 号 44 頁（学校法人石川学園事件）‥‥‥‥‥‥‥‥‥‥‥ 236

東京高判平成 9・11・17 労判 729 号 44 頁（トーコロ事件）‥‥‥‥‥‥‥‥‥‥‥‥‥‥ 69, 272

東京高判平成 9・11・20 労判 728 号 12 頁（横浜セクシュアル・ハラスメント事件）‥‥‥‥ 141

東京地判平成 9・11・26 判時 1646 号 106 頁（ホクトエンジニアリング事件）‥‥‥‥‥‥‥ 375

東京地判平成 9・12・1 労判 729 号 26 頁（国際協力事業団事件）‥‥‥‥‥‥‥‥‥‥ 288, 295

福岡地小倉支決平成 9・12・25 労判 732 号 53 頁（東谷山家事件）‥‥‥‥‥‥‥‥‥‥ 147, 195

大阪高判平成 10・2・18 労判 744 号 63 頁（安田病院事件）‥‥‥‥‥‥‥‥‥‥‥‥‥‥‥ 65

岡山地倉敷支判平成 10・2・23 労判 733 号 13 頁（川崎製鉄（水島製鉄所）事件）‥‥‥‥‥ 313

最一小判平成 10・4・9 労判 736 号 15 頁（片山組事件，百選 26）‥‥‥‥‥‥‥‥‥‥‥‥ 101

534

大阪地判平成 10・4・13 労判 744 号 54 頁（幸福銀行（年金減額）事件）…………………… 231

大阪高判平成 10・5・29 労判 745 号 42 頁（日本コンベンションサービス事件）…………… 242

大阪地決平成 10・7・7 労判 747 号 50 頁（グリン製菓事件）………………………………… 191

大阪地判平成 10・7・17 労判 750 号 79 頁（株式会社大通事件）…………………………… 225

大阪地判平成 10・8・31 労判 751 号 38 頁（大阪労働衛生センター第一病院事件）… 221, 222

最三小判平成 10・9・8 労判 745 号 7 頁（安田病院事件）……………………………………… 65

最一小判平成 10・9・10 労判 757 号 20 頁（九州朝日放送事件）…………………………… 178

東京地判平成 10・9・25 労判 746 号 7 頁（新日本証券事件）……………………………… 115

大阪地判平成 10・10・30 労判 750 号 29 頁（丸一商店事件）……………………………… 236

東京高判平成 10・12・10 労判 761 号 118 頁（直源会相模原南病院事件）……………… 239

奈良地決平成 11・1・11 労判 753 号 15 頁（日進工機事件）………………………………… 63

東京地判平成 11・2・15 労判 760 号 46 頁（全日本空輸事件，百選 64）……………… 192, 194

横浜地判平成 11・2・16 労判 759 号 21 頁（藤沢医科工業事件）………………………… 239

静岡地沼津支判平成 11・2・26 労判 760 号 38 頁（沼津セクハラ（F 鉄道工業）事件）… 142, 143

東京地判平成 11・3・12 労判 760 号 23 頁（東京セクハラ（M 商事）事件）…………… 223

大阪高決平成 11・3・31 労判 784 号 86 頁（商工組合中央金庫事件）…………………… 127

最二小判平成 11・7・16 労判 767 号 16 頁（金沢セクハラ（解雇）事件）………………… 143

東京高判平成 11・7・28 労判 770 号 58 頁（システムコンサルタント事件）…………… 313

大阪地判平成 11・7・28 労判 770 号 81 頁（塩野義製薬事件）………………………… 126, 128

大阪地判平成 11・7・30 労判 778 号 85 頁（笹原メーソンリー事件）…………………… 246

札幌地判平成 11・8・30 労判 779 号 69 頁（鈴蘭交通事件，百選 93）…………………… 432

大阪地決平成 11・9・6 労判 776 号 36 頁（住友金属工業事件）…………………………… 127

大阪地判平成 11・10・4 労判 771 号 25 頁（東海旅客鉄道（退職）事件，百選 76）……… 193

東京地決平成 11・10・15 労判 770 号 34 頁（セガ・エンタープライゼス事件）………… 215

東京地判平成 11・10・29 労判 774 号 12 頁（上州屋事件）………………………………… 176

大阪地判平成 11・10・29 労判 777 号 54 頁（毅峰会（吉田病院・賃金請求）事件）…… 239

東京地判平成 11・11・15 労判 786 号 86 頁（ザ・クロックハウス事件）………………… 60

東京地判平成 11・11・26 労判 778 号 40 頁（東京アメリカンクラブ事件）……………… 246

大阪地判平成 11・12・8 労判 777 号 25 頁（タジマヤ（解雇）事件）……………………… 187

最三小判平成 12・1・28 労判 774 号 7 頁（ケンウッド事件）……………………………… 179

東京地判平成 12・1・31 労判 785 号 45 頁（アーク証券（本訴）事件）………………… 175, 246, 247

東京地判平成 12・2・2 労判 783 号 116 頁（東京地労委（国民生活金融公庫）事件）… 456, 464

東京高判平成 12・2・29 労判 807 号 7 頁（中労委（セメダイン）事件）………………… 403

最一小判平成 12・3・9 民集 54 巻 3 号 801 頁（三菱重工長崎造船所事件，百選 35）…… 261, 262

最二小判平成 12・3・24 民集 54 巻 3 号 1155 頁（電通事件，百選 49）………………… 311, 313, 314

最二小判平成 12・3・31 民集 54 巻 3 号 1255 頁（日本電信電話事件）…………………… 292

京都地判平成 12・4・18 労判 790 号 39 頁（ミロク情報サービス事件）………………… 180

東京高判平成 12・4・19 労判 783 号 36 頁（中労委（芝信用金庫）事件）……………… 456

東京高判平成 12・4・19 労判 787 号 35 頁（日新火災海上保険事件，百選 7）………… 168

東京地判平成 12・4・27 労判 782 号 6 頁（JR 東日本（横浜土木技術センター）事件）… 280

大阪地判平成 12・4・28 労判 787 号 30 頁（キャスコ事件）……………………………… 278

大阪地判平成 12・4・28 労判 789 号 15 頁（大阪観光バス（懲戒解雇）事件）………… 204

千葉地判平成 12・6・12 労判 785 号 10 頁（T 工業（HIV 解雇）事件）………………… 148

判例索引　　535

大阪高判平成 12・6・28 労判 798 号 7 頁（大阪南労基署長（オウム通勤災害）事件）……………308
大阪高判平成 12・6・30 労判 792 号 103 頁（日本コンベンションサービス（割増賃金請求）事件）
………………………………………………………………………………………………………266
大阪地判平成 12・6・30 労判 793 号 49 頁（わいわいランド事件）……………………………………223
最一小判平成 12・7・17 労判 785 号 6 頁（横浜南労基署長（東京海上横浜支店）事件，百選 47）
………………………………………………………………………………………………………303
東京高判平成 12・7・26 労判 789 号 6 頁（中根製作所事件）……………………………………………426
大阪地判平成 12・8・28 労判 793 号 13 頁（フジシール（配転・降格）事件）………………………175
最一小判平成 12・9・7 民集 54 巻 7 号 2075 頁（みちのく銀行事件）……………………93，513
最三小決平成 12・11・28 労判 797 号 12 頁（中根製作所事件）………………………………………426
福岡高判平成 12・11・28 労判 806 号 58 頁（新日本製鐵（日鐵運輸）事件）………………………182
東京高判平成 12・11・29 労判 799 号 17 頁（メレスグリオ事件）……………………………………203
横浜地判平成 12・12・14 労判 802 号 27 頁（池貝事件）………………………………………………238
東京地判平成 12・12・18 労判 803 号 74 頁（アイビ・プロテック事件）……………………………243
大阪地判平成 12・12・20 労判 801 号 21 頁（幸福銀行（年金打切り）事件）………………………231
東京高判平成 12・12・22 労判 796 号 5 頁（芝信用金庫事件）………………………………124，174
東京地判平成 13・2・27 労判 809 号 74 頁（テーダブルジェー事件）…………………………………167
大阪高判平成 13・3・6 労判 818 号 73 頁（わいわいランド（解雇）事件）…………………………165
最三小判平成 13・3・13 民集 55 巻 2 号 395 頁（都南自動車教習所事件，百選 90）………………421
仙台地判平成 13・3・26 労判 808 号 13 頁（仙台セクハラ（自動車販売会社）事件）………………142
東京地判平成 13・4・12 労判 805 号 51 頁）（中労委（青山会）事件）…………………………………449
広島高判平成 13・5・23 労判 811 号 21 頁（マナック事件，百選 60）…………………………………173
東京地判平成 13・6・5 労経速 1779 号 3 頁（十和田運輸事件）………………………………196，206
最一小決平成 13・6・14 労判 807 号 5 頁（中労委（セメダイン）事件）…………………………403
最二小判平成 13・6・22 労判 808 号 11 頁（トーコロ事件，百選 39）………………………………69
東京地判平成 13・6・26 労判 816 号 75 頁（江戸川会計事務所事件）…………………………………239
大阪地判平成 13・6・27 労判 809 号 5 頁（住友生命保険（既婚女性差別）事件）……………173，174
東京高判平成 13・6・27 労判 810 号 21 頁（カンタス航空事件）………………………………………358
大阪高判平成 13・6・28 労判 811 号 5 頁（京都銀行事件）……………………………………………262
福岡高判平成 13・7・19 判時 1785 号 89 頁（筑豊炭田じん肺訴訟事件）……………………………312
東京地判平成 13・7・25 労判 813 号 15 頁（黒川建設事件，百選 2）……………………………………63
大阪地決平成 13・7・27 労判 815 号 84 頁（オクト事件）………………………………………………217
福岡高判平成 13・8・21 労判 819 号 57 頁（新日本製鐵（総合技術センター）事件）………………179
仙台高判平成 13・8・29 労判 810 号 11 頁（岩手第一事件）……………………………………………280
東京地判平成 13・8・31 労判 820 号 62 頁（アメリカン・スクール事件）……………………176，246
東京高判平成 13・9・11 労判 817 号 57 頁（国鉄千葉動労事件）………………………………………437
京都地判平成 13・9・20 判旬 1517 = 1518 号 129 頁（京ガス事件）…………………………………128
最一小判平成 13・10・25 労判 814 号 34 頁（横浜税関事件）…………………………………………468
東京地判平成 13・12・3 労判 826 号 76 頁（F 社 Z 事業部（電子メール）事件）……………………147
東京地判平成 13・12・19 労判 817 号 5 頁（ヴァリグ日本支社事件）…………………………………219
静岡地沼津支判平成 13・12・26 労判 836 号 132 頁（山宗事件）………………………………………203
徳島地判平成 14・1・25 判タ 1111 号 146 頁（鳴門労基署長事件）……………………………………302
東京地判平成 14・2・20 労判 822 号 13 頁（野村證券（男女差別）事件）……………………126，130

東京高判平成 14・2・27 労判 824 号 17 頁（中労委（青山会）事件）‥‥‥‥‥‥ 186, 187, 412, 449

最一小判平成 14・2・28 民集 56 巻 2 号 361 頁（大星ビル管理事件，百選 36）‥‥‥‥‥ 262, 280

東京地判平成 14・4・9 労判 829 号 56 頁（ソニー（早期割増退職金）事件）‥‥‥‥‥ 228

東京地判平成 14・4・16 労判 827 号 40 頁（野村證券事件）‥‥‥‥‥‥‥‥‥‥‥‥ 115

大阪地判平成 14・5・22 労判 830 号 22 頁（日本郵便逓送事件）‥‥‥‥‥‥‥‥‥‥ 338

東京地決平成 14・6・20 労判 830 号 13 頁（S 社（性同一性障害者解雇）事件）‥‥‥‥ 136

広島高判平成 14・6・25 労判 835 号 43 頁（JR 西日本（広島支社）事件，百選 37）‥‥ 280

東京高判平成 14・7・11 労判 832 号 13 頁（新宿労基署長（映画撮影技師）事件）‥‥‥ 56

東京地判平成 14・8・30 労判 838 号 32 頁（ダイオーズサービシーズ事件）‥‥‥‥‥ 108

神戸地判平成 14・10・25 労判 843 号 39 頁（明石運輸事件）‥‥‥‥‥‥‥‥‥‥‥ 431

東京高判平成 14・11・26 労判 843 号 20 頁（日本ヒルトン事件）‥‥‥‥‥‥‥‥‥‥ 222

東京地判平成 14・12・17 労判 846 号 49 頁（労働大学事件）‥‥‥‥‥‥‥‥‥‥‥ 219

大阪高判平成 15・1・30 労判 845 号 5 頁（大阪空港事業（関西航業）事件）‥‥‥‥‥ 63

東京高判平成 15・3・25 労判 849 号 87 頁（川崎市水道局（いじめ自殺）事件）‥‥‥ 143, 314

広島地判平成 15・3・25 労判 850 号 64 頁（日赤益田赤十字病院事件）‥‥‥‥‥‥‥ 315

東京地判平成 15・3・31 労判 849 号 75 頁（日本ポラロイド（サイニングボーナス）事件）‥‥ 116

最二小判平成 15・4・11 労判 849 号 23 頁（エーシーシープロダクション製作スタジオ事件）‥‥ 103

最二小判平成 15・4・18 労判 847 号 14 頁（新日本製鐵（日鐵運輸第 2）事件，百選 63）‥‥ 182

東京地判平成 15・4・28 労判 851 号 35 頁（京王電鉄事件）‥‥‥‥‥‥‥‥‥‥‥‥ 431

横浜地判平成 15・5・13 労判 850 号 12 頁（綾瀬市シルバー人材センター（I 工業所）事件）‥‥ 312

大阪地堺支判平成 15・6・18 労判 855 号 22 頁（大阪いずみ市民生協（内部告発）事件）‥‥ 153

東京地判平成 15・6・20 労判 854 号 5 頁（B 金融公庫（B 型肝炎ウィルス感染検査）事件）‥‥ 148

大阪地判平成 15・7・4 労判 856 号 36 頁（幸福銀行（退職出向者退職金）事件）‥‥‥ 185

名古屋高判平成 15・7・8 労判 856 号 14 頁（豊田労基署長（トヨタ自動車）事件）‥‥‥ 305

東京地決平成 15・7・10 労判 862 号 66 頁（ジャパンエナジー事件）‥‥‥‥‥‥‥‥ 219

東京地判平成 15・8・27 労判 865 号 47 頁（ゼネラル・セミコンダクター・ジャパン事件）

‥‥‥‥‥‥‥‥‥‥‥‥‥‥‥‥‥‥‥‥‥‥‥‥‥‥‥‥‥‥‥ 212, 217, 220

東京地判平成 15・9・22 労判 870 号 83 頁（グレイワールドワイド事件）‥‥‥‥‥‥ 216

東京高判平成 15・9・30 労判 862 号 41 頁（中労委（朝日火災海上）事件）‥‥‥‥‥‥ 456, 464

最二小判平成 15・10・10 労判 861 号 5 頁（フジ興産事件，百選 21）‥‥‥‥‥ 82, 196, 199

大阪高判平成 15・11・13 労判 886 号 75 頁（大森陸運ほか 2 社事件）‥‥‥‥‥‥‥‥ 191

最一小判平成 15・12・4 労判 862 号 14 頁（東朋学園事件）‥‥‥‥‥‥‥‥‥‥‥‥ 331

東京高判平成 15・12・11 労判 867 号 5 頁（小田急電鉄（退職金請求）事件，百選 34）‥‥‥ 206, 242

東京地判平成 15・12・12 労判 870 号 42 頁（株式会社 G 事件）‥‥‥‥‥‥‥‥‥‥ 102

東京地判平成 15・12・17 労判 868 号 20 頁（中労委（オリエンタルモーター）事件，百選 102）‥‥ 456

最一小判平成 15・12・18 労判 866 号 14 頁（北海道国際航空事件）‥‥‥‥‥‥‥‥‥ 253

最一小判平成 15・12・22 民集 57 巻 11 号 2335 頁（JR 北海道・JR 貨物事件，百選 103）‥‥ 158, 449

広島高判平成 16・4・15 労判 879 号 82 頁（鞆鉄道事件）‥‥‥‥‥‥‥‥‥‥‥‥‥ 426

東京地判平成 16・6・23 労判 877 号 13 頁（オプトエレクトロニクス事件）‥‥‥‥‥ 162

最二小判平成 16・7・12 労判 875 号 5 頁（京都地労委（京都市交通局）事件）‥‥‥‥ 461

東京高決平成 16・9・8 労判 879 号 90 頁（日本プロフェッショナル野球組織（団体交渉等仮処分抗告）事件）‥‥‥‥‥‥‥‥‥‥‥‥‥‥‥‥‥‥‥‥‥‥‥‥‥‥ 59, 417

さいたま地判平成 16・9・24 労判 883 号 38 頁（誠昇会北本共済病院事件）‥‥‥‥‥ 140, 143, 314

判例索引　537

広島高岡山支判平成 16・10・28 労判 884 号 13 頁（内山工業事件）……………………128

東京高判平成 16・11・16 労判 909 号 77 頁（エーシーニールセン・コーポレーション事件）………173

東京地判平成 16・12・27 労判 887 号 22 頁（名糖健康保険組合事件）…………………128

大阪地判平成 17・1・13 労判 893 号 150 頁（近畿コカ・コーラボトリング事件）…………357

大阪高判平成 17・1・25 労判 890 号 27 頁（日本レストランシステム事件）……………179

東京地判平成 17・1・28 労判 890 号 5 頁（宣伝会議事件）……………………49, 163

富山地判平成 17・2・23 労判 891 号 12 頁（トナミ運輸事件，百選 57）………………153

名古屋高判平成 17・2・23 労判 909 号 67 頁（O 法律事務所（事務員解雇）事件）………228

東京地判平成 17・3・28 労判 894 号 54 頁（銀行産業労働組合（エイアイジー・スター生命）事件）

　　　　…………………………………………………………………………………442

大阪地判平成 17・3・28 労判 898 号 40 頁（住友金属工業事件）………………126, 130

東京高判平成 17・3・30 労判 905 号 72 頁（神代学園ミューズ音楽院事件，百選 42）……266

大阪高決平成 17・4・12 労判 894 号 14 頁（藤沢薬品工業事件）………………127

東京地判平成 17・4・20 労判 914 号 82 頁（A 保険会社上司（損害賠償）事件）…………140

名古屋高金沢支判平成 17・5・18 労判 905 号 52 頁（JT 乳業事件）……………191, 223

札幌地判平成 17・5・26 労判 929 号 66 頁（全国建設工事業国民健康保険組合北海道東支部事件）205

東京地判平成 17・5・31 労判 898 号 16 頁（勝英自動車学校（大船自動車興業）事件）…186, 187

最二小判平成 17・6・3 民集 59 巻 5 号 938 頁（関西医科大学研修医（未払賃金）事件）…………56

東京高判平成 17・6・29 労判 927 号 67 頁（東京・中部地域労働者組合（街宣活動）事件）………442

東京高判平成 17・7・13 労判 899 号 19 頁（東京日新学園事件，百選 65）……………186

神戸地明石支判平成 17・7・22 労判 901 号 21 頁（ナブテスコ（ナブコ西神工場）事件）……65

大阪地判平成 17・7・27 労判 902 号 93 頁（全国金属機械労働組合港合同南労会支部事件）……442

福岡高宮崎支判平成 17・11・30 労判 953 号 71 頁（牛根漁業協同組合事件）………………384

大阪地判平成 18・1・6 労判 913 号 49 頁（三都企画建設事件）………………378

名古屋高判平成 18・1・17 労判 909 号 5 頁（山田紡績事件）……………………219

横浜地判平成 18・1・26 労判 927 号 44 頁（日立神奈川争議団事件）………………410

大阪高判平成 18・2・10 労判 924 号 124 頁（黒川乳業（労働協約解約）事件）…………431

最三小判平成 18・3・28 労判 933 号 12 頁（社会福祉法人いずみ福祉会事件）……………255

大阪高判平成 18・4・14 労判 915 号 60 頁（ネスレ日本（配転本訴）事件）……………179

最三小判平成 18・4・18 民集 60 巻 4 号 1548 頁（安威川生コンクリート工業事件）……………445

高松高判平成 18・5・18 労判 921 号 33 頁（伊予銀行・いよぎんスタッフサービス事件）……379

東京地判平成 18・5・26 労判 918 号 5 頁（岡部製作所事件）……………………265

京都地判平成 18・5・29 労判 920 号 57 頁（ドワンゴ事件）…………………54, 264

札幌地決平成 18・7・20 労旬 1647 号 66 頁（グリーンエキスプレス事件）……………188

大阪地判平成 18・8・31 労判 925 号 66 頁（ブレックス・ブレッディ事件）……………56

奈良地判平成 18・9・5 労判 925 号 53 頁（豊國工業事件）……………………233

大阪地判平成 18・9・20 労判 928 号 58 頁（更生会社フットワーク物流ほか事件）……………186

東京地判平成 18・9・29 労判 930 号 56 頁（明治ドレスナー・アセットマネジメント事件）…175, 245

最二小判平成 18・10・6 労判 925 号 11 頁（ネスレ日本（懲戒解雇）事件，百選 54）………196, 198

大阪地判平成 18・10・12 労判 928 号 24 頁（アサヒ急配（運送委託契約解除）事件）…………60

大阪高判平成 18・11・28 労判 930 号 13 頁（松下電器産業（年金減額）事件）…………231

東京地判平成 18・11・29 労判 935 号 35 頁（東京自転車健康保険組合事件）……………220

最二小判平成 18・12・8 労判 929 号 5 頁（中労委（JR 東海（新幹線・科長脱退勧奨））事件）……450

538

東京地判平成 18・12・26 労判 934 号 5 頁（自治労・公共サービス清掃労働組合ほか（白井運輸）事件）……………………………………………………………………………………………437, 439

最一小判平成 19・1・18 労判 931 号 5 頁（神奈川信用農業協同組合（割増退職金請求）事件）…… 243

大阪高判平成 19・1・18 労判 940 号 58 頁（おかざき事件）………………………………………60

大阪高判平成 19・1・19 労判 937 号 135 頁（クリスタル観光バス（賃金減額）事件）……………91

大阪地判平成 19・1・31 労判 942 号 67 頁（全日本建設運輸連帯労組近畿地本（支部役員統制処分等）事件）…………………………………………………………………………………………408

最二小判平成 19・2・2 民集 61 巻 1 号 86 頁（東芝労働組合小向支部・東芝事件，百選 84）… 408, 409

東京高判平成 19・2・22 労判 937 号 175 頁（マッキャンエリクソン事件）……………………245

東京地判平成 19・3・14 労判 941 号 57 頁（新宿労基署長（佼成病院）事件）…………………306

札幌高判平成 19・3・23 労判 939 号 12 頁（社会福祉法人八雲会事件）…………………………91

東京地判平成 19・3・26 労判 941 号 33 頁（東京海上日動火災保険（契約係社員）事件）………222

大阪高判平成 19・4・18 労判 937 号 14 頁（国・羽曳野労基署長（通勤災害）事件，百選 48）… 308

福岡地判平成 19・4・26 労判 948 号 41 頁（姫浜タクシー事件）………………………………266

東京地判平成 19・5・16 労判 944 号 52 頁（新国立劇場運営財団事件）…………………………60

大阪高判平成 19・5・17 労判 943 号 5 頁（関西金属工業事件）………………………………223

横浜地判平成 19・5・17 労判 945 号 59 頁（横浜商銀信用組合事件）……………………………219

東京地判平成 19・5・17 労判 949 号 66 頁（国際観光振興機構事件）……………………………175

最一小判平成 19・6・28 労判 940 号 11 頁（藤沢労基署長（大工負傷）事件）…………………56

東京高判平成 19・7・31 労判 946 号 58 頁（国・中労委（根岸病院・初任給引下げ団交拒否）事件）……………………………………………………………………………………………417

東京高判平成 19・8・28 労判 949 号 35 頁（国・中労委（JR 東海（大一両・掲示物撤去第 1））事件）………………………………………………………………………………………460

東京地判平成 19・9・10 労判 953 号 48 頁（全労連府中地域合同労働組合（トラストシステム）事件）…………………………………………………………………………………………442

東京高判平成 19・9・26 労判 946 号 39 頁（中労委（日本郵政公社（小石川郵便局等組合事務室））事件）……………………………………………………………………………………459

横浜地判平成 19・9・27 労判 954 号 67 頁（都市開発エキスパート事件）……………………427

東京地判平成 19・10・15 労判 950 号 5 頁（国・静岡労基署長（日研化学）事件）…………305, 306

最二小判平成 19・10・19 民集 61 巻 7 号 2555 頁（大林ファシリティーズ（オークビルサービス）事件）……………………………………………………………………………………262

福岡高判平成 19・10・25 労判 955 号 59 頁（山田製作所（うつ病自殺）事件）………………313

大阪高判平成 19・10・26 労判 975 号 50 頁（第一交通産業ほか（佐野第一交通）事件，百選 66）… 64

東京高判平成 19・10・30 労判 964 号 72 頁（中部カラー事件）………………………………91

名古屋高判平成 19・10・31 労判 954 号 31 頁（名古屋南労基署長（中部電力）事件）…………305

最二小判平成 19・11・16 労判 952 号 5 頁（三菱自動車（執行役員退職金）事件）……………236

名古屋高判平成 19・11・16 労判 978 号 87 頁（ラポール・サービス事件）……………………378

東京地判平成 19・11・16 労判 952 号 24 頁（泰進交通事件）…………………………………364

名古屋地判平成 19・11・30 労判 951 号 11 頁（国・豊田労基署長（トヨタ自動車）事件）………303

最三小判平成 19・12・18 労判 951 号 5 頁（福岡雙葉学園事件）………………………………239

東京高判平成 19・12・26 労経速 2063 号 3 頁（中労委（T 社ほか）事件）……………………57

大阪地判平成 20・1・11 労判 957 号 5 頁（丸栄西野事件）……………………………………266

最一小判平成 20・1・24 労判 953 号 5 頁（神奈川都市交通事件）……………………………102

判例索引　539

東京地判平成 20・1・28 労判 953 号 10 頁（日本マクドナルド事件）······················70, 266

名古屋高判平成 20・1・29 労判 967 号 62 頁（ファーストリテイリングほか（ユニクロ店舗）事件）
······················140

東京高判平成 20・1・31 労判 959 号 85 頁（兼松（男女差別）事件，百選 16）··········126, 128, 130

東京地判平成 20・2・27 労判 967 号 48 頁（国・中労委（モリタほか）事件）··················419

札幌高判平成 20・2・28 労判 968 号 136 頁（札幌東労基署長（北洋銀行）事件）··················304

東京地判平成 20・2・29 労判 968 号 124 頁（スリムビューテイハウス事件）··················246

東京地判平成 20・3・24 労判 963 号 47 頁（全日本空輸（取立債権請求）事件）··················252

東京地判平成 20・3・26 労判 969 号 77 頁（国・中労委（函館厚生院）事件）··················415

最一小判平成 20・3・27 労判 958 号 5 頁（NTT 東日本北海道支店事件）··················315

東京高判平成 20・3・27 労判 959 号 18 頁（ノース・ウエスト航空（FA 配転）事件）··················178

東京高判平成 20・4・9 労判 959 号 6 頁（日本システム開発研究所事件，百選 33）··················247

東京地判平成 20・4・22 労経速 2007 号 21 頁（財団法人市川房枝記念会事件）··················218

東京地判平成 20・5・22 労判 968 号 58 頁（松本労基署長（セイコーエプソン）事件）··················304

大阪地判平成 20・5・26 労判 973 号 76 頁（富士通四国システムズ（FTSE）事件）··················314

東京高判平成 20・6・25 労判 964 号 16 頁（国・中央労基署長（通勤災害）事件）··················308

東京高判平成 20・6・26 労判 978 号 93 頁（インフォーマテック事件）··················78

東京地判平成 20・6・27 労判 971 号 46 頁（インターネット総合研究所事件）··················162

東京高判平成 20・7・1 労判 969 号 20 頁（みずほトラストシステムズ（うつ病自殺）事件）··················315

東京高判平成 20・7・9 労判 964 号 5 頁（NTT グループ企業（年金規約変更不承認処分）事件）··231

仙台高判平成 20・7・25 労判 968 号 29 頁（A ラーメン事件）··················187

大阪高判平成 20・7・30 労判 980 号 81 頁（H 工務店（大工負傷）事件）··················312

福岡高判平成 20・8・25 労時 2032 号 52 頁（国・海上自衛隊事件）··················143

大阪高判平成 20・8・28 労判 975 号 21 頁（旭運輸事件）··················208

札幌高判平成 20・8・29 労判 972 号 19 頁（札幌国際観光（石綿曝露）事件）··················296

東京地判平成 20・9・9 労経速 2025 号 21 頁（浜野マネキン紹介所事件）··················378

東京地判平成 20・9・30 労判 975 号 12 頁（東京エムケイ事件）··················214

東京地判平成 20・9・30 労判 977 号 74 頁（ゲートウェイ 21 事件）··················266

大阪高判平成 20・10・30 労判 977 号 42 頁（国・国立循環器病センター（看護師・くも膜下出血死）事件）··················304

東京高判平成 20・11・11 労判 1000 号 10 頁（ことぶき事件）··················266, 274

東京地判平成 20・11・11 労判 982 号 81 頁（美研事件）··················236

東京地判平成 20・11・18 労判 980 号 56 頁（トータルサービス事件）··················109

広島高判平成 20・11・28 労判 994 号 69 頁（鞆鉄道（第 2）事件）··················247

東京地判平成 20・12・8 労判 981 号 76 頁（JFE スチール（JFE システムズ）事件）··················312

東京高判平成 20・12・25 労判 975 号 5 頁（ショウ・コーポレーション（魚沼中央自動車学校）事件）··················187

東京地判平成 20・12・25 労判 981 号 63 頁（学校法人立教女学院事件）··················358

大阪高判平成 21・1・15 労判 977 号 5 頁（NTT 西日本（大阪・名古屋配転）事件）··················178

大阪地判平成 21・1・15 労判 979 号 16 頁（昭和観光（代表取締役ら・割増賃金支払義務）事件）
··················65

福岡高判平成 21・1・30 判時 2054 号 88 頁（ハヤシ事件）··················266

札幌高判平成 21・1・30 労判 976 号 5 頁（NTT 東日本北海道支店（差戻審）事件）··················315

津地判平成 21・2・19 労判 982 号 66 頁（日本土建事件）・・・・・・・・・・・・・・・・・・・・・・・・・・・・・142, 143

松山地判平成 21・3・25 労判 983 号 5 頁（奥道後温泉観光バス（配車差別等）事件）・・・・・・・・・457

東京高判平成 21・3・25 労判 985 号 58 頁（りそな企業年金基金・りそな銀行（退職年金）事件）

・・231

札幌高判平成 21・3・26 労判 982 号 44 頁（NTT 東日本（北海道・配転）事件）・・・・・・・・・・・179

最二小決平成 21・3・27 労判 991 号 14 頁（伊予銀行・いよぎんスタッフサービス事件）・・・・・・・・379

東京地判平成 21・3・27 労判 986 号 68 頁（太陽自動車（太陽自動車労組）事件）・・・・・・・・・・・420

大阪地判平成 21・3・30 労判 987 号 60 頁（ピアス事件）・・・・・・・・・・・・・・・・・・・・・・・・・・・・・・・243

高松高判平成 21・4・23 労判 990 号 134 頁（前田道路事件）・・・・・・・・・・・・・・・・・・・・・・・・・・・141

大阪高判平成 21・4・24 労判 983 号 88 頁（加西市（職員・懲戒免職）事件）・・・・・・・・・・・・・・206

宇都宮地栃木支決平成 21・4・28 労判 982 号 5 頁（プレミアライン（仮処分）事件）・・・・・・・353, 378

福岡高判平成 21・5・19 労判 993 号 76 頁（国・福岡東労基署長（粕屋農協）事件）・・・・・・・・・・306

東京地判平成 21・5・20 労判 990 号 119 頁（国・渋谷労基署長（小田急レストランシステム）事

件）・・・305

東京高判平成 21・5・21 労判 988 号 46 頁（国・中労委（ネスレ日本霞ヶ浦工場・団交）事件）・・・467

広島高松江支判平成 21・5・22 労判 987 号 29 頁（三洋電機コンシューマエレクトロニクス事件）・140

大阪高判平成 21・5・28 労判 987 号 5 頁（JR 西日本（森ノ宮電車区・日勤教育等）事件）・・・・・99, 171

広島高松江支判平成 21・6・5 労判 990 号 100 頁（オーク建設（ホームテック）事件）・・・・・・・・・314

東京地判平成 21・6・29 労判 992 号 39 頁（昭和シェル石油（男女差別）事件）・・・・・・・・124, 126, 128

大阪高判平成 21・7・16 労判 1001 号 77 頁（京都市女性協会事件）・・・・・・・・・・・・・・・・・・・・・338

東京高判平成 21・7・28 労判 990 号 50 頁（アテスト（ニコン熊谷製作所）事件）・・・・・・・・・・・313

東京高判平成 21・9・15 労判 991 号 153 頁（ニュース証券事件）・・・・・・・・・・・・・・・・・・・166, 224

東京高判平成 21・9・29 労判 1014 号 63 頁（国・中労委（JR 東海（大阪第 2 運輸所））事件）・・・・・460

東京地判平成 21・10・15 労判 999 号 54 頁（医療法人財団健和会事件）・・・・・・・・・・・・・・・・・166

大阪地判平成 21・10・16 労判 1001 号 66 頁（新日本交通ほか事件）・・・・・・・・・・・・・・・・・・・148

鳥取地判平成 21・10・16 労判 997 号 79 頁（鳥取大学附属病院事件）・・・・・・・・・・・・・・・・・・・312

東京地判平成 21・10・21 労判 1000 号 65 頁（ボス事件）・・・・・・・・・・・・・・・・・・・・・・・・・・・・278

東京高判平成 21・10・29 労判 995 号 5 頁（早稲田大学（年金減額）事件）・・・・・・・・・・・・・・・231

東京地判平成 21・11・4 労判 996 号 13 頁（東京都自動車整備振興会事件）・・・・・・・・・・・・・・・175

東京地判平成 21・11・16 労判 1001 号 39 頁（不二タクシー事件）・・・・・・・・・・・・・・・・・・・・・252

大阪高判平成 21・11・27 労判 1004 号 112 頁（NTT 西日本（高齢者雇用・第 1）事件）・・・・・・・385

福岡地判平成 21・12・2 労判 999 号 14 頁（九電工事件）・・・・・・・・・・・・・・・・・・・・・・・・・・・313

最二小判平成 21・12・18 民集 63 巻 10 号 2754 頁（パナソニックプラズマディスプレイ（パスコ）

事件，百選 81）・・65, 144

最二小判平成 21・12・18 労判 1000 号 5 頁（ことぶき事件）・・・・・・・・・・・・・・・・・・・・・・・・・265

大阪高判平成 21・12・22 労判 994 号 81 頁（兵庫県・兵庫県労委（住友ゴム工業）事件）・・・・・・・413

東京高判平成 21・12・24 別冊中労時 1401 号 49 頁（国・中労委（ネスレ日本）事件）・・・・・・・・・412

東京地判平成 21・12・24 労判 1007 号 67 頁（B 社（法律専門職）事件）・・・・・・・・・・・・・・・・・60

東京高判平成 21・12・25 労判 998 号 5 頁（東和システム事件）・・・・・・・・・・・・・・・・・・・・・・278

甲府地判平成 22・1・12 労判 1001 号 19 頁（国・甲府労基署長（甲野左官工業）事件）・・・・・・・・53

東京地判平成 22・2・8 労経速 2067 号 21 頁（X 社事件）・・・・・・・・・・・・・・・・・・・・・・・・・・180

大阪高判平成 22・2・25 労判 997 号 94 頁（全日通労働組合事件）・・・・・・・・・・・・・・・・・・・・・409

千葉地判平成 22・3・19 労判 1008 号 50 頁（三和機材事件）・・・・・・・・・・・・・・・・・・・・・・・・244

判例索引　541

東京地判平成 22・3・24 労判 1008 号 35 頁（J 学園（うつ病・解雇）事件）……………………193

最一小判平成 22・3・25 民集 64 巻 2 号 562 頁（三佳テック事件）……………………109

名古屋高判平成 22・3・25 労判 1003 号 5 頁（三和サービス（外国人研修生）事件）……………391

佐賀地判平成 22・3・26 労判 1005 号 31 頁（佐賀ゴルフガーデンほか事件）……………403

東京地判平成 22・3・29 労判 1008 号 22 頁（妙應寺事件）……………………60

名古屋高判平成 22・4・16 労判 1006 号 5 頁（国・豊橋労基署長（マツヤデンキ）事件）…………304

大阪高判平成 22・4・22 労判 1008 号 15 頁（東亜交通事件）……………………116

東京地判平成 22・4・28 労判 1010 号 25 頁（ソクハイ事件）……………………56

東京高判平成 22・5・13 労判 1007 号 5 頁（国・中労委（昭和シェル石油）事件）…………456

京都地判平成 22・5・18 労判 1004 号 160 頁（京都新聞 COM 事件）……………358

最三小判平成 22・5・25 労判 1018 号 5 頁（小野リース事件）……………………223, 506

東京地判平成 22・6・25 労判 1016 号 46 頁（芝電化事件）……………………241

大阪高判平成 22・7・7 労経速 2081 号 28 頁（S 市事件）……………………206

最二小判平成 22・7・12 民集 64 巻 5 号 1333 頁（日本アイ・ビー・エム（会社分割）事件，百選 67）……………………188, 190

東京地決平成 22・7・30 労判 1014 号 83 頁（明石書店（製作部契約社員・仮処分）事件）………358

東京地判平成 22・8・31 判例集未登載（アカデミー事件）……………………357

神戸地判平成 22・9・3 労判 1021 号 70 頁（国・神戸東労基署長（川崎重工業）事件）…………304

福岡高判平成 22・9・13 労判 1013 号 6 頁（プラスパアパレル協同組合（外国人研修生）事件）…391

東京高判平成 22・9・16 判タ 1347 号 153 頁（アールインベストメントアンドデザイン事件）……211

東京高判平成 22・9・28 労判 1017 号 37 頁（国・中労委（NTT 西日本）事件）……………414

東京地決平成 22・9・30 労判 1024 号 86 頁（アフラック事件）……………………108

大阪高判平成 22・10・27 労判 1020 号 87 頁（郵便事業（身だしなみ基準）事件）…………146, 196

東京地判平成 22・10・27 労判 1021 号 39 頁（レイズ事件）……………………201

東京地判平成 22・10・28 労判 1017 号 14 頁（JAL 労組ほか（プライバシー侵害）事件）………410

東京地判平成 22・10・29 労判 1018 号 18 頁（新聞輸送事件）……………………247

津地判平成 22・11・5 労判 1016 号 5 頁（アウトソーシング事件）……………………378

東京地判平成 22・11・10 労判 1019 号 13 頁（メッセ事件）……………………82

大阪高判平成 22・11・16 労判 1026 号 144 頁（奈良県（医師・割増賃金）事件）…………262

京都地判平成 22・11・26 労判 1022 号 35 頁（エフプロダクト（本訴）事件）…………356

東京高判平成 22・12・15 労判 1019 号 5 頁（ジョブアクセスほか事件）……………378

大阪高判平成 22・12・17 労判 1024 号 37 頁（学校法人兵庫医科大学事件）……………105

東京高判平成 22・12・22 判時 2126 号 133 頁（NTT 東日本事件）……………………385

大阪地判平成 23・1・26 労判 1025 号 24 頁（積水ハウスほか（派遣労働）事件）…………65

東京高判平成 23・2・15 判時 2119 号 135 頁（JAL メンテナンス事件）……………358

東京地判平成 23・2・23 労判 1022 号 5 頁（東芝（うつ病・解雇）事件）……………210

福岡高判平成 23・3・10 労判 1020 号 82 頁（コーセーアールイー（第 2）事件）…………165

東京地判平成 23・3・17 労判 1034 号 87 頁（国・中労委（クボタ）事件）……………412, 449

東京地判平成 23・3・30 労判 1028 号 5 頁（富士ゼロックス事件）……………………228

東京地判平成 23・3・30 労経速 2109 号 26 頁（開成交通事件）……………………230

最三小判平成 23・4・12 民集 65 巻 3 号 943 頁（国・中労委（新国立劇場運営財団）事件）………58

最三小判平成 23・4・12 労判 1026 号 27 頁（国・中労委（INAX メンテナンス）事件，百選 3）……58

高松高判平成 23・5・10 労判 1029 号 5 頁（高知県（酒酔い運転・懲戒免職）事件）…………206

東京地判平成 23・5・12 労判 1032 号 5 頁（ソフトウエア興業（蒲田ソフトウエア）事件）・・・・・・243

東京地判平成 23・5・12 別冊中労時 1412 号 14 頁（国・中労委（高見澤電機製作所外 2 社）事件）
・・457

東京地判平成 23・5・19 労判 1034 号 62 頁（国・船橋労基署長（マルカキカイ）事件）・・・・・・56

大阪高判平成 23・5・25 労判 1033 号 24 頁（大庄ほか事件）・・・・・・・・・・・・・・・・・・・・・・・・・・・・・316

最二小判平成 23・5・30 民集 65 巻 4 号 1780 頁（東京都・都教委事件）・・・・・・・・・・・・・・・・146

大阪高判平成 23・7・15 労判 1035 号 124 頁（泉州学園事件）・・・・・・・・・・・・・・・・・・・・・・・・・・・217

東京高判平成 23・8・31 労判 1035 号 42 頁（オリンパス事件）・・・・・・・・・・・・・・・・・・・・・・・・・178

東京高判平成 23・10・26 労判 1049 号 71 頁（日本言語研究所ほか事件）・・・・・・・・・・・・・・・・64

東京地判平成 23・11・18 労判 1044 号 55 頁（テイケイ事件）・・・・・・・・・・・・・・・・・・・・・・・・・223

大分地判平成 23・11・30 労判 1043 号 54 頁（中央タクシー（未払賃金）事件）・・・・・・・・・261

東京高判平成 23・12・27 労判 1042 号 15 頁（コナミデジタルエンタテインメント事件）・・・173, 328

東京地判平成 24・1・13 労判 1041 号 82 頁（アメリカン・ライフ・インシュアランス・カンパニー
事件）・・・109

最一小判平成 24・1・16 判時 2147 号 127 頁（東京都・都教委事件）・・・・・・・・・・・・・・・・・・198

東京地判平成 24・1・23 労判 1047 号 74 頁（クレディ・スイス証券（休職命令）事件）・・・・・・192

仙台高秋田支判平成 24・1・25 労判 1046 号 22 頁（学校法人東奥義塾事件）・・・・・・・・・・・・353

大阪地判平成 24・2・10 労判 1045 号 5 頁（日本基礎技術事件）・・・・・・・・・・・・・・・・・・・・・・・166

最三小判平成 24・2・21 民集 66 巻 3 号 955 頁（国・中労委（ビクターサービスエンジニアリング）
事件）・・・57, 58

最二小判平成 24・2・24 民集 66 巻 3 号 1185 頁（国・広島中央労基署長（竹藤工業）事件）・・・301

最一小判平成 24・3・8 労判 1060 号 5 頁（テックジャパン事件）・・・・・・・・・・・・・・274, 276

東京高判平成 24・3・14 労判 1057 号 114 頁（エクソンモービル事件）・・・・・・・・・・・・・・・・420

京都地判平成 24・3・29 労判 1053 号 38 頁（立命館（未払一時金）事件）・・・・・・・・・・・・97, 98

横浜地判平成 24・3・29 労判 1056 号 81 頁（シーテック事件）・・・・・・・・・・・・・・・・・・・・・・・378

神戸地尼崎支決平成 24・4・9 判判 1054 号 38 頁（阪神バス（勤務配慮）事件）・・・・・・・・・389

東京地判平成 24・4・10 労判 1055 号 8 頁（リーマン・ブラザーズ証券事件）・・・・・・239, 240

京都地判平成 24・4・17 労判 1058 号 69 頁（セントラルスポーツ事件）・・・・・・・・・・・・・・・266

最二小判平成 24・4・27 民集 66 巻 6 号 3000 頁（広島県・広島県労委（熊谷海事工業）事件）・・・・467

最二小判平成 24・4・27 労判 1055 号 5 頁（日本ヒューレット・パッカード事件）・・・・・・205

東京地判平成 24・5・16 労判 1057 号 96 頁（ピュアルネッサンス事件）・・・・・・・・・・・56, 266

東京地判平成 24・5・16 労経速 2149 号 3 頁（国・中労委（ニチアス）事件）・・・・・・・・・・・413

東京地判平成 24・5・31 労判 1056 号 19 頁（東起業事件）・・・・・・・・・・・・・・・・・・・・・146, 147

東京高判平成 24・6・13 裁判所ウェブサイト（アメリカン・ライフ・インシュアランス・カンパニ
ー（控訴審）事件）・・・109

鳥取地判平成 24・7・6 労判 1058 号 39 頁（国・鳥取労基署長（富国生命・いじめ）事件）・・・・・・305

京都地判平成 24・7・13 労判 1058 号 21 頁（マンナ運輸事件）・・・・・・・・・・・・・・・・・・・・・・・206

大阪高判平成 24・7・27 労判 1062 号 63 頁（エーディーディー事件）・・・・・・・・・・・103, 284

東京高判平成 24・8・29 労判 1060 号 22 頁（M 社セクハラ事件）・・・・・・・・・・・・・・140, 141

東京高判平成 24・9・20 労経速 2162 号 3 頁（本田技研工業事件）・・・・・・・・・・・・・・・・・・・357

東京高判平成 24・9・27 労判 1062 号 22 頁（全日本海員組合（組合長選挙無効確認）事件）・・・・・408

札幌地判平成 24・9・28 労判 1073 号 86 頁（朝日交通事件）・・・・・・・・・・・・・・・・・・・・・・・253

甲府地判平成 24・10・2 労判 1064 号 52 頁（日本赤十字（山梨赤十字病院）事件）・・・・・・・・・316

判例索引　543

東京高判平成 24・10・18 労判 1065 号 24 頁（慶応義塾（シックハウス）事件）……………313
札幌高判平成 24・10・19 労判 1064 号 37 頁（ザ・ウィンザー・ホテルズインターナショナル事件）
　……………………………………………………………………………………………………247
神戸地姫路支判平成 24・10・29 労判 1066 号 28 頁（兵庫県商工会連合会事件）…………183, 229
東京高判平成 24・10・30 別冊中労時 1440 号 47 頁（国・中労委（高見澤電機製作所外 2 社）事件）
　……………………………………………………………………………………………………450
東京地判平成 24・11・15 労判 1079 号 128 頁（ソクハイ事件）……………………………………59
最一小判平成 24・11・29 労判 1064 号 13 頁（津田電気計器事件）…………………………385, 386
東京高判平成 24・11・29 労判 1074 号 88 頁（日本航空（雇止め）事件）………………………229
東京地判平成 24・12・5 労判 1068 号 32 頁（トルコ航空ほか事件）……………………………375
大阪高判平成 24・12・13 労判 1072 号 55 頁（アイフル（旧ライフ）事件）……………71, 210, 223
東京地判平成 24・12・14 労経速 2168 号 20 頁（サンランドリー事件）…………………………60
長野地判平成 24・12・21 労判 1071 号 26 頁（アールエフ事件）…………………………………178
大阪高判平成 24・12・25 労判 1079 号 98 頁（国・尼崎労基署長（園田競馬場）事件）…………302
大阪高判平成 25・1・16 労判 1080 号 73 頁（国（神戸刑務所・管理栄養士）事件）……………379
東京地判平成 25・1・17 労判 1070 号 104 頁（音楽之友社事件）…………………………………432
東京高判平成 25・1・23 労判 1070 号 87 頁（国・中労委（ビクターサービスエンジニアリング）
　（差戻審）事件）…………………………………………………………………………………58
名古屋高判平成 25・1・25 労判 1084 号 63 頁（三菱電機事件）…………………………………379
東京地判平成 25・1・31 労経速 2180 号 3 頁（リーディング証券事件）…………………………167
東京高判平成 25・2・27 労判 1072 号 5 頁（ザ・ウィンザー・ホテルズインターナショナル（自然
　退職）事件）……………………………………………………………………………………140, 142
山口地判平成 25・3・13 労判 1070 号 6 頁（マツダ防府工場事件）………………………………65
東京高判平成 25・4・24 労判 1074 号 75 頁（ブルームバーグ・エル・ピー事件，百選 73）……215
大阪高判平成 25・4・25 労判 1076 号 19 頁（新和産業事件）……………………………144, 179
最一小判平成 25・6・6 民集 67 巻 5 号 1187 頁（八千代交通（年休権）事件）…………………289
東京地判平成 25・6・27 労判 1077 号 81 頁（学校法人明泉学園（S 高校）事件）………………144
東京地判平成 25・9・11 労判 1085 号 60 頁（医療法人衣明会事件）………………………………53
大阪高判平成 25・10・9 労判 1083 号 24 頁（アークレイファクトリー事件）…………………142
東京高判平成 25・10・11 労経速 2195 号 17 頁（パソナ事件）……………………………………118
東京高判平成 25・10・24 労判 1084 号 5 頁（東陽ガス事件）……………………………………253
東京高判平成 25・11・13 労判 1101 号 122 頁（国立大学法人 B 大学（アカハラ）事件）………204
東京高判平成 25・12・5 労判 1091 号 14 頁（国・中労委（阪急交通社）事件）…………………450
大分地判平成 25・12・10 労判 1090 号 44 頁（ニヤクコーポレーション事件）…………………344
最一小決平成 25・12・19 民集 67 巻 9 号 1938 頁（国立大学法人茨城大学（文書提出命令）事件）127
最二小判平成 26・1・24 労判 1088 号 5 頁（阪急トラベルサポート事件，百選 41）……………283
熊本地判平成 26・1・24 労判 1092 号 62 頁（熊本信用金庫事件）…………………………………93
東京地判平成 26・2・12 労経速 2207 号 3 頁（水産庁（懲戒免職）事件）………………………206
札幌高判平成 26・2・20 労判 1099 号 78 頁（北海道大学（契約職員雇止め）事件）……………357
東京高判平成 26・2・27 労判 1086 号 5 頁（レガシィほか 1 社事件）…………………………284
東京地決平成 26・2・28 労判 1094 号 62 頁（東京測器研究所（仮処分）事件）…………………457
最一小判平成 26・3・6 労判 1119 号 5 頁（甲野堂薬局事件）……………………………………70
東京高判平成 26・3・18 別冊中労時 1460 号 37 頁（大阪府・大阪府（23 年度任用）事件）………402

544

東京地判平成 26・3・19 労判 1107 号 86 頁（国・渋谷労基署長（飲酒事故）事件）……………… 302

最二小判平成 26・3・24 労判 1094 号 22 頁（東芝（うつ病・解雇）事件）……………… 315

東京地判平成 26・4・11 労経速 2212 号 22 頁（独立行政法人国立がん研究センター事件）……… 357

神戸地尼崎支判平成 26・4・22 労判 1096 号 44 頁（阪神バス（勤務配慮・本訴）事件）……… 189, 190

東京高判平成 26・4・23 判時 2248 号 91 頁（国・中労委（シオン学園）事件）……………… 454

札幌地判平成 26・5・16 労判 1096 号 5 頁（北海道・北海道労委（渡島信用金庫・昇進・昇格差別）
事件）…………………………………………………………………………………… 464

東京高判平成 26・5・21 労判 1123 号 83 頁（ソクハイ（契約更新拒絶）事件）………………… 60

東京高判平成 26・6・5 労経速 2223 号 3 頁（日本航空（運航乗務員整理解雇）事件）………… 220

東京高判平成 26・6・12 労判 1127 号 43 頁（石川タクシー富士宮ほか事件）………………… 190

大阪高決平成 26・7・8 判時 2252 号 107 頁（AR 事件）…………………………………… 505

静岡地判平成 26・7・9 労判 1105 号 57 頁（社会福祉法人県民厚生会ほか事件）……………… 210

横浜地判平成 26・7・10 労判 1103 号 23 頁（資生堂ほか 1 社事件）………………………… 339

大阪高判平成 26・7・18 労判 1104 号 71 頁（医療法人稲門会（いわくら病院）事件）………… 330

東京高判平成 26・8・29 労判 1111 号 31 頁（国・島田労基署長（生科検）事件）……………… 304

広島高判平成 26・9・10 労判 1120 号 52 頁（平成タクシー事件）…………………………… 464

最一小判平成 26・10・9 民集 68 巻 8 号 799 頁（大阪泉南アスベスト国家賠償請求訴訟事件）……… 71

**最一小判平成 26・10・23 民集 68 巻 8 号 1270 頁（広島中央保健生協（C 生協病院）事件，百選
18）**…………………………………………………………………………………… 134

東京地判平成 26・11・4 労判 1109 号 34 頁（サン・チャレンジほか事件，百選 14）………… 316

大阪高判平成 26・12・24 労経速 2235 号 3 頁（ミトミ建材センターほか事件）………………… 442

東京地判平成 26・12・24 労経速 2339 号 25 頁（日本ハウズイング事件）…………………… 227

福岡高判平成 27・1・15 労判 1115 号 23 頁（西日本鉄道（B 自動車営業所）事件）………… 178

東京地判平成 27・1・21 労経速 2241 号 3 頁（国・品川労基署長（急性アルコール中毒死）事件） 302

東京地判平成 27・1・23 労判 1117 号 50 頁（日本ボクシングコミッション事件）……………… 199

東京高判平成 27・1・28 労経速 2284 号 7 頁（サントリーホールディングス事件）…………… 141

福岡高判平成 27・1・29 労判 1112 号 5 頁（社会医療法人天神会事件，百選 15）…………… 149

大阪地判平成 27・1・29 労判 1116 号 5 頁（医療法人一心会事件）………………………… 233

最一小決平成 27・2・5 判例集未登載（日本航空（運航乗務員整理解雇）事件）……………… 220

最一小判平成 27・2・26 労判 1109 号 5 頁（海遊館事件）……………………………… 141, 204

千葉地八日市場支判平成 27・2・27 労判 1118 号 43 頁（農事組合法人乙山農場ほか事件）……… 264

最大判平成 27・3・4 民集 69 巻 2 号 178 頁（フォーカスシステムズ事件）………………… 310

最一小判平成 27・3・5 判時 2265 号 120 頁（クレディ・スイス証券事件）………………… 239

札幌地判平成 27・3・6 労判 1126 号 46 頁（国・函館労基署長（NTT 北海道テレマート）事件）… 305

東京地判平成 27・3・13 労判 1128 号 84 頁（出水商事事件）…………………………… 210, 328

広島高松江支判平成 27・3・18 労判 1118 号 25 頁（公立八鹿病院組合ほか事件）…………… 315

東京高判平成 27・3・26 労判 1121 号 52 頁（いすゞ自動車（雇止め）事件）……………… 238, 339

東京高判平成 27・5・14 労判 1124 号 56 頁（国・中労委（吹田市・校務員配置）事件）……… 417

最二小判平成 27・6・8 民集 69 巻 4 号 1047 頁（学校法人専修大学事件，百選 71）………… 210

大阪高判平成 27・6・18 労判 1122 号 18 頁（大阪市・市交通局長（転任）事件）…………… 179

東京高判平成 27・6・18 労判 1131 号 72 頁（東京都・都労委（日本航空乗員組合等）事件）…… 458

東京高判平成 27・6・24 労判 1132 号 51 頁（A 農協事件）……………………………… 356

東京地判平成 27・7・15 労判 1145 号 136 頁（ビジョン事件）…………………………… 180, 228

判例索引　　545

東京地判平成 27・7・31 労判 1121 号 5 頁（シャノアール（カフェ・ベローチェ）事件）······ 357, 358

東京地判平成 27・8・18 労経速 2261 号 26 頁（エスケーサービス事件）················· 82

東京高判平成 27・9・10 労判 1135 号 68 頁（日産自動車ほか（派遣社員ら雇止め等）事件）········ 65

大阪高判平成 27・9・11 労判 1130 号 22 頁（NHK 神戸放送局（地域スタッフ）事件）········· 60

大阪高判平成 27・9・29 労判 1126 号 18 頁（ANA 大阪空港事件）··················· 73

東京地判平成 27・10・2 労判 1138 号 57 頁（社会福祉法人全国重症心身障害児（者）を守る会事件）······· 330

仙台高秋田支判平成 27・10・28 労判 1139 号 49 頁（北秋田市（米内沢病院職員）事件）···· 162

広島高判平成 27・11・17 労判 1127 号 5 頁（広島中央保健生協（C 生協病院）（差戻審）事件）···· 134

大阪地判平成 27・11・18 労判 1134 号 33 頁（学校法人追手門学院（追手門学院大学）事件）···· 177

大阪高判平成 27・11・30 労判 1137 号 61 頁（NHK 堺営業センター（地域スタッフ）事件）···· 59

大阪高判平成 27・12・11 労判 1135 号 29 頁（生コン製販会社経営者ら（会社分割）事件）···· 64

東京地判平成 27・12・22 労経速 2271 号 23 頁（税理士事務所地位確認請求事件）········· 227

大分地中津支判平成 28・1・12 労判 1138 号 19 頁（中津市（特別職職員・年休）事件）···· 288

東京地判平成 28・1・18 判時 2316 号 63 頁（元アイドルほか事件）··················· 103

最二小判平成 28・2・19 民集 70 巻 2 号 123 頁（山梨県民信用組合事件，百選 23）········· 86, 359, 426

東京高判平成 28・2・25 労判 1162 号 52 頁（日本ヒューレット・パッカード（休職期間満了）事件）······· 193

東京地判平成 28・3・16 労判 1141 号 37 頁（ネットワークインフォメーションセンターほか事件）
················· 312

大阪高判平成 28・3・24 労判 1167 号 94 頁（日本航空事件）··················· 220

東京地判平成 28・3・28 労判 1142 号 40 頁（日本アイ・ビー・エム事件）··········· 215

京都地判平成 28・4・15 労判 1143 号 52 頁（メルファインほか事件）··············· 64

福岡地小倉支判平成 28・4・19 労判 1140 号 39 頁（ツクイほか事件）············· 319

名古屋高金沢支判平成 28・4・27 労経速 2319 号 19 頁（東和工業事件）··········· 131

東京地判平成 28・5・30 労判 1149 号 72 頁（無洲事件）···················· 313

東京地判平成 28・5・31 労判 1275 号 127 頁（バイオスほか（サハラシステムズ）事件）····· 375

東京高判平成 28・7・4 労判 1149 号 16 頁（フジビグループ分会組合員ら（富士美術印刷）事件，百選 89）··· 442

東京地判平成 28・7・7 労判 1148 号 69 頁（元アイドルほか（グループ B）事件）········· 56, 354

最二小判平成 28・7・8 労判 1145 号 6 頁（国・行橋労基署長（テイクロ九州）事件，百選 46）···· 302

東京地判平成 28・7・20 労判 1156 号 82 頁（ユニデンホールディングス事件）········· 245

東京地決平成 28・8・9 労判 1149 号 5 頁（国際自動車（再雇用更新拒絶・仮処分第 1）事件）···· 365

東京高判平成 28・9・12 労判 1147 号 50 頁（学校法人専修大学（差戻審）事件）········· 211

東京地判平成 28・9・26 LEX/DB 25543877（BGC キャピタルマーケッツジャパン LLC ほか事件，百選 7）··· 54

名古屋高判平成 28・9・28 労判 1146 号 22 頁（トヨタ自動車ほか事件）··········· 387

東京地判平成 28・9・28 労判 1189 号 84 頁（綜企画設計事件）··············· 193

札幌高判平成 28・9・29 労判 1148 号 17 頁（札幌市・市教委（市立中学校教諭）事件）···· 205

東京地判平成 28・10・6 労判 1154 号 37 頁（美容院 A 事件）··················· 60

福岡高判平成 28・10・14 労判 1155 号 37 頁（広告代理店 A 社元従業員事件）········· 225

大阪高判平成 28・10・26 労判 1188 号 77 頁（永尾運送事件）··················· 73

最一小判平成 28・12・1 労判 1156 号 5 頁（福原学園（九州女子短期大学）事件）··········· 167

546

最二小決平成 28・12・21 判例集未登載（日産自動車ほか（派遣社員ら雇止め等）事件）············65

東京地立川支判平成 29・1・31 労判 1156 号 11 頁（TRUST 事件）················134

東京高判平成 29・2・23 労判 1158 号 59 頁（地公災基金東京都支部長（市立 A 小学校教諭）事件）
·················305

大阪高判平成 29・3・3 労判 1155 号 5 頁（鳥伸事件）················275

東京高判平成 29・3・9 労判 1160 号 28 頁（野村證券事件）················202

東京高判平成 29・3・9 労判 1173 号 71 頁（東海旅客鉄道事件）················460

東京高判平成 29・3・9 労判 1180 号 89 頁（学校法人尚美学園（大学専任教員 A・再雇用拒否）事件）················386

名古屋地判平成 29・3・24 労判 1163 号 26 頁（引越社事件）················457

東京地判平成 29・3・28 労判 1164 号 71 頁（エイボン・プロダクツ事件）················190

大分地判平成 29・3・30 労判 1158 号 32 頁（プレナス（ほっともっと元店長 B）事件）················252

横浜地判平成 29・3・30 労判 1159 号 5 頁（プロシード元従業員事件）················103

京都地判平成 29・3・30 労判 1164 号 44 頁（福祉事業者 A 苑事件）················87, 169

東京地判平成 29・5・31 労判 1166 号 42 頁（Chubb 損害保険事件）················73, 175, 248

最三小決平成 29・6・6 労経速 2320 号 48 頁（日本航空事件）················220

東京地判平成 29・6・9 労判ジャーナル 73 号 40 頁（萬作事件）················96

最二小判平成 29・7・7 労判 1168 号 49 頁（医療法人康心会事件）················276

東京地判平成 29・8・25 労判 1210 号 77 頁（グレースウィット事件）················63

福岡高判平成 29・9・7 労判 1167 号 49 頁（九州惣菜事件，百選 79）················387

京都地判平成 29・9・20 労判 1167 号 34 頁（京都市立浴場運営財団ほか事件）················344

東京高判平成 29・9・28 判例集未登載（学校法人尚美学園（大学専任教員 B・再雇用拒否）事件）
·················386

福岡地小倉支判平成 30・2・1 労判 1178 号 5 頁（九水運輸商事事件）················348

最一小判平成 30・2・15 労判 1181 号 5 頁（イビデン事件）················143

大阪地判平成 30・3・7 労判 1177 号 5 頁（国立研究開発法人国立循環器病研究センター事件）·····183

東京地判平成 30・3・28 労経速 2357 号 14 頁（クロスインデックス事件）················262

広島高岡山支判平成 30・3・29 労判 1185 号 27 頁（学校法人原田学園事件）················180

東京地判平成 30・4・18 労判 1190 号 39 頁（PMK メディカルラボほか 1 社事件）················82

大阪高判平成 30・4・19 労経速 2350 号 22 頁（国立大学法人 B 大学事件）················194

最二小判平成 30・6・1 民集 72 巻 2 号 88 頁（ハマキョウレックス（差戻審）事件，百選 82）
·················345, 347, 348, 349, 351

最二小判平成 30・6・1 民集 72 巻 2 号 202 頁（長澤運輸事件）················347, 350, 387

東京地判平成 30・6・12 労判 1205 号 65 頁（エボニック・ジャパン事件）················385

大阪高判平成 30・6・14 判例集未登載（同志社（大学院教授 B・定年延長拒否）事件）················386

東京高判平成 30・6・18 判時 2398 号 106 頁（学校法人 Y 大学事件）················205

名古屋高判平成 30・6・26 労判 1189 号 51 頁（日本放送協会事件）················194

大阪高判平成 30・7・2 労判 1194 号 59 頁（帝産湖南交通事件）················153

東京地判平成 30・7・5 労判 1200 号 48 頁（フーズシステムほか事件）················329

最一小判平成 30・7・19 労判 1186 号 5 頁（日本ケミカル事件）················275

福岡高判平成 30・8・9 労判 1192 号 17 頁（佐世保配車センター協同組合事件）················56

東京高判平成 30・8・30 労判 1187 号 5 頁（国・中労委（大阪市（チェック・オフ））事件）·······457

名古屋高判平成 30・9・13 労判 1202 号 138 頁（公益財団法人後藤報恩会ほか事件）················141

判例索引　547

最二小判平成30・9・14労判1194号5頁（日本郵便（期間雇用社員ら・雇止め）事件）・・・・・・・・・・・83

東京高判平成30・10・4労判1190号5頁（イクヌーザ事件）・・・・・・・・・・・・・・・・・・・・・・・・・・・・276

東京高判平成30・10・10労経速2391号28頁（新井鉄工所事件）・・・・・・・・・・・・・・・・・・・218

高松高判平成30・10・31労判ジャーナル83号36頁（高知県立大学後援会事件）・・・・・・357

最三小判平成30・11・6労判1227号21頁（加古川市事件）・・・・・・・・・・・・・・・・・・・・・・・・204

東京地判平成30・11・21労判1197号55頁（日本ビューホテル事件）・・・・・・・・・・・・・・350

東京高判平成30・11・22労判1202号70頁（コナミスポーツクラブ事件）・・・・・・・・・266

福岡高判平成30・11・29労判1198号63頁（学校法人産業医科大学事件）・・・・・・・・・346

東京地判平成30・11・29労判1201号31頁（国・中労委（明治（昇格・昇給差別）事件）・・・455

東京高判平成30・12・13労判1198号45頁（日本郵便（時給制契約社員ら）事件）・・・349

富山地判平成30・12・19労経速2374号18頁（北日本放送事件）・・・・・・・・・・・・・・・・350

東京地判平成30・12・20労判1210号52頁（国・中労委（日本郵便〔晴海郵便局〕）事件）・・419

東京地判平成30・12・26労経速2378号13頁（日本大学事件）・・・・・・・・・・・・・・・・・・356

広島高岡山支決平成31・1・10労判1201号5頁（地方独立行政法人岡山市立総合医療センター
（抗告）事件）・・・177, 180

大阪地判平成31・1・16労判1214号44頁（大阪市交通局事件）・・・・・・・・・・・・・・・・・147

東京地判平成31・1・23労経速2382号28頁（アディーレ事件）・・・・・・・・・・・・・・・・・237

大阪高判平成31・1・24労判1197号5頁（日本郵便（非正規格差）事件）・・・・・・348, 349

東京地判平成31・2・20労判1198号5頁（メトロコマース事件）・・・・・・・・・・・・347, 349

東京地判平成31・2・28労判1211号165頁（国・中労委（学校法人文際学園〔非常勤講師〕）事
件）・・・457

広島高判平成31・3・7労判1211号137頁（太陽家具百貨店事件）・・・・・・・・・・・・・・315

福岡高判平成31・3・26労経速2393号24頁（大島産業事件）・・・・・・・・・・・・・・・・・・140

東京高判平成31・3・28労経速2388号3頁（フジクラ事件）・・・・・・・・・・・・・・・・・・・173

津地判平成31・4・12労判1202号58頁（ジャパンレンタカーほか（配転）事件）・・・・・178

福岡地判平成31・4・15労判1205号5頁（キムラフーズ事件）・・・・・・・・・・・・・・・・239

広島高判平成31・4・18労判1204号5頁（学校法人梅光学院ほか（特任准教授）事件）
・・105, 356, 357

大阪地判平成31・4・24労判1202号39頁（学校法人近畿大学（講師・昇給等）事件）・・・330

最一小判平成31・4・25労判1208号5頁（平尾事件）・・・・・・・・・・・・・・・・・・・・・・・・425

東京地判令和元・5・21労判1235号88頁（アルパイン事件）・・・・・・・・・・・・・・・・・・388

長崎地判令和元・5・27労判1235号67頁（長崎市立病院事件）・・・・・・・・・・・・・・・・262

大阪地判令和元・5・29労判1220号102頁（国・大阪中央労基署長（ダイヤモンド）事件）・・・・・302

東京地判令和元・5・29労経速2399号22頁（学校法人Z大学事件）・・・・・・・・・・・・・204

札幌地決令和元・5・31労判1207号5頁（社会福祉法人札幌明啓院（北海道労委・緊急命令）事
件）・・・467

横浜地判令和元・6・27労判1216号38頁（しんわコンビ事件）・・・・・・・・・・・・・・・・・70

東京高判令和元・7・3労判1210号5頁（ヤマト交通（組合事務所明渡請求）事件）・・・・・457

高松高判令和元・7・8労判1208号25頁（井関松山製造所事件）・・・・・・・・・・・347, 349

高松高判令和元・7・8労判1208号38頁（井関松山ファクトリー事件）・・・・・・・・・・346

福井地判令和元・7・10労判1216号21頁（福井県・若狭町（町立中学校教員）事件）・・・314

大阪高判令和元・7・19労判1220号72頁（住友ゴム工業（旧オーツタイヤ・石綿ばく露）事件）
・・313

東京高決令和元・8・21 労判 1214 号 68 頁（学校法人河合塾（文書提出命令・抗告）事件）······· 127

大阪高判令和元・9・6 労判 1214 号 29 頁（大阪市交通局事件）······················· 173

札幌地判令和元・9・17 労判 1214 号 18 頁（社会福祉法人北海道社会事業協会事件）············· 149

東京地判令和元・9・18 労経速 2405 号 3 頁（ヤマダコーポレーション事件）················· 166

長崎地大村支判令和元・9・26 労判 1217 号 56 頁（狩野ジャパン事件）·················· 313

東京高判令和元・10・2 労判 1219 号 21 頁（東芝総合人材開発事件）··················· 216

横浜地判令和元・10・10 労判 1216 号 5 頁（ロピア事件）·························· 204

東京高判令和元・10・24 労判 1244 号 118 頁（京王電鉄ほか 1 社事件）················· 385

最一小判令和元・11・7 裁判所ウェブサイト（Y 株式会社事件）················· 353

福岡高判令和元・11・27 LEX/DB 25564506（佐賀県事件）························ 148

東京高判令和元・11・28 労判 1215 号 5 頁（ジャパンビジネスラボ事件）················ 329

大阪地判令和元・11・28 労判 1220 号 46 頁（学校法人近畿大学（任期付助教・雇止め）事件）···· 358

東京地判令和元・12・12 労経速 2417 号 3 頁（学校法人明泉学園事件）················· 97

名古屋高判令和 2・1・23 労判 1224 号 98 頁（学校法人南山学園（南山大学）事件）········· 386

東京地判令和 2・1・29 労判 1254 号 62 頁（みずほ銀行事件）····················· 204

東京高判令和 2・1・30 労判 1239 号 77 頁（新日本建設運輸事件）·················· 224

東京地判令和 2・2・4 労判 1233 号 92 頁（O・S・I 事件）······················ 86

宇都宮地判令和 2・2・19 労判 1225 号 57 頁（木の花ホームほか 1 社事件）············ 87, 276

山口地判令和 2・2・19 労判 1225 号 91 頁（地方独立行政法人山口県立病院機構事件）········ 358

大阪地判令和 2・2・21 労判 1233 号 66 頁（P 社ほか（セクハラ）事件）············ 140, 142

東京地判令和 2・2・26 労経速 2421 号 31 頁（ビジネクスト事件）·············· 175, 200

名古屋高判令和 2・2・27 労判 1224 号 42 頁（サン・サービス事件）················· 275

横浜地判令和 2・2・27 労判 1226 号 57 頁（学校法人信愛学園事件）················· 359

東京地判令和 2・2・27 労判 1238 号 74 頁（野村不動産アーバンネット事件）············· 93

最二小判令和 2・2・28 民集 74 巻 2 号 106 頁（福山通運事件）············· 102

名古屋地判令和 2・2・28 労判 1231 号 157 頁（アニマルホールド事件）··············· 133

大阪地判令和 2・3・3 労判 1233 号 47 頁（前原鎔断事件）····················· 262

東京地判令和 2・3・6 労経速 2423 号 10 頁（バンダイ事件）····················· 339

札幌地判令和 2・3・13 労判 1221 号 29 頁（国・札幌東労基署長（紀文フレッシュシステム）事件）

·· 305

東京地立川支判令和 2・3・13 労判 1226 号 36 頁（労民集 32 巻 3 = 4 号 502 頁，社会福祉法人ネッ

ト事件）··· 355

福岡地判令和 2・3・17 労判 1226 号 23 頁（博報堂（雇止め）事件）················· 358

福岡地判令和 2・3・19 労判 1230 号 87 頁（テヅカ事件）······················ 360

横浜地判令和 2・3・24 判時 2481 号 75 頁（日立製作所（退職勧奨）事件）············· 229

横浜地判令和 2・3・26 労判 1236 号 91 頁（ホームケア事件）···················· 96

最一小判令和 2・3・30 民集 74 巻 3 号 549 頁（国際自動車（差戻上告審）事件，百選 40）··· 277

東京高判令和 2・6・10 労判 1227 号 72 頁（国・中労委（国際基督教大学）事件）········· 450

東京地判令和 2・6・10 労判 1230 号 71 頁（アクサ生命保険事件）·················· 313

宇都宮地判令和 2・6・10 労判 1240 号 83 頁（グリーントラストうつのみや事件）·········· 359

東京地判令和 2・6・11 労判 1233 号 26 頁（ハンプテイ商会ほか 1 社事件）············· 376

大阪高判令和 2・6・19 労判 1230 号 56 頁（京都市（児童相談所職員）事件）············ 153

大阪地判令和 2・7・9 労判 1245 号 50 頁（タカゾノテクノロジー事件）··············· 192

判例索引　　549

大阪地決令和2・7・20労判1236号79頁（淀川交通（仮処分）事件）・・・・・・・・・・・136

奈良地判令和2・7・21労判1231号56頁（学校法人奈良学園事件）・・・・・・・・・・・218

札幌地判令和2・8・6労判1232号5頁（北海道協同組合通信社労働組合事件）・・・・・・408

東京高判令和2・8・20労判1262号37頁（アート警備事件）・・・・・・・・・・・・・・418

仙台地決令和2・8・21労判1236号63頁（センバ流通（仮処分）事件）・・・・・・・・218

東京地判令和2・8・27労経速2434号20頁（日本漁船保険組合事件）・・・・・・・・・193

東京高判令和2・9・3労判1236号35頁（エアースタジオ事件）・・・・・・・・・・・・56

福岡高判令和2・9・17労経速2435号3頁（北九州市事件）・・・・・・・・・・・・・・261

東京地判令和2・10・1労判1236号16頁（日本通運事件）・・・・・・・・・・・・・・359

最三小判令和2・10・13民集74巻7号1901頁（メトロコマース事件）・・・・・・・・350

最三小判令和2・10・13労判1229号77頁（学校法人大阪医科薬科大学（旧大阪医科大学）事件）
・・347, 348

最一小判令和2・10・15労判1229号5頁（日本郵便（佐賀中央郵便局）事件）・・・・・348

最一小判令和2・10・15労判1229号58頁（日本郵便（時給制契約社員ら）事件）・・347, 348

最一小判令和2・10・15労判1229号67頁（日本郵便（非正規格差）事件）・・・・・・347

東京高判令和2・10・21労判1243号64頁（国・三田労基署長（日本電気）事件）・・・・306

名古屋高判令和2・10・23労判1237号18頁（NOVA事件）・・・・・・・・・・・・56, 233

東京地判令和2・11・6労判1263号84頁（ライフデザインほか事件）・・・・・・・・・275

福岡高判令和2・11・11労判1241号70頁（レジェンド元従業員事件）・・・・・・・・109

福岡高判令和2・11・19労判1238号5頁（長崎自動車事件）・・・・・・・・・・・・・200

東京地判令和2・11・25労判1245号27頁（シルバーハート事件）・・・・・・・96, 99, 272

長崎地判令和2・12・1労判1240号35頁（国（口外禁止条項）事件）・・・・・・・・・506

和歌山地判令和2・12・4労経速2453号14頁（学校法人南陵学園事件）・・・・・・・・356

宇都宮地決令和2・12・10労判1240号23頁（学校法人国際医療福祉大学（仮処分）事件）・・・87, 177

広島高判令和2・12・25労経速2462号3頁（Y社事件）・・・・・・・・・・・・・・・356

最三小決令和3・1・19判例集未登載（井関松山製造所事件）・・・・・・・・・・・・349

名古屋高判令和3・1・20労判1240号5頁（安藤運輸事件）・・・・・・・・・・・・・180

東京高判令和3・1・21労判1239号28頁（サンセイほか事件）・・・・・・・・・・・316

東京高判令和3・1・21労判1249号57頁（独立行政法人日本スポーツ振興センター事件）・・348

大阪高判令和3・1・22労経速2444号3頁（学校法人甲大学事件）・・・・・・・・・・437

東京高判令和3・1・28労判1241号35頁（国・中労委（長澤運輸・団交）事件）・・・・416

東京地判令和3・2・10労判1246号82頁（みずほ証券元従業員事件）・・・・・・・・115

東京高判令和3・2・24労判1254号57頁（みずほ銀行事件）・・・・・・・・・・・・242

名古屋地岡崎支判令和3・2・24労判1265号83頁（トヨタ自動車事件）・・・・・・・406

大阪高判令和3・2・25労判1239号5頁（トールエクスプレスジャパン事件）・・・・・277

大阪地判令和3・2・25労判1246号5頁（リクルートスタッフィング事件）・・・・・・348

長崎地判令和3・2・26労判1241号16頁（ダイレックス事件）・・・・・・・・・115, 279

東京高判令和3・3・4判時2516号111頁（社会福祉法人緑友会事件）・・・・・・・・133

福岡地決令和3・3・9労判1244号31頁（森山（仮処分）事件）・・・・・・・・・・・218

福岡地判令和3・3・12労判1243号27頁（国・福岡中央労基署長（新日本グラウト工業）事件）・・306

神戸地姫路支判令和3・3・22労判1242号5頁（科学飼料研究所事件）・・・・・・・・349

東京地判令和3・3・23労判1244号15頁（ソニー生命保険ほか事件）・・・・・・・・140

東京高判令和3・3・24労判1250号76頁（アートコーポレーションほか事件）・・・・262, 404

広島高判令和 3・3・26 労判 1248 号 5 頁（千鳥ほか事件）··391

高松高判令和 3・4・2 労経速 2456 号 3 頁（高知県公立大学法人事件）··························358, 359

東京高判令和 3・4・7 労判 1245 号 5 頁（谷川電機製作所労組ほか事件）······················409, 411

東京地判令和 3・4・13 労経速 2457 号 14 頁（JTB 事件）··237

東京高判令和 3・4・22 労判ジャーナル 116 号 48 頁（学校法人東京富士大学事件）············140

さいたま地判令和 3・4・23 労判 1264 号 57 頁（公益財団法人埼玉県公園緑地協会・狭山市事件）

···358, 359

札幌高判令和 3・4・28 労判 1254 号 28 頁（ネオユニットほか事件）·························219, 389

東京地判令和 3・4・28 労判 1251 号 74 頁（株式会社まつりほか事件）·····························65

最一小判令和 3・5・17 民集 75 巻 5 号 1359 頁（国・エーアンドエーマテリアル等事件）·······71, 296

東京地判令和 3・5・17 労経速 2459 号 3 頁（学校法人 Y 事件）·······································143

福岡高判令和 3・5・27 労経速 2460 号 9 頁（社会福祉法人佐賀春光園事件）······················452

京都地判令和 3・5・27 労経速 2462 号 15 頁（京丹後市事件）···150

東京高判令和 3・6・16 労判 1260 号 5 頁（東武バス日光ほか事件）·································229

札幌地判令和 3・6・23 労判 1256 号 22 頁（人材派遣業 A 社ほか事件）···························143

東京地判令和 3・6・29 労経速 2466 号 21 頁（フォビジャパン事件）·······························165

名古屋地決令和 3・7・5 労判 1269 号 80 頁（オハラ樹脂工業事件）·································441

東京地判令和 3・7・6 労経速 2465 号 31 頁（スタッフマーケティング事件）······················379

東京高判令和 3・7・7 労判 1270 号 54 頁（栗田運輸事件）··93

東京地判令和 3・7・8 労経速 2467 号 18 頁（Zemax Japan 事件）····································215

大阪高判令和 3・7・9 労判 1274 号 82 頁（ハマキョウレックス（無期転換）事件）················83

札幌地判令和 3・7・16 労判 1250 号 40 頁（医療法人社団弘恵会（配転）事件）···················179

大阪高判令和 3・7・30 労判 1253 号 84 頁（日東電工事件）··193

東京地判令和 3・9・7 労経速 2464 号 31 頁（テトラ・コミュニケーションズ事件）··············199

最一小決令和 3・9・9 労判 1248 号 96 頁（トールエクスプレスジャパン事件）···················277

名古屋高判令和 3・9・16 裁判所ウェブサイト（国・豊田労基署長事件）····························305

東京地判令和 3・9・29 労判 1261 号 70 頁（エスツー事件）··161

名古屋高判令和 3・10・12 労判 1258 号 46 頁（日本貨物検数協会（日興サービス）事件）·····376, 377

東京地判令和 3・10・14 労判 1264 号 42 頁（グローバルマーケティングほか事件）···············228

徳島地判令和 3・10・25 労経速 2472 号 3 頁（放送大学学園事件）·······························358, 359

東京地判令和 3・10・28 労判 1263 号 16 頁（龍生自動車事件）··190

大阪高判令和 3・11・4 労判 1253 号 60 頁（東リ事件）···376

札幌高判令和 3・11・17 労判 1267 号 74 頁（日本郵便（北海道支社・本訴）事件）···············204

大阪高判令和 3・11・18 労判 1281 号 58 頁（フジ住宅ほか事件）·································123, 146

東京地判令和 3・11・29 労判 1263 号 5 頁（ホテルステーショングループ事件）··················254

大阪地判令和 3・11・29 労判 1277 号 55 頁（NEC ソリューションイノベータ（配転）事件）·······179

広島地判令和 3・11・30 労判 1257 号 5 頁（社会福祉法人希望の丘事件）··························174

東京地判令和 3・12・13 労判 1290 号 91 頁（バークレイズ証券事件）·······························217

東京地判令和 3・12・21 労判 1266 号 44 頁（医療法人社団新拓会事件）·····························96

東京地判令和 3・12・21 労判 1266 号 74 頁（アンドモワ事件）··219

東京高判令和 3・12・22 労判 1261 号 37 頁（ユナイテッド・エアーラインズ（旧コンチネンタル・
　ミクロネシア）事件）··219

東京地判令和 3・12・23 労判 1270 号 48 頁（バイボックス・ジャパン事件）·······················254

判例索引　551

横浜地判令和 3・12・23 労判 1289 号 62 頁（シャープ NEC ディスプレイソリューションズ事件）
……………………………………………………………………………………………… 193
東京高判令和 4・1・12 判例集未登載（ドコモ・サポート事件）…………………… 357
東京地判令和 4・1・17 労判 1261 号 19 頁（ケイ・エル・エム・ローヤルダツチエアーラインズ事
件）……………………………………………………………………………………… 60
東京地判令和 4・1・27 労判 1268 号 76 頁（学校法人茶屋四郎次郎記念学園（東京福祉大学）事件）
……………………………………………………………………………………………… 357
東京地判令和 4・2・2 労経速 2485 号 23 頁（欧州連合事件）……………………… 216
東京地判令和 4・2・8 労判 1265 号 5 頁（学宛社（年俸減額）事件）…………… 247
名古屋高判令和 4・2・18 労経速 2479 号 13 頁（三菱重工業事件）……………… 193
札幌地判令和 4・2・25 労判 1266 号 6 頁（ベルコほか（代理店従業員・労働契約等）事件）
…………………………………………………………………………………… 366, 376
東京地判令和 4・2・28 労判 1267 号 5 頁（マーベラス事件）……………………… 246
東京高判令和 4・3・2 労判 1294 号 61 頁（三井住友トラスト・アセットマネジメント事件）…… 266
東京高判令和 4・3・9 労判 1275 号 92 頁（巴機械サービス事件）………………… 131
横浜地決令和 4・3・15 労経速 2480 号 18 頁（X 事件）…………………………… 108
最二小判令和 4・3・18 民集 76 巻 3 号 283 頁（山形県・県労委（国立大学法人山形大学）事件）
…………………………………………………………………………………… 418, 465
東京地判令和 4・3・22 労判 1269 号 47 頁（ビジネスパートナーほか事件）……… 175
名古屋高判令和 4・3・25 労判 1292 号 23 頁（名古屋自動車学校事件（再雇用）事件）……… 346
東京地判令和 4・3・25 労判 1269 号 73 頁（テイケイ事件）……………………… 228
東京地判令和 4・4・7 労判 1275 号 72 頁（学校法人茶屋四郎次郎記念学園事件）…………… 105, 143
岡山地判令和 4・4・19 労判 1275 号 61 頁（JR 西日本（岡山支社）事件）……… 100
京都地判令和 4・5・11 労判 1268 号 22 頁（社会福祉法人セヴァ福祉会事件）…… 75, 279
東京地判令和 4・5・13 労経速 2507 号 14 頁（インジェヴィティ・ジャパン合同会社事件）……… 215
東京高判令和 4・5・17 労判 1295 号 53 頁（プレカリアートユニオンほか（粟野興産）事件）…… 442
東京地判令和 4・5・17 労経速 2500 号 29 頁（シティグループ証券事件）………… 166
東京地判令和 4・5・25 労判 1269 号 15 頁（アムールほか事件）…… 140, 141, 143, 312, 314
最三小決令和 4・6・7 判例集未登載（東リ事件）……………………………… 376
東京地判令和 4・6・10 労経速 2504 号 27 頁（ジブラルタ生命保険事件）……… 242
最三小判令和 4・6・14 労経速 2496 号 3 頁（氷見市事件）…………………… 204
広島高判令和 4・6・22 労判ジャーナル 131 号 40 頁（日東電工事件）…………… 226
大阪地判令和 4・6・23 労判 1282 号 48 頁（関西新幹線サービックほか事件）…… 100
東京地判令和 4・6・23 労経速 2503 号 3 頁（スルガ銀行事件）…………………… 176
大阪地判令和 4・6・28 労経速 2500 号 3 頁（大阪府事件）………………………… 313
東京高判令和 4・6・29 労判 1291 号 5 頁（インテリム事件）……………………… 247
東京高判令和 4・7・6 労判 1273 号 19 頁（学校法人専修大学（無期転換）事件）…………… 363
東京高判令和 4・7・7 労判 1276 号 21 頁（リバーサイド事件）…………………… 227
富山地判令和 4・7・20 労判 1273 号 5 頁（ヤマサン食品工業事件）……………… 385
東京高判令和 4・8・19 判時 2552 号 92 頁（有限会社 Y 事件）…………………… 233
最三小判令和 4・9・13 労判 1277 号 5 頁（長門市・市消防長事件）………… 215
東京高判令和 4・9・14 労判 1281 号 14 頁（日本通運（川崎・雇止め）事件）…… 357
福岡高那覇支判令和 4・9・29 労経速 2501 号 3 頁（学校法人沖縄科学技術大学学園事件）……… 356

552

東京地判令和 4・9・29 労判 1285 号 59 頁（国・渋谷労基署長（山本サービス）事件）……………53
大阪高判令和 4・10・14 労判 1283 号 44 頁（大器キャリアキャスティングほか 1 社事件）……314, 335
東京高判令和 4・11・1 労判 1281 号 5 頁（日本通運事件）………………………………………357
松山地判令和 4・11・2 労判 1294 号 53 頁（医療法人佐藤循環器内科事件）…………………240
大阪地決令和 4・11・10 労判 1283 号 27 頁（地方独立行政法人市立東大阪医療センター（仮処分）
　事件）………………………………………………………………………………………………105, 177
東京地判令和 4・11・16 労判 1287 号 52 頁（アイ・ディ・エイチ事件）………………………99
東京高判令和 4・11・16 労判 1288 号 81 頁（セルトリオン・ヘルスケア・ジャパン事件）………283
東京高判令和 4・11・16 労判 1293 号 66 頁（日本クリーン事件）……………………………201
新潟地判令和 4・11・24 労判 1290 号 18 頁（新潟市（市水道局）事件）……………………314
東京地判令和 4・12・2 労経速 2520 号 30 頁（エスプリ事件）…………………………………242
大阪地判令和 4・12・5 労判 1283 号 13 頁（近鉄住宅管理事件）……………………………216
東京地判令和 4・12・7 労経速 2521 号 16 頁（全国建設労働組合総連合事件）………………199
東京高判令和 4・12・21 労判 1283 号 5 頁（国・中労委（セブン-イレブン・ジャパン）事件）……59
名古屋地判令和 4・12・23 労経速 2511 号 15 頁（東海交通機械事件）………………………143
東京地判令和 5・1・16 労経速 2522 号 26 頁（ISS 事件）………………………………………357
横浜地判令和 5・1・17 労判 1288 号 62 頁（学校法人横浜山手中華学園事件）……………133, 328
大阪高判令和 5・1・18 労判 1285 号 18 頁（学校法人羽衣学園（羽衣国際大学）事件）…………364
東京高判令和 5・1・18 労判 1295 号 43 頁（アンスティチュ・フランセ日本事件）………………359
大阪高判令和 5・1・19 労判 1289 号 10 頁（エヌアイケイほか事件）…………………………63, 65
東京高判令和 5・1・25 労経速 2525 号 26 頁（クレディ・スイス証券事件）…………………218
東京地判令和 5・1・25 労経速 2524 号 3 頁（早稲田大学事件）………………………………193
東京地判令和 5・1・26 労経速 2524 号 19 頁（国・渋谷労基署長（カスタマーズディライト）事件）
　………………………………………………………………………………………………………276
京都地判令和 5・1・26 労判 1282 号 19 頁（住友生命保険（費用負担）事件）……………76, 252
東京高判令和 5・2・2 労判 1293 号 59 頁（グッドパートナーズ事件）………………………356
東京地判令和 5・2・3 労経速 2527 号 21 頁（ウインダム事件）………………………………60
宇都宮地判令和 5・2・8 労判 1298 号 5 頁（社会福祉法人紫雲会事件）………………………350
名古屋高金沢支判令和 5・2・22 労判 1294 号 39 頁（そらふね元代表取締役事件）…………65, 266
千葉地判令和 5・2・22 労判 1295 号 24 頁（医療法人社団誠馨会事件）…………………261, 263
大阪高判令和 5・3・6 労判 1296 号 74 頁（全日本建設運輸連帯労働組合関西地区生コン支部（和歌
　山）刑事事件）……………………………………………………………………………………442
最二小判令和 5・3・10 労判 1284 号 5 頁（熊本総合運輸事件）……………………………278
津地判令和 5・3・16 労経速 2519 号 3 頁（日東電工事件）………………………………348, 349
東京地判令和 5・3・27 労判 1287 号 17 頁（ケイ・エル・エム・ローヤルダッチエアーラインズ
　（雇止め）事件）…………………………………………………………………………………54
東京地判令和 5・3・27 労判 1288 号 18 頁（JR 東海（年休）事件）…………………………291
宇都宮地判令和 5・3・29 労判 1293 号 23 頁（栃木県・県知事（土木事務所職員）事件）…………227
大阪高判令和 5・4・20 労判 1295 号 5 頁（竹中工務店ほか 2 社事件）………………………376
名古屋高判令和 5・4・25 労経速 2523 号 3 頁（国・津労基署長（中部電力）事件）……………306
東京高判令和 5・4・27 労判 1292 号 40 頁（アメックス（降格等）事件）……………………328
京都地判令和 5・5・19 労経速 2533 号 19 頁（学校法人玉手山学園事件）…………………357
東京地判令和 5・5・25 労判 1296 号 5 頁（国・中労委（ファミリーマート）事件）………………59

判例索引　　553

東京地判令和 5・5・31 労経速 2526 号 18 頁（クレディ・スイス証券事件）……………………218
大阪地判令和 5・6・8 労経速 2525 号 10 頁（A ホテル事件）……………………………………347
名古屋高判令和 5・6・22 労経速 2531 号 27 頁（日本マクドナルド事件）……………………280
最三小判令和 5・6・27 民集 77 巻 5 号 1049 頁（宮城県教育委員会事件）……………………242
大阪高判令和 5・6・29 労経速 2528 号 22 頁（阪神電気鉄道株式会社事件）…………………291
札幌高判令和 5・7・6 労経速 2529 号 7 頁（Z 営業秘密侵害罪被告事件）……………………107
最三小判令和 5・7・11 民集 77 巻 5 号 1171 頁（国・人事院（経産省職員）事件）…………136
最一小判令和 5・7・20 労判 1292 号 5 頁（名古屋自動車学校（再雇用）事件）………346, 351, 387
福岡地小倉支判令和 5・9・19 労判ジャーナル 141 号 2 頁（学校法人明治学園ほか事件）………180

〈労働委員会命令〉

中労委昭和 35・8・17 中労時 357 号 36 頁（東京ヘップサンダル工組合事件）………………59
大阪地労委昭和 57・10・6 別冊中労時 980 号 12 頁（林兼産業事件）…………………………417
東京地労委平成 15・9・2 別冊中労時 1306 号 210 頁（加部建材事件）………………………59
中労委平成 17・9・21 不当労働行為事件命令集 133(2)集 1371 頁（モービル石油事件）…………455
中労委平成 20・11・12 別冊中労時 1396 号 305 頁（高見澤電機製作所外 2 社事件）…………450
中労委平成 24・9・19 別冊中労時 1436 号 16 頁（ショーワ事件）……………………………450
中労委平成 24・11・7 別冊中労時 1437 号 1 頁（阪急交通社事件）…………………………450
中労委平成 25・7・17 労働委員会関係命令・裁判例データベース（中ノ郷信用組合事件）………412
東京都労委令和 2・6・16 労働委員会関係命令・裁判例データベース（グランティア事件）………401
東京都労委令和 4・11・25 労判 1280 号 19 頁（Uber Japan ほか 1 社事件）…………………59

著者紹介　水町 勇一郎（みずまち　ゆういちろう）

　　　　1967 年　佐賀県に生まれる
　　　　1990 年　東京大学法学部卒業
　　　　現　在　東京大学社会科学研究所教授

〈主著〉
『パートタイム労働の法律政策』（有斐閣，1997）
『労働社会の変容と再生――フランス労働法制の歴史と理論』
　　（有斐閣，2001）
『集団の再生――アメリカ労働法制の歴史と理論』（有斐閣，
　　2005）
『労働法入門〔新版〕（岩波新書）』（岩波書店，2019）
『「同一労働同一賃金」のすべて〔新版〕』（有斐閣，2019）
『デジタルプラットホームと労働法――労働者概念の生成と展
　　開』（共著，東京大学出版会，2022）
『解説 改正公益通報者保護法〔第 2 版〕』（共著，弘文堂，2023）
『詳解 労働法〔第 3 版〕』（東京大学出版会，2023）

労働法〔第 10 版〕

2007 年 9 月 30 日	初　版第 1 刷発行	2018 年 3 月 30 日	第 7 版第 1 刷発行
2008 年 3 月 20 日	第 2 版第 1 刷発行	2020 年 3 月 10 日	第 8 版第 1 刷発行
2010 年 3 月 30 日	第 3 版第 1 刷発行	2022 年 3 月 30 日	第 9 版第 1 刷発行
2012 年 3 月 30 日	第 4 版第 1 刷発行	2024 年 3 月 25 日	第 10 版第 1 刷発行
2014 年 4 月 10 日	第 5 版第 1 刷発行	2024 年 11 月 15 日	第 10 版第 2 刷発行
2016 年 3 月 30 日	第 6 版第 1 刷発行		

著　者　水町勇一郎

発行者　江草貞治

発行所　株式会社有斐閣

　　　　〒101-0051 東京都千代田区神田神保町 2-17

　　　　https://www.yuhikaku.co.jp/

装　丁　キタダデザイン

印　刷　大日本法令印刷株式会社

製　本　牧製本印刷株式会社

装丁印刷　株式会社亨有堂印刷所

落丁・乱丁本はお取替えいたします。定価はカバーに表示してあります。
©2024, Yuichiro Mizumachi.
Printed in Japan. ISBN 978-4-641-24377-4

本書のコピー，スキャン，デジタル化等の無断複製は著作権法上での例外を除き禁じられています。本書を代行業者等の第三者に依頼してスキャンやデジタル化することは，たとえ個人や家庭内の利用でも著作権法違反です。

JCOPY　本書の無断複写（コピー）は，著作権法上での例外を除き，禁じられています。複写される場合は，そのつど事前に，(一社)出版者著作権管理機構（電話03-5244-5088，FAX 03-5244-5089，e-mail:info@jcopy.or.jp）の許諾を得てください。